INTERNATIONAL COMMITTEE OF HISTORICAL SCIENCES
COMITÉ INTERNATIONAL DES SCIENCES HISTORIQUES
LAUSANNE — PARIS

INTERNATIONAL BIBLIOGRAPHY OF HISTORICAL SCIENCES

INTERNATIONALE BIBLIOGRAPHIE DER GESCHICHTSWISSENSCHAFTEN
BIBLIOGRAFIA INTERNACIONAL DE CIENCIAS HISTORICAS
BIBLIOGRAPHIE INTERNATIONALE DES SCIENCES HISTORIQUES
BIBLIOGRAFIA INTERNAZIONALE DELLE SCIENZE STORICHE

VOLUME LI
1982

Edited with the Contribution of the National Committees
by Jean Glénisson and Michael Keul

Published with the assistance of Unesco
and under the patronage of the
International Council for Philosophy and Humanistic Studies

K·G·SAUR   MÜNCHEN · NEW YORK · LONDON · PARIS

CIP-Kurztitelaufnahme der Deutschen Bibliothek

International bibliography of historical sciences = Internationale Bibliographie der Geschichtswissenschaften = Bibliografia internacional de ciencias historicas / Internat. Committee of Historical Sciences, Lausanne, Paris. Ed. with the contribution of the National Committees. — München, New York, London, Paris: Saur.
ISSN 0074-2015
Erscheint jährl.

Vol. 45/46. 1976/77 ff. — 1980 ff.
Auf d. Haupttitels. auch: Comité International des Sciences Historiques. — Bis Vol. 43/44. 1974/75 im Verl. Colin, Paris.

NE: International Committee for Historical Sciences; 1. PT; 2. PT

Copyright © 1986
by K. G. Saur Verlag KG München
Printed and bound in the Federal Republic of Germany.
All rights reserved. No part of this publication may be reproduced, stored in a retrieval system or transmitted in any form or by any means, electronic, mechanical, photocopying, recording, or otherwise, without permission in writing from the publisher.

Printed by grafik + druck GmbH & Co, München
Bound by Thomas Buchbinderei GmbH, Augsburg

ISSN 0074-2015
ISBN 3-598-20406-X

The International Bibliography of Historical Sciences is published under the supervision of a « Bibliographical Commission » composed of :

Monsieur Boyd C. SHAFER, Tucson, Arizona (U.S.A.),
Monsieur Ernesto de LA TORRE VILAR, México

Honorary President ;

Madame Hélène AHRWEILER, Paris,
Monsieur Jean GLÉNISSON, Paris

President ;

Monsieur Michael KEUL, Paris

Secretary ;

Mademoiselle Odile GRANDMOTTET, Paris

Treasurer ;

Monsieur Girolamo ARNALDI, Rome
Monsieur Eric H. BOEHM, Santa Barbara, Calif.
Monsieur G. EDWARDS, Londres
Monsieur Hermann HEIMPEL, Göttingen
Monsieur Thomas T. HELDE, Washington, D.C.
Madame Inessa KHODOS, Moscou
Monsieur Takeshi KIDO, Tokyo
Monsieur Jaroslav PURS, Prague
Monsieur STEFANESCU, Bucarest

Members

This volume was edited by Mr. **Jean GLÉNISSON**, directeur de l'Institut de recherche et d'histoire des textes (C.N.R.S.), and Mr. **Michael KEUL**, C.N.R.S., Paris.

A list of correspondents of the International Committee of Historical Sciences who have collaborated in the preparation of this volume is given on pages XV-XVIII.

NOTICE

THE UNESCO general conference adopted, during its second session in Mexico City, in november 1947, the following resolution :
« The Director General is instructed to develop international co-operation in the field of philosophy and humanistic studies by grants-in-aid or contracts for financial assistance to the International Council of Philosophy and Humanistic Studies.

In return, the Director-General shall secure the Council's collaboration with a view to :

a) Encouraging the creation of international organizations in branches of humanistic studies, where such organizations do not exist and where the need for them has been felt ;

b) Facilitating the dissemination of ideas and the spread of knowledge, more particularly by the organization of congresses and committees of enquiry, the publication of works of reference, information or synthesis throwing light upon insufficiently known aspects of certain cultures ;

c) Promoting and co-ordinating, within each subject field, bibliographical work in accordance with resolution 6.52 and studying the possibility of establishing rules for abstracting which may be applied within the fields of philosophy and humanistic studies ;

d) Obtaining the help of international organizations and specialists in humanistic studies in the carrying out of Unesco's programme. »

The subvention which was given in fulfillement of this resolution has, only for a part, permitted the International Committee of historical Sciences to publish the present volume.

For information concerning the other bibliographical publications recommended by UNESCO, see the descriptive notes at the end of the present volume.

TABLE DES MATIERES

	Pages
AVERTISSEMENT.	IX
MEMBRES OU DÉLÉGUÉS DES COMITÉS NATIONAUX ET DES ORGANISATIONS INTERNATIONALES AYANT COLLABORÉ AU TOME LI DE L'« INTERNATIONAL BIBLIOGRAPHY OF HISTORICAL SCIENCES ».	XIII
PLAN DE CLASSEMENT	XVII
BIBLIOGRAPHIES HISTORIQUES GÉNÉRALES.	XXIII
BIBLIOGRAPHIE	1
INDEX DES NOMS D'AUTEURS ET DE PERSONNES.	325
INDEX GÉOGRAPHIQUE.	381

AVERTISSEMENT

L'*International Bibliography of Historical Sciences* est une bibliographie sélective et signalétique et les travaux qu'elle mentionne, ouvrages et articles de revue, sont distribués suivant un plan à la fois méthodique et chronologique établi dès l'origine par la Commission de Bibliographie du Comité international des Sciences historiques auquel il n'a été apporté que des retouches de détail.

On trouvera ci-dessous l'exposé des principes qui ont été suivis pour le choix des travaux retenus et les règles auxquelles on s'est astreint pour leur présentation dans le présent volume.

A) *Mode de sélection.*

Conformément au vœu exprimé par la Commission de Bibliographie du C. I. S. H., le Bureau de rédaction est animé du double souci de garder à l'I. B. O. H. S. son caractère de bibliographie générale englobant l'ensemble des sciences historiques et de mettre à la disposition des historiens et aussi des bibliothécaires, en un seul volume paraissant annuellement, l'essentiel de la production historique mondiale.

Devant la multiplication des bibliographies spécialisées, il a paru en effet plus que jamais nécessaire de permettre aux savants isolés et même aux établissement scientifiques qui ne peuvent se procurer la totalité de ces bibliographies, de se tenir informés de l'avancement de la science historique au cours de chaque année. Mais il convenait aussi que ces bibliographies fussent mentionnées et elles l'ont été sous deux formes différentes : on a d'abord indiqué, en dehors du dépouillement systématique et immédiatement avant celui-ci sous la rubrique « Bibliographies historiques générales », les grandes bibliographies internationales ou nationales qui se rapportent à une discipline historique ou à la production historique d'un pays et dans lesquelles se trouve en principe recensée la totalité des travaux se rapportant à ce pays ou à cette discipline ; par contre, on a mentionné dans le dépouillement systématique et en tête de chaque division ou subdivision du plan de classement, les bibliographies particulières consacrées à une question, un auteur ou une province et qui trouvent leur place logique dans cette division ou subdivision ; dans ce dernier cas, ces bibliographies sont précédées d'un astérisque (*).

Pour garder sa raison d'être en s'affirmant comme un instrument de travail de haute tenue scientifique et de portée internationale, l'I. B. O. H. S. n'accueille dans ses colonnes que les ouvrages ou articles qui dépassent le champ étroit des préoccupations locales de même qu'elle rejette les comptes rendus de simple présentation ou de complaisance. Ont été également éliminés de propos délibéré, sauf dans des cas exceptionnels laissés à l'appréciation du Bureau de rédaction, les rééditions, les traductions, les descriptions de fouilles ne comportant pas d'éléments nouveaux d'information, les catalogues non raisonnés d'expositions, les travaux dactylographiés ou ronéotypés, les ouvrages de vulgarisation ou de progapande et, d'un point de vue plus matériel, les volumes ou articles dont la fiche signalétique était incomplète et n'a pu être rectifiée par le Bureau de rédaction.

Par contre, on s'est attaché à signaler tous les travaux, même de peu d'ampleur ou d'intérêt apparemment local qui apportent une contribution évidente à l'histoire générale où à la solution des problèmes en cours ; c'est le cas de certains rapports de fouilles et d'articles relatifs à des points controversés touchant à l'histoire des institutions ou de la civilisation : dans ce cas, comme d'ailleurs lorsqu'un titre d'article était trop vague, on a fait suivre celui-ci, du moins chaque fois qu'il était possible de le faire, d'une brève mention ou d'une date placées entre crochets carrés et destinées à orienter le lecteur. Il y a là un effort dont l'utilité n'échappera pas aux usagers de l'I. B. O. H. S. et qui a été systématiquement accru dans les derniers volumes, sans toutefois vouloir faire de celle-ci qui est, on l'a dit, essentiellement sélective et signalétique, une bibliographie analytique ou critique, ce double caractère étant en effet réservé aux bibliographies spécialisées.

Contrairement enfin à la plupart des bibliographies nationales, l'I. B. O. H. S. ne limite pas ses dépouillements à une date fixée plus ou moins arbitrairement ; c'est dire que les travaux touchant à l'histoire la plus récente y trouvent leur place, notamment en ce qui concerne les relations internationales (P § 8) ; toutefois la sélection se devait d'être d'autant plus stricte que l'on allait plus avant dans le temps.

Ainsi conçue, l'I. B. O. H. S. garde une physionomie qui lui est propre ; elle ne tend à se substituer à aucune bibliographie existante mais, tout en évitant au maximum les doubles emplois, elle admet comme nécessaires des chevauchements dont le monde savant saura toujours trouver son profit.

B) *Règles de présentation.*

A l'intérieur de chacune des divisions ou subdivisions, les travaux sont présentés dans l'ordre alphabétique des auteurs. Les noms slaves sont transcrits en caractères latins et placés dans l'ordre des lettres de l'alphabet latin sans qu'il soit tenu compte des signes diacritiques qui leur sont ajoutés č, ć, ł, š, ś. Par contre, les noms germaniques et scandinaves sont classés en fonction de la valeur développée des lettres à inflexion qu'ils comportent ä, ö, ø, ü soit ae, oe, ue. De même *Mc* et *M'* doivent être lus dans leur forme pleine *Mac*.

Les ouvrages anonymes ou collectifs sont classés à leur place alphabétique d'après l'initiale du mot type de leur titre, par exemple : *Congrès (Quatorzième) des sociétés savantes*... Toutefois dans la subdivision B § 3 *c*, les *Mélanges* sont indiqués dans l'ordre alphabétique des noms des savants auxquels ils sont dédiés, lesquels sont imprimés en caractère gras.

Ont été également imprimés en caractères gras les noms des savants qui ont fait l'objet d'une notice biographique importante (B § 3 *b*) et ceux des saints (G § 4, I § 13 *d*) ; dans l'un et l'autre cas, les travaux sont alors indiqués dans l'ordre alphabétique des personnages intéressés.

Lorsqu'une subdivision comporte une répartition par pays des travaux qui la composent (B § 6 *b*, K § 2), ces pays sont indiqués dans l'ordre alphabétique de la forme française de leur nom, quelle que soit la langue utilisée pour le travail qui en fait mention, quelle que soit aussi la langue dans laquelle est publié le volume de l'I. B. O. H. S.

Comme on l'a fait pour les bibliographies propres à une division ou subdivision, on a extrait de la suite alphabétique de chacune de ces divisions ou subdivisions les publications de textes qui y avaient leur place, lesquelles ont été reportées en tête de la suite alphabétique et immédiatement après les mentions de bibliographies ; on a distingué ces publications de textes en les faisant précéder de deux astérisques (**) ; ainsi le lecteur a-t-il immédiatement sous les yeux les biliographies et les éditions de textes les plus récentes propres à une question ou à une période. Toutefois, en ce qui concerne les textes, on n'a pas appliqué ce procédé des deux astérisques pour les chapitres E, F, G, H et I qui ont chacun déjà une division consacrée spécialement aux textes.

Lorsque l'année en cours a été marquée par la commémoration d'un événement historique important, les travaux auxquels cette commémoration a donné lieu sont groupés à part et sous un titre particulier à la fin de la subdivision où cet événement trouve sa place normale.

Lorsqu'un ouvrage paru depuis trois ans ou quatre ans, a fait chaque année l'objet d'un compte rendu, on ne rappelle que le nom de son auteur et l'essentiel de son titre précédés du renvoi au numéro du dernier volume de l'I.B.O.H.S. dans lequel il avait été déjà cité ; il est ainsi possible de suivre, d'année en année, l'état de la critique qu'a provoquée la publication d'un livre.

En ce qui concerne la « collation » des ouvrages, on a, autant qu'il était possible, cherché à unifier les mentions de pages, planches, illustrations, etc., en les rapportant au français ou à l'anglais, ces deux langues étant celles qui comportent le plus de mots ou d'initiales de mots identiques en la matière.

Les renvois aux ouvrages intéressant pour une part une section mais dont la place logique était dans une autre section, renvois annoncés par *cf. n⁰* . . ., ont été groupés à la fin de cette section.

Dans l'index des noms d'auteurs et de personnes, les noms de saints, de papes et d'empereurs romains sont indiqués sous leur forme latine.

MEMBRES OU DÉLÉGUÉS

DES COMITÉS NATIONAUX
ET DES ORGANISATIONS INTERNATIONALES
AYANT COLLABORÉ
AU TOME LI DE L'« INTERNATIONAL BIBLIOGRAPHY
OF HISTORICAL SCIENCES »[1]

ALLEMAGNE (RÉPUBLIQUE DÉMOCRATIQUE)

Dr. Peter WICK, Leiter der Abteilung Information und Dokumentation des Zentralinstituts für Geschichte der Akademie der Wissenschaften der DDR (Berlin).– Dr. Lutz NOACK, Deutsche Bücherei (Leipzig).

ALLEMAGNE (RÉPUBLIQUE FÉDÉRALE)

Dr. Dr. h.c. Hermann HEIMPEL, em. o. Prof., ehem. Direktor des Max-Planck-Instituts für Geschichte (Göttingen), und Frau Gisela ENGELSING-SCHICK (Bielefeld).

AUTRICHE

Univ.-Prof. Dr. Wolfdieter BIHL, Institut für Geschichte, Universität Wien (Wien).

BELGIQUE

Léon ZYLBERGELD, archiviste adjoint de la ville de Bruxelles (Bruxelles)

BULGARIE

Mme Emilia KOSTOVA, attachée de recherches à l'Institut d'Histoire auprès de l'Académie Bulgare des Sciences (Sofia).

CANADA

Normand St PIERRE, Directeur de la Bibliothèque des Archives publiques du Canada (Ottawa).

DANEMARK

Bent JØRGENSEN, Chief Librarian, Aalborg Universitetsbibliotek (Aalborg).

---

1. Classement dans l'ordre alphabétique de la forme française des noms des pays.

ESPAGNE

Mme Nuria COLL JULIA, docteur ès sciences historiques (Barcelona).

ÉTATS-UNIS D'AMÉRIQUE

Thomas T. HELDE, professor of history, Georgetown University (Washington, D.C.).

FINLANDE

Mme Pirjo NEUVONEN, conservateur à la Bibliothèque de l'université de Turku (Turlu).— Mme Ilse VAHAKYRO, conservateur à la Bibliothèque de l'université de Turku (Turku).

FRANCE

Michael KEUL, C.N.R.S. (Paris).

GRANDE-BRETAGNE

Louis B. FREWER, formerly librarian, Rhodes House Library (Oxford).

GRECE

Mme Loukia DROULIA, Directeur du Centre de recherches néo-helléniques de la Fondation Nationale de la Recherche Scientifique (Athènes).

HONGRIE

Ferenc MUCSI, sous-directeur de l'Institut des sciences historiques de l'Académie des Sciences de Hongrie (Budapest).

IRLANDE

Dr. Art COSGROVE, on behalf of the Irish Committee of Historical Sciences, University College (Dublin).

ISRAEL

Mrs Libby KAHANE, Reference Service, The Jewish National and University Library (Jerusalem).

ITALIE

Giunta Centrale per gli Studi Storici (Roma).— Prof. Margherita BETTONI, ordinaria di Lettere Italiane e Storia negli Istituti superiori.— Prof. Manuela AIRES, ordinaria di Lettere Italiane e Storia Istituti superiori.

JAPON

Takeshi KIDO, professor of history, the University of Tokyo (Tokyo).

LUXEMBOURG

Gilbert TRAUSCH, directeur de la Bibliothèque nationale (Luxembourg).

NORVEGE

Dr. Wilhelm K. STØREN, conservateur en chef de la Bibliothèque de l'université de Trondheim (Trondheim).

PAYS-BAS

Th. S.H. BOS, membre du Bureau de la Commission de l'État pour l'histoire néerlandaise (Gouda).

POLOGNE

Doc. dr hab. Wieslaw BIENKOWSKI, directeur du Service de Documentation scientifique de l'Institut d'Histoire de l'Académie polonaise des Sciences (Krakow).

PORTUGAL

José Gentil DA SILVA, maître de conférences à la Faculté des Lettres et des Sciences Humaines, université de Nice (Nice).

ROUMANIE

Dr phil. Michael KEUL, C.N.R.S. (Paris).

SUEDE

Adam HEYMOWSKI, docteur ès lettres, conservateur en chef de la bibliothèque Bernadotte (Stockholm).

SUISSE

Pierre SURCHAT, docteur ès lettres, Bibliothèque nationale Suisse (Berne)

TCHÉCOSLOVAQUIE

Prof. Dr. Jaroslav PURS, membre titulaire de l'Académie Tchécoslovaque des Sciences, directeur de l'Institut d'Histoire tchécoslovaque et mondiale de l'Académie Tchécoslovaque des Sciences.

U.R.S.S.

Dr. R. MDIVANI, Chef de la Division pour l'information bibliographique de l'Institut d'Information scientifique en sciences sociales, Académie des Sciences de l'U.R.S.S. (Moscou).

ORGANISATIONS INTERNATIONALES

Fondation Égyptologique Reine Élisabeth (Bruxelles) : Bibliographie Papyrologique (sur fiches) rédigée par Marcel HOMBERT et Georges NACHTERGAEL.

PLAN DE CLASSEMENT

BIBLIOGRAPHIES HISTORIQUES GÉNÉRALES
(p. XXV-XXVIII)

A

SCIENCES AUXILIAIRES DE L'HISTOIRE
(p. 1-11)

§ 1. Paléographie. 1-16.– § 2. Diplomatique. 17-24.– § 3. Histoire du livre. 25-53.- § 4. Chronologie. 54-58.– § 5. Généalogie. 59-72.– § 6. Sigillographie et héraldique. 73-96.– § 7. Numismatique. 97-143.– § 8. Linguistique. 144-178.– § 9. Géographie historique et histoire de la géographie. 179-209.– § 10. Iconographie. 210-225.

B

MANUELS, OUVRAGES GÉNÉRAUX ET TRAVAUX D'ENSEMBLE
(p. 12-49)

§ 1. Congrès et organisations historiques. 226-251.– § 2. Archives, Bibliothèques et Musées (*a.* Archives ; *b.* Bibliothèques ; *c.* Musées). 252-317.– § 3. Histoire des sciences historiques (*a.* Généralités ; *b.* Biographies ; *c.* Mélanges). 318-537.– § 4. Méthodologie, Philosophie et Enseignement de l'histoire. 538-646.– § 5. Ethnographie et Folklore. 647-718.– § 6. Histoire générale (*a.* Histoire universelle ; *b.* Histoire par pays). 719-854.– § 7. Théorie de l'État et de la Société. 855-877.– § 8. Histoire du droit et constitutionnelle. 878-889.– § 9. Histoire économique et sociale. 890-940.– § 10. Histoire de la civilisation, des sciences, de la technique et de l'enseignement. 941-973.– § 11. Histoire de l'art. 974-989.– § 12. Histoire religieuse (*a.* Généralités ; *b.* Travaux particuliers). 990-1048.– § 13. Histoire de la philosophie. 1049-1055.– § 14. Histoire littéraire. 1056-1067.

C

PRÉHISTOIRE ET PROTOHISTOIRE
(p. 50-58)

§ 1. Généralités. 1068-1115.– § 2. Paléolithique et Mésolithique. 1116-1142.– § 3. Néolithique. 1143-1179.– § 4. Age du bronze. 1180-1204.– § 5. Age du fer. 1205-1225.– § 6. Peuples protohistoriques de l'Europe, sauf ceux de la Grèce et de l'Italie anciennes. 1126-1256.

D

LES PEUPLES DE L'ANCIEN ORIENT
(y compris les monarchies hellénistiques)
(p. 59-65)

§ 1. Antiquité en général. 1257-1282.– § 2. Asie antérieure (Généralités). 1283-1295.– § 3. Égypte. 1296-1339.– § 4. Cyrène. *Vacat.*– § 5. Mésopotamie. 1340-1362.– § 6. Hittites. 1363-1370.– § 7. Juifs et peuples sémitiques jusqu'à la fin de l'Antiquité. 1371-1409.– § 8. Iran. 1410-1419.

E

HISTOIRE GRECQUE
(p. 66-74)

§ 1. Monde classique en général. 1420-1433.– § 2. Époque préhellénique. 1434-1435.– § 3. Textes et critique des textes. 1436-1454.– § 4. Histoire générale et politique. 1455-1499.– § 5. Histoire du droit et des institutions. 1500-1507.– § 6. Histoire économique et sociale. 1508-1531.– § 7. Histoire littéraire, histoire de la philosophie et histoire des sciences. 1532-1604.– § 8. Religion et mythologie. 1605-1615.– § 9. Archéologie et histoire de l'art. 1616-1646.

F

HISTOIRE DE ROME, DE L'ITALIE ANCIENNE
ET DE L'EMPIRE ROMAIN
(p. 75-88)

§ 1. Les populations de l'Italie. 1647-1652.– § 2. Étruscologie. 1653-1671.– § 3. Textes et critique des textes. 1672-1694.– § 4. Histoire générale et politique. 1695-1776.– § 5. Histoire du droit et des institutions. 1777-1834.– § 6. Histoire économique et sociale. 1835-1881.– § 7. Histoire littéraire, histoire de la philosophie et histoire des sciences. 1882-1919.– § 8. Religion et mythologie. 1920-1934.– § 9. Archéologie et histoire de l'art. 1935-2009.

G

HISTOIRE ANCIENNE DE L'ÉGLISE
JUSQU'A GRÉGOIRE LE GRAND
(p. 89-93)

§ 1. Documents. 2010-2040.– § 2. Généralités. 2041-2059.– § 3. Travaux particuliers. 2060-2103.– § 4. Hagiographie. 2104-2110.

H

HISTOIRE BYZANTINE (DEPUIS JUSTINIEN)
(p. 94-97)

§ 1. Documents. 2111-2122.– § 2. Généralités. 2123-2132.– § 3. Travaux particuliers. 2133-2177.

I

HISTOIRE DU MOYEN AGE
(p. 98-134)

§ 1. Sources et critique des sources. 2178-2318.– § 2. Ouvrages généraux. 2319-2335.– § 3. Histoire politique (*a*. Généralités ; *b*. 476-900 ; *c*. 900-1300 ; *d*. 1300-1500). 2356-2516.– § 4. Juifs. 2517-2534.– § 5. Islam. 2535-2554.– § 6. Vikings. 2555-2560.– § 7. Histoire du droit et des institutions. 2561-2604.– § 8. Histoire économique et sociale. 2605-2738.– § 9. Histoire de la civilisation, histoire littéraire, histoire de l'enseignement, des sciences et de la technique. 2739-2813.– § 10. Histoire de l'art (*a*. Généralités ; *b*. Travaux particuliers). 2814-2883.– § 11. Histoire de la musique. 2884-2897.– § 12. Histoire de la philosophie. 2898-2921.– § 13. Histoire de l'Église (*a*. Généralités ; *b*. Papauté ; *c*. Ordres religieux ; *d*. Hagiographie ; *e*. Travaux particuliers). 2922-3065.– § 14. Histoire du peuplement. Toponomastique. Urbanisme. 3066-3104.

K

ÉPOQUE MODERNE, OUVRAGES GÉNÉRAUX
(p. 135-184)

§ 1. Généralités. 3105-3174.– § 2. Histoire par États. 3175-4326.– § 3. Découvertes géographiques. 4327-4338.

L

HISTOIRE RELIGIEUSE DE L'ÉPOQUE MODERNE
(p. 185-198)

§ 1. Généralités. 4339-4366.– § 2. Catholicisme (*a*. Généralités ; *b*. Le Saint-Siège ; *c*. Études spéciales ; *d*. Ordres religieux ; *e*. Missions). 4367-4535.– § 3. Église orthodoxe. 4536-4546.– § 4. Protestantisme. 4547-4672.– § 5. Religions et sectes non chrétiennes. 4673-4699.

M

HISTOIRE DE LA CULTURE INTELLECTUELLE A L'ÉPOQUE MODERNE
(p. 199-232)

§ 1. Généralités. 4700-4764.— § 2. Académies et organisations intellectuelles. 4765-4784.— § 3. Pédagogie et enseignement. 4785-4822.— § 4. Presse. 4883-4933.— § 5. Philosophie et conception du monde. 4934-5060.— § 6. Sciences exactes, technique, sciences naturelles, médecine. 5061-5203.— § 7. Littérature (*a*. Généralités ; *b*. La Renaissance ; *c*. Le classicisme ; *d*. Romantisme et époque contemporaine). 5204-5394.— § 8. Art et art industriel (*a*. Généralités ; *b*. Architecture ; *c*. Sculpture, peinture, dessin et gravure ; *d*. Arts décoratifs, art populaire, art industriel). 5395-5508.— § 9. Musique, théâtre et cinéma. 5509-5592.

N

HISTOIRE ÉCONOMIQUE ET SOCIALE DE L'ÉPOQUE MODERNE
(p. 233-274)

§ 1. Économie politique. 5593-5611.— § 2. Histoire économique générale. 5612-5704.— § 3. Industrie, mines et transports. 5705-5857.— § 4. Commerce. 5858-5902.— § 5. Agriculture et problèmes agraires. 5903-6022.— § 6. Argent et finance. 6023-6086.— § 7. Démographie et urbanisme. 6087-6162.— § 8. Histoire sociale et histoire des mœurs. 6163-6443.— § 9. Mouvement ouvrier et socialisme. 6444-6636.

O

HISTOIRE DU DROIT ET HISTOIRE CONSTITUTIONNELLE DE L'ÉPOQUE MODERNE
(p. 275-279)

§ 1. Histoire générale du droit. 6637-6658.— § 2. Histoire du droit constitutionnel. 6659-6679.— § 3. Droit publique et Institutions. 6680-6718.— § 4. Droit civil et droit pénal. 6719-6744.— § 5. Droit international. 6745-6749.

P

HISTOIRE DES RELATIONS ENTRE LES ÉTATS MODERNES
(p. 280-311)

§ 1. Généralités. 6750-6804.— § 2. Histoire de la colonisation (*a*. Généralités ; *b*. Asie ; *c*. Afrique ; *d*. Amérique ; *e*. Océanie). 6805-7006.— § 3. De 1500 à 1789 (*a*. Généralités ; *b*. 1500-1648 ; *c*. 1648-1789). 7007-7053.— § 4. De 1789 à 1815. 7054-7082.—

§ 5. De 1815 à 1910. 7083-7148.— § 6. De 1910 à 1935. La Première Guerre mondiale. 7149-7250.— § 7. De 1935 à 1945. La Deuxième Guerre mondiale. 7251-7435.— § 8. Depuis 1945. 7436-7537.

R

ASIE
(p. 312-318)

§ 1. Généralités. 7538-7545.— § 2. Asie occidentale et centrale. 7546-7561.— § 3. Asie du Sud. 7562-7606.— § 4. Indochine et Insulinde. 7607-7628.— § 5. Chine. 7629-7700.— § 7. Japon (avant 1868). 7701-7705.— § 7. Corée. 7706-7712.

S

AFRIQUE
(des origines à la colonisation)
(p. 319-320)

Nos 7713-7733.

T

AMÉRIQUE
(des origines à la colonisation)
(p. 321-322)

Nos 7734-7759.

U

OCÉANIE
(des origines à la colonisation)
(p. 323)

Nos 7760-7767.

BIBLIOGRAPHIES HISTORIQUES GÉNÉRALES

I. Année (L') philologique. Bibliographie critique et analytique de l'antiquité gréco-latine (fondée par J. MAROUZEAU). [T. 50. Cf. Bibl. 81, n° *II.*] T. 51 : Bibliographie de l'année 1980 et compléments des années antérieures. Publ. par Juliette ERNST et par Viktor POESCHL et William C. WEST, avec la collab. de Marianne DUVOISIN-BAMMATE, Ingrid ROBBE-GRILLET, Pierre LANGLOIS, Claude-Lise FOULT, Pierre-Paul CORSETTI et Helga GÄRTNER. Paris, Les Belles Lettres, 82, in-8, XXXVI-820 p.

II. [Art et archéologie] : Archäologische Bibliographie. Deutsches Archäologisches Institut. [1980. Cf. Bibl. 81, n° *III.*] 1981. Von Werner HERMANN in Zusammenarbeit mit Hubertus MANDERSCHEID u. Gunhild JENEWEIN. Berlin, de Gruyter, 82, in-4, XXXVIII-406 p.– Archäologische Forschungen [in Ungarn] im Jahre 1981. Red. von Ilona CZEGLÉDY. *Archaeol. Ért.*, 82, vol. 109, n° 2, p. 292-320.– JAKABFFY (Imre). Bibliographia Archaeologica Hungarica - Magyar régészeti irodalom [1980. Cf. Bibl. 81, n° *III.*] 1981. *Archaeol. Ért.*, 82, vol. 109, n° 1, p. 164-176.– Répertoire d'art et d'archéologie (de l'époque paléo-chrétienne à 1939). [1981. Cf. Bibl. 81, n° *III.*] 1982, n.s., t. 18, n° 1-5. Paris, Centre de documentation sciences humaines (C.N.R.S.), 82, 5 fasc. in-4, 215, 176, 187, 183, 207 p.

III. [Autriche] : Osterreichische historische Bibliographie. Austrian historical bibliography. Hrsg. v. Günther HÖDL u. Wolfdieter BIHL. [1979. Cf. Bibl. 81, n° *IV.*] 1980. Bearb. v. Günther HÖDL, Herbert PAULHART, Wolfdieter BIHL. Salzburg, Neugebauer ; Santa Barbara, Calif., ABC-Clio, 82, in-8, 321 p.

IV. [Belgique] : Bibliographie de l'histoire de Belgique. Bibliografie van de geschiedenis van België [1980. Cf. Bibl. 81, n° *V.*] 1981. Sous la dir. de - Onder leiding van R. VAN EENOO. *R. belge Philol. Hist.*, 82, t. 60, p. 898-1000.

V. [Bulgarie] : KOSTOVA (Emilia), ALADŽEMOVA (Dora). La littérature historique bulgare, [janv.-juin 1980. Cf. Bibl. 81, n° *VI.*] juillet 1980-déc. 1981. *Bulg. hist. R.*, 82, a. 10, n° 1, p. 117-125 ; n° 3, p. 111-116.

VI. [Canada] : Canadiana. [Cf. Bibl. 81, n° *VII.*] 1982. Ottawa, National Library of Canada = Bibliothèque nationale du Canada, 82, 8 v. in-4, 1748, A-2103, B-674, C-680, D-395, E-143 p.– Recent publications relating to Canada, prepared in the editorial office of University of Toronto Press by Bradley ADAMS. [Cf. Bibl. 81, n° *VII.*] *Canad. hist. R.*, 82, vol. 63, p. 105-124, 295-314, 418-438, 594-614.

VII. [Finlande] : LINDGREN (Susanne). Finländsk historisk litteratur. Bibliografiskt urval. [1979. Cf. Bibl. 80, n° *VII.*] 1980. (La littérature historique de la Finlande. Une sélection bibliographique. 1980). *Hist. T. f. Finland*, 81, t. 66, p. 217-232.

VIII. [France] : Bibliographie annuelle de l'histoire de France, du cinquième siècle à 1958. [Année 1980. Cf. Bibl. 81, n° *IX.*] Année 1981. Réd. par Colette ALBERT-SAMUEL, Brigitte MOREAU et Sylvie POSTEL-LECOCQ. Paris, Éd. du C.N.R.S., 82, in-8, XC-895 p.

IX. [Grande-Bretagne] : Annual bibliography of British and Irish history. Royal historical society. General editor : G.R. ELTON. Publications of [1980. Cf. Bibl. 81, n° *X.*] 1981. Brighton a. Atlantic Highlands, N.J., Harvester Press ; 82, in-8, 196 p.– Writings on British history [1965-66. Cf. Bibl. 81, n° *X.*] 1967-68. A bibliography of books a. articles on the history of Great Britain from about 450A.D. to 1939, published during the years 1967-1968 inclusive with an Appendix containing a select list of publications in these years on British history since 1939. Ed. by Heather J. CREATON. London, Univ., Inst. of hist. Research, 82, in-8, XX-231 p.

X. [Hongrie] : Bibliographie choisie d'ouvrages d'histoire publiés en Hongrie en [1978. Cf. Bibl. 81, n° *XII.*] 1979 [et] 1980. *Acta hist. Acad. Sci. hungaricae*, 82, vol. 28, n°s 1-4, p. 195-208, 208-219.– Magyarországon (A) megjelent hadtörténelmi irodalom bibliografiája, 1979/2, 1980/1. Összeáll. VINICZAI István, WINDISCH Aladárné. (Bibliographie de la littérature de l'histoire militaire parue en Hongrie [1979/1. Cf. Bibl. 81, n° *XII.*] 1979/2, 1980/1. Réd. par -.) *Hadtört. Közl.*, 82, vol. 29, n° 1, p. 138-152 ; n° 4, p. 681-699.– Magyarországon (A) megjelent történelmi munkák (önálló kötetek, tanulmányok, sikkek) válogatott jegyzéke, 1981. Összeáll. ROZSNYÓR Agnes, Sz. GYIVICSÁN Mária. (Liste choisie d'ouvrages historiques - monographies, études, articles - parus en Hongrie [1980. Cf. Bibl. 81, n° *XII.*] 1981. Réd. par -.) *Századok*, 82, vol. 116, n° 6, p. 1374-1477.

XI. International Committee of Historical Sciences. Comité International des Sciences Historiques. Lausanne-Paris. International bibliography of historical sciences. Internationale Bibliographie der Geschichtswissenschaften. Bibliografía internacional de ciencias historicas. Bibliographie internationale des sciences historiques. Bibliografia internazionale delle scienze storiche. [Vol. 49. Cf. Bibl. 81, n° *XIII.*] Vol. L : 1981. Ed. with the contribution of the national committees by Jean GLÉNISSON and Michael KEUL. Publ. with the assistance of UNESCO and under the patronage of the International Council for Philosophy and Humanistic Studies. München, New York, London a. Paris, 85, in-8, XXIII-331 p.

XII. [Italie] : Bibliografia storica nazionale. [A.XXXIX-XL (1977-1978). Cf. Bibl. 80, n° *XIII.*] Anno XLI-XLII (1979-1980). Roma e Bari, Laterza, 82, in-8, XXXI-471 p. (Giunta centrale per gli Stud. stor.).

XIII. [Luxembourg] : Bibliographie d'histoire luxembourgeoise pour l'année [1980. Cf. Bibl. 81, n° *XIV.*] 1981 (avec compléments des années précédentes). Luxembourg, Bibliothèque nationale, 82, in-8, 67 p.

XIV. [Norvège] : Bibliografi over Norges offentlige publikasjoner. (Bibliography of Norwegian governmental and administrative publications). Publ. by Universitetsbiblioteket i Oslo. Vol. 25 : 1980. 1 : Bøker. 2 : Rundskriv. Vol. 26 : 1981. 1 : Bøker. Oslo, Univ. forl., 81-82, 3 vol., 301, 91, 242 p.– Norsk Bokfortegnelse. (The Norwegian national bibliography). Arskatalog [1980. Cf. Bibl. 81, n° *XV.*] 1981. Utarb. av Universitetsbiblioteket i Oslo. Norske avdeling. Publ. by Den norske bokhandlerforening. Oslo, 82, in-4, 461 p.– Norske Tidsskriftartikler. Arskatalog 1981. (Norwegian periodical articles. Index 1981.) Utg. av Universitetsbiblioteket i Oslo. Oslo, 82, in-4, 297 p.

XV. [Pays-Bas] : Repertorium van boeken en tijdschriftartikelen betreffende de geschiedenis van Nederland verschenen in [1979. Cf. Bibl. 81, n° *XVI.*] 1980, met aanvullingen uit voorafgaande jaren en cumulatieve indices over 1975-1980. Samengesteld door Th. S.H. BOS. (Répertoire de livres et d'articles de revues concernant l'histoire des Pays-Bas parus en 1980, avec compléments pour les années précédentes et index cumulatifs pour 1975-1980. Comp. par -.) 's-Gravenhage, Nijhoff, 82, in-8, LXVII-564 p.

XVI. [Pologne] : Bibliografia historii Polski XIX wieku. (Bibliographie d'histoire de la Pologne du XIXe s.) T. 2 : 1832-1864. P. 4, vol. 2, sous la réd. de Władysław CHOJ-NACKI. Auteurs : Anna DZIERZBICKA et autres. Wrocław, Zakł. Narod. im. Ossolińskich, 82, in-8, XXXIX-476 p. (Pol. Akad. Nauk., Inst. Hist. Pracownia Bibliografii) [Cf. Bibl. 80, n° *XVII.*].— GŁUSZEK (Stanisław), MALCÓWNA (Anna), PERZANOWSKA (Irena). Bibliografia historii polskiej z rok [1978. Cf. Bibl. 81, n° *XVII.*] 1979, 1980. (Bibliographie de l'histoire polonaise de l'année 1979, 1980.) Réd. Wiesław BIEŃKOWSKI. Wrocław, Zakł. Narod. im. Ossolińskich, 82, 2 vol. in-8, VII-457, VII-434 p. (Pol. Akad. Nauk, Inst. Hist. Pracowania Informacij nauk.).

XVII. [Roumanie] : TAFTĂ (Lucia), ISTICIOAIA-BUDURA (Tatiana). Bibliographie historique 1978 (V) [suite de Bibl. 81, n° *XVIII.*] 1979 (I). *R. roumaine Hist.*, 82, t. 21, 187-207, 481-493.

XVIII. [Suisse] : Bibliographie der Schweizergeschichte. Bibliographie de l'histoire suisse [1979. Cf. Bibl. 81, n° *XIX.*] 1980. Bearb. von / Etablie par Pierre Louis SURCHAT. Hrsg v. d. Schweizer. Landesbibliothek / Publ. par la Bibliothèque nationale Suisse. Bern, Eidenöss. Druck- u. Materialzentrale, 82, in-8, XXIV-219 p.

XIX. [Tchécoslovaquie] : Bibliografie dějin Československa za rok [1971. Cf. Bibl. 80, n° *XXI.*] 1972. (Bibliographie der Geschichte der Tschechoslowakei für das Jahr 1972.) Edit. : Věroslav MYŠKA, Lumír NESVADBÍK, Anna ŠKORUPOVÁ. Praha, Academia, 82, in-8, 354 p.

A

SCIENCES AUXILIAIRES DE L'HISTOIRE

§ 1. Paléographie. 1-16. - § 2. Diplomatique. 17-24. - § 3. Histoire du livre. 25-53. - § 4. Chrolonolgie. 54-58. - 5. Généalogie. 59-72. - § 6. Sigillographie et héraldique. 73-96. - § 7. Numismatique. 97-143. - § 8. Linguistique. 144-178. - § 9. Géographie historique et histoire de la géographie. 179-209. - § 10. Iconographie. 210-225.

§ 1. Paléographie.

* 1. TJÄDER (Jan-Olof). A survey of Latin palaeography 1980-1981. Eranos, 82, vol. 80, p. 63-92.

2. Chartae Latinae antiquiores. Facsimile-edition of the Latin charters prior to the ninth century. Ed. by Albert BRUCKNER a. Robert MARICHAL. Part 13: France. 1. Publ. by Hartmut ATSMA a. Jean VEZIN. Dietikon u. Zürich, Urs Graf, 81, in-fol., XI-99 p. (pl.). [Cf. Bibl. 80, n° 3.]

3. DE LUCA (Attilio). La scrittura curiale di Terracina. Testimonianze, ambiente, scriventi (sec. X-XIII). Scrittura e Civ., 82, a. 6, p. 5-21.

4. GUTZWILLER (Hellmut). Die Entwicklung der Schrift vom 12. bis ins 19. Jahrhundert. Dargestellt an Hand v. Schriftstücken d. Solothurner Staatsarchives. Solothurn, Staatsarchiv, 81, in-4, 155 p. (ill.). (Veröff. d. Solothurner Staatsarchives, 8)

5. HORGOSI (Ödön). Izučenie vodjanykh znakov v pomošč paleografii. (L'étude des filigranes à l'aide de la paléographie.) Diss. sclavicae, 81, Suppl., p. 28-49 (3 l.). [Le manuscrit Fol. Eccl. Slav. 22 de la Bibliothèque Nationale Széchényi (Budapest): Inventarium Codicum Manuscriptorum Ecclesiastico Slavicorum]

6. LUNDIN (A.G.). O proiskhoždenii alfavita. (On the origin of the alphabet.) Vestn. drevn. Ist., 82, n° 2, p. 17-28.

6a. MALLON (Jean), De l'écriture. Recueil d'études publiées de 1937 à 1981. Paris, Ed. du C.N.R.S., 82, 367 p. (133 fig., 2 tabl., 3 dépl., 24 pl.).

7. MIGLIO (Luisa). L'avventura grafica di Iacopo Cocchi-Donati, funzionario medieco e copista (1411-1479). Scrittura e Civ., 82, a. 6, p. 189-232 (19 tav.).

8. MORELLI (Mirella), PALMA (Marco). Indagine su alcuni aspetti materiali della produzione libraria a Nonantola nel secolo IX. Scrittura e Civ., 82, a. 6, p. 23-98.

9. NAVEH (Joseph). Early history of the alphabet. An introduction to West Semitic epigraphy a. palaeography. Jerusalem, Hebrew Univ.; Leiden, Brill, 82, in-8, IX-211 p. (164 fig., 24 pl.).

10. Paläographie 1981. Colloquium du Comité Internat. de Paléographie, München, 15.-18. Sept. 1981. Hrsg. v. Gabriel SILAGI. München, Arbeo-Ges., 82, in-8, X-270 p. (ill.). (Münchener Beitr. z. Mediävistik u. RenaissanceForsch., 32)

11. POULLE (Emmanuel). La cursive gothique à la chancellerie de Philippe Auguste. In: La France de Philippe Auguste [Cf. n° 237], p. 455-466.

12. PRATO (Giancarlo). Il monaco Efrem e la sua scrittura. A proposito di un nuovo codice sottoscritto (Athen. 1). Scrittura e Civ., 82, a. 6, p. 99-116 (8 tav.).

13. ŠEVČENKO (Ihor). Report on the Glagolitic fragments (of the "Euchologium Sinaiticum"?) discovered on Sinai in 1975 and some thoughts on the models for the make-up of the earlst Glagolitic manuscripts. Harvard ukrainian Stud., 82, vol. 6, p. 119-151 (28 fig.).

14. SIRAT (Colette). L'examen des écritures: l'oeil et la machine. Essai de méthodologie. Paris, Ed. du C.N.R.S., 81, in-4, 124 p. (23 fig., 31 pl.).

15. TJÄDER (Jan-Olof). Some ancient letter-forms in the later Roman cursiv and early script of the notarii. Scrittura e Civ., 82, a. 6, p. 5-21.

16. VASILESCU (Veronica), BOIANGIU (Aneta). Scrierea chirilica românească. Album de paleografie. (L'écriture cyrillique roumaine. Album de paléographie.) Bucureşti, Direcţia generală a arhivelor statului, 82, in-fol., 139 p. (ill., facsim.).

Cf. n°s 1581, 2288.

§ 2. Diplomatique.

17. COCKSHAW (Pierre). Le personnel de la chancellerie de Bourgogne-Flandre sous les ducs de Bourgogne de la maison de Valois, 1384-1477. Korbrijk-Heule, UGA, 82, in-8, 298 p.

18. GRONKE (Monika). Zur Diplomatik von Kaufverträgen des 12. und 13. Jahrhunderts aus Ardabīl. Islam [Berlin]), 82, Bd 59, p. 64-79.

19. IRGANG (Winfried). Das Urkundenwesen Herzog Heinrichs III. von Schlesien (1248-1266). Z. f. Ostforsch., 82, Jg. 31, p. 1-47. [Eng. summary]

20. MÁLYUSZ (Elemér). A Zsigmondkori Oklevéltárról. (Sur la collection de chartes de l'époque du roi Sigismond. Expériences et enseignements.) Századok, 82, vol. 116, n° 5, p. 923-958.

21. NORTIER (Michel). Les actes de Philippe Auguste: notes critiques sur les sources diplomatiques du règne. In: La France de Philippe Auguste [Cf. n° 237], p. 429-451.

22. PAMERIO DI CORBIZO. Imbreviature, 1237-1238. Di Palmerio di Corbizo da Uglione notaio. A cura di Luciana MOSIICI e Franek SZNURA. Firenze, Olschki, 82, in-8, 353 p. (tav.). (Stud. Accad. toscana di Sci. e Lett. La colombaria, 61) (Fonti di Stor. toscana, 2)

23. SCHARER (Anton). Die angelsächsische Königsurkunde im 7. und 8. Jahrhundert. Wien, Köln u. Graz, Böhlau, 82, in-8, 309 p. (Veröff. d. Inst. f. österr. Geschichtsforsch., 26)

24. ZIEGLER (Hans-Ulrich). Das Urkundenwesen der Bischöfe von Bamberg von 1007 bis 1139. Mit einem Ausblick auf d. Ende d. 12. Jh. Arch. f. Diplomatik, 81, Bd 27, p. 1-110 (Taf.).

Cf. n° 2235.

§ 3. Histoire du livre.

* 25. AMELUNG (Peter). Einbandforschung 1977-1981. Ein Literaturbericht. Teil 1. Guthenberg-Jb., Jg. 57, p. 319-337.

* 26. Bibliografija arabskikh rukopisej. (Bibliography of Arabic manuscripts.) Otv. red. A. B. KHALIDOV. Moskva, Nauka, 82, in-8, 392 p. (AN SSSR. In-t vostokovedenija)

* 27. Bibliographie der Buch- und Bibliotheksgeschichte (BBB). Bd 1: 1980/81. Bearb. v. Horst MEYER. Bad Iburg, Bibliogr. Verl. Horst Meyer, 82, in-8, 362 p.

* 28. CHRISMAN (Miriam Usher). Bibliography of Strasbourg imprints, 1480-1599. New Haven, Conn., Yale U. P., 82, in-8, XXI-418 p. [Cf. n° 4711]

* 29. Répértoire bibliographique des livres imprimés en France au XVIIe siècle. T. 1: Agen, Angoulême, Bayonne, Bazas, Bergerac, Brive, Cahors, Castres, Châtellerault, Condon, Dax, Doué-la-Fontaine, Fontenay-le-Comte, Saumur, Tulle. Par Louis DESGRAVES. T. 2: Aurillac, Clermont-Ferrand, Guéret, Jonzac, Limoges, Moulins, Périgueux, Pons, Le Puy, Riom, Rochefort-sur-Mer, La Rochelle, Saint-Flour, Saint-Jean-d'Angély, Saintes, Sarlat. Par Louis DESGRAVES, avec la collab. de Jean FLOURET. T. 3: Troyes. Par Jacques BETZ. T. 4: Douai. Par Albert LABARRE. T. 5: Poitiers. Par Louis DESGRAVES. T. 6: Albi, Auch, Bègles, Bétharram, Cadillac, La Forêt, Lavaur, Lectoure, Lescar, Loudun, Luçon, Maillé, Maillezais, Marmande, Montauban, Nérac, Niort, Orthez, Pamiers, Pau, Puylaurens, La Réole, Rodez, Saint-Maixent, Sainte-Foy-la-Grande, Thouars, Venès, Villefranche-de-Rouergue. Par Louis DESGRAVES. T. 8: Rhône-Alpes, Bourg-en-Bresse, La Correrie, Die, Evian, Favrat, Gex, Mâcon, Montbrison, Romans, Rumilly, Thoissey, Thonon, Tournon, Trévoux, Valence, Vienne, Villefranche-sur-Saône. Par Michel CHOMARAT. T. 9: Agde, Aramon, Béziers, Carcassonne, Castelnaudary, Lodève, Mende, Montpellier, Narbonne, Nîmes, Perpignan, Pézenas. Baden-Baden, Koerner, 78-82, 8 vol. in-8, 279, 235, 143, 541, 219, 248, 186, 267 p.

** 30. Budai (A) Egyetemi Nyomda román kiadványainak dokumentumai, 1780-1848. Gyüjt., összeáll. és ismertetőkkel ell. VERESS Endre. Vál., sajtó alá rend., bev. és a dokumentumok ismertetőit átdolg. DOMOKOS (Sámuel. (Les documents, concernant les publications en langue roumaine de l'imprimerie de l'Univ. Egyetemi Nyomda de Buda, 17801848. Choix, réd. et notes par - . Publ., mise sous presse, intr. et révision des notes par - .) Budapest, Akadémiai Kiadó, 82, in-8, 465 p.

---

31. Bibliothque Nationale [Paris]. Département des imprimés. Catalogue des incunables de la Réserve des Imprimés. T. 2, fasc. 1: H - L. Fasc. 2: M - O. Réd. par Ursula BAURMEISTER, Annie CHARON-PARENT, Dominique COQ, Antoine CORON et Albert LABARRE. Paris, Biblioth. Nat., 81-82, 2 vol. in-4, XVIII-198, 354 p.

32. BOŽIČ (Mileva). Le fonds imprimé turc de la Bibliothèque Nationale [Paris]: les débuts de l'imprimerie ottomane: Yirmisekiz Mehmet Tchelebi (?-1730), Sait Pacha (1700?-1761), Ibrahim Müteferrika (1674-1745). R. Bibl. nat., 81, p. 8-16, 70-79.

33. CLANCHY (M. T.). Looking back from the invention of printing. Libr. Cong. quar. J., 82, vol. 39, n° 3, p. 168-183.

34. DARNTON (Robert). The literary underground of the old régime. Cambridge, Mass., Harvard U. P., 82, in-8, IX-258 p. - IDEM. Work and culture in an eighteenth-century printing shop. Libr. Cong. quar. J., 82, vol. 39, n° 1, p. 34-47.

35. Drevnerusskaja rukopisnaja kniga i ee bytovanie v Sibiri. (The old Russian manuscript book and its existence in

Siberia.) Sbornik statej. Otv. red. N. N. POKROVSKIJ, E. K. ROMODANOVSKAJA. Novosibirsk, Nauka, 82, 271 p. (AN SSSR. Sib. otd-nie. In-t istorii, filol. i filos. Sib. otd-nie Arkheogr. Komis.)

36. Eighteenth-century British books: an index to the foreign and provincial imprints in the Author Union Catalogue, compiled by F. J. ROBINSON, N. J. ROBINSON, C. WADHAM. Cartography by D. HUME. Newcastle-upon-Tyne, Avero, 82, in-4, X-320 p. (facsim., maps).

37. GERČUK (Ju. Ja.). Èpokha politipažej. Rus. tip. iskusstvo pervoj treti XIX v. (The epoch of polytypage. Russian typography of the first third of the 19th cent.) Moskwa, Kniga, 82, 150 p. (ill.). (Istorija kn. iskusstva. Monogr. i očerki)

38. GERHARDT (Claus W.). Die Entstehung der funktionellen Typographie in den zwanziger Jahren in Deutschland. Guthenberg-Jb., 82, Jg. 57, p. 282-295 (15 fig.).

39. HELLINGA (Lotte). Caxton in focus: the beginning of printing in England. London, Brit. Libr., Ref. Div., 82, in-8, 112 p. (ill., pl.).

40. HIERONYMUS (Frank). Eadem mutata resurgo. Marginalien z. Basler Buchdruck 1479-1619. Guthenberg-Jb., 82, Jg. 57, p. 170-185.

41. Histoire de l'édition française. [Sous la dir. générale de Henri-Jean MARTIN et Roger CHARTIER, en collab. avec Jean-Pierre VIVET.] T. 1: Le livre conquérant, du moyen âge au milieu du XVIIe siècle. Paris, Promodis, 82, in-4, 631 p. (ill., 60 pl.).

42. HOFFMANN (Philippe). Reliures crétoises et vénitiennes provenant de la bibliothèque de Francesco Materuanzio et conservées à [la Biblioteca Augusta de] Pérouse. Mél. Ec. franç. Rome, Moyen Age, Temps mod., 82, t. 94, p. 729-757 (5 pl.).

43. Illsutration (L') du livre et la littérature au XVIIIe siècle en France et en Pologne. Actes du colloque organisé par l'Institut de littérature polonaise et le Centre de civilisation franç. de l'Univ. de Varsovie (25-27 nov. 1975). Réd.: Elżbieta GRABSKA et autres. Varsovie, Ed. de l'Univ., 82, in-8, 320 p. (Les Cah. de Varsovie. Publ. du Centre de civil. franç. de l'Univ. de Varsovie, 9)

44. Imprimeurs et libraires parisiens du XVIe siècle, d'après les manuscrits de Philippe RENOUARD. Ouvrage publ. par la Bibliothèque nationale. Fasc. 1: Breyer. Avec la collab. de Geneviève DEBLOCK et Geneviève GUILLEMINOT. Paris, Biblioth. Nat., 82, in-4, 113 p. (8 p. de pl.).

45. KIND (Helmut). Die Inkunabeln der Niedersächsischen Staats- und Universitätsbibliothek Göttingen. Guthenberg-Jb., 82, Jg. 57, p. 120-149 (5 fig.).

46. Kniga. Issledovanija i materialy. (The book. Researches a. materials.)

Sbornik. T. 44, 45. Redkol. N. N. SIKORSKIJ (gl. red.) i dr. Moskva, Kniga, 82, 2 vol. in-4, 256, 224 p. (Vsesojuz. knižnaja palata)

47. Magyar könyvészet 1921-1944. A Magyarországon nyomtatott könyvek szakositott jegyzéke. Közreadja az Országos Széchényi Könyvtár. 6: Nyelvészet - irodalom. 7: Magyar irodalom. Szerk. KOMJÁTHY Miklósné. - Bibliographia Hungarica 1921-1944. Catalogus systematicus librorum in Hungaria editorum. Edidit Bibliotheca Nationalis Hungariae a Francisco Széchényi fundata. 6: Linguistica - literatura. 7: Literatura Hungarica. Red. - . Budapest, 80-81, 2 vol. in-4, 540, 647 p. - CR: A. Kelecsényi, Magy. Könyvszle, 82, vol. 98, n° 3, p. 289-290.

48. MEUTHEN (Erich). Ein neues frühes Quellenzeugnis (zu Oktober 1454?) für den ältesten Bibeldruck: Enea Silvio Piccolomini am 12. März 1455 aus Wiener Neustadt an Kardinal Juan de Carvajal. Guthenberg-Jb., 82, Jg. 57, p. 108-118.

49. RHODES (Dennis E.). Catalogue of incunabula in all the libraries of Oxford University outside the Bodleian. London, Oxford U. P., 82, in-8, 480 p.

50. ROKOSZ (Mieczyslaw). Wenecka oficyna Alda Manucjusza i Polska w orbicie jej wpływów. (L'imprimerie vénitienne d'Alde Manuce et la Pologne dans l'orbite de ses influences.) Wrocław, Zakł. Nauk. im. Ossolińskich, 82, in-8, 323 p. (Książki o Książce)

51. SIMONESCU (Dan), BULUTĂ (Gh.). Pagini din istoria cărții românești. (Pages de l'histoire du livre roumain.) București, Ed. Ion Creangă, 81, in-8, 191 p. (ill.).

52. SPEYER (W.). Büchervernichtung und Zensur des Geistes bei Heiden, Juden und Christen. Stuttgart, Hiersemann, 81, in-8, X-209 p. (ill.). (Bibliothek d. Buchwesens, 7)

53. Verzierten Einbände (Die) der Handschriften der Erzabtei St. Peter in Salzburg. Unter Mitarbeit v. Gerold HAYER bearb. v. Peter WIND. Wien, Verl. d. Österr. Akad. d. Wiss., 82, in-4, 136 p. (Österr. Akad. d. Wiss., Phil.-hist. Kl., Denkschriften, 159. Veröff. d. Kommission f. Schrift- u. Buchwesen d. Mittelalters, R. 3, Bd 1, Beiheft)

Cf. n°s 8, 259, 277, 289, 385, 4524, 5504, 5804.

§ 4. Chronologie.

54. GROTEFEND (Hermann). Taschenbuch der Zeitrechnung des deutschen Mittelalters und der Neuzeit. [10. Aufl. Cf. Bibl. 60, n° 96.] 12. Aufl. Durchges. v. Jürgen ASCH. Hannover, Hahn, 82, in-8, VII-222 p.

55. KUDRJAVCEV (A.A.). O novoj khronologiii drevnego Derbenta. (On the new chronology of ancient Derbent.) Sovet. Arkheol., 82, n° 4, p. 165-185.

56. OCAÑA JIMÉNEZ (M.). Nuevas tablas de conversión de datas islámicas a cristianas y viceversa. Estructuradas para concordar, día por día, años completos. Madrid, Inst. Hispano-Arabe de Cultura, 81, 167 p.

57. SALOMON (Richard). The "Avaca" inscription and the origin of the Vikrama era. J. am. orient. Soc., 82, vol. 102, n° 1, p. 59-68.

58. WIERZBOWSKI (Teodor). Vademecum. Podrecznik dla studjów archiwalnych. (Vademecum. Manuel pour les études archivistiques.) 2e éd. revue et augmentée par Kazimierz TYSZKOWSKI et Bronisław WLODARSKI. Warszawa, Wydawn. Artyst. i Filmowe, 82, in-8, VIII-253 p. [Reprod. photo-offset de l'éd. Lwów 1926]

Cf. n° 465.

§ 5. Généalogie.

* 59. ARNAUD (Etienne). Répertoire des généalogies françaises imprimées. [T. 1. Cf. Bibl. 78-79, n° 75.] T. 3: N-Z, avec suppléments aux tomes 1 et 2. Paris, Berger-Levrault, 82, in-8, 590 p.

* 60. PINOTEAU (Hervé). Orientations bibliographiques pour une recherche sur les parentés entre trois dynasties royales françaises. Paris, Léopard d'Or, 82, in-8, 35 p.

61. BIRABEN (Jean-Noël). Les listes nominatives d'habitants et leur utilisation en généalogie. Stemma, a. 4, t. 4, p. 263-271.

62. CARRETIER (Christian). Les ancêtres de Louis XIV, 512 quartiers. Paris, Ed. Christian, 82, in-8, 132 p.

63. DOGARU (Maria). Un aromorial românesc din 1813. Spița de neam a familiei Balș dotată cu steme. (Un armorial roumain de 1813. L'arbre généalogique de la famille Balș dotée d'armoiries.) Bucurețti, Direcția generală a Arhivelor Statului, 81, in-8, 147 p. (ill.).

64. Genealogia. Problemy metodyczne w badaniach nad polskim społeczeństwem średniowiecznym na tle porównawczym. (Généalogie. Problèmes méthodiques des recherches sur la société polonaise médiévale à la base comparative.) Materiaux du Colloque organisé les 9-11 juin 1980 à Golub-Dobrzyń. Réd. Jacek HERTEL. Toruń, 82, in-8, 207 p. (Rozpro. Uniw. Mikołaja Kopernika)

65. PINOTEAU (Hervé). Vingt-cinq ans d'études dynastiques. Paris, Ed. Christian, 82, in-8, 594 p. (ill.).

66. POZZA (Marco). I Badoer. Una famiglia veneziana dal X al XIII secolo. Abano Terme, Francisci, 82, in-8, 141 p. (Mater. i Ric., 3)

67. RYMAR (Edward). Dobrosława, księżniczka zachodniopomorska, pani na Sławnie potem Chockowie oraz Audacja (Eudoksja) Piastówna, hrabina zwierzyńska (Dobrosława, princesse de la Poméranie Occidentale, dame de Slawno puis de Chosków, et Audacia (Eudoksja) Piast, comtesse de Schwerin.) Studia Mater. Dziej. Wielkop. Pomorza, 81 [82], vol. 28, fasc. 2, p. 5-38. - IDEM. Sprawa pochodzenia Ermengardy, drugiej żony Świętopełka. (Le problème de l'origine d'Ermengarda, seconde femme de Świętopełk [duc de la Poméranie de Gdańsk].) Roczn. Gdański, 82, vol. 42, fasc. 1, p. 5-15.

68. SCHRENK (Gilbert). Les origines d'Agrippa d'Aubigné. B. Soc. Hist. Prot. franç., 83, t. 129, p. 489-518.

69. SÉMENTERY (Michel). Les présidents de la République Française et leur famille. Paris, Ed. Christian, 82, in-8, 378 p.

70. TAYLOR (Robert M.) Jr. Summoning the wandering tribes: genealogy and family reunions in American history. J. soc. Hist., 82, vol. 16, n° 2, p. 21-38.

71. TOUSSAINT (I.). Die Grafen von Leiningen. Studien zur leiningischen Genealogie u. Territorial gesch. bis z. Teilung v. 1317-1318. Sigmaringen, Thorbecke, 82, in-8, 320 p. (Taf.).

72. VAUGIRARD (Jean-Claude de). Les ancêtres d'Adalbert de Chamisso ou l'empreinte de l'hérédité. In: Chamisso [Cf. n° 5320], p. 29-48.

Cf. n°s 239, 254, 582, 2626, 2732, 6176, 6964.

§ 6. Sigillographie et héraldique.

* 73. GANDILHON (René), PASTOUREAU (Michel). Bibliographie de la sigillographie française. 2e éd. mise à jour. Paris, Picard, 82, in-8, 224 p.

74. BEDOS REZAK (Brigitte). Les sceaux au temps de Philippe Auguste. In: La France de Philippe Auguste [Cf. n° 237], p. 721-735.

75. BOUSSAC (F.). A propos de quelques sceaux déliens. B. Corr. hellénique, 82, t. 106, p. 427-446.

76. Catalogue des sceaux [des Archives départementales de la Moselle] (Sceaux pendants et sceaux plaqués du haut moyen âge). T. 1: Sceaux de souverains, grands feudataires, dignitaires et débuts des sceaux de seigneurs laïques (de A à H). Introd. générale et bibliographie. Réd. par Gilbert CAHEN. Sous la dir. de Jean COLNAT. Metz, Archives de la Région lorraine et du Dépt. de la Moselle, 81, in-4, XIX-353 p. (ill.).

77. Corpus der minoischen und mykenischen Siegel. Akad. d. Wiss. u. d. Lit., Mainz. Begr. v. Friedrich MATZ. Im Auftr. d. Komm. f. Archäologie hrsg. v. Ingo PINI. [Cf. Bibl. 80, n° 69.] Beih. 1: Studien zur minoischen und helladischen Glyptik. Beitr. zum 2. Marburger Siegel-

Symposium, 26.-30. Sept. 1978. Red. Wolf-Dietrich NIEMEIER. Berlin, Mann, 81, in-4, VIII-282 p. (ill.).

78. DENNYS (Rodney). Heraldry and the Heralds. London, Cape, 82, in-8, 304 p. (ill.).

79. HAISIG (Marian). Emblemat "W" w heraldice miejskiej Wrocławia. (L'emblème "W" dans l'héraldique de la ville de Wrocław.) Archeion, 82, vol. 73, p. 77-80.

80. JENKS (Stuart). Frauensiegel in den Würzburger Urkunden des 14. Jahrhunderts. Z. f. bayer. Ldesgesch., 82, Bd 45, p. 541-553.

81. LAUNET (Charles de). De l'origine des armoiries. Hidalguía, 82, a. 30, p. 369-384.

82. LAURENT (Louis Olivier Philippe, en religion le P. Vitalien). Le Corpus des sceaux de l'Empire byzantin. T. 2: L'administration centrale. [Publ. par P. GAUTIER, N. OIKONOMIDES et W. SEIBT.] Paris, Ed. du C.N.R.S., 81 [82], in-4, XX-740 p. (48 p.).

83. LIEDGREN (Jan). Vadstena klosters sigill och deras användning. (Die Siegel des Klosters Vadstena u. ihr Gebrauch.) Kyrkohist. Årsskr., 82, vol. 82, p. 108-116. [Mit deutscher Zsfassung]

84. Magyar Országos Levéltárban (A) őrzött eredeti címereslevelek jegyzéke. Kézirat. Összeáll. NYULÁSZINÉ STRAUB Éva. (La liste des lettres de noblesse armoiriées originales gardées aux Archives Nationales de Hongrie. Manuscrit. Réd. par - .) Budapest, Magyar Országos Levéltár, 81 [82], in-8, 154 p. (Forrástudományi segédletek, 2)

85. MAROSI (Ernő). Der [!] große Münzsiegel der Königin Maria von Ungarn. Zum Problem der Serialität mittelalterl. Kunstwerke. Acta Hist. Artium Acad. Sci. hungaricae, 82, vol. 28, n° 1-2, p. 3-22.

86. MERCERON (P.), MERCERON (R.), ALIQUOT (H.). Armorial des cardinaux limousins de la papauté d'Avignon [suite de Bibl. 81, n° 74]. Limouzi, 82, a. 62, p. 33-59, 173-183, 258-277.

87. MILIS (Ludo). Justus ut Palma. Symboliek als politiek-ideologisch wapen op de zegels van Diederik en Filips van de Elzas, graven van Vlaanderen (1128-1191). (Symbolique comme arme politico-idéologique sur les sceaux de Thierry et Philippe d'Alsace, comtes de Flandre, 1128-1191.) Sacris erudiri, 82, t. 25, p. 27-47 (6 fig.).

88. PAPROCKI (Bartosz). Herby rycerstwa polskiego zebrane i wydane roku pańskiego 1584. (Les blasons de la chevalerie polonaise recueillis et édités l'an du Seigneur 1584.) Ed. Kazimierz Józef TUROWSKIEGO. Warszawa, Wydawn. Artyst. i Filmowe, 82, in-4, 964-CLXII p. [Reprod. photo-offset de l'éd. Kraków 1858]

89. PASTOUREAU (Michel). L'hermine et le synople. Etudes d'héraldique médiévale. Paris, Léopard d'Or, 82, in-4, 352 p. (ill.). - IDEM. La diffusion des armoiries et les débuts de l'héraldique. In: La France de Philippe Auguste [Cf. n° 237], p. 737-759. - IDEM. Les sceaux. Turnhout, Brepols, 81, in-8, 76 p. (Typologie des sources du moyen âge occid., 36)

90. REJU (Daniel). Enigme de la croix de Lorraine. Monaco et Paris, Ed. du Rocher, 82, in-8, 202 p.

91. SCHRAMM (Gottfried). Die Herkunft des Namens Rus'. Phantastische russische Familienwappen. Wiesbaden, Harrassowitz, 82, in-8, 145 p. (ill.). (Forsch. z. osteurop. Gesch., 30)

92. Bibl. 81, n° 78. SOBOLEVA (N. A.). Rossijskaja gorodskaja i oblastnaja geral'dika XVIII-XIX vv. (Heraldry of Russian towns a. regions in the 18th-19th cent.) - CR: G. K. Vagner, Vopr. Ist., 82, n° 8, p. 131-133.

93. Suomen kunnallisvaakunat. - Finlands kommunvapen. - Municipal coats of arms of Finland. Toim. - red. - ed. Atte HAIKONEN. 2. rev. ed. Helsinki, Suomen kunnallislitto, 82, in-8, 215 p. (ill.).

94. THIEBAUD (Jean-Marie). Petit dictionnaire des termes du blason. Lons-le-Saunier, Ed. Marque-Maillard, 82, in-8, 102 p.

95. WILLIAMS (David H.). Welsh history through seals. Cardiff, Nat. Mus. of Wales, 82, in-8, 48 p. (ill., pl.).

96. YOUNGER (John G.). The iconography of Late Bronze Age seals: studies in the seals of the Aegean Bronze Age. Bristol, Classical Press, 82, in-8, 200 p. [Cf. n° 239.]

Cf. n° 239.

§ 7. Numismatique. Métrologie.

* 97. FISCHER (B.). Bulletin de numismatique celtique (1962-1979). Et. celtiques, 82, t. 19, p. 343-385. [Bibliographie commentée]

* 98. WITTHÖFT (Harald). Sammelbericht. Literatur zur historischen Metrologie 1945-1982. Vjschr. f. Soz.- u. Wirtschaftsgesch., 82, Bd 69, p. 515-541.

99. Anciens systèmes (Les) de mesures: projet d'enquête métrologique. Table ronde du 17 oct. 1981, organisée à Caen par l'Inst. d'Hist. mod. et contemp. du C.N.R.S. Paris, Inst. d'Hist. mod. et contemp., 82, in-8, 91 p.

100. BASTIEN (Pierre). Le monnayage de l'atelier de Lyon, de la réouverture de l'atelier en 318 à la mort de Constantin (318-337). Wetteren, Ed. numismat., 82, 200 p. (25 pl.).

101. BLACKBURN (M. A. S.), METCALF

(D. M.). Viking-age coinage in the Northern lands. London, Brit. Archaeol. Rep., 82, in-4, 568 p. (ill., pl.).

102. BLOQUÉ (Philippe). Trésor monétaire du XIe siècle trouvé à Albi et méthode originale d'étude appliquée. R. Tarn, 82, sér. 3, n° 106, p. 225-239; n° 107, p. 425-446.

103. BODENSTEDT (F.). Die Elektronmünzen von Phokaia und Mytilene. Tübingen, Wasmuth, 81, 400 p. (74 Taf.).

194. BOON (George C.). Cardiganshire silver and the Aberystwyth mint in peace and war. Cardiff, Nat. Museum of Wales, 82, in-8, 287 p.

105. CHIŢESCU (Maria). La numismatique et les événements politico-militaires des années 2-4 de notre ère en Dacie. Dialogues Hist. anc., 82, t. 8, p. 153-165.

106. COCELIJA (M. V.). Katalog sasanidskikh monet Gruzii. (Catalogue of the Sassanid coins of Georgia.) Tbilisi, Izd. Mevniereba, 82, 274 p. (AN. Gruz. SSR)

107. COLLIN (Bruno). La gravure des monnaies au XVIIe siècle: un document inédit. Cah. numism., 82, a. 19, p. 194-197.

108. Corpus des trésors monétaires antiques de la France. 1: Poitou-Charentes et Limousin, par J. HIERNARD et al. Paris, Soc. franç. de Numismatique, 82, in-4, 130 p. (cartes).

109. Corpus nummorum Hungariae. - Magyar egyetemes éremtár. Ed. facsimile. I/1: RÉTHY (László). Árpádházi királyok kora. (L'époque des rois de la dynastie arpadienne.) ZIMMERMANN (Lajos). Pótlék. (Appendix). I/2: RÉHTY (László). Vegyesházi királyok kora. (L'époque des rois de diverses dynasties.) Tatabánya, Magyar Éremgyüjtök Egyesülete Tatabányai Csoportja, 82, in-8, 159 p. [Ed. orig.: Budapest, 1899-1907]

110. CYWIŃSKI (Henryk). Dziesięć wieków pieniądza polskiego 980-1980. (Dix siècles de l'argent polonais 980-1980.) Warszawa, Lud. Spółdz. Wydawn., 82, in-8, 243 p.

111. DAVIES (Peter J.). British silver coins since 1816. Birmingham, P. J. Davies, 82, in-8, 128 p. (ill.).

112. DEPEYROT (Georges). Le trésor de Toulouse et le numéraire féodal aux XIIe et XIIIe siècles. A. Midi, 82, t. 94, p. 125-149.

113. DIVO (Jean-Paul). Catalogue des médailles de Louis XIV d'après les publications de l'Académie royale des médailles et des inscriptions (1702 et 1723) et d'après les pièces originales de la collection du Duc de Northumberland. Zürich, Spink, 82, in-4, 125 p. (ill.).

114. DUMAS (Françoise). La monnaie dans le royaume au temps de Philippe Auguste. In: La France de Philippe Auguste [Cf. n° 237], p. 541-572.

115. DURLIAT (Jean). La valeur relative de l'or, de l'argent et du cuivre dans l'empire protobyzantin (IVe-VIIIe s.). R. numism., 80 [81], sér. 6, t. 22, p. 138-154.

116. EGIDI (Claudio). Introduzione alla metrologia. Milano, Garzanti, 82, in-8, 166 p. (Strumenti di studio)

117. GRIERSON (Philip). Byzantine coins. London, Methuen, 82, in-8, 96 p.

118. HAHN (N. L.). Medieval mensuration: "Quadrans vetus" and "Geometrie due sunt partes principales..." Philadelphia, Amer. Philos. Soc., 82, in-8, 204 p.

119. HAMMER (Peter), KLEMM (Heinz). Metallogische Untersuchungen römischer Denare mit Schlußfolgerungen auf deren Herstellungstechnologie. Z. f. Archäol., 82, Jg. 16, p. 53-93.

120. HIERNARD (J.). Monnaies d'or romaines entre Loire et Gironde. B. Soc. Antiq. Ouest, 81, t. 16, p. 175200.

121. HOWGEGO (C. J.). Coinage and military finance. The imperial bronze coinage of the Augustean East. Numism. Chron., 82, vol. 22, p. 1-20.

122. KAGAN (Donald). The dates of the earliest coins. Am. J. Archaeol., 82, vol. 86, n° 3, p. 343-360.

123. KAISER-GUYOT (Marie-Thérèse), KAISER (Reinhold). Documentation numismatique de la France médiévale. Collections de monnaies et sources de l'histoire monétaire. München, New York, London et Paris, Saur, 82, in-8, 113 p. (Documentations et recherches, publ. par l'Inst. hist. allemand, Paris)

124. KOPICKI (Edmund). Katalog podstawowych typów monet i banknotów Polski oraz ziem historiycznie z Polską związanych. (Catalogue des types essentiels des monnaies et billets de banque de la Pologne et des terres historiquement unies à la Pologne.) [T. 7. Cf. Bibl. 81, n° 101.] T. 8, p. 1: Monety śląskie okresu nowożytnego. (Les monnaies silésiennes de l'époque moderne.) Warszawa, Pol. Tow. Archeol. i Numizmat., 82, in-8, 241 p.

125. KOSAMBI (D. D.). Indian numismatics. Delhi, Orient Longman; London, Sangam Books, 82, in-8, 170 p. (ill.).

126. METCALF (D. M.). Continuity and change in English monetary history c. 973-1086. Part [1. Cf. Bibl. 81, n° 106.] 2. Brit. numism. J., 81 [82], vol. 51, p. 52-90.

127. MÖRKHOLM (O.). Some reflections on the production and use of coinage in ancient Greece. Historia [Wiesbaden], 82, Bd 31, p. 290-305.

128. Monnaies royales de Louis XIII à Louis XVI, 1610-1793, Médailler de la Banque de France. Sous la dir. de Chantal BEAUSSANT. Paris, Banque de France, 82, in-4, 101 p. (ill.).

129. NONY (Daniel). Sur quelques monnaies impériales romaines. Mél. Ec. franç.- Rome, Antiquité, 82, t. 94, p. 893-909 (5 fig.)

130. Numizmatika antičnogo Pričernomor'ja. (Numismatics of the ancient Black Sea area.) Sbornik nauč. tr. Redkol.: V. L. JANIN (otv. red.) i dr. Kiev, Nauk. dumka, 82, 164 p. (ill.). (AN SSSR. Odes. arkheol. muzej)

131. ÖSTERGREEN (Majvor). Gotländska fynd av solidi och denarer: en undersökning av fyndplatserna. (Finds of solidi and denars on Gotland: an investigation of the sites.) Visby, Riksantikvarieämbetets Gotlandsundersökningar, 81, in-fol., IV-68 p. (ill., maps). (Arkeol. skrifter, 1981/1) [Eng. summary]

132. OVERBECK (B.). Zwei neue Münzschätze aus dem "Haus des Mercurius" im römischen Chur-Welschdörfli. Ein numismat. Beitrag z. Gesch. d. Raetia Prima. Schweiz. numism. Rdsch., 82, Bd 61, p. 81-111 (2 Abb., 7 Taf., 3 Pläne).

133. RACHET (Marguerite). "Decennalia" et "Vicennalia" sous la dynastie des Antonins. R. Et. anc., 80 [82], t. 82, p. 200-242.

134. Recherches archéologiques francotunisiennes à Rougga. GUERY (R.), MORRISON (C.), SLIM (H.). Rougga 3: Le trésor de monnaies d'or byzantines. Rome, Ecole franç. de Rome, 82, in-8, 96 p. (fig., pl.). (Coll. de l'Ec. franç. de Rome, 60)

135. ROBERTSON (Anne S.). Roman imperial coins in the Hunter coin cabient, University of Glasgow. [Vol. 4. Cf. Bibl. 78-79, n° 140.] Vol. 5: Diocletian (Reform) to Zeno. London, Oxford U. P., 82, in-8, 578 p. (ill.).

136. SCHEERS (S.). Les monnaies trouvées au Fanum de Chilly (Somme) de 1978 à 1980. R. archéol. Picardie, 82, vol. 4, p. 92-118 (3 fig., 8 pl.).

137. SCHULTE (B.). Die Goldprägung der gallischen Kaiser von Postumus bis Tetricus. Aarau, Sauerländer, 82, 189 p. (28 Taf.).

138. SEAR (David R.). Greek imperial coins and their values: local coinages of the Roman Empire. London, B. A. Seaby, 82, in-8, 672 p. (ill., maps).

139. SOTNIKOVA (M. P.), SPASSKI (I. G.). Russian coins of the 10th and 11th centuries. Tr. from the Russ. by H. B. WELLS. London, Brit. Archaeol. Rep., 82, in-4, 325 p. (ill., fig.).

140. STEWART (Ian). English coinage in the later years of John and the minority of Henry III. Brit. numism. J., 79 [80], vol. 49, p. 26-41; 81 [82], vol. 51, p. 91-106.

141. Sylloge of coins of the British Isles. [Vol. 27. Cf. Bibl. 81, n° 123.] Vol. 29: Merseyside. By Margaret WARHURST. Vol. 30: Antient British, Anglo-Saxon and Norman coins in American collections: The American Numismatic Soc., Harold S. Bareford, James Bump, John Dresser, the Johns Hopkins Univ., Hillel Kaslove, Emery May Norweb, the Smithsonian Institution, Walter K. Zimmermann. By Jeremiah D. BRADY. London, Oxford U.P., 82, 2 vol. in-4, 156, XXIII-75 p. (ill., pl.).

142. TRAVAGLINI (A.). Inventario dei rinvenimenti monetari del Salento. Problemi di circolazione. Roma, Bretschneider, 82, in-8, VI-203 p. (66 tav.). (Archaeologica, 23)

143. WITTHÖFT (Harald). Rute, Elle und Schuh in Preußen - Zur Struktur der Längen- und Flächenmaße seit dem 13. Jahrhundert. Scripta Mercaturae, 81 [82], p. 1-36.

Cf. n°s 1699, 1702, 2608, 2717, 2722, 6064, 6075.

§ 8. Linguistique.

* 144. KAKUK (Zsuzsa), N. Hungarian turcology, 1945-1974. Bibliography. Ed. by - . Budapest, Magyar Tudományos Akadémia Könyvtára, 81, in-8, 187 p. (Keleti tanulmániok. - Oriental studies, 5)

* 145. MORLET (Marie-Thérèse). Les études d'onomastique en France, de 1938 à 1970. Paris, Soc. d'Et. linguistiques et anthropol. de France, 81, in-8, 214 p.

* 146. NIESINGER (Peter), RAFFIN (Elisabeth). Bibliographie zur Grammatik der deutschen Dialekte: Laut-, Formen-, Worbildungs- und Satzlehre 1800-1980. Unter Mitarb. v. Gertraud VOIGT. Bern u. Frankfurt a. M., Lang, 82, in-8, LV-515 p. (5 Kt.). (Europ. Hochschulschr., R. 1: Deutsche Sprache u. Lit., 509)

** 147. DONNET (Daniel). Le "Traité de la construction de la phrase" de Michel le Syncelle de Jérusalem. Hist. du texte, éd., trad. et commentaire. Bruxelles et Rome, Institut hist. belge de Rome, 82, in-8, VIII567 p.

** 148. GIRARD (Abbé Gabriel). Les vrais principes de la langue françoyse. Fac-sim. de l'éd. de 1747, avec une introd. et des notes par Pierre SWIGGERS. Genève, Droz, 82, in-8, 992 p. (Langue et cultures, 14)

149. ADAMS (J. N.). The Latin sexual vocabulary. London, Duckworth, 82, in-8, XII-272 p.

150. Alle origini del latino. Atti del convegno della Società Italiana di Glottologia, Pisa, 7-8 dicembre 1980. A cura di E. VINEIS. Pisa, Giardini, 82, in-8, 78 p. [Contiene: CRISTOFANI (M.). I contatti tra Lazio e Etruria in età arcaica, p. 27-42. - DURANTE (M.). Il latino preletterario, p. 65-78. - MADDOLI (G.). Contatti antichi del mondo latino con il monde greco, p 43-64. - PORZIO GERNIA (M. L.). Il latino e le lingui indoeuropee dell'Italia antica, p.

11-26.]

151. BAKOS (Ferenc). A magyar szókészlet román elemeinek története. (Histoire des éléments roumains du lexique hongrois.) Budapest, Akadémiai Kiadó, 82, in-8, 559 p.

152. BOISGONTIER (Jacques). Atlas linguistique et ethnographique du Languedoc oriental. Vol. 1: Le ciel et les phénomènes atmosphériques, le terrain, le relief, les eaux, les chemins, les plantes et les arbustes sauvages, la forêt, les arbres forestiers, les arbres fruitiers. Paris, Ed. du C.N.R.S., 82, in-fol., 324 p. (cartes 1-313). (Atlas linguistiques de la France par régions)

153. Cahiers d'onomastique arabe, 1981. Par Angelo ARIOLI, Nicole COTTART, Fedwa MALTI-DOUGLAS et al. Responsable: Jacqueline SUBLET. Paris, Ed. du C.N.R.S., 82, in8, 128 p.

154. CSÚCS (Sándor). A magyar szókészlet finnugor elemeinek statisztikája. (Statistics of the Finno-Ugric elements of the Hungarian word-stock.) Nyelvtud. Közl., 82, vol. 84, n° 1, p. 258-263.

155. Dicţionarul elementelor româneşti din documentele slavo-române, 1374-1600. (Dictionnaire des éléments roumains relevés dans les documents slavo-roumains, 1374-1600.) Réd. en chef: Gh. BOLOCAN. Bucureşti, Ed. Academiei, 81, in-8, 368 p.

156. DUBUISSON (Pierrette). Atlas linguistique et ethnographique du Centre [Vol. 1, 2. Cf. Bibl. 76-77, n° 128.] Vol. 3: Grammaire. Supplément: L'intonation générale, par Fernand CARTON. Paris, Ed. du C.N.R.S., 82, in-fol., 228 p. (230 tabl., 180 cartes). (Atlas linguistique de la France par régions)

157. GUIRAUD (Pierre). Dictionnaire des étymologies obscures. T. 1: Histoire et structure du lexique français. Paris, Payot, 82, in-8, 528 p. (Langages et sociétés)

158. Istorija russkogo jazyka. Pamjatniki XI-XVIII vv. (The history of Russian language. Monuments of the 11th-18th cent.) Sbornik st. Red.: S. I. KOTKOV, N. P. PANKRATOVA. Moskva, Nauka, 82, 258 p. (AN SSSR. In-t rus. jaz.)

159. KASSER (Rodolphe). Le dialecte protosaïdique de Thèbes. Arch. f. Papyrusforsch., 82, Bd 28, p. 67-81.

160. KUNITZSCH (Paul). Glossar der arabischen Fachausdrücke in der mittelalterlichen europäischen Astrolabenliteratur. Göttingen, Vandenhoeck u. Ruprecht, 82, in-8, 117 p.

161. LANHER (Jean), LITAIZE (Alain), RICHARD (Jean). Atlas linguistique et ethnographique de la Lorraine romane. [Vol. 1. Cf. Bibl. 80, n° 124.] Vol. 2: Habitat, travaux. Paris, Ed. du C.N.R.S., 81, in-fol., p. 343-693.

162. MARTIN (Jean-Baptiste), TUAILLON (Gaston). Atlas linguistique et ethnographique du Jura et des Alpes du Nord: Index français des notions et des formes étudiées. Paris, Ed. du C.N.R.S., 81, in-4, 38 p.

163. Onomastique (L'), témoin des langues disparues. Actes du Colloque d'onomastique romane de Dijon, 27-30 mai 1981. Dijon, Assoc. bourguignonne de Dialectologie et d'Onomastique, 82, in-8, VII-428 p.

164. PICARD (J. M.). Une préfiguration du latin carolingien: la syntaxe de la Vita Columbae d'Adomnan, auteur irlandais du VIIe siècle. Romanobarbarica, 81/82, a. 6, p. 235-284.

165. POLIAKOFF (M.). Studies in the terminology of the Greek combat sports. Königstein/Taunus, Hain, 82, in-8, X-202 p. (25 fig.). (Beitr. z. klass. Philol., 146)

166. RADKE (Gerhard). Archaisches Latein. Historische u. sprachgeschichtl. Untersuchungen. Darmstadt, Wiss. Buchges., 81, in-8, VI-259 p.

167. RAVIER (Xavier). Atlas linguistique et ethnographique du Languedoc occidental. [Vol. 1. Cf. Bibl. 78-79, n° 699.] Vol. 2: Le monde animal: oiseaux sauvages ou des champs, oiseaux de basse-cour, invertébrés divers, poissons, quadrupèdes de petite et grande taille, animaux de ferme et animaux familiers. Lexique agricole: attelage et véhicules. Collaborateurs: Jacques BOISGONTIER et Ernest NEGRE. Paris, Ed. du C.N.R.S., 82, in-fol., 320 p. (cartes 265-567, 3 pl.).

168. ROEMER (Hans Robert). Lehnwortforschung zur Kulturgeschichte der islamischen Welt. Z. d. deutsch. morgenländ. Ges., 82, Bd 132, p. 348-362.

169. ROT (Sándor). On old Celtic - old English language contacts and their code-switching linguistic interference. In: Gedenkschrift E. Arató [Cf. n° 497], p. 441-448.

170. SHIPP (G. P.). Modern Greek evidence for the ancient Greek vocabulary. Sydney, U. P.; London, Eurospan, 82, in-8, 684 p.

171. SIJPESTEIJN (P. J.). De invloed van het Latijn op het Grieks. (L'influence du latin sur le grec.) Lampas, 82, t. 15, p. 318-330.

172. Soziale Typenbegriffe im alten Griechenland und ihr Fortleben in den Sprachen der Welt. Hrsg. v. Elisabeth Charlotte WELSKOPF. [Bd 3-5. Cf. Bibl. 81, n° 147.] Bd 6: Das Fortleben altgriechischer sozialer Typenbegriffe in den Sprachen der Welt, T. 1. Bd 7: Das Fortleben altgriechischer sozialer Typenbegriffe in den Sprachen der Welt, T. 2. Berlin, Akad.-Verl., 82, 2 vol. in-8, 542, 625 p.

173. STRÖMBERG KRANTZ (E.). Des Schiffes Weg mitten im Meer. Beiträge z. Erforschung d. nautischen Terminologie d. Alten Testaments. Lund, Gleerup, 82, in-8,

225 p. (Coniectanea biblica, Old Testament ser., 19)

174. Substrate und Superstrate in den romanischen Sprachen. Hrsg. v. Reinhold KONTZI. Darmstadt, Wiss. Buchges., 82, in-8, XII-551 p. (Abb., Ktn). (Wege d. Forsch., 475)

175. SUNDERMANN (Werner). Zur Bedeutung des Parthischen für die Verbreitung buddhistischer Wörter indischer Herkunft. In: Altoriental. Forsch. [Cf. n° 1260], p. 99-113.

176. SZABÓ T. (Attila). A magyar szókészlet román eredetű kölczönszavainak kutatása. (La recherche des mots d'emprunt d'origine roumaine dans le lexique hongrois.) Magy. Nyelv, 82, vol. 78, n° 4, p. 385-398.

177. WOLFF (Philippe). Les origines linguistiques de l'Europe occidentale. 2e éd. revue et mise à jour. Toulouse, Assoc. des publications de l'Univ. de Toulouse-Le Mirail, 82, in-8, 175 p. (Publ. de l'Univ. de Toulouse-Le Mirail, Ser. A, 48)

178. WRIGHT (Roger). Late Latin and early Romance in Spain and Carolingian France. Liverpool, Cairns, 82, in-8, XII-322 p.

Cf. n° 2781.

§ 9. Géographie historique et histoire de la géographie.

* 179. Bibliographie d'histoire de la géographie et de géographie historique, [1977, 1978. Cf. Bibl. 81, n° 152.] 1979. Réd. par Roger HERVE avec la collab. de L. LAGARD. Comité des travaux hist. et sci., section de géographie. Paris, Bibliothèque nationale, 81, in-8, 153.

* 180. BURGHARDT (Andrew), SCHLICHTMANN (Hansgeorg). German research on Canada, 1965-1980: a bibliography. Canad. Geographer, 82, vol. 26, p. 60-64.

* 181. Recent cartographic literature, ed. by Barbara J. GUTSELL. Cartographica, 82, vol. 19, n° 3-4, 118-123.

** 182. FLOOR (Willem). First contacts between the Netherlands and Masqat or A report on the discovery of the coast of 'Oman in 1666: translation a. introduction. Z. d. deutsch. morgenländ. Ges., 82, Bd 132, p. 289-307.

** 183. Memoria saecularis Sakari Pälsi. Aufzeichnungen von einer Forschungsreise nach der Nördlichen Mongolei im Jahre 1909 nebst Bibliographien bearb. u. hrsg. v. Harry HALÉN. Helsinki, Société Finno-Ougrienne, 82, in-4, 202 p. (ill., carte). (Travaux ethnograph., 10)

184. ALEKSEEV (A. I.). Osvoenie russkimi ljud'mi Dal'nego Vostoka i Russkoj Ameriki (do konca XIX veka). (The appropriation by the Russian people of the Far East and Russian America till the end of the 19th cent.) Moskva, Nauka, 82, 288 p. (ill.). (AN SSSR. In-t istorii SSSR)

185. Atlas historyczny Polski. (Atlas historique de la Pologne.) Réd. Władysław CZAPLIŃSKI, Tadeusz ŁADOGÓRSKI. Auteurs: Irena GIEYSZTOROWA et al. [Ed. 5.] Warszawa, Państw. Przedsiębiorstwo Wydawn. Kartograf., 82, in-4, 109 p. (cartes).

186. BELDICEANU-STEINHERR (Irène). La géogrphie historique de l'Anatolie centrale d'après les registres ottomans. C. R. Acad. Inscript., 82, p. 443-503.

187. BEŠEVLIEV (Bojan). Der Beitrag der italienischen Kartographen zur Klärung der kartographischen Gestalt der bulgarischen Lande. Bulg. hist. R., 82, a. 10, n° 3, 70-81.

188. BROC (Numa). Les grandes missions scientifiques françaises au XIXe siècle (Morée, Algérie, Mexique) et leurs travaux géographiques. R. Hist. Sci., 81, t. 34, p. 319-358.

189. BUTLIN (Robin A.). The transformation of rural England, c. 1580-1800, a study in historical geography. London, Oxford U. P., 82, in-8, 64 p.

190. CORNELL (Tim), MATTHEWS (John). Atlas of the Roman world. London, Phaidon Press, 82, in-4, 240 p. (ill., pl., 62 maps)

191. CSENDES (László). 1782-ben vette kezdetét Magyarország részletes katonai felmérése. (Der Beginn der militärischen Vermessung Ungarns im J. 1782.) Hadtört.-Közl., 82, vol. 29, n° 1, p. 93-123.

192. ENGELMANN (Gerhard). Johannes Honter als Geograph. Köln u. Wien, Böhlau, in-8, XI-196 p. (12 Abb.). (Studia transylvanica, 7)

193. ETZEOGLOU (R.). Karyoupolis, une ville byzantine désertée. Esquisse de géographie historique du nord-est du Magne. Byzantion, 82, t. 52, p. 83-123.

194. HABIB (Irfan). An atlas of the Mughal Empire. Political a. economic maps with detailed notes, bibliography a. index. London, New Delhi a. New York, Oxford U.P., 82, in-fol., 120 p. (maps).

195. HAMANN (Günther). Das Weltbild im 11. Jahrhundert im Rahmen der Kartographie des Mittelalters. Jb. f. Gesch. d. Feudalismus, 82, Bd 6, p. 53-86.

196. Historický místopis Moravy a Slezska v letech 1848-1960. (Topographie historique de la Moravie et de la Silésie des années 1848-1960.) [Vol. 7. Cf. Bibl. 81, n° 173.] Vol. 8: Okresy (Arrondissements): Uherské Hradiště, Uherský Brod, Hodonín, Kyjov. Edit. Josef BARTOŠ, Jindřich SCHULZ, Miloš TRAPL. Ostrava, Profil, 82, in-8, 365 p. (9 cartes).

197. HOOKE (Janet), KAIN (R.J.P.). Historical change in the physical environ-

ment. London, Butterworth, 82, in-4, 260 p. (ill.). (Stud. in Hist. Geogr.)

198. IOSIPESCU (Sergiu). Dans la Mer Noire pendant l'antiquité et le moyen âge: en louvoyant à la recherche de l'ancienne bouche sud du Danube. R. roumaine Hist., 82, t. 21, p. 283-302.

199. KEEL (Othmar), KÜCHLER (Max). Orte und Landschaften der Bibel. Ein Handbuch u. Studienreiseführer zum Heiligen Land. Bd 2: Der Süden. Göttingen, Vandenhoeck u. Ruprecht, 82, in-8, XI-997 p. (645 Abb., Ktn). [Bd 1 noch nicht erschienen]

200. KUPPERMAN (Karen Ordahl). The puzzle of the American climate in the early colonial period. Am. hist. R., 82, vol. 87, n° 5, p. 1262-1289.

201. LEFORT (Jacques). Villages de Macédoine. Notices historiques et topographiques sur la Macédoine orientale au moyen âge. T. 1: La Chalcidique occidentale. Paris, de Boccard, 82, in-8, 218 p. (13 cartes). (Travaux et Mém. du Centre de Recherche d'Hist. et Civilisation de Byzance, 1)

202. MOSTAKHOV (S.E.). Russkie putešestvenniki-issledovateli Jakutii (XVII-načalo XX v.). (Russian travellers-explorers of Yakutia, 17th-beginning of the 20th cent.) Jakutsk, Kn. izd-vo, 82, 191 p.

203. MÜLLER (Alfred). Die Eifel und das Prümer Land in alten Landkarten. Prüm, Geschichtsverein Prümer Land/ Museum Prüm, 82, in-8, 102 p.

204. RASTAWIECKI (Edward). Mappografia dawnej Polski. (La cartographie de l'ancienne Pologne.) Warszawa, Wydawn. Artyst. i Filmowe, 82, in-8, X-159 p. [Reprod. photo-offset de l'éd. Warszawa 1846]

205. ROLLE (Andrew). Exploring an explorer: psychohistory and John Charles Frémont. Pacific hist. R., 82, vol. 51, n° 2, p. 135-164.

206. SKRYNNIKOV (R. G.). Sibirskaja èkspedicija Ermaka. (The Siberian expedition of Ermak.) Novosibirsk, Nauka, 82, 254 p. (AN SSSR. Sib. otd-nie. In-t istorii, filol. i filos.)

207. SZELIGA (Jan). Rozwój kartografii Wybrzeża Gdańskiego do 1772 roku. (Le développement de la cartographie de la Côte de Gdańsk jusqu'à l'an 1772.) Wrocław, Zakł. Narod. im. Ossolińskich, 82, in-8, 308 p. (Pol. Akad. Nauk, Inst. Hist. Oświaty i Techn.)

208. RUMOCK (David). Historical geography of Scotland since 1707. London, Cambridge U. P., 82, in-8, 352 p. (fig., tab.). (Cambr. Stud. in Hist. Geogr.)

209. YLI-JOKIPII (Pentii). Trends in Finnish geography in 1920-1979 in the light of the journals of the period. Fennia, 82, t. 160, p. 95-193 (ill., carte)

Cf. n°s 1418, 1762, 2237, 2355, 4777, 5071, 5082.

§ 10. Iconographie.

* 210. Bibliographie zur Symbolik, Ikonographie und Mythologie. Internat. Referateorgan, begr. v. Manfred LURKER, Hrsg. v. Werner BIES u. Helmut SCHNEIDER. [Jg. 13. Cf. Bibl. 81, n° 195.] Jg. 14: 1981. Baden-Baden, Koerner, 82, in-8, 151 p.

211. BERGER (Michel). Les peintures de l'abside de S. Stefano à Soleto. Une illustration de l'anaphore en Terre d'Otrante à la fin du XIVe siècle. Mél. Ec. franç. Rome, Moyen Age, Temps mod., 82, t. 94, p. 121-170 (14 fig.).

212. BUIS (Micheline). Le motif de la "torsade liée au losange" dans le Sud-Est de la France et dans le reste de l'empire carolingien. Cah. archéol., 82, t. 30, p. 71-80.

213. BUSCH (Gabriele Christiane). Ikonographische Studien zum Solotanz im Mittelalter. Innsbruck, Musikverl. Helbling, 82, in-8, 111 p. (Abb.). (Innsbrucker Beiträge z. Musikwiss., 7)

214. DUVAL (Yvette). Mosaïque romaine tardive. L'iconographie du temps. Les programmes iconographiques des maisons romaines. Paris, Didier Erudition, 82, in-4, 256 p. (2 plans, 15 pl.). (Publ. de l'I.R.U. d'hist. de la connaissance des idées et des mentalités, Univ. ParisVal de Marne)

215. FELLER (Laurent). La fondation de San Clemente à Casauria et sa représentation iconographique. Mél. Ec. franç. Rome, Moyen Age, Temps mod., 82, t. 94, p. 711-728.

216. GRABAR (André). L'iconographie du ciel dans l'art chrétien de l'antiquité et du haut moyen âge. Cah. archéol., 82, t. 30, p. 5-24 (ill.).

217. HALBOUT DU TANNEY (Dominique). La miniature ottomane, source iconographique. Anatolia, 82, n° 9, p. 133-166 (41 fig.).

218. HEERMA VAN VOSS (Matthieu Sybrand Huibert Gerard). Ägypten: die 21. Dynastie. Leiden, Brill, 82, in-4, 18 p. (ill., 27 p. de pl.). (Iconography of religions, section 16: Egypt, 9)

219. HEIMANN (Peter). Mola mystica. Wandlungen eines Themas mittelalterlicher Kunst. Z. f. schweiz. Archäol. u. Kunstgesch., 82, Bd 39, n° 4, p. 229-252.

220. KLIMKEIT (Hans Joachim). Manichaean art and calligraphy. Leiden, Brill, 82, in-4, XII-50 p. (32 pl.). (Iconography of religions, section 20: Manichaeism)

221. LABANDE-MAILFERT (Yvonne). Etudes d'iconographie romane et d'histoire de

l'art. Poitiers, Soc. d'Etudes médiévales, 82, in-8, 283 p. (ill.).

222. Lexicon iconographicum mythologiae classicae. [Comité de réd.: John BOARDMAN et al.; réd. Hans Christoph ACKERMANN, Jean-Robert GISLER.] Bd 1: Aara-Aphlad. T. 1: Text. T. 2: Illustrationen. Zürich, Artemis, 81, 2 vol. in-4, LVII-881, 752 p. (überwiegend Ill.).

223. SCHIMMEL (Annemarie). Islam in India and Pakistan. Leiden, Brill, 82, in-4, 48 p. (ill., 48 p. of pl.). (Iconography of religions, section 22: Islam, 9)

224. VERDIER (Philippe). La naissance à Rome de la Vision de l'Ara Coeli. Un aspect de l'utopie de la paix perpétuelle à travers un thème iconographique. Mél. Ec. franç. Rome, Moyen Age, Temps mod., 82, t. 94, p. 85-119 (11 fig.).

225. TENFELDE (Klaus). Adventus. Zur historischen Ikonologie des Festzuges. Hist. Z., 82, Bd 235, p. 45 84.

Cf. n°s 579, 1274, 1951.

B

MANUELS, OUVRAGES GENERAUX ET TRAVAUX D'ENSEMBLE

§ 1. Congrès et organisations historiques. 226-251. - § 2. Archives, Bibliothèques et Musées (a. Archives; b. Bibliothèques; c. Musées). 252-317. - § 3. Histoire des sciences historiques (a. Généralités; b. Biographies; c. Mélanges). 318-537. - § 4. Méthodologie, Philosophie et Enseignement de l'histoire. 538-646. - § 5. Ethnographie et Folklore. 647-718. - § 6. Histoire générale (a. Histoire universelle; b. Histoire par pays). 719-854. - § 7. Théorie de l'Etat et de la Société. 855-877. - § 8. Histoire du droit et constitutionnelle. 878-889. - § 9. Histoire économique et sociale. 890-940. - § 10. Histoire de la civilisation, des sciences, de la technique et de l'enseignement. 941-973. - § 11. Histoire de l'art. 974-989. - § 12. Histoire religieuse (a. Généralités; b. Travaux particuliers). 990-1048. - § 13. Histoire de la philosophie. 1049-1055. - § 14. Histoire littéraire. 1056-1067.

§ 1. Congrès et organisations historiques.

** 226. CAROZZI (Pier Angelo). Alle origini della "Società italiana per la ricerca dei papiri greci e latini in Egitto" (dal carteggio inedito di Girolamo Vitelli con Uberto Pestalozza, 1898-1908). Atene e Roma, 82, n. s., a. 27, p. 26-45.

227. Abélard et son temps. Actes du Colloque internat. organisé à l'occasion du 9e centenaire de la naissance de Pierre Abélard, Nantes, 14-19 mai 1979. Paris, Belles Lettres, 81, in-8, 237 p. (ill.). [Cf. n°s 2392, 2728, 2747, 2903, 2911.]

228. Actas del cuarto Congreso internacional de hispanistas celebrado en Salamanca, agosto de 1981. A cargo de Eugenio de BUSTOS TOVAR. Salamanca, Asoc. intern. de Hispanistas, Consejo general de Castilla y León, Univ. de Salamanca, 82, 2 vol. in-8, XXVII-832, 887 p.

229. Actas del I [primo] Congreso internacinal de historia mediterránea [dedicado a la Península Ibérica y el Mediterráneo centro-oriental, siglos XII-XV, Palma de Mallorca, 17-22 diciembre 1973]. Anu. Est. mediev., 80 [82], t. 10, 894 p. [Cf. n°s 2609, 2624, 2640, 2647, 2665, 2672, 2677, 2683, 2688, 2691, 2705, 2714, 2717, 2727, 2729.]

230. Actes du Colloque Jeanne d'Arc et le cinq cent cinquantième anniversaire du siège de Compiègne, 20 mai- 25 oct. 1980. B. Soc. hist. Compiègne, 82, t. 28, p. 1-292. [Cf. n°s 2453, 2459, 2466, 2639, 2658.]

231. Aquileia dalla fondazione all'alto Medioevo. Atti dei seminari storico-archeologici. Editi a cura di M. BUORA. S. l., 82, in-8, 89 p. (Assoc. naz. per Aquileia)

232. Begegnungsräume von Kulturen. Hrsg. v. Alfred WENDEHORST u. Jürgen SCHNEIDER. Neustadt (Aisch), Degener, 82, in-8, VIII-147 p. (ill., 1 Kt.). (Referate d. interdisziplinären Colloquiums d. Zentralinst./Zentralinst. f. fränk. Landeskde u. Allg. Regionalforsch. an d. Univ. Erlangen-Nürnberg, 4) (Schr. d. Zentralinst. f. fränk. Landeskde u. Allg. Regionalforsch. an d. Univ. Erlangen-Nürnberg, 21)

233. Congrès archéologique de France. 136e session, 1978: Haute Alsace. Paris, Soc. franç. d'archéol., 82, in-8, 362 p. (ill.).

234. Congresso (IV) internazionale della Società italiana di storia del diritto. [Cf. n° 883.]

235. Deutschland und Frankreich, 1936-1939. 15. Deutsch-Französisches Historikerkolloquium d. Deutsch. Hist. Inst. Paris (Bonn, 26.-29. Sept. 1979). Veranst. in Zsarb. mit d. Comité Français d'Histoire de la Deuxième Guerre Mondiale u. d. Militärgesch. Forschungsamt, Freiburg. Hrsg. v. Klaus HILDEBRAND u. Karl Ferdinand WERNER. In Zsarb. mit Klaus MANFRASS. München u. Zürich, Artemis, 82, in-8, XXIX-719 p. (graph. Darst.). (Beih. d. Francia, 10) [Cf. n°s 3212, 3217, 3222, 3268, 3276, 3305, 3412, 3649, 3656, 3729, 3751, 3753, 4903, 5631, 5678, 5693, 7255-7257, 7259, 7330, 7332, 7335, 7343-7344, 7396.]

236. Dictatures et légitimité. [Colloque organisé par le Centre d'analyse comparative des systèmes politiques, Paris, 6-8 déc. 1979.] Sous la dir. de Maurice DUVERGER. Paris, Presses univ. France, 82, in-8, 488 p. (Centre d'analyse compar. des systèmes pol., 2) [Cf. n°s 1484, 1600, 1743, 1751, 2369, 2509, 3122, 3147, 3149, 3155, 3165, 3207, 3724, 3745, 3819, 4036,

4059, 4237, 4239, 7612, 7633.]

237. France (La) de Philippe Auguste: le temps des mutations. Actes du Colloque internat. organisé par le C.N.R.S. (Paris, 29 sept. - 4 oct. 1980). Publ. par Robert-Henri BAUTIER. Paris, Ed. du C.N.-R.S., 82, in-8, 1934 p. (Colloques internat. du C.N.R.S., 602) [Cf. n°s 11, 21, 74, 89, 114, 319, 336, 2389, 2397-2399, 2407, 2409, 2421, 2424, 2432-2433, 2444, 2564, 2567-2568, 2591, 2594, 2638, 2642, 2692, 2745, 2810, 2820, 2836, 2842, 2901, 3003, 3034.]

238. GATEWOOD (Willard B.) Jr. The forty-seventh annual meeting [of the Southern Historical Association]. J. southern Hist., 82, vol. 48, n° 1, p. 71-92.

239. Genealogica et heraldica. Report of the 14th internat. Congress of genealogical a. heraldic sciences in Copenhagen, 25-29 August 1980. København, Soc. heraldica scandinavica, 82, in-8, 432 p. (pl.).

240. Histoire et sainteté. Actes de la 5e Rencontre d'histoire religieuse, Fontevraud, 17 oct. 1981. [Cf. n° 1029.]

241. HUNDSBICHLER (Helmut). Wege zum Alltag des Mittelalters: Arbeitsweise und Forschungsziele des Instituts für mittelalterliche Realienkunde Österreichs. Schede medievali, 82, a. 3, p. 356-362.

242. Internationaler Byzantinistenkongreß (XVI.), Wien, 4.-9. Okt. 1981. [Cf. n° 2127.]

243. JAMES (T. G. H.) a. others. Excavating in Egypt: the Egypt Explorations Society, 1882-1982. Chicago, Univ. of Chicago Press; London, Brit. Museum, 82, in-8, 192 p. (ill.).

244. KAGANOFF (Nathan M.). AJHS at 90: reflections on the history of the oldest ethnic historical society in America. Am. jewish Hist., 82, vol. 71, n° 4, p. 466-485. [American Jewish Historical Society]

245. Materiály VIII. zjazdu Slovenskej historickej spoločnosti, 30. júna - 2. júla 1981. (Materialien des 8. Kongresses d. Slowak. Hist. Gesellschaft, 30. Juni - 2. Juli 1981.) Hist. Čas., 82, vol. 30, p. 3-200.

246. Probleme der Integration Ostschwabens in den bayerischen Staat. Bayern u. Wittelsbach in Ostschwaben. Referate u. Beitr. d. Tagung auf d. Reisensburg am 21./22. März 1980. Mit Berichten aus d. Landesgesch. Forsch. in Augsburg. Hrsg. v. Pankraz FRIED. Sigmaringen, Thorbecke, 82, in-8, 340 p. (Veröff. d. Schwäb. Forschungsgemeinschaft b. d. Komm. f. Bayer. Landesgesch., Reihe 7: Augsburger Beitr. z. Landesgesch. Bayerisch-Schwabens, 2)

247. Rapports sur les travaux de l'Ecole française en Grèce en [1980. Cf. Bibl. 81, n° 221.] 1981. B. Corresp. hellénique, 82, t. 196, p. 637-683 (fig.).

248. Sixty-second (The) annual meeting of the American Catholic Historical Association. Cath. hist. R., 82, vol. 68, n° 2, p. 268-284. [Cf. Bibl. 81, n° 223.]

249. ŞTEFĂNESCU (Ştefan). Institutul de istorie "N. Iorga" la 45 de ani de la înfiinţare şi sarcinile actuale ale istoriografiei româneşti. (Le 45e anniversaire de la fondation de l'Institut historique "N. Iorga" [à Bucarest] et les tâches actuelles de l'historiographie roumaine.) R. Ist., 82, t. 35, p. 873-879.

250. VOIGT (Vilmos). A kilencvenesztendős Magyar Néprajzi Társaság. (Les 90 ans de la Société d'Ethnographie Hongroise.) Budapest, Eötvös Loránd Tudományegyetem, 80 [81], in-8, p. 444-451. (Folklór és folklorisztika, 23)

251. ZOBEL (Hans-Jürgen). Geschichte des Deutschen Evangelischen Instituts für Altertumswissenschaft des Heiligen Landes von den Anfängen bis zum Zweiten Weltkrieg. Z. d. deutsch. Palästina-Ver., 81, Bd 97, p. 1-11.

Cf. n°s 451, 561, 827, 900, 904, 911, 915, 920-921, 925, 949, 970, 992, 1072, 1427, 2053, 2323, 2328, 2405, 2593, 2613, 2659, 2696, 2743, 2922, 3061, 3093, 3114, 3126, 3154, 3995, 4025, 4662, 4713-4714, 6038, 6753, 6777, 6782, 7721.

§ 2. Archives, Bibliothèques et Musées.

a. Archives.

* 252. LINDROTH (Jan). Svensk arkivbibliografi 1960-1979. (Swedish archives bibliography, 1960-79.) Stockholm, Sv. Arkivsamf., 81, in-8, 72 p. (Svenska arkivsamfundets skriftser., 23)

* 253. National union catalog of manuscript collections. [Vol. 20. Cf. Bibl. 81, n° 228.] [Vol. 21:] Catalog 1981. Washington, D.C., Libr. of Congr., 82, LXII-249 p.

254. Archives Nationales [Paris]. Guide des recherches sur l'histoire des familles. Par Gildas BERNARD. Paris, Archives nat., 81, in-4, 335 p.

255. Archives Nationales [Paris]. Inventaire des papiers de la division des sciences et lettres du Ministère de l'Instruction publique et des services qui en sont issus: Sous-série F 17. [T. 1. Cf. Bibl. 72, n° 273.] T. 2. Par Marie-Elisabeth ANTOINE. Paris, Archives nat., 81, in-4, 971 p.

256. Archives Nationales [Paris]. Les préfets, du 11 vendôse an VIII au 4 septembre 1870: répertoire nominatif et territorial. Paris, Archives nat., 81, in-4, 423 p.

257. Archivio di Stato. Firenze. Carteggio universale di Cosimo I de' Medici. Inventario. 1: 1536-1541. Mediceo del

Principato, filze 329-353. A cura di Anna BELLI- NAZZI e Claudio LAMIONI. Con un saggio di Giuseppe PANSINI. Firenze, Giunta reg. toscana; La nuova Italia, 82, in-4, LXXXV-357 p. (tav.). (Invent. e Catal. toscani, 9. Ser. dell'Arch. di Stato di Firenze, 1)

258. BŐŐR (László). Utmutató a Pest megyei Levéltár Nagykőrösi Osztálya irataihoz. (Guide des documents du Département de Nagykőrös dans les Archives du comitat de Pest.) Budapest, Pest m. Lvt., 81 [82], in-8, 244 p. (Pest megyei levéltári füzetek)

259. BURCKEL (Nicholas C.), COOK (J. Frank). A profile of college and universitary archives in the United States. Am. Archivist, 82, vol. 45, n° 4, p. 410-428.

260. Catalogul documentelor ţării româneşti din arhivele statului. (Le catalogue des documents de la Valachie aux archives d'Etat.) Vol. 4: 1633-1639. Vol. întocmit de Marcel-Dumitru CIUCĂ, Doina DUCA-TINCULESCU şi Silvia VĂTAFU-GĂITAN. Coordonator: Maria SOVEJA. Bucureşti, Direcţia generală a Arhivelor Statului, 81, in-8, 903 p. (13 fac-sim.).

261. COURCELLES (Dominique de), POZZO DI BORGO (Cécile). Les archives des ministères des relations extérieures [de la France]. Structures et organisation. Gaz. Arch., 82, n. sér., n° 119, p. 249-261.

262. Családnévmutató a Magyar Országos Levéltárban őrzött családi levéltárak és gyűjtemények irataihoz. 1. köt.: 1526-1945. [Összeáll. PATAKI Lajosné.] (Index des noms de famille des manuscrits des archives et collections familiales gardées aux Archives Nationales de Hongrie. Vol. 1: 1526-1945. [Réd. par - .]) Budapest, Magyar Országos Levéltár, 81, in-8, 164 p. (Levéltári mutatók és jegyzékek, 1)

263. EMBER (Győző). Levéltári terminológiai lexikon. (Vocabulaire terminologique des archives.) Budapest, Akadémiai Kiadó, 82, in-8, 380 p. (A Magyar Országos Levéltár kiadványai. Levéltártan és történeti forrástudomániok, 4)

264. GRIMSTED (Patricia Kennedy). Lenins's archival decree: the Bolshevik legacy for soviet archival theory and practice. Am. Archivist, 82, vol. 45, n° 4, p. 429-443.

265. GRIMSTEAD (Patricia Kennedy). What is and what was the Lithuanian Metrica. The contents, history and organization of the chancery archives of the grand duchy of Lithuania. Harvard ukrainian Stud., 82, vol. 6, p. 269-338.

266. HENKE (Josef). Das Schicksal deutscher zeitgeschichtlicher Quellen in Kriegs- und Nachkriegszeit. Beschlagnahme - Rückführung - Verbleib. Vjhefte f. Zeitgesch., 82, Jg. 30, p. 557-320.

267. HEREDIA HERRERA (Antonio). La audiencia de Filipinas en el A.G.I. Anu. Est. am., 80 [82], t. 37, p. 465-511.

269. HERSCHLER (David H.), SLANY (William Z.). The paperless office: a case study of the State Department's foreign affairs information system. Am. Archivist, 82, vol. 45, n° 2, p. 142-154.

269. JURGENS (Madeleine). Archives nationales [Paris], Minutier central. Inventaires après décès: documents du Minutier central des notaires de Paris. T. 1: 1483-1547. Paris, Archives nat., 82, in-4, 507 p.

270. Katalog a rejstříky k protokolům schůzí vlád z fondu předsednictva ministerské rady. 3. československá vláda. (Druhá Tusarova.) 27. květen 1920 - 15. září 1920. (Katalog u. Register zu d. Sitzungsprotokollen d. Regierungen aus d. Archivfonds d. Präsidiums d. Ministerrats. Die 3. tschechoslowak. Regierung. Die zweite Vl. Tusars. 27. Mai 1920 - 15. Sept. 1920.) Hrsg. v. Irena MALÁ. Praha, Státní ústřední archiv, 82, in-4, 59 p. (Inventář a katalogy fondů Státního ústředníhi archivu v Praze, 22/3) [Cf. n° 4184.]

271. Katalog a rejstříky k protokolům schůzí vlád z fondu předsednictva ministerské rady. 4. československá vláda. (1. Černého.) 15. září 1920 - 26. září 1926. (Katalog u. Register z. d. Sitzungsprotokollen d. Regierungen aus d. Archivfonds d. Präsidiums d. Ministerrats. Die 4. tschechoslowak. Regierung. Die erste J. Černýs. 15. Sept. 1920 - 26. Sept. 1921.) Hrsg. v. Fr. RAJTORAL. Register: E. GREGOROVIČOVÁ, J. KUTOVÁ. Praha, Státní ústřední archiv, 82, in-4, 163 p. (Inventáře a katalogy fondů Státního ústředního archivu v Praze, 22/4) [Cf. n° 4184 a.ä

272. KRAKOVITCH (Odile). Les pièces de théâtre soumises à la censure (1800-1830). Inventaire des manuscrits des pièces (F^{18} 966 à 995). Paris, Archives nat., 82, in-4, 334 p.

273. MASON (Philip P.). Labor archives in the United States: achievements a prospects. Labor Hist., 82, vol. 23, n° 4, p. 487-497.

274. MOSS (William W.). Archives in the People's Republic of China. Am. Archivist, 82, vol. 45, n° 4, p. 385-409.

275. Mostra del Fondo de Larderel-Viviani della Robbia. Dalla storia di una famiglia in Toscana, 1841-1943: industria, nobiltà e cultura. Firenze, Palazzo Corsini-Suarez 27 nov. 1982 - 19 marzo 1983; Palazzo Strozzi, 27 nov. 1982 - 8 gennaio 1983. Catalogo a cura di Silvano FERRONE. S. l., 82, in-8, 151 p. (tav.). (Gabinetto scient.-lett. G. P. Vieusseux)

276. OJTOZI (Eszter). Dannye k rekonstrukcii kirillo-slavjanskogo knižnogo fonda byvšej monastyrskoj biblioteki Marijapovčanskikh bazilian. (Donnés concernant la reconstruction du fonds de livres cyrilloslaves de la bibliothèque de l'ancien monastère des Basilites à Máriapócs.) Diss. slavicae, 81, Suppl., p. 21-27.

277. Répertoire des archives du Maroc, série 3H (1877-1960). Ministère de la défense, Etat-Major de l'armée de terre,

2. ARCHIVES, BIBLIOTHEQUES ET MUSEES

Service historique. T. 1: Section d'Afrique de l'état-major de l'armée, cabinet militaire de la Résidence, commandement supérieur des troupes du Maroc, direction des armes et des services, régions, divisions territoriales, divisions d'infanterie. Réd. par Arnaud de MENDITTE et Jean NICOT. Vincennes, Service hist. de l'Armée de Terre, 82, in-8, XI-169 p.

278. Rukopisnye istočniki po istorii Zapadnoj Euvropy v arkhive Leningrandskogo otdelenija Instituta istorii SSSR. (Manuscript sources on the history of Western Europe in the Archives of the Leningrad section of the Institute for the history of the USSR.) Arkheogr. sbornik. Otv. red. V. I. RUTENBURG, A. D. LJUBINSKAJA. Leningrad, Nauka, 82, 176 p. (ill.). (AN SSSR. In-t istorii SSSR. Leningr. otd-nie)

279. SMITH (David R.). An historical look at business archives. Am. Archivist, 82, vol. 45, n° 3, p. 273-278.

280. Sources of the history of Asia and Oceania in the Netherlands. Pt. 1: Sources up to 1796. Comp. by Marius P. H. ROESSINGH. München, New York, London a. Paris, K. G. Saur, 82, in-4, 337 p. (Guides to the sources for the history of the nations. 3rd ser.: North Africa, Asia and Oceania = Guides des sources de l'histoire des nations. Sér. 3: Afrique du Nord, Asie et Océanie) [Cf. Bibl. 81, n° 233]

281. TOURTIER-BONAZZI (Chantal de). Archives nationales [Paris]. Archives de Joseph Bonaparte, roi de Naples, puis d'Espagne: 381 AP. Paris, Archives nat., 82, in-4, 128 p.

282. WRÓBEL-LIPOWA (Krystyna). Rewindykacja archiwaliów polskich z ZSRR w latach 1945-1964. (La revendication des archives polonaises de l'Union Soviétique dans les années 1945-1964.) Lublin, 82, in-8, 200 p. (Uniw. M. Curie-Skłodowskiej. Rozprawy Wydz. Humanist. Rozprawy Habilitacyjne, 26)

283. Zeugnisse rheinischer Geschichte. Urkunden, Akten u. Bilder aus d. Gesch. d. Rheinlande. Eine Festschrift z. 150. Jahrestag d. Einrichtung d. Staatl. Archive in Düsseldorf u. Koblenz. Bearb. v. d. Mitarb. d. beiden Archive. Red. Franz-Josef HEYEN u. Wilhelm JANSSEN. Neuß, Verl. Ges. f. Buchdruckerei, 82, in-4, XVI-487 p. (ill.). (Jb. Rhein. Ver. f. Denkmalpflege u. Landschaftsschutz, 82/83)

Cf. n°s 2277, 6643, 6649.

b. Bibliothèques.

* Cf. n° 27.

---

284. AMALVI (Christian). Catalogues historiques et conceptions de l'histoire. Stor. della Storiogr., 82, n° 2, p. 77-101. [Bibliothèque Nationale, Paris]

285. BERLÁSZ (Jenő). Az Országos Széchényi Könyvtár története 1802-1967. (L'histoire de la Bibliothèque Nationale Széchényi [à Budapest], 1802-1867.) Budapest, Országos Széchényi Könyvtár, 81, in-8, 555 p. (32 pl.). - CR: Cs. Csapodi, Magy. Könyvszle, 82, vol. 98, n° 3, p. 287-289.

286. Bibliothèque Nationale [Paris]. Département des manuscrits. Catalogue général des manuscrits latins. Tables. T. 2: Tables des tomes III à VI (n°s 2693 à 3775 B). Par Denise BLOCH, Pascale BOURGAIN, Marie-Pierre LAFITTE et Jacquelin SCLAFER. 1: Table analytique. Paris, Biblioth. Nat., 81, in-4, X-483 p. (28 pl.).

287. BRONFENBRENNER (Martin). A tempestuous teapot; or, notes on the Nixon library. South Atlantic Quar., 82, vol. 81, n° 1, p. 2-5.

288. BRUNI (Roberto L.), EVANS (D. Wyn). Catalogue of Italian books, 1601-1700, in Exeter libraries, with an Appendix of 16th century books, mainly from Devon library services. Exeter, Univ. Libr., 82, in-8, 210 p. (ill.).

289. Catalogue des incunables conservés dans les bibliothèques de la région Nord-Pas-de-Calais. T. 1: Bibliothèques municipales d'Arras, de Bergues, Lille et Valenciennes. Etabli par Frédéric BARBIER et Jean DEGENNE. Villeneuve-d'Ascq, Assoc. des Bibliothécaires franç., 80, in-8, 107 p. - Catalogues régionaux des incunables des bibliothèques publiques de France. Vol. 3: Bibliothèques de la région Midi-Pyrénées. Par Christian PELIGRY. Bordeaux, Soc. des Bibliophiles de Guyenne, 82, in-8, 317 p. (24 p. de pl.).

290. FOSSIER (François). La Bibliothèque Farnese. Etudes des manuscrits latins et en langue vernaculaire. Roma, Ecole franç. de Rome, 82, in-4, 509 p. (pl.).

291. HURST (Clive). Catalogue of the Wren Library of Lincoln Cathedral: books printed before 1801. London, Cambridge U. P., 82, in-4, 599 p.

292. KERESZTURY (Dezső). Hires magyar könyvtárak. (Bibliothèques hongroises célèbres.) Budapest, RTV - Minerva, 82, in-8, 138 p.

293. KUNOFF (Hugo). The foundations of the German academic library. Chicago, Al. Libr. Assoc., 82, in-8, XIII-220 p.

294. Manuscrits (Les) classiques latins de la Bibliothèque Vaticane. Catalogue établi par Elisabeth PELLEGRIN et Jeannine FOHLEN, Colette JEUDY, Yves-François RIOU, avec la collab. d'Adriana MARUCCHI et de Paola SCARCIA PIACENTINI. T. 2, [1e partie. Cf. Bibl. 78-79, n° 326.] 2e partie: Fonds Palatin, Rossi, Ste-Marie-Majeure et Urbinate. Par Jeannine FOHLEN, Colette JEUDY, Yves-François RIOU. Paris, Ed. du C.N.R.S., 82, in-4, 687 p. (24 pl.). (Doc. études et répertoires, publ. par l'I.R.H.T.)

295. MEIER (Kurt-Werner). Die Zurlaubiana. Werden, Besitzer, Analysen. Eine Zuger Familiensammlung, Grundstock d. Aargauischen Kantonsbibliothek. Aarau, Sauerländer, 81, 2 vol. in-8, 1401 p. (Aus

der Aargauischen Kantonsbibliothek, 1)

296. PRIEBE (Paul M.). From Bibliothèque du Roi to Bibliothèque Nationale [Paris]: the creation of a state library, 1789-1793. J. Libr. Hist., 82, vol. 17, p. 389-408.

297. SOLANO Y PÉREZ (Francisco). Reformismo y cultura intelectual: la biblioteca privada de José de Gálvez, ministro de Indias. Quinto Centenario, 82, t. 2, p. 1-100.

298. SORGELOOS (Claude). La bibliothèque de Charles de Lorraine, gouverneur-général des Pays-Bas autrichiens. R. belge Philol. Hist., 82, t. 60, p. 809-838.

299. Soupis starých tisků ve fondech Státní vědecké knihovny v Olomouci. (Verzeichnis der alten Drucke in den Buchfonds der Staatl. wissenschaftl. Bibliothek in Olmütz.) [Vol. II/1. Cf. Bibl. 80, n° 52.] Vol. II/2: Tisky Budyšína, Cvikova, Dráždan, Zhořelce a Žitavy 1501-1800. (Drucke aus Bautzen, Zwickau, Dresden, Görlitz u. Zittau 1501-1800.) Vol. II/3: Vratislavské tisky z let 1501-1800. (Breslauer Drucke aus d. J. 1501-1800.) Ed.: Václav PUMPRLA. Olomouc, Stát. věd. knihovna, 81-82, 2 vol. in-4, 193, 191 p.

300. THIEN (Ly-hoang). La Bibliothèque nationale [Paris] sous la Révolution. XVIIIe Siècle, 82, n° 14, p. 75-88.

301. TOLLET (Daniel). Les Polonica de la Bibliothèque nationale de Paris: inventaire critique des textes des XVIe, XVIIe, XVIIIe siècles. Paris, Bibliothèque nat., 82, in-8, 82 p.

Cf. n°s 31-32, 45, 49, 5062.

c. Musées.

302. AMIET (Pierre). Antiquités anatoliennes du Louvre: les bronze ourartéens. In: Mémorial Atatürk [Cf. n° 1295], p. 13-25 (10 fig.).

303. CANTAREL-BESSON (Yveline). La naissance du musée du Louvre. La politique muséologique sous la Révolution d'après les archives des musées nationaux. T. 1, 2. Paris, Musées nationaux, 82, 2 vol. in-8, 306, 296 p. (Notes et doc. des musées de France, 1)

304. Catalogue des collections égyptiennes du Musée national de céramique à Sèvres. Réd. par Jeanne BULTE. Paris, Ed. du C.N.R.S., 81, in-8, 155 p. (XXXIV-8 p. de pl.).

305. CHAVANE (Marie-José). Vases de bronze du Musée de Chypre (IXe-IVe s. av. J.-C.). Paris, Maison de l'Orient; diff. de Boccard, 82, in-4, 86 p. (100 fig., 2 cartes). (Coll. de la Maison de l'Orient méditerr., 11, sér. archéol., 8)

306. Corpus vasorum antiquorum. Union Académique Internationale. Deutschland. Bd 48: München, Antikensammlungen, ehemals Museum Antiker Kleinkunst. 9. Bearb. v. Erika KUNZE-GÖTTE. Bd 49: Nordrhein-Westfalen. 1: Düsseldorf, Hetjens-Museum; Krefeld, Kaiser-Wilhelm-Museum; Neuß, Clemens-Sels-Museum. Bearb. v. Heinrich B. SIEDENTOPF. Bd 50: Frankfurt a. M. 3. Bearb. v. Kurt DEPPERT. München, Beck, 3 vol. in-4, 80 p. (79 Bl. Ill., graph. Darst.); 61 p. (48 Bl. Ill.); 40 p. (52 Bl. Ill.). [Bd 33-35. Cf. Bibl. 72, n° 313]

307. Corpus vasorum antiquorum. Union Académique Internationale. France, [29, 30. Cf. Bibl. 80, n° 259.] 31: Louvre, 20: Céramique étrusque. Réd. par J. M. GRAN AYMERICH, sous la dir. de Pierre DEVAMBEZ et de François VILLARD. Paris, de Boccard, 82, in-fol., 92 p. (ill., 44 p. de pl.).

308. Corpus vitrearum. Histoire et état actuel de l'entreprise internationale. Wien, Österr. Akad. d. Wiss., 82, in-8, 95 p.

309. DALTROP (G.). Die Laokoongruppe im Vatikan. Ein Kapitel aus d. röm. Museumsgesch. u. d. Antiken-Erkundung. Konstanz, Univ.-Verl., 82, in-8, 88 p. (30 Abb.). (Xenia, 5)

310. DÁVID (Katalin). Sakrale Kunstschätze in Ungarn. Budapest, Corvina, 82, in-4, 31 p. (120 pl.).

311. HARDEN (Donald B.). Catalogue of Greek and Roman glass in the British Museum. Vol. 1. London, Brit. Museum, 82, in-8, 240 p. (ill.).

312. HUMBERT (Jean-Marcel), DUMARCHE (Lionel). Guide des musées d'histoire militaire. Paris, Lavauzelle, 82, in-8, 504 p.

313. JONES (Mark). Catalogue of French medals in the British Museum. Vol. 1: A.D. 1402-1610. London, Brit. Museum, 82, in-4, 288 p. (ill.).

314. KISS (László), KISZELY (Gyula). Magyarország müszaki múzeumai. (Musées de la technique en Hongrie.) Budapest, Müszaki Könyvkiadó, 82, in-8, 194 p.

315. KLAGSBALD (Victor). Catalogue raisonné de la collection juive du musée de Cluny [Paris]. Paris, Ed. de la Réunion des Musées nationaux, 81, 140 p. (ill.).

316. PASQUIER (Alain). Deux objets laconiens méconnus au Musée du Louvre. B. Corresp. hellénique, 82, t. 106, p. 281-306 (35 fig.).

317. TEMESVÁRY (Ferenc). Waffenschätze, Prunkwaffen. Budapest, Corvina-Helikon, 82, in-8, 71 p. (52 pl.). (Kunstschätze d. Ungar. Nationalmuseums)

Cf. n°s 1661, 1663.

§ 3. Histoire des sciences historiques.

a. Généralités.

* 318. PIKWER (Birgitta). Bibliografi över licentiat-och doktorsavhandlingar i

historia 1890-1975. (Bibliography concerning licentiate a. doctoral theses in history, 1890-1975.) Lund, Hist. inst., Univ., 80, 129 p. (Forskarutbildningens resultat 1890-1975, 7)

319. AMALVI (Christian). L'image du règne de Philippe Auguste dans la littérature du XIXe siècle. In: La France de Philippe Auguste [Cf. n° 237], p. 171-212.

320. BARBER (John). Soviet historians in crisis, 1928-1932. New York, Holmes a. Meier, 81, in-8, 194 p.

321. BERTIER DE SAUVIGNY (Guillaume de). La Restauration, un siècle d'historiographie. R. Hist. dipl., 81, a. 95, p. 116-148.

322. BLOM (Conny). Doktorsavhandlingarna i historia, 1890-1975: en kvantitativ studie. (Doctoral dissertations in history, 1890-1975: a quantitative study.) Lund, Hist. inst., Univ., 80, in-8, VI-93 p. (Forskarutbildningens resultat 1890-1975, 8)

323. BOIA (Lucian). Historiens des Annales. A. Univ. Bucuresti, Ist., 81, a. 30, p. 42-72; 82, a. 31, p. 45- 77.

324. BOIA (Lucian). Romantisme et esprit critique dans l'historiographie roumaine à la fin du XIXe et au début du XXe siècle. Stor. della Storiogr., 82, n° 1, p. 26-36.

325. BOURDE (Guy), MARTIN (Hervé). Les écoles historiques. Rennes, Univ. de Haute-Bretagne, 82, in-8, 317 p.

326. BRAUN (Rainer). Die Anfänge der Limesforschung in Bayern. Jb. f. fränk. Landesforsch., 82, Bd 42, p. 1-66.

327. BURGUIERE (André). The fate of history of mentalités in the Annales. Comp. Stud. in Soc. a. Hist., 82, vol. 24, p. 424-437.

328. Bibl. 81, n° 281. DALIN (V. M.). Istoriki Francii XIX-XX vekov. (Historians of France of the 19th a. 20th cent.) - CR: A. V. Ado, Nov. novejš. Ist., 82, n° 5, p. 180-183.

329. DeBENEDETTI (Charles). American historians and armaments: the view from twentieth-century textbooks. Dipl. Hist., 82, vol. 6, n° 4, p. 323-338.

330. DE FREDE (Carlo). Il metodo storico dall'Umanesimo all'età barocca. 2a ed. riveduta. Napoli, De Simone, 82, in-8, 129 p.

331. DONNO (Antonio). Labor History: dalla storia del sindacato alla storia operaia. Nuova R. stor., 82, a. 66, p. 319-341.

332. FALK (Stanley L.). Gaps in the published history of the Air Force: challenge for historians. Historian, 82, vol. 44, n° 4, p. 453-465.

333. FERREYROLLES (Gérard). L'influence de la conception augustinienne de l'Histoi-re au XVIIe siècle. XVIIe Siècle, 82, a. 34, p. 216-241.

334. FOHLEN (Claude). Les débuts de l'histoire américaine en France. R. franç. Et. amér., 82, n° 13, p. 27-40.

335. FORMOZOV (A. A.). Problema drevnejšego čeloveka v russkoj pečati XIX stoletija (nauka, cerkov', cenzura). (The fossil man the 19th century Russian press: science, church, censorship.) Sovet. Arkheol., 82, n° 1, p. 5-20.

336. FOSSIER (Françaois). L'image du règne de Philippe Auguste dans l'historiographie française du XIIIe siècle à la Révolution. In: La France de Philippe Auguste [Cf. n° 237], p. 157-170.

337. GARGALLO DI CASTEL LENTINI (Gioacchino). Letture di storici. Scritti di storia della storiografia. Roma, Ateneo, 82, in-8, 219 p. (Nuovi saggi, 83)

338. GENING (V. F.). Očerki po istorii sovetskoj arkheologii (U istokov formirovanija marksist. teoret. osnov sov. arkheologii. 20-e - pervaja polovina 30-kh gg.). (Essays on the history of Soviet archaeology. The beginnings of the elaboration of a marxist theoretical basis for the Soviet archaeology in the 1920s - firt half of the 1930s.) Kiev, Nauk. dumka, 82, 225 p. (AN SSR. In-t arkheologii)

339. GRABSKI (Andrzej Feliks), MADAJCZYK (Czesław). Niemcy w historiografii Polski Ludowej. (Les Allemands dans l'historiographie de la Pologne Populaire.) Przegl. zach., 81 [82], a. 37, n° 1/2, p. 39-55.

340. HOFER (Walther). Normalization or falsification of Nazi-history? A. J. P. Taylor and the "neo-revisionist" school in Germany. In: L'historien et les relations internat. [Cf. n° 508], p. 309-323.

341. HOLMES (Larry E.), BURGESS (William). Scholarly voice or political echo? The Soviet party history in the 1920s. Russian Hist., 82, vol. 9, p. 378-398.

342. IGGERS (Georg G.). Die Göttinger Historiker und die Geschichtswissenschaft des 18. Jahrhunderts. In: Mentalitäten u. Lebensverhältnisse [Cf. n° 535], p. 385-398. - IDEM. L'université de Göttingen, 1760-1800. La transformation des études historiques. Francia [München], 81 [82], Bd 9, p. 602-621. - Also in Eng.: The university of Göttingen 1760-1800 and the transformation of historical scholarship. Stor. della Storiogr., 82, n° 2, p. 11-37.

343. Istorija i istoriki. (History and historians.) Istoriogr. ežegodnik. [1978. Cf. Bibl. 81, n° 297.] 1979. Redkol.: M. V. NECKINA (otv. red.) i dr. Moskva, Nauka, 82, in-8, 414 p. (AN SSSR. Nauč. sovet po probl. Istorija ist. nauki pri Otdelenii istorii AN SSSR; In-t istorii SSSR; In-t vseobšč. istorii)

344. JOHNSON (Richard) a. others. Making histories: studies in history-writing and politics. Foreword by Mary Jo MAYNES.

Minneapolis, Univ. of Minnesota Press, 82, in-8, 379 p.

345. JOUANNA (Arlette). Histoire et polémique en France dans la deuxième moitié du XVIe siècle. Stor. della Storiogr., 82, n° 2, p. 56-76.

346. KINNER (Klaus). Marxistische deutsche Geschichtswissenschaft 1917 bis 1933. Gesch. u. Politik im Kampf d. KPD. Berlin, Akad.-Verl., 82, in-8, 526 p. (Schr. d. Zentralinst. f. Gesch., 58)

347. KOTULA (Tadeusz), ŁADOMIRSKI (Andrzej), SUDER (Wiesław). Historia starożytna w Polsce. Badacze i badania. Informator. (L'histoire ancienne en Pologne. Les chercheurs et les recherches scientifiques. Informations.) Wrocław, Univ. Wrocł. im. B. Bieruta, 82, in-8, 72 p.

348. KOVAL'ČENKO (I. D.), ŠIKLO (A. E.). Krizis russkoj buržuaznoj istoričeskoj nauki v konce XIX - načale XX veka (itogi i zadači izučenija). (The crisis of the Russian bourgeois historical science at the end of the 19th - beginning of the 20th cent.) Vopr. Ist., 82, n° 1, p. 18-35.

349. KOZEŃSKI (Jerzy). Polska lat 1933-1939 w historiografii Republiki Federalnej Niemiec. (La Pologne des années 1933-1939 dans l'historiographie de la République Fédérale d'Allemagne.) Przegl. zach., 81 [82], a. 37, n° 1/2, p. 92-97.

350. LEUTNER (Mechthild). Geschichtsschreibung zwischen Politik und Wissenschaft. Zur Herausbildung d. chinesischen marxist. Geschichtswiss. in d. 30er u. 40er Jahren. Wiesbaden, Harrassowitz, 82, in-8, XIV-379 p. (Veröff. d. Ostasien-Inst. d. Ruhr-Univ. Bochum, 28)

351. LEY (Hermann). Vom Bewußtsein zum Sein. Vergleich d. Geschichtsphilosophie v. Hegel u. Marx. Berlin, Akad.-Verl., 82, in-8, 239 p.

352. LINEHAN (P. A.). The making of the Cambridge Medieval History. Speculum, 82, vol. 57, n° 3, p. 463- 494.

353. LLOYD-JONES (Hugh). The history of classical scholarship. London, Duckworth, 82, in-8, 189 p.

354. MAŁECKI (Jan Marian). "Elbinger Jahrbuch" - periodyk elbląski z lat 1920-1941. ("Elbinger Jahrbuch" - périodique d'Elbląg des années 1920-1941.) Zap. hist., 82, vol. 47, n° 3, p. 45-61.

355. MANACORDA (Daniele). Aspetti dell'archeologia italiana durante il fascismo. Dialoghi Archeol., 82, n. s., a. 4, fasc. 1, p. 89-96. - IDEM. Cento anni di ricerche archeologiche italiane: il dibattito sul metodo. Quad. Storia, 82, a. 8, n° 16, p. 85-120.

356. MATERNICKI (Jerzy). Historiografia polska XX wieku. Cz. 1: Lata 1900-1918. (L'historiographie polonaise du XXe siècle. P. 1: Années 1900-1918.) Wrocław, Zakł. Narod. im. Ossolińskich, 82, in-8, 244 p. (Pol. Akad. Nauk, Inst. Hist. Nauki, Oświaty i Techn.)

357. MAXIM (Mihai). Atatürk și începuturile istoriografiei turceşti moderne. (Atatürk et les débuts de l'historiographie turque moderne.) R. Ist., 82, t. 35, p. 105-113. [Rés. franç.]

358. MENAGER (Daniel). Charlemagne dans la seconde moitié du XVIe siècle, entre l'Histoire et la légende. In: Mélanges R. Louis [Cf. n° 519], p. 277-295.

359. MIOZZI (U. Massimo). La scuola storica romana (1926-1943). I: Profili di storici 1926-1936. Roma, Ed. di Storia e Letteratura, 82, in-8, 260 p.

360. MOMIGLIANO (Arnaldo). New paths of classicism in the nineteenth century. Hist. a. Theory, 82, vol. 21, n° 4 [Beiheft n° 21], p. 1-64.

361. MOTTE (Olivier). Les origines des Mélanges d'archeologie et d'histoire [de l'Ecole française de Rome]. Mél. Ec. franç. Rome, Moyen Age, Temps mod., 82, t. 94, p. 393-483.

362. MÜLLER (Heribert). L'érudition gallicane et le concile de Bâle (Baluze, Mabillon, Daguesseau, Iselin, Bignon). Francia [München], 81 [82], Bd 9, p. 531-555.

363. NIEDERHAUSER (Emil). Geschichtsschreiber und Politiker Lelewel und Palacký. In: Gedenkschrift E. Arató [Cf. n° 497], p. 205-218.

364. NIKIŠENKOV (A. A.). Naučnye školy v period stanovlenija sovremennoj britanskoj social'noj antropologii (20 - 40-e gody XX v.). (Scientific schools in the formative period of modern British social anthropology, 1920s - 1940s.) Sovet. Ètnogr., 82, n° 4, p. 55-66.

365. O Prusach w RFN i NRD. (De la Prusse dans la République Fédérale d'Allemagne et la République Démocratique Allemande [historiographie].) Warszawa, Centr. Ośrodek Dokumentacji Prasowej przy Pol. Agencji Prasowej, 82, in-4, VII-112 p. (Zesz. Dokumentacyjne CODP PAP. Ser. Monograf., 4/173)

366. PFEIFFER (R.). Geschichte der klassischen Philologie von Petrarca bis Mommsen. München, Beck, 82, in-8, 260 p. (Beck'sche Elementarbücher)

367. PODRO (Michael). The critical historians of art. New Haven, Conn., Yale U. P., 82, in-8, XXVI-257 p.

368. RĂPEANU (Valeriu). Cultură și istorie. II: N. Iorga, Gheorghe I. Brătianu. Bucureşti, Cartea românească, 81, in-8, 216 p.

369. RAPHAEL (Freddy). Judaïsme et capitalisme. Essai sur la controverse entre Max Weber et Werner Sombart. Paris, Presses univ. France, 82, in-8, 385 p. (Sociologie aujourd'hui)

370. ROBERT (Jean-Claude). Quelques réflexions sur l'historiographie canadienne

récente. Canad. hist. R., 82, vol. 63, p. 46-59.

371. RODGERS (Daniel T.). Regionalism and the burdens of progress. In: Region, race, and reconstruction [Cf. n° 537], p. 3-26.

372. ROMANO (Ruggiero). Tra storici ed economisti. Torino, Einaudi, 82, in-8, 220 p. (Saggi, 644) [Scritti vari]

373. RUDIN (Ronald). History from Quebec, 1981. Canad. hist. R., 82, vol. 63, p. 34-45.

374. Ruolo (Il) della storia e degli storici nella civiltà. Atti del Convegno di Macerata, 12-14 settembre 1979. Messina, La Grafica, 82, in-8, 586 p.

375. RYSTAD (Göran). In quest of a usable part: foreign policy and the politics of American historiography in the 1960's. Scandia, 82, vol. 48, p. 217-230. [Eng. summary]

376. SARTORI (Marco). L'incertitude dei primi secoli di Roma ed il metodo storico della prima metà del Settecento. Clio [Roma], 82, a. 18, p. 7-35.

377. SAVART (Claude). La Revue d'histoire de l'Eglise de France: analyse rétrospective. R. Hist. Egl. France, 82, t. 68, p. 5-29.

378. SCHNAPP (Alain). Archéologie et tradition académique en Europe aux XVIIIe et XIXe siècles. A. Ec., Soc., Civ., 82, a. 37, p. 760-777.

379. SERCZYK (Jerzy). Grańskie czasopismo historyczne "Zeitschrift des Westpreussischen Geschichtsvereins" 1880-1941. ("Zeitschrift des Westpreussischen Geschichtsvereins" - revue historique de Gdańsk 1880-1941.) Zap. hist., 82, vol. 47, n° 3, p. 23-43.

380. SHALHOPE (Robert E.). Republicanism and early American historiography. William a. Mary Quar., 82, vol. 39, n° 2, p. 334-356.

381. SJÖDELL (Ulf). Det historiografiska 1930-landskapet i Sverige: ett perspektiv. (Historiography in Sweden in the 1930's.) Lychnos, 81-82, vol. 47-48, p. 145-174.

382. Storici, politici e moralisti del Seicento. 2: Storici e politici veneti del Cinquecento e del Seicento. A cura di Gino BENZONI e Tiziano ZANATO. Milano e Napoli, Ricciardi, 82, in-8, XCVIII-979 p. (La Letter. ital., 35)

383. SYRETT (David). American and British naval historians and the American revolutionary war, 1875-1980. Am. Neptune, 82, vol. 42, n° 3, p. 179-192.

384. SZALAI (Pál). A Századunk [1926-1939] és a Szép Szó [1936-1939] szerepe a magyar társadalomtudomány fejlödésében. (Le rôle des revues Századunk [Notre siècle] et Szép Szó [Belle parole] dans le développement des sciences sociales hon-

groises.) Valóság, 82, vol. 25, n° 12, p. 34-49.

385. SZELESTEI (N. László). A magyarországi nyomdászattörténetirás kezdetei. (Les débuts de l'historiographie de l'imprimerie en Hongrie.) Magy. Könyvszle, 82, vol. 98, n° 1, p. 19-39.

386. Társadalomtudomány és szellemi élet a harmincas években. KOSÁRY (Domokos). Történészek és irányzatok: emlékezés. (Social sciences and spiritual life in the thirties. KOSÁRY (Domokos). Historians and trends: looking back.) Magy. Tudom., 82, vol. 27, n° 10, p. 722-734.

387. TORSTENDAHL (Rolf). Stat och samhälle i svensk historisk vetenskap under 1800- och 1900-talen. (State and society in Swedish historical science during the 19th and 20th centuries.) [Svensk] Hist. T., 82, vol. 102, p. 2-9. [Eng. summary]

388. TUNELD (John). Skånska prästerskapets insatser i den antikvarisk-historiska forskningen: de skånska prästrelatienerna. (The contributions of the Scanian clergy to antiquarian-historical research: the Scanian clerical narrations.) Lund, Liberläromedel/Gleerup, 82, in-8, 43 p. (Scripta minora Regiae Soc. hum. litt. Lundensis, 1980/81: 3) [Eng. summary]

389. VIDAL-NAQUET (Pierre). Hérodote et l'Atlantide: entre les Grecs et les Juifs. Réflexions sur l'historiographie du siècle des Lumières. Quad. Storia, 82, a. 8, n° 16, p. 3-76.

390. VOJTĚCH (Tomáš). České buržoazní dějepisectví o svém vývoji. Pokus o kritickou rekonstrukci. (L'historiographie bourgeoise tchèque sur son développement. Un essai de reconstruction critique.) Českoslov. Čas. hist., 82, vol. 30, p. 838-861. - IDEM. Česká buržoazní historiografie a studium kapitalismu. (Czech bourgeois historiography and the study of capitalism.) In: Historiografie čelem k budoucnosti [Cf. n° 525], p. 77-102. - IDEM. Die tschechische bürgerliche Historiographie und der Positivismus bis zum Jahre 1918. Historica, 82, vol. 21, p.5-61.

391. VUCINICH (Alexander). Soviet Marxism and the history of science. Russian R., 82, vol. 41, n° 2, p. 123-143.

392. YARDENI (Myriam). Erudition et engagement: l'historiographie huguenote dans la Prusse des Lumières. Francia [München], 81 [82], Bd 9, p. 584-601.

393. ZEVELEV (A. I.). Leninskaja koncepcija istorio-partijnoj nauki. (Lenin's conception of historical and party science.) Moskva, Vysš. škola, 82, 127 p.

394. ZHANG (Zhi-lian). Reform or revolution. A survey of Chinese views on the French Revolution of late Qing (1898-1911). Stor. della Storiogr., 82, n° 1, p. 37-47.

395. ZUB (Alexandru). A scrie și a face istoria. (Ecrire et faire l'histoire.) Iași, Junimea, 81, in-8, 368 p.

Cf. n° 4860.

b. Biographies[1]

396. Deutsche Historiker. Hrsg. v. Hans-Ulrich WEHLER. [Bd 6, 7. Cf. Bibl. 80, n° 277.] Bd 8, 9. Göttingen, Vandenhoeck u. Ruprecht, 82, 2 vol. in-8, 132, 147 p. (Kleine Vandenhoeck-Reihe, 1478, 1484)

397. SCHUMAN (Maurice), ALBERT-SOREL (André). Jean Albert-Sorel [1902-1981]. R. deux Mondes, 82, p. 356-360.

398. FITZ (Jenő). András Alföldi, 1895-1981. Acta archaeol. Acad. Sci hungaricae, 81, vol. 33, n° 1-4, p. 387-388.

399. Bibliography of Alexander Altmann. In: Mystics, philosophers a. politicians [Cf. n° 496], p. 343-354.

400. SPAGNOLI (Paul G.). Philippe Ariès, historian of the family. J. Family Hist., 81, vol. 6, p. 434-441.

401. FORSTER (Leonard W.). Robert Auty, 1914-1978. Proc. brit. Acad., 81 [82], vol. 67, p. 339-355.

402. KAŠTANOV (S. M.). Tvorčeskoe nasledie S. V. Bakhrušina i ego značenie dlja sovetskoj istoričeskoj nauki (K stoletiju so dnja roždenija). (The scientific heritage of S. V. Bakhrushin and its significance for the Soviet historical science.) Ist. SSSR, 82, n° 6, p. 110-123.

403. MOSCATI (Laura). Carlo Baudi di Vesme e la storiografia giuridica del suo tempo. B. stor. bibliogr. subalpino, 82, a. 80, p. 493-574.

404. WEBER (Eugen). About Marc Boch. Am. Scholar, 82, vol. 51, n° 1, p. 73-82.

405. ŁAZUGA (Waldemar). Michał Bobrzyński. Myśl historyczna a działalność polityczna. (M. Bobrzyński. Sa pensée historique et son activité politique.) Warszawa, Państw. Wydawn. Nauk., 82, in-8, 278 p.

406. LABANDE (Edmond-René). Jacques Boussard (1910-1980). Bibl. Ec. Chartes, 81 [82], t. 139, livr. 2, p. 343-346. - PON (Georges). Jacques Boussard (1910-1980). Cah. Civ. médiév., 82, a. 25, p. 77-78.

407. GOICHOT (Emile). Henri Bremont, historien du sentiment religieux: genèse et stratégie d'une entreprise littéraire. Paris, Ophrys, 82, in-8, 319 p. [Cf. n° 4485]

408. KAEGI (Werner). Jacob Burckhardt. Eine Biographie. [T. 6. Cf. Bibl. 76-77, n° 423.] T. 7: Griechische Kulturgeschichte, das Leben im Stadtstaat, die Freunde. Mit Personen- u. Ortsregisteer zum Gesamtwerk. Hrsg. v Niklaus ROETHLIN. Basel u. Stuttgart, Schwabe, 82, in-8, XIV-317 p. (16 f. de pl.).

409. GEORGESCU (Valentin Al.). Rénovation de valeurs européennes et innovations roumaines chez D. Cantemir. R. Et. sud-est europ., 82, t. 20, p. 3-23.

410. SUCEVEANU (Al.). Emil Condurachi [urmat de "Bibliografie selectivă a lucrărilor academicianului Emil Condurachi"]. (E. Condurachi, suivi de "Bibliographie sélective des travaux de l'académicien E. Condurachi".) Studii Cercet. Ist. veche Arheol., 82, t. 33, p. 5-10.

411. BYRNES (Robert F.). Awakening American education to the world: the role of Archibald Cary Coolidge, 1866-1928. Notre Dame, Ind., Univ. of Notre Dame Press, 82, in-8, XIII-302 p.

412. PIERRARD (Pierre). Emile Coornaert, historien (1886-1980). Franse Nederlanden, 82, p. 80-96. - SCHNEIDER (Jean). Notice sur la vie et les travaux de Emile Coornaert (1886-1980). C. R. Acad. Inscript., 82, janv.-mars, p. 114-124.

413. CROCE (Benedetto). Carteggio Croce-Amendola. A cura di Roberto PERTICI. Napoli, Istit. ital. per gli Stud. stor., 82, in-8, LVI-116 p. - D'AURIA (Elio). Croce e le antinomie del liberalismo. Clio [Roma], 82, a. 18, p. 461-473. - ROBERTS (David D.). Benedetto Croce and the dilemmas of liberal restoration. R. Politics, 82, vol. 44, n° 2, p. 214-241.

414. VÉGH (József). Csüry Bálint [1886-1941] öröksége. (L'héritage de Bálint Csüry.) Magy. Nyelv, 82, vol. 78, n° 4, p. 425-434. [Linguiste]

415. GOLOMB (Solomon W.). Max Delbrück: an appreciation. Am. Scholar, 82, vol. 51, n° 3, p. 351-367.

416. HERZBERG (Guntolf). Historismus: Wort, Begriff, Problem und die philosophische Begründung durch Wilhelm Dilthey. Jb. f. Gesch., 82, Bd 25, p. 259-304.

417. HAUBELT (Josef). Dějepisectví Gelasia Dobnera. (Die Historiographie Gelasius Dobners.) Praha, Univ. Karlova, 79, in-8, 151 p. (8 fig.). (Acta Univ. Carolinae. Philos. et Historica. Monographia, 30)

418. CERVELLI (Innocenzo). Ipotesi di storia costituzionale nell'ultimo Droysen. Quad. Storia, 82, a. 8, n° 15, p. 78-133. - MacLEAN (Michael J.). Johann Gustav Droysen and the development of historical hermeneutics. Hist. a. Theory, 82, vol. 21, n° 3, p. 347-365.

419. GAUTIER-DALCHE (Jean). Charles-Emmanuel Dufourcq (1914-1982). Moyen Age, 82, t. 88, sér. 4, t. 37, p. 509-514.

420. ROTTLER (Ferenc). Elekes Lajos 1914-1982. (L. Elekes.) Századok, 82, vol. 116, n° 6, p. 1367-1368.

421. MOMMSEN (Wolfgang J.). In memoriam Karl-Georg Faber. Stor. della Storiogr., 82, n° 2, p. 3-10.

422. MASSICOTTE (Guy). L'histoire problème: la méthode de Lucien Febvre. Saint-Hyacinthe (Canada) et Paris, Maloine, 81, in-8, 121 p.

---

1. Classement par ordre alphabétique des noms des personnes étudiées.

423. MARICHAL (Robert). Le Père Jean Festugière, 1898-1982. C. R. Acad. Inscript., 82, juillet-oct., p. 504-508.

424. LASSUS (François). Bibliographie des travaux de Roland Fiétier. In: Etudes en souvenir de R. Fiétier [Cf. n° 506], fasc 38, p. 13-21.

425. MAROT (Pierre). Michel François. R. Hist. Egl. France, 82, t. 68, p. 181-182. - WERNER (Karl-Ferdinand). Michel François (1906-1981). Francia [München], 81 [82], Bd 9, p. 907-909.

426. DI DONATO (Riccardo). L'anthropologie historique de Louis Gernet. A. Ec., Soc., Civ., 82, a. 37, p. 984-996.

427. CRADDOCK (P. B.). Young Edward Gibbon, gentleman of letters. Ithaca, N. Y., Cornell U. P., 82, in-8, 380 p. - SARTORI (Marco). Gibbon, l'Historia Augusta e la storia del II e del III sec. d. C. R. stor. ital., 82, a. 94, p. 353-394.

428. BEAUJOUAN (Guy). Bertrand Gille (1920-1980). Bibl. Ec. Chartes, 81 [82], t. 139, livr. 2, p. 350-353. - DAUMAS (Maurice). Bertrand Gille (1920-1980). Technol. a. Culture, 81, vol. 22, p. 339-349.

429. MICHELSON (Paul E.). The master of synthesis: Constantin C. Giurescu and the coming of age of Romanian historiography: 1919-1947. In: Romania between east a. west [Cf. n° 510], p. 23-108.

430. SIMON (Róbert). Goldziher Ignác [1850-1921]. Adalékok a nemzeti és polgári fejlődés antinómiáinak és egy tudomány születésének közép-kelet-európai összefüggéseihez. (Ignác Goldziher. Contributions aux corrélations entre les antinomies du développement national et bourgeois en Europe centrale-orientale et la naissance d'une science.) Magy. Filoz. Szle, 82, vol. 26, n° 3, p. 336-379.

431. EYCK (Frank). G. P. Gooch, a study in history and politics. London, Macmillan, 82, in-8, 498 p.

432. BROMLEJ (Ju. V.), NAUMOV (E. P.). Akademik B. D. Grekov i razvitie sovetskoj istoričeskoj nauki. (Academician B. D. Grekov and the development of Soviet historical science.) Nov. novejš. Ist., 82, n° 2, p. 202-210. - PAŠUTO (V. T.). B. D. Grekov kak učenyj i obščestvenno-politiceskij dejatel' (K 100-letiju so dnja roždenija). (B. D. Grekov as scholar, public and political figure: 100 years of his birthday.) Ist. SSSR, 82, n° 1, p. 81-86.

433. HOEGES (Dirk). François Guizot und die französische Revolution. Frankfurt a. M. u. Bern, Lang, 81, in-8, 193 p.

434. POSCH (Fritz). Gedenken an Hugo Hantsch († 6.8.1972). Z. d. hist. Ver. f. Steiermark, 82, Jg. 73, p. 153-159.

435. FLAKIERSKI (Grzegorz). Rötter: den judiska frågan i brevväxlingen mellan Hugo Valentin och Eli Heckscher. (The Jewish question in the correspondance of Eli F. Heckscher a. Hugo Valentin, 1919-1951.) [Svensk] Hist. T., 82, vol. 102, p. 177-201. [Eng. summary]

436. HERWIG (Holger H.). Andreas Hillgruber: historian of "Grossmachtpolitik" 1871-1945. Central european Hist., 82, vol. 15, n° 2, p. 186-198.

437. BERRY (Christopher J.). Hume on rationality in history and social life. Hist. a. Theory, 82, vol. 21, n° 2, p. 234-247.

438. MOMIGLIANO (Arnaldo). Premesse per una discussione su Hermann Husener. R. stor. ital., 82, a. 94, p. 191-203.

439. HOSTE (Anselm). Bibliografie van Dom Nicolas-N. Huyghebaert. Sacris erudiri, 82, t. 25, p. XIX-XLVIII.

440. MARINESCU (Beatrice). Nicolae Iorga and England. R. roumaine Hist., 82, t. 21, p. 135-146. - ZAMFIRESCU (Dan). N. Iorga. Etape către o monografie. (N. Iorga. Etapes vers une monographie.) Bucureşti, Eminescu, 81, in-8, 188 p. - ZUB (Al.). Nicolae Iorga et l'évolution de l'esprit critique. R. roumaine Hist., 82, t. 21, p. 119-134.

441. MORGHEN (Raffaello). Arturo Carlo Jemolo storico dello Stato e della Chiesa nella crisi tra due età. R. Stor. chiesa Italia, 82, a. 36, p. 49-60.

442. ANGERMANN (Norbert), VEENKER (Wolfgang), WECZERKA (Hugo). Gedenken zum 80. Geburtstag von Paul Johansen. Z. f. Ostforsch., 82, Jg. 31, p. 559-592.

443. GRÜNEWALD (Eckart). Ernst Kantorowicz und Stefan George. Beiträge z. Biographie d. Historikers bis z. J. 1938 u. zu seinem Jugendwerk "Kaiser Friedrich der Zweite". Wiesbaden, Steiner, 82, in-8, X-189 p. (3 fig.). (Frankfurter hist. Abh., 25)

444. KANTZENBACH (Friedrich Wilhelm). Schriftenverzeichnis. Z. f. Religions- u. Geistesgesch., 82, Bd 34, p. 255-277.

445. JESZENSZKY (Géza). Kemény G. Gábor 1915-1981. (Gábor G. Kemény.) Tört. Szle, 82, vol. 25, n° 3, p. 596-597. - NIEDERHAUSER (Emil). Kemény G. Gábor 1915-1981. Századok, 82, vol. 116, n° 1, p. 187-189.

446. LEVANDOVSKIJ (A. A.). Iz istorii krizisa russkoj buržuazno-liberal'noj istoriografii: A. A. Kornilov. (From the history of the crisis of Russian bourgeois-liberal historiography: A. A. Kornilov.) Moskva, Izd-vo MGU, 82, 180 p.

447. MÜLLER (Manfred). Paul Koschaker (1879-1951). Zum 100. Geburtstag d. Begründers d. Keilschriftrechtsgeschichte. In: Altorientel. Forschungen [Cf. n° 1260], p. 271-284.

448. KOREK (József). Kovrig Ilona köszöntése. (Due respect to Ilona Kovrig.) Archaeol. Ért., 82, vol. 109, n° 2, p.

286-287. [Archaeologist]

449. MAROT (Pierre). Jean de **La Monneraye**. R. Hist. Egl. France, 81, t. 67, p. 385-386. - SAINT-REMY (Henry de). Jean de La Monneraye (1889-1981). Bibl. Ec. Chartes, 81 [82], t. 139, livr. 2, p. 354-357.

450. SCHLEIER (Hans). Karl **Lamprecht** als Initiator einer intensivierten Forschung über die Geschichte der Geschichtsschreibung. Stor. della Storiogr., 82, n° 2, p. 38-56.

451. Leibniz als Geschichtsforscher. Symposion d. Ist. di Studi Filosofici Enrico Castelli u. d. Leibniz-Ges., Ferrara, 12.-15. Juni 1980. Hrsg. v. Albert HEINEKAMP. Wiesbaden, Steiner, 82, in-8, XI-185 p. (Ill., graph. Darst.). (Studia Leibnitiana. Sonderh. 10)

452. HUBERT (Marie-Clotilde). Jean-François **Lemarignier** (1908-1980). Bibl. Ec. Chartes, 82, t. 140, livr. 2, p. 350-353. - WERNER (Karl-Ferdinand). Jean-François Lemarignier (1908-1980). Francia [München], 81 [82], Bd 9, p. 897-900.

453. SPROLL (Heinz). Nicolas **Lenglet-Dufresnoy**: Méthode pour étudier l'histoire (1713). Eine hist. Methodologie zw. Dogmatik u. aufgeklärtem Individualitätsdenken. Francia [München], 81 [82], Bd 9, p. 556-583.

454. RICHARD (Jean). Jean **Longnon** (1887-1979). Bibl. Ec. Chartes, 81 [82], t. 139, livr. 2, p. 357-359.

455. Bibliographie analytique et critique des publications du professeur René **Louis** sur la littérature et l'art du moyen âge. Avec résumés sommaires des principaux mémoires. Doc. classés et prés. par André MOISAN. In: Mélanges R. Louis [Cf. n° 519], p. XXIII-CLIV.

456. PASQUATO (O.). Tardo antico e christiana tempora nella storiografia di H. I. **Marrou**. Salesianum, 82, a. 44, p. 385-430.

457. Friedrich **Meinecke** heute. Bericht über e. Gedenk-Colloquium zu seinem 25. Todestag am 5. u. 6. Apr. 1979. Bearb. u. hrsg. v. Michael ERBE. Mit Beitr. v. Maarten C. BRANDS u. a. Berlin, Colloquium-Verl., 81, in-8, XV-258 p. (Einzelveröff. d. Hist. Komm. zu Berlin, 31)

458. BUCUR (Marin). Jules **Michelet** şi revoluţionarii români în documente şi scrisori de epocă. (J. Michelet et les révolutionnaires roumains en documents et lettres de l'époque). Cluj-Napoca, Dacia, 82, 268 p. (pl.). - MOREAU (Thérèse). Le sang de l'histoire. Michelet, l'histoire et l'idée de la femme au XIXe siècle. Paris, Flammarion, 82, in-8, 256 p. (Nouv. Biblioth. scientif.)

459. BUTTS (Francis T.). The myth of Perry **Miller**. Am. hist. R., 82, vol. 87, n° 3, p. 665-694.

460. ROBINSON (John L.). Bartolomé **Mitre**, historian of the Americas. Washington, D. C., Univ. Press of America, 82, in-8, X-117 p.

461. PATLAGEAN (E.). Les Contributi [1955-1980] d'Arnaldo **Momigliano**. Portrait d'un historien dans ses paysages. A. Ec., Soc., Civ., 82, a. 37, p. 1004-1013.

462. CANTU' (Francesca). La politica estera negli scritti di Carlo **Morandi**. Note su un itinerario storiografico. R. Studi pol. int., 82, a. 49, p. 555-576.

463. **MURATORI** (Lodovico Antonio). Edizione nazionale del carteggio di L. A. Muratori. [A cura del Centro di studi muratoriani, Modena.] 20: Carteggio con Pietro E. Gherardi. A cura di Guido PUGLIESE. Firenze, Olschki, 82, in-4, 528 p.

464. POPTĂMAŞ (Dumitru). Vasile **Netea**. Bibliographie historique et littéraire. R. roumaine Hist., 82, t. 21, p. 465-477.

465. WERNER (Robert). Barthold Georg **Niebuhr** und der Aufbau der frührömischen Chronologie. Chiron, 82, Bd 12, p. 363-408.

466. DE MARZI (Giacomo). Adolfo **Omodeo**. La storiografia della restaurazione francese. Roma, Ateneo, 82, in-8, 330 p. (Coll. di Cult., 33)

467. GRANASZTÓI (György). Beszélgetés **Pach** Zsigmond Pállal. ((Zsigmond Pál Pach. Interview.) Tört. Szle, 82, vol. 25, n° 1, p. 162-169.

468. KOŘALKA (Jiří). Bavorská a saská korespondence Františka **Palackého** 1836-1846. (Der bayerische u. sächsische Briefwechsel František Palackýs 1836-1846.) Husit. Tábor, 82, vol. 5, p. 209-252.

469. KALMÁN (Béla). **Pápay** József [1873-1931ä munkássága. (L'oeuvre de József Pápay.) Nyelvtud. Közl., 82, vol. 84, n° 2, p. 414-418. [Linguiste finno-ougrien]

470. DUMITRESCU (Vladimir). Vasile **Pârvan**, le fondateur de l'école roumaine d'archéologie préhistorique et protohistorique. Dacia, 82, n. s., t. 26, p. 27-31. MORINTZ (Sebastian). Inceputurile getodacilor în opera lui Vasile Pârvan (de la indoeuropeni la geto-daci din a doua epocă a fierului). (Les commencenement de l'histoire des Géto-Daces dans l'oeuvre de V. Pârvan: des Indoeuropéens aux Géto-Daces de La Tène.) Studii Cercet. Ist. veche Arheol., 82, t. 33, p. 269-301. - PIPPIDI (D. M.). Vasile Pârvan et le développement des études épigraphiques en Roumanie. Dacia, 82, n. s., t. 26, p. 41-46. - PREDA (Constantin). Vasile Pârvan - ein Jahrhundert nach seiner Geburt. Ibid., p. 13-18. - ŞTEFAN (Alexandru). Vasile Pârvan, istoric al antichităţii clasice în România, fondator al şcolii naţionale de arheologie şi epigrafie. (V. Pârvan, historien de l'antiquité classique en Roumanie, fondateur de l'école nationale d'archéologie et d'épigraphie.) Studii Cercet. Ist. veche Arheol., 82, t. 33, p. 302-336. - VULPE (Radu). Vasile Pârvan, historien de l'antiquité roumaine. Dacia, 82, n. s., t. 26, p. 33-40. - ZUB (Alexandru). La pensée

historique de Vasile Pârvan. Ibid., p. 19-26. - IDEM. Vasile Pârvan: le monde des idées et des formes historiques. R. roumaine Hist., 82, t. 21, p. 225-237.

471. HECKENAST (Gusztáv). Paulinyi Oszkár 1899-1982. Századok, 82, vol. 116, n° 6, p. 1365-1366. [En hongrois]

472. NIEDERHAUSER (Emil). Perényi József 1915-1981. Tört. Szle, 82, vol. 25, n° 3, p. 595-596. - PALOTÁS (Emil). Perényi József. Századok, 82, vol. 116, n° 1. p. 189-190. [En hongrois]

473. LE NAIL (Jean-François). Henri Polge (1921-1978). Bibl. Ec. Chartes, 81 [82], t. 139, livr. 2, p. 359-364.

474. DEL TREPPO (Mario). Ernesto Pontieri (1896-1980). Clio [Roma], 82, a. 18, p. 317-367.

475. CONSTANTINESCU (Fl.). Istoria ca viață: opera științifică a acad. David Prodan. (L'histoire comme vie: l'oeuvre scientifique de l'académicien D. Prodan.) R. Ist., 82, t. 35, p. 273-282. [Rés. franç.] - STOICESCU (Nicolae). Academicianul David Prodan și problema continuității românilor. (L'académicien D. Prodan et le problème de la continuité des Roumains.) Ibid., p. 283-289. [Rés. franç.]

476. BASSEGODA NONELL (Juan). La personalidad de José Puig i Cadafalch (1867-1956). R. roumaine Hist. Art, Sér. Beaux-Arts, 82, t. 19, p. 35-47 (12 fig.). - DRĂGUȚ (Vasile). José Puig i Cadafalch - historien de l'art roumain. Ibid., p. 49-55 (8 fig.).

477. POZZI (Regina). L'ultima meditazione di Ernest Renan sulla Rivoluzione francese. Critica stor., 82, a. 19, p. 352-372.

478. SCHUMANN (Peter). Gerhard Ritter und die deutsche Geschichtswissenschaft nach dem Zweiten Weltkrieg. In: Mentalitäten und Lebensverhältnisse [Cf. n° 535], p. 399-415.

479. MÉREY (Klára), T. Rúzsás Lajos 1914-1981. Századok, 82, vol. 116, n° 1, p. 186-187. [En hongrois]

480. DE WAELHENS (Alphonse). Le duc de Saint-Simon. Bruxelles, Fac. de l'Univ. Saint-Louis, 81, in-8, 360 p. - VAN DER CRUYSSE (Dirk). La mort dans les Mémoires de Saint-Simon. Clio au jardin de Thanatos. Paris, Nizet, 81, in-8, 324 p.

481. TAGLIACOZZO (Enzo). Gli scritti storici di Gaetano Salvemini negli anni 1911-1925. Clio [Roma], 82, a. 18, p. 406-438.

482. MÜHLPFORDT (Günter). Völkergeschichte statt Fürstenhistorie. Schlözer als Begründer d. kritisch-ethnischen Geschichtsforsch. Jb. f. Gesch., 82, Bd 25, p. 23-72.

483. SCHLEIER (Hans). Karl Schmückles Auseinandersetzung mit dem bürgerlichen deutschen Historismus. Jb. f. Gesch., 82, Bd 25, p. 305-340.

484. BRUHAT (Jean). Albert Soboul (1914-1982). R. Hist. mod., 82, t. 29, p. 673-679. - NICOLAS (Jean). Albert Soboul, historien de la Révolution française, 1914-1982. Cah. Hist. Inst. Rech. marxistes, 82, n° 11, p. 3-10.

485. Bibl. 81, n° 393. Iz literaturnogo nasledija akademika E. V. Tarle. (From the literary heritage of academician E. V. Tarle.) - CR: V. I. Rutenburg, Vopr. Ist., 82, n° 10, p. 128-130.

486. Ernst Troeltsch. Bibliographie. Hrsg., eingeleitet u. kommentiert v. Friedrich Wilhelm GRAF u. Hartmut RUDDIES. Tübingen, Mohr, 82, in-8, VIII-291 p.

487. LIEBEL-WECKOWITZ (Helen). Was Vico's theory of history a true social science? Historian, 82, vol. 44, n° 4, p. 466-482.

488. SANDOZ (Ellis) a. others. Eric Voegelin's approach to thought: a critical appraisal. Durham, N. C., Duke U. P., 82, in-8, XV-208 p.

489. LUTZKER (Michael A.). Max Weber and the analysis of modern bureaucratic organization: notes toward a theory of appraisal. Am. Archivist, 82, vol. 45, n° 2, p. 119-130. [Cf. n°° 369, 4975.]

490. RAU (Wilhelm). Friedrich Weller (1889-1980) [mit Schriftenverzeichnis]. Z. d. deutsch. morgenländ. Ges., 82, Bd 132, p. 1-21.

491. SMEND (Rudolf). Wellhausen und das Judentum. Z. f. Theol. u. Kirche, 82, Jg. 79, p. 249-282.

492. HAWKES (Jacquetta). Mortimer Wheeler, adventurer in archaeology. London, Weidenfeld a. Nicolson, 82, in-8, 387 p. (ill.).

493. IRMSCHER (Johannes). Friedrich August Wolf als Vertreter aufklärerischen Geschichtsdenkens. Jb. f. Gesch., 82, Bd 25, p. 7-22.

494. KOUSSER (J. Morgan), McPHERSON (James M.). C. Vann Woodward: an assessment of his work and influence. In: Region, race, and reconstruction [Cf. n° 537], p. XIII-XXXVII.

Cf. n° 3618.

c. Mélanges[1].

495. ACTON (Sir John). Acton in America: the American journal of Sir John

---

1. Classement par ordre alphabétique des noms des personnes auxquelles ont été offerts les Mélanges. Les numéros placés entre crochets à la fin des notices correspondent aux études publiées dans les Mélanges et qui ont été classées dans les sections auxquelles elles appartiennent logiquement.

Acton, 1853. Ed. by Sydney Wayne JACKMAN. London, Sheed a. Ward, 82, in-8, 128 p.

496. Mystics and politicians. Essays in Jewish intellectual history in honour of Alexander **Altmann**. Ed. by Jehuda REINHARZ a. Daniel SWETSCHINSKI in collab. of Kalman P. BLAND. Durham, N. C., Duke U. P., 82, in-8, XII-372 p. (Duke monogr. in medieval a. Renaissance Stud., 5) [Cf. n° 399.]

497. Gedenkschrift Endre **Arató** (1921-1877). Hrsg. v. Sándor BALOGH, unter Mitwirkung v. Mária DIÓSZEGI. Budapest, Eötvös Loránd Tudományegyetem, 81 [82], in-8, 512 p. (A. Univ. Sci. Budapest. Sect. hist., 21) [Cf. n°s 169, 363, 3136, 3144, 3901, 3913, 3915-3916, 3920, 3924, 3927, 3946, 3955, 4306, 4872, 6607, 6623, 7127, 7132, 7184, 7186, 7212, 7244, 7455.]

498. APARCHAI. Nuove ricerche e studi sulla Magna Grecia e la Sicilia antica in onore di Paolo Enrico **Arias**. [Cf. n° 1648.]

499. Romanisches Mittelalter. Festschrift zum 60. Geburtstag von Rudolf **Baehr**. Hrsg. v. Dieter MESSNER u. Wolfgang PÖCKL unter Mitarb. v. Angela BIRNER. Göppingen, Kümmerle, 81, in-8, IV-405 p. (Göppinger akad. Beitr., 115)

500. Mélanges d'archéologie et d'histoire médiévales en l'honneur du doyen Michel de **Boüard**. Genève, Droz, 82, in-8, XXI-406 p. (fig., pl., cartes). (Mém. et doc. de la Soc. de l'Ecole des Chartes, 27)

501. Studien zur Bronzezeit. Festschrift für Wilhelm Albert v. **Brunn**. [Cf. n° 1201.]

502. Aspekte europäischer Rechtsgeschichte. Festgabe für Helmut **Coing**. [Cf. n° 6638.] - Europäisches Rechtsdenken in Geschichte und Gegenwart. Festschrift für Helmut Coing. [Cf. n° 6642.]

503. Studi in memoria di Luigi **Del Pane**. Bologna, Clueb, 82, in-8, VIII-1005 p. (fig., ritr.).

504. Speculum Sueviae. Beiträge zu d. hist. Hilfswiss. u. zur geschichtl. Landeskunde Südwestdeutschlands. Festschr. f. Hansmartin **Decker-Hauff** z. 65. Geburtstag. Im Auftr. d. Komm. f. Geschichtl. Landeskunde in Baden-Württemberg u. d. Inst. f. Geschichtl. Landeskunde d. Univ. Tübingen hrsg. v. Hans-Martin MAURER u. Franz QUARTHAL. Bd 1, 2. Stuttgart, Kohlhammer, 82, 2 vol. in-8, 618, 645 p. [Auch als Z. f. württemberg. Landesgesch., Jg. 40/41]

505. Studien zu den germanischen Volksrechten. Gedächtnisschrift f. Wilhelm **Ebel**. [Cf. n° 1252.]

506. Etudes en souvenir de Roland **Fiétier**. Droit, économie et société au moyen âge. Vol. 1, 2. M. Soc. Droit Pays bourguignons, 81, fasc. 38, 255 p. 82, fasc. 39, 242 p.

507. Bauer, Reich und Reformation. Festschrift für Günther **Franz** zum 80. Geburtstag am 23. Mai 1982. Hrsg. v. Peter BLICKLE. Mit Beitr. v. Wilhelm ABEL [u. a.]. Stuttgart, Ulmer, 82, in-8, 329 p. (Ill.). - Geschichte und Naturwissenschaft in Hohenheim. Beitr. zur Natur-, Agrar-, Wirtschafts- u. Sozialgesch. Südwestdeutschlands. Festschr. f. Günther Franz zum 80. Geburtstag. Hrsg. v. Harald WINKEL. Sigmaringen, Thorbecke, 82, in-8, X-338 p. (Ill., graph. Darst., Kt.).

508. Historien (L') et les relations internationales. Recueil d'études en hommage à Jacques **Freymond**. Textes réunis par Saul FRIEDLAENDER, Harish KAPUR, André RESZLER. Genève, Institut univ. de hautes études internat., 81, in-8, XXIII-522 p. [Cf. n°s 340, 3674, 6746, 6877, 7180, 7238, 7323-7324, 7338.]

509. O nowożytnej Polsce i Europie. Prace ofiarowane Józefowi Andrzejowi Gierowskiemu w 60 rocznicę urodzin. (De la Pologne et l'Europe modernes. Travaux offerts à Józef Andrzej **Gierowski** pour le 60e anniversaire de sa naissance.) Réd. par Krystyn MATWIJOWSKI. Wrocław, Zakł. Narod. im. Ossolińskich, 82, in-8, p. 161-559. (Śląski Kwart. hist. Sobótka, 82, a. 37, n° 3-4)

510. Romania between east and west: historical essays in memory of Constantin C. **Giurescu**. Ed. by Stephen FISCHER-GALATI a. others. Boulder, Colo., East European Monographs, 82, in-8, 414 p. (East European Monographs, 103). [Cf. n°s 429, 2248, 4139-4140, 4545, 7240, 7348.]

511. Politik, Gesellschaft, Geschichtsschreibung. Gießener Festgabe für František **Graus** zum 60. Geburtstag. Hrsg. v. Herbert LUDAT u. Rainer Christoph SCHWINGES. Köln u. Wien, Böhlau, 82, in-8, 444 p. (Beih. zum Arch. f. Kulturgesch., 18)

512. Tradition als historische Kraft. Interdisziplinäre Forschungen z. Gesch. d. früheren Mittelalters, Karl **Hauck** z. 21. XII. 1981 gewidmet. [Cf. n° 2353.]

513. Ireland in early mediaeval Europe: studies in memory of Kathleen **Hughes**. [Cf. n° 2362.]

514. Liber amicorum Nicolas-N. **Huyghebaert** O. S. B. Sacris eruditi, 82, t. 25, XLVIII-288 p. [Cf. n°s 87, 439, 2243, 3037, 3057.]

515. Kulturbeziehungen in Mittel- und Osteuropa im 18. und 19. Jahrhundert. Festschrift für Heinz **Ischreyt**. [Cf. n° 4735.]

516. Wirtschaftskräfte und Wirtschaftswege. Festschrift für Hermann **Kellenbenz**. [Cf. n° 939.]

517. Festschrift für Eberhard **Kessel** zum 75. Geburtstag. Hrsg. v. Heinz DUCHHARDT, Manfred SCHLENKE. München, Fink, 82, in-8, 370 p.

518. Zikir šumin. Assyriological studies presented to Fritz Rudolf **Kraus**. [Cf. n° 1362.]

519. Chanson (La) de geste, le mythe carolingien. Mélanges René **Louis** publ. par ses collègues, ses amis et ses élèves à l'occasion de son 75e anniversaire. Saint-Père-sous-Vézelay, en dépôt au Musée archéol. régional, 82, 2 vol. in-8, CLVI-1310 p. [Cf. n°s 358, 455, 2251, 2309, 2377, 2382, 2797, 2870, 2980, 3035.]

520. Gospodarcze przesłanki historii gospodarczej. (Les prémisses économiques de l'histoire économique.) Réd.: Benon MIŚKIEWICZ, Witold SZULC, Jerzy TOPOLSKI. Poznań, Wyd. Uniw. im. A. Mickwiewicza, 82, in-8, 512 p. (Historia, 101) [Mélanges offerts à Czesław Łuczak.]

521. Politik und Gesellschaft im alten und neuen Österreich. Festschr. f. Rudolf **Neck** z. 60. Geburtstag. Hrsg. v. Isabella ACKERL [u. a.]. Bd 1. Mit e. Geleitw. v. Hertha FIRNBERG. München, Oldenbourg, 81, in-8, 448 p.

522. Explorations in the new economic history: essays in honor of Douglass C. **North**. [Cf. n° 5640.]

523. Bisanzio e l'Italia. Raccolta di studi in memoria di Agostino **Pertusi**. [Cf. n° 2139.] - Miscellanea Agostino Pertusi I, II. R. Studi bizant. e slavi, 81, a. 1, 361 p.; 82, a. 2, 389 p. [Vol. 1. Cf. n°s 1023, 2116, 2121-2121a, 2173, 2280, 2438, 5236. - Vol. 2. Cf. n°s 1047, 1719, 2143.]

524. Stat, societate, naţiune. Interpretări istorice. (Staat, Gesellschaft, Nation. Hist. Interpretationen.) [Volum omagial] Academicianului David **Prodan**. Ingrijit de Nicolae EDROIU, Aurel RADUŢIU, Pompiliu TEODOR. Cluj-Napoca, Dacia, 82, in-8, 420 p. [Mit deutschen Zsfassungen]

525. Historiografie čelem k budoucnosti. Sborník k šedesátinám akademika Jaroslava **Purše**. (Historiography faces the future. Collection of papers for Academician Jaroslav Purš on his 60th birthday.) Praha, Ústav československých a světových dějin ČSAV, 82, in-4, 676 p. [Cf. n°s 390, 2600, 2735, 4190, 4194, 5188, 5960.]

526. Festschrift für Karl **Schneider** zum 70. Geburtstag am 18. April 1982. Hrsg. v. Ernst S. DICK u. Kurt R. JANKOWSKY. Amsterdam u. Philadelphia, John Benjamin, 82, in-8, XX-595 p.

527. Festschrift für Berent **Schwineköper** zu seinem 70. Geburtstag. Hrsg. v. Helmut MAURER u. Hans PATZE. Sigmaringen, Thorbecke, 82, in-8, XII-618 p. (Ill.). [Cf. n°s 2284, 3010, 3079.]

528. Ünnepi tanulmányok **Sinkovics** István 70. születésnapjára, 1980. augusztus 19. Szerk. BERTHÉNYI Iván. (Etudes pour le 70e anniversaire d'István Sinkovics, le 19 août 1980. Réd. par - .) Budapest, Eötvös Loránd Tudományegyetem, 80, in-8, 437 p. (A Történelem Segédtudományai Tanszék kiadványai, 3)

529. Essays in twentieth-century American diplomatic history dedicated to professor Daniel M. **Smith**. Ed. by Clifford L. EGAN, Alexander W. KNOTT. Washington, D.C., U. P. of America, 82, in-8, XII-225 p. [Cf. n°s 6766, 6780, 6784, 6796, 7197, 7201, 7475, 7524.]

530. Vor- und Frühgeschichte des unteren Niederrheins. Rudolf **Stampfuß** zum Gedächtnis. [Cf. n° 1255.]

531. Romanitas - Christianitas. Untersuchungen zur Geschichte u. Literatur d. römischen Kaiserzeit. Johannes **Straub** zum 70. Geburtstag. [Cf. n° 1911.]

532. Studies in Athenian architecture, sculpture and topography presented to Homer A. **Thompson**. [Cf. n° 1641.]

533. Im Bannkreis des klassischen Weimar. Festgabe für Hans **Tümmler**. [Cf. n° 5251.]

534. PARSONS (Peter John), REA (J. R.). Papyri Greek and Roman, edited by various hands in honour of Eric Gardner **Turner** on the occasion of his 70th birthday. London, Egypt Exploration Soc., 82, in-4, 236 p. (ill.). (Graeco-Roman Mem.)

535. Mentalitäten und Lebensverhältnisse. Beispiele aus d. Sozialgesch. d. Neuzeit. Rudolf **Viehrhaus** zum 60. Geburtstag. Hrsg. v. Mitarb. u. Schülern. Göttingen, Vandenhoeck u. Ruprecht, 82, in-8, 454 p. (graph. Darst.). [Cf. n°s 342, 478.]

536. Studi in onore di Ferrante Rittatore **Vonwiller**. [Cf. n° 1111.]

537. Region, race, and reconstruction: essays in honour of C. Vann **Woodward**. Ed. by J. Morgan KOUSSER, James M. McPHERSON. New York, Oxford U. P., 82, in-8, XXXVII-463 p. (Cf. n°s 371, 494, 3469, 3482, 3497, 3499, 3528, 3557-3558, 3586, 3602, 4813, 5369, 5533, 5735, 6270.]

Cf. n°s 1060, 1938, 2093, 2425, 4454.

§ 4. Méthodologie, Philosophie et Enseignement de l'histoire.

538. AARON (P. G.), CLOUSE (Robert G.). Freud's psychohistory of Leonard da Vinci: a matter of being right or left. J. interdisc., Hist., 82, vol. 13, n° 1, p. 1-16.

539. ALEKSEEVA (G. D.). Istpart: osnovnye napravlenija i ètapy dejatel'nosti (Komissija po istorii Oktjabr'skoj revoljucii i RKPb). (Istpart: main trends and stages of development.) Vopr. Ist., 82, n° 9, p. 17-29.

540. ALLARDYCE (Gilbert). The rise and fall of the western civilization course. Am. hist. R., 82, vol. 87, n° 3, p. 695-725.

541. AUDENINO (Patrizia). Fonti e metodi per la storia sanitaria. Soc. e Stor., 82, a. 5, p. 717-720.

542. BADEA (Marin), NICHIŢELEA (Pamfil). Filozofia istoriei: orientări şi tendinţe contemporane. (La philosophie de

l'histoire: orientations et tendances contemporaines.) București, Ed. politică, 82, in-8, 255 p.

543. BAILYN (Bernard). The challenge of modern historiography. Am. hist. R., 82, vol. 87, n° 1, p. 1-24. [Presidential address, American Hist. Assoc., Dec. 1981.]

544. BARG (M. A.). Istoričeskoe soznanie kak problema istoriografii. (Historical awareness as a historiographic problem.) Vopr. Ist., 82, n° 12, p. 49-66.

545. BELJAEV (E. A.). KPSS i organizacija nauki v SSSR. (The KPSU and the organisation of science in the USSR.) Moskva, Politizdat, 82, 143 p.

546. BERG (Harald). Research in change: history and planning. What can historical research methods teach the planner, and how can a language of change be developed? Questions based on an inventory of historical literature. Stockholm, Nord. inst. f. samhällsplanering, 81, in-4, 115 p. (Nord. inst. f. samhällsplanering: R, 1981, 3) [Summary in Swedish]

547. BERNDTSON (Erkki). Politiikan tutkimuksen historian rekonstruoimisesta. (On the reconstruction of the history of political science: development of political science in the United States.) Politiikka, 82, t. 24, p. 41-62. [Abstr. in Eng.]

548. BERNER (Ulrich). Untersuchungen zur Verwendung des Synkretismus-Begriffes. Wiesbaden, Harrassowitz, 82, in-8, XII-221 p. (Göttinger Orientforschungen, Reihe: Grundlagen u. Ergebnisse, 2)

549. BINION (Rudolph). Introduction à la psychohistoire. Préf. de Louis CHEVALIER. Paris, Presses univ. France, 82, in-8, 80 p. (Essais et conférences du Collège de France)

550. BONGIOVANNI (Bruno). Rivoluzione borghese o rivoluzione del politico? Note a partire da Furet et dal revisionismo storiografico. Quad. Storia, 82, a. 8, n° 15, p. 3-44.

551. BOZZOLO (Carla), ORNATO (Ezio). Pour une codicologie "expérimentale". Scrittura e Civ., 82, a. 6, p. 263-302.

552. BURGER (Rudolf). Fortschritt, Aufstieg und Fall eines Begriffs. Bemerkungen nach Walter Benjamins Thesen "Über den Begriff der Geschichte". Wien, Verband d. Wissenschaftl. Ges. Österreichs, 82, in-8, 63 p. (Klagenfurter Beitr. z. Philos., Reihe Referate, 5)

553. CARBONELL (Charles-Olivier). Pour une histoire de l'historiographie. Stor. della Storiogr., 82, n° 1, p. 7-25.

554. CHAUNU (Pierre). Histoire et décadence. Paris, Perrin, 81, in-8, 367 p.

555. CHRIST (Karl). Römische Geschichte und deutsche Geschichtswissenschaft. München, Beck, 82, in-8, 394 p. [Cf. n° 1711.]

556. COURBIN (Paul). Qu'est-ce l'archéologie? Essai sur la nature de la recherche archéologique. Paris, Payot, 82, in-8, 238 p. (5 fig.).

557. DETHAN (Georges). Une conception nouvelle de la biographie. R. Hist. dipl., 82, a. 96, p. 57-67.

558. DOBOSSY (László). Geschichte und Literatur: gegenstandsgeschichtliche Lehren eines ungarischen, eines slowakischen und eines tschechischen Romans. In: Gedenkschrift E. Arató [Cf. n° 497], p. 449-471.

559. DUFEIL (Michel-Marie). Histoire classique, histoire critique. Hist. a. Theory, 82, vol. 21, n° 2, p. 223-233.

560. EDGINGTON (David). The role of history in multicultural education. London, Univ., School of Or. a. Afr. Stud., 82, in-4, 48 p.

561. Editing texts in the history of science and medecine. Papers given at the 7th annual conference on editorial problems, 1981. Ed. by Trevor H. LEVERE. New York, Garland, 82, in-8, 190 p. (ill.).

562. FODOR (István). A régészeti néprajz módszerének bontakozása László Gyula műveinek tükrében. (L'épanouissement de la méthode de l'ethnologie archéologique dans les ouvrages de Gyula László.) Valóság, 82, vol. 25, n° 3, p. 89-101.

563. Formen der Geschichtsschreibung. Hrsg. v. Reinhart KOSELLECK [u. a.]. München, Deutsch, Taschenbuchverl., 82, in-8, 629 p. (dtv, 4389. dtv-Wiss.)

564. FURET (François). L'atelier de l'Histoire. Paris, Flammarion, 82, in-8, 312 p.

565. GANZ (P.). Über das Studium der Geschichte. München, Beck, 82, in-8, 582 p.

566. GERICKE (Hans Otto). Zu einigen Aufgabenstellungen und Arbeitsmethoden geschichtswissenschaftlicher Arbeit in der empirischen und theoretischen Erkenntnisebene. Wiss. Z. d. päd. Hochschule Magdeburg, 82, Jg. 19, H. 4, p. 353-369.

567. GERIN (P.). Nouvelle initiation à la documentation écrite de la période contemporaine. Liège, Gothier, 82, in-8, 290 p.

568. Geschichtliche Grundbegriffe. Historisches Lexikon zur politische-sozialen Sprache in Deutschland. Hrsg. v. Otto BRUNNER. [Bd 2. Cf. Bibl. 74-75, n° 698.] Bd 3: H-Me. Bd 4: Mi-Pre. Stuttgart, Klett-Cotta, 78-82, 2 vol. in-4, XII-1128, XII-927 p.

569. Geschichtsbewußtsein und Rationalität. Zum Problem d. Geschichtlichkeit in d. Theoriebildung. Hrsg. v. Enno RUDOLPH, Eckehart STÖVE. Stuttgart, Klett-Cotta, 82, in-8, 418 p. (Forsch. u. Berichte d. Evang. Studiengemeinschaft, 37)

570. GORODECKIJ (E. N.). Leninskaja laboratorija istoričeskogo issledovanija.

4. METHODOLOGIE, PHILOSOPHIE ET ENSEIGNEMENT DE L'HISTOIRE

(Lenin's method of historical research.) Vopr. Ist., 82, n° 4, p. 3-25.

571. GRAHAM (Gordon). Can there be history of philosophy? Hist. a. Theory, 82, vol. 21, n° 1, p. 37-52.

572. HANCOCK (W. K.). Professing history. Sydney, U. P.; London, Eurospan, 82, in-8, 180 p.

573. HELLER (Agnes). A theory of history. London a. Boston, Routledge a. Kegan Paul, 82, in-8, VIII-333 p.

574. HENIGE (David P.). Oral historiography. London, Longman, 82, in-8, 150 p.

575. HESTER (James). Introduction to archaeology. London, Holt, 82, in-8, 512 p.

576. HEYL (John D.). Kuhn, Rostow, and Palmer: the problem of purposeful change in the sixties. Historian, 82, vol. 44, n° 3, p. 299-313.

577. Histoire (L') des sciences et des techniques doit-elle intéresser les historiens? Colloque organisé par la Soc. franç. des sci. et des techniques, Paris, 8 et 9 mai 1981. Paris, Soc. franç. d'Hist. des Sci. et des Techniques, 82, in-8, 281 p.

578. Histoire (L') et ses méthodes. Actes du Colloque franco-néerlandais de nov. 1980 à Amsterdam. Lille, Presses univ. Lille, 82, in-8, 230 p.

579. Historiens (Les) et les sources iconographiques. Table ronde du 24 nov. 1981 [Paris, C. N. R. S., Inst. d'Hist. mod. et contemp.]. Paris, Inst. d'Hist. mod. et contemp., 82, in-8, 81 p.

580. Historievetenskap och historiedidaktik. Utg. av Göran Behre och Birgitta Odén. (Historical science and historical didactics. Ed. by Göran BEHRE a. Birgitta ODEN.) Lund, LiberFörlag; Oslo, Univ.-forl., 82, in-8, 180 p.

581. Historiographie (L') moderne, discipline scientifique? discipline littéraire? R. int. Sci. soc., 81, vol. 33, n° 4 [spécial], p. 633-734.

582. Historische Familienforschung. Hrsg. v. Michael MITTERAUER u. Reinhard SIEDER. Frankfurt (Main), Suhrkamp, 82, in-8, 373 p. (graph. Darst.). (Suhrkamp-Taschenbuch Wiss., 387)

583. HODGES (Richard). Method and theory in medieval archaeology. Archeol. mediev., 82, a. 9, p. 7-38.

584. Huszadik Század (A) körének történetfelfogása. Vál., sajtó alá rend. és bev. PÓK Attila. (La conception de l'histoire du cercle du périodique Huszadik Század [XXe siècle]. Choix, publ. et intr. par - .) Budapest, Gondolat, 82, in-8, 433 p. (Történetírók Tára)

585. IRMSCHLER (Konrad). Zur Genesis der theoretisch-methodologischen Konzepte von Sozial-, Struktur- und Gesellschaftsgeschichte in der bürgerlichen Historiographie der BRD. Jb. f. Gesch., 82, Bd 25, p. 341-376.

586. Istočnikovedenie otečestvennoj istorii. (The study of sources of home history.) Sbornik statej. 1981. Redkol.: V. I. BUGANOV (otv. red.) i dr. Moskva, Nauka, 82, 280 p. (AN SSSR. In-t istorii SSSR)

587. IVANOV (V. V.). Istorizm v leninskoj metodologii naučnogo issledovanija. (The historical method in Lenin's methodology of scientific research.) Moskva, Mysl', 82, 240 p.

588. JARRICK (Arne). Freud och historien. (Freud and history.) Scandia, 82, vol. 48, p. 107-148, 207-208. [Eng. summary]

589. JINDRA (Zdeněk). Základy historické heuristiky. (Die Grundlagen d. histor. Heuristik.) Praha, Univ. Karlova, 82, in-8, 146 p.

590. JÖNSSON (Dan-Erik), STEEN (Immanuel). Den marxistika historieuppfattningens dilemma: ett val mellan empiri och forskning i luften. (The dilemma of Marxist historical research.) Scandia, 82, vol. 48, p. 149-187, 209-211. [Eng. summary]

591. KING (Walter J.). Untapped resources for social historians: court leet records. J. soc. Hist., 82, vol. 15, n° 4, p. 699-706.

592. KOZAKIEWICZ (Jerzy). Pamiętniki jako źródło oraz ich funkcja w procesie kształtowania świadomości społecznej. (Les mémoires comme source et leur role dans le procès de la formation de la connaissance sociale.) Historyka, 82, vol. 12, p. 123-136.

593. LERNER (Gerda). The necessity of history and the professional historian. J. am. Hist., 82, vol. 69, n° 1, p. 7-20.

594. LEWIN (Günter). Einige Bemerkungen zu dem Werk "Weltgeschichte bis zur Herausbildung des Feudalismus" [Cf. Bibl. 76-77, n° 824.]. Abh. u. Ber. d. staatl. Mus. f. Völkerkunde Dresden, 82, Bd 39, p. 249-264.

595. LINDQVIST (Svante). The teaching of history of technology in USA: a critical survey in 1978. Stockholm, Royal inst. of technol. library, 81, in-4, 139 p. (ill.). (Stockholm papers in hist. a. philos. of technol.)

596. LOWE (N.). Mastering modern world history. London, Macmillan, 82, in-8, 388 p.

597. McLENNAN (Gregor). Marxism and the methodologies of history. London, Verso Editions, 82, in-8, 288 p.

598. MAJOR-POETZL (Pamela). The new science of history: Michel Foucault's "Archaeology" of Western culture. Brighton, Harvester, 82, in-8, 288 p.

599. MARTIN (Raymond). Causes, conditions, and causal importance. Hist. a. Theory, 82, vol. 21, n° 1, p. 53-74.

600. MILLER (John William). The philosophy of history with reflections and aphorisms. London, Norton, 82, in-8, 192 p.

601. MOGIL'NICKIJ (B. G.). Marksistskij i buržuaznyj istorizm (Opyt sravnitel'nogo analiza). (Marxist and bourgeois historism. Comparative analysis.) Vopr. Ist., 82, n° 7, p. 71-88.

602. MOORE (R. Laurence). Insiders and outsiders in American historical narrative and American history. Am. hist. R., 82, vol. 87, n° 2, p. 390-412.

603. NAGL-DOCEKAL (Herta). Die Objektivität der Geschichtswissenschaft. Systemat. Untersuchungen z. wissenschaftl. Status d. Historie. München u. Wien, Oldenbourg, 82, in-8, 268 p. (Überlieferung u. Aufgabe, 22)

604. NAGY (Erzsébet). A történelemtanitás időszerű kérdései Franciaországban. (Les problèmes actuels de l'enseignement de l'histoire en France.) Budapest, Tankönyvkiadó, 81, in-8, 104 p.

605. NYBOM (Throsten). Emancipatorisk historieforskning i Förbundsrepubliken Tyskland. (Emancipatory historical research in the German Federal Republic.) [Svensk] Hist. T., 82, vol. 102, p. 202-216.

606. NYBOM (Thorsten). Till frågan om vetenskapen som ideologi. (On the question of science as ideology.) Scandia, 82, vol. 48, p. 275-301, 355-356. [Eng. summary]

607. Objet et méthodes de l'histoire de la culture. Actes du colloque franco-hongrois de Tihany, 10-14 oct. 1977. Publ. sous la dir. de Jacques LE GOFF et Béla KÖPECZI. Resp. de la réd.: Judit KARAFIÁTH et György GRANASZTÓI. Budapest, Akadémiai Kiadó; Paris, Ed. du C.N.R.S., 82, in-8, 247 p. [Contient: DUBY (Georges). Problèmes et méthodes en histoire culturelle, p. 13-17. - KÖPECZI (Béla). Objet et méthodes de l'histoire de la culture, p. 19-32. - LACKÓ (Miklós). Histoire culturelle et histoire contemporaine, p. 33-39. - REVEL (Jacques). Université et société dans l'Europe moderne: position des problèmes, p. 53-72.] [Cf. n°s 657, 665, 716, 1065, 2995, 3903, 4732, 4775, 4986, 5265, 6250.]

608. OLSZEWSKI (Henryk). Nazistowska historiografia o prawach historii. (L'historiographie nazie sur les lois de l'histoire.) Historyka, 82, vol. 12, p. 3-20.

609. PATZE (Hans). Landesgeschichte. T. 1. Rudolf Lehmann zum 90. Geburtstag. Jb. d. hist. Forschung, 80 [81], p. 15-40.

610. PERCEVAL-MAXWELL (Michael). Les humanités face aux années 1980: la place de l'histoire. M. Soc. roy. Canada, 80, col. 18, colloque, 113-125.

611. Philosophie (La) de l'histoire et la pratique historienne d'aujourd'hui. Ed. par David CARR et al. = Philosophy of history and contemporary historiography. Ottawa, Ed. de l'Univ. = Univ. Press, 82, in-8, 396 p. (Philosophica, 23)

612. PIEROTTI (Piero). Introduzione all'ecostoria. Milano, Angeli, 82, in-8, 175 p. (Geogr. e Soc., 13)

613. PILLORGET (René). La biographie comme genre historique: sa situation actuelle en France. R. Hist. dipl., 82, a. 96, p. 5-42.

614. PREVELAKĒS (Eleuthērios). To problēma tōn genikeuseōn stēn historia. (Le problème des généralisations en histoire.) Mnēmōn, 80-82 [82], t. 8, p. 204-225.

615. Profile filozofii dziejów. (Les profils de la philosophie de l'histoire.) Réd. par Jakub LITWIN. Wrocław, Zakł. Narod. im Ossolińskich, 82, in-8, 243 p. (Pol. Akad. Nauk, Inst. Filozofii i Socjologii)

616. PURŠ (Jaroslav). Mass data: problems of historiometrics. First International Conference on Quantitative History: an international assessment of quantitative history. First session, March 4-5, 1982, The Wilson Center Washington, D. C. Prague, Instit. of Czechoslovak a. World Hist. of the Czech. Acad. of Sciences, 82, in-8, 15 p.

617. RAKITOV (A. I.). Istoričeskoe poznanie. (Historical knowledge.) Moskva, Politizdat, 82, 303 p.

618. RAPP (Friedrich). Strukturmodelle in der Geschichtsschreibung. Die Determinanten d. technischen Entwicklung während d. industriellen Revolution. Technikgesch., 82, Bd 49, p. 46-64. - IDEM. Structural models in historical writing: the determinants of technological development during the industrial revolution. Hist. a. Theory, 82, vol. 21, n° 3, p. 322-346.

619. REHER (David-Sven), SANZ BLANCO (Carlos). Un archivo histórico en ordenador: vaciado, estructuración y validación de la información. R. int. Sociol., 82, t. 40, n° 41, p. 7-26.

620. RESNICK (Stephen), WOLFF (Richard). A reformulation of Marxian theory and historical analysis. J. econ. Hist., 82, vol. 42, n° 1, p. 53-60.

621. ROMANO (Sergio). Biographie et historiographie. R. Hist. dipl., 82, a. 96, p. 43-56.

622. ROSS (Dorothy). Woodrow Wilson and the case for psychohistory. J. am. Hist., 82, vol. 69, n° 3, p. 659-668.

623. RUIZ-DOMENEC (J. E.). Littérture et société médiévale, vision d'ensemble. Moyen Age, 82, t. 88, sér. 4, t. 37, p. 77-114.

624. RUML (Vladimír). Die Konzeption des historisch-materialistischen Determinis-

mus und einige Fragen des theoretischen Vermächtnisses von Friedrich Engels. Marx-Engels-Jb., 82, [Jg.] 5, p. 63-84.

625. RYN (Claes). Knowledge and history. J. Politics, 82, vol. 44, n° 2, p. 394-408.

626. Science, histoire, épistémologie. Pour une pratique pluridisciplinaire. Actes du 1er Colloque européen d'histoire et philosophie des sciences, Brest, 18-19 mai 1979. Paris, Vrin, 82, in-8, 229 p. (Problèmes et controverses)

627. SEELIGER (Hans Reinhard). Kirchengeschichte - Geschichtstheologie - Geschichtswissenschaft. Analysen z. Wissenschaftstheorie u. Theologie d. kath. Kirchengeschichtsschreibung. Düsseldorf, Patmos, 81, in-8, 292 p.

628. SILARD (Andrei). Notes on entropic approaches to history. R. roumaine Hist., 82, t. 21, p. 3-26.

629. SMITH (Daniel Blake). The study of the family in early America: trends, problems, and prospects. William a. Mary Quar., 82, vol. 39, n° 1, p. 3-28.

630. Spezialforschung und "Gesamtgeschichte". Beispiele u. Methodenfragen zur Geschichte d. frühen Neuzeit. Hrsg. v. Grete KLINGENSTEIN u. Heinrich LUTZ. Wien, Verl. f. Gesch. u. Politik; München, Oldenbourg, 82, in-8, 335 p. (Ill., graph. Darst.). (Wiener Beitr. z. Gesch. d. Neuzeit, 8)

631. STAPLETON (Darwin H.), HOUNSHELL (David A.). The discipline of the history of American technology: an exchange. J. am. Hist., 82, vol. 68, n° 4, p. 897-902.

632. Stéréotypes nationaux et préjugés raciaux aux XIXe et XXe siècles. Sources et méthodes pour une approche historique. Leuven, Nauwelaerts, 82, in-8, 166 p.

633. Storia (La) locale. Temi, fonti e metodi della ricerca. A cura di Cinzio VIOLANTE. [Atti di un Congresso tenuto a Pisa nel 1980.] Bologna, Il mulino, 82, in-8, 193 p. (Temi e discussioni)

634. SVENSSON (Thommy). Underutveckling och statistik: ekonomisk-historiska metodproblem i koloniala länder: ett sydöstasiatisk exempel. (Problems of methodology in the economic history of colonized countries: the example of Indonesia.) [Svensk] Hist. T., 82, vol. 102, p. 62-80. [Eng. summary]

635. SWIERENGA (Robert P.). Theoretical perspectives on the new rural history: from environmentalism to modernism. Agric. Hist., 82, vol. 56, n° 3, p. 495-502.

636. TESSITORE (Fulvio). La storiografia come scienza. Stor. della Storiogr., 82, n° 1, p. 48-88.

637. THELANDER (Jan). Historia, teori och kunskapsutveckling i fragandets konst i forskningsprocessen. (History, theory and knowledge-development: the art of questioning in the research process.) Scandia, 82, vol. 48, p. 303-348, 357-358. [Eng. summary]

638. Történelem és közgondolkodás. Tudományos tanácskozás. Eger, 1982. junius 16-18. Szerk. VASS Henrik. (Histoire et pensée publique. Colloque scientifique. Eger, 16-18 juin 1982. Réd. par - .) Budapest, Kossuth Kiadó, 82, in-8, 337 p.

639. TOPOLSKI (Jerzy). Les problèmes de la vérité en histoire. Warszawa, Państw. Wydawn. Nauk., 82, in-8, 16 p. (Acad. Pol. des Sciences. Centre scientifique à Paris. Conférences, 132)

640. VILAR (Pierre). Une histoire en construction: approche marxiste et problématiques conjoncturelles. Paris, Gallimard, 82, in-8, 428 p. [Recueil d'articles, 1949-1974]

641. VIOLANTE (Cinzio). Atti privati e storia medioevale. Problemi di metodo. Roma, Centro di ricerca, 82, in-8, 99 p. (Fonti e Studi del Corpus Membranarum Italicarum, I ser.: Stud. e Ric., 20)

642. WEIS (Eberhard). Neue Forschungsrichtungen in der Geschichtswissenschaft insbesondere der Sozialgeschichte, gezeigt am Beispiel der frühen Neuzeit (16. bis beginnendes 19. Jahrhundert). Hist. Jb., 82, Jg. 102, p. 390-417.

643. WEYMAR (Ernst). Dimensionen der Geschichtswissenschaft. Geschichtsforschung - Theorie der Geschichtswissenschaft - Didaktik der Geschichte. T. 1-3. Gesch. in Wiss. u. Unterr., 82, Jg. 33, p. 1-11, 65-78, 129-153.

644. WILLIGAN (J. Dennis), LYNCH (Katherine A.). Sources and methods of historical demography. London, Academic Press, 82, in-8, 528 p. (ill.).

645. Zeitalter im Widerstreit. Grundprobleme d. histor. Epoche seit 1917 in d. Auseinandersetzung mit d. bürgerl. Geschichtsschreibung. Hrsg. v. d. Akad. f. Gesellschaftswiss. beim ZK d. SED; Inst. f. Gesch. d. Deutsch. Arbeiterbewegung. Berlin, Dietz, 82, in-8, 307 p.

646. ZELDIN (Theodore). Personal history and the history of the emotions. J. soc. Hist., 82, vol. 15, n° 3, p. 339-348.

Cf. n° 2656.

§ 5. Ethnographie et Folklore.

* 647. Mutató az Ethnographia - a Magyar Néprajzi Társaság folyóirata - 1940-1969. (LI-LXXX.) évfolyamához. Összeáll. TÁTRAI Zsuzsanna. (Index des années 1940-1969, t. 51-80, d'Ethnographia - revue de la Société d'Ethnographie hongroise. Réd. par - .) Budapest, Akadémiai Kiadó, 82, in-8, 373 p.

648. ADLER (Alfred). La mort est le masque du roi. La royauté sacrée des Moundang du Tchad. Paris, Payot, 82,

in-8, 430 p. (ill.). (Biblioth. scientifique)

649. Afrikanskij etnografičeskij sbornik. (African ethnographic collection. [Vol. 12. Cf. Bibl. 80, n° 540.] Vol. 13. Otv. red. D. A. OL'DEROGGE. Leningrad, Nauka, 82, in-4, 239 p. (Trudy In-ta etnografii AN SSSR, Nov. Ser., 111)

650. AGRANAT (G. A.). Korennoe naselenie Aljaski i Kanadskogo Severa: sovremennye social'no-èkonomičeskie i političeskie problemy. (The indigenous population of Alaska and the Canadian North: contemporary socio-economic and political problems.) Sovet. Ètnogr., 82, n° 6, p. 66-80.

651. ANS (André-Marcel d'). L'Amazonie péruvienne indigène. Anthropologie écologique. Ethno-histoire. Perspectives contemporaines. Paris, Payot, 82, in-8, 440 p. (fig., tabl. cartes). (Biblith. scientifique)

652. ANTONI (Klaus J.). Der Weiße Hase von Inaba - vom Mythos zum Märchen. Analyse eines japan. "Mythos d. ewigen Wiederkehr" vor d. Hintergrund altchines. u. zirkumpazifischen Denkens. Wiesbaden, Steiner, 82, in-8, IX-421 p. (10 Abb.). (Münchener ostasiat. Stud., 28)

653. Architecture (L') rurale française. Corpus des genres, des types et des variantes. Coll. dir. par Jean CUISENIER. Publ. par le Centre d'ethnologie franç. et par le Musée national des Arts et Traditions populaires. [T. 10. Cf. Bibl. 81, n° 555.] T. 12. Berry. Par Christian ZARKA. T. 13: Bourbonnais, Nivernais. Par Jean GUIBAL. T. 14: Comté de Nice. Par Paul RAYBAUT et Michel PERREARD. Paris, Berger-Levrault, 82, 3 vol. in-4, 183, 209, 259 p.

654. ASSIER-ANDRIEU (Louis). Coutume et rapports sociaux. Etude anthropologique des communautés paysannes du Capcir. Paris, Ed. du C.N.R.S., 82, in-8, 220 p.

655. AZBELEV (S. N.). Istorizm bylin i specifika fol'klora. (Historical method of Russian epic and the specific character of folklore.) Leningrad, Nauka, 82, 327 p. (AN SSSR. In-t rus. lit. - Pušk. dom)

656. BAZIN (Marcel), BROMBERGER (Ch.). Gîlân et Azarbâyjân oriental, cartes et documents ethnographiques. Avec la collab. de A. ASKARI et A. KARIMI. Paris, Assoc. pour la Diffusion de la Pensée franç., 82, in-4, 128 p. (16 pl., 42 cartes). (Recherche sur les civilisations, Mém., 3)

657. BENDA (Kálmán). La culture paysanne hongroise au XVIIIe siècle. In: Objet et méthodes de l'histoire de la culture [Cf. n° 607], p. 155-160.

658. BENOIT (Michel). Nature peul du Yatenga. Remarques sur le pastoralisme en pays mossi. Paris, Ed. de l'ORSTOM; diff. L'Harmattan, 82, in-8, 176 p. (28 fig.). (Coll. TD, 143) - IDEM. Oiseaux de mil: les Mossi du Bwamu (Haute-Volta). Paris, Ed. de l'ORSTOM; diff. L'Harmattan, 82, in-8, 116 p. (Mém., 95)

659. BENSA (Alban), RIVIERRE (Jean-Claude). Les chemins de l'alliance. L'organisation sociale et ses représentations en Nouvelle-Calédonie (région de Touho - aire linguistique cèmuhî). Illustrations d'Hélène BENSA. Paris, SELAF, 82, 586 p. (ill., cartes). (Langues et cultures du Pacifique, 1)

660. BJØRGO (Narve). Norges første flyktningar - norsk perspektiv på Troms 1242. (Norway's first refugees - Norwegian perspective on Troms county of 1242.) [Norsk] Hist. T., 82, vol. 61, p. 68-73.

661. BROMLEJ (Ju. V.). Osnovnye tendencii ètničeskikh processov v sovremennom mire. (The principal trends in world ethnic processes today.) Sovet. Ètnogr., 82, n° 2, p. 3-15.

662. BROMLEJ (Ju. V.), KAŠUBA (M. S.). Brak i sem'ja u narodov Jugoslavii. Opyt ist.-ètnogr. issledovanija. (Marriage and family among the peoples of Yugoslavia.) Moskva, Nauka, 82, 239 p. (AN SSSR. In-t ètnografii)

663. BRUK (S. I.), KABUZAN (V. M.). Dinamika čislennosti i rasselenija russkogo ètnosa (1678-1917 gg.). (Numerical trends and changes of the Russian ethnos, 1678-1917.) Sovet. Ètnogr., 82, n° 4, p. 9-25; n° 5, p. 3-20.

664. BUREAU (Jacques). Les Gamo d'Ethiopie. Etude du système politique. Paris, Soc. d'ethnographie; diff. Paris, Klincksieck, 82, in-8, 304 p. (5 phot., 3 cartes). (Hist. et civilisation de l'Afrique orient., 3)

665. BURGUIERE (André) et al. Naissance d'une ethnographie de la France au XVIIIe siècle. In: Objet et méthodes de l'histoire de la culture [Cf. n° 607], p. 195-228.

666. CLAUDOT (Hélène). La sémantique au service de l'anthropologie. Recherche méthodologique et appplication à l'étude de la parenté chez les Touaregs de l'Ahaggar. Paris, Ed. du C.N.R.S., 82, in-8, 273 p. (ill.).

667. COLLIER (George A.) a. others. The Inca and Aztec states, 1400-1800: anthropology and history. New York, Academic Press, 82, in-8, XX-475 p.

668. CSEH (István). A nagycsalád-rendszer emlékei a szlavóniai magyaroknál. (Les vestiges du système de grande famille chez les Hongrois de Slavonie.) Szeged, József Attila Tudományegyetem, 81, in-8, p. 54-81. (Néprajzi dolgozatok, 32)

669. DINGUIRARD (Jean-Claude). So ditz la gens anciana: recherche sur les plus anciennes collections de proverbes gascons. Via Domitia, 82, fasc. 28, p. 1-126.

670. DÖMÖTÖR (Tekla). Volksglaube und Aberglaube der Ungarn. Budapest, Corvina, 82, in-8, 307 p. (56 pl.).

671. DOR (Rémy). Tabišmak ou l'apprentissage de la réflexion: la devinette chez les Kirghiz du Pamir afghan. Wiener Z. f. d. Kde d. Morgenlandes, 82, Bd 74, p.

5. ETHNOGRAPHIE ET FOLKLORE

129-186.

672. Dzieje folkorystyki polskiej 1864-1918. (Histoire des études sur le folklore polonais 1864-1918.) Réd. Helena KAPELUŚ, Julian KRZYŻANOWSKI. Warszawa, Państw. Wydawn. Nauk, 82, in-8, 666 p. (Inst. Badań Liter. Pol. Akad. Nauk)

673. EPSTEIN (A. L.). Urbanization and kinship, the domestic domain on the Copperbelt of Zambia, 1950-1956. London, Academic Press, 82, in-8, 364 p. (Stud. in Anthropol.)

674. Ètničeskaja istorija narodov Severa. (Ethnic history of the peoples of the North.) Otv. red. I. S. GURVIČ. Moskva, Nauka, 82, 269 p. (AN SSSR. In-t ètnografii)

675. Ètnos v doklassovom i ranneklassovom obščestve. (Ethnos in pre-class and early class society.) Redkol.: Ju. V. BROMLEJ (otv. red. i dr. Moskva, Nauka, 82, 256 p. (AN SSSR. In-t ètnografii)

676. FERENCZI (Imre). Jugoslaviai magyar hiedelmek, népmondák a törökökről és tatárokról. (Croyanes et légendes populaires concernant les Turcs et les Mongols chez les Hongrois de Yougoslavie.) Szeged, József Attila Tudományegyetem, 81, in-8, p. 182-224. (Néprajzi dolgozatok, 35)

677. FERNANDEZ (James W.). Bwiti. An ethnography of the religious imagination in Africa. Drawings by Renate Le-lep FERNANDEZ. Princeton, N. J., Princeton U. P., 82, in-8, XXIV-731 p. (fig., phot.). (Anthropology)

678. Finno-ugorskij sbornik: Antropologija. Arkheologija. Etnografija. (Finno-Ugric collection: Anthropology. Archaeology. Ethnography.) Sbornik statej. Otv. red.: A. A. ZUBOV, N. V. ŠLYGINA. Moskva, Nauka, 82, 215 p. (ill.). (AN SSSR. In-t ètnografii)

679. GESCHIERE (Peter). Village communities and the State: changing relations among the Maka of South-eastern Cameroon since the colonial conquest. Tr. from the Dutch by J. J. RAVELL. London, K. Paul Internat., 82, in-8, 528 p. (ill.).

680. Glazami ètnografov. (From the point of view of ethnographers.) Otv. red. Ju. V. BROMLEJ. Moskva, Nauka, 82, 272 p. (ill.). (AN SSSR. In-t ètnografii)

681. GLOGER (Zygmunt). Rok polski w zyciu, tradycji i pieśni. (L'année polonaise dans la vie, la tradition et le chant.) Warszawa, Wydawn. Artyst. i Filmove, 82, in-4, 384 p. [Reprod. photo-offset de l'éd. Warszawa 1900]

682. GLOWCZEWSKI (Barbara). Affaire de femmes ou femmes d'affaires: les Walpiri du Désert Central australien. J. Soc. Océanistes, 81 [82], t. 37, n° 70-71, p. 77-97 (3 fig.).

683. GODELIER (Maurice). La production des grands hommes. Pouvoir et domination masculine chez les Baruya de Nouvelle-Guinée. Paris, Fayard, 82, in-8, 370 p. (ill., pl.). (L'Espace du politique)

684. HAMELIN (Louis-Edmond). Mythes d'Anticosti. Rech. sociogr., 82, vol. 23, p. 139-162.

685. HÖLLMANN (Thomas O.). Die Tsou. Werden u. Wandel einer ethnischen Minderheit in Zentraltaiwan. Wiesbaden, Steiner, 82, in-8, VI-391 p. (23 Abb., 12 Taf., 11 Kt.). (Münchener ostasiat. Stud., 9)

686. Homme (L') et la maison en Himalaya. Ecologie du Népal. Sous la resp. de Gérard TOFFIN. Paris, Ed. du C. N. R. S., 82, in-4, 288 p. (89 fig., 114 phot., 4 cartes). (Cah. népalais)

687. KATONA (Imre). Fragen der ungarischen Geschichte aus sozialanthropologischer Sicht. Budapest, Eötvös Loránd Tudományegyetem, 81 [82], in-8, 31 p. (Folklór és folklorisztika, 36)

688. KOBOŠČANOV (Ju. M.). Melkonatural'noe proizvodstvo v obščinno-kastovykh sistemakh Afriki. (Small subsistence production in the common-caste systems of Africa.) Moskva, Nauka, 82, 263 p. (AN SSSR. In-t Afriki)

689. KOSÁRY (Domokos). Realitások és mitológiák. Néhány megjegyzés a történelem és nemzeti tudat kérdéséhez. (Réalités et mythologies. Quelques remarques sur le problème de l'histoire et de la conscience nationale.) Valóság, 82, vol. 25, n° 12, p. 23-33.

690. KOŽANOVSKIJ (A. N.). Ispanija: novyj ètap ètničeskogo razvitija. (Spain: a new stage of ethnic development.) Sovet. Ètnogr., 82, n° 4, p. 43-54.

691. LATOCHA (Hartwig). Die Rolle des Hundes bei südamerikanischen Indianern. Hohenschäftlarn, Renner, 82, in-8, XI-557 p. (Münchner Beitr. z. Amerikanistik, 8)

692. LAVROV (L. I.). Ètnografija Kavkaza (Po polevym materialam 1924-1978 gg.). (Ethnography of the Caucasus.) Leningrad, Nauka, 82, 224 p. (ill.). (AN SSSR. In-t ètnografii)

693. LEMONNIER (Pierre). Le commerce inter-tribal des Anga de Nouvelle-Guinée. J. Soc. Océanistes, 81 [82], t. 37, n° 70-71, p. 40-75 (19 fig.).

694. LOUX (Françoise), REINHAREZ (Claudine). L'ogre et la dent. Pratiques et savoirs populaires relatifs aux dents. Paris, Berger-Levrault, 81, in-8, 190 p. (ill.).

695. Malye narody Indonezii, Malajzii i Filippin. (Small groups of peoples of Indonesia, Malaysia and the Philippines.) Sbornik. Otv. red. N. N. ČEBOKSAROV, A. I. KUZNECOV. Moskva, Nauka, 82, 256 p. (ill.). (AN SSSR. In-t ètnografii)

696. MULTEDO (Roch). Le folklore magique de la Corse. Nice, Bélisane, 82, in-8, 365 p. (ill.).

697. NENOLA-KALLIO (Aili). Studies in Ingrian laments. Helsinki, Academia scientiarum Fennica, 82, in-8, 303 p. (FF Communications, 234)

698. Očerki istorii russkoj ètnografii, fol'kloristiki i antropologii. (Essays on the history of Russian ethnography, folklore and anthropology.) [Vol. 8. Cf. Bibl. 78-79, n° 695.] Vol. 9. Otv. red. R. S. LIPEC. Moskva, Nauka, 82, 210 p. (Trudy In-ta ètnografii AN SSSR, nov. ser., 110)

699. PORĘBSKI (Andrzej). Baskowie - grupa etniczna czy naród? (Les Basques - groupe ethnique ou nation?) Przegl. polon., 82, a. 8, fasc. 2, p. 71-87.

700. RAGACHE (Claude-Catherin), RAGACHE (Gilles). Les loups en France: légendes et réalité. Paris, Aubier, 81, in-8, 255 p. (ill.).

701. RAO (Aparna). Les Gorbat d'Afghanistan. Aspects économiques d'un groupe itinérant "Jat". Paris, Ed. Recherche sur les Civilisations, 82, in-4, 262 p. (ill., cartes). (Mémoires, 14)

702. Rasy i narody. Sovremennye ètničeskie i rasovye problemy. (Races and peoples. Contemporary ethnic and racial problems.) Ežegodnik. T. 12. Redkol.: I. R. GRIGULEVIČ (otv. red.) i dr. Moskva, Nauka, 82, 317 p. (AN SSSR. In-t ètnografii) [Vol. 8, 9. Cf. Bibl. 78-79, n° 698.]

703. Rasy i obščestvo. Monografija. (Races and society.) Redkol.: Ju. V. BROMLEJ (otv. red.) i dr. Moskva, Nauka, 82, 351 p. (AN SSSR. In-t ètnografii)

704. RITTAUD-HUTINET (Ch.). Mémoire vivante de la Croix-Rousse [quartier de Lyon]: documents et étude phonétique. Paris, Ed. du C. N. R. S., 82, in-8, 176 p.

705. Rumänische Sagen und Sagen aus Rumänien. Hrsg. u. übersetzt v. Felix KARLINGER u. Emanuel TURCZYNSKI. Berlin, E. Schmidt, 82, in-8, 206 p. (Europ. Sagen, 11)

706. SAVARD (Rémi), PROULX (Jean-René). Canada: derrière l'épopée, les autochtones. Montréal, L'Hexagone, 82, in-8, 232 p. - CR: G. Duhaime, Canad. J. pol. Sci., 83, vol. 16, p. 375-376.

707. SCHMITT (Jean-Claude). Les traditions folkoriques dans la culture médiévale: quelques réflections de méthode. Arch. Sci. soc. Relig., 81, a. 26, p. 5-20.

708. SEMENOVA (L. N.). Očerki istorii byta i kul'turnoj žizni Rossii. Pervaja polovina XVIII v. (Essays on Russia's history of mode of life and cultural life, first half of the 18th cent.) Leningrad, Nauka, 82, 279 p. (AN SSSR. In-t Istorii. Leningr. otd-nie)

709. SIIKALA (Anna-Leena). Finnish rock art, animal-ceremonialism and shamanism. Temenos, 81 [82], t. 17, p. 81-100 (ill.).

710. ŠINKAREV (V. N.). Sakral'nye predvoditeli obščin u naga. (Naga sacral community leaders.) Sovet. Ètnogr., 82, n° 5, p. 97-107.

711. Strany i narody. (Countries and peoples.) Nauč.-popul. geogr.-ètnogr. izd. Gl. redkol.: Ju. V. BROMLEJ (predsedatel') i dr. V 20-ti t. [Cf. Bibl. 81, n° 592.] Zarubežnaja Azija. Vostočnaja i Central'naja Azija. (Foreign Asia: East a. Central Asia.) Afrika. Obščij obzor. Severnaja Afrika. (Africa. General survey. North Africa.) Moskva, Mysl', 82, 2 vol., 285, 349 p. (ill.).

712. Strany i narody Vostoka. (Countries and peoples of the East.) Pod obšč. red. D. A. OL'DEROGGE. Vyp. 23: Dal'nij Vostok. Istorija, ètnografija, kul'tura. (The Far East. History, ethnography, civilization.) Vyp. 24, Kn. 5: Strany i narody bassejna Tichogo Okeana. (The countries a. peoples of the Pacific basin.) Moskva, Nauka, 82, 2 vol. 295, 285 p.

713. TRIGGER (Bruce). Indians and Ontario's history. Ontario Hist., 82, vol. 74, p. 246-257.

714. VARGA (Marianna). Magyar népviseletek régen és ma. (Costumes populaires hongrois autrefois et aujourd'hui.) Budapest, Tankönyvkiadó, 82, in-8, 184 p. (Néprajz mindenkinek, 1)

715. VEKERDI (József). A magyarországi cigány kutatások története. (Histoire des recherches concernant les Gitans de Hongrie.) Debrecen, Kossuth Lajos Tudományegyetem, 82, in-8, 59 p. (Folklór és etnográfia, 7)

716. VOIGT (Vilmos). Problèmes du folklore historique en Hongrie. In: Objet et méthodes de l'histoire de la culture [Cf. n° 607], p. 185-194.

717. WEIGEL (J.-Y.). Migration et production domestique des Soninké du Sénégal. Paris, Ed. de l'ORSTOM; diff. L'Harmattan, 82, in-4, 134 p. (22 fig., 4 pl.). (Coll. TD, 146)

718. Žilišče narodov Srednej Azii i Kazakhstana. (Dwellings of the peoples of Middle Asia and Kazakhstan.) Sbornik statej. Otv. red.: E. E. NERAZIK, A. N. ŽILINA. Moskva, Nauka, 82, 240 p. (ill.). (AN SSSR. In-t ètnografii)

Cf. n° 183.

§ 6. Histoire générale.

a. Histoire universelle.

* 719. BETH (Hans Joachim), HENNICKE (Otto). Register 1962-1981. Militärgesch., 81, Jg. 20, p. 643-744.

* 720. Bibliographie internationale de l'Humanisme et de la Renaissance. [T. 12. Cf. Bibl. 81, n° 601.] T. 13: Travaux parus en 1977. Genève, Droz, 82, in-8, CXLII-874 p.

* 721. Dix ans de recherche universitai-

re sur le monde arabe et islamique de 1968-69 à 1979. Association franç. des arabisants. Paris, Recherche sur les civilisations, 82, in-4, 438 p.

* 722. METTAM (Roger), BENECKE (Gerhard). Annual bulletin of historical literature. N° 65, 66. London, Hist. Assoc., 82, 2 vol. in-8, 178, 216 p.

* 723. Pacific history bibliography and comment. [1981. Cf. Bibl. 81, n° 604.] 1982. Canberra/Austr., The Journal of Pacific Hist., Australian National Univ., 82, in-8, 100 p.

* 724. RUSU (Dorina N.). Cercetări istorice (1925-1947). Bibliografie. (Bibliographie de la revue Cercetări istorice [Recherches historiques].) București, Ed. științ. și enciclop., 82, in-8, XV-138 p.

* 725. TERRELL (Jennifer). The Journal of Pacific History: index, vol. 1-16, 1966-1981. J. Pacific Hist., 82, 38 p.

* 726. Women in Western European history. A select chronological, geographical and topical bibliography from antiquity to the French Revolution. Compiled a. ed. by Linda FREY, Marsha FREY a. Joanne SCHNEIDER. Brighton, Harvester, 82, in-8, LV-760 p.

* 727. YARANGA (Z.). Bibliographie des travaux en langue française sur l'Afrique au sud du Sahara. Sciences soc. et humaines, 1980. Paris, Ecole des Hautes Etudes en Sci. soc., Centre d'études afric., 82, in-8, 342 p.

* Cf. n^os X-XI.

728. ARMSTRONG (John A.). Nations before nationalism. Chapel Hill, Univ. of North Carolina Press, 82, in-8, XXXVI-411 p.

729. Balkanskie issledovanija. (Balkan research.) Redkol.: B. A. ARŠ (otv. red.) i dr. Vyp 7: Istoričeskie i istoriko-kul'-turnye processy na Balkanakh. (Historical a. historic-cultural processes in the Balkans.) Vyp. 8: Balkansie narody i evropejskie pravitel'stva v XVIII - načale XX v. (Dokumenty i issled.). (Balkan peoples a. European governments in the 18th - beginning of the 20th cent. Documents a. researches.) Moskva, Nauka, 82, 2 vol., 296, 288 p. (AN SSSR. In-t slavjanovedenija i balkanistiki)

730. Bonheur (Le) par l'empire ou le rêve d'Alexandre. Actes du Colloque tenu en Sorbonne, 1er mars 1980, par le Centre d'études et de recherches sur les stratégies et les conflits. Paris, Anthropos, 82, in-8, 175 p.

731. BRAUDEL (Fernand). L'Europe. L'espace, le temps, les hommes. Paris, Arts et métiers graphiques, 82, in-fol., 248 p. (442 reprod., dont 250 coul.).

732. Cambridge (The) history of Africa. [Vol. 2. Cf. Bibl. 78-79, n° 732.] Vol. 1: From the earliest times to c. 500 B.C. Ed. by J. Desmond CLARK. London a. New York, Cambridge U. P., 82, in-8, XXIII-1157 p. (ill., pl., maps).

733. CARRETTO (Giacomo E.), LO JACONO (Claudio), VENTURA (Alberto). Maometto in Europa. Arabi e turchi in Occidente, 622-1922. A cura di Francesco GABRIELI. Milano, Mondadori, 82, in-8, 277 p. (fig.). (Libri ill. Mondadori)

734. Historia dyplomacji polskiej. (Histoire de la diplomatie polonaise.) Ouvrage collectif réd. par Gerard LABUDA. [T. 1. Cf. Bibl. 80, n° 616.] T. 2: 1572-1795. Réd. par Zbigniew WÓJCIK. Auteurs: Józef GIEROWSKI et autres. T. 3: 1795-1918. Réd. par Ludwik BAZYLOW. Auteurs: L. BAZYLOW et autres. Warszawa, Państw. Wydawn. Nauk., 82, 2 vol. in-8, 774, 1015 p. (Pol. Inst. Spraw Międzynarod.)

735. Histoire des Arméniens. Sous la dir. de G. DEDEYAN. Toulouse, Privat, 82, in-8, 701 p. (32 pl., 24 cartes).

736. HOLMBERG (Åke). Vår världs historia. (History of our world.) Vol. 1, 2. Stockholm, Natur o. kultur, 82, 2 vol. in-4, 350, 352 p. (ill., maps).

737. Islamic studies in the German Democratic Republic. Traditions, positions, findings. Ed. by Holger PREISLER a. Martin ROBBE. Berlin, Akad.-Verl., 82, in-8, 180 p. (Asien, Afrika, Lateinamerika, special issue, 10)

738. JONES (Barry). Macmillan concise dictionary of historical biography. London, Macmillan, 82, in-8, 640 p.

739. KAUTSKY (John H.). The politics of aristocratic empires. Chapel Hill, Univ. of North Carolina Press, 82, in-8, XVI-416 p.

740. LAROUI (A.). L'histoire du Maghreb. Un essai de synthèse. Paris, Maspero, 82, in-8, 396 p. (Fondations)

741. LEWIS (Bernard). The Muslim discovery of Europe [700-1866]. London, Weidenfeld a. Nicolson, 82, in-8, 320 p. (ill.).

742. McNEILL (William H.). The pursuit of power: technology, armed force, and society since A.D. 1000. Chicago, Univ. of Chicago Press, 82, in-8, X-405 p.

743. MAGNUS (Olaus). Historia om de nordiska folken. (Orig.: Historia de gentibus septentrionalibus.) Stockholm, Gidlund, 82, in-4, II-1087 p. (ill.).

744. MARCZALI (Henrik). Világtörténelem - magyar törtenelem. Vál., sajtó alá rend. és bev. GUNST Péter. (Histoire universelle - histoire de Hongrie. Travaux choisis, mis sous presse et intr. par - .) Budapest, Gondolat, 82, in-8, 561 p. (Történetírók tára)

745. MORRISON (Karl F.). The mimetic tradition of reform in the West. Princeton, N.J., Princeton U. P., 82, in-8, XXII-440 p.

746. SAITTA (Armando). 2000 anni di storia. [1. Cf. Bibl. 78-79, 761.] 2: Dall'Impero di Roma a Bisanzio. 3: Giustiniano e Maometo. Roma e Bari, Laterza, 79-82, 2 vol. in-8, XII-752, VIII-560 p.

747. Stadt und Herrschaft. Römische Kaiserzeit u. hohes Mittelalter. Hrsg. v. Friedrich VITTINGHOFF. München, Oldenbourg, 82, in-8, 331 p. (Hist. Z., Beih., N. F., 7)

748. Thorn. Königin der Weichsel, 1231-1981. Hrsg. v. Bernhart JÄHNIG u. Peter LETKEMANN. Beitr. z. Gesch. Westpreußens, 81, n° 7, p. 9-434. [Contient: JAHNIG (Bernhart). Zur Stellung des Komturs von Thorn unter den Deutschordens-Gebietigern in Preußen, p. 99-144. - MILITZER (Klaus). Köln und Thorn. Köln-Thorner Beziehungen im Mittelalter, p. 149-159. - NORTH (Michael). Englische Reiseberichte des 17. Jahrhunderts als Quelle zur Geschichte der Königlich-preußischen Städte Danzig, Elbing u. Thorn, p. 197-208. - HUBATSCH (Walter). Das Thorner Religionsgespräach von 1645 aus der Sicht des Geistlichen Ministeriums der Dreistadt Königsberg, p. 239-258.]

749. Tuttilmondo. Enciclopedia degli stati. [34:] Siria, Libano, Israele, Giordania. [35:] Africa centro-orientale. A cura di Valerio LUGANI. Milano, Aristea, 82, 2 vol. in-8, 252, 253 p. (fig.).

750. UNESCO. General history of Africa: studies and documents. Vol. 5: The deconolization of Africa: Southern Africa and the Horn of Africa. London, H. M. Stationery Office, 82, in-8, 164 p. [Cf. Bibl. 81, n° 628]

751. VÁRADI-STERNBERG (János). Századok öröksége. Tanulmányok az orosz-magyar és ukrán-magyar kapcsolatokról. (L'héritage des siècles. Etudes sur les relations russo-hongroises et ukraino-hongroises.) Budapest, Gondolat - Uzsgorod, Kárpáti Kiadó, 82, in-8, 371 p. (24 pl.).

752. Villes (Les) dans le monde ibérique (Actes du Colloque de Talence, 27-28 nov. 1980). Paris, Ed. du C.N.R.S., 82, in-4, 236 p. (23 fig., carte). (Coll. de la Maison des pays ibér., 6)

753. WOLF (Eric R.). Europe and the people without history. Berkeley a. Los Angeles, Univ. of California Press, 82, in-8, XI-503 p.

754. ZABŁOCKA (Julia). Historia Bliskiego Wschodu w starożytności (Ot początków osadnictwa do podboju perskiego). (Histoire du Proche-Orient dans l'antiquité, depuis les débuts de l'occupation du sol jusqu'à la conquête perse.) Wrocław, Zakł. Narod. im. Ossolińskich, 82, in-8, 427 p.

b. Histoire par pays[1].

Algérie.

755. AYOUN (Richard), COHEN (Bernard). Les Juifs d'Algérie. Deux mille ans d'histoire. Paris, Lattès, 82, in-8, 262 p.

Allemagne.

* 756. KLEMMER (Liselotte), RIEDENAUER (Erwin). Register zu Band 21-40 (1958-1977). Z. f. bayer. Ldesgesch., 82, Sonderh., 112 p.

* 757. Mecklenburgische Bibliographie. Regionalbibliographie f. d. Bezirke Rostock, Schwerin u. Neubrandenburg. Berichtsjahr [1979. Cf. Bibl. 81, n° 633.] 1980. Nachtr. 1945-1979. Bearb. v. Grete GREWOLLS. Sachregister f. d. Berichtsjahre 1975-1979. Zusammengest. v. Gerhard BAARCK. Schwerin, Wissenschaftl. Allgemeinbibliothek d. Bez. Schwerin, 82, 2 vol. in-8, 164, 76 p.

* 758. Quellenkunde der deutschen Geschichte. Bibliographie d. Quellen u. d. Lit. z. deutschen Gesch. Dahlmann-Waitz. Unter Mitwirkung zahlreicher Gelehrter hrsg. im Max-Planck-Inst. f. Gesch. v. Hermann HEIMPEL u. Herbert GEUSS. 10. Aufl. 4. Buch, [Lfg. 36-39. Cf. Bibl. 81, n° 634.] Lfg. 40: Abschn. 260 (Schluß) - Abschn. 263 (Anfang). Lfg. 41/42: Abschn. 263 (Schluß) - Abschn. 274. Stuttgart, Hiersemann, 82, 2 vol. in-4, 40, 58 Bl.

* 759. Sachsen-Anhalt. Regionalbibliographie f. d. Bezirke Halle u. Magdeburg. Bearb. v. Peter HENNING. [Berichtsjahre 1977 u. 1978. Cf. Bibl. 80, n° 635.] Berichtsjahre 1979 u. 1980. Nachträge 1965-1978. Halle, Univ.- u. Landesbibl. Sachsen-Anhalt, 82, in-8, XI-384 p. (Arbeiten aus d. Univ.-Bibl. Sachsen-Anhalt in Halle, 28)

* 760. Thüringen-Bibliographie. Regionalbibliographie f. d. Bezirke Erfurt, Gera u. Suhl. Nationale Forsch.- u. Gedenkstätten d. Klass. Deutschen Lit. in Weimar: Zentralbibl. d. Deutschen Klassik. Bearb. v. Doris KUHLES. [1977. Cf. Bibl. 80, n° 632.] 1978. Mit Nachtr. Weimar, Nationale Forsch.- u. Gedenkstätten d. Klass. Deutsch. Lit., 82, in-8, 219 p.

___

761. Deutsche Geschichte. In 12 Bd. Hrsg. vom Zentralinst. f. Gesch. d. Akad. d. Wiss. d. DDR. Herausgeberkollegium: Horst BARTEL u. a. Bd 1: Von den Anfängen bis zur Ausbildung des Feudalismus Mitte des 11. Jh. Autorenkoll.: Joachim HERMANN u. a. Berlin, Deutsch. Verl. d. Wiss., 82, in-4, 531 p. (Abb.).

762. Deutschordensstaat Preußen (Der) in der polnischen Geschichtsschreibung der Gegenwart. Hrsg. v. Udo ARNOLD u. Marian BISKUP. Marburg, Elwert, 82, in-8, X-278 p. (graph. Darst., Kt.). (Quellen u. Stud. z. Gesch. d. Deutschen Ordens, 30)

763. Ežegodnik Germanskoj istorii. (Yearbook of German history.) Redkol.: D. S. DAVIDOVIČ (i. o. gl. red.) i dr. [1979. Cf. Bibl. 81, n° 640.] 1980. Moskva, Nauka, 82, 308 p. (AN SSSR. In-t vseobšč. istorii. Komis. istorikov SSSR i GDR)

6. HISTOIRE GENERALE

764. Geschichte Thüringens. Hrsg. v. Hans PATZE u. Walter SCHLESINGER. [Bd 2, T. 1, 2. Cf. Bibl. 74-75, n° 946.] Bd 5: Politische Geschichte in der Neuzeit. T. 1, 2. Köln u. Wien, Böhlau, 78-82, 2 vol. in-8, VIII-614, 665 p. (Ill.). (Mitteldeutsche Forsch., 48)

765. Hamburg. Geschichte d. Stadt u. ihrer Bewohner. Hrsg.: Werner JOCHMANN, Hans-Dieter LOOSE. Bd 1: Von den Anfängen bis zur Reichsgründung. Hamburg, Hoffmann u. Campe, 82, in-8, 560 p. (Ill.).

766. PROKOP'EV (V. P.). Armija i gosudarstvo v istorii Germanii X-XX vv. (Army and state in the history of Germany, 10th-20th cent.) Ist.-pravovoj očerk. Leningrad, Izd-vo LGU, 82, 129 p. (M-vo vysš. i sred. spec. obrazovanija RSFSR)

767. Speyer. Geschichte der Stadt Speyer. Hrsg. v. d. Stadt Speyer. Red.: Wolfgang EGER. Bd 1, 2. Stuttgart, Berlin, Köln u. Mainz, Kohlhammer, 82, 2 vol. in-8, VII-655, VIII-646 p. (Ill.).

Autriche.

* 768. ZAISBERGER (Friederike), HEFFETER (Franz). Sammelreferat: Schrifttum zur Geschichte des Landes Salzburg 1960-1980. Mitt. d. Inst. f. österr. Gesch.-Forsch., 82, Bd 90, p. 77-128, 347-420.

* Cf. n° III.

** 769. Quellen (Die) der Geschichte Österreichs. Hrsg. v. Erich ZÖLLNER. Red. v. Hermann MÖCKER. Reg. erstellt v. Emil BRIX. Wien, Österr. Bundesverl., 82, in-8, 232 p. (Schr. d. Inst. f. Österreichkunde, 40)

770. SITTIG (Wolfgang). Landstände und Landesfürstentum. Eine Krisenzeit als Anstoß für d. Entwicklung d. steirischen landständ. Verwaltung. Graz, Steiermärk. Landesarchiv, 82, in-8, 222 p. (Veröff. d. Steiermärk. Landesarchivs, 13)

Belgique.

* 771. Bulletin d'histoire de Belgique [1978-1980. Cf. Bibl. 81, n° 644.] (1979-1981). R. Nord, 82, t. 64, n° 254-255, p. 843-929.

* 772. Survey of recent historical works on Belgium and the Netherlands published in Dutch. Ed. by C. R. EMERY y. J. A. KOSSMANN. Low Countries Hist. Y. B., 81, vol. 14, p. 182-220. [Cf. Bibl. 80, n° 640]

* Cf. n° IV.

Bulgarie.

* 773. GEČEVA (Krăstina), VĂLČEV (Veselin). Publications parues à l'étranger sur l'histoire de la Bulgarie. [Cf. Bibl. 81, n° 645.] Bulg. hist. R., 82, a. 10, n° 3,
p. 131-136; n° 4, p. 124-130.

* Cf. n° V.

Espagne.

* 774. Trabajos publicados en "Anales del Instituto de Estudios madrileños", tomos I-XVIII. A. Inst. Est. madrileños, 82, t. 19, p. 615-640.

775. NADAL-FARRERAS (Joaquin), WOLFF (Philippe). Histoire de la Catalogne. Toulouse, Privat, 82, in-8, 560 p. (48 pl.). (Villes et provinces de France)

776. VILLANUEVA LÁZARO (J. M.). La ciudad de León de romana a románica. León, Nebrija, 82, in-8, 316 p. (fig.).

Ethiopie.

* 777. Bibliographie [analytique de l'histoire de la civilisation éthiopienne]. [Suite de Bibl. 80, n° 791.] Abbay, 79 [81], cah. 10, p. 223-259.

* 778. LOCKOT (Hans Wilhelm). Bibliographia Aethiopica. Die äthiopienkundl. Literatur des deutschsprachigen Raumes. Wiesbaden, Steiner, 82, in-8, 441 p. (Äthiopist. Stud., 9)

Finlande.

* Cf. n° VII.

France.

* 779. Bibliographie bourguignonne. 15e série: 1975-1978 [suite de Bibl. 81, n° 653.] A. Bourgogne, 81, t. 53, p. 129*-176*. – 16e série: 1979-1980, par Martine CHAUNEY. Ibid., 81, t. 53, n° 212, 160 p.

* 780. Bibliographie franc-comtoise. T. 3: 1970-1980 [sous la dir. de Jacques MIRONNEAU]. Paris, Belles Lettres, 82, in-8, 394 p. (A. litt. de l'Univ. Besançon, 265)

* 781. CUENOT (René). Bibliographie lorraine. T. [46. Cf. Bibl. 81, n° 656.] 47: 1980. A. Est, 81, sér. 5, a. 33, suppl., 79 p.

* 782. LITTLER (Gérard). Bibliographie alsacienne. [1973-1974, 1975-1976. Cf. Bibl. 80, n° 649.] 1977-1978, 1979-1980. Strasbourg, Bibliothèque nationale et univ., 81-82, 2 vol. in-8, 683, 757 p.

* Cf. n° VIII.

783. BISCHOFF (Georges). Gouvernés et gouvernants en Haute-Alsace à l'époque autrichienne: les états des Pays Antérieurs, des origines au milieu du XVIe siècle. Strasbourg, Istra, 82, in-8, 275 p. (pl.).

784. BORZEIX (Daniel), PAUTAL (René), SERBAT (Jacques). Révoltes populaires en Occitanie: moyen âge et Ancien Régime. Treignac, Monédières, 82, in-8, 364 p.

785. CASTRIES (René de La Croix, duc de). Histoire des régences. Paris, Perrin, 82, in-8, 505 p.

786. Dictionnaire de biographie française. Publ. sous la dir. d'Henri TRIBOUT DE MOREMBERT. T. 15, fasc. [88-89. Cf. Bibl. 81, n° 658.] 90: Gerde-Gilbert. T. 16, fasc. 91: Gilbert-Giraudoux. Paris, Letouzey et Ané, 82, 2 fasc. in-4, col. 1281-1526; 256 col.

787. Francuzskij ežegodnik, [1979. Cf. Bibl. 81, n° 661.] 1980. (French yearbook.) Stat'i i materialy po istorii Francii. Redkol.: V. V. ZAGLADIN (gl. red.) i dr. Moskva, Nauka, 82, in-4, 248 p. (AN SSSR. In-t vseobšč. istorii)

788. Haut-Rhin (Le). Dictionnaire des communes: histoire et géographie, économie et société. Sous la dir. de Raymond OBERLE et de Lucien SITTLER. T. 1: A-G. T. 2: H-Q. Colmar, Alsatia, 80-81, 2 vol. in-8, 528 p., p. 529-115 (cartes).

789. Histoire de Cambrai. [Par M. ROUCHE, H. PLATELLE, L. TRENARD, R. VANDENBUSSCHE, etc.] Sous la dir. de Louis TRENARD. Lille, Presses univ. Lille, 82, in-8, 314 p. (ill.). (Hist. des villes du Nord - Pas-de-Calais, 2)

790. Histoire de la Champagne. Publ. sous la dir. de Maurice CRUBELLIER. T. 1. Genève, Famot, 81, in-8, 221 p. (pl.).

791. Histoire de la France urbaine. Sous la dir. de Georges DUBY. [T. 1-3. Cf. Bibl. 81, n° 665.] T. 4: La ville de l'âge industriel: le cycle haussmannien. Vol. dirigé par Maurice AGULHON. Paris, Ed. du Seuil, 82, in-8, 665 p. (16 pl.).

792. Histoire de Strasbourg, des origines à nos jours. Sous la dir. de Georges LIVET et Francis RAPP. [T. 1-3. Cf. Bibl. 81, n° 670.] T. 4: Strasbourg de 1815 à nos jours: XIXe et XXe siècles. Strasbourg, Dernières Nouvelles de Strasbourg, 82, in-8, XXII-799 p. (16 pl.).

793. Histoire de Valenciennes. Sous la dir. d'Henri PLATELLE. Lille, Presses univ. Lille, 82, in-8, 333 p. (ill.).

794. Histoire de Verdun. Sous la dir. d'Alain GIRARDOT. Toulouse, Privat, 82, in-8, 302 p. (Pays et villes de France)

795. MARTIN (Marie-Madeleine). Histoire de l'unité française. L'idée de patrie en France des origines à nos jours. Paris, Presses univ. France, 82, in-8, 429 p.

796. Nouveau dictionnaire de biographie alsacienne. T. 1: Aa à Az. Strasbourg, Fédération des Soc. d'Hist. et d'Archéol. d'Alsace, 82, in-8, 76 p.

797. Nouvelle histoire de Paris. T. [8. Cf. Bibl. 81, n° 672.] 9: La Deuxième République et le Second Empire, 1848-1870. Par Louis GIRARD. Paris, Hachette, 81, in-4, 471 p.

798. ORDIONI (Pierre). Le pouvoir militaire en France de Charles VII à Charles de Gaulle. [T. 1. Cf. Bibl. 81, n° 674.] T. 2: De la Commune de Paris à la Libération. Paris, Albatros, 81, in-8, 542 p.

Grande-Bretagne.

* 799. GRAHAM (T. W.). A list of articles on Scottish history published during the year 1981. Scottish hist. R., 82, vol. 61, p. 166-175.

* Cf. n° IX.

800. BARG (M. A.), ČERNJAK (E.B.). K voprosy o perekhodnoj épokhe ot feodalizma k kapitalizmu (na primere Anglii). (Some problems of research into the transitional period from feudalism to capitalism - the case study of England.) Nov. novejš. Ist., 82, n° 3, p. 49-72.

801. BRYANT (Sir Arthur). The spirit of England. London, Collins, 82, in-8, 236 p.

802. DODGSHON (Robert A.). Land and society in early Scotland. London, Oxford U. P., 82, in-8, 400 p. (ill., fig.).

803. English world (The): history, character and peoples. Ed. by Robert BLAKE. London, Thames a. Hudson, 82, in-4, 268 p. (ill., pl., maps).

804. HOPE (Valerie) a. others. The freedom: the past and present of livery, guilds and City of London. Buckingham, Barracuda Books, 82, in-8, 280 p. (ill.).

805. POLIŠENSKÝ (Josef). Dějiny Británie. (Geschichte Großbritanniens.) Praha, Svoboda, 82, in-8, 323 p.

806. THOMAS (David). Royal Admirals, 1327-1981. London, Deutsch, 82, in-8, 300 p. (ill., pl.).

807. WILLIAMS (Gwyn Alfred). The Welsh in their history. London, Croom Helm, 82, in-8, 224 p.

Hongrie.

* 808. HITCHINS (Keith). Hungarica 1961-1974. Literaturbericht über Neuerscheinungen z. Gesch. Ungarns v. d. Arpaden bis 1970. München, Oldenbourg, 81, in-8, 144 p. (Hist. Z., Sonderh. 9)

* Cf. n° X.

809. Cegléd története. Szerk. IKVAI Nándor. (Histoire de la ville de Cegléd. Réd. par - .) Szentendre, Pest m. Múz. Ig., 82, in-8, 607 p. (Studia comitatensia)

810. CSERZY (Mihály). Az öreg Szeged. Szerk. és utószó CSONGOR Győző. (L'ancien-

ne ville de Szeged. Réd. et postface par - .) Szeged, Szegedi Ny. MTESz Miniatürkönyv Klub, 81, 245 p.

811. Debrecen története. Főszerk. RANKI György. (Histoire de Debrecen. Réd. en chef: - .) 2: 1693-1849. Réd. par RÁCZ István. Debrecen, Megyei Városi Tanács VB, 81 [82], in-8, 553 p. (4 pl.).

812. Magyarország történeti kronológiája. A kezdetektől 1970-ig. Főszerk. BENDA Kálmán. (Chronologie historique de la Hongrie. Des origines à 1970. Réd. en chef: - .) [Vol. 1. Cf. Bibl. 81, n° 688.] Vol. 2: 1526-1848. Réd. par PÉTER Katalin, SOMOGYI Éva. Vol. 3: 1848-1944. Réd. par SOMOGYI Éva, GLATZ Ferenc. Vol. 4:1944-1970. Réd. par GLATZ Ferenc. Budapest, Akadémiai Kiadó, 82, 3 vol. in-8, p. 361-668, 677-1000, 1013-1258.

813. RUZICSKAY (György). A gyulai vár krónikája. (La chronique de la forteresse de Gyula.) Budapest, Corvina, 81, in-8, 68 pl.

Iran.

* 814. PIEMONTESE (A. M.). Bibliografia italiana dell'Iran (1462-1982). Vol. 1: Bibliografia, geografia, viaggi e viaggiatori, storia, archeologia. Vol. 2: Arte, lingua, letteratura, filosofia e scienze, religione, la Persia nella letteratura italiana ed europea, addenda. Napoli, 82, 949 p. compless. (Istit. univ. orientale, Seminario di Studi asiatici, ser. minor, 18/1-2)

* Cf. n° 7546.

Irlande.

* Cf. n° IX.

815. MULLIGAN (Martin). Ireland unfree: essays on the history of the Irish freedom struggle, 1169-1981. London, Pathfinder Press, 82, in-8, 160 p.

816. New (A) history of Ireland. Ed. by T. W. MOODY, F. X. MARTIN, F. J. BYRNE. Vol. 8: A chronolgy of Irish history to 1979: a companion to Irish history. Pt. 1. London, Oxford U. P., 82, in-8, XII-591 p.

Italie.

* 817. Bibliotheca Italo-ebraica. Bibliografia per la storia degli ebrei in Italia, 1964-1973. Compilata da Aldo LUZZATTO, Moshe MOLDAVI. A cura di Daniele CARPI. Roma, Cacucci, 82, in-8, 251 p. (Pubbl. della Diaspora research institute, 31)

* Cf. n° XII.

** 818. Relazioni dei rettori veneti nel dogado. Podestaria di Chioggia. [A cura dell'Istit. di Stor. dell'Univ. di Udine.] Milano, Giuffrè, 82, in-8, LII-262 p.

(tav.). (Ser. monogr. di Stor. mod. e contemp. Istit. di Stor. dell'Univ. di Udine, 1) [Cf. Bibl. 78-79, n° 826]

819. Città (La) nella storia d'Italia. Direttore: Cesare DE SETA. [10:] Padova. Di Lionello PUPPI, Mario UNIVERSO. [11:] Milano. Di Lucio GAMBI, Maria Cristina GOZZOLI. Roma e Bari, Laterza, 82, 2 vol. in-8, 302, 380 p. (fig.). (Grandi opere) [Cf. Bibl. 81, n° 694]

820. CORRENTI (Santi). Storia della Sicilia come storia del popolo siciliano. Milano, Longanesi, 82, in-8, 389 p. (tav.). (Il cammeo, 27)

821. Dizionario biografico degli Italiani. [Vol. 25. Cf. Bibl. 81, n° 695.] Vol. 26: Cironi-Collegno. Vol. 27: Collenuccio-Confortine. Roma, Istit. dell'Enciclop. ital., 82, 2 vol. in-8, XV-807, XV-811 p.

822. Jews (The) in the Duchy of Milan. 1: 1387-1477. 2: 1477-1566. Ed. with intr. a. notes by S. SIMONSOHN. Jerusalem, Israel Acad. of Sci. a. Humanities, 82, 2 vol. in-8, 1448 p.

823. NORWICH (John Julius). History of Venice. London, A. Lane, 82, in-8, 673 p. (ill.).

Storia d'Italia. Annali. [Coordinatori: Ruggiero ROMANO, Corrado VIVANTI.] 4: Intellettuali e potere. A cura di Corrado VIVANTI. 5: Il paesaggio. A cura di Cesare DE SETA. Torino, Einaudi, 81-82, 2 vol. in-8, XXIII-1365, XXXIII-827 p. (tav.).

825. Storia d'Italia diretta da Giuseppe GALASSO. [Cf. Bibl. 80, n° 694.] 20: Destra e sinistra da Cavour a Crispi. Di Alfredo CAPONE. 21: La crisi di fine secolo e l'età giolittiana. Di Franco GAETA. Torino, UTET, 81-82, 2 vol. in-8, XII-667, XI-518 p. (tav.).

826. Storia della società italiana. Diretta da Giovanni CHERUBINI e altri. Coordinatore: Idomeneo BARBADORO. [14. Cf. Bibl. 80, n° 5813.] 7: La crisi del sistema comunale. 16: Il pensiero e la cultura nell'Italia unita. Milano, Teti, 82, 2 vol. in-8, 471, 415 p.

827. Venezia ebraica. Atti delle prime giornate di studio sull'ebraismo veneziano, Venezia, 1976-1980. A cura di Umberto FORTIS. Roma, Carucci, 82, in-8, 160 p.

Cf. n° 231.

Japon.

828. Japonija. Ežegodnik. 1981. (Japan. Yearbook. 1981.) Gl. red.: I.I. KOVALENKO. Moskva, Nauka, 82, 352 p. (ill.). (AN SSSR. In-t vostokovedenija. In-t Dal. Vostoka. In-t mirovoj ėkonomiki i meždunar. otnošenij. Nauč. sovet po koordinacii n.-i. rabot v obl. vostokovedenija. Sekcija po izuč. Japonii) [1979. Cf. Bibl. 80, n° 698]

Luxembourg.

* Cf. n° XIII.

Norvège.

* Cf. n° XIV.

Pays-Bas.

* Cf. n°s XV, 772.

Pologne.

* 829. Schlesische Bibliographie. Im Auftrag d. Hist. Komm. f. Schlesien bearb. v. Herbert RISTER. 1958-1960. Mit Nachträgen aus früheren Jahren. Marburg/Lahn, Herder, 82, in-4, XII-500 p. (Wiss. Beiträge z. Gesch. u. Landeskunde Ostmitteleuropas, 117. - Einzelschr. d. Hist. Komm. f. Schlesien, 9)

* Cf. n° XVI.

** 830. Documenta ex archivo regiomontano ad Poloniam spectantia. Pars 24: 1535-1537. Pars 25: 1537-1538. Ed. Carolina LANCKOROŃSKA. Roma, Institutum hist. polonicum, 82, 2 vol. in-8, 242, 190 p. (Elementa ad fontium editiones, 54, 55) [Pars 2, 3. Cf. Bibl. 74-75, n° 7380]

831. DAVIES (Norman). God's playground: a history of Poland. Vol. 1: The origins to 1795. Vol. 2: 1795 to the present. London, Oxford U. P.; New York, Columbia U. P., 82, 2 vol. in-8, XXXIII-605, XXVII-725 p.

832. GODLEWSKI (Jerzy Romuald), ODYNIEC (Wacław). Pomorze Gdańskie. Koncepcje obrony i militarnego wykorzystania od wieku XIII do roku 1939. (La Poméranie de Gdańsk. Les conceptions sur la défense et l'expoitation militaire, du XIIIe siècle à 1939.) Warszawa, Wydawn. Min. Obrony Narod., 82, in-8, 447 p.

833. Polski Słownik Biograficzny. (Dictionnaire biographique polonais.) Réd. Emanuel ROSTWOROWSKI. T. 27, 1-2. Wrocław, Zakł. Narod. im. Ossolińskich, 82, 2 vol. in-8, 208 p., p. 209-408. (Pol. Akad. Nauk, Inst. Hist.) [T. 25. Cf. Bibl. 81, n° 704]

834. Republic (A) of nobles. Studies in Polish history to 1864. Ed. by J. K. FEDOROWICZ. London, Cambridge U. P., 82, in-8, 294 p. (ill.).

Roumanie.

* Cf. n° XVII.

** 835. Izvoare privind istoria României. (Sources concernant l'histoire de la Roumanie.) Vol. 4: Scriitori şi acte bizantine, sec. IV-XV. (Ecrivains et actes byzantins, IVe-XVe siècles.) Publ. de Haralambie MIHĂESCU, Radu LĂZĂRESCU, Nicolae Şerban TANAŞOCA, Tudor TEOTEOI. Bucureşti, Ed. Acad., 82, in-8, XII-583 p.

836. BREZEANU (Stelian). Les Roumains et "le silence des sources" dans le "millénaire obscur" [IIIe-XIIe s.]. R. roumaine Hist., 82, t. 21, p. 387-403.

837. ORBÁN (Balázs). A Székelyföld leirása történelmi, régészeti, természetrajzi és népismei szempontból. Hasonmás kiad. (La description de la terre des Sicules du point de vue historique, archéologique, scientifique et ethnographique. Ed. fac-similé.) Budapest, Helikon, 82, 3 vol. in-8, 837 p. var. (18 pl.); 248 p.; 448 p. (15 pl.). [Etude complémentaire: CSATÁRI (Dániel). Orbán Balázs és a Székelyföld leirása... (Balázs Orbán [1830-1890] et la description de la terre des Sicules ..., 13 p.]

838. RUSSU (I. I.). Etnogeneza românilor. Fondul autohton traco-dacic şi componenta latino-romanică. (L'ethnogenèse des Roumains. Le fond autochtone thraco-dace et la structure latino-romane.) Bucureşti, Ed. ştiinţ. şi enciclop., 81, in-8, 466 p.

Suisse.

* Cf. n° XVIII.

839. BINZ (Louis). Brève histoire de Genève. Genève, Chancellerie de l'Etat, 81, in-8, 78 p. (ill.).

840. Histoire de Lausanne. Sous la dir. de Jean Charles BIAUDET. Toulouse, Privat; Lausanne, Payot, 82, in-8, 455 p. (ill., plans, cartes). (Univers de la France et des pays francophones, Sér.: Histoire des villes)

841. Histoire du canton de Fribourg. Par Hanni SCHWAB et al. Direction: Roland RUFFIEUX. Fribourg, Inst. d'hist. moderne et contemp., 81, 2 vol. in-8, 1112 p. ens. (ill.).

842. Nouvelle histoire de la Suisse et des Suisses. Réd.: Jean-Claude FAVEZ. T. 1. Lausanne, Payot, 82, in-8, 367 p. (ill.).

Tchécoslovaquie.

* 843. HAMER (Dorothea). Auswahlbibliographie zur Geschichte und Landeskunde der böhmischen Länder 1980 mit Nachträgen. Z. f. Ostforsch., 82, Jg. 31, p. 461-478.

* Cf. n° XIX.

844. Hrady, zámky a tvrze v Čechách, na Moravě a ve Slezsku. (Burgen, Schlösser und Festen in Böhmen, Mähren und Schlesien.) Vol. 1: Jižní Morava. (Südmähren.) Edit. Ladislav HOSÁK, Metoděj ZEMEK

et al. Praha, Svoboda, 81, in-4, 364 p. (32 fig.).

845. Přehled dějin Československa. (Geschichte der Tschechoslowakei. Gesamtübersicht.) Hauptredaktion: Jaroslav PURŠ, Miroslav KROPILÁK. Teil 1, [Bd 1. Cf. Bibl. 81, n° 719.] Bd 2: 1526-1848. Praha, Academia, 82, in-8, 648 p. (95 fig.).

Turquie.

* 846. Turkologischer Anzeiger. [TA 7. Cf. Bibl. 81, n° 720.] TA 8. Wiener Z. f. d. Kde d. Morgenlandes, 82, Bd 74, p. 1*-223*.

U.R.S.S.

** 847. Polnoe sobranie russkikh letopisej. (Complete collection of Russian chronicles.) Otv. red. B. A. RYBAKOV. T. 37: Ustjužskie i vologodskie letopisi XVI-XVIII vv. (Chronicles of Ustjužna a. Vologda, 16th-18th cent.) Leningrad, Nauka, 82, 228 p. (AN SSSR. In-t istorii SSSR. Lenigr. otd-nie)

848. Arkheografičeskij ežegodnik. (Archeographical yearbook.) Redkol.: S. O. ŠMIDT (otv. red.) i dr. [1979, 1980. Cf. Bibl. 81, n° 724.] Za 1981 god. Moskva, Nauka, 82, 367 p. (AN SSSR. Otd-nie istorii. Arkheogr. komis.)

849. Cambridge (The) encyclopaedia of Russia and the Soviet Union. General editors: Archie BROWN et al. London, Cambridge U. P., 82, in-4, 492 p. (ill., pl., maps).

850. Istorija gorodov i sel Ukrainskoj SSR. (1500-letiju Kieva posvjaščaetsja). (History of the towns and villages of the Ukrainian SSR.) Gl. redkol.: P. T. TRON'-KO (predsedatel') i dr. V 26-ti t. Zakarpatskaja oblast'. (The Transcarpathian oblast.) Kiev, 82, 611 p. (ill.). (AN SSSR. In-t istorii) [Cf. Bibl. 81, n° 3836]

851. Istorija Ukrainskoj SSR. (History of the Ukrainian SSR.) Gl. redkol.: Ju. Ju. KONDUFOR (gl. red.) i dr. V. 10-ti t. [T. 1. Cf. Bibl. 81, n° 726.] T. 2: Razvitie feodalizma. Narastanie antifeodal'noj i osvoboditel'noj bor'by. (Vtoraja polovina XIII - pervaja polovina XVIII v.). (The development of feudalism. The increase of the antifeudal a. liberatory struggle, 2nd half of the 13th - 1st half of the 18th cent.) Redkol.: I. S. SLABEEV (otv. red.) i dr. Kiev, Nauk. dumka, 82, 591 p. (ill.). (AN USSR. In-t istorii)

852. Novgorodskij istoričeskij sbornik. 1 (11). (Novgorodian historical collection.) Otv. red. V. L. JANIN. Leningrad, Nauka, 82, 291 p. (AN SSSR. In-t istorii SSSR. Leningr. otd-nie)

853. PODHORODECKI (Leszek). Dzieje Kijowa. (Histoire de Kiev.) Warszawa, Książka i Wiedza, 82, in-8, 325 p.

854. Vspomogatel'nye istoričeskie discipliny. (Auxiliary historical sciences.) Sbornik statej. [T. 12. Cf. Bibl. 81, n° 731.] T. 13. Redkol.: N. E. NOSOV (otv. red.) i dr. Leningrad, Nauka, 82, 336 p. (AN SSSR. Otd-nie istorii. Arkheogr. komiss. Leningr. otd-nie)

§ 7. Théorie de l'Etat
et de la société.

* 855. Anarchisme (L'). Catalogue des livres et brochures des XIXe et XXe siècles. Ed. par l'Inst. franç. d'hist. sociale, Paris. Réd. sous la dir. de Denise FAUVEL-ROUIF par Janine GAILLEMIN, Marie-André SOWERWINE-MARESCHAL, Diana RICHET. München, New York, London et Paris, K. G. Saur, 82, in-8, 170 p.

* 856. ILLÉS (Krisztina), POMOGYI (László). A "Századok" cimü folyóiratban megjelent publikációk állam- és jogtörténeti bibliográfiája 1867-1981.(Bibliographie des publications sur l'histoire de l'Etat et du droit parues dans la revue "Századok" [Siècles], 1867-1981.) Budapest, Eötvös Loránd Tudományegyetem, 82, in-8, 56 p. (Állam- és jogtörténeti bibliográfiák, 3)

* 857. PANDULA (Attila). Múzeumi évkönyvek állam- és jogtörténeti bibliográfiája 1945-1981. (Bibliographie des travaux concernant l'histoire de l'Etat et du droit publiés dans les almanachs de musée [de Hongrie].) Budapest, Eötvös Loránd Tudományegyetem, 82, in-8, 35 p. (Állam- és jogtörténeti bibliográfiák, 4)

** 858. MOSCA (Gaetano). Scritti politici. A cura di Giorgio SOLA. 1: Teorica dei governi e governo parlamentare. 2: Elementi di scienza politica. Torino, Unione tip.-editr. torinese, 82, 1 vol. in-8, 1158 p. compless. (tav.). (Class. della Pol.) [Cf. n° 877.]

859. BATTISTRADA (Franco). Marxismo e populismo, 1861-1921. Attualità del più importante dibattito teorico-politico del secolo scorso. Milano, Jaca book, 82, in-8, 332 p. (Di fronte e attraverso, 75)

860. BENREKASSA (Georges). Système métaphysique et pensée politique: Montesquieu et l'imagination mécanique dans L'Esprit des Lois. R. Sci. humaines, 82, n° 186-187, p. 241-255.

861. BONACHELA (Manuel). Comentarios sobre el principio de separación de poderes en J.-J. Rousseaux. R. Est. pol., 82, n. s., n° 28, p. 75-125.

862. BRACHER (Karl-Dietrich). Zeit der Ideologien. Eine Geschichte polit. Denkens im 20. Jh. Stuttgart, Deutsche Verl.-Anstalt, 82, in-8, 414 p.

863. CALVERT (Peter). Concept of class, historical introduction. London, Hutchinson Educ., 82, in-8, 254 p. (Hutchinson university libr.)

864. HOROWITZ (Irving Louis). Socialization without politization: Emile Durkheim's theory of modern state. Pol. Theory, 82, vol. 10, p. 353-377.

865. INGLIS (Fred). Radical earnestness: English social theory, 1880-1980. Oxford, Martin Robertson, 82, in-8, 264 p.

866. [JÁSZI (Oszkár):] Jászi Oszkár publicisztikája. Válogatás. Vál, szerk., jegyz. LITVÁN György, VARGA F. János. (Oeuvres de journalisme d'Oszkár Jászi. Choix, réd., notes par - .) Budapest, Magvető, 82, in-8, 590 p.

867. KÖVÉR (Lajos). Batsányi János [1763-1845] Napóleonnak szánt államelméleti munkája 1809-bol. (L'ouvrage sur la théorie de l'Etat créé en 1809 par János Batsányi et dédié à Napoléon.) Acta Univ. szegediensis. Acta hist., 82, vol. 72, p. 33-46.

868. KRYNEN (Jacques). Idéal du prince et pouvoir royal en France à la fin du moyen âge, 1380-1440: étude de la littérature politique du temps. Paris, Picard, 81, in-8, 341 p.

869. LEROY (Géraldi). Péguy entre l'ordre et la révolution. Paris, Presses de la Fondation nat. des Sci. pol., 81, in-8, 294 p.

870. LOUBET DEL BAYLE (Jean-Louis). Politique et civilisation. Essai sur la réflexion politique de Jules Romains, Drieu La Rochelle, Bernanos, Camus, Malraux. Toulouse, Presses de l'Inst. d'Etudes pol., 81, in-8, 336 p.

871. MANENT (Pierre). Tocqueville et la nature de la démocratie. Paris, Julliard, 82, in-8, 188 p.

872. MASOPUST Zdeněl). Kritika teoríí politického pluralismu v buržoazní ideologii USA. (Theories of political pluralism in American bourgeois ideology.) Praha, Academia, 81, in-8, 164 p.

873. MOUSNIER (Roland). La monarchie absolue en Europe, du Ve siècle à nos jours. Paris, Presses univ. France, 82, in-8, 246 p.

874. RASKOLNIKOFF (Mouza). Volney et les Idéologues: le refus de Rome. R. hist., 82, a. 106, t. 267, p. 357-373.

875. RIVERSO (Emanuele). La città e lo Stato. Alle origini del pensiero politico occidentale. Roma, Borla, 82, in-8, 349 p.

876. STARN (Randolph). Contrary commonwealth: the theme of exile in medieval and Renaissance Italy. Berkeley a. Los Angeles, Univ. of California Press, 82, in-8, XIX-207 p.

877. Studies on the political thought of Gaetano Mosca. The theory of the ruling class and its development abroad. Ed. by Ettore A. ALBERTONI. Milano a. Montreal, Giuffrè, 82, in-8, X-205 p. (Arch. intern. Gaetano Mosca per lo studio della classe pol. Ser. intern., 1) (Istit. di Stud. stor. della Fac. di Sci. pol. dell'Univ. degli Studi di Milano. Soc. siciliana per la Stor. pa. di Palermo) [Cf. n° 858]

Cf. n° 3823.

§ 8. Histoire du droit et constitutionnelle.

* 878. Handbuch der Quellen und Literatur der neueren europäischen Privatrechtsgeschichte. Veröff. d. Max-Planck-Inst. f. Europ. Rechtsgesch. Hrsg. v. Helmut COING. [Bd 2. Cf. Bibl. 76-77, n° 981.] Bd 3: Das 19. Jahrhundert. Teilbd 1: Gesetzgebung zum allgemeinen Privatrecht. Einf., Süd-u. Westeuropa (Abschn. 1-7). Teilbd 2: Gesetzgebung zum allgemeinen Privatrecht und zum Verfahrensrecht. Allgemeines Privatrecht. Mitteleuropa (Abschn. 8-14)., Länderbercht: England, Rußland (Abschn. 15, 16), Verfahrensrecht. München, Beck, 2 vol. in-8, XXVI-1401; XXVIIIp., p. 1404-2840.

** 879. Rechtsquellen (Die) des Kantons Graubünden. B: Die Statuten der Gerichtsgemeinden. Teil 1: Der Gotteshausbund. Bd [1. Cf. Bibl. 80, n° 747.] 2: Unterengadin. Bearb. u. hrsg. v. Andrea SCHORTA. Geschichtl. Einl. v. Peter LIVER. Aarau, Sauerländer, 81, in-4, 622 p. (Slg. schweizer. Rechtsquellen, Abt. 15)

---

880. BARAN (Kazimierz). High treason in England until the end of Stuart era. Warszawa, Państw. Wydawn. Nauk., 82, in-8, 71 p. (Zesz. Nauk. Uniw. Jagiell., Prace Prawn., 96)

881. BONO (José). Historia del derecho notarial español. II: 1. Edad media. 2. Literatura e instituciones. Madrid, Junta de Decanos de los Colegios Notariales de España, 82, in-8, 392 p.

882. BOUCHER (Jacqueline). L'évolution de la Maison du Roi, des derniers Valois aux premiers Bourbons. XVIIe Siècle, 82, a. 34, p. 359-379.

883. Congresso (IV) internazionale della Società italiana di storia del diritto. Diritto e potere nella storia europea. Atti in onore di Bruno Paradisi. Firenze, Olschki, 82, 2 vol. in-8, XXIX-1220 p. compless. (Soc. ital. di Stor. del Dir.)

884. CORONAS GONZÁLEZ (Santos M.). La recusación judicial en el derecho histórico español. Anu. Hist. Derecho español, 82, t. 52, p. 511-615.

885. MASSON (Jean-Louis). Histoire administrative de la Lorraine, des provinces aux départements et à la région. Paris, Lanore, 82, in-8, 577 p. (ill.).

886. MÜLLER (Albert). Das Strafrechtim alten Lande Glarus seit der Befreiung von 1387 bis zur Helvetik. Freiburg/Schweiz, 81, in-8, 215 p. [Thèse droit]

887. SILVER (A. I.). The French-Cana-

dian idea of Confederation, 1864-1900. Toronto, Univ. Press, 82, in-8, 257 p. - CR: P. Crunican, Canad. hist. R., 82, vol. 63, p. 539-540. P. B. Waite, Canad. J. pol. Sci., 83, vol. 16, p. 165-166.

888. TIERNEY (Brian). Religion, law and the growth of constitutional thought, 1150-1650. London, Cambridge U. P., 82, in-8, 114 p.

889. VENTURA (A.). Politica del diritto e amministrazione della giustizia nella Repubblica veneta. R. stor. ital., 82, a. 94, p. 589-608.

Cf. n° 894.

§ 9. Histoire économique et sociale.

* 890. Bibliographie internationale de démographie historique. International bibliography of historical demography. 1982. Comité Internat. des Sci. hist., Comm. internat. de démogr. hist.; Soc. de démogr. hist., Union internat. pour l'étude scientif. de la population. Paris, Soc. de démogr. hist., 82, in-8, XVII-231 p. [Cf. Bibl. 81, n° 758]

* 891. HERNÁDI (László Mihály). A Magyar Gazdaságtörténelmi Szemle repertóriuma 1894-1906. Összeáll. - . (Répertoire du périodique Magyar Gazdaságtörténelmi Szemle [Revue hongroise d'histoire économique] 1894-1906. Prés. par - .) Budapest, Statisztikai Kiadó, 82, in-8, 260 p.

* 892. Histoire des forêts françaises. Guide de recherche. Inst. d'Hist. mod. et contemp. Paris, Ed. du C. N. R. S., 82, in-8, 193 p.

* 893. HOWEY (Richard). A bibliography of general histories of economics 1962-1975. Lawrence, Regents Press of Kansas, 82, in-8, 240 p.

894. AMOROSINO (Vittorio), LANTIERI (Alfredo). Le tasse nella storia. I tributi dall'antichità ad oggi. Roma, Ateneo, 82, in-8, 205 p. (tav.).

895. BAUER (Hans-Jörg). 7000 Jahre Handel. Eine Kulturgeschichte. Aarau, AT-Verl., 82, in-4, 176 p. (ill.).

896. BENEDETTO (Maria Ada). Il regime fondiario ed i contratti agrari nella vita delle comunità subalpine del periodo intermedio. Torino, Giappichelli, 82, in-8, 347 p. (tav.).

897. BERGIER (Jean-François). Une histoire du sel. Avec une annexe technique par Albert HAHLING. Fribourg, Office du livre; Paris, Presses univ. France, 82, in-4, 254 p. (30 ill. coul., 150 ill. en noir et blanc, 10 dessins et cartes).

898. BLAICH (Fritz). Die oberdeutsche Reichsstadt als Arbeitgeber vom 13. bis zum 18. Jahrhundert. Alte Stadt, 82, Jg. 9, p. 1-18.

899. BURMEISTER (Karl Heinz). Geschichte der Bodenseeschiffahrt bis zum Beginn des 19. Jahrhunderts. Schr. d. Ver. f. Gesch. d. Bodensees, 81-82, Bd 99-100, p. 165-188.

900. Demografia (La) storica delle città italiane. Relazioni e comunicazioni presentate al Convegno tenuto ad Assisi nei giorni 27-29 ottobre 1980. Bologna, Clueb, 82, in-8, XIX-698 p. (Soc. ital. di demogr. stor.)

901. Desertion and land colonization in the Nordic countries, c. 1300-1600: comparative report from the Scandinavian research project on deserted farms and villages. Ed. by Svend GISSEL, Jørn SANDNES a. Eva ÖSTERBERG. Stockholm, Almqvist o. Wiksell internat., 81, in-8, 304 p. (maps). (Scand. res. project on deserted farms a. villages, 11)

902. Fête (La), pratique et discours, d'Alexandrie hellénistique à la Mission de Besançon. [Introd. de Françoise DUNAND.] Paris, Belles Lettres, 81 [82], in-8, 351 p. (A. litt. Univ. Besançon, 262. - Centre de recherches d'hist. anc., 42) [Cf. n°s 937, 1311, 1529, 1583, 1913, 2075, 2079, 4407.]

903. FIORANI PIACENTINI (V.). La rinascita dell'economia di mercato in Iran: l'emporio e il regno di Hormoz dal 1300 al 1622. R. stor. ital., 82, a. 94, p. 490-507.

904. Gesellschaftliche Umgestaltung in der Geschichte. Wege u. Formen, Führungs- u. Triebkräfte. Zum VII. Historikerkongreß d. DDR; Thesen z. Diskussion in d. Arbeitskreisen. Z. f. Geschichtswiss., 82, Jg. 30, p. 869-1007.

905. Grand domaine et petites exploitations en Europe au moye âge et dans les temps modernes. Réd. par Péter GUNST, Tamás HOFFMANN. Budapest, Akadémiai Kiadó, 82, in-8, 400 p. (9 pl.).

906. GRASS (Nikolaus), HOLZMANN (Hermann). Geschichte des Tiroler Metzgerhandwerkes und der Fleischversorgung des Landes. Innsbruck, Univ.-Verl. Wagner, in-8, 408 p. (Abb.). (Tiroler Wirtschaftsstudien, 35)

907. GUISOLAN (Michel). Aspekte des Aussterbens in politischen Führungsschichten im 14. bis 18. Jahrhundert. Zürich, 81, in-8, 212 p. [Thèse lettres]

908. GUNST (Péter). A közép- és keleteurópai nemzettéválás gazdasági-társadalmi problémái. (Les problèmes économiques et sociaux de la formation des nations en Europe centrale et de l'Est.) Valóság, 82, vol. 25, n° 11, p. 18-29.

909. Histoire des hôpitaux en France. Sous la dir. de Jean IMBERT. Toulouse, Privat, 82, in-8, 559 p.

910. Histoire économique et sociale de la France. Sous la dir. de Fernand BRAUDEL et Ernest LABROUSSE. T. 4: L'ère industrielle et la société d'aujourd'hui (siècle 1880-1980). [Vol. 2. Cf. Bibl. 80, n° 776.] Vol. 3: BOUVIER (Jean). Année 1950 à nos

jours. Conclusions générales et index général des 8 vol. Paris, Presses univ. France, 82, in-8, 864 p.

911. Homme (L') et la route en Europe occidentale au moyen âge et aux temps modernes. Deuxièmes journées internat. d'histoire, 20-22 sept. 1980. Auch, Centre culturel de l'Abbaye de Flaran, 82, in-8, 305 p. (Flaran, 2)

912. ISSAWI (Charles). Economic history of the Middle East. London, Methuen, 82, in-8, 320 p.

913. Issledovanija po istorii i istoriografii feodalizma. K 100-letiju so dnja roždenija akad. B. D. Grekova. (Research on the history and historiography of feudality.) Redkol.: Ju. V. BROMLEJ, N. M. DRUŽININ, I. I. MINC, B. B. PIOTROVSKIJ, B. A. RYBAKOV, V. T. PAŠUTO (otv. red.) i dr. Moskva, Nauka, 82, 264 p. (ill.). (AN SSSR. Otd-nie istorii. In-t istorii SSSR)

914. JARMAN (M. R.) a. others. Early European agriculture, its foundation and development. London, Cambridge U. P., 82, in-4, 283 p. (dr., tabs.).

915. Jeux (Les) à la Renaissance. Actes du XXXIIIe Colloque internat. d'études humanistes, Tours, juillet 1980. Publ. par Philippe ARIES et Jean-Claude MARGOLIN. Paris, Vrin, in-8, 736 p. (pl.).

916. KRASNOV (Ju. A.). Drevnie i srednevekovye rala Vostočnoj Europy. (Ancient and medieval ards of Eastern Europe.) Sovet. Arkheol., 82, n° 3, p. 63-80.

917. MAKKAI (László). Nagybirtok és kisgazdaságok, földesur és parasztok Európában a közep- és ujkorban. (Grand domaine et petites exploitations, seigneur et paysans en Europe au moyen âge et à l'époque moderne.) Világtört., 82, n° 3, p. 5-60.

918. Marchi di fabbrica ed insegne a Cremona fra i secoli XIV e XVII. Della Camera di Commercio industria artigianato e agricoltura di Cremona. A cura di Carla SABBIONETA ALMANSI. Milano, Giuffrè, 82, in-8, XL-176 p. (fig.).

919. Mezőgazdaság (A) története. [Szerk. GUNST Péter, LŐKÖS László et al.] (Histoire de l'agriculture. Réd. par - .) Budapest, Mezőgazdasági Könyvkiadó, 82, in-8, 269 p.

920. Moneta (La) nell'economia europea, secoli XIII-XVIII. Atti della settima Settimana di studio, 11-17 aprile 1975. A cura di Vera BARBAGLI BAGNOLI. Istit. intern. di Stor. econ. F. Datini. Firenze, Le Monnier, 82, in-8, 899 p. (Pubbl. dell'Istit. intern. di Stor. econ. F. Datini, Prato. Ser. 2: Atti delle settimane di studio e altri convegni, 7)

921. Papers presented at the 41th annual meeting of the Economic History Association. J. econ. Hist., 82, vol. 42, n° 1, p. 1-238.

922. PELLINGRA (Giuseppe). La politica economica e finanziaria dall'età antica a quella contemporanea. Esposizione storica di teorie economiche e di fatti finanziari. Roma, Multigrafica, 82, in-8, 222 p.

923. PÉREZ-EMBID WAMBA (J.). Hacienda eclesiástica e historia económica: las visitas de la iglesia de Lebrija (1476-1521). Hispania, 82, n° 150, p. 15-45.

924. Povertà (La) in Italia. A cura di Giovanni SARPELLON. Milano, Angeli, 82, 2 vol. in-8. (La Soc., 89)

925. Prestations paysannes, dîmes, rente foncière et mouvement de la production agricole à l'époque préindustrielle. Actes du Colloque préparatoire (30 juin - 2 juillet 1977) au 7e Congrès internat. d'hist. écon., section A3, Edimburgh 1978. Travaux présentés par Joseph GOY et Emmanuel LE ROY LADURIE. Paris, La Haye et New York, Ed. de l'Ecole des Hautes Etudes en Sci. soc., 82, 2 vol. in-8, 800 p.

926. QUILLIET (Bernard). Les corps d'officiers de la prévôté et vicomté de Paris et de l'Ile-de-France, de la fin de la guerre de Cent Ans au début des guerres de religion: étude sociale. T. 1, 2. Lille, Service de Reprod. des Thèses, 82, 2 vol. in-8, 927 p.

927. RUTKOWSKI (Jan). Wokół teorii ustroju feudalnego. Prace historyczne. (De la théorie du régime féodal. Travaux historiques.) Choix, réd. et avant-propos de Jerzy TOPOLSKI. Warszawa, Państw. Inst. Wydawn., 82, in-8, 598 p. (Klasycy Historiografii)

928. SALVESEN (Helge). The strenght of tradition. A historiographical analysis of research into Norwegian agrarian history during the late middle ages and the early modern period. Scand. J. Hist., 82, vol. 7, p. 75-133.

929. SAUNDERS (A. C. de C. M.). A social history of black slaves and freedmen in Portugal, 1441-1555. London a. New York, Cambridge U. P., 82, in-8, XVIII-283 p. (tab., maps). (Cambridge Iberian a. Latin Am. Stud.)

930. SCHALK (Ellery). Ennoblement in France from 1350 to 1660. J. soc. Hist., 82, vol. 16, n° 2, p. 101-110.

931. SPAHR (Gebhard). Geschichte des Weinbaus im Bodenseeraum [14.-17. Jh.]. Schr. d. Ver. f. Gesch. d. Bodensees, 81-82, Bd 99-100, p. 189-229.

932. Storia del commercio europeo. Milano, ETAS libri, 82, in-4, 399 p. (fig.).

933. Studi e ricerche sul potere. A cura di Franco FERRAROTTI. 1, 2. Roma, Ianua, [82?] 2 vol. in-8, 600, 381 p.

934. SUTER (Elisabeth). Wasser und Brunnen im alten Zürich. Zur Gesch. d. Wasserversorgung d. Stadt v. Mittelalter bis ins 19. Jh. Zürich, Wasserversorgung, 81, in-8, 188 p. (ill.).

935. TS'AO (Yung-ho). Pepper trade in East Asia. T'oung Pao, 82, vol. 68, p. 221-247.

936. VAN DER WEE (H.), VAN CAUWENBERGHE (E.). Productivity of land and agricultural innovation in the Low Countries (1250-1800). Leuven, 82, in-8, 188 p. (B. Centruum voor landelijke gesch., 55)

937. VOVELLE (Michel). Les avatars d'une fête de longue durée: les jeux de la Fête-Dieu à Aix-en-Provence. In: La fête [Cf. n° 902], p. 167-181.

938. WALLØE (Lars). Pest og folketall 1350-1750. (Plague and population, 1350-1750.) [Norks] Hist. T., 82, vol. 61, p. 1-45. [Eng. summary]

939. Wirtschaftskräfte und Wirtschaftswege. Festschrift f. Hermann Kellenbenz. Hrsg. v. Jürgen SCHNEIDER in Verb. mit Karl Erich BORN u. a. [Bd 1-4. Cf. Bibl. 78-79, n° 973.] Bd 5. Stuttgart, Klett-Cotta, 81, in-8, 890 p. (graph. Darst.). (Beitr. z. Wirtschaftsgesch., 8)

940. ZIMÁNYI (Vera). Uradalom és jobbágytelek Kelet-Közép-Európában, 14-17. sz. (Domaine et tenure en Europe Centre-Orientale, XIVe-XVIIe siècles.) Világtört., 82, n° 3, p. 61-79.

Cf. n° 520.

§ 10. Histoire de la civilisation, des sciences, de la technique et de l'enseignement.

* 941. Bibliographie Geschichte der Technik. Hrsg. v. d. Sächs. Landesbibliothek Dresden. Jg. 21: Berichtsjahr 1981. Bearb. v. Michael LETOCHA u. Peter HESSE unter Mitarb. v. Siegfried SAUER u. unter Fachberatung v. Rolf SONNEMANN. Dresden, Sächs. Landesbibliothek, 82, in-8, XXIX-318 p. [Cf. Bibl. 80, n° 792]

* 942. Bibliography of the history of medecine. Number 15: 1975-1979. Number 16: 1980. Washington, D. C., Government Printing Office, 81, 2 vol. in-8, XXXII-924, X-305 p.

* 943. Critical bibliography (107th) of the history of science and its cultural influences [to january 1981. Cf. Bibl. 81, n° 802.] (to january 1982). Isis, 82, vol. 72, n° 270, p. 5-190.

* 944. FRIJHOFF (Willem), SONNET (Martine). Bibliographie d'histoire de l'éducation française: titres parus au cours de l'année [1978. Cf. Bibl. 81, n° 803.] 1979 et suppléments des années antérieures. Hist. Education, 82, n° 15-16, 205 p.

* 945. GOODWIN (J.). Current bibliography in the history of technology. [Cf. Bibl. 81, n° 804.] Technol. a. Cult., 82, vol. 23, p. 282-340.

* 946. ISIS cumulative bibliography: a bibliography of the history of science formed from ISIS critical bibliographies 1-90, 1913-1965. Vol. 4: Civilizations and periods: prehistory to the middle ages. Ed. by Magda WHITROW. Vol. 5: Civilizations and periods: 15th to 19th centuries. Ed. by Magda WHITROW. London, Mansel, 82, 2 vol. in-4, XVIII-457, XI-573 p.. - ISIS cumulative bibliography 1966-1975: a bibliography of the history of science formed from ISIS critical bibliographies 91-100, indexing literature published from 1965 through 1974. Ed. by John NEU. Vol. 1: Personalities and institutions. London, Mansel, 80, in-4, XXIX-483 p.

947. LADRICH (Richard). Introduction to the history of eduction. London, Hodder, 82, in-8, 192 p.

948. Beiträge zu Symbol, Symbolbegriff und Symbolforschung. Hrsg. v. Manfred LURKER. Baden-Baden, Koerner, 82, in-8, 244 p. (Bibliogr. z. Symbolik, Ikonogr. u. Mythol., Erg.-Bd 1)

949. Comptes rendus du 106e Congrès national des sociétés savantes, Perpignan, 1981. Section des sciences. Fasc. 4: Histoire des sciences et des techniques. Colloque d'archéologie industrielle. Paris, Bibliothèque nationale, 82, in-8, 310 p.

950. DE MATTEI (Rodolfo). Aspetti di storia del pensiero politico. [1. Cf. Bibl. 80, n° 728.] 2: Dal secolo XVI al secolo XX. Milano, Giuffrè, 82, in-8, 327 p. (Univ. di Roma, Fac. di Sci. pol., 37)

951. DE ROSA (Stefano). Studi sull'università di Pisa. 1: Alcune fonti inedite: diari, lettere e rapporti dei bidelli (1473-1700). Hist. of Univ., 82, vol. 2, p. 97-125.

952. Dictionary of the history of science. Ed. by W. F. BYNUM, E. J. BROWNE, Roy PORTER. London, Macmillan, 82, in-8, 494 p. (ill.).

953. FRANCI (Raffaella), TOTI RIGATELLI (Laura). Introduzione all'aritmetica mercantile del Medioevo e del Rinascimento. Realizzata attraverso un'antologia degli scritti di Dionigi Gori (sec. XVI). Urbino, Quattro venti; Siena, Servizio edit. dell'Univ., 82, in-8, 126 p. (tav.).

954. GRIGOR'JAN (A. T.), FRADLIN (B. M.). Istorija mekhaniki tverdogo tela. (History of the mechanics of solids.) Moskva, Nauka, 82, 293 p. (ill.). (AN SSSR. In-t istorii, estestvoznanija i tekhniki)

955. Histoire de la médecine aux armées. Sous la dir. de Jean GUILLERMAND. 1: De l'Antiquité à la Révolution. Elaboré dans le cadre du Comité d'hist. du service de santé. Paris, Lavauzelle, 82, in-4, 600 p. (310 ill., 12 cartes).

956. Histoire générale de l'enseignement et de l'éducation en France. Sous la dir. de Louis-Henri PARIAS. T. 1: Des origines à la Renaissance. Par Michel ROUCHE. T. 2: De Gutenberg aux Lumières. Par François LEBRUN, Marc VENARD et Jean QUENIART. T. 3: De la Révolution à l'école

républicaine, 1789-1930. Par Françoise MAYEUR. T. 4: L'école et la famille dans une société en mutation, 1930-1980. Par Antoine PROST. Paris, Nouv. Librairie de France, 81, 4 vol. in-8, 677, 669, 683, 729 p.

957. Istorija i metodologija estestvennykh nauk. (History and methodology of natural sciences.) Sbornik statej. Redkol.: D. I. GORDEEV (predsedatel' i gl red.) i dr. Vyp. 27: Fizika. Vyp. 28: Khimija. Vyp. 29: Matematika, mekhanika. Moskva, Izd-vo MGU, 82, 3 vol., 200, 229, 173 p. (ill.). (Sekcija istorii i metodol. estestvoznanija Učen. soveta MGU po estestven. naukam) [Vyp. 24, 25. Cf. Bibl. 80, n° 812]

958. Istorija regional'nykh issledovanij biologičeskikh resursov gidrosfery i ikh ispol'zovanija. (History of regional research of biological rescources of the hydrosphere and their use.) Sbornik. Otv. red.: S. A. STUDENECKIJ. Moskva, Nauka, 82, 215 p. (Biol. resursy gidrosfery i ikh ispol'zovanie. AN SSSR. Sekcija khim.-tekhnol. i biol. nauk. In-t biologii vnutr. vod i dr.)

959. JAHN (Ilse), LÜTHER (Rolf), SENGLAUB (Konrad). Geschichte der Biologie. Methoden, Institutionen, Kurzbiographien. Jena, Gustav Fischer, 82, in-8, 859 p. (Abb.).

960. KOSMODEM'JANSKIJ (A. A.). Očerki po istorii mekhaniki. (Essays on the history of mechanics.) Moskva, Nauka, 82, 295 p. (ill.). (AN SSSR. In-t istorii estestvoznanija i tekhniki)

961. MÁTRAI (László). Műhelyeim története. (Histoire de mes ateliers.) Budapest, Szépirodalmi Könyvkiadó, 82, in-8, 249 p. (44 pl.). (Műhely)

962. MOHR (Hubert). Feudale Kultursynthese, feudale Kulturrevolution, kultureller Fortschritt im Feudalismus. Jb. f. Volkskde u. Kulturgesch., 81 [82], N. F., Bd 10, p. 134-149.

963. NOVÝ (Luboš). Dějiny přírodních věd a techniky v Československé akademii věd. (History of science and technology in the Czechoslovak Academy of Sciences.) Děj. Věd a Techn., 82, vol. 15, p. 131-145.

964. Nyelvről (A) való gondolkodás története. Szerk. TELEGDI Zsigmond, SZÉPE György. (Histoire de la pensée sur la langue. Réd. par - .) Budapest, Akadémiai Kiadó, 81, in-8, 367 p.

965. OLSON (Richard). Science deified and science defied: the historical significance of science in western culture from the bronze age to the beginnings of the modern era ca. 3500 B.C. to ca. A.D. 1640. Berkeley a. Los Angeles, Univ. of California Press, 82, in-8, XV-329 p.

966. O'NEILL (Patrick). Ireland and Germany: a survey of literary and cultural relations before 1700. Studies, 82, vol. 71, p. 43-54, 152-165.

967. PIPUNYROV (V. N.). Istorija časov s drevnejšikh vremen do našik dnej. (History of watches from ancient times to the present.) Moskva, Nauka, 82, 496 p. (ill.). (AN SSSR. In-t istorii estestvoznanija i tekhniki)

968. Russkie pis'mennye i ustnye tradicii i dukhovnaja kul'tura (Po materialam arkheogr. ekspedicij MGU 1966-1980 gg.). (Russian written and spoken traditions and spiritual culture.) Sbornik statej. Redkol.: I. D. KOVAL'ČENKO (otv. red.) i dr. Moskva, Izd-vo MGU, 82, 318 p. (ill.).

969. SAUGNIEUX (Joël). Cultures populaires et cultures savantes en Espagne du moyen âge aux Lumières. Paris, Ed. du C.N.R.S., 82, in-8, 182 p.

970. Scienze, credenze occulte, livelli di cultura. Convegno internaz. di studi, Firenze, 26-30 giugno 1980. Firenze, Olschki, 82, in-8, 562 p. (tav.).

971. ŞTEFAN (I. M.), NICOLAE (Edmond). Scurtă istorie a creaţiei ştiinţifice şi tehnice româneşti. (Brève histoire de la création scientifique et technique roumaine.) Bucureşti, Albatros, 81, in-8, 288 p.

972. Suomen kulttuurihistoria. 3: Itsenäisyyden aika. (L'histoire de la civilisation finlandaise. [2. Cf. Bibl. 80, n° 833.] 3: L'ère de l'indépendance.) Comité de réd.: Päiviö TOMMILA, Aimo REITALA, Veikko KALLIO. Porvoo, WS, 82, in-8, 734 p. (ill.).

973. WOOLFSON (Charles). The labour theory of culture. A re-examination of Engels' theory of human origins. London, Routledge a. Kegan Paul; Boston, Henley, 82, in-8, VIII-124 p.

§ 11. Histoire de l'art.

* 974. Bibliographie [zur Kunstgeschichte] des Jahres [1980. Cf. Bibl. 81, n° 844.] 1981 mit Nachträgen. Abgeschlossen am 1. Mai 1982. Bearb. v. Hilda LIETZMANN. München u. Berlin, Deutscher Kunstverl., 82, in-8, 158 p. (Z. f. Kunstgesch., Bd 45, Bibliogr. Teil)

* Cf. n° II.

---

975. ATTERBURY (Paul). History of porcelain. London, Orbis, 82, in-4, 256 p. (ill., pl.).

976. BATESON (J. D.). Enamel working in Iron Age, Roman and sub-Roman Britain. London, Brit. Archaeol. Rep., 82, in-8, 183 p. (ill.).

977. DRĂGUŢ (Vasile). Arta românească. (Romanian art.) Bucureşti, Meridiane, 82, in-4, 519 p. (983 phot.).

978. FENLON (Iain). Cambridge music manuscripts, 900-1700. London, Cambridge U. P., 82, in-4, 174 p. (ill.).

979. IONESCU (Grigore). Arhitectura pe

teritoriul României de-a lungul veacurilor. (L'architecture en Roumanie à travers les siècles.) București, Ed. Academiei, 82, in-4, 211 p. (489 ill.). [Eng. summary]

980. ISPIR (Mihai). Considerații asupra decorației în arhitectura civilă din Moldova. 1: Epoca lui Ștefan cel Mare. (Considérations sur la décoration dans l'architecture civile moldave. 1: L'époque d'Etienne le Grand.) Studii Cercet. Ist. Artei, Ser. Arta plastică, 82, t. 29, p. 7-18 (6 fig.). [Rés. franç.]

981. Istorija iskusstva narodov SSSR. (History of art of the peoples of the USSR.) Redkol.: B. V. VEJMARN (gl. red.) i dr. V 9-ti t. T. 9: Iskusstvo narodov SSSR 1960-1977 godov. Kn. 1. (The art of the peoples of the USSR, 1960-1977. Book 1.) Moskva, Izobraz. iskusstvo, 82, in-fol., 439 p. (ill.). (Akad. khudožestv SSSR. NII teorii i istorii izobraz. iskusstv.) [T. 6. Cf. Bibl. 81, n° 861]

982. Musikgeschichte in Bildern. Hrsg. v. Heinrich BESSELER u. Werner BACHMANN. Bd 1: Musikethnologie. [Lfg. 4. Cf. Bibl. 78-79, n° 1935.] Lfg. 10: KUBIK (Gerhard). Ostafrika. Unter Mitarb. v. Jim de VERE ALLEN u. a. Bd 4: Musik der Neuzeit. [Lfg. 2. Cf. Bibl. 80, n° 4985.] Lfg. 3: SALMEN (Walter). Haus- und Kammermusik. Privates Musizieren im gesellschaftl. Wandel zwischen 1600 u. 1900. Leipzig, Deutsch. Verl. f. Musik, 82, 2 vol.in-4, 250, 203 p. (Abb.).

983. MYSS (Walter). Kunst und Kultur Europas von Daidalos bis Picasso. Bd 1: Kreta, Mykene. Wiege unserer Kultur. Bd 2: Die Antike. Mysterium der Schönheit. Bd 3: Abendland der Bilder. Ein Streifzug durch die Kunst- u. Geistesgeschichte Europas v. d. Völkerwanderung bis zur Gegenwart. Innsbruck, Wort u. Welt, 81-82, 3 vol. in-8, 300, 316, 388 p. (ill.).

984. ONASCH (Konrad). Liturgie und Kunst der Ostkirche in Stichworten. Unter Berücksichtigung d. alten Kirche. Leipzig, Koehler u. Amelang, 81, in-8, 495 p. (Abb.).

985. Palais et maisons du Caire. 1: Epoque mamelouke (XIIIe-XVIe siècle). Par Jean-Claude GARCIN, Bernard MAURY, Jacques REVAULT, Mona ZAKARIYA. Préf. de Robert MANTRAN. Av.-propos d'Alexandre LEZINE. Paris, Ed. du C. N. R. S., 82, in-4, 400 p. (Groupe de recherches et d'études sur le Proche-Orient, Univ. de Poitiers)

986. POP-BRATU (Anca). Pictura murală maramureșeană. (La peinture murale du Maramureș.) București, Meridiane, 82, in-4, 136 p. (fig.). [Rés. franç.]

987. PUGAČENKOVA (G. A.), REMPEL' (L. I.). Očerki iskusstva Srednej Azii. Drevnost' i srednevekov'e. (Essays on Middle Asian art. Ancient times and middle ages.) Moskva, Iskusstvo, 82, 270 p. (ill.).

988. SOWIŃSKI (Albert). Słownik muzików polskich dawnych i nowoczesnych kompozytorów, wirtuozów, śpiewaków, instrumencistów, lutnistów, organmistrzów, poetów lirycznych i miłośników sztuki muzycznej. Zawierający krótki rys historyi muzyki w Polsce, opisanie obrazów cudownych i dawnych instrumentów. (Dictionnaire des musiciens polonais anciens et modernes, compositeurs, virtuoses, chanteurs, instrumentistes, luthiers, constructeurs d'orgues, poètes lyriques et amateurs de l'art musical. Contenant un bref résumé de l'histoire de la musique en Pologne, la description des images miraculeuses et d'anciens instruments.) Warszawa, Wydawn. Artyst. i Filmowe, 82, in-8, LX-436 p. [Reprod. photo-offset de l'éd. Paris 1874]

989. WIESSNER (Gernot). Christliche Kultbauten im Tūr 'Abdīn [Türkei]. T. 1: Kultbauten mit transversem Schiff und Felsanlagen. Tafelband. Textband. T. 2: Kultbauten mit longitudinalem Schiff. Tafelband. Wiesbaden, Harrassowitz, 81-82, 3 vol. in-4, 11 p. (144 Taf.); X-181 p. (44 Pläne); 13 p. (190 Taf.).

§ 12. Histoire religieuse.

a. Généralités.

* 990. Bulletin signalétique. Histoire et sciences religieuses. Revue trimestrielle. [Vol. 25. Cf. Bibl. 81, n° 874.] Vol. 36, n°s 1-4 et tables annuelles. Paris, Ed. du C. N. R. S., Centre de documentation sciences humaines, 82, 5 vol. in-4, 205, 183, 207, 236, 254 p.

* 991. KŁOCZKOWSKI (J.), HAVERALS (J.)., DEWEVRE WAFELAER (C.). Bibliographie. [Cf. Bibl. 81, n° 876.] R. Hist. ecclés., 82, t. 77, p. 5*-541*.

992. Common (The) Christian roots of the European nations. An international colloquium in the Vatican. 1: General sessions. 2: Written contributions to the twelve carrefours. Florence, Le Monnier, 82, 2 vol. in-8. (Pontifical Lateran univ.; Catholic univ. of Lublin)

993. DELUMEAU (Jean). Un chemin d'histoire: chrétienté et christianisation. Paris, Fayard, 81, in-8, 286 p. (ill.).

994. Dictionnaire d'histoire et de géographie ecclésiastique. [T. 19, fasc. 111-113. Cf. Bibl. 81, n° 879.] T. 20, fasc. 114: Gatien-Geilon. Sous la dir. de Roger AUBERT, assisté de J.-R. HENDRICKX et J.-P. SOSSON. Paris, Letouzey et Ané, 82, in-4, 255 col.

995. FILORAMO (Giovanni). Introduzione alla storia delle religioni. 1: Oggetto e metodo. Corso di storia delle religioni, anno accademico 1981-82. 2: La fenomenologia della religione. Corso di storia delle religioni, anno accademico 1981-82. Torino, Giappichelli, 81-82, 2 vol. in-8.

996. Handbuch der Dogmengeschichte. Hrsg. v. Michael SCHMAUS u. a. [Bd 4, Fasc. 7c, T. 1. Cf. Bibl. 81, n° 882.] Bd 2: Der trinitarische Gott, die Schöpfung, die Sünde. Fasc. 3a, T. 1: SCHEFFCZYK

(Leo). Urstand, Fall und Erbsünde von der Schrift bis Augustinus. Fasc. 3c: KÖSTER (Heinrich Maria). Urstand, Fall und Erbsünde. Bd 4: Sakramente - Eschatologie. Fasc. 1b: FINKENZELLER (Josef). Die Lehre von den Sakramenten im allgemeinen: von der Reformation bis zur Gegenwart. Freiburg (Breisgau), Basel u. Wien, Herder, 81-82, 3 vol. in-4, VI-239, 240, 160 p.

997. Handbuch der Dogmen- und Theologiegeschichte. Unter Mitarb. v. Gustav Adolf BENRATH u. a. Hrsg. v. Carl ANDRESEN u. a. Göttingen, Vandenhoeck u. Ruprecht, 82, in-8, XVI-754 p.

998. HARTMANN (Karl). Geschichte der Kirche im Zeitalter der Vorreformation, Reformation und Gegenreformation. Teilbd 1, 2. Stuttgart, Quell-Verl., 82, 2 vol. in - 4, IV-110 p., p. 111-244. (Atlas-Tafelwerk zu Bibel u. Kirchengesch./Karl Hartmann. Bd 4) [Cf. Bibl. 81, n° 883]

999. OLSZEWSKI (Daniel). Dzieje chrześcijánstwa w zarysie. (Précis d'histoire de la chrétienté.) Av.-propos de Jerzy KŁOCZOWSKI. Katowice, Księg. św. Jacka, 82, in-8, 296 p.

1000. Series episcoporum ecclesiae catholicae occidentalis ab initio usque ad annum MCXCVIII. Series V: Germania. T. 1: Archiepiscopatus Coloniensis. Unter Mitarb. v. Helmuth KLUGER u. Edgar PACK hrsg. v. Stefan WEINFURTER u. Odilo ENGELS. Stuttgart, Hiersemann, 82, in-4, XII-205 p.

1001. Theologische Realenzyklopädie. In Gemeinschaft mit Horst Robert BALZ u. a. hrsg. v. Gerhard KRAUSE u. Gerhard MÜLLER. [Bd 1-8. Cf. Bibl. 81, n° 888.] Bd 9: Dionysius Exiguus - Episkopalismus. Bd 10: Erasmus - Fakultäten, theologische. Berlin u. New York, de Gruyter, 82, 2 vol. in-4, 790, 813 p.

1002. THOMA (Clemens). Die theologischen Beziehungen zwischen Christentum und Judentum. Darmstadt, Wiss. Buchges., 82, in-8, 174 p. (Grundzüge, 44)

1003. TRENCZÉNY-WALDAPFEL (Imre). Vallástörténeti tanulmányok. Sajtó alá rend. SZILÁGYI János György. (Etudes d'histoire religieuse. Publ. par - .) Budapest, Akadémiai Kiadó, 81, in-8, 544 p. (29 pl.).

1004. WEINSTEIN (Donald), BELL (Rudolph M.). Saints and society: the two worlds of western christendom, 1000-1700. Chicago, Univ. of Chicago Press, 82, in-8, XII-314 p.

b. Travaux particuliers.

* 1005. ARATÓ (Paolo). Bibliographia historiae pontificiae. [Cf. Bibl. 81, n° 891.] 1981-1982. Arch. Hist. pontif., 82, t. 20, p. 445-688.

* 1006. Bibliografia dei Frati Minori Cappuccini dal 1976 al 17-5-1982. A cura di Corrado GNEO et Carlo CAROSI. Italia francesc., 82, a. 57, n° 3 bis, p. 1-116.

* 1007. Bibliografia missionaria. Anno [44. Cf. Bibl. 81, n° 891.] 45: 1981. Fondata dal P. Giovanni ROMMERSKIRCHEN. A cura di Willi HENKEL, Giuseppe METZLER. Roma, Pontificia Univ. Urbaniana, 82, in-8, 345 p.

* 1008. GAGNON (Claude-Marie). Les manuscrits et imprimés religieux au Québec, 1867-1960: bibliographie. Québec. Univ. Laval, Inst. sup. des sci. humaines, 81, in-8, 195 p. (Cahiers de l'ISSH. Coll. Etudes sur le Québec., 12)

* 1009. KAPSNER (O. L.). A Benedictine bibliography. An author-subject union list. 1st supplement. Collegeville, Minn., Liturgical Press, St. John's Abbey, 82, in-8, XVII-807 p.

* 1010. LEDOYEN (Henri). Bulletin d'histoire bénédictine. T. 10 [suite de Bibl. 81, n° 896.]. R. bénédictine, 81, t. 91, p. 505*-600*; 82, t. 92, p. 601*-740*.

** 1011. Acta conciliorvm oecvmenicorvm ivssv atqve mandato Societatis Scientiarvm Argentoratensis edenda institvit Edvardvs SCHWARTZ. Continvavit Johannes STRAUB. T. 4, vol. 3: Index generalis tomorvm I-IV. Congessit Rvdolfvs SCHIEFFER. Pars 2: Index prosopographicvs. Fasc. 1: Aaron-Ivstvs. 2: Ivvenalis-Zoticos. Berlin u. New York, de Gruyter, 82, 2 vol., XI-272 p.; p. 273-509. [T. I-IV: 1914-1940]

** 1012. Statuty kapituł kolegiackich dawnej archidiecezji gnieźnieńskiej. (Statuts des chapitres des églises collégiales de l'ancien archidiocèse de Gniezno.) Recueil, élab. et éd. de Stanisław LIBROWSKI. 2: Statuty świetnej kapituły w Łowiczu. (Statuts de l'insigne chapitre à Łowicz [1433-1812]. Arch. Bibl. Muzea kość., 81, vol. 42, p. 345-400; 82, vol. 44, p. 341-400.

** 1013. Synodicon Hispanum. Dir. por Antonio GARCÍA Y GARCÍA. I: Galicia. II: Portugal. Madrid, Biblioteca de autores cristianos, 81-82, 2 vol. in-8, XXXIX-627, XXIX-516 p.

** Cf. n° 7547.

1014. Aspects du monachisme en Normandie (IV-XVIIIe siècles). Actes du Colloque scientif. de l'"Année des abbayes normandes", Caen, 18-20 oct. 1979. Sous la dir. de Lucien MUSSET. Paris, Vrin, 82, in-4, 188 p. (10 pl., 6 cartes) (Biblioth. de la Soc. d'hist. ecclés. de la France)

1015. AUSMUS (Harry J.). The polite escape: on the myth of secularization. Athens, Ohio U. P., 82, in-8, XII-189 p.

1016. AZNAR GIL (Federico Rafael). Concilios provinciales y sínodos de Zaragoza de 1215 a 1563. Zaragoza, Caja de Ahorros de la Inmaculada, 82, in-8, 174 p.

1017. BARZEL (Bernard). Mystique de l'ineffable dans l'hindouisme et le christianisme. Cankara et Eckhart. Paris, Ed.

12. HISTOIRE RELIGIEUSE

du Cerf, 82, in-8, 155 p.

1018. BEYSCHLAG (Karlmann). Grundriß der Dogmengeschichte. Bd 1: Gott und Welt. Darmstadt, Wiss. Buchges., 82, in-8, XVIII-283 p. (Grundrisse, 2)

1019. BLESSING (Elmar). Frauenklöster nach der Regel des Hl. Benedikts in Baden-Württemberg (735-1981). Z. f. württemberg. Ldesgesch., 82, BD 41, p. 233-249.

1020. BLET (Pierre). Histoire de la représentation diplomatique du Saint Siège, des origines à l'aube du XIXe siècle. Città del Vaticano, Archivio Vaticano, 82, in-8, 530 p. (Collectanea Archivi Vaticani, 9)

1021. BOTTERMANN (Maria-Regina). Die Beteiligung des Kindes an der Liturgie von den Anfängen bis heute: eine liturgiehist. Untersuchung. Frankfurt a. M. u. Bern, Lang, 82, in-8, IV-455 p. (Europ. Hochschulschr., R. 23: Theologie, 175)

1022. Diocèse (Le) de Strasbourg. Sous la dir. de Francis RAPP. Avec la collab. de L. CHATELLIER, R. EPP, C. MUNIER, R.WINLING. Paris, Beauchesne, 82, in-8, 352 p. (cartes). (Hist. des diocèses de France, 14)

1023. FEDALTO (Giorgio). Le liste patriarcali delle sedi orientali fino al 1453. R. Studi bizant. e slavi, 81, a. 1, p. 167-203.

1024. FRICK (Karl Richard Hermann). Satan und die Satanisten. Ideengeschichtl. Untersuchungen z. Herkunft d. komplexen Gestalt "Luziver/Satan/Teufel", ihrer weibl. Entsprechungen u. ihrer Anhängerschaft. T. 1: Das Reich Satans. Luzifer, Satan, Teufel u. die Mond- u. Liebesgöttinen in ihren lichten u. dunklen Aspekten – eine Darstellung ihrer ursprüngl. Wesenheiten in Mythos u. Religion. Graz, Akad. Druck- u. Verl.-Anst., 82, in-4, IX-398 p.

1025. GERGELY (Jenő). A pápaság története. (Histoire de la papauté.) Budapest, Kossuth Kiadó, 82, in-8, 456 p.

1026. GUERREAU (Alain). Les pèlerinages du Mâconnais: une structure d'organisation symbolique de l'espace. Ethnologie franç., 82, n. s., t. 12, p. 7-30.

1027. HASENFRATZ (Hans-Peter). Die toten Lebenden: eine religionsphänomenolog. Studie z. sozialen Tod in archaischen Gesellschaften. Zugleich ein krit. Beitrag z. sog. Strafopfertheorie. Leiden, Brill, 82, in-8, XII-167 p. (Z. f. Religions- u. Geistesgesch., Beiheft 24)

1028. Helvetia sacra. Begr. v. Rudolf HENGGELER, weitergeführt v. Albert BRUCKNER, hrsg. v. Kuratorium d. Helvetia sacra. Abt. 3: Die Orden mit Benediktinerregel. T. 3: Die Zisterzienser und Zisterzienserinnen, die reformierten Bernhardinerinnen, die Trappisten und Trappistinnen und die Wilhelmiten in der Schweiz. Red. v. Cécile SOMMER-RAMER u. Patrick BRAUN. Bern, Francke, 82, 2 vol. in-8, 1206 p. ens.

1029. Histoire et sainteté. Actes de la 5e Rencontre d'hist. relig., Fontevraud, 17 oct. 1981, organisée par le Centre de rech. d'hist. relig. et d'hist. des idées de l'Univ. d'Angers et par le Centre culture de l'Ouest. Angers, Presses de l'Univ. Angers, 82, in-8, 222 p.

1030. Historia de la Iglesia en España. 1: La Iglesia en la España romana y visigoda, siglos I-VIII. Dir. por Ricardo GARCÍA VILLOSLADA; colab.: Manuel SOTOMAYOR Y MURO, Teodoro GONZÁLEZ GARCÍA, Pablo LÓPEZ DE OSABA. 2/1, 2: La Iglesia en España de los siglos VIII al XIV. Dir. por Javier FERNÁNDEZ CONDE; colab. Isidro BANGO TORVISO, Javier FACI LACASTA, Javier FERNÁNDEZ CONDE et al. Madrid, Ed. Católica, 79-82, 3 vol. in-8, LXXVI-759, XXX-572, XVII-716 p. (Biblioteca de autores cristianos maior, 16, 17, 22)

1031. IKLÓDI (András). A magyarországi boszorkányüldözés történeti alakulása. (The historical development of witch-hunt in Hungary.) Ethnographia, 82, vol. 93, p. 292-298.

1932. JEHL (Rainer). Die Geschichte des Lasterschemas und seiner Funktion. Von d. Väterzeit bis z. karoling. Erneuerung. Franzisk. Stud., 82, Jg. 64, p. 261-359.

1033. KATT (N.). Literarkritische Beiträge zum Problem christlich-buddhistischer Parallelen. Köln, Brill, 82, in-8, XXXVIII-202 p. (Arbeitsmaterialien z. Religionsgesch., 8)

1034. KOPIEC (Jan). Historiografia diecezji wrocławskiej do roku 1821. (Historiographie du diocèse de Wrocław jusqu'à 1821.) Arch. Bibl. Muzea Kość., 82, vol. 45, p. 203-396.

1035. KRYVELEV (I. A.). Biblija: istoriko-kritičeskij analiz. (The Bible: historical and critical analysis.) Moskva, Politizdat, 82, 255 p.

1036. LATHAM (James E.). The religious symbolism of salt. Paris, Beauchesne, 82, in-8, 256 p. (Théol. historique, 64)

1037. Legendy dominikańskie. (Les légendes dominicaines.) Trad. [du latin] par Jacek SZALIJ, av.-propos par Anna KAMIEŃSKA. Poznań, W Drodze, 82, in-8, 316 p. [Biographies de dominicains, XIIe-XXe s.]

1038. LIEBHART (Wilhelm). Die Reichsabtei St. Ulrich und Afra zu Augsburg. Studien zu Besitz u. Herrschaft (1006-1803). München, Selbstverl. d. Komm. f. Bayer. Landesgesch., 82, in-8, XXXIX-725 p. (6 Abb., 1 Kt.). (Hist. Atlas v. Bayern, Teil Schwaben, R. 2, H. 2)

1039. MEYENDORFF (John). The Byzantine legacy in the Orthodox Church. Oxford, Mowbray, 82, in-8, 268 p.

1040. PARKER (Geoffrey). Some recent work on the Inquisition in Spain and Italy. J. mod. Hist., 82, vol. 54, p. 519-532.

1041. ROKEAH (David). Jews, pagans and Christians in conflict. Jerusalem, Magnes Press; Leiden, Brill, 82, in-8, 232 p. (Studia post-biblica)

1042. SCHRECKENBERG (Heinz). Die christlichen Adversos-Judaeos-Texte und ihr literarisches und historisches Umfeld (1.-11. Jh.). Frankfurt a. M. u. Bern, Lang, 82, in-8, 747 p. (Europ. Hochschulschr., R. 23: Theologie, 172)

1043. Sermon (Le) anglais. Colloque sur l'histoire et la pensée religieuse anglaise, tenu à l'université de Paris XII - Val de Marne, le 19/4/80. Paris, Didier Erudition, 82, in-8, 256 p.

1044. Słownik polskich teologów katolickich. Lexicon theologorum catholicorum Poloniae. Réd. par Hieronim Eugeniusz WYCZAWSKI. Auteurs: Marian BANASZAK et autres. [T. 1. Cf. Bibl. 81, n° 923.] T. 2: H-L. T. 3: M-R. Warszawa, Akad. Teologii Kat., 82, 2 vol. in-8, 552, 591 p.

1045. Sous la règle de St. Benoît. Structures monastiques et sociétés en France, du moyen âge à l'époque moderne. Colloque, abbaye bénédictine Sainte-Marie de Paris, 23-25 oct. 1980. Publ. par Jacques DUBOIS. Genève, Droz, 82, in-8, X-573 p. (fig., pl.). (Centre de Recherches d'Hist. et de Philol. de la IVe Section de l'Ec. Prat. des Hautes Etudes, V: Hautes ét. médiév., 47)

1046. Studies in Jewish mysticism. Proceedings of regional conferences held at the Univ. of California, Los Angeles, and McGill Univ., in April 1978. Ed. by Joseph DAN a. Frank TALMAGE. Cambridge, Mass., Assoc. for Jewish Stud., 82, in-8, X-220 p.

1047. TURDEANU (Emile). Le mythe des anges déchus: traditions littéraires de l'Europe occidentale et orientale. R. Studi bizant. e slavi, 82, a. 2, p. 73-117.

1048. ZIAKAS (G.). Greek studies on Islam. Graeco-Arabica, 82, vol. 1, p. 149-156.

Cf. n°s 210, 7540, 7683.

§ 13. Histoire de la philosophie.

1049. ČANYŠEV (A. N.). Načalo filosofii. (The beginning of philosophy.) Moskva, Izd-vo MGU, 82, 184 p. (Istorija filosofii)

1050. DICK (Steven J.). Plurality of worlds: the origins of the extraterrestrial life debate from Democritus to Kant. New York, Cambridge U. P., 82, in-8, X-246 p.

1051. Infinity and continuity in ancient and medieval thought. Ed. by Norman KRETZMANN. Ithaca, N. Y., a. London, Cornell U. P., 82, in-8, 367 p.

1052. MAKAROV (M. G.). Razvitie ponjatij i predmeta filosofii v istorii ee učenij. (Development of the conceptions and subject of philosophy in the history of its teaching.) Leningrad, Nauka, 82, 269 p. (AN SSSR. Leningr. kaf. filosofii)

1053. OIZEMAN (Theodor). Dialectical materialism and the history of philosophy: essays on the history of philosophy. Tr. from the Russ. by D. BELIAVSKY. London, Central Books, 82, in-8, 287 p.

1054. WEDBERG (Anders). History of philosophy. Vol. 1: Antiquity and the Middle Ages. Vol. 2: The modern age to Romanticism. London, Oxford U. P., 82, 2 vol. in-8, 200, 238 p. (fig.).

1055. YERUSHALMI (Yosef Hayim). Zakhor: Jewish history and Jewish memory. Seattle, Univ. of Washington Press, 82, in-8, XVII-144 p.

§ 14. Histoire littéraire.

* 1056. Bibliographie der deutschen Sprach- und Literaturwissenschaft. [Bd 20. Cf. Bibl. 81, n° 938.] Bd 21: 1981. Frankfurt (Main), Klostermann, 82, in-8, XLVIII-550 p.

* 1056a. Bibliographie der französischen Literaturwissenschaft. - Bibliographie d'histoire littéraire française. [Bd 17, 18. Cf. Bibl. 81, n° 939.] Bd 19: 1981. Bearb. u. hrsg. v. Otto KLAPP. Frankfurt (Main), Klostermann, 82, in-8, 756 p.

* 1057. Internationale germanistische Bibliographie. [1980. Cf. Bibl. 81, n° 940.] 1981. [Hrsg. v.] Hans-Albrecht KOCH, Uta KOCH. München, New York, London u. Paris, K. G. Saur, 82, in-8, LI-1003 p.

1058. BÁRCSI (Géza). A Halotti Beszéd nyelvtörténeti elemzése. Sajtó alá rend., szerk. ABAFFY Erzsébet, E., ABAFFY Csilla, N. (Analyse historico-linguistique du discours funèbre. Mis sous presse, réd. par .) Budapest, Akadémiai Kiadó, 82, in-8, 195 p. (1 pl.). (Nyelvészeti tanulmányok, 24)

1059. BENTKOWSKI (Feliks). Historya literatury polskiey wystawiona w spisie dzieł drukiem ogłoszonych. (Histoire de la littérature polonaise établie par la liste des ouvrages imprimés.) Warszawa, Wydawn. Artyst. i Filmowe, 82, 2 vol. in-8, XXIV-712, XII-830 p. [Reprod. photo-offset de l'éd. Warszawa 1814]

1060. From Wolfram and Petrarch to Goethe and Grass. Studies in literature in honour of Leonard Forster. Ed. by D. H. GREEN, L. P. JOHNSON a. Dieter WUTTKE. Baden-Baden, Koerner, 82, in-8, 642 p. (Saecula spiritualia, 5)

1061. Geschichte und Funktion der Literaturgeschichtsschreibung. Vorträge d. Kraußkolloquiums II "Geschichte u. Funktion d. Literaturgeschichtsschreibung", veranstaltet v. d. Kl. Gesellschaftswiss. II gemeinsam mit d. Zentralinst. f. Literaturgesch. d. Akad. d. Wiss. d. DDR am 4. u. 5. Juni 1980. Berlin, Akad.-Verl., 82, in-8, 231 p. (S.-B. d. Akad. d. Wiss. d. DDR, G, Jg. 1982, 2)

1062. KUSKOV (Vladimir). History of Old

Russian literature. Tr. from the Russ. by R. VROON. London, Central Books, 82, in-8, 355 p.

1063. MICHEL (A.). La parole et la beauté: rhétorique et esthétique dans la tradition occidentale. Paris, Belles Lettres, 82, in-8, 460 p. (Coll. d'Etudes anc.)

1064. Propyläen-Geschichte der Literatur. Literatur u. Gesellschaft d. westl. Welt. [Bd 1. Cf. Bibl. 81, n° 954.] Bd 2: Die mittelalterliche Welt, 600-1400. Berlin, Propyläen-Verl., 82, in-4, 562 p. (Ill., 4 p. Beil.).

1065. SŐTÉR (István). Poésie et poésie populaire. In: Objet et methodes de l'histoire de la culture [Cf. n° 607], p. 175-183.

1066. SZINNYEI (József). Magyar irók élete és munkái. 1-14. köt. Hasonmás kiad. (La vie et les oeuvres des écrivains hongrois. Vol. 1-14. Ed. fac-sim.) Budapest, Magyar Könyvkiadók és Könyvterjesztők Egyesülete, 80-81, 14 vol. in-8.

1067. Trois figures de l'imaginaire littéraire: les odyssées, l'héroïsation de personnages historiques, la science et le savant. Actes du XVIIe Congrès de la Soc. franç. de littérature génér. et comparée, Nice, 1981. Nice, Inst. de Litt. gén. et comp., 82, in-8, 307 p.

Cf. n° 966.

C

PREHISTOIRE ET PROTOHISTOIRE

§ 1. Généralités. 1068-1115. - § 2. Paléolithique et Mésolithique. 1116-1142. - § 3. Néolhitique. 1143-1179. - § 4. Age du bronze. 1180-1204. - § 5. Age du fer. 1205-1225. - § 6. Peuples protohistoriques de l'Europe, sauf ceux de la Grèce et de l'Italie anciennes. 1226-1256.

§ 1. Généralités.

* 1068. APPLEBOOM (Th. G.), BOURGEOIS (J.), DE LAET (S. E.), GOB (A.), LESENNE (M.), VERHAEGE (F.). Bibliographie [1980. Cf. Bibl. 81, n° 957.] 1981 et compléments d'années antérieures. Hélinium, 82, t. 22, p. 174-207.

* 1069. Bibliographie générale sur la préhistoire et la protohistoire de l'Asie du Sud-Ouest, avec indexes. Paléorient, 81 [82], t. 7, p. 123-154.

* 1070. PETIT (Roger). Bibliographie luxembourgeoise 1980. B. trimestriel Inst. archéol. Luxembourg, 82, t. 58, p. 24-43.

* Cf. n° II.

1071. ALLESCH (R. M.). Beiträge zur Vor- und Frühgeschichte im Klagenfurter Raum. Hückeswagen, Ges. f. Vor- u. Frühgesch., 82, in-8, 124 p. (Abb., Kt.). (Mannus-Bibl., N. F., 20)

1072. Ancient Bulgaria. Papers presented to the Internat. Symposium on the ancient history a. archaeol. of Bulgaria, Univ. of Nottingham. Ed. by A. G. POULTER. Vol. 1, 2. Nottingham, Univ., Dept. of Classics a. archaeol. Stud., 82, 2 vol. in-4, XVIII-332, VIII-290 p. (pl.). (Monogr. ser., 1)

1073. Vacat.

1074. Arkheologija SSSR. (Archaeology of the USSR.) Redkol.: B. A. RYBAKOV (otv. red.) i dr. V 20-ti t. [Cf. Bibl. 81, n° 963.] Eneolit SSSR. (The eneolothic of the USSR.) Vostočnye slavjane v VI-XIII vv. (The eastern Slaves in the 6th-13th cent.) Moskva, Nauka, 82, 2 vol., 359, 327 p. (AN SSSR. In-t arkheologii)

1075. Arkheologija Starogo i Novogo Sveta. (Archaeology of the Old and New World.) Sbornik. Otv. red.: V. I. GULJAEV. Moskva, Nauka, 82, 224 p. (ill.). (AN SSSR. In-t arkheologii)

1076. AURENCHE (Olivier). La maison orientale. L'architecture du Proche-Orient ancien, des origines au milieu du IVe millénaire. T. 1: Texte. T. 2: Documents. T. 3: Tableaux et cartes. Paris, Geuthner, 82, 3 vol. in-4, 324 p. (ill.); 312 p. (dont 282 p. de pl.); 63 p. (58 p. de pl.). (Institut franç. d'Archéol. du Proche-Orient, Biblioth. archéol. et hist., 109)

1077. BAILLIE (M. G. L.). Tree-ring dating and archaeology. Chicago, Univ. of Chicago Press, 82, in-8, 274 p. (48 fig., 17 tables, 11 pl.).

1078. Beiträge zur Ur- und Frühgeschichte. Bd [1. Cf. Bibl. 81, n° 965.] 2. Berlin, Deutsch. Verl. d. Wiss., 82, in-8, 512 p. (Abb.). (Arbeits- u. Forschungsberichte z. sächs. Bodendenkmalpflege, Beih. 17)

1079. BUTZER (Karl A.). Archaeology as human ecology: method and theory of a contextual approach. London a. New York, Cambridge U. P., 82, in-8, 376 p. (fig.).

1080. CAMPS (Gabriel). La préhistoire: à la recherche du paradis perdu. Paris, Perrin, 82, in-8, 468 p. (78 fig.). (Hist. et décadence)

1081. Climatic change in later prehistory. Ed. by A. F. HARDING. Edinburgh, Univ. Press, 82, in-8, 218 p. (ill.).

1082. DYER (James). Guide to prehistoric England. Harmondsworth, Penguin, 82, in-8, 384 p. (ill., fig.).

1083. Early European agriculture: its foundation and development [Being the 3rd vol. of Papers in economic prehistory, ed. by M. R. JARMAN, G. N. BAILEY a. H. N. JARMAN.] London a. New York, Cambridge U. P., 82, in-8, 283 p. (113 fig.).

1084. FABER (Fernand), TERNES (Charles-Marie). Chronique d'archéologie rhénane et trévire. V: 1978-1981. B. Antiquités luxemb., 80-81, t. 11/12, p. 31-160.

1085. Geschichte der Urgesellschaft. Hrsg. vom Wissenschaftl. Beirat f. Geschichtswiss. beim Ministerium f. Hoch- u. Fachschulwesen unter Leitung v. Manfred KOSSOK. Von e. Autorenkoll. unter Leitung

v. Heinz GRUNERT. Berlin, Deutsch. Verl. d. Wiss., 82, in-8, 360 p. (Abb., Kt.).

1086. GENITO (B.). Hearths of the Iranian area: a typological analysis. A. Istit. orient. Napoli, 82, t. 42, n° 2, p. 196-251 (ill., tav.).

1087. GRIMAUD (Dominique). Evolution du pariétal de l'homme fossile. Position de l'homme de Tautavel parmi les hominidés. Paris, Muséum nat. d'Hist. naturelle, Musée de l'Homme, 82, 705 p. (287 fig.). (Laboratoire de Paléonotlogie humaine et de Préhist., Mém., 15)

1088. HENRY (Donald O.). The prehistory of southern Jordan and relationships with the Levant. J. Field Archaeol., 82, vol. 9, p. 417-444 (16 fig.).

1089. HERRMANN (Joachim). Naturgeschichtliches Erbe und gesellschaftliche Gesetze. Probleme d. Herausbildung d. Menschheit. Berlin, Akad.-Verl., 82, in-8, 29 p. (Abb.). (S.-B. d. Akad. d. Wiss. d. DDR: G; Jg. 1982, 4) - IDEM. Militärische Demokratie und die Übergangsperiode zur Klassengesellschaft. Ethnogr.-archäol. Z., 82, Jg. 23, p. 11-31.

1090. HOOD (Sinclair). Excavations in Chios, 1938-1955. Vol. 1, 2: Prehistoric emporio and Ayio Gala. With contributions by Juliet CLUTTON-BROCK a. Perry G. BIALOR. London, Thames a. Hudson, 81-82, 2 vol. in-4, XXI-730 p. (ill.). (Brit. School of Archaeol. at Athens, Suppl. vol., 15-16)

1091. HOPF (Maria). Vor- und frühgeschichtliche Kulturpflanzen aus dem nördlichen Deutschland. Mainz, Verl. d. Röm.-German. Zentralmuseums, 82, 108 p. (Tab., Taf.). (Katalog vor- u. frühgeschichtl. Altertümer, 22)

1092. HORBACZ (Tadeusz J.), LECHOWICZ (Zbigniew). O wybranych aspektach poznania w archeologii. (Aspects choisis de la connaissance en archéologie.) Archeol. Polski, 81 [82], vol. 26, fasc. 2, p. 403-409.

1093. Industrie (L') en os et en bois de cervidé durant le néolithique et l'âge des métaux. I: 1e réunion du Groupe de travail n° 3 sur l'industrie de l'os préhistorique [C.N.R.S., 1978, Aix-en-Provence], organisée par Henriette CAMPS-FABRER. II: 2e Réunion ... [C.N.R.S., Saint-Germain-en Laye, 1980], organisée par H. CAMPS-FABRER. Paris, Ed. du C.N.R.S., 79-82, 2 vol. in-4, 149, 219 p. (ill., tab.).

1094. Introduksjonen av jordbruk i Norden: foredrag holdt ved fellesnordisk symposium i Oslo april 1980. (Introduction of agriculture in the Nordic countries: Lectures from a Nordic symposium in Oslo, April 1980.) Ed.: Thorleif SJØVOLD. Publ. by Det Norske videnskaps-akademi. Oslo, Univ.forl., 82, 282 p. (ill.). [Articles in Danish, English, Norwegian a. Swedish]

1095. JAGUTTIS-EMDEN (M.), DOMBEK (G.), KUNST (M.). Die Auswertung archäologischer und geologischer ^{14}C-Daten. Acta praehist. et archaeol., 82, Bd 13/14, p. 27-66.

1096. JAIRAZBHOY (R. A.). The spread of ancient civilization. London, New Horizon, 82, in-8, 282 p. (ill.).

1097. KARAGHEORGHIS (Vassos). Cyprus, from the Stone Age to the Romans. London, Thames a. Hudson, 82, in-8, 208 p. (ill.). (Ancient Peoples a. Places)

1098. KLEIN (J.), LERMAN (J. C.), DAMON (P. E.), RALPH (E. K.). Calibration of radiocarbon dates: tables based on the consensus data of the Workshop on Calibrating the Radiocarbon Time Scale. Radiocarbon, 82, vol. 24, p. 103-150.

1099. Komárom megye régészeti topográfiája. Szerk. TORMA István. [1:] HORVATH (István), KELEMEN (Márta), H., TORMA (István). Esztergom és a dorogi járás. (Topographie archéologique du comitat de Komárom. Réd. par - . [1:] Esztergom et le district de Dorog.) Budapest, Akadémiai Kiadó, 79, in-8, 445 p. (Magyarország régészeti topográfiája, 5)

1100. LAET (Siegfried J. de). La Belgique d'avant les Romains. Wetteren, Universa, 82, in-4, 794 p. (304 fig.).

1101. LHOTE (Henri). Les chars rupestres sahariens, des Syrthes au Niger, par le pays des Garamantes et des Atlantes. Toulouse, Hespérides, 82, in-8, 288 p. (102 ill.).

1102. MAGGI (R.). Appunti sulla preistoria della Riviera di Levante. A. Museo civ. Spezia, 79/80 [82], p. 169-191 (8 fig.).

1103. MOOREY (P. R. S.). Archaeology and pre-Achaemenid metalworking in Iran: a fifteen years retrospective. Iran, 82, vol. 20, p. 81-101.

1104. Novgorodskij sbornik. (Novgorodian collection.) 50 let raskopok Novgoroda. (50 years of excavations in Novgorod.) Pod. obšč. red. B. A. KOLČINA, V. L. JANINA. Moskva, Nauka, 82, 336 p. (Ill). (AN SSSR. In-t arkheologii)

1105. PELTENBURG (E. J.). Recent developments in the later prehistory of Cyprus. Göteborg, Åström, 82, in-8, 145 p. (24 fig.). (Stud. in Mediterr. Archaeol., Pocket-book, 16)

1106. Petroglify uročišča Sary-Satak (dolina r. Elangaš). (Petroglyphs of Sary-Satak, valley of the Elangash river.) Avt.: A. P. OKLADNIKOV, E. A. OKLADNIKOVA, V. D. ZAPOROŽSKAJA i dr. Novosibirsk, Nauka, 82, 148 p. (ill.). (AN SSSR. In-t ètnografii. Sibirskoe otd-nie. In-t istorii, filol. i filos.)

1107. PIGGOTT (Stuart). Scotland before history. With a gazetteer of ancient monuments by Graham RITCHIE. Edinburgh, Univ. Press, 82, 195 p.

1108. RAMOS FERNÁNDEZ (R.). Archeología prehistórica de la Península Ibérica. Elche, Picher, 82, in-8, 303 p. (ill.).

1109. Ranking, resource and exchange. Aspects of archaeology of early European society. Ed. by Colin RENFREW a. Stephen SHENNAN. London, Cambridge U. P., 82, in-4, 167 p. (dr., tb.). (New Directions in Archaeol.)

1110. STLOUKAL (Milan). Probleme der paläodemographischen Analyse unter besonderer Berücksichtigung der Alters- und Geschlechtsbestimmungen am Skelett. Jb. d. röm.-german. Zentralmus. Mainz, 82, Bd 29, p. 1-12.

1111. Studi in onore di Ferrante Rittatore Vonwiller. 1: Preistoria e protostoria. Como, s. e., 82, 2 vol. in-8, XXXV-792 p. compless. (tav.). (Soc. archeol. comense; Mus. Gruppo archeol. Cavriana; Mus. Gruppo Grotte Gavardo)

1112. SUTTON (J. E. G.). Archaeology in West Africa: a review of recent work and a further list of radiocarbon dates. J. afr. Hist., 82, vol. 23, p. 291-313.

1113. TASSE (Gilles). Pétroglyphes du Bassin parisien. Paris, Ed. du C.N.R.S., 82, in-4, 185 p (71 fig., 35 pl.). (Gallia Préhist., Suppl. 16)

1114. TRET'JAKOV (V. P.). K voprosu ob "arkheologičeskoj nepreryvnosti" (po materialam orudij truda épokhi mezolita i neolita). (On the "archaeological continuity". Case-study of mesolithic and neolithic tools.) Sovet. Arkheol., 82, n° 2, p. 14-29.

1115. VINE (Philip M.). Neolithic and Bronze Age cultures of the Middle and Upper Trent Basin. London, Brit. Archaeol. Rep., 82, in-4, 410 p. (fig., maps).

Cf. n°s 338, 556, 754, 1264, 1649, 7731.

§ 2. Paléolithique et Mésolithique.

1116. BARRIERE (Claude). L'art pariétal de Rouffignac. Paris, Picard, 82, in-4, 208 p. (519 fig., 6 pl.).

1117. BELTRÁN MARTÍNEZ (A.). Las pinturas de la cueva de Porto Badisco y el arte parietal "esquemático" español. A. Museo civ. Spezia, 78/80 [82], p. 65-79.

1118. CARAYON (M.). Les équidés de l'art pariétal paléolithique du Nord de l'Espagne. Trav. Inst. Art préhist., 82 vol. 24, p. 1-57 (fig., cartes).

1119. CHAVAILLON (Jean). Un site acheuléen près du lac Langano (Ethiopie). Abbay, 79 [81], cah. 10, p. 57-75.

1120. DEMARS (P. Y.). L'utilisation du silex au paléolithique supérieur: choix, approvisionnement, circulation. L'exemple du bassin de Brive. Paris, Ed. du C.N.R.-S., 82, in-4, 256 p. (34 fig., 70 tabl.).

1121. GAILLARD (Claire). L'industrie du Paléolithique inférieur et moyen de la grotte de Coupe-Gorge à Montmaurin (Haute-Garonne). Gallia Préhist., 82, t. 25, fasc. 1, p. 79-105 (fig.).

1122. GERAADS (Denis). La faune des gisements de Melka-Kunturé (Ethiopie): Artiodactyles, Primates. Abbay, 79 [81], cah. 10, p. 21-49 (3 pl.).

1123. GIRARD (Catherine). Les industries moustériennes de la grotte du Bison à Arcy-sur-Cure (Yonne). Gallia Préhist., 82, t. 25, fasc. 1, p. 107-129 (fig.).

1124. Gisement (Le) préhistorique de Port Pignot à Fermanville (Manche). 1: Etude archéologique, par Denise MICHEL. 2: Contexte quaternaire, par J.-P. COUTARD, M. HELLUIN, J.-C. OZOUF et J. PELLERIN. Gallia Préhist., 82, t. 25, fasc. 1, p. 1-68 (fig., pl.); p. 69-77.

1125. JULIEN (Michèle). Les harpons magdaléniens. Paris, Ed. du C.N.R.S., 82, in-4, 292 p. (121 fig., 8 pl., 61 tabl., 2 cartes). (Gallia Préhist., Suppl. 17)

1126. KABO (Vladimir R.). Die Urgemeinschaft nach Aussage der paläolithischen Befunde. Jb. d. Museums f. Völkerkde Leipzig, 82, Bd 34, p. 61-92.

1127. LABAILS (M.-D.). Les représentations de cervidés dans l'art paléolithique. Trav. Inst. Art préhist., 82, vol. 24, p. 111-145 (17 fig., 4 cartes).

1128. LE TONSERER (J.-M.). Le paléolithique de l'Agenais. Paris, Ed. du C. N. R. S., 82, in-4, 528 p. (Cah. du quaternaire, 3)

1129. Mésolithique (Le) entre Rhin et Meuse. Actes du Colloque sur le paléolithique supérieur final et le mésolithique dans le Grand-Duché de Luxembourg et dans les régions voisines (Ardennes, Eifel, Lorraine) tenu à Luxembourg le 18 et 19 mai 1981. Ed. par André GOB et Fernand SPIER. Luxembourg, Impr. Centrale, 82, in-4, 400 p. (ill., pl., cartes).

1130. MONNIER (Jean-Laurent). Le gisement paléolithique supérieur de Plasenn-al-Lomm, île de Bréhat (Côtes-du-Nord). Gallia Préhist., 82, t. 25, fasc. 1, p. 131-165 (Fig.).

1131. MOURE ROMANILLO (J. A.). Nuevas placas con representaciones de animales en el Magdaleniense cantábrico. B. Sem. Est. Arte Arqueol. [Valladolid], 82, vol. 48, p. 5-24 (fig., pl.).

1132. PACCARD (Maurice). Le paléolithique supérieur terminal de l'abri Eden-Roc à Vaison-la-Romaine (Vaucluse). Gallia Préhist., 82, t. 25, fasc. 1, p. 211-235 (fig.).

1133. PICHON (Joëlle). Oiseaux fossiles de Melka-Kunturé [Ethiopie]. Abbay, 79 [81], cah. 10, p. 51-55 (1 pl.).

1134. SAFFIRIO (Luigi). Popoli dell'antica età della pietra in Egitto e Nubia. [Cf. Bibl. 81, n° 1002.] Aegyptus, 82, a. 62, p. 3-12.

1135. SANTONJA GÓMEZ (M.). Características generales del Paleolítico Inferior de la Meseta española. Numantia, 82, t. 1, p. 9-63.

1136. SCHULDENREIN (J.), GOLDBERG (P.). Late Quaternary palaeoenvironments and prehistoric site distribution in the lower Jordan valley: a preliminary report. Paléorient, 81 [82], vol. 7, n° 1, p. 57-71.

1137. SEDLMEIER (Jürg). Die Hollenberg-Höhle 3. Eine Magdalenien-Fundstelle bei Arlesheim, Kanton Basel-Landschaft. Mit Beitr. v. B. KAUFMANN, W. TORKE u. M. WÜTHRICH. Derendingen-Solothurn, Habegger, 82, 101 p. (29 Abb., 27 Taf.). (Basler Beitr. z. Ur- u. Frühgesch., 8)

1138. SERGIN (V. Ja.). O proiskhoždenii i razvitii paleolitičeskick poselenij. (On the emergence and development of palaeolithic sites.) Sovet. Arkheol., 82, n° 2, p. 5-13.

1139. TOMSKY (Jan). Das Altpaläolithikum im Vorderen Orient. Wiesbaden, Reichert, 82, in-8, X-563 p. (Ill., graph. Darst., Kt.). (Beih. z. Tübinger Atlas d. Vorderen Orients. Reihe B: Geisteswiss., 18)

1140. WENIGER (Gerd-Christian). Wildbeuter und ihre Umwelt. Ein Beitr. z. Magdalenien Südwestdeutschlands aus ökolog. u. ethno-archäol. Sicht. Tübingen, Archaeologia Venatoria, Inst. f. Urgesch. d. Univ. Tübingen, 82, 228 p. (31 Abb., 42 Taf., 5 Kt.).

1141. WOODCOCK (Andrew). Lower and Middle Palaeolithic in Sussex. London, Brit. Archaeol. Rep., 82, in-4, 418 p. (ill.).

1142. WYMER (John J.). The Palaeolithic age. London, Croom Helm, 82, in-8, 310 p. (79 fig., 26 tables).

§ 3. Néolithique.

1143. ATZENI (E.). Menhirs antropomorfi e statue-menhirs della Sardegna. A. Museo civ. Spezia, 78/80 [82], p. 9-64 (fig., tav.).

1144. AURENCHE (Olivier). L'architecture mésopotamienne du VIIe au IVe millénaire. Paléorient, 81 [82], t. 7, n° 2, p. 43-55 (26 fig., carte).

1145. BAILLOUD (Gérard). Vue d'ensemble sur le néolithique de la Picardie. R. archéol. Picardie, 82, vol. 4, p. 5-35 (18 fig., 2 cartes).

1146. BANTELMANN (Niels). Endneolithische Funde im rheinisch-westfälischen Raum. Neumünster, Wachholtz, 82, 122 p. (7 Abb., 17 Tab., 45 Taf., 11 Kt.). (Offa-Bücher, 44)

1147. BARGE (H.). Les parures du néolithique ancien au début de l'âge des métaux en Languedoc. Paris, Ed. du C.N.R.S., 82, in-4, 404 p. (115 pl., 66 tabl., 21 cartes).

1148. BRAIDWOOD (L. S.), BRAIDWOOD (R. J.). Prehistoric village archaeology in South-eastern Turkey: site at Çayönü. London, Brit. Archaeol. Rep., 82, in-4, 200 p. (ill., fig.).

1149. CHERRY (J. F.). Pattern and process in the earliest colonisation of the Mediterranean islands. Proc. prehist. Soc., 82, vol. 47, p. 41-68 (6 fig.).

1150. CLEUZIOU (Serge), LOMBARD (Pierre), SALLES (Jean-François). Fouilles à Umm Jidr (Bahrein). Histoire du golfe. Paris, Assoc. pour la Diffusion de la Pensée franç., 82, in-4, 64 p. (15 fig., 8 pl.). (Recherche sur les grandes civilisations, Mém., 7)

1151. COMŞA (E.). Quelques données relatives aux statues menhirs de Roumanie. A. Museo civ. Spezia, 79/80 [82], p. 81-94 (5 fig.).

1152. DELIBRIAS (Georgette), EVIN (Jacques), THOMMERET (Yolande). Sommaire des datations ^{14}C concernant la préhistoire de la France. II: [Paléolithique. Cf. Bibl. 80, n° 981.] Dates parues de 1974 à 1982. Chapitre VI: Néolithique: de environ 7000 BP à environ 4000 BP. B. Soc. préhist. franç., 82, t. 79, p. 175-192.

1153. FANSA (Mamoun). Die Keramik der Trichterbecherkultur aus den Megalith- und Flachgräbern des oldenburgischen Raumes. Neumünster, Wachholtz, 82, 372 p. (43 Abb., 139 Taf., 76 Tab.). (Göttinger Schr. z. Vor- u. Frühgesch., 20)

1154. Grotte (La) préhistorique de Kitsos (Attique). Missions 1968-1978. T. 1, 2: L'occupation néolithique. Les vestiges des temps paléolithiques, de l'antiquité et de l'histoire récente. Sous la dir. de Nicole LAMBERT. Paris, A.D.P.F. - Ecole franç. d'Athènes, 81, 2 vol. in-4, 449 p., p. 451-746 (394 fig., 126 tableaux, 71 pl.). (Recherche sur les grandes civilisations, Synthèse, 7)

1155. HECKER (Howard M.). Domestication revisited: its implications for faunal analysis. J. Field Archaeol., 82, vol. 9, p. 217-236 (4 fig., 5 tables).

1156. HERITY (M.). Irish decorated neolithic pottery. Proc. roy. irish Acad., Sect. C, 82, vol. 82, n° 10, p. 247-404 (78 fig.).

1157. HORVÁTH (Ferenc). A gorzsai halom késöneolit rétege. (The late neolithic strata of the Gorzsa tell.) Archaeol. Ert., 82, vol. 109, n° 2, p. 201-222.

1158. JEUNESSE (C.). Les influences épi-Roessen et Michelsberg dans le Nord-Est du bassin parisien et en Belgique occidentale: analyse chronologique. R. archéol. Picardie, 82, vol. 4, p. 49-65 (8 fig., carte).

1159. KALICZ (Nándor), RACZKY (Pál). The precursors of the "horns of consecration" in the south-east European Neolithic.

Acta archaeol. Acad. Sci hungaricae, 81, vol. 33, n° 1-4, p. 5-20.

1160. Kataloge zur mitteldeutschen Schnurkeramik. [T. 4. Cf. Bibl. 74-75, n° 1411.] T. 5: Mittleres Saalegebiet. Zsgestellt v. Waldemar MATTHIAS. Berlin, Deutsch. Verl. d. Wiss., 82, in-8, 220 p. (Abb.). (Veröff. d. Landesmuseums f. Vorgesch. in Halle, 35)

1161. KENNEDY (Liam). The first agricultural revolution: property rights in their place. Agric. Hist., 82, vol. 56, n° 2, p. 379-390.

1162. LE BRUN (Alain). Un site néolithique précéramique en Chypre: Cap Andreas-Castros. Contrib. de Pierre DUCOS, Jean GARNIER, Daniel HELMER, Odile MASSEI SOLIVERES, Pierre POUPET, Wilhelm VAN ZEIST. Paris, A.D.P.F., 81, in-4, 225 p. (57 p., 14 pl.). (Recherche sur les grandes civilisations, Mém., 5)

1163. LENNEIS (E.). Die Siedlungsverteilung der Linearbandkeramik in Österreich. Archaeol. austriaca, 82, Bd 66, p. 1-19 (3 Abb., Kt.).

1164. LUNGU (Radu). Unele probleme ale culturii Hamangia în lumina descoperirilor din jud. Călăraşi. (Certains problèmes de la culture de Hamangia à la lumière des découvertes faites dans le dépt. de Călăraşi [Roumanie].) Studii Cercet. Ist. veche Arheol., 82, t. 33, p. 11-24 (8 fig.). [Rés. franç.]

1165. LYONNET (B.). Etablissements chalcolithiques dans le nord-est de l'Afghanistan: leurs rapports avec les civilisations du bassin de l'Inde. Paléorient, 81 [82], t. 7, n° 2, p. 57-74 (7 fig., 4 pl.).

1166. MAKKAY (János). A magyarországi neolitikum kutatásának uj eredményei. As időrend és a népi asonositás kérdései. (Les nouveaux résultats de la recherche sur la civilisation néolithique en Hongrie. Les problèmes de la chronologie et de l'identification des peuples.) Budapest, Akadémiai Kiadó, 82, in-8, 181 p. (1 pl.). (Korunk tudománya)

1167. MARINESCU-BÎLCU (Silvia). Au sujet de quelques opinions d'auteurs étrangers sur le néo-énéolithique de Roumanie. Dacia, 82, n. s., t. 26, p. 153-156.

1168. MATEESCU (Corneliu N.), VOINESCU (Ioan). Representation of pregnancy on certain Neolithic clay figurines on lower and middle Danube. Dacia, 82, n. s., t. 26, p. 47-58 (20 fig., 4 pl.).

1169. MERPERT (N. Ja.), MUNČAEV (R. M.). Poselenie ubejdskoj kul'tury Jarym-Tepe III v Severnoj Mesopotamii (iz itogov rabot sovetskoj ekspedicii v Irake). (The Jarim-Tepe III settlement of the Ubaid culture in northern Mesopotamia.) Sovet. Arkheol., 82, n° 4, p. 133-149.

1170. MOHAMMED-ALI (Abbas S.). The neolithic period in the Sudan, c. 6000-2500 B. C. London, Brit. Archaeol. Rep., 82, in-4, 239 p. (fig.).

1171. Neolític (El) a Catalunya. Taula rodona de Montserrat, maig, 1980. Montserrat, Abadia, 81, 233 p. (pl.).

1172. ÖZDOĞAN (M.). Tilkiburnu. A late chalcolithic site in eastern Thrace. Anatolica, 82, n° 9, p. 1-26 (fig.).

1173. PHILLIPS (Patricia). The Middle Neolithic in Southern France. London, Brit. Archaeol. Rep., 82, in-4, 204 p. (ill.).

1174. REDLICH (Andreas). Studien zum Neolithikum Mittelasiens. Bonn, Habelt, 82, in-4, XI-421 p. (132 Ill., 7 Kt.). (Antiquitas. Reihe 3, 25)

1175. SCHOENINGER (M. J.). The agricultural "revolution": its effect on human diet in prehistoric Iran and Israel. Paléorient, 81 [82], vol. 7, n° 1, p. 73-91 (8 fig.).

1176. Siedlungen der Kultur mit Linearbandkeramik in Europa (Internat. Kolloquium, 17.-20. Nov. 1981). Nitra, Archäol. Inst. d. Slowak. Akad. d. Wiss., 82, 323 p.

1177. TRET'JAKOV (V. P.). O neolite Verkhnego Podon'ja. (The Neolithic of the Upper Don basin.) Sovet. Arkheol., 82, n° 4, p. 21-32.

1178. VOSS (J. A.). A study of western TRB social organization. Ber. Rijksd. oudh. Bodemonderz., 82, vol. 32, p. 1-102 (32 fig., 48 tables).

1179. YENER (K. Aslihan). A review of interregional exchange in Southwest Asia: the neolithic obsidian network, the Assyrian trading colonies and a case for 3rd millenium B.C. trade. Anatolica, 82, vol. 9, p. 35-75 (fig., map).

§ 4. Age du bronze.

1180. BEREZANSKAJA (S. S.). Severnaja Ukraina v epokhu bronzy. (Northern Ukraine in the Bronze Age.) Kiev, Nauk. dumka, 82, 211 p. (ill.). (AN SSSR. In-t arkheologii)

1181. BERGMANN (Joseph). Ein Gräberfeld der Jüngeren Bronze- und Älteren Eisenzeit bei Vollmarshausen, Kreis Kassel. Zur Struktur u. Gesch. e. vorgeschichtl. Gemeinschaft im Spiegel ihres Gräberfeldes. Mit Beitr. v. Alfred CZARNETZKI u. Ilse OSTERBERG. Taf., Text. Marburg, Elwert, 82, 2 vol. in-4, 326, 479 p. (Ill., graph. Darst., Kt.). (Kasseler Beitr. z. Vor- u. Frühgesch., 5)

1182. BROWN (M. A.). Swords and sequence in the British Bronze Age. Archaeologia [London], 82, vol. 107, p. 1-42 (9 fig., 4 tables, 3 pl.).

1183. BURGESS (Colin B.), GERLOFF (Sabine). The dirks and rapiers of Great Britain and Ireland. München, Beck, in-4, VII-141 p. (134 p. ill., maps). (Prähist. Bronzefunde, Abt. 4, 7)

1184. CHEVILLOT (Christian). La civilisation de la fin de l'âge du bronze en

Périgord: le bronze final III, du Xe au VIIe siècle avant notre ère. Périgueux, Mediapress, 81, in-4, 219 p. (200 p. de pl.).

1185. DEDET (Bernard), BORDREUIL (Marc). Le dépôt de fondeur du bronze final II de Cabanelle à Castelnau-Valence (Gard). Gallia Préhist., 82, t. 25, fasc. 1, p. 187-210 (fig.).

1186. ELUERE (Christian. Les ors préhistoriques. Paris, Picard, 82, 287 p. (193 fig. et pl.). (L'âge du bronze en France, 2)

1187. GAUCHER (Gilles). Le dépôt de l'âge du bronze de Dreuil-lès-Amiens (Somme). Gallia Préhist., 82, t. 25, fasc. 1, p. 167-185 (fig.).

1188. GEVA (Shulamit). Tell Jerishe. The Sukenik excavations of the Middle Bronze Age fortifications. Jerusalem, Hebrew Univ. of Jerusalem, 82, IX-58 p. (16 pl.). (Qedem, Monogr. of the Inst. of Archaeol., 15)

1189. HORST (F.). Zur bronzezeitlichen Besiedlung des unteren Spree-Havel-Gebiets. Z. f. Archäol., 82, Bd 16, p. 1-22 (11 Abb., 3 Kt.).

1190. Jung- und spätbronzezeitliche Depotfunde im nördlichen Schwarzmeergebiet. 1 (Depots mit einheimischen Formen). Von Alexander M. LESKOV. München, Beck, 81, in-4, 113 p. (Ill., Kt.). (Prähist. Bronzefunde, Abt. 20, 5)

1191. KAMIL (Turhan). The Yortan cemetery in the Early Bronze Age of Anatolia. London, Brit. Archaeol. Rep., 82, in-4, 253 p. (ill., fig.).

1192. LEVY (Janet E.). Social and religious organisation in Bronze Age Denmark. An ananlysis of ritual hoard finds. London, Brit. Archaeol. Rep., 82, in-4, 193 p. (21 pl.). (Brit. archaeol. Rep., Intern. ser., 124)

1193. LILLIU (Giovanni). La civiltà nuragica. Introd. di Albert MORAVETTI. Sassari, Delfino, 82, in-4, 238 p. (fig.). (Sardegna archeol. Stud. e Monum., 1)

1194. MUCKELROY (K.). Middle Bronze Age trade between Britain and Europe: a maritime perspective. Proc. prehist. Soc., 81, vol. 47, p. 275-297 (4 fig.).

1195. PACCIARELLI (M.). Economia e organizzazione del territorio in Etruria meridionale nell'età del bronzo medio e recente. Dialoghi Archeol., 82, t. 4/2, p. 60-79.

1196. PETERSEN (Frederic F.). Excavation of a Bronze Age cemetery on Knighton Heath, Dorset. London, Brit. Archaeol. Rep., 82, in-4, 283 p. (ill., fig.).

1197. PRÜSSING (Peter). Die Messer im nördlichen Westdeutschland (Schleswig-Holstein, Hamburg u. Niedersachsen). München, Beck, 82, in-4, IX-169 p. (35 Ill., Ktn.). (Prähist. Bronzefunde, Abt. 7, 3)

1198. RACZKY (Pál). Adatok a bodrogkeresztúri kultúra déli kapcsolataihoz és kronológiájához. (Data to the southern connections and chronology of the Bodrogkeresztur culture.) Archaeol. Ért., 82, vol. 109, n° 2, p. 177-190.

1199. RITTER-KAPLAN (Haya). Anatolian elements in the EB III culture of Palestine. Z. d. deutsch. Palästina-Ver., 81, Bd 97, p. 18-35 (27 fig.).

1200. SIEVERS (Susanne). Die mitteleuropäischen Hallstattdolche. München, Beck, 82, in-4, VIII-160 p. (50 fig.). (Prähist. Bronzefunde, Abt. 6, 6)

1201. Studien zur Bronzezeit. Festschrift f. Wilhelm Albert v. Brunn. Hrsg. v. Herbert LORENZ. Mainz (Rhein), v. Zabern, 81, in-4, VII-508 p. (Ill., graph. Darst., Kt.).

1202. TUDOR (Ersilia). Neue Angaben zur frühen Bronzezeit in Südrumänien. Dacia, 82, n. s., t. 26, p. 59-75 (9 fig.).

1203. WARREN (Peter), HANKEY (Vronwy). Absolute chronology of the Aegean Bronze Age. Bristol, Classical Press, 82, in-8, 120 p.

1204. WHITE (D. A.). Bronze Age cremation cemeteries at Simon's Ground, Dorset. Dorchester, Dorset Nat. Hist. a. Archaeol. Soc., 82, in-4, 68 p. (ill., fig.).

Cf. n°s 302, 1530.

§ 5. Age du fer.

1205. ALMAGRO-GORBEA (Martín). Pozo Moro. El monumento orientalizante, su contexto socio-cultural y sus paralelos en la arquitectura funeraria ibérica. Madrider Mitt., 83, Bd 24, p. 177-287 (17 fig.). [Mit deutscher Zsfassung, p. 287-293]

1206. Art (L') celtique de la période d'expansion, IVe et IIIe siècles avant notre ère. Actes du colloque tenu en 1978 au Collège de France. Ed. par Paul-Marie DUVAL et Venceslas KRUTA. Genève et Paris, Droz, 82, in-8, 268 p. (134 ill.). (Publ. de l'Ecole pratique des hautes études, 4e Section: Sci. hist. et philol., 3: Hautes ét. du monde gréco-romain, 13)

1207. BARRETT (J. C.). Aspects of the Iron Age in Atlantic Scotland: a case study in the problems of archaeological interpretation. Proc. Soc. Antiq. Scotland, 81 [82], vol. 111 p. 205-219.

1208. BERTEMES (Franz). Kurzbericht über die Ausgrabung eisenzeitlicher Grabhügel im Berburger Wald. B. Soc. préhist. luxemb., 82, t. 4, p. 5-759 (fig.).

1209. BLINDHEIM (Charlotte). Slemmedalskatten. En liten orientering om et stort funn. (The Slemmedal hoard: a short orientation about a great find.) Viking, 82, vol. 45, p. 5-31 (ill.). [Eng. summary]

1210. BLOMBERG (Zaiga). Bronzebuckelchen als Trachtzier: zu den Kontakten Gotlands mit dem Kontinent in der älteren römischen Eisenzeit. Stockholm, Inst. of archaeol., Univ., 82, in-4, 142 p. (ill.). (Theses a. papers in North-Europ. archaeol., 12) [Eng. summary]

1211. BRAEMER (Frank). L'architecture du Levant à l'âge du fer. Protohistoire du Levant. Paris, Assoc. pour la Diffusion de la Pensée franç., 82, in-4, 318 p. (44 fig.). (Recherche sur les civilisations, Cah. 8)

1212. DOMMASNES (L. H.). Late Iron Age in western Norway: female roles and ranks as deduced from an analysis of burial customs. Norwegian archaeol. R., 82, vol. 15, n° 1-2, p. 70-84 (3 fig., 3 tables, 3 maps).

1213. FREIDIN (N.). The early Iron Age in the Paris basin, Hallstatt C and D. London, Brit. Archaeol. Rep., 82, 2 vol. in-4, 798 p. (71 fig., 46 maps). (Brit. archaeol. Rep., Intern. ser., 131)

1214. GABLER (D.) a. others. Studies in the Iron Age of Hungary. London, Brit. Archaeol. Rep., 82, in-4, 179 p. (ill., fig.).

1215. HULTHÉN (Birgitta), WELINDER (Stig). A stone age economy. With contrib. by Thomas S. BARTHOLIN ... Stockholm, Akademilitt., 81, in-4, 265 p. (ill., maps). (Theses a. papers in North-Europ. archaeol., 11)

1216. HUTTON (Anthony). Ancient field systems: a case study using statistical pattern recognition techniques. Agric. Hist., 82, vol. 56, n° 4, p. 632-647. [Ireland, Iron Age a. after]

1217. INGSTAD (Anne Stine). Osebergdronningen - hvem var hun? (The Oseberg Queen - who was she?) Viking, 82, vol. 45, p. 49-65 (ill.).

1218. LAUL (S.). Forschungsprobleme der ethnischen Zugehörigkeit der Träger der Tarandgräberkultur. Suomen Museo, 82, t. 89, p. 13-22.

1219. LEHTOSALO-HILANDER (Pirkko-Liisa). Luistari. (A burial-ground of Merovingian and Viking periods in Finland.) T. 1-3. Helsinki, 82, 3 vol. in-4, 490, 197, 82 p. (ill., map). (Suomen Muimaism.-yhd. Aikakausk., 82, 1-3)

1220. MEDVEDSKAYA (I. N.). Iran: Iron Age I. Tr. from the Russian by S. PAVLOVICH. London, Brit. Archaeol. Rep., 82, in-4, 160 p. (fig.).

1221. NÉMETI (Ioan). Das späthallstattzeitliche Gräberfeld von Sanislău [bei Carei, Rumänien]. Dacia, 82, n. s., t. 26, p. 115-144 (20 fig.).

1222. OSTOJA-ZAGÓRSKI (Janusz). Przemiany osadnicze, demograficzne i gospodarcze w okresie halsztackim na Pomorzu. (Les mutations lors l'occupation du sol, démographiques et économiques à l'époque de Hallstatt en Poméranie.) Wrocław, Zakł.

Narod. im. Ossolińskich, 82, in-8, 219 p. (Pol. Akad. Nauk, Inst. Hist. Kult. Mater.)

1223. POPESCU (Eugenia), VULPE (Alexandru). Nouvelles découvertes du type Ferigile [premier âge du fer]. Dacia, 82, n. s., t. 26, p. 77-114 (24 fig.).

1224. STARY (Peter F.). Zur eisenzeitlichen Bewaffnung und Kampfesweise in Mittelitalien (ca. 9.-6. Jh. v. Chr.). T. 1: Texte u. Anm. T. 2/3: Fundlisten u. Verz., Beil., Tab., Verbreitungskt., Taf. Mainz (Rhein), v. Zabern, 81, 2 vol. in-4, X-392, 252 p. (Ill., 53 Kt.). - IDEM. Schutzwaffen aus der 2. Hälfte des 1. Jahrtausends v. Chr. aus Süditalien. Hamburger Beitr. z. Archäol., 81 [82], Bd 8, p. 63-102 (6 Abb., 4 Kt.).

1225. ZIRRA (V.). Latènezeitliche Trensen in Rumänien. Hamburger Beitr. z. Archäol., 81 [82], Bd 8, p. 115171 (2 Abb., 10 Taf.).

Cf. n°s 976, 7726.

§ 6. Peuples protohistoriques de l'Europe, sauf ceux de la Grèce et de l'Italie anciennes.

** 1226. SZÁDECZKY-KARDOSS (Samu). Az avar történelem forrásai VI: Az avarellenes bizánci hadakozás negélénkülésétől a másfél esztendős harci szünet végéig (kb. 592-597. 2. rész: Ca 594. és a következő évek eseményei. OLAJOS Teréz közremüködésével. (Sources of the Avar history. VI: From the animation of anti-Avar Byzantine fighting to the end of the one and a half year cease-fire, ca. 592-597. [1st part. Cf. Bibl. 81, n° 1121.] 2nd part: The events of the year 594 and the following ones. With the collab. of - .) Archaeol. Ért., 82, vol. 109, n° 1, p. 136-144.

1227. ANTONESCU (Dinu). Originea sanctuarelor geto-dace. (L'origine des sanctuaires géto-daces.) Studii Cercet. Ist. veche Arheol., 82, t. 33, p. 165-181 (13 fig.). [Rés. franç.]

1228. BERMEJO BARRERA (J. C.). Mitología y mitos de la Hispania preromana. Madrid, Akal, 82, in-8, 237 p. (Akal Bolsillo, 61)

1229. BICHIR (G.). Daci liberi dei secoli II-IV d. C. Fattori di permanenza e di continuità nella regione carpato-danubiana. Quad. catanesi, 82, a. 4, p. 21-61.

1230. BIRÓ (Margit). A hunok kaukázusi szerepléséhez. A ǰuanšer krónikájában emlitett "ovs" támadás kronológiájához. (Le rôle joué par les Huns dans le Caucase. Contribution à la chronologie de l'attaque "ovs" mentionnée dans le chronique ǰuanšer.) Ant. Tanulm., 82, vol. 29, n° 1, p. 31-37.

1231. DRESCHER (Hans), HAUCK (Karl). Götterthrone des heidnischen Nordens. Frühmittelalterl. Stud., 82, Bd 16, p. 237-301.

1232. ERDÉLYI (István). A magyar-szovjet régészeti együttműködés magyar őstörténeti vonatkozású munkálatai. (Les travaux de la coopération archéologique hungaro-soviétique concernant la préhistoire hongroise.) Nyelvtud. Közl., 82, vol. 84, n° 1, p. 271-274.

1233. FODOR (István). Die große Wanderung der Ungarn vom Ural nach Pannonien. Budapest, Corvina, 82, in-8, 372 p. (48 pl.). (Corvina-Bücher)

1234. Germania Slavica. Hrsg. v. Wolfgang H. FRITZE. [Bd 1. Cf. Bibl. 80, n° 1075.] Bd 2. Berlin, Duncker u. Humblot, 82, in-8, 262 p. (Kt.-Beil.). (Berliner hist. Stud., 4)

1235. GIEYSZTOR (Aleksander). Mitologia Słowian. (La mythologie des Slaves.) Warszawa, Wydawn. Artyst. i Filmowe, 82, in-8, 270 p. (Mitologie Świata)

1236. GÜNTHER (Rigobert), KORSUNKSIJ (Aleksandr Rafailovič). "Barbarisches Königtum" und die protofeudale Periode in den germanischen Königreichen. Ethnogr.-archäol. Z., 82, Jg. 23, p. 51-62.

1237. Iatrus-Krivina. Spätantike Befestigung u. frühmittelalterl. Siedlung an d. unteren Donau. Hrsg. v. Zentralinst. f. Alte Gesch. u. Archäol. d. Akad. d. Wiss. Bd [1. Cf. Bibl. 78-79, n° 1218.] 2: Ergebnisse der Ausgrabungen 1966-1973. Verf. v. e. Autorenkoll. Berlin, Akad.-Verl., 82, in-fol., 242 p. (87 p. Abb., Kt., Tab.). (Schr. zur Gesch. u. Kultur d. Antike, 17)

1238. Inventaria archaeologica. Corpus des ensembles archéolog. Union Internat. des Sciences Préhist. et Protohist. Sous la dir. de M.E. MARIËN et al. Deutsche Demokratischer Republik. Im Auftr. d. Zentralinst. f. Alte Gesch. u. Archäol. d. Akad. d. Wiss. d. DDR hrsg. v. Joachim HERRMANN. H. 1: SCHMIDT (Berthold). Bl. DDR 1-12, römische Kaiserzeit. Die münzdatierten Grabfunde der spätröm. Kaiserzeit im Mittelelbe-Saale-Gebiet. Berlin, Deutsch. Verl. d. Wiss., 82, in-4, 28 p. (Abb.).

1239. Kőbe vésett eposzok az Orkon és Tola folyók mentén. A magyar őstörténet nyomai. Az eposzokat ótörökből ford. és bev. KÉPES Géza. (Epopées gravées dans la pierre au bord des fleuves Orkon et Tola. Les vestiges de la préhistoire hongroise. Trad. de l'ancien turc et intr. par - .) Budapest, Helikon, 82, in-8, 69 p.

1240. KŐHEGYI (M.). Bernsteinperlen in sarmatischen Gräbern. Ein Beitr. z. Frage d. pannonisch-sarmat. Handelsbeziehungen. Archaeol. austriaca, 82, Bd 66, p. 129-140 (4 Abb.).

1241. KOLOSOVSKAJA (Ju. K.). Agafirsy i ikh mesto v istorii plemen Jugo-Vostočnoj Evropy. (The Agathyrsi and their place in the tribal history of South Eastern Europe.) Vest. drevn. Ist., 82, n° 4, p. 47-69.

1242. ŁOSIŃSKI (Władysław). Osadnictwo plemienne Pomorza (VIe-Xe wiek). (L'établissement des tribus en Poméranie, VIe-Xe siècles.) Wrocław, Zakł. Narod. im. Ossolińskich, 82, in-8, 308 p. (Pol. Akad. Nauk, Inst. Hist. Kult. Mater.)

1243. MASLENNIKOV (A. A.). Nekotorye osobennosti nekropolej gorodov evropejskogo Bospora pervykh vekov našej ěry. (Features of the first-century necropolis in cities of the European Bosporus.) Sovet. Arkheol., 82, n° 1, p. 33-43.

1244. Očerki istorii estestvennonaučnykh znanij v drevnosti. (Essays on the history of natural sciences' knowledge in ancient times.) Sbornik. Pod red. S. R. MIKULINSKOGO. Moskva, Nauk, 82, 277 p. (B-ka vsemir. istorii estestvoznanija. AN SSSR. In-t istorii estestvoznanija i tekhniki)

1245. OL'KHOVSKIJ (V. S.). O naselenii Kryma v skifskoe vremja. (On the Crimean population in Scythian times.) Sovet. Arkheol., 82, n° 4, p. 61-79.

1246. RÓNA-TAS (András). A kazár népnévről. (On the ethnonym Khazar.) Nyelvtud. Közl., 82, vol. 84, n° 2, p. 349-380.

1247. SCHMOECKEL (Reinhard). Die Hirten, die die Welt veränderten. Der vorgeschichtl. Aufbruch d. indoeuropäischen Völker. Reinbeck b. Hamburg, Rowohlt, 82, in-8, 603 p. (Kt.).

1248. SEYER (Heinz). Siedlung und archäologische Kultur der Germanen im Havel-Spree-Gebiet in den Jahrhunderten vor Beginn u. Z. Berlin, Akad.-Verl., 82, in-4, 180 p. (43 p. Abb.). (Schr. z. Ur- u. Frühgesch., 34)

1249. SKRIPKIN (A. S.). Aziatskaja Sarmatija vo II-IV vv. (nekotorye problemy issledovanija). (2nd-4th-century Asian Sarmatia.) Sovet. Arkheol., 82, n° 2, p. 43-56.

1250. SKRŽINSKAJA (M. V.). Skifskie sjužety v istoričeskikh predanijakh ol'viopolitov. (Scythian motifs in the historical legends of the Olbiopolitae.) Vest. drevn. Ist., 82, n° 4, p. 87-102.

1251. ŠKUNAEV (S. V.). Zemel'nye otnošenija i ělementy obščinnogo ustrojstva v kel'tskom obščestve (Na materiale drevneirlandskikh zakonov). (Land relations and elements of community organisation in the Celtic society according to the old Irish laws.) Vestn. drevn. Ist., 82, n° 1, p. 43-63.

1252. Studien zu den germanischen Volksrechten. Gedächtnisschr. f. Wilhelm Ebel; Vorträge geh. auf d. Fest-Symposion anläßl. d. 70. Geburtstages von Wilhelm Ebel am 16. Juni 1978 in Göttingen. Götz LANDWEHR (Hrsg.). Frankfurt (Main) u. Bern, Lang, 82, in-8, 217 p. (Rechtshist. Reihe, 1)

1253. TEJRAL (Jaroslav). Morava na sklonku antiky. (Mähren am Ausgang der Antike.) Praha, Academia, 82, in-4, 256 p. (48 fig.). (Monumenta archaeologica, 19)

1254. VENY MELLIÁ (C.). La necrópolis protohistórica de Cales Coves, Menorca.

Madrid. Inst. español de Prehist., 82, 414 p. (198 fig., 63 pl.).

1255. Vor- und Frühgeschichte des unteren Niederrheins. Rudolf Stampfuß zum Gedächtnis. Hrsg. v. Günther KRAUSE. Mit Beitr. v. Günther BINDING [u. a.]. Bonn, Habelt, 82, in-4, 291 p. (Ill., graph. Darst., Kt.). (Quellenschr. z. westdeutschen Vor- u. Frühgesch., 10)

1256. WHITWELL (John Benjamin). The Coritani: aspects of the Iron Age tribe and the Roman civitas. London, Brit. Archaeol. Rep., 82, in-4, 406 p. (fig.).

D

LES PEUPLES DE L'ANCIEN ORIENT
(y compris les monarchies hellénistiques)

---

§ 1. Antiquité en général. 1257-1282. - § 2. Asie antérieure (Généralités). 1283-1295. - § 3. Egypte. 1296-1339. - § 4. Cyrène. Vacat. - § 5. Mésopotamie. 1340-1362. - § 6. Hittites. 1363-1370. - § 7. Juifs et peuples sémitiques jusqu'à la fin de l'antiquité. 1371-1409. - § 8. Iran. 1410-1419.

§ 1. Antiquité en général.

* 1257. MODRZEJEWSKI (Joseph). Chronique. Droits de l'antiquité. Egypte gréco-romaine et monde hellénistique. [Cf. Bibl. 81, n° 1156.] R. hist. Droit franç. étr., 82, a. 60, p. 117-149, 471-500.

* 1258. ROBERT (Jeanne), ROBERT (L.). Bulletin épigraphique. [T. 8. Cf. Bibl. 80, n° 1112.] T. 9: 1978-1980. Publ. par l'Assoc. pour l'encouragement des études grecques. Paris, Belles Lettres, 82, in-8, 379 p. [Vol. extrait de la R. Et. grecques, 1978-1980]

* 1259. Testi recentemente pubblicati. [Cf. Bibl. 81, n° 1177.] Aegyptus, 82, a. 62, p. 218-264.

1260. Altorientalische Forschungen. Red.: Helmut FREYDANK, Friedmar GEISSLER u. a. [Bd 8. Cf. Bibl. 81, n° 1159.] Bd 9. Berlin, Akad.-Verl., 82, in-8, 284 p. [Cf. n°s 175, 447, 1293, 1305, 1313, 1332, 1345, 7547, 7593, 7690.]

1261. APEL (H.). Verwandschaft, Gott und Geld. Zur Organisation archaischer, ägyptischer u. antiker Gesellschaft. Frankfurt a. M., Campus-Verl., 82, in-8, 201 p.

1262. Architektur (Die) der Antike. Hrsg. v. Martin GRASSNIK, unter Mitarbeit v. Hartmut HOFRICHTER. Braunschweig u. Wiesbaden, Vieweg, 82, in-4, 66 p. (202 p. Ill., Kte). (Materialien z. Baugesch., 1)

1263. BÖKKER-KLÄHN (Jutta). Die reichsakkadische Kunst u. Ägypten. Wiener Z. f. d. Kde d. Morgenlandes, 82, Bd 74, p. 57-94 (13 Abb.).

1264. Cambridge ancient history. Vol. [2, Pt. 2. Cf. Bibl. 74-75, n° 1525.] 3. 2nd rev. ed. Pt. 1: The prehistory of the Balkans and the Middle East and the Aegean world, 10th to 8th centuries B. C. Ed. by John BOARDMAN et al. Pt. 2: The expansion of the Greek world, 8th to 6th centuries B. C. Ed. by John BOARDMAN a. Nicholas Geoffrey L. HAMMOND. London a. New York, Cambridge U. P., 82, 2 vol. in-8, XX-1059, XVI-530 p. (dr., tab., maps).

1265. COHEN (Shaye J. D.). Josephus, Jeremiah, and Polybius. Hist. a. Theory, 82, vol. 21, n° 3, p. 366-381.

1266. D'JAKONOV (I. M.), JAKOBSON (V. A.). "Nomovye gosudarstva", "territorial'-nye carstva", "policy" i "imperii". Problemy tipologii. ("Nome states", "Territorial kingdoms", "Poleis" and "Empires". A study in typology.) Vestn. drevn. Ist., 82, n° 2, p. 3-16.

1267. Geschichte des wissenschaftlichen Denkens im Altertum. Von e. Autorenkoll. unter Leitung v. Fritz JÜRSS. Berlin, Akad.-Verl., 82, in-8, 672 p. (Abb., Tab.). (Veröff. d. Zentralinst. f. Alte Gesch. u. Archäol. d. Akad. d. Wiss. d. DDR, 13)

1268. HAGENOW (G.). Aus dem Weingarten der Antike. Der Wein in Dichtung, Brauchtum u. Alltag. Mainz (Rhein), v. Zabern, 82, in-4, 248 p. (64 Abb., 16 Taf.). (Kulturgesch. d. antiken Welt, 12)

1269. Istorija Drevnego mira. (History of the ancient world.) Pod red. I. M. D'JAKONOVA i dr. Kn. 1: Rannjaja drevnost'. (The early times.) Kn. 2: Rascvet drevnikh obščestv. (The flowering of the ancient societies.) Kn. 3: Upadok drevnikh obščestv. (The decline of the ancient societies.) Moskva, Nauka, 82, 3 vol., 390, 576, 303 p. (AN SSSR. In-t vostokovedenija)

1270. KHAZANOV (A. M.). The dawn of Scythian history. Iranica ant., 82, t. 17, p. 49-63.

1271. Mort (La), les morts dans les sociétés anciennes. Sous la dir. de G. GNOLI et J. P. VERNANT. London, Cambridge U. P. ; Paris, Ed. de la Maison des Sci. de l'Homme, 82, in-8, XVI-505 p. (120 ill.).

1272. MUTHMANN (Friedrich). Der Granatapfel. Symbol d. Lebens in d. Alten Welt. Fribourg/Suisse, Office du Livre, 82, in-8,

178 p. (148 fig.). (Schr. d. Abegg-Stiftung, 6)

1273. NERONOVA (V. D.). Sovetskaja istoriografija o soslovii i klasse rabov. (Soviet historiography on the estate and the class of slaves.) Vopr. Ist., 82, n° 10, p. 62-75.

1274. NEUSER (Kora). Anemoi. Studien zur Darstellung d. Winde u. Windgottheiten in d. Antike. Roma, Bretschneider, 82, in-8, XXVIII-252 p. (18 Taf.). (Archaeologica, 19)

1275. ORCHARD (Jocelyn). Finding the ancient sites in southern Yemen. J. near east. Stud., 82, vol. 41, n° 1, p. 1-22.

1276. Palast und Hütte. Beiträge zum Bauen und Wohnen im Altertum. Hrsg. v. D. PAPENFUSS u. V. M. STROCKA. Mainz (Rhein), v. Zabern, 82, in-4, 660 p. (fig.).

1277. PETERS (B. G.). Morskoe delo v antičnykh gosudarstvakh Severnogo Pričernomorja. (Seafaring in the ancient states of the Northern Black Sea area.) Moskva, Nauka, 82, i208 p. (ill.). (AN SSSR. In-t arkheologii)

1278. PRESS (Gerald A.). The development of the idea of history in antiquity. Kingston, Ont., McGill-Queen's U. P., 82, in-8, 179 p. (McGill-Queen's studies in the history of ideas, 2)

1279. Produktivkräfte und Gesellschaftsformationen in vorkapitalistischer Zeit. Hrsg. v. Joachim HERRMANN u. Irmgard SELLNOW. Berlin, Akad.-Verl., 82, in-8, 637 p. (Abb.). (Veröff. d. Zentralinst. f. Alte Gesch. u. Archäol. d. Akad. d. Wiss. d. DDR, 12)

1280. ROSUMEK (Peter). Technischer Fortschritt und Rationalisierung im antiken Bergbau. Bonn, Habelt, 82, in-8, XII-276 p. (53 Abb.). (Habelts Diss.-Drucke, Reihe Alte Gesch.)

1281. SEEFRIED (Monique). Les pendentifs en verre sur noyau des pays de la Méditerranée antique. Rome, Ecole franç. de Rome, in-8, XIX-186 p. (47 fig., 4 pl.). (Coll. de l'Ec. franç. de Rome, 57)

1282. THOMAS (Carol G.). The earliest civilizations: ancient Greece and the Near East, 3000-200 B. C. Washington, D. C., Univ. Press of America, 82, 206 p. (18 maps).

Cf. n° 754.

§ 2. Asie antérieure (Généralités).

* 1283. Bibliography of ancient Cyprus for the years 1923-1959. By Z. J. KAPERA. Kinyras, II. London, Brill, 82, in-8, XII-180 p. (Stud. in Mediterr. Archaeol., 70)

* 1284. CAPLICE (R.), KLENGEL (H.), SAPORETTI (C.). Keilschriftbibliographie. [42. Cf. Bibl. 81, n° 1164.] 43: 1981 (mit Nachträgen aus früheren Jahren). Orientalia, 82, n. s., vol. 51, p. 1*-135*.

** 1285. DONBAZ (Veysel), JOANNES (F.). Nouvelles lectures de textes cappadociens. In: Mémorial Atatürk [Cf. n° 1295], p. 27-41 (fig.).

1286. ARDZINBA (V. G.). Ritualy i mify drevnej Anatolii. (Rites and myths of ancient Anatolia.) Moskva, Nauka, 82, 252 p. (ill.). (AN SSSR. In-t vostokovedenija)

1287. BÖKKER-KLÄHN (Jutta). Altvorderasiatische Bildstelen und vergleichbare Felsreliefs. Mit einem Beitr. v. Adelheid SHUNNAR-MISERA. Bd 1: Text. Bd 2: Tafeln. Mainz (Rhein), v. Zabern, 82, 2 vol. in-4, VIII-288 p. (12 fig.); XIV-133 Taf. (Fig., Kte). (Bagdader Forsch., 4)

1288. BRIANT (Pierre). Etat et pasteurs au Moyen-Orient ancien. Paris, Ed. de la Maison des Sci. de l'Homme; London a. New York, Cambridge U. P., 82, in-8, 267 p. (27 pl.).

1289. BRIANT (Pierre). Rois, tributs et paysans. Etudes sur les formations tributaires du Moyen-Orient ancien. Paris, Belles Lettres, 82, in-8, 539 p. (cartes). (A. litt. Univ. Besançon, 209)

1290. Gesellschaft und Kultur im alten Vorderasien. Hrsg. v. Horst KLENGEL. Berlin, Akad.-Verl., 82, in-8, 254 p. (28 p. Abb.). (Schr. z. Gesch. d. Alten Orients, 15)

1291. HORNBLOWER (S.). Mausolus. Oxford, Clarendon Press, 82, in-8, 398 p. (pl., maps).

1292. KEPINSKI (Christine). L'arbre stylisé en Asie occidentale au IIe millénaire av. J.-C. Vol. 1-3. Paris, Recherche sur les civilisations, 82, 3 vol. in-4, 144, 224 p. (tables), 592 fiches. (Cah., 7)

1293. KLENGEL (Horst). Das mittlere Orontestal (Ghab) in der Geschichte des vorhellenistischen Syrien. In: Altoriental. Forschungen [Cf. n° 1260], p. 67-80.

1294. MANASERJAN (R. L.). Process obrazovanija deržavy Tigrana II. (The formation of the empire of Tigranes II.) Vestn. drevn. Ist., 82, n° 2, p. 122-139.

1295. Mémorial Atatürk. Etudes d'archéologie et de philologie anatoliennes. Institut franç. d'ét. anatoliennes. Paris, Recherche sur les civilisations, 82, in-4, 107 p. (ill., pl.). (Synthèse, 10) [Cf. n°s 302, 1285, 1363, 1364.]

Cf. n°s 1211, 1624, 2001.

§ 3. Egypte.

* 1296. Annual egyptological bibliography. Bibliographie égyptologique annuelle. [1977. Cf. Bibl. 81, n° 1174.] 1978. Compiled by / Composé par Jacob J.

JANSEN, with the collab. of / avec la collab. de Inge HOFMANN and/et L. M. J. ZONHOVEN. Warminster, Wilts., Aris a. Phillips, 82, in-8, X-221 p.

* 1297. BERNAND (Etienne). Inscriptions grecques d'Egypte et de Nubie: répertoire bibliographique des OGIS. Paris, Belles Lettres, 82, in-8, 92 p. (A. litt. Univ. Besançon, 222. Centre de recherches d'hist. anc., 45)

* 1298. Bibliografia metodica degli studi di egittologia e di papirologia. [Cf. Bibl. 81, n° 1175.] Aegyptus, 82, a. 62, p. 288-350.

* Cf. n°s 1257, 1259.

** 1299. Index documentaire d'El-Amarna. - I.D.E.A., 1 - Liste/Codage des textes. Index des ouvrages de référence, par Jean-Georges HEINTZ, avec la collab. de D. BAUER, A. MARX et L. MILLOT. Programmation: J. FRANÇON. Wiesbaden, Harrassowitz, 82, XXXVI-419 p.

1300. BARTA (Winfried). Die Bedeutung der Pyramidentexte für den verstorbenen König. München u. Berlin, Deutscher Kunstverl., 81, in-8, XI-180 p. (Münchener ägyptolog. Stud., 39)

1301. BATTAGLIA (Emanuela). Philopator Kome. Aegyptus, 82, a. 62, p. 124-147.

1302. BLUMENTHAL (Elke). Die Prophezeiung des Neferti. Z. f. ägypt. Sprache, 82, Bd 109, p. 1-27.

1303. BOGOSLOVSKIJ (E. S.). Drevneegipetskaja èkonomika na puti k vozniknoveniju deneg. (How the ancient Egyptian economy evolved towards a monetary system of exchange.) Vestn. drevn. Ist., 82, n° 1, p. 3-12.

1304. BRIER (Bob). Ancient Egyptian magic. New York, W. Morow, 80, in-8, 322 p. (71 p.).

1305. BURKHARDT (Adelheid). Zu den Verwandschaftsverhältnissen in der meroitischen Beamtenfamilie des Wayekiye. In: Altoriental. Forschungen [Cf. n° 1260], p. 33-41.

1306. CALEDRINI (Aristide). Dizionario dei nomi geografici et topografici dell'Egitto greco-romano. A cura di Sergio DARIS. 3, 3: Doukanou-Mophi. Milano, Cisalpino-Goliardica, 82, in-4, p. 205-311.

1307. CHARPENTIER (Georges). Recueil de matériaux épigraphiques relatifs à la botanique de l'Egypte ancienne. Paris, Trismégiste, 82, in-4, 968 p. [tirage limité]

1308. CHESHIRE (Wendy). Zur Deutung eines Szepters der Arsinoe II. Philadelphos. Z. f. Papyrol. u. Epigr., 82, Bd 48, p. 105-111 (pl.).

1309. DAVID (Rosalie). The ancient Egyptians: religious beliefs and practices. London, Routledge, 82, in-8, 276 p. (ill., fig., maps).

1310. DREXHAGE (Hans-Joachim), SUNSKES (Julia). Einige Beobachtungen und Materialien zum Hausbesitz im Faijum (1. Jh. n. Chr.). Anagennesis, 82, t. 2, p. 51-68.

1311. DUNAND (Françoise). L'exode rural en Egypte à l'époque hellénistique. Ktema, 80 [82], t. 5, p. 137-150. - EADEM. Fête et propagande à Alexandrie sous les Lagides. In: La fête [Cf. n° 902], p. 13-40.

1312. Egyptologie (L') en 1979. Axes prioritaires de recherche. [Colloque internat. du C.N.R.S.,] Grenoble, 10-15 sept. 1979. Vol. 1, 2. Paris, Ed. du C.N.R.S., 82, 2 vol. in-4, 308, 328 p. (fig., pl., cartes). (Colloques internat. du C.N.R.S., 595)

1313. ENDESFELDER (Erika). Bemerkungen zur Entstehung und zum Charakter des Beamtentums im alten Ägypten. In: Altoriental. Forschungen [Cf. n° 1260], p. 5-11.

1314. GERMOND (Philippe). Sekhmet et la protection du monde. Genève, Belles Lettres, 82, in-4, 423 p. (Aegyptiaca Helvetica, 9)

1315. GRAEFE (Erhart). Untersuchungen zur Verwaltung und Geschichte der Institution der Gottesgemahlin des Amun vom Beginn des neuen Reiches bis zur Spätzeit. Bd 1: Katalog u. Materialsammlung. Bd 2: Analyse u. Indices. Wiesbaden, Harrassowitz, 81, 2 vol. in-4, XIV-247, VII-172 p. (Ill., Taf.). (Ägyptolog. Abh., 37)

1316. Bibl. 78-79, n° 1311. HELCK (Wolfgang). Die Beziehungen Ägyptens und Vorderasiens zur Ägäis bis ins 7. Jahrhundert v. Chr. - CR: E. Klengel-Brandt, Arch. f. Orientforsch., 81-82, Bd 28, p. 189-199.

1317. HINKEL (Friedrich W.). Pyramide oder Pyramidenstumpf? Ein Beitrag z. Fragen der Planung, konstruktiven Baudurchführung u. Architektur d. Pyramiden v. Meroe. Teil [A. Cf. Bibl. 81, n° 1207.] B. Z. f. ägypt. Sprache, 82, Bd 109, p. 27-61 (20 Abb.).

1318. HOBSON (SAMUEL) (Deborah W.). The village of Apias in the Arsinoite Nome. Aegyptus, 82, a. 62, p. 80-123.

1319. HOFMANN (Inge). Kambyses in Ägypten. Stud. z. altägypt. Kultur, 81 [82], Bd 9, p. 179-199.

1320. HORNUNG (Erik). Der ägyptische Mythos von der Himmelskuh. Ein Ätiologie d. Unvollkommenen. Unter Mitarbeit v. Andreas BRODBECK, H. SCHLÖGL u. Elisabeth STAEHELIN u. mit e. Beitr. v. G. FECHT. Freiburg-Schweiz, Univ.-Verl.; Göttingen, Vandenhoeck u. Ruprecht, 82, in-8, XII-129 p. (2 Taf.). (Orbis biblicus et orientalis, 46)

1321. JOHNSON (Barbara). Pottery from Karanis. Excavations of the Univ. of Michigan. Ann Arbor, Univ. of Michigan

Press, 81, in-8, XIII-127 p. (80 pl.). (Kelsey Museum of Archaeol. Studies, 7)

1322. KÁKOSY (László). Selected papers, 1956-1973. Budapest, Eötvös Loránd Tudományegyetem, 81 [82], 318 p. (Studia Aegyptiaca, 7. Etudes publ. par les Chaires d'Hist. anc. de l'Univ. Loránd Eötvös de Budapest, 33)

1323. KESSLER (Dieter). Zu den Feldzügen des Tefnachte, Namlot und Pije. Stud. z. altägypt. Kultur, 81 [82], Bd 9, p. 227-251 (1 Kt.).

1324. LECLANT (Jean). Fouilles et travaux en Egypte et au Soudan, [1979-1980. Cf. Bibl. 81, n° 1210.] 1980-1981. Orientalia, 82, n. s., vol. 51, p. 411-492 (pl.).

1325. LLOYD (A. B.). Nationalist propaganda in Ptolemaic Egypt. Historia [Wiesbaden], 82, Bd 31, p. 33-55.

1326. MALAISE (Michel). Inventaire des stèles égyptiennes du Moyen Empire porteuses de représentations divines. Stud. z. altägypt. Kultur, 81 [82], Bd 9, p. 259-283.

1327. MILLS (Anthony J.). The cemeteries of Qasr Ibrim. London, Egypt Exploration Soc., 82, in-fol., VIII-94 p. (ill.).

1328. MOSTAFA (Maha M. F.). Untersuchungen zu Opfertafeln im Alten Reich. Hildesheim, Gerstenberg, 82, in-8, XII-155 p. (37 p. Ill., graph. Darst.). (Hildesheimer ägyptolog. Beitr., 17)

1329. MÜLLER (Wolfgang). Die Papyrusgrabung auf Elephantine 1906-1908. Das Grabungstagebuch d. [1. u. 2. Kampagne.- Cf. Bibl. 80, n° 1183.] 3. Kampagne. Forsch. u. Ber. d. staatl. Museen Berlin, 82, Bd 22, p. 7-50 (Abb.).

1330. ORRIEUX (Claude). Les comptes privés de Zénon à Philadelphie. Chron. Egypte, 82, t. 56, fasc. 112, p. 314-340.

1331. PARANT (Robert). L'affaire Sinouhé. Tentative d'approche de la justice répressive égyptienne au début du IIe millénaire av. J.-C. Paris, Geuthner, 82, in-8, 400 p.

1332. REINEKE (Walter F.). Wissenschaft und Wissenschaftler im alten Ägypten. In: Altoriental. Forschungen [Cf. n° 1260], p. 13-31.

1333. ROCCATI (Alessandro). La littérature historique sous l'Ancien Empire égyptien. Paris, Cerf, 82, in-8, 320 p. (Littératures anc. du Proche-Orient, 11)

1334. SPALINGER (Anthony). Considerations on the Hittite treaty between Egypt and Hatti. Stud. z. altägypt. Kultur, 81 [82], Bd 9, p. 299-358.

1335. SPENCER (A. J.). Death in ancient Egypt. Harmondsworth, Penguin, 82, in-8, 256 p. (ill., fig.).

1336. TÖRÖK (László). Economic offices and officials in Meroitic Nubia. A study in territorial administration of the late Meroitic Kingdom. Budapest, 79, in-8, 246 p. (14 pl.). (Studia Aegyptiaca, 5. Az Eötvös Loránd Tudományegyetem ókori történeti tanszékeinek kiadványai, 26)

1337. VILA (André). La prospection archéologique de la vallée du Nil au sud de la cataracte de Dal (Nubie soudanaise). Fasc. [12. Cf. Bibl. 80, n° 1195.] 13: La nécropole de Missiminia. II: Les sépultures méroïtiques. Paris, Ed. du C.N.R.S., 82, in-4, 196 p. (200 fig.).

1338. WEISGERBER (G.). Altägyptischer Hornsteinbergbau im Wadi el-Sheikh. Anschnitt, 82, Bd 34, p. 186-210 (28 Abb., 2 Kt.).

1339. WENTE (Edward F.). Mysticism on pharaonic Egypt? J. near east. Stud., 82, vol. 41, n° 3, p. 161-180.

Cf. n°s 304, 1261.

§ 4. Cyrène.

Vacat.

§ 5. Mésopotamie.

* 1340. SZLECHTER (Emile). Revue critique des droits cunéiformes. XI (janvier 1977-déc. 1979). Studia Doc. Hist. et Iuris, 82, t. 48, p. 587-610.

* Cf. n° 1284.

** 1341. Documents cunéiformes de la IVe Section de l'Ecole pratique des hautes études. 1: Catalogue et copies cunéiformes. Par Jean-Marie DURAND. Préf. de Michel FLEURY. Genève et Paris, Droz, 82, in-8, 109 p. (125 p. de pl.). (Centre de recherches d'hist. et de philol., 2: Hautes études orientales, 18)

** 1342. FREYDANK (Helmut). Mittelassyrische Rechtsurkunden u. Verwaltungstexte. [1. Cf. Bibl. 76-77, n° 1567.] 2. Berlin, Akad.-Verl., 82, in-4, 10 p. (50 p. Abb.). (Vorderasiat. Schriftdenkmäler d. Staatl. Museen zu Berlin, 21 = N. F., 5)

1343. ABOU-ASSAF (Ali), BORDREUIL (Pierre), MILLARD (Alan R.). La statue de Tell Fekherye et son inscription bilingue assyro-araméenne. Paris, Recherche sur les civilisations, 82, in-4, 120 p. (5 fig., 14 p. de pl.). (Cah., 10)

1344. BOESE (Johannes). Zur absoluten Chronologie der Akkad-Zeit. Wiener Z. f. d. Kde d. Morgenlandes, 82, Bd 74, p. 33-55.

1345. CHARVAT (Petr). Early Ur - war chiefs and kings of Early Dynastic III. In: Altoriental. Forschungen [Cf. n° 1260], p. 43-59.

1346. DONBAZ (Veysel). A middle Babylonian legal document raising problems in

Kassite chronology. J. near east. Stud., 82, vol. 41, n° 3, p. 207-212.

1347. FOSTER (Benjamin R.). Archives and record-keeping in Sargonic Mesopotamia. Z. f. Assyriol., 82, Bd 72, p. 1-27.

1348. GOMI (Tohru). Ur III texts in the John Rylands University Library of Manchester. Manchester, J. Rylands Univ. Libr., 82, in-8, 30 p.

1349. HEINRICH (Ernst). Die Tempel und Heiligtümer im alten Mesopotamien. Typologie, Morphologie u. Gesch. Unter Mitarb. v. Ursula SEIDL. Deutsches Archäolog. Inst. Abb.-Bd. Textbd. Berlin, de Gruyter, 82, 2 vol. in-4, 140, XIII-341 p. (426 Ill., graph. Darst.). (Denkmäler antiker Architektur, 14)

1350. JAKOB-ROST (Liane), WARTKE (Ralf-B.), WESARG (Barthel). Tell Oweissat. Forsch. u. Ber. d. staatl. Museen Berlin, 82, Bd 22, p. 63-95 (Abb.).

1351. LACKENBACHER (S.). Le roi batisseur: les récits de construction assyriens des origines à Teglatphalasar III. Paris, Recherche sur les civilisations, 82, in-4, 275 p. (Cah., 11)

1352. McEWAN (Gilbert J. P.). Late Babylonian tablets in the Royal Ontario Museum. Helston, Pendragon House, 82, in-4, 128 p. (ill.). - IDEM. Texts from Hellenistic Babylonia in the Ashmolean Museum (Oxford). London, Oxford U. P., 82, in-4, 128 p. (fig.).

1353. MALBRAN-LABAT (Florence). L'armée et l'organisation militaire de l'Assyrie d'après les lettres des Sargonides trouvées à Ninive. Genève et Paris, Droz, 82, in-8, X-356 p. (Ecole pratique des Hautes Etudes, IVe section: Sci. hist. et philol., 2: Hautes ét. orientales, 19)

1354. MERPERT (N. Ja.), MUNČAEV (R. M.). An den Anfängen der Geschichte Mesopotamiens. Altertum, 82, Bd 28, p. 69-80 (Abb.).

1355. MIGLUS (P. A.). Die Stadttore in Assur - das Problem der Identifizierung. Z. f. Assyriol., 82, Bd 72, p. 266-279 (fig.).

1356. MIRZOEV (M. N.). Ceny na dvižimoe imuščestvo vo kassitskj Vavilonii XIV-XII vv. do n. è. (Commodity prices in Kassite Babylonia, 14th-12th cent. B. C.) Vestn. drevn. Ist., 82, n° 3, p. 77-89.

1357. MUDAR (Karen). Early dynastic III animal utilization in Lagash: a report on the fauna of Tell Al-Hiba. J. near east. Stud., 82, vol. 41, n° 1, p. 23-34.

1358. REINER (Brica). Babylonian birth prognoses. Z. f. Assyriol., 82, Bd 72, p. 124-138.

1359. Répertoire géographique des textes cunéiformes. In Zsarbeit mit Jean-Robert KUPPER hrsg. v. Wolfgang RÖLLIG. Bd 5: Die Orts- und Gewässernamen der mittelbabylonischen und mittelassyrischen Zeit.

Von Khaled NASHEF. Wiesbaden, Reichert, 82, in-8, XXVIII-341 p. (1 Kt.). (Beihefte z. Tübinger Atlas d. Vorderen Orients, Reihe B: Geisteswiss., 7)

1360. SOMMERFELD (W.). Der Aufstieg Marduks. Die Stellung Marduks in d. babylon. Religion d. zweiten Jahrtausends v. Chr. Kevelaer, Butzon u. Bercker; Neukirchen-Vluyn, Neukirchener Verl., 82, in-8, 245 p. (Alter Orient u. Altes Testament, 213)

1361. STEIBLE (Horst). Die altsumerischen Bau- und Weihinschriften. T. 1: Inschriften aus "Lagaš". T. 2: Kommentar zu den Inschriften aus "Lagaš". Unter Mitarb. v. Hermann BEHRENS. Wiesbaden, Steiner, 82, 2 vol., VI-718 p. (8 Abb., 6 Taf.). (Freiburger altorientaI. Stud., 5)

1362. Zikir šumin. Assyriological studies presented to Fritz Rudolf Kraus on the occasion of his seventieth birthday. Ed. by G. VAN DRIEL, Th. J. H. KRISPIJN, M. STOL, K. R. VEENHOF. Leiden, Brill, 82, in-8, 509 p. (Nederlands Inst. voor het Nabije Oosten. Studia Francisci Scholten memoriae dicata, 5)

Cf. n° 1179.

§ 6. Hittites.

** 1363. DURAND (Jean-Marie), LAROCHE (Emmanuel). Fragments hittites du Louvre. In: Mémorial Atatürk [Cf. n° 1295], p. 73-107 (ill.).

** 1364. GONNET (Hatice). La "grande fête d'Arinna". In: Mémorial Atatürk [Cf. n° 1295], p. 43-71.

** 1365. KOŠAK (Silvin). Hittite inventory texts (CTH 241-250). Heidelberg, Winter, 82, VIII-332 p. (Texte d. Hethiter, 10)

1366. BECKMAN (Gary). The Hittite assembly. J. am. orient. Soc., 82, vol. 102, n° 3, p. 435-442.

1367. DEIGHTON (Hilary J.). The weather-god in Hittite Anatolia: an examination of the archaeological and textual sources. London, Brit. Archaeol. Rep., 82, in-4, 124 p. (fig.).

1368. HAAS (V.). Hethitische Berggötter und hurritische Steindämonen. Riten, Kulte u. Mythen. Eine Einführung in die altkleinasiat. Vorstellungen. Mainz (Rhein), v. Zabern, 82, in-4, 258 p. (43 Abb.). (Kulturgesch. d. ant. Welt, 10)

1369. MASSON (Emilia). Le panthéon de Yazilikaya. Nouvelles lectures. [Publ. par l'] Institut franç. d'études anatoliennes. Paris, A.D.P.F., 81, in-4, 77 p. (66 fig., plan, 21 pl.). (Recherche sur les grandes civilisations, Synthèse, 3)

1370. SCHMID (Georg). Gotteserfahrung im Neuen Reich der Hethiter. Z. f. Religions- u. Geistesgesch., 81, Bd 33, p.

193-207.

Cf. n° 1334.

§ 7. Juifs et peuples sémitiques jusqu'à la fin de l'antiquité.

* 1371. FOHRER (G.). Neue Literatur zur alttestamentlichen Prophetie (1961-1970). Theol. Rdsch., 82, Bd 47, p. 105-135.

* 1372. PAUL (André). Bulletin de littérature intertestamentaire. Du judaïsme ancien au christianisme primitif [CR de 8 ouvrages]. Rech. Sci. relig., 82, t. 70, p. 529-582.

** 1373. [JOSEPHUS (Flavius):] FLAVIUS JOSEPHE. Guerre des Juifs. Texte établi et trad. par André PELLETIER. T. 1: Livre I. T. 2: Livres II et III. T. 3: Livres IV et V. Paris, Belles Lettres, 75-82, 3 vol. in-8, 220, 241, 269 p. (Coll. des Univ. de France)

** 1374. WEIPPERT (Helga), WEIPPERT (Manfred). Die "Bileam"-Inschrift von Tell Dēr 'Allā. Z. d. deutsch. Palästina-Ver., 82, Bd 98, p. 77-103.

1375. AHARONI (Yohanen). The archaeology of the land of Israel. Trad. from the Hebrew. London, S. C. M. Press, 82, in-8, 360 p.

1376. AHLSTRÖM (Gösta W.). Royal administration and national religion in ancient Palestine. Leiden, Brill, 82, in-8, XIV-112 p. (Stud. in the hist. of the ancient Near East, 1)

1377. AHUIS (F.). Der klagende Gerichtsprophet. Studien z. Klage in d. Überlieferung von d. alttestamentl. Gerichtsprophetie. Stuttgart, Calwer Verl., 82, in-8, IX-234 p. (Calwer theol. Monogr., A/12)

1378. Apokalyptik. Hrsg. v. Klaus KOCH u. Michael SCHMIDT. Darmstadt, Wiss. Buchges., 82, in-8, VII-500 p. (Wege d. Forschung, 365)

1379. BENICHOU-SAFAR (Hélène). Les tombes puniques de Carthage. Topographie, structures, inscriptions et rites funéraires. Paris, Ed. du C.N.R.S., 82, 437 p. (fig., pl., cartes).

1380. BRAULIK (Georg). Gesetz als Evangelium. Rechtfertigung u. Begnadigung nach d. deuteronom. Tora. Z. f. Theol. u. Kirche, 82, Jg. 79, p. 127-160.

1381. BRUNEAU (Philippe). "Les Israélites de Délos" et la juiverie délienne. B. Corresp. hellénique, 82, t. 106, p. 465-504.

1382. Byrsa, [I. Cf. Bibl. 78-79, n° 1390.] II: Rapports préliminaires sur les fouilles 1977-1978: Niveaux et vestiges puniques. Mission archéol. franç. de Carthage. Sous la dir. de Serge LANCEL. Publ. par Serge LANCEL, Jean-Paul MOREL et Jean-Paul THUILLIER, avec la collab. de Gérard ROBINE et de Philippe de CARBONNIERES. Rome, Ecole franç. de Rome, 82, in-8, 417 p. (fig., pl.). (Coll. de l'Ecole franç. de Rome, 4)

1383. CAZELLES (Henri). Histoire politique d'Israël, des origines à Alexandre le Grand. Paris, Desclée de Brouwer, 82, in-8, 264 p. (Petite Biblioth. des Sci. bibliques: Ancien Testament, 1)

1384. DOTAN (Trude). The Philistines and their material culture. New Haven, Conn., a. London, Yale U. P.; Jerusalem, Israel Explor. Soc., 82, XXII-310 p. (127 fig., 2 tables, 187 pl., 3 maps).

1385. GRÖZINGER (Karl Erich). Musik und Gesang in der Theologie der frühen jüdischen Literatur: Talmud, Midrasch, Mystik. Tübingen, Mohr, 82, in-8, XIII-373 p. (Texte u. Unters. z. antiken Judentum, 3)

1386. HOSSFELD (Frank-Lothar). Der Dekalog. Seine späten Fassungen, die originale Komposition u. seine Vorstufen. Freiburg-Schweiz, Univ.-Verl.; Göttingen, Vandenhoeck u. Ruprecht, 82, in-8, 308 p. (Orbis biblicus et orientalis, 45)

1387. HUTTER (Manfred). Hiskija, König von Juda. Ein Beitrag z. judäischen Gesch. in assyr. Zeit. Graz, Inst. f. Ökumen. Theol. u. Patrologie an d. Univ. Graz, 82, in-8, 111 p. (Grazer theol. Studien, 6)

1388. KRINETZKI (Günter). Kommentar zum Hohenlied. Bildsprache u. theolog. Botschaft. Frankfurt a. M. u. Bern, Lang, 81, in-8, 310 p. (Beitr. z. bibl. Exegese u. Theol., 16)

1389. LEVIN (C.). Der Sturz der Königin Atalja. Ein Kapitel z. Gesch. Judas im 9. Jh. v. Chr. Stuttgart, Kathol. Bibelwerk, 82, in-8, 109 p. (Stuttgarter Bibelstudien, 105)

1390. MAAS-LINDEMANN (G.). Toscanos. Die westphönik. Niederlassung an d. Mündung des Río de Vélez. Lfg 3: Grabungskampagne 1971 u. d. importdatierte westphönik. Grabkeramik d. 7./6. Jh. v. Chr. Mit Beitr. v. H. SCHUBART u. a. Berlin, de Gruyter, 82, in-4, XII-232 p. (14 Abb., 2 Tab., 8 Beilagen, 55 Taf.). (Madrider Forsch., 6/3)

1391. MAIER (Johann). Jüdische Auseinandersetzung mit dem Christentum in der Antike. Darmstadt, Wiss. Buchges., 82, in-8, 320 p. (Erträge d. Forsch., 177)

1392. MENDELSON (A.). Secular education in Philo of Alexandria. Cincinnati, Hebrew Union College Press, 82, in-8, XXV-128 p. (Monogr. of the Hebrew Union Coll.)

1393. MITTMANN (Siegfried). Die Grabinschrift des Sängers Uriahu. Z. d. deutsch. Palästina-Ver., 81, Bd 97, p. 139-152.

1394. MOSCATI (Sabatino). L'enigma dei fenici. Milano, Mondadori, 82, in-8, 234 p. (fig., tav.). (Saggi)

1395. NAVÈ LEVINSON (Pnina). Einführung in die rabbinische Theologie. Darmstadt, Wiss. Buchges., 82, in-8, 152 p.

1396. PASSONI DELL'ACQUA (Anna). Ricerche sulla versione dei LXX e i papiri. [I. Cf. Bibl. 81, n° 1268.] II. Aegyptus, 82, a. 62, p. 173-194.

1397. PAYNE (D. F.). Kingdoms of the Lord. A history of the Hebrew kingdoms from Saul to the fall of Jerusalem. Exeter, Paternoster Press, 81, in-8, XVIII-310 p.

1398. Phönizier im Westen. Die Beiträge d. Internat. Symposiums über "Die phönizische Expansion im westl. Mittelmeerraum" in Köln v. 24. bis 27. April 1979. Hrsg. v. H. G. NIEMEYER. Mainz (Rhein), v. Zabern, 82, in-4, VIII-456 p. (145 Abb., 41 Taf.). (Madrider Beiträge, 8)

1399. PUCCI (Marina). La rivolta ebraica in Egitto (115-117 d. C.) nella storiografia antica. Aegyptus, 82, a. 62, p. 195-217.

1400. SCHEIBER (Alexander). A leaf of the fourth manuscript of the Ben Sira. From the Geniza. Magy. Könyvszle, 82, vol. 98, n° 3, p. 179-186 (8 pl.).

1401. SCHMIDT (F.). Hésiode et l'apocalyptique. Acculturation et résistance juive à l'hellénisme. Quad. Storia, 82, a. 8, n° 15, p. 163-179.

1402. SCHMITT (Götz). Die dritte Mauer Jerusalems. Z. d. deutsch. Palästina-Ver., 81, Bd 87, p. 153-170.

1403. SEGAL CHIAT (Marylin Joyce). Handbook of synagogue architecture. Chico, Calif., Scholars Press, 82, in-8, XII-404 p. (ill., maps). (Brown Judaic Stud., 29)

1404. SPIECKERMANN (Hermann). Juda unter Assur in der Sargonidenzeit. Göttingen, Vandenhoeck u. Ruprecht, 82, in-8, 445 p. (Forsch. z. Religion u. Lit. d. Alten u. Neuen Testaments, 129)

1405. STAGER (Lawrence E.). The archaeology of the east slope of Jerusalem and the terraces of the Kidron. J. near east. Stud., 82, vol. 41, n° 2, p. 111-122.

1406. STERN (Ephraim). Material culture of the land of the Bible in the Persian Period, 538-332 B. C. Warminster, Aris a. Phillips, 82, in-8, XIX-287 p. (380 fig., 3 tables).

1407. Studies in the period of David and Salomon and other essays. Papers read at the Intern. Symposium for Biblical studies, Tokyo, 5-7 dec. 1979. Ed. by Tomoo ISHIDA. Tokyo, Yamakawa-Shupansha, 82, in-8, XX-409 p.

1408. TURDEANU (Emile). Apocryphes slaves et roumains de l'Ancien Testament. Leiden, Brill, 81, in-8, XII-485 p. (Studia in Veteris Testamenti pseudepigrapha, 5)

1409. VAN DEN BRINK (Edwin C. M.). Tombs and burial customs at Tell el-Dab'a and their cultural relationship to Syria. Palestine during the second intermediate period. Wien, Inst. f. Afrikanistik, 82, in-8, VIII-140 p. (55 Taf.). (Beitr. z. Ägyptologie, 4. Veröff. d. Institute f. Afrikanistik u. Ägyptologie d. Univ. Wien, 23)

Cf. n°s 173, 199, 1941, 2050.

§ 8. Iran.

* Cf. n° 7546.

1410. BALL (Warwick). Archaeological gazetteer of Afghanistan. Catalogue des sites archéologiques d'Afghanistan. Avec la collab. de Jean-Claude GARDIN. Paris, Recherche sur les Civilisations, 82, 2 vol. in-4, 564 p. (142 cartes et plans). (Synthèse, 8)

1411. BRYKINA (G. A.). Jugo-Zapadnaja Fergana v pervoj polovine I tysjačeletija našej ery. (South-western Fergana in the first half of the first millenium A. D.) Moskva, Nauka, 82, 196 p. (ill.). (AN SSSR. In-t arkheologii)

1412. CHAUMONT (M. L.). Recherches sur quelques villes helléniques de l'Iran occidental. Iranica ant., 82, t. 17, p. 146-173.

1413. COOK (John Manuel). The Persian Empire. London, Dent, 82, in-8, 304 p.

1414. HANAWAY (William L.) Jr. Anahita and Alexander [Persian romance]. J. am. orient. Soc., 82, vol. 102, n° 2, p. 285-296.

1415. IL'INSKAJA (L. S.). Èlimy v antičnoj tradicii i v arkheologii. (The Elymi in ancient tradition and in archaeology). Vestn. drevn. Ist., 82, n° 2, p. 45-62.

1416. KRÖGER (Jens). Sasanidischer Stuckdekor. Mainz (Rhein), v. Zabern, 82, in-4, 295 p. (138 Fig., 104 Taf., 2 Kt.). (Bagdader Forsch., 5)

1417. NAGEL (Wolfram). Ninus und Semiramis in Sage und Geschichte. Iranische Staaten u. Reiternomaden vor Darius. Berlin, Spieß, 82, in-8, 209 p. (Beil.). (Berliner Beitr. z. Vor- u. Frühgesch., N. F., 2)

1418. STEINKELLER (Piotr). The question of Marḫaši: a contribution to the historical geography of Iran in the third millenium B. C. Z. f. Assyriol., 82, Bd 72, p. 237-265 (2 fig.).

1419. STOLPER (Matthew W.). On the dynasty of Šimaški and the early sukkalmahs. Z. f. Assyriol., 82, Bd 72, p. 42-67 (8 fig.).

Cf. n°s 1086, 1103, 1220, 1728.

E

HISTOIRE GRECQUE

§ 1. Monde classique en général. 1420-1433. - § 2. Epoque préhellénique. 1434-1435. - § 3. Textes et critique des textes. 1436-1454. - § 4. Histoire générale et politique. 1455-1499. - § 5. Histoire du droit et des institutions. 1500-1507. - § 6. Histoire économique et sociale. 1508-1531. - § 7. Histoire littéraire, histoire de la philosophie et histoire des sciences. 1532-1604. - § 8. Religion et mythologie. 1605-1615. - § 9. Archéologie et histoire de l'art. 1616-1646.

§ 1. Monde classique en général.

* 1420. DESANGES (Jehan), LANCEL (Serge). Bibliographie analytique de l'Afrique antique. [11, 12. Cf. Bibl. 80, n° 1275.] 13: 1977. Paris, de Boccard; Houston, Institute for the Arts, 82, in-4, 40 p.

* Cf. n° I.

1421. BLACKMANN (D. J.). Ancient harbours in the Mediterranean. Int. J. nautical Archaeol., 82, vol. 11, p. 79-104, 185-211.

1422. DEUBNER (Ludwig). Kleinere Schriften zur klassischen Altertumskunde. Hrsg. v. O. DEUBNER. Königstein/Taunus, Hain, 82, in-8, 836 p. (Beitr. z. klass. Philol., 140) [Veröff. aus d. Jahren 1900-1956]

1423. HELDMANN (Konrad). Antike Theorien über Entwicklung und Verfall der Redekunst. München, Beck, 82, in-8, VI-325 p.

1424. Korruption im Altertum. Konstanzer Symposium, Oktober 1979. Wolfgang SCHULLER (Hrsg.). München u. Wien, Oldenbourg, 82, in-8, 315 p. (graph. Darst.).

1425. LEFKOWITZ (Mary), FANT (Maureen B.). Women's life in Greece and Rome. London, Duckworth, 82, in-8, 294 p.

1426. LORDKIPANIDZE (G. A.). Grekokolkhskie vzaimootnošenija v VI-IV vv. do n. è. (Graeco-colchian relations in the 6th-4th cent. B. C.) Vestn. drevn. Ist., 82, n° 2, p. 29-44.

1427. Médecins et médecine dans l'antiquité. Articles réunis et éd. par G. SABBAH avec, en complément, les Actes des Journées d'étude sur la médecine antique d'époque romaine (Saint-Etienne, 14-15 mai 1982). Saint-Etienne, Publ. de l'Univ., 82, in-8, 191 p.

1428. Sacrifice (Le) dans l'antiquité. Huit exposés suivis de discussions, par Jean-Pierre VERNANT et al. Entretiens préparés et présidés par Jean RUDHARDT et Olivier REVERDIN. Vandoeuvres-Genève, Fondation Hardt, 81, in-8, 405 p. (Entretiens sur l'antiquité class., 27)

1429. SALLES (Catherine). Les bas-fonds de l'antiquité. Paris, Laffont, 82, in-8, 259 p. (8 pl., cartes). (Les hommes et l'histoire)

1430. Vacat.

1431. STRASBURGER (Hermann). Studien zur Alten Geschichte. Hrsg. v. Walter SCHMITTHENNER u. Renate ZOEPFFEL. Bd 1, 2. Hildesheim u. New York, Olms, 82, 2 vol. in-8, XXXIV-525 p., p. 528-1143. (Collectanea, 42)

1432. SZILÁGYI (János György). Paradigmák. Tanulmányok antik irodalomról és mitológiáról. (Paradigmes. Etudes sur la littérature et la mythologie antiques.) Budapest, Magvető Kiadó, 82, in-8, 336 p.

1433. Vademecum historyka starożytnej Grecji i Rzymu. (Vade-mecum de l'historien de la Grèce et de Rome antiques.) Réd. par Ewa WIPSZYCKA. Auteurs: Benedetto BRAVO et al. T. 1. Warszawa, Państw. Wydawn. Nauk., 82, in-8, 374 p.

Cf. n° 1278.

§ 2. Epoque préhellénique.

1434. McENROE (John). A typology of Minoan neopalatial houses. Am. J. Archaeol., 82, vol. 86, n° 1, p. 3-19.

1435. SCHACHERMEYR (Fritz). Die ägäische Frühzeit. Die Ausgrabungen und ihre Ergebnisse für unser Geschichtsbild. [Bd 4. Cf. Bibl. 80, n° 1296.] Bd 5: Die Levante im Zeitalter der Wanderungen vom 13. bis zum 11. Jahrhundert v. Chr. Wien, Verl. d. österr. Akad. d. Wiss., 82, in-8, 300 p. (85 Abb., Kte). (S.-B. d. österr. Akad. d. Wiss., Philos.-hist. Kl., 387)

4. HISTOIRE GENERALE ET POLITIQUE

§ 3. Textes et critique des textes.

* 1436. METTE (Hans Joachim). Euripides, Bruchstücke (insbesondere für die Jahre 1968-1981). Lustrum, 81-82 [82], Bd 23-24, p. 5-448.

* Cf. n°s 1259, 2178.

1437. Agamemnon (L') d'Eschyle. Le texte et ses interprétations. Agamemnon 1, t. 1, 2. Par Jean BOLLACK. Agamemnon 2. Par Pierre JUDET DE LA COMBE. Lille, Presses univ. Lille; Paris, Ed. de la Maison des Sci. de l'Homme, 82, 3 vol. in-8, CXXVIII-196, 388, 377 p. (Cah. de Philol., 6-8)

1438. ARISTOTE. Métrologiques. Texte établi et trad. par P. LOUIS. T. 1: Livres I et II. T. 2: Livres III et IV. Paris, Belles Lettres, 82, 2 vol. in-8, LI-123, VII-162 p. (Coll. des Univ. de France)

1439. AUBRETON (Robert). La tradition de l'Anthologie Palatine du XVIe au XVIIIe siècle. I: La tradition germano-néerlandaise. R. Hist. Textes, 80 [81], t. 10, p. 1-53.

1440. CAVEING (Maurice). Zénon d'Elée. Prolégomènes aux doctrines du continu. Etude historique et critique des fragments et des témoignages. Paris, Vrin, 82, in-4, 248 p. (Hist. des doctrines de l'Antiquité class., 7)

1441. DONINI (G.). Le storie di Tucidide. Introduzione, testo greco, trad., note. Vol. 1, 2. Torino, Unione tipografico-editrice torinese, 82, 2 vol. in-8, 771 p., p. 772-1395 (8 tav.). (Classici greci)

1442. GALENO. Iniciación a la dialéctica. Introd. de A. RAMÍREZ TRAJO. México, Univ. Nac. Autónoma, 82, in-8, LXXXIII-47 p. (Bibliotheca Script. Graec. et Roman. Mexicana)

1443. HÜBNER (Wolfgang). Zwei griechische Texte über die Tages- und Stundenherrscher. Z. f. Papyrol. u. Epigr., 82, Bd 49, p. 53-66 (3 fig.).

1444. Inschriften (Die) von Smyrna. Österr. Akad. d. Wiss.; Rhein.-Westfäl. Akad. d. Wiss. Teil 1: Grabinschriften, postume Ehrungen, Grabepigramme. Hrsg. v. Georg PETZL. Bonn, Habelt, 82, in-8, 431 p. (Ill., Kt.). (Inschriften griech. Städte aus Kleinasien, 23)

1445. MANETTI (Daniela), ROSELLI (Amneris). Hippocrate. Epidemie. Libro sesto. Introd., testo critico, commento e tradizione. Firenze, Nuova Italia, 82, in-8, LXXXIII-199 p. (Biblioteca di Studi sup., 66)

1446. PORPHYRE. L'antre des nymphes. Trad. du grec par Joseph TRABUCCO. [Suivi d'un essai:] Les grottes dans les cultes magico-religieux et dans la symbolique primitive, par P. SAINTYVES. Paris, Arma artis, 81, in-8, 266 p.

1447. PORPHYRE. La vie de Plotin. T. 1: Travaux préliminaires et index grec complet. Par Luc BRISSON, Marie-Odile GOULET-CAZE, Richard GOULET et Denis O'BRIEN. Paris, Vrin, 82, in-4, 436 p. (Hist. des doctrines de l'antiquité class., 6)

1448. PORPHYRE. Vie de Pythagore. Lettre à Marcelle. Texte établi et trad. par Edouard DES PLACES, S. J. Avec un appendice d'A.-Ph. SECONDS. Paris, Belles Lettres, 82, in-8, 200 p. (Coll. des Univ. de France)

1449. POSEIDONIOS. Die Fragmente. Hrsg. v. W. THEILER. 1: Texte. 2: Erläuterungen. Berlin u. New York, de Gruyter, 82, 2 vol. in-8, XV-399, VII-436 p.

1450. PROCLUS. Commentaire sur le Parménide de Platon, trad. de Guillaume de Moerbeke. T. 1: Livres I à IV. Ed. critique par Carlos STEEL. Leuven, Univ. Pers; Leiden, Brill, 82, in-8, IX-63*-287 p. (Ancient a. medieval Philos. De Wulf-Mansion Centre, ser. 1, 3)

1451. PROCLUS. Trois études sur la Providence. III: De l'existence du mal. Texte établi et trad. par Daniel ISAAC, avec une note additionnelle par Carlos STEEL. Paris, Belles Lettres, 82, in-8, 212 p. (Coll. des Univ. de France)

1452. TRACY (Stephen T.). I. G. II^2 2336. Contributors of first fruits for the Pythaïs [98/97 B. C.]. Königstein/Taunus, Hain, 82, in-8, 243 p. (24 fig.). (Beitr. z. klass. Philol., 139) [Cf. n° 1612]

1453. TRIPHIODORE. La prise d'Ilion. Texte établi et trad. par Bernard GERLAUD. Paris, Belles Lettres, 82, in-8, 208 p. (Coll. des Univ. de France)

1454. WILLIAMS (Frederick). Neapolitanus II.C.32: a new source for the text of Pausanias. Scriptorium, 82, t. 36, p. 190-218.

§ 4. Histoire générale et politique.

* Cf. n° 1647.

1455. BERNINI (Ughetto). Archidamo e Cleomene III. Politica interna ed estera a Sparta (241-227 a. C.). Athenaeum [Pavia], 82, a. 70, n. s., vol. 60, p. 205-223.

1456. BICKNELL (Peter J.). Herodotos 5.68 and the racial policy of Kleisthenes of Sikyon. Greek, rom. a. byzant. Stud., 82, vol. 23, p. 193-201.

1457. BICKNELL (Peter J.). Themistocles' father and mother. Historia [Wiesbaden], 82, Bd 31, p. 161-173.

1458. BOCKISCH (G.). Kypselos und die Bakchiaden. Klio, 82, Bd 64, p. 51-66.

1459. BOURRIOT (F.). Pausanias fils de Cléombrotos vainqueur de Platée. Inf. hist., 82, t. 44, p. 1-16.

1460. BOURRIOT (F.). La famille et le milieu social de Cléon. Historia [Wiesbaden], 82, Bd 31, p. 404-435.

1461. BUCKLER (John). Alliance and hegemony in fourth-century Greece. The case of the Theban hegemony. Anc. World, 82, vol. 5, p. 79-89. - IDEM. Xenophon's speeches and the Theban hegemony. Athenaeum [Pavia], 82, a. 70, n. s., vol. 60, p. 180-204.

1462. BURASELIS (Kostas). Das hellenistische Makedonien und die Agäis. Forschungen zur Politik d. Kassandros u. d. drei ersten Antigoniden (Antigonos Monophthalmos, Demetrios Poliorketes u. Antigonos Gonatas) im Agäischen Meer und in Westkleinasien. München, Beck, 82, in-8, XI-207 p. (Münchener Beitr. z. Papyrusforsch. u. antiken Rechtsgesch., 73)

1463. BURSTEIN (S. M.). The tomb of Philippe II and the succession of Alexander the Great. Echo Monde class., 82, vol. 26, p. 141-163.

1464. CARGILL (J.). Hegemony, not empire. The second Athenian league. Anc. World, 82, vol. 5, p. 91-102.

1465. CROSSLAND (John). Macedonian Greece. London, Batsford, 82, in-8, 176 p. (ill., maps).

1466. DEMAND (Nancy H.). Thebes in the 5th century: Heracles resurgent. London, Routledge, 82, in-8, 206 p. (ill., fig.).

1467. GRANT (Michael). From Alexander to Cleopatra: the Hellenistic world. London, Weidenfeld a. Nicolson; New York, Scribner, 82, in-8, XV-319 p. (ill., maps).

1468. GULLATH (Brigitte). Untersuchungen zur Geschichte Boiotiens in der Zeit Alexanders und der Diadochen. Frankfurt a. M. u. Bern, Lang, 82, in-8, 240 p. (Europ. Hochschulschr., R. 3: Gesch. u. ihre Hilfswiss., 169)

1469. HABICHT (C.). Studien zur Geschichte Athens in hellenistischer Zeit. Göttingen, Vandenhoeck u. Ruprecht, 82, in-8, 215 p. (Hypomnemata, 73)

1470. HAHN (István). Külkereskedelem és külpolitika az archaikus Hellaszban. (Commerce extérieur et politique extérieure dans l'Hellade archaïque.) Századok, 82, vol. 116, n° 3, p. 460-483.

1471. HARMATTA (János). A görögök kapcsolatai a Kárpátmedencével Dareios szkíta hadjáratának idején. (Les relations des Grecs avec le bassin des Carpates à l'époque de la campagne scythe de Darios.) Ant. Tanulm., 82, vol. 29, n° 1, p. 1-7.

1472. HORNBLOWER (Jane). Hieronymous of Cardia. London, Oxford U. P., 82, in-8, 304 p. (Oxford Classical a. Philos. Monogr.)

1473. KARAVITES (P.). Capitulations and Greek interstate relations. The reflection of humanistic ideals in political events. Göttingen, Vandenhoeck u. Ruprecht, 82, in-8, 142 p. (Hypomnemata, 71)

1474. KELLY (D. H.). Policy-making in the Spartan assembly. Antichthon, 81, vol. 15, p. 47-61.

1475. KELLY (Thomas). Thucydides and Spartan stragegy in the Archidamian war. Am. hist. R., 82, vol. 87, n° 1, p. 25-54.

1476. KREISSIG (Heinz). Geschichte des Hellenismus. Mit e. Zeittafel sowie e. Register v. Helga HÄUSLER. Berlin, Akad.-Verl., 82, in-8, 257 p. (Abb., Kt.).

1477. KRENTZ (Peter). The Thirty of Athens. Ithaca, N. Y., a. London, Cornell U. P., 82, in-8, 164 p. (maps).

1478. LATEINER (D.). The failure of the Ionian revolt. Historia [Wiesbaden], 82, Bd 31, p. 129-160.

1479. LINTOTT (Andrew). Violence, civil strife and revolution in the classical city, 750-330 B. C. London, Croom Helm, 82, in-8, 288 p.

1480. MANICHS (P. T.). War, stasis and Greek political thought. Comp. Stud. in Soc. a. Hist., 82, vol. 24, p. 673-688.

1481. MARASCO (G.). La preparzione dell'impresa di Dione in Sicilia. Prometheus, 82, a. 8, p. 152-176.

1482. MEISTER (Klaus). Die Ungeschichtlichkeit des Kalliasfriedens und deren historischen Folgen. Wiesbaden, Steiner, 82, in-8, VIII-132 p. (Beil.). (Palingenesia, 18)

1483. MOISEEVA (T. A.). Carskaja vlast' u frigijcev. (Royal power in Phrygia.) Vestn. drevn. Ist., 82, n° 1, p. 119-128.

1484. MOSSÉ (Claude). Tyrannie et légitimité dans la Grèce ancienne. In: Dictatures et légitimité [Cf. n° 236], p. 50-68.

1485. OLIVA (P.). The early tyranny. Dialogues Hist. anc., 82, t. 8, p. 363-380.

1486. PIERART (Marcel). Argos, Cléonai et le Koinon des Arcadiens. B. Corresp. hellénique, 82, t. 106, p. 119-138. - IDEM. Deux notes sur l'itinéraire argien de Pausanias. Ibid., p. 139-152.

1487. QUASS (Friedemann). Zur politischen Tätigkeit der munizipalen Aristokratie des griechischen Ostens in der Kaiserzeit. Historia [Wiesbaden], 82, Bd 31, p. 188-213.

1488. QUINN (T. J.). Athens and Samos, Lesbos and Chios, 478-404 B.C. Manchester, U. P., 82, in-8, VI-105 p. (Publ. of the Fac. of Arts, Univ. of Manchester, 27)

1489. ROBERTSON (N.). The decree of Themistocles in its contemporary setting. Phoenix, 82, vol. 36, p. 1-44.

1490. ROESCH (Paul). Etudes béotiennes. Paris, de Boccard, 82, in-8, X-562 p. (20 pl., 8 cartes et plans).

1491. SAKELLARIOU (M. B.). Contribution à l'histoire archaïque de Sparte et d'Argos. Archaiognosia, 81, t. 2, p. 83-95.

1492. SIEWERT (Peter). Die Trittyen Attikas und die Heeresreform des Kleisthenes. München, Beck, 82, in-8, XVIII-183 p. (4 Kt.). (Vestigia, 33)

1493. SORDI (Marta). Storia politica del mondo greco. Milano, Vita e Pens., 82, in-8, VIII-346 p. (tav.).

1494. STROGECKIJ (V. M.). Nekotorye osobennosti vnutripolitičeskoj bor'by v Sparte v konce VI - načale V v. do n. è. Kleomen i Demarat. (Some features of the internal political struggle in Sparta at the end of the 6th - beginning of the 5th cent. B. C. Cleomenes and Demaratus.) Vestn. drevn. Ist., 82, n° 3, p. 38-49.

1495. VAN DER VEER (J. A. G.). The battle of Marathon. A topographical survey. Mnemosyne, 82, t. 35, p. 290-321.

1496. VINOGRADOV (Ju. G.), KARYŠKOVSKIJ (P. O.). Kallinik, syn Evkcena. Problemy politčeskoj i social'no-èkonomičeskoj istorii Ol'vii vtoroj poloviny IV v. do n. è. (Kallinikos son of Euxenos. Problems of the political, social and economic history of Olbia in the second half of the fourth cent. B. C.) Vestn. drevn. Ist., 82, n° 4, p. 26-46.

1497. Who Was Who in the Greek world. Ed. by Diana BOWDER. Oxford, Phaidon, 82, in-8, 240 p. (ill.).

1498. WILLIAMS (G. M. E.). Athenian politics 508/7 - 480 B. C.: a reappraisal. Athenaeum [Pavia], 82, n. s., vol. 60, p. 521-544.

1499. WOLSKI (J.). Le problème de la fondation de l'Etat gréco-bactrien. Iranica ant., 82, t. 17, p. 131-146.

Cf. n°s 103, 1264, 1282.

§ 5. Histoire du droit et des institutions.

* 1500. ANAGNOSTOU-CANAS (B.), VELISSAROPOULOS (J.). Chronique. Droits de l'antiquité. Monde grec. [Cf. Bibl. 80, n° 1351.] R. hist. Droit franç. étr., 82, a. 60, p. 103-116.

* Cf. n° 1257.

1501. BISCARDI (Arnaldo). Diritto greco antico. Milano, Giuffrè, 82, in-8, IX-409 p.

1502. GAGARIN (Michael). The organization of the Gortyn law code. Greek, rom. a. byzant. Stud., 82, vol. 23, p. 129-146.

1503. OSBORNE (M. J.). Naturalization in Athens. Vol. 1, 2. Brussel, Paleis d. Academiën, 81-82, 2 vol. in-8, 241, 198 p. (pl.). Verh. van de Koninkl. Acad. voor Wetenschappen, Letteren en Schone Kunsten vor België, Kl. d. Letteren, 98, 101)

1504. PRANDI (Luisa). Ricerche sulla concessione della cittadinanza ateniese nel V sec. a. C. Milano, Cisalpino-goliardica, 82, in-8, 131 p.

1505. REINAU (Hansjörg). Die Entstehung des Bürgerbegriffs bei den Griechen. Basel, 81, in-8, 77 p. (Thèse lettres)

1506. SEALEY (R.). On the Athenian concept of law. Class. J., 82, vol. 77, p. 289-302.

1507. THUER (G.), KOCH (C.). Prozeßrechtlicher Kommentar zum Getreidegesetz aus Samos. Anz. d. österr. Akad. d. Wiss., Philos.-hist. Kl., 81, Bd 118, p. 61-88.

§ 6. Histoire économique et sociale.

1508. BERMEJO BARRERA (J. C.). Galicia y los griegos. Ensayo de historiografía. Santiago de Compostela, Salvora, 82, in-8, 68 p. (Viladonga, 3)

1509. FAURE (P.). La vie quotidienne des armées d'Alexandre. Paris, Hachette, 82, in-8, 382 p.

1510. FINLEY (Moses I.). Economy and society in ancient Greece. Ed. by Brent D. SHAW, Richard P. SALLER. New York, Viking Press, 82, in-8, XXVI-318 p. [Cf. Bibl. 81, n° 1367]

1511. FROLOV (E. D.). Gamory i killirii (k ocenke social'noj struktury i social'noj bor'by v arkhaičeskikh Sirakuzakh). (The gamoroi and the Killyrioi: on the social structure a. the social struggle in archaic Syracuse.) Vestn. drevn. Ist., 82, n° 1, p. 27-41.

1512. GALLANT (T. W.). Agricultural systems, land tenure, and the reforms of Solon. Annu. brit. School Athens, 82, vol. 77, p. 111-124.

1513. GARLAN (Yvon), MASSON (Olivier). Les acclamations pédérastiques de Kalami (Thasos). B. Corresp. hellénique, 82, t. 106, p. 3-22 (fig.).

1514. GHINATTI (F.). Strutture istituzionali nell'economia arcaica in Magna Graecia. R. ital. Num. Sci. aff., 82, a. 84, p. 3-94.

1515. GRASSL (Herbert). Sozialökonomische Vorstellungen in der kaiserzeitlichen griechischen Literatur (1. - 3. Jh. n. Chr.). Wiesbaden, Steiner, 82, in-8, VI-231 p. (Historia. Einzelschr., 41)

1516. HOPPER (R. J.). Handel, Gewerbe und Industrie im klassischen Griechenland. München, Beck, 82, in-8, 282 p. (Abb.).

1517. JAJLENKO (V. P.). Grečeskaja kolonizacija VII-III vv. do n. è. (Po dannym èpigraf. istočnikov). (Greek colonization in the 7th-3th cent. According to the data of epigraphical sources.) Moskva, Nauka, 82, 312 p. (ill.). (AN SSSR. In-t vseobšč. istorii)

1518. JONES (J. E.). The Laurion silver mines. A review of recent researches and results. Greece a. Rome, 82, vol. 29, p. 169-183.

1519. KALCYK (Hansjörg). Untersuchungen zum attischen Silberbergbau. Gebietsstruktur, Gesch. u. Technik. Frankfurt (Main) u. Bern, Lang, 82, in-8, 244 p. (Ill., graph. Darst., Kt.). (Europ. Hochschulschr. Reihe 3: Gesch. u. ihre Hilfswiss., 160)

1520. LEVEQUE (Pierre). Approche ethnohistorique des concours grecs. Klio, 82, Bd 64, p. 5-20.

1521. MONDOLFO (Rodolfo). Polis, lavoro e tecnica. Introd. e cura di Massimo VENTURI FERRIOLI. Con un saggio di André AYMARD. Milano, Feltrinelli, 82, in-8, 156 p. (SC/10, 106)

1522. MULLIEZ (Dominique). Notes sur le transport du bois. B. Corresp. hellénique, 82, t. 106, p. 107-118.

1523. NIPPEL (Wilfried). Die Heimkehr der Argonauten aus der Südsee. Ökonom. Anthropologie u. d. Theorie d. griech. Gesellschaft in klassischer Zeit. Chiron, 82, Bd 12, p. 1-39.

1524. OLIVA (P.). Kolonisation als Phänomen der frühgriechischen Geschichte. Eirene, 82, t. 19, p. 5-16.

1525. PATZER (H.). Die griechische Knabenliebe. Wiesbaden, Steiner, 82, in-8, 131 p. (S.-B. d. Wiss. Ges. an d. J. W. Goethe-Univ. Frankfurt, 19/1)

1526. REDFIELD (J.). Notes on the Greek wedding. Arethusa, 82, vol. 15, p. 181-201.

1527. STE. CROIX (G. E. M. de). The class struggle in the ancient Greek world. London, Duckworth, 82, in-8, 732 p.

1528. SCHAPS (David). The women of Greece in wartime. Class. Philol., 82, vol. 77, n° 3, p. 193-213.

1529. SCHMITT-PANTEL (Pauline). Le festin dans la fête de la cité grecque hellénistique. In: La fête [Cf. n° 902], p. 85-99.

1530. STOS-GALE (Z. A.), GALE (N. H.). The sources of Mycenaean silver and lead. J. Field Archaeol., 82, vol. 9, p. 467-486.

1531. ŽEBELEV (S. A.). Torgovo-konsul'-skaja služba v drevnegrečeskikh kolonijakh Severnogo Pričernomor'ja. (The commercial and consular service in the ancient colonies of the Northern Black Sea area.) Vestn. drevn. Ist., 82, n° 2, p. 144-155.

Cf. n° 165.

§ 7. Histoire littéraire, histoire de la philosophie et histoire des sciences.

* 1532. MALONEY (Gilles), SAVOIE (Raymond). Cinq cents ans de bibliographie hippocratique, 1473-1982. Québec, Sphinx, 82, in-8, V-291 p.

* Cf. n° 1605.

1533. AALDERS (G. J. D.). Plutarch's political thought. Amsterdam, London a. New York, North Holland Publ. Co., 82, in-8, 67 p. (Verh. d. Koninkl. Nederl. Akad. v. Wetenschappen, Afd. Letterkunde, N. R., 116)

1534. ADKINS (A. W. H.). Divine and human values in Aeschylus' Seven against Thebes. Antike u. Abendland, 82, Bd 28, p. 32-68.

1535. ADOMEIT (K.). Antike Denker über den Staat. Eine Einführung in die polit. Philosophie. Heidelberg, von Decker, 82, in-8, XV-206 p.

1536. ANDERSEN (O.). Thersites und Thoas vor Troja. Symbolae osloenses, 82, vol. 57, p. 7-34.

1537. BALCA (Nicolae). Istoria filozofiei antice. Tipărită cu binecuvîntarea prea fericitului părinte Iustin, patriarhul bisericii ortodoxe române. (Histoire de la philosophie antique. Imprimée avec l'approbation du bienheureux père Iustin, patriarche de l'Eglise orthodoxe roumaine.) București, Ed. Instit. biblic și de misiune al Bisericii ortodoxe române, 82, in-8, 380 p.

1538. BAUDY (G. J.). Methaphorik der Erfüllung. Nahrung als Hintergrundsmodell in d. griech. Ethik bis Epikur. Arch. f. Begriffsgesch., 82, Bd 25, p. 7-68.

1539. BEYE (Chr. R.). Epic and romance in the Argonautics of Apollonius. Foreword by J. GARDNER. Carbondale, Southern Illinois U. P., 82, in-8, XIV-192 p.

1540. BODÉÜS (Richard). Le philosophe et la cité. Recherches sur les rapports entre morale et politique dans la pensée d'Aristote. Paris, Belles Lettres, 82, in-8, 264 p. (Bibl. de la Fac. de Philos. et Lettres de l'Univ. de Liège, 235)

1541. BOGEN (James), MORAVCSIK (Julius). Aristotle's forbidden sweets. J. Hist. Philos., 82, vol. 20, n° 2, p. 111-128.

1542. BORDES (Jacqueline). "Politeia" dans la pensée grecque jusqu'à Aristote. Paris, Belles Lettres, 82, in-8, 502 p. (Coll. d'Etudes anc.)

1543. BOWIE (E. L.). The importance of sophists. Yale class. Stud., 82, vol. 27, p. 29-59.

1544. BRAGUE (Rémi). Du temps chez Platon et Aristote. Quatre études. Paris,

Presses univ. France, 82, in-8, 184 p. (Epiméthée)

1545. BRAIN (Peter). The hippocratic physician and his drugs. Class. Philol., 82, vol. 77, n° 1, p. 48-50.

1546. CAPIZZI (A.). La revoluzione cosmica. Appunti per una storia non paripatetica della nascita della filosofia in Grecia. Roma, Ateneo, 82, in-8, 594 p. (Filol. et critica, 43)

1547. CHAMOUX (F.). La civilisation hellénistique. Paris, Arthaud, 82, in-4, 634 p. (243 ill., 15 pl., 39 cartes). (Les grandes civilisations)

1548. CHARLES-SAGET (Annick). L'architecture du divin. Mathématique et philosophie chez Plotin et Proclus. Paris, Belles Lettres, 82, in-8, 345 p. (Coll. d'Etudes anc.)

1549. COINDOZ (Michel). Guerre de Troie: réalité ou fiction. Essai de présentation. Anatolica, 82, n° 9, p. 77-121.

1550. DILLENS (Anne-Marie). La naissance du discours ontologique. Etude sur la notion "d'en soi" dans l'oeuvre d'Aristote. Paris, Vrin, 82, in-8, 176 p.

1551. DONINI (P.). Le scuole, l'anima, l'impero: la filosofia antica da Antioco a Plotino. Torino, Rosenberg e Sellier, 82, in-8, 296 p.

1552. FALLOT (Jean). Mythe, art et philosophie en Grèce. Quad. Storia, 82, a. 8, n° 16, p. 165-192.

1553. FARANDOS (G. D.). Die Wege des Suchens bei Heraklit und Parmenides: die Dialektik des Suchens und Findens. Würzburg, Königshausen u. Neumann, 82, in-8, 88 p. (ill.). (Epistemata, R. Philos., 8)

1554. FEREJOHN (Michael T.). The unity of virtue and the objects of Socratic inquiry. J. Hist. Philos., 82, vol. 20, n° 1, p. 1-22.

1555. FISHER (E. A.). Greek translations of Latin literature in the fourth century A. D. Yale class. Stud., 82, vol. 27, p. 173-215.

1556. GOLDSCHMIDT (Victor). Temps physique et temps tragique chez Aristote: commentaire sur le quatrième livre de la "Physique", 10-14, et sur la "Poétique". Paris, Vrin, 82, in-8, 460 p. (Biblioth. d'hist. de la philos.)

1557. GRIFFIN (Audrey). Sikyon. London, Oxford U. P., 82, in-8, 179 p. (ill., fig.). (Oxford Class. a. Philos. Monogr.)

1558. GUARDI' (T.). L'attività teatrale a Siracusa di Gerone I. Dionisio, 80 [82], a. 51, p. 25-47.

1559. HART (John). Herodotus and Greek history. London, Croom Helm, 82, in-8, 227 p. (ill., maps).

1560. HAVELOCK (Eric A.). The literate revolution in Greece and its cultural consequences. Princeton, N. J., Princeton U. P., 82, in-8, VIII-362 p.

1561. HELDMANN (Konrad). Die Niederlage Homers im Dichterwettstreit mit Hesiod. Göttingen, Vandenhoeck u. Ruprecht, 82, in-8, 100 p. (Hypomnemata, 75)

1562. HEUBECK (A.). Zur neueren Homerforschung. Gymnasium, 82, Bd 89, p. 385-447.

1563. HOOGENDIJK (Francisca A. J.). Fragment of a Greek planetary table. Z. f. Papyrol. u. Epigr., 82, Bd 48, p. 135-141 (pl.).

1564. HUNTER (Virginia). Past and process in Herodotus and Thucydides. Princeton, N. J., Princeton U. P., 82, in-8, XVIII-371 p.

1565. IRMSCHER (Johannes). Sokrates. Versuch einer Biographie. Leipzig, Reclam, 82, in-8, 120 p. (27 Abb.). (Reclam Biografien, 911)

1566. KESSIDI (F. Kh.). Geraklit. (Heraclitus.) Moskva, Mysl', 82, 199 p. (Mysliteli prošlogo)

1567. KINSTRAND (J. F.). The stylistic evaluation of Aeschines [Orator] in antiquity. Stockholm, Almqvist a. Wiksell, 82, in-8, 104 p. (Acta Univ. Upsal. Studia graeca Upsal., 18)

1568. KRISCHER (T.). Die Stellung der Biographie in der griechischen Literatur. Hermes, 82, Bd 110, p. 51-64.

1569. LAUSBERG (Marion). Das Einzeldistichon. Studien z. antiken Epigramm. München, Fink, in-8, 631 p.

1570. LEINIEKS (V.). The plays of Sophocles. Amsterdam, Grüner, 82, in-8, 215 p.

1571. LENNOX (James). Teleology, chance, and Aristotle's theory of spontaneous generation. J. Hist. Philos., 82, vol. 20, n° 3, p. 219-238.

1572. LIEBERG (Godo). Poeta creator. Studien zu einer Figur d. antiken Dichtung. Amsterdam, Gieben; Darmstadt, Wiss. Buchges., 82, in-8, IX-179 p.

1573. MACHIN (A.). Cohérence et continuité dans le théâtre de Sophocle. Québec, Fleury, 81, in-8, 542 p.

1574. MALITZ (Jürgen). Thukydides' Weg zur Geschichtsschreibung. Historia [Wiesbaden], 82, Bd 31, p. 257-289.

1575. MARQUARDT (Patricia A.). Hesiod's ambiguous view of women. Church Hist., 82, vol. 51, n° 4, p. 283-291.

1576. MILLER (D. C.). Homer and the Ionian epic tradition. Some phonic a. phonological evidence against an Aeolic "phase". Innsbruck, Inst. f. Sprachwiss. d. Univ., 82, in-8, XV-192 p. (Innsbrucker Beitr. z. Sprachwiss., 38)

1577. MOMIGLIANO (Arnaldo). La storiografia greca. Torino, Einaudi, 82, in-8, 362 p. (Piccola Bibl. Einaudi, 427)

1578. NEESSE (G.). Heraklit heute. Die Fragmente seiner Lehre als Urmuster europ. Philosophie. Hildesheim, Zürich u. New York, Olms, 82, in-8, 148 p.

1579. NEMIROVSKIJ (A. I.). Teoretičeskie aspekty antičnoj istoriografii. (Theoretical aspects of ancient historiography.) Vopr. Ist., 82, n° 2, p. 60-72.

1580. NIČEV (A.). La catharsis tragique d'Aristote. Nouvelles contributions. Sofia, Ed. de l'Univ. "Kliment Ohridski", 82, in-8, 175 p.

1581. NIEDDU (Gianfranco). Alfabetismo e diffusione sociale della scrittura nella Grecia arcaica e classica: pregiudizi recenti e realtà documentaria. Scrittura e Civ., 82, a. 6, p. 233-261.

1582. NOUHAUD (Michel). L'utilisation de l'histoire par les orateurs attiques. Paris, Belles Lettres, 82, in-8, 406 p. (Coll. d'Etudes anc.)

1583. QUET (M.-H.). Remarques sur la place de la fête dans le discours des moralistes grecs et dans l'éloge des cités et des Evergètes aux premiers siècles de l'Empire. In: La fête [Cf. n° 902], p. 41-84.

1584. RIST (J. M.). Human value. A study in ancient philosophical ethics. Leiden, Brill, 82, in-8, V-175 p. (Philos. antica, 40)

1585. ROMER (F. E.). The Aisymneteia: a problem in Aristotle's historic method. Am. J. Philol., 82, vol. 103, n° 1, p. 25-46.

1586. Vacat.

1587. SCHOFIELD (Malcolm), NUSSBAUM (Martha). Language and logos: studies in ancient Greek philosophy. London, Cambridge U. P., 82, in-8, 359 p.

1588. SEIDENSTICKER (B.). Palintonos harmonia. Studien zu komischen Elementen in d. griech. Tragödie. Göttingen, Vandenhoeck u. Ruprecht, 82, in-8, 277 p. (Hypomnemata, 72)

1589. SIMONDON (M.). La mémoire et l'oubli dans la pensée grecque jusqu'à la fin du Ve siècle avant J. C. Psychologie archaïque, mythes et doctrines. Paris, Belles Lettres, 82, in-8, 357 p. (Coll. d'Etudes anc.)

1590. SZABÓ (Árpád). A leghosszabb nap. Tudománytörténeti elöadás. (Le jour le plus long. Un essai d'histoire des sciences.) Magy. tudom. Akad. Filz. Törttudom. Oszt. Közl., 80, vol. 29, n° 3, p. 217-233. [Sur les mathématiques et l'astrologie de l'Antiquité]

1591. TAISBACK (C. N.). Coloured quadrangles. A guide to the tenth book of Euclid's Elements. Copenhagen, Museum Tusculanum Press, 82, in-8, 78 p. (13 fig.). (Opuscula graeco-latina, 24)

1592. TEODORSSON (Sv.-T.). Anaxagoras' theory of matter. Göteborg, Acta Univ. Gothoburgensis, 82, in-8, 108 p. (Studia graeca et latina Gothob., 43)

1593. THESLEFF (H.). Studies in Platonic chronology. Helsinki, Soc. Scientiarum Fennica, 82, in-8, VII-275 p. (Commentationes humanarum litterarum, 70)

1594. TROUILLARD (Jean). La mystagogie de Proclus. Paris, Belles Lettres, 82, in-8, 256 p. (Coll. d'Etudes anc.)

1595. TSAGARAKIS (Odysseus). Form and content in Homer. Wiesbaden, Steiner, 82, in-8, IX-170 p. (Hermes, Einzelschr., 46)

1596. VAN THIEL (H.). Iliaden und Ilias. Basel u. Stuttgart, Schwabe, 82, in-8, 696 p. (2 Abb., 8 Taf.).

1597. VEUVE (Serge). Cadrans solaires gréco-bactriens à Aï Khanoum (Afghanistan). B. Corresp. hellénique, 82, t. 106, p. 23-51 (fig.).

1598. VIERTEL (Wolfgang). Der Begriff der Substanz bei Aristoteles. Meisenheim am Glan, Hain, 82, in-8, 512 p. (Monogr. z. philos. Forschung, 216)

1599. WARTELLE (André). Lexique de la "Rhétorique" d'Aristote. Paris, Belles Lettres, 82, in-8, 510 p.

1600. WEIL (Raymond). De la tyrannie dans la pensée politique grecque de l'époque classique. In: Dictatures et légitimité [Cf. n° 236], p. 29-49.

1601. WEST (Martin Litchfield). Greek meter. Oxford, Clarendon Press, 82, in-8, XIV-208 p.

1602. WIELAND (Wolfgang). Platon und die Formen des Wissens. Göttingen u. Zürich, Vandenhoeck u. Ruprecht, 82, in-8, 339 p.

1603. XANTHAKIS-KARAMANOS (Georgia). Studies in fourth-century tragedy. Athens, Acad. of Athens, 80, in-8, XVI-246 p. (15 pl.).

1604. ZACHER (K.-D.). Plutarchs Kritik an der Lustlehre Epikurs. Ein Kommentar zu "Non posse suaviter vivi secundum Epicurum", Kap. 1-8. Königstein/Taunus, Hain, 82, in-8, VIII-263 p. (Beitr. z. klass. Philol., 124)

Cf. n° 1629.

§ 8. Religion et mythologie.

* 1605. DES PLACES (Edouard). Chronique de la philosophie religieuse des Grecs (1979-1982). B. Assoc. Budé, 82, p. 421-436.

───

1606. BERTHIAUME (Guy). Les rôles du Mageiros. Etude sur la boucherie, la cuisine et le sacrifice dans la Grèce ancienne. Leiden, Brill, 82, in-8, 141 p. (20 pl.). (Mnemosyne)

1607. BLECH (Michael). Studien zum Kranz bei den Griechen. Berlin u. New York, de Gruyter, 82, in-8, XXXIII-480 p. (40 Fig.). (Religionsgeschichtl. Versuche u. Vorarbeiten, 38)

1608. COSTA (G.). Hermes dio delle iniziazioni. Civiltà class. e cristiana, 82, a. 3, p. 277-295.

1609. DUMEZIL (Georges). Apollon sonore et autres essais. Esquisses de mythologie. Paris, Gallimard, 82, in-8, 257 p. (Bibliothèque des Sci. humaines)

1610. FELTEN (F.). Weihungen in Olympia und Delphi. Mitt. d. deutsch. archäol. Inst. Athen, 82, Bd 97, p. 79-97.

1611. HOCQUARD (J.-V.). Idoménée. Paris, Aubier-Montaigne, 82, in-8, 230 p.

1612. MOSSHAMMER (Alden A.). The date of the first Pythiad - again. Greek, rom. a. byzant. Stud., 82, vol. 23, p. 15-30. [Cf. n° 1452.]

1613. VERBRUGGEN (H.). Le Zeus crétois. Paris, Belles Lettres, 81, in-8, 270 p. (Etudes mythol.)

1614. VISSER (M.). Worship your enemy. Aspects of the cult of heroes in ancient Greece. Harvard theol. R., 82, vol. 75, p. 403-428.

1615. ZEITLIN (F. I.). Cultic models of the female rites of Dionysus and Demeter. Arethusa, 82, vol. 15, p. 129-157.

Cf. n°s 222, 1552, 1631, 1923.

§ 9. Archéologie et histoire de l'art.

* Cf. n° II.

1616. ADAM (Jean-Pierre). L'architecture militaire grecque. Paris, Picard, 82, in-4, 263 p. (144 fig.).

1617. Amathonte, II: Testimonia, 2: Les sculptures découvertes avant 1975. Par Antoine HERMARY, avec la participation de Veronica TATTON-BROWN. Paris, A.D.P.F., 81, in-4, 96 p. (22 p. de pl.). (Recherche sur les grandes civilisations, Mém., 10. Ecole franç. d'Athènes. Etudes chypriotes, 5)

1618. BAATZ (D.). Hellenistische Katapulte aus Ephyra (Epirus). Mitt. d. deutsch. archäol. Inst. Athen, 82, Bd 97, p. 211-233.

1619. BLOME (P.). Die figürliche Bildwelt Kretas in der geometrischen und früharchaischen Periode. Mainz (Rhein), v. Zabern, 82, in-4, VIII-116 p. (24 Abb., 24 Taf.).

1620. BOHR (Elke). Der Schaukelmaler. Mainz (Rhein), v. Zabern, 82, in-4, XIV-146 p. (5 fig., 199 pl.). (Forsch. z. antiken Keramik, 2. Ser., Kerameus, 4)

1621. BOULOTIS (Christos). Ein Gründungsdepositum im minoischen Palast von Kato Zakros - minoisch-mykenische Bauopfer. Archäol. Anz., 82, Jg. 12, H. 2, p. 153-166 (Taf. 11-14).

1622. CALVET (Yves). Kition-Bamboula. T. 1: Les timbres amphoriques. Paris, Recherche sur les Civilisations, 82, in-4, 64 p. (171 ill.). (Mém., 13)

1623. DAMIANI INDELICATO (Silvia). Piazza pubblica e palazzo nella Creta minoica. Roma, Jouvence, 82, in-4, 156 p. (14 tav.).

1624. DENTZER (Jean-Marie). Le motif du banquet couché dans le Proche-Orient et le monde grec du VIIe au IVe siècle av. J.-C. Rome, Ecole franç. de Rome, 82, in-4, XXVI-674 p. (118 pl.). (Biblioth. des Ecoles franç. d'Athènes et de Rome, 246)

1625. DRIESSEN (Jan). The Minoan hall in domestic architecture on Crete: to be in vogue in Late Minoan IA? Acta archaeol. lovanensia, 82, vol. 21, p. 27-92 (24 fig., 39 phot.).

1626. Fouilles de Xanthos. [6. Cf. Bibl. 80, n° 1430.] 7: Inscriptions d'époque impériale du Létôon. I: Textes et planches photographiques. Par A. BALLAND. Paris, Klincksieck, 81, in-4, XXII-312 p. (34 pl.). (Instit. franç. d'Etudes anatoliennes)

1627. FRONING (H.). Marmor-Schmuckreliefs mit griechischen Mythen im 1. Jahrhundert v. Chr. Untersuchungen zu Chronologie u. Funktion. Mainz (Rhein), v. Zabern, 82, in-4, XV-191 p. (66 Taf.). (Schr. z. antiken Mythologie, 5)

1628. GOLDBERG (Marilyn Y.). Archaic Greek akroteria. Am. J. Archaeol., 82, vol. 86, n° 2, p. 193-217.

1629. HAYNES (D.). Griechische Kunst und die Entdeckung der Freiheit. Mainz (Rhein), v. Zabern, 82, in-4, 148 p. (90 Abb.). (Kulturgesch. d. antiken Welt, 13)

1630. JACQUEMIN (Anne), LAROCHE (Didier). Notes sur trois piliers delphiques. B. Corresp. hellénique, 82, T. 106, p. 191-218 (13 fig.).

1631. JUNG (Helmut). Thronende und sitzende Götter. Zum griech. Götterbild u. Menschbild in geometrischer u. früharchaischer Zeit. Bonn, Habelt, 82, in-8, 375 p. (Habelts Diss.-Drucke, Reihe Klass. Archäol., 17)

1632. KARAGHEORGHIS (Vassos). Chronique des fouilles et découvertes archéologiques à Chypre en [1980. Cf. Bibl. 81, n° 1473.] 1981. B. Corresp. hellénique, 82, t. 106, p. 685-744 (119 fig.).

1633. KLUWE (Ernst). Mäzenatentum in der bildenden Kunst der griechischen Antike. Motivierung und Erscheinungsbild.

Ethnogr.-archäol. Z., 82, Jg. 23, p. 409-424.

1634. LAUBSCHER (H. P.). Fischer und Landleute. Studien z. hellenist. Genreplastik. Mainz (Rhein), v. Zabern, 82, in-4, X-134 p. (30 Taf.).

1635. MARTIN (Roland). L'Acropole d'Athènes: histoire, sauvegarde et restauration d'un patrimoine. Ed. réalisée par M. L. BOUQUIN. [Publ. par l'] Ecole franç. d'Athènes - Banque Nationale de Paris. Paris, B. N. P., 82, in-4, 139 p. (ill.).

1636. MATTUSCH (C. C.). Bronzeworkers in the Athenian Agora. Princeton, N. J., Amer. School of classical Stud. at Athens, 82, 32 p. (65 ill.). (Excavations of the Athenian Agora Picture Book, 20)

1637. PAUL (Eberhard). Antike Keramik. Entdeckung u. Erforsch. bemalter Tongefäße in Griechenland u. Italien. Leipzig, Koehler u. Amelang, 82, in-8, 215 p. (Abb., Kt.).

1638. PELON (Olivier). L'épée à l'acrobate et la chronologie maliote. B. Corresp. hellénique, 82, t. 106, p. 165-190 (27 fig.).

1639. PFROMMER (M.). Großgriechischer und mittelitalischer Einfluß in der Rankenornamentik frühhellenistischer Zeit. Jb. d. deutsch. archäol. Inst., 82, Jg. 97, p. 119-190.

1640. PORADA (Edith). The cylinder seals found at Thebes in Boeotia. Arch. f. Orientforsch., 81-82, Bd 28, p. 1-70 (fig.). - Cf. BRINKMAN (J. A.). The western Asiatic seals found at Thebes in Greece: a preliminary edition of the inscriptions. Ibid., p. 73-78.

1641. Studies in Athenian architecture, sculpture and topography presented to Homer A. Thompson. Princeton, N. J., Am. School of classical Stud. at Athens, 82, XII-191 p. (32 pl.). (Hesperia, Suppl., 20)

1642. TOUCHAIS (Gilles). Chronique des fouilles et découvertes archéologiques en Grèce en [1980. Cf. Bibl. 81, n° 1483.] 1981. B. Corresp. hellénique, 82, t. 106, p. 529-635 (184 fig.).

1643. Troy: the archaeological geology. Ed. by G. RAPP Jr., a. J. A. GIFFORD. Princeton, N. J., Princeton U. P., 82, 209 p. (50 fig., 15 tables, 5 pl.).

1644. VOJATZI (M.). Frühe Argonautenbilder. Würzburg, Triltsch, 82, in-4, 198 p. (16 Taf.). (Beitr. z. Archäol., 14)

1645. WATROUS (L. Vance). The sculptural program of the Siphnian treasury at Delphi. Am. J. Archaeol., 82, vol. 86, n° 2, p. 159-172.

1646. WEBER (Thomas). Bronzekannen. Studien zu ausgewählten archaischen u. klass. Oinochoeformen aus Metall in Griechenland u. Etrurien. Frankfurt a. M. u. Bern, Lang, 82, in-8, XXIV-502 p. (Ill.). (Archäol. Stud., 5)

Cf. n°s 305, 311, 316, 1552, 1651.

F

HISTOIRE DE ROME, DE L'ITALIE ANCIENNE ET DE L'EMPIRE ROMAIN

§ 1. Les populations de l'Italie. 1647-1652. - § 2. Etruscologie. 1653-1671. - § 3. Textes et critique des textes. 1672-1694. - § 4. Histoire générale et politique. 1695-1776. - § 5. Histoire du droit et des institutions. 1777-1834. - § 6. Histoire économique et sociale. 1835-1881. - § 7. Histoire littéraire, histoire de la philosophie et histoire des sciences. 1882-1919. - § 8. Religion et mythologie. 1920-1934. - § 9. Archéologie et histoire de l'art. 1935-2009.

§ 1. Les populations d'Italie.

* 1647. Bibliografia topografica della colonizzazione greca in Italia e nelle isole tirreniche. Diretta da G. NENCI e G. VALLET. [1. Cf. Bibl. 76-77, n° 1798.] 2: Opere di carattere generale, 1976-1980; Addenda, 1537-1975. Pisa, Scuola norm. sup.; Roma, Ecole franç. de Rome; Napoli, Centre Bérard, 81 [82], in-8, XIII-104 p.

1648. Aparchai. Nuove ricerche e studi sulla Magna Grecia et la Sicilia antica in onore di Paolo Enrico Arias. Promossi da L. BESCHI e altri e pubbl. per cura di M. L. GUALANDI, L. MASSEI, S. SETTIS. Pisa, Giardini, 82, 3 vol. in-8, 807 p. compless. (fig., tav.). (Bibl. di Studi antichi, 35)

1649. FINZI (Claudio). Le città sepolte della Sardegna. Dalle torri nuragiche alle colonne puniche e ai centri romani risorge una civiltà di suggestione millenaria. Roma, Newton Compton, 82, in-8, 395 p. (fig.). (Quest'Italia, 29)

1650. KRUTA (Venceslas). Les Sénons de l'Adriatique d'après l'archéologie. Prolégomènes. Et. celtiques, 81, vol. 18, p. 7-38.

1651. LAMBOLEY (Jean-Luc). Les hypogées indigènes apuliens. Mél. Ec. franç. Rome, Antiquité, 82, t. 94, p. 91-148 (17 fig.).

1652. POTRANDOLFO GRECO (Angela). I lucani. Etnografia e archeologia di una regione antica. Present. di Ettore LEPORE. Milano, Longanesi, 82, in-8, 180 p. (tav.). (Archeol., 5)

Cf. n°s 1659, 1967.

§ 2. Etruscologie.

1653. BOUCHER (Stéphanie). Bronzes étrusques et italo-étrusques en Gaule. Mél. Ec. franç. Rome, Antiquité, 82, t. 94, p. 149-162 (3 fig.).

1654. BOULOUMÉ (Bernard). Saint-Blaise et Marseille au VIe siècle avant J.-C. L'hypothèse étrusque. Latomus, 82, t. 41, p. 74-91 (2 cartes).

1655. Corpus inscriptionum Etruscarum. Vol. III, fasc. 1: Tit. 10.001-10.520 (inscriptiones in instrumento e Tarquiniis et in agro Tarquiniensi repertae). Edidit Maristella PANDOLFINI ANGELETTI. Roma, Centro di Studi per l'archeol. etrusco-italica, 82, 116 p. (46 tav.).

1656. DE GRUMMOND (Nancy Thompson). A guide to Etruscan mirrors. Tallahassee, Fla., Archaeol. News, 82, IX-200 p. (155 fig.).

1657. DI GENNARO (F.). Organizzazione del territorio nell'Etruria meridionale protostorica: applicazione di un modello grafico. Dialoghi Archeol., 82, vol. IV/2, p. 102-112.

1658. DI MARINO (Ugo). Gli etruschi. Storia, civiltà, cultura. Milano, Mursia, 82, in-8, 296 p. (ill.). (Storia e documenti, 46)

1659. ELSTE (R.). Etrusker und Tyrsener. Emmendingen, Senior-Verl., 82, in-8, 75 p. (Kt.).

1660. GOEGEBEUR (Werner). Rituele uitbeelding van Etruskische demonen van de dood, of vrouwelijk aandeel in de magische krijgsverrichtigen: een mentaliteitsvraagstuk? R. belge Philol. Hist., 82, a. 60, p. 51-100.

1661. HÖCKMANN (Ursula). Die Bronzen aus dem [etruskischen] Fürstengrab von Castel San Mariano bei Perugia. München, Beck, 82, in-4, XI-203 p. (76 Fig., 70 Taf., 2 Kt.). (Staatl. Antikensammlung München, Katalog d. Bronzen, 1)

1662. JANNOT (Jean-René). La tombe de la Mercareccia à Tarquinia. R. belge Philol. Hist., 82, a. 60, p. 101-135 (26 fig.).

1663. JOLIVET (Vincent). Recherches sur

la céramique étrusque à figures rouges tardive du Musée du Louvre, Département des Antiquités grecques et romaines. Paris, Réunion des Musées nationaux, 82, in-4, 176 p. (81 ill.). (Notes et doc. des Musées de France, 6)

1664. MARCHAND (G.). Essai de classification typologique des amphores étrusques, La Monédière, Bessan (Hérault). Doc. Archéol. mérid., 82, t. 5, p. 145-158 (9 fig.).

1665. MARTINI (W.). Überlegungen zur Genese der etruskischen Kultur. Jb. d. deutsch. archäol. Inst., 81, Bd 96, p. 1-27 (15 Abb.).

1666. NEMIROVSKIJ (A. I.). Grečeskij emporij v etrusskom portu. (A Greek emporium in an Etruscan port.) Vestn. drevn. Ist., 82, n° 1, p. 152-162.

1667. OLESON (John Peter). The sources of innovation in later Etruscan tomb design (ca. 350-100 B. C.). Roma, Bretschneider, 82, in-4, 134 p. (60 pl.). (Archaeologica, 27)

1668. PIANU (Giampiero). Ceramiche etrusche sovradipinte. Roma, Bretschneider, 82, in-4, VIII-149 p. (114 tav.). (Materiali del Museo archeol. naz. di Tarquinia, 3. Archaeologica, 21)

1669. POCIÑA (A.). Algunas consideraciones sobre el teatro etrusco. Sodalitas, 81, vol. 2, p. 349-360.

1670. STACCIOLI (Romolo Augusto). Gli etruschi: mito e realtà. La Spezia, Club del libro, 82, in-8, 174 p. (fig., tav.). (Archeol., 25)

1671. WEEBER (Karl-Wilhelm). Funde in Etrurien. Göttingen und Zürich, Muster-Schmidt, 82, in-8, 254 p. (Abb., Kt.). (Sternstunden der Archäol., 11)

Cf. n°s 307, 1646.

§ 3. Textes et critique des textes.

* Cf. n°s 1259, 2178.

1672. AMANTINI (Luigi Santi). Per una revisione delle iscrizioni greche della Liguria. 1: L'epigrafe di Rapallo (IG, XIV, 2275). At. Soc. ligure Stor. pa., 82, n. s., vol. 22, p. 85-101.

1673. Corpus cultus Cybelae Attidisque (CCCA). [4. Cf. Bibl. 80, n° 1642.] 2: Graecia atque insulae. Cura M. J. VERMA-SEREN. Leiden, Brill, 82, in-8, XXXII-278 p. (219 pl., carte). (Et. prélim. aux religions orient. dans l'Empire romain, 50)

1674. Corpus cultus equitis Thracii (CCET). [2. Cf. Bibl. 81, n° 1514.] 5: CERMANOVIĆ-KUZMANOVIĆ (A.). Monumenta intra fines Iugoslaviae reperta. Leiden, Brill, 82, in-8, XI-76 p. (58 pl., carte). (Et. prélim. aux religions orient. dans l'Empire romain, 74)

1675. GAIUS. Instituţiunile dreptului privat roman. Trad., studiu introd., note şi adnot. de A. N. POPESCU. (Les institutions du droit privé romain. Trad., étude introd., notes et annot. par - .) Bucureşti, Ed. Academiei, 82, in-8, 362 p. (Scriitori greci şi latini, 14)

1676. GONZÁLEZ (Julian). Inscripciones romanas de la provincia de Cádiz. Cádiz, Diputación provincial, 82, in-8, 408 p. (169 ill.).

1677. Inscriptions antiques du Maroc. 2: Inscriptions latines. Recueillies et prés. par Maurice EUZENNAT et Jean MARION. Publ. par Jacques GASCOU, avec le concours de Y. DE KISCH. Paris, Ed. du C.N.R.S., 82, in-4, 472 p. (ill., carte). (Etudes d'antiquités afric.)

1678. KATZOFF (Ranon). Prefectural edicts and letters. Z. f. Papyrol. u. Epigr., 82, Bd 48, p. 209-217.

1679. LE BOHEC (Yann). Inscriptions juives et judaïsantes de l'Afrique romaine. Antiquités afric., 81, t. 17, p. 165-207. - IDEM. Juifs et judaïsants de l'Afrique romaine: remarques onomastiques. Ibid., p. 209-229.

1680. LUND (A. A.). Neue Studien zum Verständnis der Namensätze in der Germania des Tacitus. Gymnasium, 82, Bd 89, p. 296-327.

1681. MARTELLI (F.). Introduzione alla "Expositio totius mundi". Analise etnografica e tematiche politiche in un'opera del IV secolo. Bologna, Barghigiani, 82, in-8, 159 p.

1682. MARTÍN (Fernando). La documentación griega de la cancillería del emperador Adriano. Pamplona, EUNSA, 82, in-8, 465 p.

1683. MIGLIARDI ZINGALE (Livia). Note a nuovi documenti testamentari romani. Anagennesis, 82, t. 2, p. 109-129.

1684. MURDY (Philippe). La préface du De Medicina de Celse [texte et trad.] Genève, Droz, 82, in-8, 228 p. (Biblioth. Helvetica Romana, 19)

1685. PINZONE (A.). Naufragi, fisco e trasporti marittimi nell'età di Caracalla (su C.I. II, 6, 1). Quad. catanesi, 82, a. 4, p. 63-109.

1686. PLAUTUS (T. Maccius). Persa. Einl., Text u. Kommentar v. Erich WOYTEK. Wien, Österr. Akad. d. Wiss., 82, in-8, 466 p.

1687. REYNOLDS (Joyce M.). Aphrodisias and Rome. Documents from the excavation of the theatre at Aphrodisias conducted by Prof. Kenan T. Erim, together with some related texts. London, Soc. for the promotion of Roman stud., 82, in-8, XVIII-214 p. (9 fig., 32 pl., map). (J. roman Stud., Monogr., 1)

1688. SAMSARES (D.). Ta anthrōpōnymia tēs Dytikēs Makedonias kata tē romaiokratia me basē tis epigraphikes martyries.

(Les anthroponymies de la Macédoine occidentale durant la domination romaine, d'après les témoignages épigraphiques.) Makedonika, 82, t. 22, p. 259-294. - IDEM. Hoi epigraphikes martyries gia tous thesmous tēs Dytikēs Makedonias kata tē romaiokratia. (Les témoignages épigraphiques sur les institutions de la Macédoine occidentale durant la domination romaine.) Ibid., p. 295-308. - IDEM. Paratērēseis stē glossa tōn epigraphōn romaikēs epochēs tēs Dytikēs Makedonias. (Remarques sur la langue des inscriptions d'époque romaine en Macédoine occidentale.) Ibid., p. 485-491.

1689. SEIBT (W.). Wurde die "Notitia dignitatum" 408 von Stilicho in Auftrag gegeben? Mitt. d. Inst. f. österr. Gesch.-Forsch., 82, Bd 90, p. 339-346.

1690. SUSINI (G.). Epigrafia romana. Roma, Jouvence, 82, in-8, 228 p. (64 tav.). (Guide allo studio della civiltà romana, X, 1)

1691. SYMMAQUE. Lettres. T. 2: Livres III-IV. Texte établi, trad. et commenté par Jean-Pierre CALLU. Paris, Belles Lettres, 82, in-8, 247 p. (Coll. des Univ. de France) [T. 1: 1972]

1692. TSCHIEDEL (H. J.). Caesars "Anticato". Eine Untersuchung d. Testimonien u. Fragmente. Darmstadt, Wiss. Buchges., 81, in-8, 149 p. (Impulse d. Forschung, 37)

1693. VELLEIUS PATERCULUS. Histoire romaine. T. 1: Livre I. T. 2: Livre II. Texte établi et trad. par Joseph HELLEGOUARC'H. Paris, Belles Lettres, 82, 2 vol. in-8, CVII-48, 213 p.

1694. ZELZER (Klaus). Zur Überlieferung der Rhetorik Ad Herennium. Wiener Stud., 82, Bd 16, p. 183-211.

Cf. n°s 6a, 294, 1626, 2258, 2304, 2868.

§ 4. Histoire générale et politique.

* 1695. Rassegna bibliografica di storia romana. [Cf. Bibl. 80, n° 1472.] Labeo, 81, a. 27, p. 410-428; 82, a. 28, p. 86-96, 209-225.

1696. ARCE (J.). Inestabilidad política en Hispania durante el siglo II d. C. Arch. español Arqueol., 81, a. 54, p. 101-115.

1697. ARNALDI (A.). I "cognomina devictarum gentium" di Valentiniano I, Valente e Graziano. Rci. Istit. lombardo, 80 [82], a. 114, p. 41-51.

1698. Aufstieg und Niedergang der römischen Welt. Gesch. u. Kultur Roms im Spiegel d. neueren Forsch. Hrsg. v. Hildegard TEMPORINI u. Wolfgang HAASE. Bd 2: Principat. [Bd 7,2. Bd 13. Bd 17. Bd 31, 2-4. Cf. Bibl. 81, n° 1533.] Bd 12: Künste. Hrsg. v. Hildegard Temporini. Teilbd 1. Bd 14: Recht. Materien [Forts.]. Hrsg. v. H. Temporini. Bd 25: Religion.

Vorkonstantin. Christentum, Leben u. Umwelt Jesu, Neues Testament, Kanon. Schriften u. Apokryphen. Hrsg. v. W. Haase. Teilbd 1. Berlin u. New York, de Gruyter, 82, 3 vol. in-8, XX-653, VI-1058, XVI-890 p. (Ill., graph. Darst., Kt.).

1699. BALDUS (H.R.). Unerkannte Reflexe der römischen Nordafrika-Expedition von 256-255 v. Chr. in der karthagischen Münzprägung. Chiron, 82, Bd 12, p. 163-190.

1700. BARNES (Timothy D.). The new empire of Diocletian and Constantine. Cambridge, Mass., a. London, Harvard U. P., 82, in-8, XIX-305 p.

1701. BELLEN (Heinz). Antike Staatsräson: die Hinrichtung der 400 Sklaven des römischen Stadtpräfekten L. Pedanius Secundus im Jahre 61 n. Chr. Gymnasium, 82, Bd 89, p. 449-467.

1702. BELLONI (G. G.). Prospettive ideologiche e realtà politica in Dacia nei riflessi della monetazione romana. Romanobarbarica, 81-82, vol. 6, p. 5-23 (fig.).

1703. BLEICKEN (Jochen). Zum Regierungsstil des römischen Kaisers. Eine Antwort auf Fergus Millar [The emperor in the Roman world. Cf. Bibl. 76-77, n° 1980]. Wiesbaden, Steiner, 82, in-8, 37 p. (S.-B. d. Wiss. Ges. an d. J.-W.-Goethe-Univ. Franfurt a. Main, Bd 18, n° 5)

1704. BONNEFOND (Marianne). Le Sénat républicain et les conflits des générations. Mél. Ec. franç. Rome, Antiquité, 82, t. 94, p. 175-225.

1705. BOUVIER-AJAM (Maurice). Attila, le fléau de Dieu. Paris, Tallandier, 82, in-8, 482 p. (pl.). (Figures de proue)

1706. BRIZZI (Giovanni). I sistemi informativi dei Romani. Principi e realtà nell'età delle conquiste oltremare (218-168 a. C.). Wiesbaden, Steiner, 82, in-8, XIX-282 p. (Historia [Wiesbaden]. Einzelschr., 39)

1707. CAMERON (Alan). The empress and the poet. Paganism a. politics at the court of Theodosius II. Yale class. Stud., 82, vol. 27, p. 217-289.

1708. CHANTRAINE (H.). Die Erhebung des Licinius zum Augustus. Hermes, 82, Bd 110, p. 477-487.

1709. CHASTAGNOL (André). L'évolution politique, sociale et économique du monde romain de Dioclétien à Julien. La mise en place du régime du Bas-Empire (284-363). Paris, SEDES-CDU, 82, in-8, 396 p. (5 pl.). (Regards sur l'hist.)

1710. CHIRANKY (G.). Rome and Cotys, two problems. I: The diplomacy of 167 B. C. II: The date of Sylloge^3, 656. Athenaeum [Pavia], 82, a. 70, n. s., vol. 60, p. 461-481.

1711. CHRIST (Karl). Römische Geschichte und Wissenschaftsgeschichte. Bd 1: Römische Republik und Augusteischer Principat.

Darmstadt, Wiss. Buchges., 82, in-8, VIII-275 p. (1 Kt.). [Cf. n° 555]

1712. CIZEK (Eugen). Néron. Paris, Fayard, 82, in-8, 474 p.

1713. CLEMENTE (Guido). Considerazioni sulla Sicilia nell'impero romano (III sec. a. C. - V sec. d. C.). Kokalos, 80-81, t. 26-27, p. 192-248.

1714. DEVREKER (J.). Les orientaux au Sénat romain d'Auguste à Trajan. Latomus, 82, t. 41, p. 492-516.

1715. DUPRE (N.). La politique romaine en Espagne pendant la IIe Guerre punique. L'exemple de la vallée de l'Ebre (218-205). R. Et. latines, 81, t. 59, p. 121-152.

1716. ESPINOZA RUIZ (Urbano). Debate Agrippa-Mecenas en Dio Cassio. Respuesta senatorial a la crisi del Imperio Romano en época severiana. Madrid. Univ. Complutense, 82, in-8, XVI-524 p.

1717. FENTRESS (Elizabeth W. B.). Tribe and faction: the case of the Gaetuli. Mél. Ec. franç. Rome, Antiquité, 82, t. 94, p. 325-334.

1718. FITZ (Jenő). The great age of Pannonia, A. D. 193-284. Budapest, Corvina, 82, in-8, 78 p. (48 pl.). (Hereditas)

1719. GAGGERO (Gianfranco). Il Comes Marcellino e l'autonomia della Dalmazia. R. Studi bizant. e slavi, 82, a. 2, p. 241-269.

1720. GONZÁLEZ ROMÁN (C.). Imperialismo y romanización en la Provincia Hispania Ulterior. Granada, Univ., 81, in-8, 245 p. (Est. de Hist. antigua, 2)

1721. HACKL (Ursula). Senat und Magistratur in Rom von der Mitte des 2. Jahrhunderts vor Christus bis zur Diktatur Sullas. Kallmünz, Laßleben, 82, in-8, XVI-279 p. (Regensburger hist. Forsch., 9)

1722. HALEMANN (H.). Zwei syrische Verwandte des severischen Kaiserhauses. Chiron, 82, Bd 12, p. 217-235.

1723. HANSON (W. S.), MAXWELL (G.). Rome's most northerly frontier: the Antonine wall. Edinburgh, U. P., 82, in-8, 256 p. (ill.).

1724. HARRIS (B.F.). Oaths of allegiance to Caesar [from Augustus through Trajan]. Prudentia, 82, vol. 14, p. 109-122.

1725. HARTMANN (F.). Herrscherwechsel und Reichskrise. Untersuchungen zu d. Ursachen und Konsequenzen d. Herrscherwechsel im Imperium Romanum d. Soldatenkaiserzeit (3 Jh. n. Chr.). Frankfurt a. M., Lang, 82, in-8, 246 p. (Europ. Hochschulschr., R. 3: Gesch. u. ihre Hilfswiss., 149)

1726. HOLDER (Paul A.). The Roman army in Britain. London, Batsford, 82, in-8, 160 p. (ill.).

1727. HOREDT (Kurt). Siebenbürgen in spätrömischer Zeit. Bukarest, Kriterion, 82, in-8, 238 p. (Taf.).

1728. KEAVENEY (Arthur). The king and the war-lords: Romano-Parthian relations circa 64-53 B.C. Am. J. Philol., 82, vol. 103, n° 4, p. 412-428.

1729. KEAVENEY (Arthur). Sulla, the last Republican. London, Croom Helm, 82, in-8, 256 p. - IDEM. Sulla and Italy. Critica stor., 82, a. 19, p. 499-644. - IDEM. Young Pompey, 106-78 B. C. Antiquité class., 82, t. 61, p. 111-139.

1730. KIENAST (Dietmar). Augustus. Prinzeps u. Monarch. Darmstadt, Wiss. Buchges., 82, in-8, X-515 p. (Kt.).

1731. LEVICK (Barbara). Domitian and the provinces. Latomus, 82, t. 41, p. 50-73.

1732. MacBAIN (B.). Prodigy and expiation: a study in religion and politics in republican Rome. Bruxelles, Latomus, 82, in-8, 140 p. (Coll. Latomus, 177)

1733. MARKALE (Jean). Vercingétorix. Paris, Hachette-Littérature, 82, in-8, 273 p.

1734. MARTIN (Alain). Les événements des années 193-194 dans les papyrus, les ostraca et les inscriptions d'Egypte. Anagennesis, 82, t. 2, p. 83-98.

1735. MARTINO (E.). Roma contra Cántabros y Astures. Nueva lectura de las fuentes. Santander, Sal Terra, 82, in-8, 184 p. (ill.).

1736. MEIER (Christian). Caesar. Berlin, Severin u. Siedler, 82, in-8, 590 p. (Ill.).

1737. MEIJER (F. J.). De romeinse elite en de opkomst van het imperialisme. (L'élite romaine et l'origine de l'impérialisme.) Lampas, 82, t. 15, p. 143-170.

1738. MERLAT (Pierre). Les Vénètes d'Armorique. Ed. par René SANQUER; mises à jour de Pierre-Roland GIOT, Patrick ANDRE et al. Brest, Archéologie de Bretagne, 81, in-4, 136 p. (cartes). (Archéol. Bretagne, Suppl. 3)

1739. MILLAR (Fergus). Emperors, frontiers and foreign relations, 31 B. C. to A. D. 378. Britannia, 82, vol. 13, p. 1-23.

1740. MOREAU (Philippe). Clodiana religio. Un procès politique en 61 av. J.-C. Paris, Belles Lettres, 82, in-8, 267 p. (Publ. de la Sorbonne, 17)

1741. MORRIS (John). Londinium: London in the Roman Empire. London, Weidenfeld a. Nicolson, 82, in-8, 284 p. (ill.).

1742. Neronia 1977. Actes du 2e colloque de la Soc. internat. d'Etudes néroniennes (Clermont-Ferrand, 27-28 mai 1977) publ. par J.-M. CROISILLE et P.-M. FAUCHERE. Clermont-Ferrand, Adosa, 82, in-8, 256 p. (12 fig., 6 pl.). (Univ. de Clermont II. Publ. du Centre de Recherches sur les civilisations antiques)

4. HISTOIRE GENERALE ET POLITIQUE

1743. NICOLET (Claude). La dictature à Rome. In: Dictatures et légitimité [Cf. n° 236], p. 69-82. - Suivi de: HINARD (F.), NICOLET (C.). Indications bibliographiques. Ibid., p. 82-84.

1744. OBER (J.). Tiberius and the political testament of Augustus. Historia [Wiesbaden], 82, Bd 31, p. 306-328.

1745. O'DONNELL (J. J.). Liberius the patrician. Traditio, 81, vol. 37, p. 31-72.

1746. PALTIEL (Eliezer). Antiochos Epiphanes and Roman politics. Latomus, 82, t. 41, p. 229-254.

1747. PAPAZOGLOU (Fanoula). Le territoire de la colonie de Philippes [Macédoine]. B. Corresp. hellénique, 82, t. 106, p. 89-106.

1748. PARAIN (Charles). Marc-Aurèle. Bruxelles, Complexe, 82, in-8, 224 p. (Le temps et les hommes, 8)

1749. PELLETIER (André). Vienne antique. De la conquête romaine aux invasions alamanniques, IIe siècle avant - IIIe siècle après J.-C. Publ. avec le concours du C.N.R.S. Roanne, Horvath, 82, in-8, 505 p. (pl., carte).

1750. PERELLI (Luciano). Il movimento popolare nell'ultimo secolo della Repubblica. Torino, Paravia, 82, in-8, 257 p. (Historica, Politica, Philosophica, 11)

1751. PETIT (Paul). Dictature et légitimité dans l'Empire romain. In: Dictatures et légitimité [Cf. n° 236], p. 85-110.

1752. PETOLESCU (Constantin C.). Contribuţii la istoria Munteniei în secolul al II-lea e. n. (Contributions à l'histoire de la Valachie au IIe s. de n. è.) R. Ist., 82, t. 35, p. 65-77. [Rés. franç.]

1753. PICARD (Gilbert Charles). La République des Pictons. C. R. Acad. Inscript., 82, p. 532-559.

1754. PISO (Joan). Maximinus Thrax und die Provinz Dazien. Z. f. Papyrol. u. Epigr., 82, Bd 49, p. 225-238.

1755. POMA (Gabriella). Un appello agli schiavi ad Utica e il ruolo della provincia d'Africa negli anni della lotta tra Mario e Silla. Antiquités afric., 81, t. 17, p. 21-35.

1756. RUBINSOHN (Zeev Wolfgang). Some remarks on the causes and repercussions of the so-called second slave revolt in Sicily. Athenaeum [Pavia], 82, a. 70, n. s., vol. 60, p. 436-451. - IDEM. The Viriatic war and its Roman repercussions. R. stor. Antichità, 81 [82], a. 11, p. 161-204.

1757. SADDINGTON (D. B.). The development of the Roman auxiliary forces from Caesar to Vespasian (49 B.C. - A.D. 79). Harare, Univ. of Zimbabwe, 82, in-8, VII-287 p.

1758. SALMON (Edward Togo). The making of Roman Italy. London, Thames a. Hudson, 82, in-8, 208 p. (ill.). (Aspects of Greek a. Roman Life)

1759. SANTOS YANGUAS (Narciso). La conquista romana del N. O. de la Península Ibérica. Latomus, 82, t. 41, p. 5-49.

1760. SARTRE (M.). Trois études sur l'Arabie romaine et byzantine. Bruxelles, Latomus, 82, in-8, 226 p. (5 cartes). (Coll. Latomus, 178)

1761. SCHEIPER (R.). Bildpropaganda der römischen Kaiserzeit unter besonderer Berücksichtigung der Trajanssäule in Rom und korrespondierender Münzen. Bonn, Habelt, 82, in-8, 276 p. (75 Abb.).

1762. SCHMITT (Götz). Zum Königreich Chalkis. Z. d. deutsch. Palästina-Ver., 82, Bd 98, p. 110-124.

1763. SCHNURBEIN (S. von). Untersuchungen zur Geschichte der römischen Militärlager an der Lippe. Ber. d. röm.-german. Komm., 81, Bd 62, p. 5-101.

1764. SCHOTTROFF (Willy). Die Ituräer. Z. d. deutsch. Palästina-Ver., 82, Bd 98, p. 125-152.

1765. SOLANA SAINZ (José María). Los Cántabros y la ciudad de Iuliobriga. Santander, Libr. Estudio, 81, in-8, 333 p. (56 pl., 2 cartes).

1766. STARR (Chester G.). The Roman Empire, 27 B. C. - A. D. 476. A study in survival. London, Oxford U. P., 82, in-8, XII-206 p.

1767. SYME (Ronald). Partisans of Galba. Historia [Wiesbaden], 82, Bd 31, p. 460-483.

1768. THOMPSON (E. A.). Romans and Barbarians. The decline of the western empire. Madison, Univ. of Wisconsin Press, 82, in-8, IX-329 p. (Wisconsin Stud. in classics)

1769. TORELLI (Marina R.). La de imperio Cn. Pompeii: una politica per l'economia dell'impero. Athenaeum [Pavia], 82, a. 70, n. s., vol. 60, p. 3-49.

1770. TORRES RODRÍGUEZ (C.). La Galicia romana. La Coruña, Fundación "Pedro Barrie de la Maza", 82, in-8, 334 p. (28 pl.). (Galicia histórica)

1771. UNGER-STERNBERG (Jürgen von). Weltreich und Krise: äußere Bedingungen für den Niedergang der römischen Republik. Mus. helveticum, 82, Bd 39, p. 254-271.

1772. URBAN (R.). "Urgentibus imperii fatis". Die Lage des Römischen Reiches nach Tacitus, Germania 33, 2. Chiron, 82, Bd 12, p. 145-162.

1773. VAN BERCHEM (Denis). Les routes et l'histoire. Etudes sur les Helvètes et leurs voisins dans l'Empire romain. Genève, Droz, 82, in-8, 306 p. (12 pl.). (Publ. de la Fac. des lettres de Lausanne, 25)

1774. VOGEL-WEIDEMANN (Ursula). Die

Statthalter von Africa und Asia in den Jahren 14-68 n. Chr. Eine Unters. zum Verhältnis Princeps u. Senat. Bonn, Habelt, 82, in-8, 718 p. (Antiquitas. Reihe 1: Abh. z. alten Gesch., 31)

1775. WELSBY (Derek A.). The Roman military defence of the British Province in its later phases. London, Brit. Archaeol. Rep., 82, in-4, 311 p. (fig.).

1776. ZECCHINI (Giuseppe). Cn. Manlio Vulsone e l'inizio della corruzione a Roma. Contrib. Istit. Stor. ant. Univ. Sacro Cuore, 82, a. 8, p. 159-178.

Cf. n°s 132, 190, 746, 747, 1399, 1487, 2055.

§ 5. Histoire du droit et des institutions.

* 1777. HUMBERT (M.). Chronique. Droits de l'antiquité. Monde roman. [Cf. Bibl. 81, n° 1584.] R. hist. Droit franç. étr., 82, a. 60, p. 149-171, 501-513.

* 1778. Operum ad ius Romanum pertinentium, quae anno MCMXL usque ad annum MCMLXX edita sunt, Index modo et ratione ordinatus. Curavit M. SARGENTI, adiuvantibus G. LURASCHI et M. P. PIAZZA. Pars I: A-E. Ticini, Alma Ticinensis universitatis, 78, in-8, LIV-604 p. - Pars II: F-L. Pars III: M-Z. Milano, Cisalpino-Goliardica, 80-82, 2 vol. in-8, VIII-610, VIII-843 p.

* Cf. n° 1257.

1779. ALEXANDER (M. C.). Repetition of prosecution, and the scope of prosecutions, in the standing criminal courts of the late republic. Calif. Stud. class. Antiquity, 82, vol. 13, p. 141-166.

1780. ANKUM (J. A.). Griekse invloeden op het Romeinse recht en op de Romeinse rechtswetenschap. (Influences grecques sur le droit romain et sur la science romaine du droit.) Lampas, 82, t. 15, p. 331-340.

1781. ASTIN (A. E.). The censorship of the Roman republic: frequency and regularity. Historia [Wiesbaden], 82, Bd 31, p. 174-187.

1782. BALZARINI (M.). Appunti sulla rixa nel diritto criminale romano. Labeo, 82, a. 28, p. 17-42.

1783. BEHRENDS (Okko). Die fraus legis. Zum Gegensatz von Wortlaut- und Sinngeltung in der römischen Gesetzesinterpretation. Göttingen, Schwartz, 82, in-8, 113 p. (Göttinger rechtswiss. Stud., 121)

1784. BENSEDDIK (Nacéra). Les troupes auxiliaires de l'armée romaine en Maurétanie Césarienne sous le Haut-Empire. Pref. de Philippe LEVEAU. Alger, Soc. nationale d'Edition et de Diff., 82, in-8, 285 p. (38 pl., carte)

1785. BERNHARDT (Rainer). Immunität und Abgabenpflichtigkeit bei römischen Kolonien und Munizipien in den Provinzen. Historia [Wiesbaden], 82, Bd 31, p. 343-352.

1786. BETANCOURT (Fernando). La defensa pretoria del "missus in possessionem". Anu. Hist. Derecho español, 82, t. 52, p. 373-510.

1787. BONINI (R.). Materiali per un corso di storia del diritto romano. I: Monarchia e repubblica. Bologna, Pàtron, 82, in-8, 317 p.

1788. CALAGNO (M.). Un sistema nuovo di controllo sulle navi in partenza: la costituzione di Teodosio II del 18 settembre 420 (accolta in C. Th. VII 16,3). Civ. class. crist., 82, a. 3, p. 373-409.

1789. CANNATA (C. A.). Profilo istituzionale del processo privato romano. II: Il processo formulare. Torino, Giappichelli, 82, in-8, VI-199 p.

1790. CONSTANTINIDIS (A.). Die Actio illicita in causa: ein Beitr. z. d. Voraussetzungen u. Grenzen d. strafrechtl. Zurechnung eines Handlungserfolges sowie z. Problematik d. provozierten Notwehr. Würzburg, Königshausen u. Neumann, 82, in-8, XII-132 p. (Epistemata, R. Rechtswiss., 5)

1791. DONDIN-PAYRE (Monique). Recherches sur un aspect de la romanisation de l'Afrique du Nord: l'expansion de la citoyenneté romaine jusqu'à Hadrien. Antiquités afric., 81, t. 17, p. 93-132 (fig., cartes).

1792. ECK (Werner). Jahres- und Provinzialfasten der senatorischen Statthalter von 69-70 bis 138/39. Chiron, 82, Bd 12, p. 281-362.

1793. FANIZZA (Lucia). Giuristi, crimini, leggi nell'età dei Antonini. Napoli, Jovene, 82, in-8, XII-133 p. (Pubbl. della Fac. giur. dell'Univ. di Bari, 65)

1794. FEDOTOV (V. V.). Italijskij vicus. (The Italian vicus.) Vestn. drevn. Ist., 82, n° 4, p. 112-125.

1795. FERNÁNDEZ FERNÁNDEZ (Antonio). El precio como elemento comercial en la "emptio-venditio" romana. Madrid, Univ. Autónoma, 82, in-8, 71 p.

1796. GALLO (Filippo). Sul potere normativo imperiale. Studia Doc. Hist. et Iuris, 82, t. 48, p. 413-454.

1797. GARCÍA-GARRIDO (Manuel Jesús). Diccionario de jurisprudencia romana. Madrid, Dykinson, 82, in-8, 443 p.

1798. GIMÉNEZ-CANDELA (Teresa). Notas en torno al "vadimonium". Studia Doc. Hist. et Iuris, 82, t. 48, p. 126-166.

1799. IPLIKÇIOĞLU (Sitki Isa Bülent). Die Repräsentanten des senatorischen Reichsdienstes in Asia bis Diokletian im Spiegel der ephesischen Inschriften. Wien, Verb. d. Wissenschaftl. Gesellschaften Öster-

5. HISTOIRE DU DROIT ET DES INSTITUTIONS

reichs, 83, in-8, V-414 p. (Diss. d. Univ. Wien, 158)

1800. KASER (Max). Studien zum römischen Pfandrecht. Napoli, Jovene, 82, in-8, 292 p.

1801. KNOTHE (Hans-Georg). Zur 7-Jahresgrenze der "infantia" im antiken römischen Recht. Studia Doc. Hist. et Iuris, 82, t. 48, p. 239 256.

1802. KUNDEROWICZ (Cesary). Ochrona środowiska naturalnego w prawie rzymskim. (La protection du milieu naturel dans le droit romain.) Czas. prawno-hist., 81 [82], vol. 33, fasc. 2, p. 1-10.

1803. LE ROUX (Patrick). L'armée romaine et l'organisation des provinces ibériques d'Auguste à l'invasion de 409. Paris, diff. de Boccard, 82, 493 p. (5 fig., 16 pl.). (Publ. du Centre Pierre Paris, 8. Coll. de la Maison des Pays Ibériques, 9)

1804. LÖHKEN (Henrik). Ordines dignitatum. Untersuchungen z. formalen Konstituierung d. spätantiken Führungsschicht. Köln u. Wien, Böhlau, 82, in-8, X-166 p. (Kölner hist. Abh., 30)

1805. LOZANO Y CORBI (Enrique). La legitimación popular en el proceso romano clásico. Barcelona, Bosch, 82, in-8, XV-361 p.

1806. LUCREZI (Francesco). Leges super principem. La monarchia costituzionale di Vespasiano. Napoli, Jovene, 82, in-8, 282 p. (Pubbl. della Fac. giur. dell'Univ. di Napoli, 195)

1807. MacCORMACK (Geoffrey). The later history of the "actio de in rem verso" (Proculus-Ulpian). Studia Doc. Hist. et Iuris, 82, t. 48, p. 318-367.

1808. MAGIONCALDA (Andreina). Testimonianze sui prefetti di Mesopotamia (da Settimio Severo a Diocleziano). Studia Doc. Hist. et Iuris, 82, t. 48, p. 167-238.

1809. MANTHE (Ulrich). Die Libri ex Cassio des Iavolenus Priscus. Berlin, Duncker u. Humblot, 82, in-8, 332 p. (Freiburger rechtsgeschichtl. Abh., N. F., 4)

1810. MARTIN (Jean-Pierre). Providentia deorum. Recherches sur certains aspects religieux du pouvoir impérial romain. Rome, Ecole franç. de Rome, 82, in-8, V-501 p. (pl.). (Coll. de l'Ecole franç. de Rome, 61)

1811. MARTIN (Paul M.). L'idée de royauté à Rome. I: De la Rome royale au consensus républicain. Préf. par Raymond BLOCH. Clermont-Ferrand, Adosa, 82, in-8, XXVIII-410 p. (tableaux, cartes))

1812. MIQUEL (Juan). Historia del derecho romano. Esplugues de Llobregat, Signo, 82, in-8, 129 p.

1813. MORABITO (Marcel). Les réalités de l'esclavage d'après le Digeste. Paris, Belles Lettres, 81, in-4, 367 p. (A. litt. Univ. Besançon, 254. Centre de recherches d'hist. anc., 39)

1814. MÜLLER-EISELT (Klaus-Peter). Divus Pius constituit. Kaiserl. Erbrecht. Berlin, Duncker u. Humblot, 82, in-8, 349 p. (Freiburger rechtsgeschichtl. Abh., N. F., 5)

1815. MUÑIZ COELLO (Joaquín). El sistema fiscal en la España romana (república y alto imperio). Zaragoza, Libros Pórtico, 82, in-8, VIII-362 p.

1816. ORS (Alvaro d'). "Litem suam facere". Studia Doc. Hist. et Iuris, 82, t. 48, p. 368-394.

1817. OSUCHOWSKI (W.). Rzymskie prawo prywatne. (Le droit privé romain.) Warszawa, Państw. Wydawn. Nauk., 81, in-8, 506 p.

1818. PARICIO (Javier). La denuncia de obra nueva en el derecho romano clásico. Barcelona, Bosch, 82, in-8, XV-236 p.

1819. PELLICIARI (Luisa). Sulla natura giuridica dei rapporti tra visigoti e impero romano al tempo delle invasioni del V secolo. Milano, Giuffrè, 82, in-8, 65 p. (Pubbl. della Fac. di Giurispr. dell'Univ. di Modena. Nuova ser., 3)

1820. SACCONI (G.). Studi sulla "litis contestatio" nel proceso formulare. Napoli, Jovene, 82, in-8, VIII-127 p.

1821. SCHUMACHER (Leonhard). Servus Index. Sklavenverhör u. Sklavenanzeige im republikan. u. kaiserzeitl. Rom. Wiesbaden, Steiner, 82, in-8, VII-253 p. (Forsch. z. antiken Sklaverei, 15)

1822. SORACI (R.). Note sull'opera legislativa ed amministrativa dell'imperatore Tito. Quad. catanesi, 82, a. 4, p. 427-449.

1823. SOURIS (G. A.). The size of the provincial embassies to the emperor under the Principate. Z. f. Papyrol. u. Epigr., 82, Bd 48, p. 235-244.

1824. TELLEGEN (Jan Willem). The Roman law of succession in the letters of Pliny the Younger. Vol. 1. Zutphen, Terra, 82, in-8, XI-204 p.

1825. TELLEGEN-COUPERUS (Olga Eveline). Testamentary succession in the Constitution of Diocletian. Zutphen, Terra, 82, in-8, XIII-231 p.

1826. THOMAS (Y.). Droit domestique et droit politique à Rome. Remarques sur le pécule et les honores des fils de famille. Mél. Ec. franç. Rome, Antiquité, 82, t. 94, p. 527-580.

1827. TURPIN (William). Apokrimata, decreta, and the Roman legal procedure. B. am. Soc. Papyrologists, 81, vol. 18, p. 145-160.

1828. VANNUCCHI FORZIERI (Olga). La legislazione del IV-V secolo in tema di divorzio. Studia Doc. Hist. et Iuris, 82, t. 48, p. 289-317.

1829. VOCI (Pasquale). Il diritto ereditario romano nell'età del tardo impero (V secolo). Studia Doc. Hist. et Iuris, 82, t. 48, p. 1-125.

1830. VOSS (Wulf Eckart). Recht und Rhetorik in den Kaisergesetzen der Spätantike. Eine Untersuchung z. nachklassischen Kauf- u. Übereignungsrecht. Frankfurt a. M., Löwenklau-Ges., 82, in-8, XXIX-272 p.

1831. WEIDEMANN (V.). Die Statthalter von Africa und Asia in den Jahren 14 bis 68 n. Chr. Bonn, Habelt, 81, in-8, 600 p. (Antiquitas. Reihe 1, 31)

1832. WOJCIECHOWSKA (Małgorzata). Praefecti urbis feriarum Latinarum causa w okresie Cesarstwa. (Les Praefecti urbis feriarum Latinarum causa à l'époque de l'empire romain.) Przegl. hist., 82, vol. 73, p. 1-22.

1833. ZABOROVSKIJ (Ja. Ju.). Rimskie cenzy v period krizisa i padenija Rimskoj respubliki (102-28 gg. do n. è.). (The Roman census in the period of the crisis and collapse of the Republic, 102-28 B. C.) Vestn. drevn. Ist., 82, n° 3, p. 50-60.

1834. ZAHARIADE (M.). Contribuţii la istoria legiunii a XI-a Claudia la sfîrşitul secolului al II-lea. (Contributions to the history of Legio XI Claudia in the late 2nd cent.) Studii Cercet. Ist. veche Arheol., 82, t. 33, p. 47-62. [Eng. summary]

Cf. n° 1682.

§ 6. Histoire économique et sociale.

1835. ABASCAL PALAZÓN (J. M.). Vías de comunicacíon romanas de la provincia de Guadalajara. Guadalajara, Institución provincial de Cultura "Marqués de Santillana", 82 in-8, 143 p. (16 pl.).

1836. Agricoltura (L') romana. Guida storica e critica. A cura di Luigi CAPOGROSSI COLOGNESI. Roma e Bari, Laterza, 82, in-8, XXXIV-182 p. (Univers. Laterza, 61)

1837. ALFÖLDY (Geza). Die Stellung der Ritter in der Führungsschicht des "Imperium romanum". Chiron, 82, Bd 11, p. 169-215.

1838. AVRAM (Alexandru). Das Problem der Entstehung des Kolonats in Italien am Ende der Republik und zu Beginn des Kaiserreiches. R. roumaine Hist., 82, t. 21, p. 27-42.

1839. BUSH (A.). Studies in Roman social structure. Washington, D. C., Univ. of America Press, 82, in-8, IX-255 p.

1840. CAROSELLI (M. R.). L'economia agraria italiana nell'evo antico. Econ. e Stor., 81, a. 2, p. 159-180.

1841. CASTRITIUS (H.). Der römische Prinzipat als Republik. Husum, Matthiesen, 82, in-8, 120 p. (Hist. Studien, 189)

1842. CHOUQUER (G.), CLAVEL-LEVEQUE (M.), FAVORY (F.). Cadastres, occupation du sol et paysages agraires antiques. A. Ec., Soc., Civ., 82, a. 37, p. 847-882.

1843. DESIDERI (Paolo). Tecnologia, economia e società nel mondo romano. Athenaeum [Pavia], 82, a. 70, n. s., vol. 60, p. 554-560.

1844. DREXHAGE (Hans-Joachim). Beitrag zum Binnenhandel im römischen Ägypten aufgrund der Torzollquittungen und Zollhausabrechnungen des Faijum. Münstersche Beitr. z. ant. Handelsgesch., 82, Bd I/1, p. 61-84.

1845. DREXHAGE (R.). Der Handel Palmyras in römischer Zeit. Münstersche Beitr. z. ant. Handelsgesch., 82, Bd I/1, p. 17-34.

1846. DUNCAN-JONES (Richard). Economy in the Roman Empire: quantitative studies. 2nd rev. ed. London, Cambridge U. P., 82, in-8, 414 p. (tab.).

1847. ERB (T.). Prolegomena einer Darstellung der handwerklichen Arbeitsteilung in der römischen Antike, anhand der überlieferten lateinischen Berufsbezeichnungen. Klio, 82, Bd 64, p. 117-130.

1848. FABRE (G.), RODDAZ (J. M.). Recherches sur la famille de M. Agrippa. Athenaeum [Pavia], 82, a. 70, n. s., vol. 60, p. 84-112.

1849. FAYER (C.). Aspetti di vita quotidiana nella Roma arcaica, dalle origini all'età monarchica. Roma, Bretschneider, 82, in-8, 317 p. (66 fig., 50 tav.). (Studia archaeol., 22)

1850. FIORE (L.). Schiavi e villae rusticae d'Abruzzo in età romana. Aternus, 81, a. 2, p. 5-19.

1851. FOWDEN (G.). The pagan holy man in late antique society. J. hellenic Stud., 82, vol. 102, p. 33-59.

1852. FREZOULS (Edmond). La vie rurale au Bas-Empire d'après l'oeuvre de Palladius. Ktema, 80 [82], t. 5, p. 193-210.

1853. FRIER (B.). Roman life expectancy: Ulpian's evidence. Harvard Stud. class. Philol., 82, vol. 86, p. 212-251.

1854. HABERMANN (Wolfgang). Ostia, Getreidehandelshafen Roms. Münstersche Beitr. z. ant. Handelsgesch., 82, Bd I/1, p. 35-60.

1855. HERMANSEN (Gustav). Ostia. Aspects of Roman city life. Edmonton, Univ. of Alberta Press, 82, 261 p. (139 fig.).

1856. HERMON (E.). Le programme agraire de Caius Gracchus. Athenaeum [Pavia], 82, a. 70, n. s., vol. 60, p. 258-272.

1857. JARVA (Eero). Kuningasajan Ostia uudessa valossa. (Regal Ostia in a new light.) Faravid, 81, t. 5, p. 7-14. [Eng. summary]

1858. KOTULA (Tadeusz). Les "principales" d'Afrique. Etude sur l'élite municipale nord-africaine au Bas-Empire romain. Wrocław, Zakł. Narod. im. Ossolińskich, 82, in-8, 163 p. (Travaux de la Soc. des Sci. et des Lettres de Wrocław, Sér. A, 226)

1859. LUKAS (Gerhard). Der Sport im alten Rom. Berlin, Sportverl., 82, in-8, 281 p. (Abb.).

1860. MacMULLEN (Ramsay). Roman attitudes to Greek love. Historia [Wiesbaden], 82, Bd 31, p. 484-502.

1861. MANGIN (M.). Un quartier de commerçants et d'artisans d'Alésia. Contribution à l'histoire de l'habitat urbain en Gaule. T. 1, 2. Paris, Belles Lettres, 81, vol. in-8, 400, XXVIII-300 p. (161 pl.).

1862. MILES (David). The Roman-British countryside: studies in rural settlement and economy. London, Brit. Archaeol. Rep., 82, in-4, 462 p. (fig.).

1863. PAVIS D'ESCURAC (Henriette). Irrigation et vie paysanne dans l'Afrique du Nord antique. Ktema, 80 [82], t. 5, p. 177-191.

1864. PIETILÄ-CASTRÉN (L.). New men and the Greek war buty in the 2nd cent. B. C. Arctos, 82, vol. 16, p. 121-144.

1865. POMA (Gabriella). Schiavi e schiavitù in Dionigi di Alicarnasso. R. stor. Antichità, 81 [82], a. 11, p. 69-101.

1866. RAEPSAET (G.). Attelages antiques dans le Nord de la Gaule: les systèmes de traction par équidés. Trierer Z., 82, Bd 45, p. 215-273.

1867. RAEPSAET-CHARLIER (Marie-Thérèse). Epouses et familles de magistrats dans les provinces romaines aux deux premiers siècles de l'Empire. Historia [Wiesbaden], 82, Bd 31, p. 56-69.

1868. RECH (M.). Eine römische Glashütte im Hambacher Forst bei Niederzier, Kr. Düren. Vorbericht. Bonner Jb., 82, Bd 182, p. 349-388.

1869. REMESAL RODRÍGUEZ (J.). Die Ölwirtschaft in der Provinz Baetica. Neue Formen der Analyse. Saalburg-Jb., 82, Bd 38, p. 30-71 (32 Abb., 2 Kt.).

1870. RIEDEL (Matthias). Köln, ein römisches Wirtschaftszentrum. Köln, Greven, 82, in-8, 138 p. (62 Ill., Kt.).

1871. Vacat.

1872. SALLER (Richard P.). Personal patronage under the early empire. London a. New York, Cambridge U. P., 82, in-8, X-222 p.

1873. SCHNEIDER (H. C.). Die Bedeutung der römischen Straßen für den Handel. Münstersche Beitr. z. ant. Handelsgesch., 82, Bd I/1, p. 85-96.

1874. SELECKIJ (B. P.). Istočniki finansirovanija Sully v period vojny s Mitridatom Evpatorom. (Sulla's financial resources at the time of the war with Mithridates.) Vestn. drevn. Ist., 82, n° 2, p. 63-75.

1875. SHAW (Brent D.). Rural markets in North Africa and the political economy of the Roman empire. Antiquités afric., 81, t. 17, p. 37-83 (4 fig.).

1876. SYME (Ronald). The marriage of Rubellius Blandus. Am. J. Philol., 82, vol. 103, p. 62-85.

1877. TASSAUX (Francis). Laecanii. Recherches sur une famille sénatoriale d'Istrie. Mél. Ec. franç. Rome, Antiquité, 82, t. 94, p. 227-269 (3 cartes).

1878. THOMPSON (L. A.). On "development" and "underdevelopment" in early Roman Empire. Klio, 82, Bd 64, p. 383-401.

1879. THUILLIER (J. P.). Le programme athlétique des ludi circenses dans la Rome républicaine. R. Et. latines, 82, t. 60, p. 105-122.

1880. VAN HOOFF (A. J. L.). Latrones famosi. Bandieten tussen rovers en rebellen in het romeinse keizerreijk. (Bandits entre voleurs et rebelles dans l'Empire romain.) Lampas, 82, t. 15, p. 171-196.

1881. Villes et campagnes dans l'Empire romain. Actes du colloque organisé à Aix-en-Provence par l'U. E. R. d'histoire, les 16 et 17 mai 1980, éd. par Paul Albert FEVRIER et Philippe LEVEAU. Aix-en-Provence, Univ. de Provence; diff. Marseille, J. Lafitte, 82, in-8, 209 p. (ill.).

Cf. n°s 1804, 1813, 2080.

§ 7. Histoire littéraire,
histoire de la philosophie
et histoire des sciences.

1882. ACHARD (Guy). Pratique rhétorique et idéologie politique dans le discours "Optimates" de Cicéron. Leiden, Brill, 82, in-8, XI-546 p. (Mnemosyne, suppl. 68)

1883. Actas del simposio "El teatro en la Hispania romana", Mérida, 13-15 de Nov. de 1980. Badajoz, Institución cultural Pedro de Valencia, 82, in-8, VIII-353 p. (fig.).

1884. ACUÑA (René). Notas de literatura arcaica latina. México, Univ. Nac. Autónoma, 81, in-8, 193 p.

1885. ALBRECHT (M. von). Properz als augusteischer Dichter. Wiener Stud., 82, Bd 16, p. 220-236.

1886. ALONSO NUÑEZ (J. M.). The ages of Rome. Amsterdam, Gieben, 82, in-8, 28 p.

1887. ANDERSON (W. S.). Essays on Roman satire. Princeton, N. J., Princeton U. P., 82, in-8, XVIII-494 p. (Princeton Ser. of collected essays)

1888. BALDWIN (B.). Greek historiography in late Rome and early Byzantium.

Hellēnika, 81, t. 33, p. 51-65.

1889. BERRES (Thomas). Die Entstehung der Aeneis [Virgils]. Wiesbaden, Steiner, 82, in-8, XII-337 p. (Hermes. Einzelschr., 45)

1890. BILLERBECK (M.). La réception du cynisme à Rome. Antiquité class., 82, t. 51, p. 151-173.

1891. BÖMER (Franz). P. Ovidius Naso: Metamorphosen. Kommentar zu Buch XII-XIII. Heidelberg, Winter, 82, in-8, 471 p. (Wiss. Kommentare zu griech. u. latein. Schriftstellern)

1892. Cambridge (The) history of classical literature. II: Latin literature. Ed. by E. J. KENNEY a. W. V. CLAUSEN. London a. New York, Cambridge U. P., 82, in-8, XVIII-974 p. (ill., pl.).

1893. CARMONA (A. O.). Fatum y unidad en la obra de Virgilio. Helmántica, 82, t. 33, p. 475-494.

1894. Colloque Présence d'Ovide (Institut d'Etudes latines de l'Univ. de Tours et Centre de recherches A. Piganiol). Ed. par R. CHEVALLIER. Paris, Belles Lettres, 82, in-8, 462 p. (Caesarodunum, 17 bis)

1895. CREMONA (V.). La poesia civile di Orazio. Milano, Vita e Pensiero, 82, in-8, 469 p.

1896. DANGEL (Jacqueline). La phrase oratoire chez Tite-Live. Paris, Belles Lettres, 82, in-8, X-168 p. (Coll. d'Etudes anc.)

1897. DEMANDT (A.). Geschichte der spätantiken Gesellschaft. Gymnasium, 82, Bd 89, p. 255-272.

1898. GIANOTTI (G.), PENNACINI (A.). Storia e forme della letteratura in Roma antica. Torino, Loescher, 82, in-8, XV-833 p.

1899. HEILMANN (Willibald). Ethische Reflexion und römische Lebenswirklichkeit in Ciceros Schrift De officiis. Ein literatur-soziolog. Versuch. Wiesbaden, Steiner, 82, in-8, IX-212 p. (Palingenesia, 17)

1900. HELLEGOUARC'H (J.). Les structures verbales de l'hexamètre dans les Annales d'Ennius et la création du vers épique latin. Latomus, 82, t. 41, p. 743-765.

1901. KRAGELUND (Patrick). Prophecy, populism and propaganda in the "Octavia". Copenhagen, Museum Tusculanum, 82, in-8, 88 p. (Opuscula Graecolatina, 25)

1902. KUENZL (E.). Ventosae cucurbitae romanae? Zu einem angebl. antiken Schröpfkopftypus. Germania, 82, Bd 60, p. 513-532.

1903. Lexicon Accianum. Conscripsit A. de ROSALIA. Hildesheim, Olms, 82, in-8, XXIV-203 p. (Alpha-Omega, Reihe A: Indices, Konkordanzen z. klass. Philol., 53)

1904. LIEBERG (Godo). Virgile et l'idée du poète créateur dans l'Antiquité. Latomus, 82, t. 41, p. 225-284.

1905. MacMULLEN (Ramsay). The epigraphic habit in the Roman empire. Am. J. Philol., 82, vol. 103, n° 3, p. 233-246.

1906. MARTIN (Paul M.). Mutation idéologique dans les figures de héros républicains entre 362 et 279 av. J.-C. R. Et. latines, 82, t. 60, p. 139-152.

1907. MOSKALEN (Walter). Formular language and poetic design in the Aeneid. Leiden, Brill, 82, in-8, XII-273 p.

1908. NOVARA (A.). Les idées romaines sur le progrès d'après les écrivains de la République. Essai sur le sens latin du progrès. I. Paris, Belles Lettres, 82, in-8, 564 p. (Publ. de la Sorbonne. Hist. anc. et médiévale, 9)

1909. PRIMMER (A.). Datierungs- und Entwicklungsfragen bei Vergil und Ovid. Wiener Stud., 82, Bd 16, p. 245-259.

1910. PUTNAM (Michael C. I.). Essays on Latin lyric, elegy and epic. Princeton, N. J., Princeton U. P., 82, in-8, XIV-354 p.

1911. Romanitas - Christianitas. Unters. zur Gesch. u. Lit. d. römischen Kaiserzeit. Johannes Straub zum 70. Geburtstag am 18. Oktober 1982 gewidmet. Hrsg. v. Gerhard WIRTH unter Mitw. v. Karl-Heinz SCHWARTE u. Johannes HEINRICHS. Berlin u. New York, de Gruyter, 82, in-8, XI-777 p. (ill.).

1912. ROSEN (Klaus). Ammianus Marcellinus. Darmstadt, Wiss. Buchges., 82, in-8, VII-237 p. (Erträge d. Forsch., 183)

SABOT (A.). La fête dans les oeuvres amoureuses d'Ovide. In: La fête [Cf. n° 902], p. 101-121.

1914. SCHMIDT (Ernst A.). Die Angst der Mächtigen in den Annalen des Tacitus. Wiener Stud., 82, Bd 16, p. 274-287.

1915. STEINMETZ (P.). Untersuchungen zur römischen Literatur des zweiten Jahrhunderts nach Christi Geburt. Wiesbaden, Steiner, 82, in-8, XIII-418 p. (Palingenesia, 16)

1916. SYME (Ronald). The travels of Suetonius Tranquillus. Hermes, 81, Bd 109, p. 105-117.

1917. THOMAS (R. F.). Lands and peoples in Roman poetry. The ethnographical tradition. Cambridge, Philol. Soc., 82, in-8, IV-144 p. (Cambridge Philol. Soc., Suppl., 7)

1918. WISSEMANN (M.). Die Parther in der augusteischen Dichtung. Frankfurt a. M., Lang, 82, in-8, 180 p. (Europ. Hochschulschr., R. 15, 24)

1919. WOYTEK (E.). Zur Herkunft der Arztszene in den Menaechmi des Plautus. Wiener Stud., 82, Bd 16, p. 165-182.

Cf. n°s 149, 1427, 1535, 1537, 1569, 1572, 1584, 2076, 2100, 2182.

§ 8. Religion et mythologie.

1920. CHAMPEAUX (Jacqueline). Fortuna. Recherches sur le culte de la Fortuna à Rome et dans le monde romain. Des origines à la mort de César. I: Fortuna dans la religion archaïque. Rome, Ecole franç. de Rome; diff. Paris, de Boccard, 82, in-8, XXIII-526 p. (11 pl., 3 cartes et plans). (Coll. de l'Ecole franç. de Rome, 64)

1921. CHAMPEAUX (Jacqueline). Religion romaine et religion latine. Les cultes de Jupiter et de Junon à Préneste. R. Et. latines, 82, t. 60, p. 71-104.

1922. CROKE (Brian), HARRIES (Jill). Religious conflict in 4th century Rome. Sydney, U. P.; London, Eurospan, 82, in-8, 192 p.

1923. DEBORD (P.). Aspects sociaux et économiques de la vie religieuse dans l'Anatolie gréco-romaine. Leiden, Brill, 82, in-8, X-476 p. (9 fig., 5 cartes). (Et. prélim. aux religions orient. dans le monde romain, 88)

1924. GÁSPÁR (Dorottya). Esküü a rómaiaknál és a sacramentum militae. (Le serment chez les Romains et le sacramentum militae.) Budapest, Akadémiai Kiadó, 82, in-8, 90 p.

1925. HAEHLING (R. v.). Heiden im griechischen Osten des 5. Jahrhunderts n. Chr. Röm. Qschr., 82, Bd 77, p. 52-85.

1926. HAUBEN (Hans). Het geheim van Vesta. Onderzoek naar de oorsprong en de betekenis van een oudromeinse cultus. (Le secret de Vesta. Enquête sur l'origine et la signification d'un culte romain ancien.) Kleia, 82, t. 12, p. 12-41.

1927. KRAWCZUK (Aleksander). Mitologia starożytnej Italii. (La mythologie de l'ancienne Italie.) Warszawa, Wydawn. Artyst. i Filmowe, 82, in-8, 229 p. (Mitologie Świata)

1928. MARTIN (Jean Pierre). Providentia deorum. Recherches sur certains aspects religieux du pouvoir impérial romain. Roma, Bretschneider; Paris, de Boccard, 82, in-8, VI-501 p. (Coll. de l'Ecole franç. de Rome, 61)

1929. MERKELBACH (Reinhold). Weihegrade und Seelenlehre der Mithrasmysterien. Wiesbaden, Westdeutscher Verl., 82, in-8, 74 p. (30 Fig.).

1930. Soteriologia (La) dei culti orientali nell'impero romano. Atti del Colloquio internaz. su "La soteriologia dei culti orientali nell'impero romano", Roma, 24-28 settembre 1979. Leiden, Brill, 82, in-8, 1025 p. (pl.). (Et. prélim. aux religions orient. dans l'Empire romain, 92)

1931. ULF (Christian). Das römische Lupercalienfest. Ein Modellfall für Methodenprobleme in d. Altertumswissenschaft. Darmstadt, Wiss. Buchges., 82, in-8, VIII-176 p. (Impulse d. Forsch., 38)

1932. VERMASEREN (M. J.). Mithriaca. [IV. Cf. Bibl. 80, n° 1811.] III: The Mithraeum at Marino. Leiden, Brill, 82, in-8, XIV-105 p. (32 pl.). (Et. prélim. aux religions orient. dans l'Empire romain, 16)

1933. WARDMAN (Alan). Religion and statecraft among the Romans. Baltimore, Johns Hopkins Press; London, Granada, 82, in-8, VI-217 p.

1934. WREDE (Henning). "Consecratio in formam deorum". Vergöttlichte Privatpersonen in d. röm. Kaiserzeit. Mainz (Rhein), v. Zabern, 81, in-4, X-373 p. (40 Taf.).

Cf. n°s 222, 1041, 1732, 1810.

§ 9. Archéologie et histoire de l'art.

* Cf. n° II.

1935. ADAM (Anne-Marie). Remarques sur une série de casques de bronze ou Tarente et les Barbares dans la deuxième moitié du IVe siècle av. J.-C. Mél. Ec. franç. Rome, Antiquité, 82, t. 94, p. 7-32 (6 pl.).

1936. ADAM (Anne-Marie), FEUGERE (M.). Un aspect du bronze dans l'arc alpin oriental et en Dalmatie au Ier siècle av. J.-C.: les fibules du type dit "de Jezerune". Aquileia nostra, 82, a. 53, p. 129-188.

1937. ADAM (Richard), BRIQUEL (Dominique). Le miroir prénestin de l'Antiquario comunale de Rome et la légende des jumeaux divins en milieu latin à la fin du IVe s. av. J.-C. Mél. Ec. franç. Rome, Antiquité, 82, t. 94, p. 33-65 (19 fig.).

1938. ANDERSON (Ann C.), ANDERSON (A. S.). Roman pottery preserved in Britain and North-West Europe: papers presented to Graham Webster. London, Brit. Archaeol. Rep., 82, in-4, 535 p. (ill., fig.).

1939. Archeologia nella Tuscia. Primo incontro di studio. Viterbo, 1980. Roma, Cons. naz. delle Ric., 82, in-8, 169 p. (fig.). (Istit. di Stud. etruschi ed italici; Comit. per le attività archeol. nella Tuscia)

1940. Area (L') del santuario siriaco del Gianicolo. Problemi archeoligici e storico-religiosi. Present. di Mirella MELE. Roma, Quasar, 82, in-8, 115 p. (fig.). (Min. per i beni cult. e ambien. Soprint. archeol. di Roma)

1941. Art (L') décoratif à Rome à la fin de la République et au début du Principat. Ecole franç. de Rome, Table ronde, Rome, 10-11 mai 1979. Roma, Ecole franç. de Rome; diff. Paris, de Boccard, 82, in-4, 374 p. (257 fig.). (Coll. de l'Ecole franç. de Rome, 55)

F. HISTOIRE DE ROME ET DE L'EMPIRE ROMAIN

1942. BARKÓCZI (László). Kelche aus Pannonien mit Fadenauflage und Gravierung. Acta archaeol. Acad. Sci. hungaricae, 81, vol. 33, p. 35-70. - IDEM. A keletpannóniai sirsztélék ábrázolásainak délkeleti és keleti kapcsolatai. (Die südöstlichen und orientalischen Beziehungen der Darstellungen auf ostpannonischen Grabstelen.) Archaeol. Ért., 82, vol. 109, n° 1, p. 18-50.

1943. BECHERT (T.). Römisches Germanien zwischen Rhein und Maas: die Provinz Germania Inferior. München, Hirmer, 82, in-4, 290 p. (365 Abb., Kt.).

1944. BOSSERT (Martin). Die Rundskulpturen von Aventicum. Bern, Stampfli, 82, 81 p. (62 Taf., 2 Kt.). (Acta bernensia, 9)

1945. BÜSING (Hermann). Römische Militärarchitektur in Mainz. Mainz (Rhein), v. Zabern, 82, in-4, VIII-97 p. (36 Abb., 43 Taf.). (Röm.-german. Forsch., 40)

1946. BUONOCORE (Marco). Monumenti funerari romani con decorazione ad Alba Fucens. Mél. Ec. franç. Rome, Antiquité, 82, t; 94, p. 715-741 (10 fig.).

1947. CARANDINI (Andrea), RICCI (Andreina), DE VOS (Mariette). Filosofiana, la villa di Piazza Armerina. Immagine di un aristocratico romano al tempo di Costantino. Con un contributo di Maura MEDRI. Palermo, Flaccovio, 82, in-8, 414 p. (fig., tav.).

1948. CHEVALLIER (Raymond). "Provincia". Villes et monuments de la Gaule Narbonnaise. Paris, Belles Lettres, 82, in-8, 192 p. (32 pl., carte).

1949. Corpus de mosaicos de España. [3. Cf. Bibl. 81, n° 1716.] Fasc. 4: BLÁZQUEZ (José María). Mosaicos romanos de Sevilla, Granada, Cádiz y Murcia. Fasc. 5: BLÁZQUEZ (José María). Mosaicos romanos de la Real Academia de la Historia, Ciudad Real, Toledo, Madrid y Cuenca. Madrid, Inst. español de Arqueol., 82, 2 vol. in-4, 105 p. (25 fig., 47 pl.); 108 p. (42 fig., 50 pl.).

1950. Corpus signorum Imperii Romani. Corpus of sculpture of the Roman world. Great Britain. Vol. 1, fasc. [1. Cf. Bibl. 78-79, n° 1828.] 2: Bath and the rest of Wessex. By Barry W. CUNLIFFE, M. G. FULFORD. London, Oxford U. P., 82, in-4, XVI-59 p. (48 p. of pl.).

1951. CROISILLE (Jean-Michel). Poésie et art figuré de Néron aux Flaviens. Recherches sur l'iconographie et la correspondance des arts à l'époque impériale. Vol. 1: Texte. Vol. 2: Planches. Bruxelles, Latomus, 82, 2 vol. in-4, 725 p., p. 732-742 (167 pl.).

1952. CRUMMY (P.). The origins of some major Romano-British towns. Britannia, 82, vol. 13, p. 125-134 (6 fig.).

1953. CULICĂ (Vasile). Zei și evocări de mituri greco-romane pe obiecte de plomb din teritoriul municipiului Durostorum. (Représentations de divinités et de mythes gréco-romains sur des objets de plomb découverts dans le territoire du municipe de Durostorum.) Studii Cercet. Ist. veche Arheol., 82, t. 33, p. 109-118. (4 fig.). [Rés. franç.]

1954. CUNLIFFE (Barry C.). Britain, the Veneti and beyond. Oxford J. Archaeol., 82, vol. 1, p. 39-68.

1955. DAVID (J.), GOGUEY (R.). Les villas gallo-romaines de la vallée de la Saône découvertes par prospection aérienne. R. archéol. Est., 82, vol. 33, p. 143-172 (19 fig.).

1956. DEICHMANN (Friedrich Wilhelm). Rom, Ravenna, Konstantinopel, Naher Osten. Gesammelte Studien z. spätantiken Architektur, Kunst u. Geschichte. Wiesbaden, Steiner, 82, in-8, X-837 p. (Ill., graph. Darst.).

1957. DEVIJVER (Hubert), VAN WONTERGHEM (Frank). Il campus nell'impianto urbanistico delle città romane: testimonianze epigrafiche e resti archeologici. Acta archaeol. lovanensia, 81, vol. 33-68 (17 fig.).

1958. DEWAILLY (Martine). Les femmes des guerriers indigènes dans les scènes de libation représentées sur les vases à figures rouges d'Italie du Sud au IVe siècle. Mél. Ec. franç. Rome, Antiquité, 82, t. 94, p. 581-623 (12 fig.).

1959. DUNBABIN (Katherine M. D.). The Victorious Charioteer on mosaics and related monuments. Am. J. Archaeol., 82, vol. 86, n° 1, p. 65-89. (pl. 5-9).

1960. DWJER (Eugene J.). Pompeian domestic sculpture. A study of five Pompeian houses and their contents. Roma, Bretschneider, 82, in-4, 178 p. (55 tav.). (Archaeologica, 28)

1961. FERCHIOU (Naïdé). Rinceaux antiques remployés dans la grande mosquée de Tunis: parenté de leur style avec celui de certains monuments de Carthage. Antiquités afric., 81, t. 17, p. 143-163.

1962. FERNÁNDEZ OCHOA (Carmen). Asturias en la época romana. Madrid, Univ. Autónoma, Dep. de Prehist. y Arqueol., 82, in-8, 456 p. (ill.). (Monogr. arqueol., 1)

1963. Forma Italiae. Regio I, volumen XVI: Ardea. [Di] Chiara MORSELLI, Edoardo TORTORICI. Firenze, Olschki, 82, in-4, 139 p. (tav.). [Cf. Bibl. 81, n° 1725]

1964. FRERE (Shepherd S.) a. others. Excavations on the Roman and mediaeval defences of Canterbury. Canterbury, Archaeol. Trust, 82, in-fol., 180 p. (ill., fig.). (Kent Archaeol. Soc.)

1965. GROS (P.). Le forum de la haute ville dans la Carthage romaine d'après les textes et l'archéologie. C.R. Acad. Inscript., 82, p. 636-658 (6 fig.).

1966. GUIRAUD (H.). Bergers et paysans dans la glyptique romaine. Pallas, 82, t. 29, p. 39-56.

9. ARCHEOLOGIE ET HISTOIRE DE L'ART

1967. GUZZO (Pier Giovanni). Le città scomparse della Magna Grecia. Dagli insediamenti protostorici alla conquista romana. Un viaggio affascinante in una terra antichissima. Roma, Newton Compton, 82, in-8, 431 p. (fig.). (Quest'Italia, 37)

1968. HATTATT (Richard). Ancient and Romano-British brooches, a handbook to identification and dating. Dorchester, Dorset Publ. Co., 82, in-4, 224 p. (ill.).

1969. HERES (Theodora Leonore). Paries: a proposal for a dating system of late-antique masonry structures in Rome and Ostia. Amsterdam, Rodopi, 82, in-4, VII-608 p. (ill., 94 p. of pl.). (Stud. in class. antiquity, 5)

1970. HÖCKMANN (Olaf). Spätrömische Schiffsfunde in Mainz. Archäol. Anz., 82, Jg. 12, H. 2, p. 231-250 (Taf. 19-22).

1971. ISAAC (Benjamin), ROLL (Israel). Roman roads in Judea. Vol. 1: Legio Scythopolis Road. London, Brit. Archaeol. Rep., 82, in-4, 143 p. (ill., fig.).

1972. JOBST (W.). Römische Mosaiken in Salzburg. Wien, Österr. Bundesverl., 82, in-4, 172 p. (64 Taf.).

1973. KENNEDY (D. L.). Archaeological explorations on the Roman frontier in North East Jordan. London, Brit. Archaeol. Rep., 82, in-4, 376 p. (ill., fig.).

1974. KEPPIE (L.). The Antonine Wall 1960-1980. Britannia, 82, vol. 13, p. 91-111 (6 fig.).

1975. KING (Anthony). Archaeology of the Roman Empire. London, Hamlyn, 82, in-4, 192 p. (ill., pl.).

1976. KOCH (Guntram), SICHTERMANN (Hellmut). Römische Sarkophage. Mit e. Beitr. v. Friederike SINN-HENNINGER. München, Beck, 82, in-4, XXXIV-672 p. (25 Fig., 160 Taf.). (Hdb. d. Archäol.)

1977. KÜNZL (E.). Medizinische Instrumente aus Sepulkralfunden der römischen Kaiserzeit. Unter Mitarb. v. F. J. HASSEL u. S. KÜNZL. Bonner Jb., 82, Bd 182, p. 1-131 (97 Abb., Kt.).

1978. LARSEN (J. D.). The water towers in Pompeii. Analecta romana, 82, t. 11, p. 41-67.

1979. LE BOHEC (Yann). Les marques sur briques et les surnoms de la IIIe Légion Auguste. Epigraphica, 81 [82], a. 43, p. 127-160.

1980. LEPPER (G.). Die Darstellungen des Feldherrn Scipio Africanus. Bochum, Brockmeyer, 82, in-8, 186 p.

1981. LIVERSIDGE (Joan). Roman provincial wall-painting in the Western Empire. London, Brit. Archaeol. Rep., 82, in-4, 208 p. (ill.).

1982. LOHMANN (Hans). Zu technischen Besonderheiten apulischer Vasen. Jb. d. deutsch. archäol. Inst., 82, Bd 97, p. 191-249.

1983. MANACORDA (Daniele). Archeologia urbana a Roma. Il progetto della Crypta Balbi. Firenze, All'insegna del giglio, 82, in-8, 125 p. (fig.). (Bibl. di Archeol. mediev., 2)

1984. MARINESCU (L. T.). Funerary monuments in Dacia Superior. Tr. from the Romanian by N. HAMPARTUMIAN. London, Brit. Archaeol. Rep., 82, in-4, 244 p. (ill.). (Brit. Archaeol. Rep., Intern. Ser., 118)

1985. MATIJAŠIĆ (Robert). Roman rural architecture in the territory of Colonia Iulia Pola. Am. J. Archaeol., 82, vol. 86, n° 1, p. 53-64.

1986. MEISCHNER (J.). Privatporträts der Jahre 195 bis 220 n. Chr. Jb. d. deutsch. archäol. Inst., 82, Bd 97, p. 401-439.

1987. MORENO (Paolo). Il Farnese ritrovato ed altri tipi di Eracle in riposo. Mél. Ec. franç. Rome, Antiquité, 82, t. 94, p. 379-526 (138 fig.).

1988. Nécropole (La) gallo-romaine des Bolards, Nuits-Saint-Georges. Fouille: Ernst PLANSON. Etudes: Claude BRENOT, Simone DEYTS, Hervé JOUBEAUX, Michel LEJEUNE, Thérèse POULIN. Notes: Maurice CHABEUF, Jean DASTUGUE. Dessins des plans et coupes: Jacques GAUTHEY. Paris, Ed. du C.N.R.S., 82, in-4, 192 p. (41 fig., 44 pl., 9 tabl.).

1989. Obergermanisch-raetische (Der) Limes des Römerreiches. Fundindex. Bearb. v. Jürgen OLDENSTEIN. Mainz, v. Zabern, 82, in-4, XXX-146 p. (2 Taf.).

1990. PAGANO (Mario), REDDÉ (Michel), RODDAZ (Jean-Michel). Recherches archéologiques et historiques sur la zone du lac d'Averne. Mél. Ec. franç. Rome, Antiquité, 82, t. 94, p. 271-323 (26 fig.).

1991. PAILLER (Jean Marie). Les oscilla retrouvés: du recueil des documents à une théorie d'ensemble. Mél. Ec. franç. rome, Antiquité, 82, t. 94, p. 743-822 (9 fig., 2 pl.).

1992. PEACOCK (D. P. S.). Pottery in the Roman world: an ethnoarchaeological approach. London, Longman, 82, in-4, p. XIII-192 p. (89 fig., 31 pl.).

1993. PELLETIER (André). L'urbanisme romain sous l'Empire. Paris, Picard, 82, in-4, 207 p. (158 ill., carte).

1994. PERRIN (Yves). Nicolas Ponce et la Domus aurea de Néron: une documentation indédite. Mél. Ec. franç. Rome, Antiquité, 82, t. 94, p. 843-891 (12 fig.).

1995. ROBERTS (William I.). Romano-Saxon pottery. London, Brit. Archaeol. Rep., 82, in-4, 186 p. (fig.).

1996. Römische Forschungen in Zalalövö. Acta archaeol. Acad. Sci. hungaricae, 81, vol. 33, p. 273-346.

1997. RUPRECHTSBERGER (Erwin Maria). Römerzeit in Linz. Bilddokumentation. Mit e. Ausblick auf Ur- u. Frühgesch. Linz, Stadtmuseum, 82, in-8, XV-183 p. (Linzer archäol. Forsch., 11)

1998. SIGURDSSON (Haraldur), CASHDOLLAR (Stanford), SPARKES (Stephen R. J.). The eruption of Vesuvius in A. D. 79: reconstruction from historical and vulcanological evidence. Am. J. Archaeol., 82, vol. 86, n° 1, p. 39-54 (pl. 4).

1999. STACCIOLI (Romolo Augusto). Pompei: vita pubblica di un'antica città. La Spezia, Club del libro, 82, in-8, 162 p. (fig., tav.). (Archeol., 21)

2000. STICHEL (Rudolf H. W.). Die römische Kaiserstatue am Ausgang der Antike. Untersuchungen zum plastischen Kaiserporträt seit Valentinian I. (364-375 n. Chr.). Roma, Bretschneider, 82, in-4, XIV-129 p. (38 Taf.). (Archaeologica, 24)

2001. Studien zur spätantiken und frühchristlichen Kunst und Kultur des Orients. Hrsg. v. Guntram KOCH. Wiesbaden, Harrassowitz, 82, VII-138 p. (20 Taf.). (Göttinger Orientforschungen, Reihe 2, 6)

2002. SUCEVEANU (Alexandru). Histria IV: Les thermes romains. Bucureşti, Ed. Academiei, 82, in-4, 256 p. [Cf. Bibl. 78-79, n° 1582] – IDEM. Contribuţii la studiul ceramicii romano-bizantine de la Histria. (Contributions à l'étude de la céramique romano-byzantine d'Histria.) Studii Cercet. Ist. veche Arheol., 82, t. 33, p. 79-107 (17 fig.). [Rés. franç.]

2003. SÜSSENBACH (U.). Die Stadtmauer des römischen Köln. Köln, Greven, 81, in-8, 102 p. (57 Fig.).

2004. TRENDALL (Arthur Dale), CAMBITOGLOU (Alexander). Red-figured vases of Apulia. [Vol. 1. Cf. Bibl. 78-79, n° 1599.] Vol. 2: Late Apulian. London, Oxford U. P., 82, in-8, 674 p. (ill.). (Oxford Monogr. on Class. Archaeol.)

2005. WACHER (John S.), McWHIRR (Alan D.). Early Roman occupation at Cirencester. Cirencester, Excavation Committee Corinium Museum, 82, in-4, 245 p. (70 fig., 28 pl.). (Cirencester Excavations, 1)

2006. WAURICK (Götz). Die römische Kettenrüstung von Weiler-la-Tour. Hémecht, 82, t. 34, p. 111-130.

2007. WEDLAGE (W. J.). The excavation of the shrine of Apollo at Nettleton, Wiltshire, 1956-1971. London, Soc. of Antiq., 82, in-4, XX-267 p. (ill., fig.).

2008. WILSON (E. J. A.). Roman mosaics in Sicily: the African connection. Am. J. Archaeol., 82, vol. 86, n° 3, p. 413-428 (pl. 50-55).

2009. WOLSKA (Wanda), BERCIU (Ion). Das Gräberfeld Ighiu [Kreis Alba, Rumänien] – ein Vergleich mit den Hügelgräberfeldern der Provinz Dakien. Acta praehist. et archaeol., 82, Bd 13/14, p. 85-243 (102 Abb., 48 Taf.).

Cf. n°s 214, 311, 326, 976, 1238, 1256, 1637, 1649, 1651, 1723, 1761, 1849, 1855, 2102.

G

HISTOIRE ANCIENNE DE L'EGLISE JUQU'A GREGOIRE LE GRAND

§ 1. Documents. 2010-2040. - § 2. Généralités. 2041-2059. - § 3. Travaux particuliers. 2060-2103. - § 4. Hagiographie. 2104-2110.

§ 1. Documents.

* Cf. n° 2178.

2010. Actes (Les) des Apôtres. Texte trad. et annoté par Edouard DELEBECQUE. Paris, Belles Lettres, 82, in-8, 142 p. (Coll. d'Etudes anc.)

2011. [AMBROSIUS, Sanctus:] Tutte le opere di sant'Ambrogio. Edizione bilingue a cura della Biblioteca Ambrosiana. Promossa dal card. Giovanni Colombo arcivescovo di Milano, in occasione del XVI centenario dell'elezione episcopale di sant'Ambrogio. 3: De Isaac vel anima. De Bono mortis. Recensuit Carolus SCHENKL. Isacco o l'anima, Il bene della morte. Opere esegetiche, III. Introd., trad., note e indici di Claudio MORESCHINI. Milano, Bibl. Ambrosiana; Roma, Città nuova, 82, in-8, 466 p.

2012. ARNOBE. Contre les gentils. Livre 1. Texte établi, trad. et commenté par Henri LE BONNIEC. Paris, Belles Lettres, 82, in-8, 395 p. (Coll. des Univ. de France)

2013. [AUGUSTINUS (Aurelius), Sanctus:] Sancti Aurelii Augustini Opera. Epistolae ex duobus codicibus nuper in lucem prolatae. Recensuit Johannes DIVJAK. Wien, Hölder-Pichler-Tempsky, 81, in-8, LXXXIV-234 p. (2 Taf.).

2014. BASILE DE CESAREE. Contre Eunome. T. 1. Suivi de: L'apologie d'EUNOME. Introd., trad. et notes de Bernard SESBOUEN, avec la collab. de Georges-Matthieu de DURAND et Louis DOUTRELEAU. Paris, Cerf, 82, in-8, 286 p. (Sources chrétiennes, 299)

2015. BROCK (S.). Some new Syriac texts attributed to Hippolytus. Muséon, 81, t. 94, p. 177-200.

2016. BROWN (Raymond E.), S. S. The Epistle of John. Trans., with introd., notes a. commentary. Garden City, N. Y., Doubleday, 82, in-8, 812 p. (Anchor Bible, 30)

2017. BRUCE (Frederick Fyvie). The Epistles to the Galatians. A commentary on the Greek text. Grand Rapids, Mich., Eerdmans a. Paternoster Press, 82, in-8, 305 p. (The New intern. Greek Testament commentary)

2018. Colección canónica (La) Hispana III. Concilios griegos y africanos. Por Gonzalo MARTÍNEZ DÍEZ y Félix RODRÍGUEZ. Madrid, C. S. I. C., Inst. Enrique Flórez, 82, in-8, 454 p.

2019. CYPRIEN DE CARTHAGE. A Donat et La vertu de patience. Introd., notes et trad. du latin par Jean MOLAGER. Paris, Ed. du Cerf, 82, in-8, 280 p. (Sources chrétiennes, 291)

2020. DAVIDS (Peter H.). The Epistle of James. A commentary on the Greek text. Grand Rapids, Mich., Eerdmans a. Paternoster Press, 82, in-8, 226 p. (The New intern. Greek Testament commentary)

2021. EGERIE, Bienheureuse. Journal de voyage (Itinéraire). Ed. entièrement nouv. Introd., texte critique, trad., notes et index par Pierre MARAVAL. Suivi de "La lettre de Valérius du Bierzo sur la bienheureuse Egérie". Introd., texte et trad. par Manuel C. DÍAZ Y DÍAZ. Paris, Cerf, 82, in-8, 380 p. (Sources chrétiennes, 296)

2022. ENNABLI (Liliane). Les inscriptions funéraires chrétiennes de Carthage. II: La basilique de Mcidfa. Rome, Ecole franç. de Rome, 82, in-8, VII-386 p. (ill.). (Coll. de l'Ecole franç. de Rome, 62)

2023. EUSEBE DE CESAREE. La préparation évangélique. Livre XI. Introd., trad. et commentaire de Geneviève FAVRELLE. Texte grec révisé par Edouard DES PLACES. Paris, Cerf, 82, in-8, 424 p. (Sources chrétiennes, 292)

2024. FIRMICUS PATERNUS (Julius). L'erreur des religions païennes. Texte établi, trad. et commenté par Robert TURCAN. Paris, Belles Lettres, 82, in-8, 367 p. (Coll. des Univ. de France)

2025. GREGOIRE DE NAZIANZE. Discours 24-26. Introd., texte critique, trad. et notes de J. MOSSAY, avec la collab. de G.

FONTAINE. Paris, Cerf, 82, in-8, 320 p. (Sources chrétiennes)

2026. GREGOIRE DE NYSSE. La création de l'homme. Introd. de J.-Y. GUILLAUMIN et A.-G. HAMMAN, trad. par J.-Y. GUILLAUMIN. Paris, Desclée de Brouwer, 82, in-8, 185 p. (Les Pères dans la foi)

2027. IRENEE DE LYON. Contre les hérésies. Ed. critique par Adelin ROUSSEAU et Louis DOUTRELEAU. Livre [III. Cf. Bibl. 74-75, n° 2101.] II. T. 1: Introd., notes justificatives, tables. T. 2: Texte et traduction. Paris, Cerf, 82, 2 vol. in-8, 438, 372 p. (Sources chrétiennes, 293, 294)

2028. JEAN CHRYSOSTOME. Panégyrique de saint Paul. Introd., texte critique, trad. et notes par Auguste PIEDAGNEL. Index. Paris, Cerf, 82, in-8, 298 p. (Sources chrétiennes, 300)

2029. JUNOD (Eric), KAESTLI (Jean-Daniel). L'histoire des Actes apocryphes des Apôtres du IIIe au IXe siècle: le cas des Actes de Jean. Genève, Lausanne et Neuchâtel, Revue de Théol. et de Philos.; diff. Lausanne, Concorde, 82, in-8, 154 p. (Cah. de la R. Théol. Philos., 7)

2030. LACTANCE. La colère de Dieu. Introd., texte critique, trad., commentaire et index par Christiane INGREMEAU. Paris, Cerf, 82, in-8, 432 p. (Sources chrétiennes, 289)

2031. MATOMINI (Franco). Cristo all'Eufrate. P. Heid. G. 1101: amuleto cristiano. Z. f. Papyrol. u. Epigr., 82, Bd 48, p. 149-170 (pl.).

2032. MATTER (E. A.). The Revelation Esdrae in Latin and English tradition. R. bénédictine, 82, t. 92, p. 376-392.

2033. ONUKI (T.). Zur literatursoziologischen Analyse des Johannesevangeliums - auf dem Wege zur Methodenintegration. Annual japanese biblical Inst., 82, vol. 8, p. 162-216.

2034. [ORIGENES:] ORIGENE. Commentaire sur saint Jean. T. 4: Livres XIX-XX. Texte grec, introd. et notes par Cécile BLANC. Paris, Cerf, 82, in-8, 395 p. (Sources chrétiennes, 290)

2035. [ORIGENES:] ORIGEN. Homelies on Genesis and Exodus. Trans. by Ronald E. HEINE. Washington, D. C., Cath. Univ. of America, 82, in-8, XII-422 p. (The Fathers of the church, 71)

2036. [ORIGENES:] ORIGENE. Homélies sur le Lévitique. T. 1: Homélies I-VII. T. 2: Homélies VIII-XVI. Tables et index par Marcel BORRET. Paris, Cerf, 81-82, 2 vol. in-8, 374, 377 p. (Sources chrétiennes, 286, 287)

2037. Studia evangelica. [Vol. 6. Vf. Bibl. 73, n° 1376.] Vol. 7: Papers presented to the 5th International Congress on Biblical Studies, held at Oxford, 1973. With a cumulative index of contributors to Studia evangelica, vol. 1-7. Ed. by Elizabeth A. LIVINGSTONE. Berlin, Akad.-Verl., 82, in-8, XI-570 p. (Texte u. Unters. z. Gesch. d. altchristl. Lit., 126)

2038. THEODORET DE CYR. Commentaire sur Isaïe. [1. Cf. Bibl. 80, n° 1712.] 2 (Section 4-13). Texte critique, trad., notes par Jean-Noël GUINOT. Paris, Cerf, 82, in-8, 496 p. (Sources chrétiennes, 295)

2039. Violenza di Stato nell'era dei martiri. Antologia di processi penali contro i cristiani presentata da Costante BERSELLI. Roma, Ediz. paoline, 82, in-8, 199 p. (Letture crist. delle origini, Antol., 6)

2040. VOGUE (Adalbert de). Les règles des Saints Pères. T. 1: Trois règles de Lérins au Ve siècle. Paris, Cerf, 82, in-8, 404 p. (Sources chrétiennes, 297)

Cf. n°s 1011, 1259, 2110.

§ 2. Généralités.

* 2041. Bibliographia patristica. Internationale patristische Bibliographie. In Verbindung mit vielen Fachgenossen hrsg. v. Wilhelm SCHNEEMELCHER. [Bd 18/19, 20/21. Cf. Bibl. 81, n° 1772.] Bd 22/23: Die Erscheinungen der Jahre 1977 und 1978. Berlin u. New York, de Gruyter, 82, in-8, IL-315 p.

* 2042. KANNENGIESSER (Charles). Bulletin de théologie patristique [CR de 16 ouvrages]. Rech. Sci. relig., 82, t. 70, p. 583-626.

* 2043. TREVIJANO ETCHEVERRÍA (R.). Bibliografía patrística hispano-luso-americana. II (1979-1980). Salmanticensis, 82, t. 29, p. 101-130.

* Cf. n° 1373.

2044. BARTNIK (Czesław Stanisław). Nadzieje upadajacego Rzymu. Papieska wizja świata ze schyłku imperium rzymskiego. (Les espérances de Rome décadente. Une vision papale du monde à la fin de l'Empire romain.) Warszawa, Novum, 82, in-8, 299 p.

2045. BROWN (Peter). Society and the holy in late antiquity. Berkeley a. Los Angeles, Univ. of California Press, 82, in-8, VII-347 p.

2046. BRUNNER-TRAUT (E.). Die Kopten. Leben u. Lehre d. frühen Christen in Ägypten. Köln, Diederichs, 82, in-8, 171 p. (Diederichs gelbe R., 39)

2047. CHADWICK (Henry). History and thought of the early church. London, Variorum Repr., 82, in-8, 344 p.

2048. GUARDUCCI (Margherita). La cattedra di San Pietro nella scienza e nella fede. Roma, Istit. poligr. e Zecca dello Stato, Libr. dello Stato, 82, in-8, 134 p. (tav.).

2049. KORŽEVA (K. P.). Problemy pervokhristianstva v sovetskoj istoriografii.

(Problems of early Christian ideology in Soviet historiography.) Vopr. Ist., 82, n° 1, p. 67-81.

2050. LAPERROUSAZ (E. M.). L'attente du Messie en Palestine à la veille et au début de l'ère chrétienne à la lumière des documents récemment découverts. Paris, Picard, 82, in-8, 356 p. (2 cartes). (Coll. Empreinte)

2051. LAUB (Franz). Die Begegnung des frühen Christentums mit der antiken Sklaverei. Stuttgart, Kathol. Bibelwerk, 82, in-8, 120 p. (Stuttgarter Bibelstudien, 107)

2052. MANDOUZE (André). Prosopographie chrétienne du bas empire. 1: Prosopographie de l'Afrique chrétienne (303-553). Paris, Ed. du C.N.R.S., 82, in-8, 1325 p.

2053. Mondo classico e cristianesimo. [Atti di un Congresso tenuto a Roma nel 1980.] Roma, Istit. dell'Enciclopedia ital., 82, in-8, 232 p. (tav.). (Bibl. intern. di Cult., 7)

2054. Reallexikon für Antike und Christentum. Sachwörterbuch z. Auseinandersetzung d. Christentums mit d. antiken Welt. Hrsg. v. Theodor KLAUSER. Bd 12, Lfg. 90: Gottmensch I - Gottmensch III. Lfg. 91: Gottmensch III (Forts.) - Grabinschrift. Stuttgart, Hiersemann, 82, 2 vol. in-4, col. 161-320, 321-480. [Lfg. 58-61. Cf. Bibl. 70-71, n° 2475.]

2055. SANTOS YANGUAS (Narciso). La dinastía de los Severos y los cristianos. Euphrosyne, 81-82, t. 11, p. 149-171.

2056. SCHLEICH (T.). Missionsgeschichte und Sozialstruktur des vorkonstantinischen Christentums. Die These von der Unterschichtreligion. Gesch. in Wiss. u. Unterr., 82, Bd 33, p. 269-296.

2057. STOEVER (H. D.). Christenverfolgung im Römischen Reich. Ihre Hintergründe u. Folgen. Düsseldorf, Econ, 82, in-8, 319 p.

2058. TWOMEY (Vincent). Apostolikos thronos. The primacy of Rome as reflected in the Church History of Eusebius and the historico-apologetic writings of St. Athanasius the Great. Münster, Aschendorff, 82, in-4, 623 p.

2059. ULLMANN (Walter). Gelasius I. (492-496). Das Papsttum an d. Wende d. Spätantike zum Mittelalter. Stuttgart, Hiersemann, 81, in-8, XII-317 p. (Päpste u. Papsttum, 18)

Cf. n°s 199, 1698, 1922.

§ 3. Travaux particuliers.

*2060. CROUZEL (H.), JUNOD (E.). Chronique origénienne. B. Litt. ecclés., 81, t. 82, p. 132-146.

* Cf. n° II.

2061. ABRAMOWSKI (Luise). Dionys von Rom († 268) und Dionys von Alexandrien (264/5) in den arianischen Streitigkeiten des 4. Jahrhunderts. Z. f. Kirchengesch., 82, Bd 93, p. 240-272.

2062. AMUNDSEN (D. W.). Medecine and faith in early Christianity. B. Hist. Medecine, 82, vol. 56, p. 326-350.

2063. BARNARD (Leslie W.). Church-state relations, A. D. 313-337. J. Church a. State, 82, vol. 24, n° 2, p. 337-356.

2064. BEAUCAMP (Joëlle), ROBIN (Christian). Le christianisme dans la péninsule arabique d'après l'épigraphie et l'archéologie. Trav. Mém. Centre Rech. Hist. Civ. Byzance, 81, t. 8, p. 45-61.

2065. BOEREN (P. C.). Orion, le disciple aux grands pieds. Amsterdam, Oxford et New York, North-Holland Publ. Co., 82, in-4, 51 p. (Verh. d. Koninkl. Nederlandse Akad. van Wetenschappen, Afd. Letterkunde, N. R., 114)

2066. BOOJAMRA (J. L.). The Photian synod of 879-80 and the papal commonitorium. Byzant. Stud., 82, vol. 9, p. 1-24.

2067. BORING (M. Eugene). Sayings of the risen Jesus. Christian prophecy in the synoptic tradition. Cambridge, Cambridge U. P., 82, in-8, 327 p. (Soc. for New Test. Stud., Monogr. ser., 46)

2068. BOVON (F.). Pratiques missionnaires et communications de l'Evangile dans le christianisme primitif. R. Théol. Philos., 82, t. 114, p. 369-381.

2069. BREGMAN (Jay). Synesius of Cyrene: philosopher-bishop. Berkeley a. Los Angeles, 82, in-8, XI-206 p. (Transformation of the Classical Heritage, 2)

2070. CLARK (Elizabeth A.). Claims on the bones of Saint Stephen: the partisans of Melania and Eudocia. Church Hist., 82, vol. 51, n° 2, p. 141-156.

2071. CROUZEL (Henri). Mariage et divorce, célibat et caractère sacerdotaux dans l'Eglise ancienne. Etudes diverses. Torino, Bottega d'Erasmo, 82, in-8, VII-309 p. (Et. d'hist. du culte et des institutions chrétiennes, 2)

2072. DES PLACES (Edouard). Eusèbe de Césarée commentateur. Platonisme et écriture sainte. Paris, Beauchesne, 82, in-8, 256 p. (Théol. hist., 63)

2073. Evolution (L') du concept de tradition dans l'Eglise ancienne. Publ. par W. RORDORF et A. SCHNEIDER. Bern, Lang, 82, in-8, XXXI-208 p. (Traditio christiana, 5)

2074. FAES DE MOTTONI (Barbara). Lattanzio e gli Accademici. Mél. Ec. franç. Rome, Antiquité, 82, t. 94, p. 335-377.

2075. FEVRIER (Paul-Albert). Approches de fêtes chrétiennes (fin du IVe siècle et Ve siècle). In: La fête [Cf. n° 902], p. 149-164.

2076. CHARLET (Jean-Louis). La création poétique dans le Cathemerinon de Prudence. Paris, Belles Lettres, 82, in-4, 232 p. (Coll. d'Etudes anc.)

2077. FISCHER (Joseph A.). Das Konzil zu Karthago im Herbst 254. Z. f. Kirchengesch., 82, Bd 93, p. 223-239. IDEM. Das Konzil zu Karthago im Jahre 255. Annu. Hist. Concil., 82, Jg. 14, p. 227-240.

2078. FISHER (Arthur L.). Lactantius' ideas relating Christian truth and Christian society. J. Hist. Ideas, 82, vol. 43, n° 3, p. 355-378.

2079. HARL (M.). La dénonciation des festivités profanes dans le discours épiscopal et monastique, en Orient chrétien, à la fin du IVe siècle. In: La fête [Cf. n° 902], p. 123-147.

2080. HOLLERICH (Michael J.). The Alexandrian bishops and the grain trade: ecclesiastical commerce in late Roman Egypte [4th-7th cent.] J. econ. soc. Hist. Orient, 82, vol. 25, p. 187-207.

2081. HUNT (Edward David). Holy Land pilgrimage in the later Roman Empire, A. D. 312-460. London, Oxford U. P., 82, in-8, 290 p.

2082. HUSKINSON (J. M.). Concordia Apostolorum: Christian propaganda in the 4th and 5th centuries. London, Brit. Archaeol. Rep., 82, in-4, 185 p. (Brit. Archaeol. Rep., Internat. Ser., 148)

2083. JANVIER (Yves). La géographie d'Orose. Paris, Belles Lettres, 82, in-4, 288 p. (7 cartes). (Coll. d'Etudes anc.)

2084. KIEFFER (René). Foi et justification à Antioche. Interprétation d'un conflit (Ga 2, 14-21). Paris, Cerf, 82, in-8, 164 p. (Lectio divina, 111)

2085. MacCORMACK (Sabine G.). Christ and empire, time and ceremonial in sixth century Byzantium and beyond. Byzantion, 82, t. 52, p. 287-309.

2086. MACINA (Robert). Cassiodore et l'école de Nisibe: contribution à l'étude de la culture chrétienne orientale à l'aube du moyen âge. Muséon, 82, t. 95, p. 131-166.

2087. MANNS (F.). Les rapports Synagogue-Eglise au début du IIe siècle après J.-C. en Palestine. Liber annuus, Studii biblici francisc., 81, t. 31, p. 105-146.

2088. MASSON (Jacques). Jésus fils de David dans les généalogies de saint Matthieu et de saint Luc. Préf. du T. R. P. SALGUERO. Paris, Téqui, 82, in-8, 588 p.

2089. MONAT (Pierre). Lactance et la Bible. Une propédeutique latine à la lecture de la Bible dans l'Occident constantinien. T. 1: Texte. T. 2: Notes. Paris, Etudes augustiniennes, 82, 2 vol. in-4, 288, 164 p.

2090. ORLANDIS (José). El arrianismo visigodo tardío. Cuad. Hist. España, 81

[82], t. 65-66, p. 5-20.

2091. ORLANDIS (José), RAMOS-LISSON (Domingo). Die Synoden auf der Iberischen Halbinsel bis zum Einbruch des Islam. Paderborn, München, Wien u. Zürich, Schöningh, 81, in-8, XVII-377 p. (Konziliengesch., Reihe A: Darst.)

2092. PAULSEN (Henning). Schisma und Häresie. Untersuchungen zu 1 Kor 11, 18. 19. Z. f. Theol. u. Kirche, 82, Jg. 79, p. 180-211.

2093. PEARCE (Susan M.). The early church in western Britain and Ireland: studies presented to C. A. Ralegh Radford. London, Brit. Archaeol. Rep., 82, in-4, 388 p. (ill., fig.).

2094. Pécheur (Le) et la pénitence dans l'Eglise ancienne. Ed. par Cyrille VOGEL. Paris, Cerf, 82, in-8, 213 p. (Trad. chrét.)

2095. PENNA (R.). Les Juifs à Rome au temps de l'apôtre Paul. New Testament Stud., 82, vol. 28, p. 321-347.

2096. PERI (Vittorio). Risonanze storiche e contemporanee del secondo concilio ecumenico [di Costantinopoli, 381]. Annu. Hist. Concil., 82, Jg. 14, p. 13-57.

2097. RADL (W.). Das "Apostelkonzil" und seine Nachgeschichte, dargestellt am Weg des Barnabas. Theol. Qschr., 82, Bd 162, p. 45-61.

2098. Recherches archéologiques à Haïdra. [I. Cf. Bibl. 74-75, n° 2154.] II: La basilique I dite de Meleus ou de Saint-Cyprien. Par N. DUVAL et al. Rome, Ecole franç. de Rome, 82, in-4, XIV-240 p. (206 fig.). (Coll. de l'Ec. franç. de Rome, 18/2)

2099. SALACHAS (D.). La legislazione della Chiesa antica a proposito delle diverse categorie di eretici. Nicolaus, 81, a. 9, p. 315-347.

2100. SCHÖLLGEN (Georg). Die Teilnahme der Christen am städtischen Leben in vorkonstantinischer Zeit – Tertullians Zeugnis für Karthago. Röm. Qsch., 82, Bd 77, p. 1-29.

2101. SIMONETTI (M.). L'interpretazione patristica del Vecchio Testamento fra II e III secolo. Augustinianum, 82, a. 22, p. 7-33.

2102. STUTZINGER (Dagmar). Die frühchristlichen Sarkophagenreliefs in Rom. Untersuchungen z. Formveränderungen im 4. Jh. n. Chr. Bonne, Habelt, 82, 191 p. (26 Taf.).

2103. WALLACE-HADRILL (D. S.). Christian Antioch, a study of early Christian thought in the East. London, Cambridge U. P., 82, in-8, 218 p.

Cf. n°s 548, 1041, 1042, 1378, 1391, 2001, 2148.

§ 4. Hagiographie[1].

2104. DUVAL (Yvette). Loca sanctorum Africae. Le culte des martyrs en Afrique du IVe au VIIe siècle. T. 1, 2. Rome, Ecole franç. de Rome, 82, 2 vol. in-8, XVI-818 p. (313 fig., 1 carte). (Coll. de l'Ec. franç. de Rome, 58)

2105. WACHT (Manfred). Privateigentum bei Cicero und **Ambrosius**. Jb. f. Antike u. Christentum, 82, Bd 25, p. 28-64.

2106. FERNÁNDEZ UBIÑA (J.). San **Cipriano** y el Imperio. Est. ecles., 82, t. 57, p. 65-81. - JACQUES (François). Le schismatique, tyran furieux. Le discours polémique de Cyprien de Carthage. Mél. Ec. franç. Rome, antiquité, 82, t. 94, p. 921-949.

2107. PLÖTZ (R.). Der Apostel **Jacobus** in Spanien bis zum 9. Jahrhundert. Ges. Aufsätze z. Kulturgesch. Spaniens, 82, Bd 30, p. 19-145.

2108. BOOTH (A. D.). Sur la date de naissance de saint **Paulin de Nole** [probablement 348]. Echos Monde class., 82, vol. 26, p. 56-64.

2109. DASSMANN (Ernst). **Paulus** in frühchristlicher Frömmigkeit und Kunst. Opladen, Rhein.-Westfäl. Akad. d. Wiss., 82, 50 p. (Abb.). (Vorträge, G, 256) - HUGEDÉ (Norbert). Saint Paul et la Grèce. Paris, Belles Lettres, 82, in-8, VIII-232 p. (ill.). (Le monde hellénique) - JEWEIT (Robert). Paulus-Chronologie. Ein Versuch. München, Kaiser, 82, in-8, 184-p.

2110. SAXER (Victor). L'authenticité du "Martyre de **Polycarpe**": bilan de 25 ans de critique. Mél. Ec. franç. Rome, Antiquité, 82, t. 94, p. 979-1001.

Cf. n° 2061.

---

1. Classement dans l'ordre alphabétique de la forme latine des noms des saints.

H

HISTOIRE BYZANTINE (DEPUIS JUSTINIEN)

§ 1. Documents. 2111-2122. - § 2. Généralités. 2123-2132. - § 3. Travaux particuliers. 2133-2177.

§ 1. Documents.

* 2111. Bibliographie der Übersetzungen griechisch-byzantinischer Quellen. Bearb.: Wolfgang SCHULE. Wiesbaden, Steiner, 82, in-8, 159 p. (Glossar z. frühmittelalterl. Gesch. im östl. Europa, Beih., 1)

* Cf. n° 2178.

2112. Actes de Lavra. [III. Cf. Bibl. 80, n° 1754.] IV: Etudes historiques, actes serbes, compléments et index. Par Paul LEMERLE, André GUILLOU, Nicolas SOVRONOS, Denise PAPACHRYSSANTHOU, avec la collab. de Sima ĆIRCOVIĆ. Texte et planches. Paris, Lethielleux, 82, in-4, XIV-413 p. (16 pl.). (Archives de l'Athos, 11) [Cf. n° 2177.]

2113. Actes de Saint Pantéléèmon [Mont Athos]. Ed. diplomatique par Paul LEMERLE, Gilbert DRAGON, Sima ĆIRCOVIĆ. Texte. Album. Paris, Lethielleux, 82, 2 vol. in-4, XI-238 p., 56 pl. (Archives de l'Athos, 12)

2114. AHRWEILER (Hélène). Sur la date du De thematibus de Constantin VII Porphyrogénète. Trav. Mém. Centre Rech. Hist. Civ. Byzance, 82, t. 8, p. 1-5.

2115. CATALDI PALAU (Annaclara). La tradition manuscrite d'Eustathe Makrembolitès. R. Hist. Textes, 80 [81], t. 10, p. 75-113.

2116. GAUTIER (Paul). Collections inconnues ou peu connues de textes psellines. R. Studi bizant. e slavi, 81, a. 1, p. 39-69.

2117. GAUTIER (Paul). Le typikon de la Théotokos Evergetis. R. Et. byzant., 82, vol. 40, p. 5-101.

2118. JOHANNES VON DAMASKUS. Philosophische Kapitel. Eingel., übers. u. mit Erläuterungen versehen v. G. RICHTER. Stuttgart, Hiersemann, 82, in-8, 304 p. (Biblioth. neugriech. Lit., 15)

2119. KARAYANNOPULOS (Johannes), WEISS (Günter). Quellenkunde zur Geschichte von Byzanz (324-1453). Halbbd 1, Hauptteil 1/3: Methodik, Typologie, Randzonen. Bearb. v. Günter WEISS. Halbbd 2, Hauptteil 4: Hauptquellen, allgemeine Quellenlage (nach Jahrhunderten geordnet); Anh.: Die wichtigsten Urkundenkomplexe u. Archive. Bearb. v. Johannes KARAYANNOPULOS u. Günter WEISS. Wiesbaden, Harrassowitz, 82, 2 vol. in-8, XXVI-236 p., p. 238-661. (Schr. z. Geistesgesch. d. östl. Europa, 14)

2120. KYDONES (Demetrios). Briefe. Übersetzt u. erl. v. Franz TINNEFELD. T. 1, [Halbbd 1. Cf. Bibl. 81, n° 1824.] Halbbd 2: 91 Briefe, Register. Stuttgart, Hiersemann, 82, in-8, VII p., p. 301-682.

2121. MIONI (Elpidio). Una inedita cronaca bizantina (dal Marc. Gr. 595). R. Studi bizant. e slavi, 81, a. 1, p. 71-87.

2121a. SPADARO (Maria Dora). Un inedito di Teofilatto di Ochrida sull'eunuchia. R. Studi bizant. e slavi, 81, a. 1, p. 3-38.

2122. UTHEMANN (Karl-Heinz). Die dem Anastasios Sinaites zugeschriebene Synopsis de haeresibus et synodis. Einführung u. Edition. Annu. Hist. Conciliorum, 82, Bd 14, p. 58-94.

Cf. n°s 12, 147, 835, 2259.

§ 2. Généralités.

* 2123. Bibliografija zbornika radova vizantološkog instituta I-XX (1952-1981). Bibliographie du Recueil des Travaux de l'Institut d'Etudes byzantines I-XX (1952-1981). Zborn. Rad. vizant. Inst., 81, t. 20, p. 185-210.

* 2124. Bibliographische Notizen und Mitteilungen. Gesamtredaktion: A. HOHLWEG u. Stanislaus HÖRMANN-von STEPSKI. [Cf. Bibl. 81, n° 1830.] Byzant. Z., 82, Bd 75, p. 86-312, 382-566.

2125. DENNIS (George T.). Byzantium and the Franks, 1350-1420. London, Variorum Repr., 82, in-8, 320 p. (ill.).

2126. HOHLFELDER (Robert L.) a. others. City, town, and country-side in the early Byzantine era. Boulder, Colo., East European Monographs, 82, in-8, VIII-209 p.

(Byzantine Ser., 1)

2127. Internationaler Byzantinistenkongreß, XVI. [Sechzehnter], Wien, 4.-9. Okt. 1981. Akten. I: Hauptreferate. Halbbd 1: Themengruppen 1-6. Halbbd 2: Themengruppen 7-11. II, Teilbd 1: Chronik. Diskussionsbeiträge u. Ergänzungen zu d. Hauptreferaten. Teilbd 2: Kurzbeiträge. 4. Soziale Strukturen u. ihre Entwicklung. Teilbd 3: Kurzbeiträge. 5. Funktionen u. Formen d. byzantin. Literatur. 6. Realienkunde - materielle Kultur. Teilbd 4: Kurzbeiträge. 7. Buch u. Gesellschaft in Byzanz. 8. Theologie u. Philosophie d. Palaiologenzeit. 9. Byzantin. Architektur. Teilbd 5: Kurzbeiträge. 10. Die stilbildende Funktion d. byzantin. Kunst. Teilbd 6: Kurzbeiträge. Mittel- u. Westeuropa u. das postbyzantin. Griechenland vor 1800. Teilbd 7: Symposium für Musikologie. Byzantin. Musik 1453-1832 als Quelle musikal. Praxis u. Theorie vor 1543. Leitung: Jørgen RAASTED. Wien, Verl. d. Österr. Akad. de. Wiss., 81-82, 9 vol. in-8, XIII-375p., p. 380-874, XVII-480, VIII-558, X-585, XI-670, XXI-549, IX-351, 140 p. (Jb. d. österr. Byzantinistik, 81, Bd 31, 1-2; 1982, Bd 32, 1-7)

2128. KAEGI (Walter Emil) Jr. Army, society and religion in Byzantium. Essays. London, Variorum Repr., 82, in-8, 320 p. (Collected studies, 162)

2129. KAZHDAN (Alexander), CONSTABLE (Giles). People and power in Byzantium: an introduction to modern Byzantine studies. Washington, D. C., Dumbarton Oaks, Center for Byzantine Stud., 82, in-8, XXI-218 p.

2130. KAZHDAN (Alexander), CUTLER (Anthony). Continuity and discontinuity in Byzantine history. Byzantion, 82, t. 52, p. 429-478.

2131. Vizantijskie očerki. Trudy sovetskikh učenykh k XVI Meždunarodnomu kongressu vizantinistov. (Byzantine essays. Works of soviet scholars for the XVIth International congress for Byzantine Studies.) Otv. red.: Z. V. UDAL'COVA. Moskva, Nauka, 82, 263 p. (ill.). (AN SSSR. In-t vseobšč. istorii)

2132. Vizantijskij vremennik. (Byzantine review.) [T. 42. Cf. Bibl. 81, n° 1837.] T. 43. Redkol.: Z. V. UDAL'COVA (otv. red.) i dr. Moskva, Nauka, 82, 295 p. (AN SSSR. In-t vseobšč. istorii)

Cf. n°s 746, 2333, 2334.

§ 3. Travaux particuliers.

* 2133. KARABELIAS (Evanghelos). Chronique. Droits de l'antiquité. Monde byzantin. [Cf. Bibl. 81, n° 1838.] R. hist. Droit franç. étr., 82, a. 60, p. 515-535.

2134. APOSTOLOPOULOU (S.). Hē alōsē tēs Mopsouestias (+ 965) kai tēs Tarsou (965) apo byzantines kai arabikes martyries. (La prise de Mopsueste, +965, et de Tarse, 965, d'après des témoignages byzantins et arabes.) Graeco-Arabica, 82, vol. 1, p. 157-167.

2135. BALARD (Michel). L'activité économique des ports du Bas-Danube au XIVe siècle. Trav. Mém. Centre Rech. Hist. Civ. Byzance, 81, t. 8, p. 35-43.

2136. BARIŠIĆ (Franjo). O izmirenju srpske i vizantijske crkve 1375. (On the reconciliation of the Serbian a. Byzantine churches in 1375.) Zborn. Rad. vizant. Inst., 82, t. 21, p. 159-182. [Eng. summary]

2137. BASS (George F.), VAN DOORNINCK (Frederick H.) Jr. Yassi Ada: a seventh-century Byzantine shipwreck. Vol. 1. College Station Texas A & M Univ. Press, 82, 349 p. (fig., 6 tables, 13 plans).

2138. BIERNACKA-LUBAŃSKA (Małgorzata). The Roman and early Byzantine fortifications of Lower Moesia and Northern Thrace. Tr. from Polish by Lorraine TOKARCZYK. Wrocław, Zakł. Narod. im. Ossolińskich, 82, in-8, 285 p. (Pol. Acad. of Sciences, Inst. of the Hist. of Mater. Culture, Bibl. Antiqua, 17)

2139. Bisanzio e l'Italia. Raccolta di studi in memoria di Agostino Pertusi. Milano, Vita e Pens., 82, in-8, XVII-420 p. (tav., ritr.). (Sci. filol. e Letter., 22)

2140. BLUM (Georg Günter). Nestorianismus und Mystik. Zur Entwicklung christlich-oriental. Spiritualität in d. ostsyrischen Kirche. Z. f. Kirchengesch., 82, Bd 93, p. 273-294.

2141. BREYER (A. A. M.). The question of Byzantine mines in the Pontos. Chalybdian iron, Chaldian silver, Koloneian alum, and the mummy of Cheriana. Anatolian Stud., 82, vol. 32, p. 133-150.

2142. CHRISTIDES (V.). Two parallel naval guides of the tenth century: Oudama's Document and Leo VI's Naumachica: a study on Byzantine and Moslem naval preparedness. Graeco-Arabica, 82, vol. 1, p. 51-103.

2143. CHRYSOSTOMIDES (Julian). Italian women in Greece in the late fourteenth and early fifteenth centuries. R. Studi bizant. e slavi, 82, a. 2, p. 119-132.

2144. CONGOURDEAU (M.-H.). Un procès d'avortement à Constantinople au 14e siècle. R. Et. byzant., 82, t. 40, p. 103-115.

2145. CRAVIOTO (Enrique Gonzalbes). El problema de la Ceuta bizantina. Cah. Tunisie, 81, t. 29, n° 115-116, p. 23-53.

2146. DÍAZ-BAUTISTA (Antonio). Les garanties bancaires dans la législation de Justinien. R. int. Droits Antiquité, 82, vol. 29, p. 165-191.

2147. FALUDY (Anikó). Bizánc festészete és mozaikművészete. (La peinture et l'art de la mosaïque à Byzance.) Budapest, Corvina, 82, in-8, 62 p. (48 pl.).

2148. FRAZEE (Charles A.). Late Roman and Byzantine legislation on the monastic life from the fourth to the eighth centuries. Church Hist., 82, vol. 51, n° 3, p. 263-279.

2149. FREND (W. H. C.). Nationalism as a factor in anti-Chalcedonian feeling in Egypt. Stud. Church Hist., 82, vol. 18, p. 21-38.

2150. GRIFFITH (Sidney H.). Eutychius of Alexandria on the Emperor Theophilus and iconoclasm in Byzantium: a tenth century moment in Christian apologetics in Arabic. Byzantion, 82, t. 52, p. 154-190.

2151. HUSMANN (Heinrich). Tonartenprobleme der spätbyzantinischen Musik. Byzantion, 82, t. 52, p. 194-243.

2152. JACOBY (David). Les Vénitiens naturalisés dans l'Empire byzantin: un aspect de l'expansion de Venise en Romanie du XIIIe au milieu du XVe siècle. Trav. Mém. Centre Rech. Hist. Civ. Byzance, 81, t. 8, p. 217-235.

2153. KARLIN-HAYTER (Patricia). Les Catalans et les villages de la Chalcidique. Byzantion, 82, t. 52, p. 244-263.

2154. KOURI (E. I.). Die Milutinschule der byzantinischen Wandmalerei in Serbien, Makedonien, Kosovo-Metohien und Montenegro (1294/95-1321). Helsinki, 82, in-8, 56 p. (ill.). (A. Acad. Sci. fennicae, Ser. B, 217)

2155. LAIOU-THOMADAKIS (Angeliki E.). The Byzantine economy in the Mediterranean trade system: thirteenth-fifteenth centuries. Dumbarton Oaks Pap., 80-81 [82], vol. 34-35, p. 177-222. - EADEM. The Greek merchant of the Palaeologan period: a collective portrait. Praktika Akad. Athenon, 82, t. 57, p. 96-132.

2156. LATVAKANGAS (Arto). Byzantin kultuuri Pohjolassa. (Byzantine culture in northern Europe.) Turun hist. Arkisto, 82, t. 38, p. 298-311.

2157. LEPORT (Jacques). Le cadastre de Radolibos (1103), les géomètres et leurs mathématiciens. Trav. Mém. Centre Rech. Hist. Civ. Byzance, 81, t. 8, p. 269-313.

2158. LOUGGĒS (T. K.). Hoi "Neoi prosanatolismoi" tōn Isaurōn. (Les "nouvelles orientations" des Isauriens.) Byzantiaka, 82, t. 2, p. 63-73.

2159. MALAMUT (Elisabeth). Les îles de la mer Egée de la fin du XIe siècle à 1204. Byzantion, 82, t. 52, p. 310-350.

2160. MALTEZOU (Chryssa). Hē chrēsē tou orkou stis venetobyzantines synthēkes (13os-15os ai.). (L'usage du serment dans les traités byzantino-vénitiens, XIIIe-XVe s.) Byzantiaka, 82, t. 2, p. 77-83.

2161. MATHEWS (Thomas F.). "Private" liturgy in Byzantine architecture: towards a re-appraisal. Cah. archéol., 82, t. 30, p. 125-138 (ill.).

2162. MAYERSON (Philip). The pilgrim routes to Mount Sinai and the Armenians. Israel Explor. J., 82, vol. 32, p. 44-57.

2163. MENTZOU-MEIMARĒ (Kōnstantina). Eparchiaka euage idrymata mechri telous tēs eikonomachias. (Fondations pieuses dans les provinces jusqu'à la fin de la querelle des images.) Byzantina, 82, t. 11, p. 245-309.

2164. MORRISSON (Cécile). La découverte des trésors à l'époque byzantine: théorie et pratique de l'Euresis thēsaurou. Trav. Mém. Centre Rech. Hist. Civ. Byzance, 81, t. 8, p. 321-343.

2165. MOSCHONAS (N. G.). Hē epidromē tou Karolou A' Tocco stēn Argolida to 1395. (L'invasion de Carlo Ier Tocco en Argolide en 1395.) Dypticha Hetaireias byzant. kai metabyzant. Meletōn, 82-83, t. 3, p. 242-248.

2166. OIKONOMIDÈS (Nicolas). A propos des armées des premiers Paléologues et des compagnies de soldats. Trav. Mém. Centre Rech. Hist. Civ. Byzance, 81, t. 8, p. 353-371.

2167. OVADIAH (Asher), GÓMEZ DE SILVA (Carla). Supplementum to the Corpus of Byzantine churches in the Holy Land [Part I. Cf. Bibl. 81, n° 1884.] (Part II). Levant, 82, vol. 14, p. 122-170.

2168. PAPACHRYSSANTHOU (Denise). Histoire d'un évêché byzantin: Hiérissos en Chalcidique. Trav. Mém. Centre Rech. Hist. Civ. byzant., 81, t. 8, p. 373-394.

2169. PUCHNER (W.). To byzantino theatro. Theatrologikes paratērēseis ston ereunētiko problematismo tēs hyparxes theatrou sto Byzantio. (Le théâtre byzantin. Etudes théâtrales sur la recherche problématique de l'existence d'un théâtre à Byzance.) Epēteris Kentrou Epistēm. Ereunōn, 81-82 [82], t. 11, p. 169-274.

2170. RADOŠEVIĆ (Ninoslava). Pokvalna slova caru Androniku II Paleologu. (The enkomia to emperor Andronikos II Palaiologos.) Zborn. Rad. vizant. Inst., 82, t. 21, p. 61-83. [Eng. summary]

2171. SAVVIDĒS (Alēxes G. K.). Ho seltzoukos emirēs tēs Smyrnēs Tzachas (Çaka) kai hoi epidromes tou sta Mikrasiatika paralia, ta nēsia tou Anatolikou Aigaiou kai tēn Konstantinoupolē (c. 1081 - c. 1106). (L'émir seldjoukide de Smyrne Çaka et ses invasions sur les côtes de l'Asie Mineure, les îles de la mer Egée orientale et Constantinople, c. 1081 - c. 1106.) Chiaka Chronika, 82, t. 14, p. 9-24.

2172. ŠEVČENKO (Ihor). Ideology, letters and culture in the Byzantine world. London, Variorum Repr., 82, in-8, 368 p. (ill., maps).

2173. THIERRY (Nicole). Le culte de la croix dans l'Empire byzantin du VIIe siècle au Xe dans ses rapports avec la guerre contre l'infidèle. Nouveaux témoignages archéologiques. R. Studi bizant. e slavi, 81, a. 1, p. 205-228 (12 ill.).

2174. TREADGOLD (Warren T.). The Byzantine state finances in the eighth and ninth centuries. Boulder, Colo., East European Monographs, 82, in-8, XX-151 p. (East European Monogr., 121)

2175. TRŌIANOS (Sp.). He diamorphōsē tou poinikou dikaiou stē metavatikē periodo metaxy Isaurōn kai Makedonōn. (La réforme du droit pénal lors de la période de transition entre Isauriens et Macédoniens.) Byzantiaka, 82, t. 2, p. 87-93.

2176. WALTER (Christopher). Art and ritual of the Byzantine church. London, Variorum Repr., 82, in-8, 322 p. (ill.).

2177. ŽIVOJINOVIĆ (Mirjana). De nouveau sur le séjour de l'empereur Dušan à l'Athos (A propos d'une nouvelle publication: Actes de Lavra IV [Cf. n° 2112]). Zborn. Rad. vizant. Inst., 82, t. 21, p. 119-126.

Cf. n°s 82, 117, 193, 201, 1039, 1760, 1813, 1888, 2002, 2085, 2422, 2488, 2593, 2981.

I

HISTOIRE DU MOYEN AGE

§ 1. Sources et critique des sources. 2178-2318.- § 2. Ouvrages généraux. 2319-2355. - § 3. Histoire politique (a. Généralités; b. 476-900; c. 900-1300; d. 1300-1500). 2356-2516. - § 4. Juifs. 2517-2534. - § 5. Islam. 2535-2554. - § 6. Vikings. 2555-2560. - § 7. Histoire du droit et des institutions. 2561-2604. - § 8. Histoire économique et sociale. 2605-2738. - § 9. Histoire de la civilisation, histoire littéraire, histoire de l'enseignement, des sciences et de la technique. 2739-2813. - § 10. Histoire de l'art (a. Généralités; b. Travaux particuliers. 2814-2883. - § 11. Histoire de la musique. 2884-2897. - § 12. Histoire de la philosophie. 2898-2921. - § 13. Histoire de l'Eglise (a. Généralités; b. Papauté; c. Ordres religieux; d. Hagiographie; e. Travaux particuliers). 2922-3065. - § 14. Histoire du peuplement. Toponomastique. Urbanisme. 3066-3104.

§ 1. Sources et
critique des sources.

* 2178. Bulletin codicologique. [Cf. Bibl. 81, n° 1898.] Scriptorium, 81, vol. 35, p. 103*-215*; 82, vol. 36, p. 1*-75*, 77*-153*.

2179. ABBON DE FLEURY. Questions grammaticales (Quaestiones grammaticales). Texte établi, trad. et commenté par Anita GUERREAU-JALABERT. Paris, Belles Lettres, 82, in-8, 339 p.

2180. ANDERMANN (Kurt). Das älteste Lehnbuch des Hochstifts Speyer von 1343/47 bzw. 1394/96. Z. f. Gesch. d. Oberrheins, 82, Bd 130, p. 1-70.

2181. ANTON (Hans Hubert). Der sogenannte Traktat "De ordinando pontifice". Ein Rechtsgutachten im Zusammenhang mit d. Synode v. Sutri (1046). Bonn, Röhrscheid, 82, in-8, 116 p. (Bonner hist. Forsch., 8)

2182. BALLAIRA (Guglielmo). Per il catalogo dei codici di Prisciano. Torino, Giappichelli, 82, in-8, 396 p.

2183. BECKER (Alfons), LOHRMANN (Dietrich). Ein erschlichenes Privileg Papst Urbans II. für Erzbischof Guido von Vienne (Calixt II.). Deutsch. Arch. f. Erforsch. d. M.-A., 82, Jg. 38, p. 66-111.

2184. BERGMANN (Werner). Verlorene Urkunden des Merowingerreichs nach den Formulae Andecavenses. Francia [München], 81 [82], Bd 9, p. 3-56.

2185. BEZACHEVICI (Constantin). Ştiri despre Ştefan cel Mare într-o cronică inedită a Moldovei (sec. XIII - începutul sec. XVI) descoperită în Polonia. (Données sur Etienne le Grand dans une chronique inédite - XIIIe-début du XVIe s. - découverte en Pologne.) R. Ist., 82, t. 35,

p. 654-671. [Rés. franç.]

2186. BREMOND (Claude), LE GOFF (Jacques), SCHMITT (Jean-Claude). L'"exemplum". Turnhout, Brepols, 82, in-8, 164 p. (Typologie des sources du moyen âge occid., 40)

2187. Canterbury Hymnal (The). Ed. from British Library Ms. Additional 37517 by Gernot R. WIELAND. Toronto, Pontifical Inst. of mediaeval Stud., 82, in-8, 136 p. (Medieval Latin texts, 12)

2188. CARPENTIER (Elisabeth). Histoire et informatique. Recherches sur le vocabulaire des biographies royales françaises. Cah. Civ. méd., 82, t. 25, p. 3-30.

2189. Centenario (IX) della nascita di Caffaro. At. Soc. ligure Stor. pa., 82, n. s., vol. 22, p. 63-74. [Contiene: PUNCUH (Dino). Caffaro e le cronache cittadine: per una rilettura degli Annali.]

2190. Chartae (The) of the Carthusian general chapter. Cava Ms. 61. Aula Dei: the Louber Manuale from the charterhouse of Buxheim. Ed. by J. HOGG a. M. SARGENT. Salzburg, Inst. f. Anglistik u. Amerikanistik, 82, in-8, 580 p. (pl.).

2191. CHAVASSE (A.). L'Evangéliaire de 645: un recueil. Sa composition (façons et matériaux). R. bénédictine, 82, t. 92, p. 33-75.

2192. Codex Cumanicus. Ed. by Géza KUUN; with the prolegomena to the Codex Cumanicus by Louis LIGETI. Budapest, Magyar Tudományos Akadémia Könyvtára, 81 [82], in-8, 54-CXXXIV-395 p. (Budapest oriental reprints. Series B, 1)

2193. Codex diplomaticus et epistolaris regni Bohemiae. Condidit Gustavus FRIEDRICH. T. V, [fasc. 2. Cf. Bibl. 81, n° 1911.] fasc. 3: Inde ab a. MCCLIII usque ad a. MCCLXXVIII. Ediderunt Jindřich ŠEBÁNEK, Sáša DUŠKOVÁ. Praha, Academia,

82, in-4, 452 p.

2194. Codex diplomaticus Siciliae. Series I: Diplomata regum et principum e gente Normannorum. T. 5: Tancredi et Willelmi III regum diplomata. Ed. Herbert ZIELIN-SKI. Köln u. Wien, Böhlau, 82, in-4, XXVIII-192 p. (ill.).

2195. Continuation (La) de Guillaume de Tyr, 1184-1197. Publ. par Margaret Ruth MORGAN. Paris, Geuthner, 82, in-8, 220 p. (Doc. relatifs à l'hist. des croisades, 14)

2196. Corpus des inscriptions de la France médiévale. [Fasc. 6. Cf. Bibl. 81, n° 1913.] Fasc. 7: Ville de Toulouse. Fasc. 8: Ariège, Haute-Garonne, Hautes-Pyrénées, Tarn-et-Garonne. Textes établis et prés. par Robert FAVREAU, Jean MICHAUD, Bernadette LEPLANT, sous la dir. d'Edmond-René LABANDE. Paris, Ed. du C.N.R.S., 82, 2 vol. in-4, 180 (61 p. de pl.); 332 p. (dont 105 p. de pl.).

2197. Corpus des livres liturgiques de la Bretagne. Le Missel de Saint-Vougay (Archives départementales du Finistère 4 J 96). Prés. par Jean-Luc DEUFFIC. Daoulas, Britannia Christiana, 82, in-8, 69 p. (14 pl.). (Britannia christiana. Etudes et doc. sur l'hist. relig. de la Bretagne, 2)

2198. Coutumier (Le) bourguignon glosé (fin du XIVe siècle). [Publ. par] Michel PETITJEAN et Marie-Louise MARCHAND, sous la dir. de Josette METMAN. Paris, Ed. du C.N.R.S., 82, in-8, 408 p. (4 pl.).

2199. CSAPODI (Csaba). A Janus Pannonius-szöveghagyomány. (La tradition du texte de Janus Pannonius [1434-1472].) Budapest, Akadémiai Kiadó, 81, in-8, 108 p. (Humanizmus és reformácio, 10) - CR: I. Boronkay, Magy. Könyvszle, 82, vol. 98, n° 3, p. 292-294.

2200. CSÓKA (J. Lajos). Az esztergomi főszékesegyházi könyvtár MS. III. 184. kódexe. [Közreadja: CSÓKA Gáspár.] (Le codex MS III 184 de la Bibliothèque de la basilique d'Esztergom. Publ. par - .) Századok, 82, vol. 116, n° 5, p. 968-985.

2201. Decretales ineditae saeculi XII. From the papers of the late Walther HOLTZMANN ed. a. rev. by Stanley CHODOROW a. Charles DUGGAN. Città del Vaticano, Bibliotheca Apostolica Vaticana, 82, in-8, XXXI-213 p.

2202. DESPREZ (Dom Vincent). La Regula Ferrioli. Texte critique. R. Mabillon, 82, t. 60, n° 287, p. 117-128; n° 288, p. 129-148.

2203. DŁUGOSZ (Jan). Annales seu Chronicae incliti Regni Poloniae. [Liber 1. Cf. Bibl. 61, n° 2801.] Liber 10 et 11: 1406-1412. Consilium ed. Stanisław GAWĘDA et al., textum recensuit et moderavit Danuta TURKOWSKA et Maria KOWALCZYK. Trad. Julia MRUKÓWNA Réd. en éd. Józef GARBACIK et Krystyna PIERADZKA. Av.-propos de Wanda SEMKOWICZ-ZAREMBINA. Varsoviae, Państw. Wydawn. Nauk., 82, in-4, 269 p.

2204. DOHERTY (Charles). Some aspects of hagiography as a source for Irish economic history. Peritia, 82, vol. 1, p. 300-328.

2205. DOLBEAU (François). Nouvelles recherches sur le Legendarium flandrense. Rech. augustiniennes, 81, vol. 16, p. 399-455.

2206. EKDAHL (Sven). Die Schlacht bei Tannenberg 1410. Quellenkritische Untersuchungen. Bd 1: Einführung u. Quellenbelege. Berlin, Duncker u. Humblot, 82, in-8, XX-378 p. (64 Abb.). (Berliner hist. Stud., 8)

2207. English suits before the Parlement of Paris, 1420-1436. Ed. by C. T. ALLEMAND a. C.A.J. ARMSTRONG. London, Roy. Hist. Soc., 82, in-8, 328 p.

2208. ENNAS (Barbara Fois). Il "capitulare" de villis. Milano, Giuffrè, 81, in-8, VIII-308 p.

2209. ETAIX (Raymond). Quelques homéliaires de la région catalane. Rech. augustiniennes, 81, vol. 16, p. 333-398.

2210. FAUSER (Winfried). Die Werke des Albertus in ihrer handschriftlichen Überlieferung. Teil I: Die echten Werke. Codices manuscripta operum Alberti Magni. Pars I: Opera genuina. Münster, Aschendorff, 82, in-8, XX-VI-483 p. (Alberti Magni opera omnia, tomus subsidiarius I, pars I)

2211. FLAMMARION (Hubert). Une équipe de scribes au travail au XIIIe siècle: le grand cartulaire du chapitre cathédral de Langres. Arch. f. Diplomatik, 82, Bd 28, p. 271-305.

2212. FLENTJE (Bernd), HENRICHVARK (Frank). Die Lehnbücher der Herzöge von Braunschweig von 1318 und 1344/65. Hildesheim, Lax, 82, in-4, VII-215 p. (1 Kt., Kt.-Beil.). (Veröff. d. Hist. Komm. f. Niedersachsen u. Bremen, 2. Stud. u. Vorarb. z. Hist. Atlas Niedersachsens, 27)

2213. FLODOARD. Historia ecclesiae Remensis. R. Moyen Age latin, 81, t. 37, p. XXXV-XXXVII, 1-219; 82, t. 38, p. 219-369.

2214. Fontes Iudaeorum Regni Castellae. I: Provincia de Salamanca. Publ. Por Carlos CARRETE PARRONDO. Salamanca, Univ. Pontificia de Salamanca, Univ. de Granada, 81, in-8, 159 p.

2215. GÁCSER (Imre). Az 1211. évi tihanyi összeirás helyesirása és hangtani sajátosságai. Utánnyomás. (L'orthographe et les caractéristiques phonétiques du recensement de Tihany de 1211. Réimpression.) Budapest, 41 [82], 34 p. (A Magyar Nyelvtudományi Társaság kiadványai, 58)

2216. Genres (Les) littéraires dans les sources théologiques et philosophiques médiévales. Définition, critique et exploitation. Actes du Colloque internat. de Louvain-la-Neuve, 25-27 mai 1981. Publ. par R. BULTOT. Louvain-la-Neuve, Univ. catholique, 82, in-8, XII-302 p. (Publ. de l'Inst. d'Etudes médiév., sér. 2: Textes, études, congrès, 5)

2217. GERICS (József). Az 1014-es évek magyar történetére vonatkozó egyes források kritikája. (Contribution à la critique des sources concernant l'histoire hongroise des années 1040.) Magy. Könyvszle, 82, vol. 98, n° 3, p. 186-197; n° 4, p. 299-313.

2218. GILISSEN (J.). La coutume. Turnhout, Brepols, 82, in-8, 122 p. (Typologie des sources du moyen âge occid., 41)

2219. GIOVANNI DA PONTREMOLI. Lettere di Giovanni da Pontremoli mercante genovese, 1453-1459. [A cura di] Domenico GIOFFRE'. Genova, s. e., 82, in-8, XLVIII-264 p. ((Coll. stor. di fonti e Stud., 33)

2220. GOFFART (Walter). Merovingian polyptichs. Reflexions on two recent publications [FOSSIER (Robert). Polyptiques et censiers. Turnhout, Brepols, 78, in-8, 70 p. - GASNAULT (Pierre). Documents comptables de Saint-Martin de Tours ... Cf. Bibl. 74-75, n° 2260.] Francia [München], 81 [82], Bd 9, p. 57-77.

2221. GREEN (Judith A.). "Praeclarum et Magnificum Antiquitates Monumentum": the earliest surviving Pipe Roll. B. Inst. hist. Research, 82, vol. 55, p. 1-17.

2222. GRODZISKA-OŻÓG (Karolina). Marcin Polak i jego twórczość. (Marcin Polak et ses oeuvres.) Nasza Przeszłość, 82, vol. 58, p. 169-201. [Marcin: Martinus Polonus de Troppau = Opawa]

2223. GROTEN (Manfred). Zu den Fälschungen des Kölner Burggrafenschiedes und der Urkunde über die Erbverleihung der Stadtvogtei von angeblich 1169. Rhein. Vjsbl., 82, Jg. 46, p. 48-80.

2224. [GUILLAUME D'AUXERRE:] Magistri Guillelmi Altissiodorensis Summa aurea, cura et studio Jean RIBAILLIER. Paris, Ed. du C.N.R.S.; Grotaferrata, Ed. Colegii S. Bonaventurae ad Claras Aquas, 80-82, 2 vol. in-8, 403 p., p. 409-807. (Spicilegium Bonaventurianum, 16, 17/2)

2225. GUILLAUME DE BOURGES. Livre des guerres du Seigneur et deux homélies. Introd., texte critique , trad. et notes par Gilvert DAHAN. Paris, Cerf, 82, in-8, 342 p. (Sources chrétiennes, 288)

2226. GUYOTJEANNIN (Olivier). Noyonnais et Vermondois aux Xe et XIe siècles: la déclaration du trésorier Guy et les premières confirmations royales et pontificales des biens du chapitre cathédral de Noyon. Bibl. Ec. Chartes, 81, t. 139, p. 145-189.

2227. HERKENRATH (Rainer M.). Miszellen zu den Diplomen Friedrichs I. Arch. f. Diplomatik, 82, Bd 28, p. 223-270.

2228. HOCKEY (S. F.). Cartulary of Carisbrooke priory. Newport, Isle of Wight County Record Office, 82, in-4, 210 p.

2229. HORROX (Rosemary), HAMMOND (P. W.). Second register of Edward V and miscellaneous material. Guilford, Thorp, 82, in-4, 260 p. (ill). (British Library Harleian MS., 433, vol. 3)

2230. HUYGHEBAERT (N.). Quelques chartes épiscopales fausses pour Saint-Pierre au Mont Blandin à Gand forgées aux XIIe et XIIIe siècles. B. Comm. Hist. Belgique, 82, t. 148, p. 1-90. - IDEM. L'usurpation du domaine de Tamise. Note sur le faux diplôme de Charles le Chauve pour Saint-Pierre de Gand (870). R. bénédictine, 82, t. 92, p. 82-104.

2231. István király intelmei. Előszó és jegyz. SZIGETHY Gábor, ford. KURCZ Ágnes. (Les remontrances du roi István [Etienne]. Intr. et annotées par - . Trad. par - .) Budapest, Magvető, 82, in-8, 75 p. (Gondolkodó magyarok) [Libellus de institutione morum]

2232. KERFF (Franz). Der Quadripartitus. Ein Handbuch d. karoling. Kirchenreform. Überlieferung, Quellen u. Rezeption. Sigmaringen, thorbecke, 82, in-8, 124 p. (Quellen u. Forsch. zum Recht d. M.-A., 1)

2233. Khazarian Hebrew documents of the tenth century. Ed. by Norman GOLB a. Omeljan PRITSAK. Ithaca, N. Y., Cornell U. P., 82, in-8, XVI-166 p.

2234. KIRKINEN (Heikki). Finland in Russian sources up to the year 1323. Scand. J. Hist., 82, vol. 7, p. 255-275.

2235. KLUETING (Edeltraud). Die "Gründungsurkunde" des Klosters Herzebrock (von 860?) als Fälschung des 11. Jahrhunderts. Arch. f. Diplomatik, 82, Bd 28, p. 1-22.

2236. Kodeks dyplomatyczny Wielkopolski. Codex diplomaticus Maioris Poloniae. T. 6: Zawiera dokumenty nr 1-400 z lat 1174-1400. Comprehendit diplomata nr 1-400 ex annis 1174-1400. Ed. Antoni GĄSIOROWSKI et Henryk KOWALEWICZ. Poznań, Państw. Wydawn. Nauk., 82, in-8, LIV-454 p. (Pozn. Tow. Przyj. Nauk. Wydawn. Zródłowe Komisji Hist. Fontes Collegii Hist., 18) [T. 1-4: Poznań, 1877-1881; T. 5: Poznań, 1908]

2237. KOLEDARO (Petăr S.). The mediaeval maps as a source of Bulgarian history. Bulg. hist. R., 82, a. 10, n° 2, p. 96-110.

2238. KRAUS (Thomas R.). Unbekannte Quellen zu den Krönungen Wenzels, Ruprechts und Sigmunds. Deutsch. Arch. f. Erforsch. d. M.-A., 82, Bd 38, p. 193-202.

2239. KUSTERNIG (A.). Erzählende Quellen des Mittelalters; die Problematik mittelalterl. Historiographie am Beispiel d. Schlacht v. Dürnkrut u. Jedenspeigel. Köln u. Wien, Böhlau, 82, in-8, 195 p. (Böhlau-Quellen-Bücher)

2240. LEMAITRE (Jean-Loup). Note sur le texte de la Chronique d'Estienne Maleu, chanoine de Saint-Junien. R. Mabillon, 82, t. 60, p. 175-192.

2241. LENGYEL (Dénes). Álmos vezér születésének mondája. (The legend of the birth of chief Álmos.) Ethnographia, 82, vol. 93, n° 2, p. 260-268.

2242. Lettres communes d'Urbain V, analysées d'après les registres dits d'Avignon et du Vatican. T. [6. Cf. Bibl. 81, n° 1944.] 7: Lettres 20.701 - 22.884. T. 8: Lettres 22.885 - 25.265. Par Michel HAYEZ, Anne-Marie HAYEZ, Janine MATHIEU, Marie-France YVAN. Rome, Ecole franç. de Rome; diff. Paris, de Boccard, 81-82, 2 vol. in-4, 470, 503 p.

2243. LIEVENS (Robrecht). Een antihiërarchische disputatie uit de veertiende eeuw. (Une polémique antihiérarchique du XIVe siècle.) Sacris erudiri, 82, t. 25, p. 167-201.

2244. LÖWE (Heinz). Methodius im Reichenauer Verbrüderungsbuch. Deutsch. Arch. f. Erforsch. d. M.-A., 82, Bd 38, p. 341-362.

2245. LOMBARDO (Antonino). Studi e ricerche delle fonti medievali veneziane. Roma, Centro di ricerca, 82, in-8, 358 p. (Fonti e Stud. del Corpus membranarum Italiacarum, 1. ser.: Stud. e Ric., 16) [Ripr. delle ediz. orig.]

2246. Lorraine et Bourgogne (1473-1478). Choix de documents prés. par Jean SCHNEIDER. Nancy, Presses univ., 82, in-8, 283 p.

2247. MACDONALD (Donald F. M.). Fasti ecclesiae Scoticanae. Edinburgh, St. Andrew Press, 82, in-8, 517 p.

2248. McNALLY (Raymond). Origins of the Slavic narrative about the historical Dracula. In: Romania between east and west [Cf. n° 510], p. 127-145.

2249. Magistrature (Le) cittadine di Trieste nel secolo XIV. Guida e inventario delle fonti. Present. di Paolo CAMMAROSANO. Roma, Ateneo, 82, in-8, 83 p. (Univ. degli Stud. di Trieste. Fac. di Lett. e Filos., Istit. di Stor. mediev. e mod., nuova ser., 2)

2250. MALECZEK (Werner). Ein Brief des Kardinals Lothar von SS. Sergius und Bacchus (Innozenz III.) an Kaiser Heinrich VI. Deutsch. Arch. f. Erforsch. d. M.-A., 82, Bd 38, p. 564-576.

2251. MANDACH (André de). Le problème de la présence de Roland à la défaite pyrénéenne de 778. Pour une nouv. édition critique de la Vita Karoli [d'Eginhard]. In: Mélanges R. Louis [Cf. n° 519], p. 363-378.

2252. MARINI (Alfonso). La Vita del povero et humile servo de Dio Francesco e le fonti francescane del Due e Trecento. Arch. francisc. hist., 82, a. 75, p. 216-319.

2253. METELLUS VON TEGERNSEE. Expeditio Ierosolimitana. Erstausgabe v. Peter Christian JACOBSEN. Stuttgart, Hiersemann, 82, in-8, XXVI-247 p.

2254. Middelalderens Dansk Bønnebøger. (Dänische Gebetsbücher des Mittelalters.) Bd 5: Kommentar og Registre. [Utg. af Karl Martin NIELSEN.] Utgivet af Det Danske Sprog- og Literaturselskab. København, Gyldendal, 82, in-8, 132 p. [Bd 1-4: 1945-1963]

2255. MÖHRING (Hannes). Eine Chronik aus der Zeit des Dritten Kreuzzugs: das sogenannte Itinerarium peregrinorum. I. Innsbrucker hist. Stud., 82, Bd 5, p. 149-167.

2256. MOLNÁR (Ferenc), A. Az Ómagyar Mária-Siralom értelmezéséhez. (Sur l'interpretation du Planctus en ancien hongrois.) Magy. Nyelv, 82, vol. 78, n° 1, p. 29-38.

2257. MOSTI (Renzo). I protocolli di Johannes Nicolai Pauli, un notaio romano del '300 (1348-1379). Rome, Ecole franç. de Rome, 82, in-8, XXXIX-361 p. (Coll. de l'Ecole franç. de Rome, 63)

2258. MUNK OLSEN (Birger). L'étude des auteurs classiques latins aux XIe et XIIe siècles. T. 1: Catalogue des manuscrits classiques latins copiés du IXe au XIIe siècle. Apicius - Juvénal. Paris, Ed. du C.N.R.S., 82, XXXII-597 p. - IDEM. Les classiques latins dans les florilèges médiévaux antérieurs au XIIIe siècle. R. Hist. Textes, 79 [80], t. 9, p. 47-121; 80 [81], t. 10, p. 115-164.

2259. Namentragende Steininschriften in Jugoslawien vom Ende des 7. bis zur Mitte des 13. Jahrhunderts. Bearb. v. Rade MIHALČIĆ. Wiesbaden, Steiner, 82, in-8, XVIII-150 p. (Kt.). (Glossar z. frühmittelalterl. Gesch. im östl. Europa, Beih. 2)

2260. Nejstarší městská kniha olomoucká. Z let 1343-1420. (Liber actuum notabilium [Olomucensis].) Edit. Vladimír SPÁČIL. Olomouc, Městský národní výbor, 82, in-8, 262 p. (14 fig.).

2261. O'DONNEL (J. J.). The aims of Jordanes. Historia [Wiesbaden], 82, Bd 31, p. 223-240.

2262. Ómagyar Mária-siralom. KERESZTURY Dezső tanulmányával. (La Planctus en ancien hongrois. Avec une étude de - .) Budapest, Helikon, 82, in-8, 28 p.

2263. ORDUNA (Germán). Nuevo registro de códices de las Crónicas del canciller Ayala. Cuad. Hist. España, 80 [81], t. 63-64, p. 218-255; 81 [82], t. 65-66, p. 155-206.

2264. PETRARCA (Francesco). Letters on familiar matters: rerum familiarium libri IX-XVI. Transl. by Aldo S. BERNARDO. Baltimore, Md., Johns Hopkins U. P., 82, in-8, XXII-327 p.

2265. PETTI-BALBI (Giovanna). Caffaro e la cronachistica genovese. Genova, Tilgher, 82, in-8, 170 p.

2266. PEYRONNET (Georges). Les sources documentaires anglaises de l'histoire médiévale de la Bretagne. [Suite de Bibl. 81, n° 1960.] A. Bretagne, 82, t. 89, p. 7-13.

2267. POKORNY (Rudolf). Die Kanones der Trierer Synode des Jahres 927 (?). Ein Textfund zu den Capitula Ruotgers von

Trier. Deutsch. Arch. f. Erforsch. d. M.-A., 82, Jg. 38, p. 1-25.

2268. POULLE (Emmanuel). Les sources astronomiques (textes, tables instruments). Turnhout, Brepols, 81, in-8, 84 p. (Typologie des sources du moyen âge occid., 39)

2269. PRÉMARE (Alfred-Louis de). Maghreb et Andalousie au XIVe siècle: les notes de voyage d'un Andalou au Maroc en 1344-1345 [Ibrahim Ibn al-Hadjdj an-NUMAYRI]. Lyon, Presses univ. Lyon, 81, in-8, 214 p.

2270. Proverbia sententiaeque Latinitatis medii ac recentioris aevi = Lateinische Sprichwörter und Sentenzen des Mittelalters und der frühen Neuzeit in alphabetischer Anordnung. Aus d. Nachlaß v. Hans WALTHER hrsg. v. Paul Gerhard SCHMIDT. [T. 6. Cf. Bibl. 68-69, n° 3917.] T. 7: A-G. Göttingen, Vandenhoeck u. Ruprecht, 82, in-8, XI-941 p. (Carmina medii aevi posterioris Latina, 2. Nova ser.)

2271. Quellen zur Geschichte des 7. und 8. Jahrhunderts. Unter Leitung v. Herwig WOLFRAM neu übertr. v. Andreas KUSTERNIG, Herbert HAUPT. Darmstadt, Wiss. Buchges., 82, in-8, XIV-567 p. (Ausgew. Quellen z. deutsch. Gesch. d. M.-A., 4a)

2272. Quellen zur Geschichte von Stift und Freiheit Meschede. Bearb. v. Manfred WOLF. Münster, Aschendorff, 81, in-8, 727 p. (Ill.). (Westfäl. Urkunden, Texte u. Regesten, 3. Veröff. d. Hist. Komm. f. Westfalen, 37)

2273. Quellen zur Hanse-Geschichte. Mit Beitr. v. Jürgen BOHMBACH u. Jochen GOETZE. Zsgest. u. hrsg. v. Rolf SPRANDEL. Darmstadt, Wiss. Buchges., 82, in-8, XXIV-554 p. (1 Kt.). (Ausgew. Quellen z. deutsch. Gesch. d. M.-A., 36)

2274. Quellen zur Wirtschafts- und Sozialgeschichte mittel- und oberdeutscher Städte im Spätmittelalter. Ausgew. u. übers. v. Gisela MÜNCKE. Darmstadt, Wiss. Buchges., 82, in-8, 433 p. (Ausgewählte Quellen z. deutsch. Gesch. d. M.-A., 37)

2275. Recueil des documents de l'abbaye de Fontaine-le-Comte (XIIe-XIIIe siècles). Publ. par G. PONS. Poitiers, Soc. des Archives hist. du Poitou, 82, in-8, 500 p.

2276. Regesta Imperii. Hrsg. v. d. Komm. f. d. Neubearb. d. Regesta Imperii bei d. Österr. Akad. d. Wiss. u. d. Deutsch. Komm. f. d. Bearb. d. Regesta Imperii bei d. Akad. d. Wiss. u. d. Literatur zu Mainz. II: Sächsische Zeit, 919-1024. 6. Abt.: Register. Erarbeitet v. Harald ZIMMERMANN. Köln u. Wien, Böhlau, 82, in-4, IX-328 p. [Cf. Bibl. 81, n° 1915]

2276a. Regesten (Die) der Erzbischöfe von Köln im Mittelalter. Bd 7: 1362 bis 1370 (Adolf von der Mark, Engelbert von der Mark, Kuno von Falkenstein). Bearb. v. Wilhelm JANSSEN. Bd 8: 1370 bis 1380 (Friedrich von Saarwerden). Bearb. v. Norbert ANDERNACH. Düsseldorf, Droste, 81-82, 2 vol. in-8, XVII-364, XXVIII-644 p. (Publ. d. Ges. f. rhein. Geschichtskde, 21)

2277. Regesten Kaiser Friedrichs III (1440-1493). Aus Archiven u. Bibliotheken hrsg. v. Heinrich KOLLER. H. 1: Die Urkunden und Briefe aus Staatsarchiven im Bayer. Hauptstaatsarchiv (München) (mit Ausnahme von Augsburg u. Regensburg). Bearb. v. Heinrich KOLLER. Köln u. Wien, Böhlau, 82, in-8, IV-127 p.

2278. Règle (La) du Carmel. Texte latin de 1247 d'après le registre des Archives Vaticanes, version française, index et notes du père Martin BATTMANN. Paris, Desclée de Brouwer, 82, in-8, 192 p.

2279. REHM (Gerhard). Quellen zur Geschichte des Münsterschen Kolloquiums und des Schwesterhauses Engelenhuis in Groenlo. Westfäl. Z., 81/82, Bd 131/132, p. 9-45.

2280. RICHARD (Jean). Une famille de "Vénitiens blancs" dans le royaume de Chypre au milieu du XVe siècle: les Audeth et la seigneurie de Marethasse. R. Studi bizant. e slavi, 81, a. 1, p. 89-129.

2281. ROBINSON (Jan Stuart). Zur Entstehung des Privilegiums Maius Leonis VIII papae. Deutsch. Arch. f. Erforsch. d. M.-A., 82, Jg. 38, p. 26-65.

2282. ROSENTHAL (Joel T.). Bede's Life of Cuthbert: preparatory to The Ecclesiastical History. Cath. hist. R., 82, vol. 68, n° 4, p. 599-611.

2283. SAVONAROLA (Girolamo). Edizione nazionale delle opere di Girolamo Savonarola. 21, 1: Scritti filosofici. A cura di Giancarlo GARFAGNINI e Eugenio GARIN. Roma, Belardetti, 82, in-8, 408 p.

2284. SCHMID (Karl). Unerforschte Quellen aus quellenarmer Zeit (II). Wer waren die "fratres" von Halberstadt aus der Zeit König Heinrichs I.? In: Festschr. f. B. Schwineköper [Cf. n° 527], p. 117-140.

2285. SCHMITZ (Gerhard). Schuld und Strafe. Eine unbekannte Stellungnahme des Rathramnus von Corbie zur Kindestötung. Deutsch. Arch. f. Erforsch. d. M.-A., 82, Jg. 38, p. 363-387.

2286. SCHULER (Peter-Johannes). "Reformation des geistlichen Gerichts zu Straßburg". Eine Reformschrift aus d. Mitte d. 15. Jh. Francia [München], 81 [82], Bd 9, p. 177-235.

2287. SEGURA GRAINO (Segura). El Libro del Repartimiento de Alméria. Edición y estudio. Madrid, Univ. Complutense, 82, in-8, 555 p.

2288. SHARPE (Richard). Palaeographical considerations in the study of the Patrician documents in the Book of Armagh. Scriptorium, 82, t. 36, p. 3-28.

2289. Skarby wczesnośredniowieczne z obszaru Polski. Atlas. Early mediaeval hoards in Poland. Atlas. Ed. Leszek GAJEWSKI et autres, avec la collab. de Łucja OKOLICZ, Ewa STATTLER. Av.-propos: Stanisław SUCHODOLSKI. Wrocław, Zakł. Narod. im. Ossolińskich, 82, in-4, 83 p.

2290. ŠMAHEL (František). Univerzitní kvestie a polemiky mistra Jeronýma Pražského. (Universitätsquästionen und Polemiken des Magisters Hieronymus von Prag). Acta Univ. Carolinae. Historia Univ. Carol.-Pragensis, 82, vol. 22, fasc. 2, p. 7-41.

2291. SOMERVILLE (Robert). Scotia Pontificia. Papal letters to Scotland before the pontificate of Innocent III [1100-1198]. London, Oxford U. P., 82, in 8, XIII-177 p.

2292. Songe (Le) du Vergier. Ed. d'après le manuscrit Royal 19 C IV de la British Library par Marion SCHNERB-LIEVRE. T. 1, 2. Paris, Ed. du C.N.R.S., 81-82, 2 vol. in-8, 596, 504 p. (Sources d'hist. médiév. publ. par l'Inst. de Recherche et d'Hist. des Textes)

2293. SOPER (William). The navy of the Lancastrian Kings: accounts and inventories of William Soper, Keeper of the King's Ships, 1422-1427. Ed. by Susan ROSE. London, Allen a. Unwin, 82, in-8, 288 p. (Publ. of the Navy Records Soc., 123)

2294. SOT (Michel). Gesta episcoporum, gesta abbatum. Turnhout, Brepols, 81, in-8, 57 p. (Typologie des sources du moyen âge occid., 37)

2295. Sources (Les) du droit du canton de Neuchâtel. Publ. par Maurice de TRIBOLET. T. 1: Les sources directes. Par Dominique FAVARGER. Aarau, Sauerländer, 82, in-4, VIII-402 p. (Les sources du droit suisse, 21)

2296. SOUSA (Bernardo de Vasconcelos e), SILVA (Fernando Vieira da), MONTEIRO (Nuno). O "Livro das despesas do prioste" do cabido da Sé de Evora (1340-1341). R. Hist. econ. soc. [Lisboa], 82, n° 9, p. 91-143.

2297. Statuto di Deruta in volgare dell'anno 1465. A cura di G. Nico OTTAVIANI. Firenze, Nuova Italia, 82, in-8, 300 p.

2298. Statuty Kazimierza Wielkiego. (Les Statuts de Casimir le Grand.) P. 2: Statuty Wielkopolskie. (Les statuts de la Grande Pologne.) Ed. par Ludwik LYSIAK. Warszawa, Państw. Wydawn. Nauk., 82, in-8, XVI-131 p. (Pozn. Tow. Przyj. Nauk. Studia nad Hist. Prawa Pol. założone przez Oswalda Balzera) [1e partie: 1947]

2299. Stralsunder (Der) Liber memorialis. Bearb. v. Horst-Diether SCHROEDER. [T. 4. Cf. Bibl. 67, n° 2583.] T. 5: Fol. 241-300, 1426-1471. Weimar, Böhlau, 82, in-8, 272 p. (Veröff. d. Stadtarch. Stralsund, 5, 5)

2300. Stredoveké latinské kódexy slovenskej proveniencie v Maďarsku a v Rumunsku. (Codices latini medii aevi qui olim in bibliothecis Slovaciae asservabantur et nunc in Hungaria et Romania asservantur.) Edit. Július SOPKO. Martin, Matica slovenská, 82, in-4, 404 p. (Stredoveké kódexy slovenskej proveniencie, 2)

2301. SWANSON (R. N.). Calendar of the Register of Richard Scrope, Archbishop of York, 1398-1405. Pt. 1. York, Borthwick Inst., 82, in-8, 147 p.

2302. TERESTYÉNI (Ferenc). Magyar közszói eredetü személynevek az 1211-i tihanyi összeírásban. [Utánnyomás.] (Les noms de personne dérivés de noms communs hongrois dans le recensement de Tihany de 1211. [Réimpression.]) Budapest, 41 [82], in-8, 60 p. (A Magyar Nyelvtudományi Társaság kiadványai, 59)

2303. THOMSON (Rodney M.). Manuscripts from St. Alban's Abbey, 1066-1235. Woodbridge, D. S. Brewer, 82, 2 vol. in-fol., 144, 128 p. (ill., pl.).

2304. TJÄDER (Jan-Olof). Die nichtliterarischen lateinischen Papyri Italiens aus der Zeit 445-700. II: Papyri 29-59. Stockholm, Paul Åström, 82, in-4, XII-376 p. (4 pl.). (Acta Instituti Romani Regni Sueciae, 4, 19/2)

2305. TONEATTO (Lucio). Note sulla tradizione del Corpus agrimensorum Romanorum. I: Contenuti e struttura dell'Ars grammatica di Gisemundus (IX sec.). Mél. Ec. franç. Rome, Moyen Age, Temps mod., 82, t. 94, p. 191-313.

2306. TURTLEDOVE (Harry). The chronicle of Theophanes: an English translation of Anni mundi, 6095-6305 (A. D. 602-813). Philadelphia, Univ. of Pennsylvania Press, 82, in-8, XXIV-201 p.

2307. Urkundenbuch des Klosters Osterholz. Bearb. v. Hans-Heinrich JARCK. Hildesheim, Lax, 82, in-8, 525 p. (Bremer Urkundenbuch, Abt. 8. - Veröff. d. Hist. Komm. f. Niedersachsen u. Bremen, 37. Quellen u. Unters. z. Gesch. Niedersachsens im M.-A., 5)

2308. VAN DER VELDEN (G. M.), O. Praem. Documenten betreffende de ordre van Prémontré, verzameld door Merselius van Macharen in 1445. (Documents concernant l'ordre de Prémontré réunis en 1445 par Merselius van Macharen.) Analecta praemonstratensia, 82, t. 58, p. 35-95.

2309. VERDIER (Philippe). Saint-Denis et la tradition carolingienne des tituli: le De rebus in administratione sua gestis de Suger. In: Mélanges R. Louis [Cf. n° 519], p. 341-359.

2310. Vita sanctae Coletae (1381-1447). Prolegomenis auxerunt Charles VAN CORSTANJE et al. Leiden, Brill, 82, in-4, 262 p. [Texte en néerlandais, franç., allemand, anglais et espagnol]

2311. WALLACH (Marianne). Ein alemannischer Psalter aus dem 14. Jahrhundert: Hs. A IV 44 der Universitätsbibliothek Basel, Bl. 61-178. Freiburg/Schweiz, Univ.-Verl., 81, in-8, 481 p. (Spicilegium Friburgense, 27)

2312. WALPOLE (Ronald N.). Prolégomènes à une édition du Turpin français dit Turpin 1. R. Hist. Textes, 80 [81], t. 10, p. 100-230.

2313. WEBSTER (Bruce). The Acts of David II, 1329-1371. Edinburgh, Univ. Press, 82, in-4, 550 p. (Regesta Regum Scottorum)

2314. Westminster (The) chronicle, 1381-1394. Ed. a. transl. by L. C. HECTOR, Barbara F. HARVEY. London a. New York, Oxford U. P., 82, in-8, LXXVII-563 p. (Oxford medieval Texts)

2315. WISPLINGHOFF (Erich). Eine unbekannte Urkunde des Papstes Lucius III. Rhein. Vjsbl., 82, Jg. 46, p. 81-84.

2316. ZIMMERMANN (Michel). La datation des documents catalans du IXe au XIIe siècle: un itinéraire politique. A. Midi, 81, t. 93, p. 345-375.

2317. ZINSMAIER (Paul). Miszellen zu den Stauferurkunden des 12. und 13. Jahrhunderts. [I, II. Cf. Bibl. 81, n° 1985.] III: Die Kanzleinotare Friedrichs II. in der deutschen Königszeit (Sept. 1212 - Aug. 1220). Deutsch. Arch. f. Erforsch. d. M.-A., 82, Jg. 38, p. 180-192.

2318. ZUCKERMAN (Charles). Some texts of Bernard of Auvergne on Papal power. Rech. Théol. anc. méd., 82, t. 49, p. 174-204.

Cf. n°s 89, 641, 835, 879, 1013, 3059, 3985.

§ 2. Ouvrages généraux.

* 2319. EHLERS (Joachim). Frankreich im Mittelalter. Von der Merowingerzeit bis zum Tode Ludwigs IX. (5./6. Jahrundert bis 1270). Neuerscheinungen von 1961 bis 1979. München, Oldenbourg, 82, in-8, XII-306 p. (Hist. Z., Sonderh. 11)

* 2320. GENICOT (Léopold). Moyen âge tous azimuts. R. Hist. ecclés., 81, vol. 76, p. 613-635.

* 2321. HAVERKAMP (Alfred), ENZENSBERGER (Horst). Italien im Mittelalter. Neuerscheinungen von 1959-1975. Berichte. München, Oldenburg, 80, in-8, VIII-494 p. (Hist. Z., Sonderh. 7)

* 2322. Medioevo latino. Bolletino bibliografico della cultura europea dal secolo VI al XIII. [1, 2. Cf. Bibl. 81, n° 1990.] 3: 1980. A cura di Claudio LEONARDI, Rino AVESANI, Ferruccio BERTINI, Giuseppe CREMASCOLI, Giovanni ORLANDI, G. SCALIA. Spoleto, Centro ital. di Studi sull'Alto Medioevo, 82, in-8, XXIV-984 p.

2323. Andalucía medieval. Actas del I Coloquio de historia de Andalucía (Córdoba, 1979). Córdoba, Monte de Piedad y Caja de Ahorros, 82, in-8, 523 p.

2324. ANGERMEIER (Heinz). König und Staat im deutschen Mittelalter. Bl. f. deutsche Landesgesch., 81, Jg. 117, p. 167-182.

2325. BARROW (Geoffrey W. S.). Das mittelalterliche englische und schottische Königtum. Ein Vergleich. Hist. Jb., 82, Jg. 102, p. 362-389.

2326. BRÜHL (Carlrichard). Kronen- und Krönungsbrauch im frühen und hohen Mittelalter. Hist. Z., 82, Bd 234, p. 1-31.

2327. Châteaux et guerriers de la France au moyen âge. [T. 1, 2. Cf. Bibl. 81, n° 2405.] T. 3: Grandes figures de la chevalerie et chevaliers brigands. Par Thierry RIBALDONE. T. 4: Le château, expression du monde féodal. Par Jacques GARDELLES. Strasbourg, Publitotal, 81, 2 vol., 317, 317 p. (ill.).

2328. Danish medieval history. New currents. A symposium held in celebration of the 500th anniversary of the Univ. of Copenhagen, Copenhagen, 1979. Vol. 1. København, Museum Tusculanum Press, 81, in-8, 258 p.

2329. DAVIES (Wendy). Wales in the early Middle Ages. Leicester, U. P., 82, in-8, 264 p. (ill., maps).

2330. DELOGU (Paolo). L'Italia nel feudalesimo mediterraneo. Quad. mediev., 82, n° 13, p. 249-255.

2331. DUBOV (I. V.). Severo-Vostočnaja Rus' v epokhu rannego srednevekov'ja. (North-Eastern Russia in the early Middle Ages.) Ist.-arkheolog. očerki. Leningrad, Izd-vo LGU, 82, 248 p. (ill.).

2332. DUBY (Georges), MANTRAN (Robert). L'Eurasie (XIe-XIIIe siècles). Paris, Presses univ. France, 82, in-8, 640 p. (cartes). (Peuples et civil., 6)

2333. Glossar zur frühmittelalterlichen Geschichte im östlichen Europa. Hrsg. v. Jadran FERLUGA, Martin HELLMANN u. Herbert LUDAT. Serie A: Lateinische Namen bis 900. Bd 1: Aba - Bela. Bd 2, Lfg 1-7: Belaa - Carolus (filius Caroli Magni). Wiesbaden Steiner, 78-82, 2 vol. in-8, LXXIII-429, LXXI-348 p.

2334. Glossar zur frühmittelalterlichen Geschichte im östlichen Europa. Hrsg. v. Jadran FERLUGA, Martin HELLMANN u. Herbert LUDAT. Serie B: Griechische Namen bis 1025. Bd 1: Aaron (1) - Adrianopolis. Bd 2, Lfg. 1-4: Adrianopolis (2) - Albanoi. Wiesbaden, Steiner, 80-82, 2 vol. in-8, CLXXVI-319, CXII-128 p.

2335. Haut (Le) moyen âge en Ile-de-France. Actes du 3e Colloque de la Fédération des Soc. hist. et archéol. de Paris et de l'Ile-de-France, Chelles, 19-20 avril 1980. M. Paris Ile-de-France, 81 [82], t. 32, 330 p.

2336. Heilige Land (Das) im Mittelalter. Begegnungsraum zwischen Orient u. Okzident. Hrsg. v. Wolfdietrich FISCHER u. Jürgen SCHNEIDER. Neustadt (Aisch), Degener, 82, in-8, X-162 p. (4 Ill., 1 Kt.). (Schr. d. Zentralinst. f. Fränkische Landeskde u. Allg. Regionalforsch. an d. Univ. Erlangen-Nürnberg, 22) (Referate d. ... interdisziplinären Colloquiums d. Zentralinst. ..., 5)

2337. Ideologie und Herrschaft im Mittelalter. Hrsg. v. Max KERNER. Darmstadt, Wiss. Buchges., 82, in-8, VIII-508 p. (Wege d. Forsch., 530)

2338. Iren (Die) und Europa im früheren Mittelalter. Hrsg. v. Heinz LÖWE. Teilbd 1, 2. Stuttgart, Klett-Cotta, 82, 2 vol. in-8, XVIII-548 p.; VIII p., p. 549-1083 (Ill., 1 Kt.). (Veröff. d. Europa-Zentrums Tübingen, Kulturwiss. Reihe)

2339. Karl IV. Politik und Ideologie im 14. Jahrhundert. Im Auftr. d. Zentralinst. f. Gesch. an d. Akad. d. Wiss. d. DDR hrsg. v. Evamaria ENGEL. Weimar, Böhlau, 82, in-8, 421 p. (Abb.).

2340. KAZHDAN (Alexander). Soviet studies on medieval western Europe: a brief survey. Speculum, 82, vol. 57, n° 1, p. 1-19.

2341. LEUSCHNER (Joachim), BOOCKMANN (Hartmut). Europa im Hoch- und Spätmittelalter. Stuttgart, Klett-Cotta, 82, in-8, 228 p. (Studienbuch Gesch., 4)

2342. LINEHAN (Peter). Religion, nationalism and national identity in medieval Spain. Stud. Church Hist., 82, vol. 18, p. 161-199.

2343. MÍNGUEZ FERNÁNDEZ (José María). Ganadería, aristocracia y reconquista en la Edad Media. Hispania, 82, t. 42, p. 341-354.

2344. NONN (Ulrich). Heiliges Römisches Reich Deutscher Nation. Zum Nationen-Begriff im 15. Jahrhundert. Z. f. hist. Forsch., 82, Bd 9, p. 129-142.

2345. PAŠUTO (V. T.), FLORJA (B. N.), KHOROŠKEVIČ (A. L.). Drevnerusskoe nasledie i istoričeskie sud'by vostočnogo slavjanstva. (Old Russian heritage and historical destinies of the Eastern Slavs.) K 1500-letiju Kieva. Moskva, Nauka, 82, 263 p. (ill.). (Kievskaja Rus' i ist. sud'by vost. slavjan. AN SSSR. Otd-nie istorii)

2346. PITZ (Ernst). Europa im Früh- und Hochmittelalter. Stuttgart, Klett-Cotta, 82, in-8, 248 p. (Studienbuch Gesch., 3)

2347. PLETNEVA (S. A.). Kočevniki Srednevekov'ja. Poiski istoričeskikh zakonomernostej. (Nomads of the Middle Ages.) Moskva, Nauka, 82, 188 p. (ill.). (AN SSSR. In-t arkheologii)

2348. Razvitie etničeskogo samosoznanija slavjanskikh narodov v epokhu rannego srednevekov'ja. (The development of ethnic self-consciousness of Slav peoples in the early Middle Ages.) Redkol.: V. D. KOROLJUK (otv. red.) i dr. Moskva, Nauka, 82, 357 p. (AN SSSR. In-t slavjanovedenija i balkanistiki. Nauč. sovet po kompleks. probl. slavjanovedenija i balkanistiki)

2349. SEDOV (V. V.). Vostočnye slavjane v VI-XIII vv. (Eastern Slavs in the 6th-13th cent.) Moskva, Nauka, 82, 327 p. (Arkheologija SSSR. AN SSSR. In-t arkheologii)

2350. SPINEI (Victor). Moldova în secolele XI-XIV. (La Moldavie aux XIe-XIVe siècles.) București, Ed. științ. și enciclop., 82, in-8, 383 p. (57 fig.).

2351. Srednie veka. (The Middle Ages.) Sbornik. [Vyp. 44. Cf. Bibl. 81, n° 2018.] Vyp. 45. Redkol.: A. I. DANILOV (otv. red.) i dr. Moskva, Nauka, 82, 416 p. (AN SSSR. In-t vseobšč. istorii)

2352. SZÉKELY (György). Ideologische Fragen des europäischen Hochfeudalismus in den Ländern Ost- und Mitteleuropas während des 11. Jahrhunderts. Jb. f. Gesch. d. Feudalismus, 82, Bd 6, p. 87-101.

2353. Tradition als historische Kraft. Interdisziplinäre Forschungen z. Geschichte d. früheren Mittelalters, Karl Hauck zum 21. XII. 1981 gewidmet. Unter Mitw. v. M. BALZER [u. a.]. Hrsg. v. Norbert KAMP u. Joachim WOLLASCH. Berlin u. New York, de Gruyter, 82, in-4, VIII-429 p. (Ill., Beil.).

2354. TUREK (Rudolf). Čechy v raném středověku. (Böhmen im Frühmittelalter). Praha, Vyšehrad, 82, in-8, 251 p.

2355. VAUGHAN (Richard). The Arctic in the middle ages. J. medieval Hist., 82, vol. 8, p. 313-342.

§ 3. Histoire politique.

a. Généralités.

2356. ALPATOV (M. A.). Varjažskij vopros v russkoj dorevoljucionnoj istoriografii. (The Varangian question in Russian pre-revolutionary historiography.) Vopr. Ist., 82, n° 5, 31-45.

2357. ANGELOV (Petăr). La diplomatie médiévale bulgare. Bulg. hist. R., 82, a. 10, n° 4, p. 67-83.

2358. Anglo-Saxon England. [Vol. 9. Cf. Bibl. 81, n° 2038.] Vol. 10. Ed. by Peter CLEMOES. London, Cambridge U. P., 82, in-8, 326 p. (ill.).

2359. EICKHAM (Christopher). Early mediaeval Italy: central power and local society, 400-1000. London, Macmillan, 82, in-8, 230 p.

2360. GALBRAITH (Vivian Hunter). Kings and chroniclers: essays in English mediaeval history. London, Hambledon Press, 82, in-8, 368 p.

2361. HOCKEY (S. F.). Insula Vecta: the Isle of Wight in the Middle Ages. Chichester, Phillimore, 82, in-8, 208 p.

2362. Ireland in early mediaeval Europe: studies in memory of Kathleen Hughes. Ed. by Dorothy WHITELOCK, Rosamond McKITTERICK, David DUMVILLE. London, Cambridge U. P., 82, in-8, X-406 p. (ill., 16 pl.).

2363. JAMES (Edward). The origins of France from Clovis to the Capetians, 500-1000. London, Macmillan, 82, in-8,

2364. KOLLMANN (Nancy Shields). The boyar clan and court politics: the founding of the Muscovite political system. Cah. Monde russe et soviét., 82, vol. 23, p. 5-31.

2365. MYERS (Henry A.), WOLFRAM (Herwig). Medieval kingship. Chicago, Nelson-Hall, 82, in-8, IX-467 p.

2366. NAJEMY (John M.). Corporatism and consensus in Florentine electoral politics, 1280-1400. Chapel Hill, Univ. of North Carolina Press, 82, in-8, XIV-344 p.

2367. SCHMUGGE (Ludwig). Über "nationale" Vorurteile im Mittelalter. Deutsch. Arch. f. Erforsch. d. M.-A., 82, Jg. 38, p. 439-459.

2368. SHEANE (Michael Steven). Ulster and the Middle Ages. Bredbury, Ches., Highfield Press, 82, in-8, 224 p.

2369. TENENTI (Alberto). Les dictatures dans les Etats urbains des XIIIe-XVIe siècles italiens. In: Dictatures et légitimité [Cf. n° 236], p. 111-130.

2370. Toscana e Terrasanta nel Medioevo. Saggi raccolti e ordinati a cura di Franco CARDINI. Firenze, Alinea, 82, in-8, 419 p. (fig.). (Italia, Oriente, Mediterraneo, 1)

Cf. n° 71.

b. 476-900.

2371. BERTI (Roberto). Storia dei Goti. Venezia, Helvetia, 82, in-8, 339 p. (Saggi e Doc., 17)

2372. CROSSLEY-HOLLAND (Kevin). The Anglo-Saxon world. Woodbridge, Suffolk, Boydell Press, 82, in-8, 272 p. (ill.).

2373. DAVIS (K. Rutherford). Britons and Saxons: Chiltern region, 400-700. Chichester, Phillimore, 82, in-8, 192 p. (ill., maps).

2374. ERDÉLYI (István). Az avarság és Kelet a régészeti források tükrében. (Les Avars et l'Orient d'après les sources archéologiques.) Budapest, Akadémiai Kiadó, 82, in-8, 253 p. (100 pl.).

2375. FRIED (Johannes). Der Karolingische Herrschaftsverband im 9. Jahrhundert zwischen "Kirche" und "Königshaus". Hist. Z., 82, Bd 235, p. 1-43.

2376. HALLENBECK (Jan T.). Pavia and Rome: the Lombard monarchy and the papacy in the eighth century. Philadelphia, Am. Philos. Soc., 82, in-8, 186 p. (Trans. of the Am. Philos. Soc., n° 72, part 4)

2377. HARDY (Madeleine), LABBE (Alain). En marge du conflit entre Charles le Chauve et Girart de Vienne: Loup de Ferrières, Rémi d'Auxerre et le peintre Fredilo. In: Mélanges R. Louis [Cf. n°

519], p. 119-169.

2378. HERÉNYI (István). A magyar törzsszövetség és törzsfői. (Les tribus et les chefs des tribus de la fédération tribale hongroise.) Századok, 82, vol. 116, n° 1, p. 62-92.

2379. JARNUT (Jörg). Wer hat Pippin 751 zum König gesalbt? Frühmittelalterl. Stud., 82, Bd 16, p. 45-57.

2380. KERNER (Max). Die frühen Karolinger und das Papsttum. Z. d. Aachen. Gesch.-Ver., 81/82, Bd 88/89, p. 5-41.

2381. KUNSTMANN (Heinrich). Vorläufige Untersuchungen über den bairischen Bulgarenmord von 631/632. Der Tatbestand; Nachklänge im Nibelungenlied. München, Sagner, 82, in-8, 104 p. (Kt.). (Slavist. Beitr., 159)

2382. MOISAN (André). La fuite de Charles le Chauve devant les Bretons d'Erispoé, 22-24 août (851) et la mort du comte Vivien de Tours. In: Mélanges R. Louis [Cf. n° 519], p. 85-100.

2383. SCHIEFFER (Rudolf). Ludwig "der Fromme". Zur Entstehung eines karolingischen Herrscherbeinamens. Frühmittelalterl. Stud., 82, Bd 16, p. 58-73.

2384. SCHNEIDER (Reinhard). Das Frankenreich. München u. Wien, Oldenbourg, 82, in-8, 196 p.

2385. SCHWÖBEL (Heide). Synode und König im Westgotenreich. Grundlagen u. Formen ihrer Beziehung. Köln u. Wien, Böhlau, 82, in-8, XI-175 p. (Dissertationen z. mittelalterl. Gesch., 1)

2386. TÖRÖK (Sándor). Mi volt a neve a három kabar törzsnek. Bev. GYÖRFFY György. (Les noms des trois tribus kabares. Avec une introd. de - .) Századok, 82, vol. 116, n° 5, p. 986-1059.

2387. WEHRLI (Christoph). Mittelalterliche Überlieferungen von Dagobert I. Bern, Lang, 82, in-8, 376 p. (Geist u. Werk d. Zeiten, 62)

Cf. n° 747.

c. 900-1300.

2388. ALTHOFF (Gerd). Zur Frage nach der Organisation sächsischer coniurationes in der Ottonenzeit. Frühmittelalterl. Stud., 82, Bd 16, p. 129-142.

2389. BALDWIN (John W.). L'entourage de Philippe Auguste et de la famille royale. In: La France de Philippe Auguste [Cf. n° 237], p. 59-73.

2390. BARCIAK (Antoni). Ideologia polityczna monarchii Przemysła Otokara II. Studium z czeskiej polityki zagranicznej w drugiej połowie XIII wieku. (L'idéologie politique de la monarchie de Přemysl Ottokar II. Etude de la politique étrangère tchèque dans la seconde moitié du XIIIe s.) Katowice, 82, in-8, 124 p. (Prace

Uniw. Śląskiego w Katowicach, 465)

2391. BATES (David). Normandy before 1066. London, Longman, 82, in-8, XXXII-288 p.

2392. BAUTIER (Robert-Henri). Paris au temps d'Abélard. In: Abélard et son temps [Cf. n° 227], p. 21-77.

2393. BAUTIER (Robert-Henri). Philippe Auguste: la personnalité du roi. In: La France de Philippe Auguste [Cf. n° 237], p. 33-57. - IDEM. La place du règne de Philippe Auguste dans l'histoire de la France médiévale. Ibid., p. 11-27.

2394. BOROSY (András). Vélemények a kora-feudális fejedelmi kíséretről. (Ansichten über die frühfeudale Gefolgschaft.) Acta Univ. szegediensis, Acta hist., 81, vol. 70, p. 19-39.

2395. BOUSSARD (Jacques). Philippe Auguste et Paris. In: La France de Philippe Auguste [Cf. n° 237], p. 323-340. - IDEM. Philippe Auguste et les Plantagenêts. Ibid., p. 263-287.

2396. BOUTET (Dominique). Les chansons de geste et l'affermissement du pouvoir royal (1100-1250). A. Ec., Soc., Civ., 82, a. 37, p. 3-14.

2397. BUR (Michel). Rôle et place de la Champagne dans le royaume de France au temps de Philippe Auguste. In: La France de Philippe Auguste [Cf. n° 237], p. 237-254.

2398. CAROLUS-BARRÉ (Louis). Philippe Auguste et les villes de commune. In: La France de Philippe Auguste [Cf. n° 237], p. 677-688.

2399. CONTAMINE (Philippe). L'armée de Philippe Auguste. In: La France de Philippe Auguste [Cf. n° 237], p. 577-593.

2400. CROUCH (David). Geoffrey de Clinton and Roger, Earl of Warwick: new men and magnates in the reign of Henry I. B. Inst. hist. Research, 82, vol. 55, p. 113-123.

2401. DIENST (Heide). Zum Grazer Vertrag von 1225 zwischen Herzog Leopold VI. von Österreich und Steier und König Andreas II. von Ungarn. Mitt. d. Inst. f. österr. Gesch.-Forsch., 82, Bd 90, p. 1-48.

2402. DIMNIK (Martin). The place of Ryurik Rostislavich' death: Kiev or Chernigov? Med. Stud., 82, vol. 44, p. 371-393.

2403. ERDÉLYI (István). Zu den theoretisch-methodologischen Fragen der Geschichte der Altungarn. Acta archaeol. Acad. Sci. hungaricae, 81, vol. 33, p. 70-79.

2404. ERKENS (Franz-Reiner). Siegfried von Westerburg (1274-1297). Die Reichs- u. Territorialpolitik eines Kölner Erzbischofs im ausgehenden 13. Jh. Bonn, Röhrscheid, 82, in-8, 440 p. (graph. Darst., Kt.). (Rhein. Arch., 114)

2405. Federico Barbarossa nel dibattito storiografico in Italia e Germania. [Atti della Settimana di studio tenuta a Trento nel 1980.] A cura di Raoul MANSELLI e Josef RIEDMANN. Bologna, Il mulino, 82, in-8, 383 p. (A. dell'Istit. stor. italo-germanico, 10) (Istit. trentino di Cult., Pubbl. dell'Istit. stor. italo-germanico in Trento)

2406. FONT (Márta). Važnejšie političeskie problemy v Kievskoj Rusi XII v. (Les problèmes politiques les plus importants dans la Russie de Kiev du XIIe siècle.) Diss. slavicae, 81, Suppl., p. 14-20.

2407. FOREVILLE (Raymonde). L'image de Philippe Auguste dans les sources contemporaines. In: La France de Philippe Auguste [Cf. n° 237], p. 115-130.

2408. FRISON (Carluccio). Fonti, aspetti e problemi delle incursioni ungare nel Modenese nel X secolo. At. M. Deput. Stor. pa. antiche Prov. modenesi, 82, s. 11, vol. 4, p. 23-76.

2409. GUILLEMAIN (Bernard). Philippe Auguste et l'épiscopat. In: La France de Philippe Auguste [Cf. n° 237], p. 365-383.

2410. HEINEMEYER (Karl). Der Prozeß Heinrichs des Löwen. Bl. f. deutsche Landesgesch., 81, Jg. 117, p. 1-60.

2411. HILPERT (Hans-Eberhard). Zwei Briefe Kaiser Ottos IV. an Johann Ohneland. Deutsch. Arch. f. Erforsch. d. M.-A., 82, Jg. 38, p. 123-140.

2412. HROCHOVÁ (Věra). Křížové výpravy ve světle soudobých kronik. (Die Kreuzzüge im Lichte der zeitgenössischen Chroniken.) Praha, Stát. pedagog. nakl., 82, in-8, 288 p.

2413. JONES (Adrienne). The significance of the regal consecration of Edgar in 973. J. eccles. Hist., 82, vol. 33, p. 375-390.

2414. JORDAN (Karl). Friedrich Barbarossa und Heinrich der Löwe. Bl. f. deutsche Landesgesch., 81, Jg. 117, p. 61-71.

2415. KAMP (Norbert). Kirche und Monarchie im staufischen Königreich Sizilien. I: Prosopographische Grundlegung: Bistümer und Bischöfe des Königreichs 1194-1266. Nachträge u. Berichtigungen, Register u. Verzeichnisse [zu Bibl. 73, n° 1628, u. Bibl. 74-75, n° 2460]. München, Fink, 82, in-4, VIII p., p. 1261-1667. (Münstersche Mittelalter-Schr., 10/I, 4)

2416. KEDAR (Benjamin Z.). Ein Hilferuf aus Jerusalem vom September 1187. Deutsch. Arch. f. Erforsch. d. M.-A., 82, Bd 38, p. 112-122.

2417. KNOWLES (C. H.). The resettlement of England after the Barons' war, 1264-1267. Trans. roy. hist. Soc., vol. 32, p. 25-41.

2418. KRAUS (Thomas R.). Studien zur Frühgeschichte der Grafen von Kleve und der Entstehung der klevischen Landesherrschaft. Rhein. Vjsbl., 82, Jg. 46, p. 1-47.

2419. KRISTÓ (Gyula). Koppány felnégyelése. (L'écartèlement de Koppány.) Századok, 82, vol. 116, n° 5, p. 959-968.

2420. LUTTRELL (Anthony T.). Latin Greece, the Hospitallers and the Crusades. London, Variorum Repr., 82, in-8, 322 p.

2421. MACCARONE (Michele). La papauté et Philippe Auguste: la décrétale Novit ille. In: La France de Philippe Auguste [Cf. n° 237], p. 383-408.

2422. MAKK (Ferenc). Contributions à la chronologie des conflits hungaro-byzantins au milieu du XIIe siècle. Zborn. Rad. vizant. Inst., 81, t. 20, p. 25-40. - IDEM. III. Béla és Bizánc. (Béla III [de Hongrie] et Byzance.) Századok, 82, vol. 116, n° 1, p. 33-61. - IDEM. K dostovernosti odnogo iz soobščenij kievskoj letopisi. (Sur l'exactitude d'une donnée des Annales de Kiev.) Diss. slavicae, 81, Suppl., p. 9-13. [La guerre entre la Hongrie et Byzance au XIIe s.]

2423. MAYER (Hans Eberhard). Henry II of England and the Holy Land. Eng. hist. R., 82, vol. 97, p. 721-739.

2424. MUSSET (Lucien). Quelques problèmes posés par l'annexion de la Normandie au domaine royal français. In: La France de Philippe Auguste [Cf. n° 237], p. 291-307.

2425. Outremer: Studies in the history of the crusading kingdom of Jerusalem presented to Joshua Prawer. Ed. by B. Z. KEDAR, H. E. MAYER a. R. C. SMAIL. Jerusalem, Yad Izhak Ben-Zvi Institute, 82, in-8, IV-346 p.

2426. PALADILHE (Dominique). Le roi lépreux [Baudouin IV, roi de Jérusalem]. Paris, Perrin, 82, in-4, 284 p.

2427. PATZE (Hans). Die Welfen in der mittelalterlichen Geschichte Europas. Bl. f. deutsche Landesgesch., 81, Jg. 117, p. 139-166.

2428. PAULER (Roland). Das Regnum Italiae in ottonischer Zeit. Markgrafen, Grafen u. Bischöfe als polit. Kräfte. Tübingen, Niemeyer, 82, in-8, VII-199 p. (Bibl. d. Deutsch. Hist. Inst. in Rom, 54)

2429. Proceedings of the Battle Conference on Anglo-Norman studies. [III. Cf. Bibl. 81, n° 2075.] IV: 1981. Ed. by Reginald Allen BROWN. Ipswich, Boydell, 82, in-8, 237 p. (ill., fac-sim.).

2430. PRYOR (John H.). Transportation of horses by sea during the era of the crusades. Part 1: To c. 1225. Part 2: 1228-1285. Mariner's Mirror, 82, vol. 68, p. 9-27, 103-125.

2431. REILLY (Beranrd F.). The kingdom of Leon-Castilla under queen Urraca, 1109-1126. Princeton, N. J., Princeton U. P., 82, in-8, XX-401 p.

2432. RICHARD (Jean). Philippe Auguste, la croisade et le royaume. In: La France de Philippe Auguste [Cf. n° 237], p. 411-424.

2433. RIIS (Thomas). Autour du mariage de 1193: l'épouse [de Philippe Auguste, Isambour ou Ingeborg], son pays et les relations franco-danoises. In: La France de Philippe Auguste [Cf. n° 237], p. 341-361.

2434. RUSU (Mircea). Les formations politiques roumaines et leur lutte pour l'autonomie [Xe-XIe s.]. R. roumaine Hist., 82, t. 21, p. 351-385 (carte).

2435. SAKHAROV (A. N.). Diplomatija Svjatoslava. (Svyatoslav's diplomacy.) Moskva, Meždunar. otnošenija, 82, 239 p. (ill.). - IDEM. Vostočnyj pokhod Svjatoslava i "Zapiska grečeskogo toparkha". (Svyatoslav's eastern route and the "Note of the Greek toparch".) Ist. SSSR, 82, n° 3, p. 86-103.

2436. SCHMID (Peter). Die Anfänge der Regensburger Bürgerschaft und ihr Weg zur Stadtherrschaft. Z. f. bayer. Landesgesch., 82, Bd 45, p. 483-539.

2437. SCOTT (Ronald McNair). Robert the Bruce, King of Scots. London, Hutchinson, 82, in-8, 235 p.

2438. ŞERBAN (Constantin). Les Roumains au point d'impact de l'Occident et de Byzance (1204-1205). R. Studi bizant. e slavi, 81, a. 1, p. 229-237.

2439. SPEAR (David S.). The Norman empire and the secular clergy, 1966-1204. J. brit. Stud., 82, vol. 21, n° 2, p. 1-10.

2440. TUREK (Rudolf). Slavníkovci a jejich panství. (Das Slavník-Geschlecht und seine Herrschaft.) Hradec Králové, Kruh, 82, in-8, 180 p. (26 fig.).

2441. VOGEL (Jörgen). Gregor VII. und Heinrich IV. nach Canossa. Zeugnisse ihre Selbstverständnisses. Berlin u. New York, de Gruyter, 82, in-4, 311 p. (Arbeiten z. Frühmittelalterforsch., 9)

2442. WEISERT (Hermann). War Otto d. Gr. wirklich rex Langobardorum? Arch. f. Diplomatik, 82, Bd 28, p. 23-37.

2443. WITTEK (Paul). La formation de l'Empire Ottoman. Ed. par V. L. MENAGE. London, Variorum Repr., 82, in-8, 360 p.

2444. WOLFF (Philippe). Les villes de France au temps de Philippe Auguste. In: La France de Philippe Auguste [Cf. n° 237], p. 645-674.

2445. ZERNER-CHARDAVOINE (Monique), PIECHON-PALLOC (Hélène). La croisade albigeoise, une revanche: des rapports entre la quatrième croisade et la croisade albigeoise. R. hist., 82, a. 106, t. 267, p. 3-18.

2446. ZIELONKA (Zbigniew). Henryk Prawy. (Henri IV Probus [prince silésien de Wrocław et de Cracovie, mort en 1290].) Katowice, Śląsk, 82, in-8, 198 p.

3. HISTOIRE POLITIQUE

d. 1300-1500.

2447. ALTOMONTE (Antonio). Il Magnifico. Vita di Lorenzo de' Medici. Milano, Rusconi, 82, in-8, 307 p. (tav.). (La Stor.)

2448. ÁLVAREZ ÁLVAREZ (César). El condado de Luna en la baja edad media. León, Colegio univ., 82, in-8, 388 p.

2449. ANDREESCU (Ştefan). Autour de la dernière phase des rapports entre la Moldavie et Gênes. R. roumaine Hist., 82, vol. 21, p. 257-282.

2450. Beiden Frauen (Die) des Erzherzogs Sigmund von Österreich. Hrsg. v. Franz HUTER. Innsbruck, Univ.-Verl. Wagner, 82, in-8, 251 p. (8 p. Abb.). Schlern-Schriften, 269) [Contient: CARAMELLE (Silvia). Katharina von Sachsen, Erzherzog Sigmunds zweite Gemahlin. Ihr Leben an d. Seite d. Tiroler Landesfürsten, p. 117-236. - KOFLER (Margarete). Eleonore von Schottland. Versuch einer Biographie, p. 15-114.]

2451. BELDICEANU (Nicoară), BACQUÉ-GRAMMONT (Jean-Louis), CAZACU (Matei). Recherches sur les Ottomans et la Moldavie ponto-danubienne entre 1484-1502. B. School oriental afr. Stud., 82, vol. 45, p. 48-66.

2452. BERENTS (Dirk Arend). Gilles de Rais, de moordenaar en de mythe. (Gilles de Rais, l'assassin et le mythe.) 's-Gravenhage, Nijhoff, 82, in-8, VII-192 p. (ill.). (Nijhoffs hist. monografiën)

2453. CAROLUS-BARRÉ (Louis). Les "capitaines" italiens, compagnons de guerre de Jeanne d'Arc: Barthélemy Barette (Baretta), Théaude de Valpergue (Valperga). In: Actes du Colloque Jeanne d'Arc [Cf. n° 230], p. 81-118. - IDEM. Le siège de Compiègne et la délivrance de la ville, 20 mai - 25 octobre 1430. Ibid., p. 15-62.

2454. CAZACU (Matei). Les Ottomans sur le Bas-Danube au XVe siècle. Quelques précisions. Südost-Forsch., 82, Bd 41, p. 27-41.

2455. CAZELLES (Raymond). Société politique, noblesse et couronne sous Jean le Bon et Charles V. Genève, Droz, 82, in-8, 636 p. (13 cartes). (Mém. et doc. de l'Ecole des Chartes, 28)

2456. CHEVALIER (Bernard). Les bonnes villes de France du XIVe au XVIe siècle. Paris, Aubier-Montaigne, 82, in-8, 352 p. - IDEM. Corporations, conflits politiques et paix sociale en France aux XIVe et XVe siècles. R. hist., 82, a. 106, t. 268, p. 17-44.

2457. CLAUZEL (Denis). Finances et politique à Lille pendant la période bourguignonne. Dunkerque, Ed. des Beffrois, 82, in-8, 285 p. (ill.).

2458. CONSTANTIN (Gh. I.). Le "traité" entre le sultan Bajazet Ier et la Valachie [1394]. Islam [Berlin], 82, Bd 59, p. 254-284.

2459. CONTAMINE (Philippe). L'action et la personne de Jeanne d'Arc: remarques sur l'attitude des princes français à son égard. In: Actes du Colloque Jeanne d'Arc [Cf. n° 230], p. 63-80.

2460. COULET (Noël), PLANCHE (Alice), ROBIN (Françoise). Le roi René: le prince, le mécène, l'écrivain, le mythe. Aix-en-Provence, Edisud, 82, in-8, 242 p. (ill.).

2461. CROUZET-PAVAN (E.). Murano à la fin du moyen âge: spécifité ou intégration dans l'espace vénitien? R. hist., 82, t. 268, p. 45-92.

2462. DE FREDE (Carlo). L'impresa di Napoli di Carlo VIII. Napoli, De Simone, 82, in-8, 454 p. - IDEM. "Più simile a mostro che a uomo". La bruttezza e l'incultura di Carlo VIII nella rappresentazione degli italiani del Rinascimento. Bibl. Humanisme Renaissance, 82, vol. 44, p. 545-585.

2463. DÜMMERTH (Dezső). Az Anjou-ház nyomában. (A la recherche de la Maison d'Anjou.) Budapest, Panoráma, 82, in-8, 542 p. (8 pl.). (Utazások a múltban és a jelenben)

2464. DUFOURCQ (Charles-Emmanuel). Chrétiens et musulmans durant les derniers siècles du moyen âge. Anu. Est. med., 80 [82], t. 10, p. 207-225.

2465. DUMONT (Georges-Henri). Marie de Bourgogne. Paris, Fayard, 82, in-8, 358 p.

2466. DUPARC (Pierre). Jeanne d'Arc controversée. In: Actes du Colloque Jeanne d'Arc [Cf. n° 230], p. 217-229.

2467. EWARDS (John). Christian Cordoba, the city and its region in the late Middle Ages. London, Cambridge U. P., 82, in-8, 240 p. (tab., maps). (Iberian a. Latin Amer. Stud.)

2468. ENGEL (Pál). Honor, vár, ispánság. Tanulmányok az Anjou-királyság kormányzati rendszeréről. (Honor, castrum, comitatus. Etudes sur le système gouvernemental du royaume des Anjou.) Századok, 82, vol. 116, n° 5, p. 880-922. - FÜGEDI (Erik). Királyi tisztség vagy hűbér? (Charge royale ou donation féodale?) Tört. Szle, 82, vol. 25, n° 3, p. 483-509.

2469. ESKENAZY (Victor). Notes concernant l'histoire du littoral ouest de la mer Noire: Dobrotich et ses relations avec Gênes. R. roumaine Hist., 82, t. 21, p. 239-256.

2470. FRAME (Robin). English lordship in Ireland, 1318-1361. London, Oxford U. P., 82, in-8, XIV-381 p. (tables, 2 maps).

2471. FRYDE (E. B.). The Great Revolt of 1381. London, Hist. Assoc., 82, in-8, 36 p.

2472. FÜGEDI (Erik). Mátyás király jövedelme 1475-ben. (Le revenu du roi Mathias [de Hongrie] en 1475.) Századok, 82, vol. 116, n° 3, p. 484-506.

2473. 500 [Fünfhundert] Jahre Stanser Verkommnis. Beiträge zu einem Zeitbild. Verf. von Ferdinand ELSENER et al. Stans, Hist. Verein Niedwalden, 81, in-8, 183 p.

2474. GOROVEI (Ştefan S.). La paix moldo-ottomane de 1486 (quelques observations en marge des textes.) R. roumaine Hist., 82, t. 21, p. 405-421. - Paru aussi en roumain: Pacea moldo-otomană din 1486. Observaţii pe marginea unor texte. R. Ist., 82, t. 35, p. 807-821. [Rés. franç.]

2475. GRIGORAŞ (N.). Moldova lui Ştefan cel Mare. (La Moldavie d'Etienne le Grand.) Iaşi, Junimea, 82, in-8, 319 p.

2476. GROOTE (Wolfgang von). Burgmannen in Seeflandern im Hochmittelalter. Militärgesch. Mitt., 82, H. 31, p. 9-21.

2477. HEIMANN (Heinz-Dieter). Zwischen Böhmen und Burgund. Zum Ost-Westverhältnis innerhalb d. Territorialsystems d. Deutsch. Reiches im 15. Jh. Köln u. Wien, Böhlau, 82, in-8, 488 p. (Diss. z. mittelalterl. Gesch., 2)

2478. HEINIG (Paul-Joachim). Kaiser Friedrich III. und Hessen. Hess. Jb. f. Landesgesch., 82, Bd 32, p. 63-101.

2479. HÉRUBEL (Michel). Gilles de Rais et le déclin du moyen âge. Paris, Perrin, 82, in-9, 379 p. (pl.).

2480. IOSIPESCU (Sergiu). Ştefan cel Mare - coordonate de strategie pontică. (Etienne le Grand - coordonnées de stratégie pontique.) R. Ist., 82, t. 35, p. 639-653 (carte). [Rés. franç.]

2481. JAEGER (Georg). Aspekte des Krieges und der Chevalerie im 14. Jahrhundert in Frankreich. Untersuchungen zu Jean Froissarts "Chroniques". Bern, Lang, 81, in-8, 263 p. (Geist u. Werk d. Zeiten, 60)

2482. Jeanne d'Arc. Une époque, un rayonnement. Colloque d'histoire médiévale, Orléans, oct. 1979. Paris, Ed. du C. N. R. S., 82, in-4, 308 p. (8 fig., 4 pl.).

2483. JONES (Michael). "Bons Bretons et bons Françoys": the language and meaning of treason in later medieval France. Trans. roy. hist. Soc., 82, vol. 32, p. 91-112.

2484. KALCKHOFF (Andreas). Nacio Scottorum, schottischer Regionalismus im Spätmittelalter. Frankfurt (Main) u. Bern. Lang, 83, in-8, IV-523 p. (20 Bl. graph. Darst., Kt.). (Europ. Hochschulschr., Reihe 3: Gesch. u. ihre Hilfswiss., 142)

2485. KERVRAN (Marcel). Les grandes heures de Jean de Montfort et de Jeanne la Flamme (1341-1345) pendant la guerre de Succession de Bretagne. Mayenne, Floch, 81, in-8, 171 p. (ill.).

2486. KHIZRIEV (Kh. A.). Našestvie Timura na Severnyj Kavkaz i sraženie na Terke. (Timur's invasion of the Northern Caucasus and the battle on the Terek river.) Vopr. Ist., 82, n° 4, p. 45-54.

2487. KRAUS (Thomas R.). Studien zur Vorgeschichte der Krönung Karls IV. in Aachen. Z. d. Aachener Gesch.-Ver., 81/82, Bd 88/89, p. 43-93.

2488. KREKIĆ (Bariša). Mleci i unutrasnjost Balkana u četrnaestom veku. (Venice and the Balkan hinterland in the 14th cent.) Zborn. Rad. vizant. Inst., 82, t. 21, p. 145-158. [Eng. Summary]

2489. LACAZE (Yvon). Philippe le Bon et l'Empire: bilan d'un règne. le partie. Francia [München], 81 [82], Bd 9, p. 133-175.

2490. LAIDLAW (J. C.). Christine de Pizan, the earl of Salisbury and Henry VI. French Stud., 82, vol. 36, p. 129-143.

2491. LANG (Beatrix). Der Guglerkrieg. Ein Kapitel Dynastengesch. im Vorfeld d. Sempacherkrieges. Fribourg, Ed. universitaires, 82, in-8, XLVIII-472 p. (Travaux d'hist. de l'Univ. de Fribourg, 10)

2492. LEGUAI (André). Les révoltes rurales dans le royaume de France du milieu du XIVe siècle à la fin du XVe. Moyen Age, 82, t. 88, sér. 4, t. 37, p. 49-76.

2493. MACDOUGALL (Norman). James III, a political study. Edinburgh, J. Donald, 82, in-8, 352 p.

2494. McFARLANE (Kenneth Bruce). England in the 15th century: collected essays. London, Hambledon, 82, in-8, 304 p.

2495. MATANOV (H.). Le Mont Athos et les rapports politiques dans les Balkans durant la deuxième moitié du XIVe siècle. Et. balkaniques, 81, vol. 17, p. 69-100.

2496. MELONI (Giuseppe). Genova e Aragona all'epoca di Pietro il Cerimonioso. [1, 2. Cf. Bibl. 76-77, n° 2629.] 3: 1361-1387. Padova, CEDAM, 82, in-8, 273 p. (Pubbl. dell'Istit. di Stor. mediev. e mod. dell'Univ. degli Studi di Cagliari, 26)

2497. PAPACOSTEA (Şerban). Relaţiile internaţionale ale Moldovei în vremea lui Ştefan cel Mare. (Les relations internationales de la Moldavie au temps d'Etienne le Grand.) R. Ist., 82, t. 35, p. 607-638. [Rés. franç.]

2498. PATZE (Hans), STREICH (Gerhard). Die landesherrlichen Residenzen im spätmittelalterlichen Deutschen Reich. Miszelle. Bl. f. deutsche Landesgesch., 82, Jg. 118, p. 205-220.

2499. PETRIN (Silvia). Der österreichische Hussitenkrieg 1420-1434. Wien, Österr. Bundesverl., 82, in-8, 47 p. (Abb., Kt.). (Militärhist. Schriftenr., 44)

2500. POLÍVKA (Miloslav). Mikuláš z Husi a nižší šlechta v počátcích husitské revoluce. (Nikolaus von Hus u. d. niedere Adel in d. Anfängen d. hussit. Revolution.) Praha, Academia, 82, in-8, 67 p. (Rozpravy ČSAV. Řada společenských věd. An. 82, 1)

2501. POUTIER (J.-C.). Les chevaliers de

Rhodes à la croisade de Nikopol (1396). Et. balkaniques, 81, vol. 17, p. 89-123 (12 fig.).

2502. RÁCZ (Lajos). Egy "kelet-európai birodalom" kialakításának körvonalai és a XV. századi Magyarország. (Les contours de la formation d'un empire en Europe de l'Est et la Hongrie du XVe siècle.) Jogtudom. Közl., 82, vol. 37, n° 9, p. 687-698.

2503. RAJCES (V. I.). Žanna d'Ark. Fakty, legendy, gipotezy. (Joan of Arc. Facts, legends, hypotheses.) Leningrad, Nauka, 82, 200 p. (ill.). (Nauč. biogr. AN SSSR)

2504. REALE (Ugo). Vita di Cola di Rienzo. Roma, Edit. riuniti, 82, in-8, 268 p. (Biogr., 12)

2505. ROSKELL (John Smith). Parliament and politics in late mediaeval England. London, Hambledon, 82, 2 vol. in-8, 255, 360 p.

2506. RYBAKOV (B. A.). Kievskaja Rus' i russkie knjažestva XII-XIII vv. (Kievan Rus and Russian principalities in the 12th-13th cent.) Moskva, Nauka, 82, 591 p. (ill.). (Kiev. Rus' i ist. sud'by vost. slavjan. K 1500-letiju Kieva. AN SSSR. Otd-nie istorii)

2507. SCHNEIDMÜLLER (Bernd). Städtische Territorialpolitik und spätmittelalterliche Feudalgesellschaft am Beispiel von Frankfurt am Main. Bl. f. deutsche Landesgesch., 82, Jg. 118, p. 115-136.

2508. ŞIMANSCHI (Leon). Politica internă a lui Ştefan cel Mare. (La politique intérieure d'Etienne de Grand.) R. Ist., 82, t. 35, p. 581-606. [Rés. franç.]

2509. SIMON (Francine). Crises de légitimité dans l'Italie médiévale. Les dictatures avortées de Cola di Rienzo et Savonarole. In: Dictatures et légitimité [Cf. n° 236], p. 131-141.

2510. SPĚVÁČEK (Jiří). Král diplomat. (Jan Lucemburský 1296-1346.) (Der König-Diplomat. Johann v. Luxemburg.) Praha, Panorama, 82, in-8, 280 p. (32 fig.).

2511. VLAGOJEVIĆ (Miloš). Savladarstvo u srpskim zemljana posle smrti cara Uroša. (Co-rule in Serbia after the death of emperor Uroš [1371].) Zborn. Rad. vizant. Inst., 82, t. 21, p. 183-212. [Eng. summary]

2512. WALDER (Ernst). Zur Entstehungsgeschichte des Stanser Verkommnisses und des Bundes der VIII Orte mit Freiburg und Solothurn von 1481. Schweiz. Z. f. Gesch., 82, Bd 32, p. 263-292.

2513. WERNER (Ernst). Sultan Mehmed der Eroberer und die Epochenwende im 15. Jahrhundert. Berlin, Akad.-Verl., 82, in-8, 71 p. (S.-B. d. Sächs. Akad. d. Wiss. zu Leipzig, Philol.-hist. Kl., Bd 123, 2)

2514. WERNICKE (Horst). Die regionalen Bündnisse der hansischen Mitglieder und deren Stellung in der Städtehanse von 1280 bis 1418. Jb. f. Gesch. d. Feudalismus, 82, Bd 6, p. 243-273.

2515. WYROZUMSKI (Jerzy). Kazimierz Wielki. (Casimir le Grand [roi de Pologne].) Wrocław, Zakł. Narod. im. Ossolińskich, 82, in-8, 257 p. - IDEM. Geneza sukcesji andegaweńskiej w Polsce. (La genèse de la succession angevine en Pologne.) Studia hist., 82, a. 25, fasc. 2, p. 185-197.

2516. ZIMIN (A. A.), KHOROŠKEVIČ (A. L.). Rossija vremeni Ivana Groznogo. (Russia under Ivan the Terrible.) Moskva, Nauka, 82, 184 p. (ill.). (Iz istorii našej Rodiny. AN SSSR)

Cf. n° 6778.

§ 4. Juifs.

2517. ALBERT (Bat-Sheva). De fide catholica contra Judaeos d'Isidore de Séville: la polémique anti-judaïque dans l'Espagne du VIIe siècle. R. Et. juives, 82, t. 141, p. 289-316.

2518. ALTERAS (Isaac). Notes généalogiques sur les médecins juifs dans le Sud de la France pendant les XIIIe et XIVe siècles. Moyen Age, 82, t. 88, sér. 4, t. 37, p. 29-47.

2519. Bibl. 80, n° 2119. Art et archéologie des Juifs en France médiévale. - CR: D. Iancu-Agou, R. Et. juives, 82, t. 141, p. 243-266.

2520. COHEN (Jeremy). The friars and the Jews: the evolution of medieval anti-Judaism. Ithaca, N. Y., Cornell U. P., 82, in-8, 301 p.

2521. ENTIN ROKÉAḤ (Zefira). The Jewish church-robbers and host-desecrators of Norwich (ca. 1285). R. Et. juives, 82, t. 141, p. 331-362.

2522. GIL (Moshe). The Jewish quarters of Jerusalem (A. D. 638-1099) according to the Cairo Geniza documents and other sources. J. near east. Stud., 82, vol. 41, n° 4, p. 261-278.

2523. GOLB (Norman), PRITSAK (Omeljan). Khazarian Hebrew documents of the tenth century. Ithaca, N. Y., Cornell U. P., 82, in-8, XVI-166 p.

2524. GOZALBES CRAVIOTO (Carlos). La judería y los judíos en la Ceuta medieval. B. Asoc. esp. Oriental., 82, a. 18, p. 259-276.

2525. HAYOUN (Maurice). L'épître du libre arbitre de Moïse de Narbonne (ca. 1300-1362). R. Et. juives, 82, t. 141, p. 139-167.

2526. KOHN (Roger). Les Juifs de la France du Nord à travers les archives du Parlement de Paris (1359?-1394). R. Et. juives, 82, t. 141, p. 5-138.

2527. LEROY (Béatrice). Recherches sur

les Juifs de Navarre à la fin du moyen âge. R. Et. juives, 82, t. 141, p. 319-432.

2528. METZGER (Thérèse), METZGER (Mendel). La vie juive au moyen âge, illustrée par les manuscrits hébraïques enluminés du XIIIe au XVIe siècle. Lausanne, Office du Livre, 82, in-4, p. 320 p. (397 ill.).

2529. REMBAUM (Joel E.). The Talmud and the popes: reflections on the Talmud trials of the 1240s. Viator, 82, vol. 13, p. 203-223.

2530. ROMANO (David). Les Juifs de la couronne d'Aragon avant 1391. R. Et. juives, 82, t. 141, p. 169-182.

2531. SÁNCHEZ MARTÍNEZ (Manuel). La fiscalidad catalanoaragonesa y las aljamas de judíos en la época de Alfonso IV (1327-1336): los subsidios extraordinarios. Acta hist. archaeol. mediev., 82, a. 3, n° 3, p. 93-141.

2532. SEPTIMUS (Bernard). Hispano-Jewish culture in transition: the career and controversies of Ramah. Cambridge, Mass., Harvard U. P., 82, in-8, IX-180 p. (Harvard Judaic Monogr., 4)

2533. TAVARES (Maria José Pimenta Ferro). Judeus e Mouros no Portugal dos séculos XIV e XV (Tentativo de estudo comparativo). (Juifs et Maures au Portugal des XIVe et XVe siècles. Essai d'étude comparative.) R. Hist. econ. soc. [Lisboa], 82, n° 9, p. 75-89.

2534. TOCH (Michael). Der jüdische Geldhandel in der Wirtschaft des deutschen Spätmittelalters: Nürnberg 1350-1499. Bl. f. deutsche Landesgesch., 81, Jg. 117, p. 283-310.

Cf. n°s 822, 1042, 2214, 2725, 2730.

§ 5. Islam.

* Cf. n° 721.

2535. ARJONA CASTRO (A.). El reino de Córdoba durante la dominación musulmana. Córdoba, Diputación Provincial, 82, in-8, 237 p. (5 lám.). (Libros de Bolsillo, 7)

2536. ARKOUN (Mohammed). L'humanisme arabe au IVe/Xe siècle: Miskawayh, philosophe et historien. 2e éd. rev. Paris, Vrin, 82, in-8, 388 p. (Etudes musulmanes, 12)

2537. BOSWORTH (Clifford Edmund). Mediaeval Arabic culture and administration. London, Variorum Repr., 82, in-8, 362 p.

2538. CAHEN (Claude). Introduction à l'histoire du monde musulman médiéval, VIIe-XVe siècle. Méthodologie et éléments de bibliographie. Paris, Maisonneuve, 82, in-8, 216 p. (Initiation à l'Islam)

2539. Bibl. 81, n° 2144. COOK (Michael). Early Muslim dogma. - CR: E. Wagner, Z. d. deutsch. morgenländ. Ges., 82, Bd 132,

2540. CRESPI (Gabriele). Gli arabi in Europa. Introd. di Francsco GABRIELI. Milano, Jaca book, 82, in-4, 332 p. (fig.). (Le grandi stagioni)

2541. FÜCK (Johann). Arabische Kultur und Islam im Mittelalter. Ausgewählte Schriften. Hrsg. v. Manfred FLEISCHHAMMER. Weimar, Böhlau, 81, in-8, 370 p.

2542. HEINE (Peter). Weinstudien. Untersuchungen zu Anbau, Produktion u. Konsum d. Weins im arabisch-islam. Mittelalter. Wiesbaden, Harrassowitz, 82, in-8, XIX-134 p. (4 Tab.).

2543. HUSSEIN (Faleh). Das Steuersystem in Ägypten von der arabischen Eroberung bis zur Machtergreifung der Tuluniden, 19-254/639-868, mit bes. Berücksichtigung d. Papyrusurkunden. Frankfurt (Main) u. Bern, Lang, 82, in-8, 197 p. (Heidelberger oriental. Stud., 3)

2544. KHATTAB (Aleya). Das Ägyptenbild in den deutschsprachigen Reisebeschreibungen der Zeit von 1285-1500. Frankfurt (Main) u. Bern, Lang, 82, in-8, II-349 p. (Ill.). (Europ. Hochschulschr., Reihe 1: Deutsche Sprache u. Lit., 517)

2545. KOLESNIKOV (A. I.). Zavoevanie Irana arabami (Iran pri "pravednykh" khalifakh). (The conquest of Iran by the Arabs. Iran in the time of "righteous" caliphs.) Moskva, Nauka, 82, 269 p. (AN SSSR. In-t vostokovedenija)

2546. LAPŠOV (B. A.), KHALEVINSKIJ (I. V.). Stanovlenie rannego islama. (The consolidation of early Islam.) Vopr. Ist., 82, n° 11, p. 107-119.

2547. LYONS (Malcolm Cameron), JACKSON (D. E. P.). Saladin: the politics of the Holy War. London a. New York, Cambridge U. P., 82, in-8, VIII-456 p. (maps). (Univ. of Cambridge Oriental Publ., 30)

2548. MAJER (Hans Georg). Ein osmanisches Budget aus der Zeit Meḥmeds des Eroberers. Islam [Berlin], 82, Bd 59, p. 40-63.

2549. Očerki istorii arabskoj kul'tury V-XV vv. (Essays on the history of Arabic culture, 5th-15th cent.) Materialy i issled. Otv. red.: O. G. BOL'ŠAKOV. Moskva, Nauka, 82, 440 p. (Kul'tura narodov Vostoka. AN SSSR. Otd-nie istorii. In-t vostokovedenija)

2550. PEARSON (M. N.). Pre-modern Muslim political systems. J. am. orient. Soc., 82, vol. 102, n° 1, p. 47-58.

2551. RICHTER-BERNBURG (Lutz). Ibn al-Maristaniya: the career of a Hanbalite intellectual in sixth-twelfth century Baghdad. J. am. oriental Soc., 82, vol. 102, n° 2, p. 265-284.

2552. SABARI (Simha). Mouvements populaires à Bagdad à l'époque abasside, IXe-XIe siècles. Paris, Maisonneuve, 82, in-8, 164 p.

2553. SHATZMILLER (Maya). L'historiographie mérinide: Ibn Khaldun et ses contemporains. Leiden, Brill, 82, in-8, 175 p.

2554. SHEHABY (Nabil). Illa and Qiyas in early Islamic legal theory. J. am. orient. Soc., 82, vol. 102, n° 1, p. 27-46.

Cf. n°s 168, 741, 746, 2142, 2464, 2533, 2593, 2705, 2730, 2754, 2770, 2852.

§ 6. Vikings.

2555. BLINDHEIM (Charlotte). Commerce and trade in Viking age Norway. Exchange of products or organized transactions? Norwegian archaeol. R., 82, vol. 15, n° 1-2, p. 8-18 (fig., map).

2556. CHRISTENSEN (A. E.). Viking age ships and shipbuilding. Norwegian archaeol. R., 82, vol. 15, n° 1-2, p. 19-28 (6 fig.).

2557. FARRELL (R. T.). The Vikings. Chichester, Phillimore, 82, in-4, 336 p. (ill., fig.).

2558. ROESDAHL (Else). Viking age Denmark. London, British Museum, 82, in-8, 272 p. (53 fig., 51 pl.).

2559. SAWYER (P.H.). Kings and Vikings: Scandinavia and Europe, A. D. 700-1100. London a. New York, Methuen, 82, in-8, 182 p. (ill., pl., maps).

2560. Wikinger und Slawen. Zur Frühgesch. d. Ostseevölker. Bearb. Joachim HERRMANN in Verbindung mit Aarni ERÄESKO. Berlin, Akad.-Verl., 82, in-8, 375 p. (Abb., Tab., Kt.).

Cf. n° 101.

§ 7. Histoire du droit et des institutions.

2561. ARVIZU (Fernando de). La réserve héréditaire dans le droit navarrais du bas moyen âge. A. Midi, 82, t. 96, p. 91-102.

2562. BATTENBERG (Friedrich). Beiträge zur höchsten Gerichtsbarkeit im Reich im 15. Jahrhundert. Köln u. Wien, Böhlau, 81, in-8, IX-333 p. (Quellen u. Forsch. z. höchsten Gerichtsbarkeit im alten Reich, 11)

2563. BECKER (Alfons). Form und Materie. Bemerkungen zu Fulberts von Chartres De forma fidelitatis im Lehnrecht des Mittelalters u. d. frühen Neuzeit. Hist. Jb., 82, Jg. 102, p. 325-361.

2564. BISSON (Thomas N.). Les comptes des domaines au temps de Philippe Auguste: essai comparatif. In: La France de Philippe Auguste [Cf. n° 237], p. 521-538.

2565. BLANSHEI (Sarah Rubin). Crime and law enforcement in medieval Bologna. J. soc. Hist., 82, vol. 16, n° 1, p. 121-138.

2566. BOS-ROPS (J. A. M. Y.). William Eggert ca. 1360-1417. Een Amsterdams koopman in grafelijke dienst. (W. Eggert. An Amsterdam merchant in the service of the count of Holland.) Hollandse Stud., 82, vol. 12, p. 37-73.

2567. BOULET-SAUTEL (Marguerite). Le droit romain et Philippe Auguste. In: La France de Philippe Auguste [Cf. n° 237], p. 489-500.

2568. BOURNAZEL (Eric), POLY (Jean-Pierre). Couronne et mouvance: institutions et représentations mentales. In: La France de Philippe Auguste [Cf. n° 237], p. 217-234.

2569. CARPINTERO (Francisco). En torno al método de los juristas medievales. Anu. Hist. Derecho español, 82, t. 52, p. 617-647.

2570. CROOK (David). The later eyres. Eng. hist. R., 82, vol. 97, p. 241-268.

2571. CUTTLER (S. H.). The law of treason and treason trials in later medieval France. London a. New York, Cambridge U.P., 82, in-8, X-272 p. (Cambridge Stud. in Medieval Life a. Thought, Ser. 3, 16)

2572. DEMANDT (Karl E.). Der Personenstaat der Landgrafschaft Hessen im Mittelalter. Ein "Staatshandbuch" Hessens vom Ende d. 12. bis zum Anfang d. 16. Jh. [T. 1. Cf. Bibl. 81, n° 2172.] T. 2. Marburg, Elwert, 81, in-8, p. 721-1303. (Veröff. d. Hist. Komm. f. Hessen, 42)

2573. DRÜPPEL (Hubert). Iudex civitatis. Zur Stellung d. Richters in d. hoch- u. spätmittelalterl. Stadt deutschen Rechts. Köln u. Wien, Böhlau, 81, in-8, XLIII-463 p. (1 Ill.). (Forsch z. deutsch. Rechtsgesch., 12)

2574. DUGGAN (Charles). Canon law in mediaeval England. London, Variorum Repr., 82, in-8, 340 p.

2575. GOFFART (Walter). Old and new in Merovingian taxation. Past a. Present, 82, vol. 96, p. 3-21.

2576. GRASSOTTI (Hilda). "Senior" y Seniorium" en la terminología jurídica de Castilla y León (siglos X-XIII). Cuad. Hist. España, 81 [82], T. 65-66, p. 31-58.

2577. GRIGNASCHI (Mario). Quelques remarques sur la conception du pouvoir législatif dans la scolastique. R. belge Philol. Hist., 82, t. 61, p. 783-801.

2578. GUILLERE (Christian). Les finances royales à la fin du règne d'Alfonso IV el Benigne (1335-1336). Mél. Casa de Velázquez, 82, t. 18, p. 33-60.

2579. HAGEMANN (Hans Rudolf). Basler Rechtsleben im Mittelalter. Basel, Helbing & Lichtenhahn, 81, in-8, XVIII-329 p.

2580. HALLAM (Elizabeth M.). Royal burial and the cult of kingship in France and England, 1060-1330. J. medieval Hist., 82, vol. 8, p. 359-380.

2581. HANNIG (Jürgen). Consensus fidelium. Frühfeudale Interpretationen d. Verhältnisses v. Königtum u. Adel am Beispiel d. Frankenreiches. Stuttgart, Hiersemann, 82, in-8, VIII-343 p. (Monographien z. Gesch. d. M.-A., 27)

2582. HEJLSKOV LARSEN (Tue). Tegn og krop: en skitse till et højmiddelalterligt lenstegnskodex. (Zeichen und Körper: eine Skizze zu einem hochmittelalter. Lehnszeichencodex.) Scandia, 82, vol. 48, p. 231-247, 351-352. [Mit deutsch. Zsfassung]

2583. HJÄRNE (Erland). Land och ledung: ur Erland Hjärnes historiska författarskap. Utg. av Gösta ÅQVIST. (Land and "ledung" [naval warfare system]: from E. Hjärne's historical writings. Ed. by Gösta ÅQVIST. Vol. 1, 2. Stockholm, Nord. bokh., 2 vol. in-8, 381, 402 p. (Inst. f. rättshist. forskning, Ser. I, 31-32)

2584. KAMP (Norbert). Die sizilischen Verwaltungsreformen Kaiser Friedrichs II. als Problem der Sozialgeschichte. Quellen u. Forsch., 82, Bd 62, p. 119-142.

2585. KELLER (Hagen). Militia. Vasallität und frühes Rittertum im Spiegel oberitalienischer miles-Belege des 10. und 11. Jahrhunderts. Quellen u. Forsch., 82, Bd 62, p. 59-118.

2586. KELLER (Hagen). Reichsstruktur und Herrschaftsauffassung in ottonischfrühsalischer Zeit. Herrn Prof. Karl Hauck zum 65. Geburtstag. Frühmittelalt. Stud., 82, Bd 16, p. 74-128.

2587. LALINDE ABADÍA (Jesús). Presupuestos metodológicos para el estudio institucional de la cortes medievales aragonesas. Medievalia, 82, t. 3, p. 53-79.

2588. LFEBVRE-TEILLARD (Anne). Règle et réalité: les nullités de mariage à la fin du moyen âge. R. Droit canonique, 82, t. 32, n° 3/4, p. 145-155.

2589. MARONGIU (Antonio). Momenti ed aspetti del parlamentarismo medievale. Medievalia, 82, t. 3, p. 23-43.

2590. MEEKINGS (Cecil Anthony F.). Studies in 13th-century justice and administration. London, Hambledon, 82, in-8, 342 p.

2591. METMAN (Josette). Les inféodations royales, d'après le Recueil des Actes de Philippe Auguste. In: La France de Philippe Auguste [Cf. n° 237], p. 504-517.

2592. MEYER (Elisabeth). Der Toggenburger Erbfall von 1436 als Frage von Erb- und Lehenrecht. St. Galler Kultur u. Gesch., 81, vol. 11, p. 175-240.

2593. Notion (La) d'autorité au moyen âge. Islam, Byzance, Occident. Colloques internat. de La Napoule, session des 23-26 oct. 1978. Organisé par Georges MAKDISI, Dominique SOURDEL et Janine SOURDEL-THOMINE. Paris, Presses univ. France, 82, in-8, 282 p.

2594. OURLIAC (Paul). Législation, coutumes et coutumiers au temps de Philippe Auguste. In: La France de Philippe Auguste [Cf. n° 237], p. 471-487.

2595. PALMER (Robert C.). The county courts of medieval England, 1150- 1350. Princeton, N. J., Princeton U. P., 82, in-8, XVII-360 p.

2596. RABAN (Sandra). Mortmain legislation and the English church, 1279-1500. London, Cambridge U. P., 82, in-8, 216 p. (dr., tab.). (Stud. in Med. Life a. Thought)

2597. RIGAUDIERE (Albert). Saint-Flour, ville d'Auvergne au bas moyen âge: étude d'histoire administrative et financière. Paris, Presses univ. France, 82, 2 vol. in-8, 1008 p. (ill.).

2598. RIVERA GARRETAS (Milagros). El Fuero de Uclés (siglos XII-XIV). Anu. Hist. Derecho español, 82, t. 52, p. 243-348.

2599. SCHOPMEYER (Heinrich). Hansische Organisationsformen in Westfalen. Entwicklung u. Struktur. Hans. Gesch.-Bl., 82, Bd 100, p. 69-86.

2600. SPĚVÁČEK (Jiří). K otázce obsahu a interpretace základních státoprávních pojmů doby Karlovy. (On the question of the content and interpretation of fundamental constitutional terms of Charles IV's period.) In: Historiografie čelem k budoucnosti [Cf. n° 525], p. 225-243.

2601. TUOHY (Thomas J.). Struttura e sistema di contabilità della Camera estense nel Quattrocento. At. M. Deput. Stor. pa. antiche Prov. modenesi, 82, s. 11, vol. 4, p. 115-139.

2602. VOLLRATH (Hanna). Herrschaft und Genossenschaft im Kontext frühmittelalterlicher Rechtsbeziehungen. Hist. Jb., 82, 82, Jg. 102, p. 33-71.

2603. WASILEWSKI (Tadeusz). Poland's administrative structure in early Piast times; Castra ruled by Comites as centres of provinces and territorial administration. Acta Poloniae hist., 81 [82], vol. 43, p. 5-31.

2604. WEINBERGER (Stephen). Cours judiciaires, justice et responsablité sociale dans le Provence médiévale, IXe-XIe siècles. R. hist., 82, a. 106, t. 267, p. 272-288.

Cf. n°s 17, 2249, 3083.

§ 8. Histoire économique et sociale.

2605. ADAM (Paul). Charité et assistance en Alsace au moyen âge. Strasbourg, Istra, 82, in-8, 311 p. (ill.).

2606. AULT (Warren O.). The vill in medieval England. Proc. am. philos. Soc., 82, vol. 126, n° 3, p. 188-211.

2607. AUTRAND (Françoise). Naissance illégitime et service de l'Etat: les enfants

8. HISTOIRE ECONOMIQUE ET SOCIALE

naturels dans le milieu de robe parisien, XIVe-XVe siècles. R. hist., 82, a. 106, t. 267, p. 289-303.

2608. BÁLINT (Csanád). Einige Fragen des Dirhem-Verkehrs in Europa. Acta archaeol. Acad. Sci. hungaricae, 81, vol. 33, p. 105-131.

2609. BATTLE I GALLART (Carmen). Els francesos a la Corona d'Aragó. Anu. Est. mediev., 80 [82], t. 10, p. 361-392.

2610. BERLOW (Rosalind Kent). The "disloyal" grape: the agrarian crisis of late fourteenth-century Burgundy. Agric. Hist., 82, vol. 56, n° 2, p. 426-438.

2611. BERTHOLD (Brigitte). Charakter und Entwicklung des Patriziats in mittelalterlichen deutschen Städten. Jb. f. Gesch. d. Feudalismus, 82, Bd 6, p. 195-241.

2612. BILLER (P. P. A.). Birth-control in the West in the thirteenth and early fourteenth centuries. Past a. Present, 82, n° 94, p. 3-26.

2613. Black Death (The): the impact of the fourteenth-century plague. Papers of the 11th Annual Conference for medieval a. early Renaissance Studies [State Univ. of New York, 21-23 oct. 1977]. Ed. by Daniel WILLIMAN. Binghamton, N. Y., Center for Medieval a. early Renaissance Studies, 82, in-8, 159 p. (Medieval a. Renaissance texts a. studies, 13)

2614. BOROSY (András). Közrendü és nem szabad eredetü hadakozó népelemek as Árpád-korban. (Kriegführende Volkselemente gemeinen und nichtfreien Ursprungs im Zeitalter der Arpaden.) Hadtört. Közl., 82, vol. 29, n° 1, p. 3-25.

2615. BOSL (Karl). Gesellschaftsgeschichte Italiens im Mittelalter. Stuttgart, Hiersemann, 82, in-8, X-272 p. (Monographien z. Gesch. d. M.-A., 26)

2616. BRIDBURY (A. R.). Mediaeval English cloth making: an economic survey. London, Heinemann Educ., 82, in-8, 125 p.

2617. BRONDY (Réjane). Patrimoine immobilier et structures sociales dans les Etats de Savoie, d'après le droit de toisé (XIVe-XVe siècles). Cah. Hist., 81, t. 26, p. 213-230.

2618. BROWN (Judith C.). In the shadow of Florence: provincial society in Renaissance Pescia. London a. New York, Oxford U. P., 82, in-8, XXV-244 p. (ill., maps).

2619. BUCZEK (Karol). Egzekwowanie świadczeń publicznych w Polsce wczesnofeudalnej. (Le recouvrement des corvées publiques en Pologne au début de l'époque féodale.) Studia hist., 82, a. 25, fasc. 3/4, p. 357-370.

2620. BUNDI (Martin). Zur Besiedlungs- und Wirtschaftsgeschichte Graubündens im Mittelalter. Chur, Calven-Verl., 82, in-8, 693 p.

2621. CAMPSERVEUX (Max). La condition économique et sociale de la noblesse du Cotentin à la fin du moyen âge. R. Avranchin, 82, a. 100, t. 59, p. 217-456.

2622. CARLÉ (María del Carmen). Caminos del ascenso [social] en la Castilla bajo medieval. Cuad. Hist. España, 81 [82], t. 65-66, p. 207-276.

2623. CAROCCI (Sandro). Aspetti delle strutture familiari a Tivoli nel XV secolo. Mél. Ec. franç. Rome, Moyen Age, Temps mod., 82, t. 94, p. 45-83.

2624. CARRERE (Claude). Marseille, Aigues-Mortes, Barcelone, et la compétition en Méditerranée occidentale au XIIIe siècle. Anu. Est. mediev., 80 [82], t. 10, p. 161-172.

2625. CARZOLIO DE ROSSI (María Inés). La gran propiedad laica gallega en el siglo XI. Cuad. Hist. España, 80 [82], t. 65-66, p. 59-112.

2626. CETWIŃSKI (Marke). Rycerstwo śląskie do końca XIII w. Biogramy i rodowody. (La chevalerie silésienne jusqu'à la fin du XIIIe siècle. Biographies et généalogies.) Wrocław, Zakł. Narod. im. Ossolińskich, 82, in-8, 231 p. (Travaux de la Soc. des Sci. et des Lettres de Wrocław, sér. A, 229)

2627. CHILDS (Wendy). Ireland's trade with England in the later middle ages. Irish econ. soc. Hist., 82, vol. 9, p. 5-33.

2628. CIPOLLA (Carlo Maria). Il fiorino e il quattrino. La politica monetaria a Firenze nel Trecento. Bologna, Il mulino, 82, in-8, 135 p. (Univers. paperbacks Il mulino, 127) - Eng. trad.: The monetary policy of fourteenth century Florence. Berkeley a. Los Angeles, Univ. of California Press, 82, in-8, XIV-112 p. (Publ. of the UCLA Center for Medieval a. Renaissance Stud., 17)

2629. CLOUCH (Cecil H.). Profession, vocation and culture in later mediaeval England. Liverpool, U. P., 82, in-8, 247 p.

2630. COHEN (Esther). Le vagabondage à Paris au XIVe siècle. Moyen Age, 82, t. 88, sér. 4, t. 37, p. 293-313.

2631. CROUZET (Denis). Recherches sur la crise de l'aristocratie en France au XVe siècle: les dettes de la maison de Nevers. Hist., Econ., Soc., 82, n° 1, p. 7-50.

2632. CSILLÉRY (Klára), K. A magyar népi ladáskultúra kialakulásának kezdetei. (Les débuts de la formation de la civilisation du logement populaire hongrois.) Budapest, Akadémiai Kiadó, 82, in-8, 390 p. (92 pl.).

2633. DE CAPITANI (François). Adel, Bürger und Zünfte im Bern des 15. Jahrhunderts. Bern, Stämpfli, 82, in-8, 144 p. (Schr. d. Berner Burgerbibliothek)

2634. DELORT (Robert). La vie au moyen âge. Paris, Ed. du Seuil, 82, in-8, 300 p.

2635. DESPORTES (Pierre). Nouveaux bourgeois et métiers à Amiens au XVe siècle. R. Nord, 82, t. 64, p. 27-50.

2636. DOLLINGER (Philippe). Der bayerische Bauernstand vom 9. bis zum 13. Jahrhundert. Hrsg. v. Franz IRSIGLER. München, Beck, 82, in-8, 495 p. (1 Kt.).

2637. DOTSON (John E.). A problem of cotton and lead in medieval Italian shipping. Speculum, 82, vol. 57, n° 1, p. 52-62.

2638. DUBOIS (Henri). Le commerce et les foires au temps de Philippe Auguste. In: La France de Philippe Auguste [Cf. n° 237], p. 689-705.

2639. DURIEUX (Andrée). Les finances de la ville de Compiègne, 1400-1431. In: Actes du Colloque Jeanne d'Arc [Cf. n° 230], p. 177-215.

2640. FERRER I MALLOL (María Teresa). Els italians a terres catalanes (segles XII-XV). Anu. Est. mediev., 80 [82], t. 10, p. 393-467.

2641. FONT RIUS (José María). El antiguo derecho local de la ciudad de Balaguer. Anu. Hist. Derecho español, 82, t. 52, p. 5-110.

2642. FOSSIER (Robert). Les campagnes au temps de Philippe Auguste: développement démographique et transformations sociales dans le monde rural. In: La France de Philippe Auguste [Cf. n° 237], p. 627-642.

2643. FOSSIER (Robert). Enfance de l'Europe, Xe-XIIe siècles. Aspects économiques et sociaux. T. 1: L'homme et son espace. T. 2: Structures et problèmes. Paris, Presses univ. France, 82, 2 vol. in-8, 1125 p. (Nouv. Clio, 17, 17 bis)

2644. FREJDENBERG (M. M.). Srednevekovye goroda Dalmacii: istoričeskie sud'by. (Medieval cities of Dalmatia: historical destinies.) Vopr. Ist., 82, n° 10, p. 95-107.

2645. GARRARD (Timothy F.). Myth and metrology: the early trans-Saharan gold trade [4th-7th cent]. J. african Hist., 82, vol. 23, p. 443-461.

2646. GAUTIER-DALCHÉ (Jean). Economie et société dans les pays de la Couronne de Castille. London, Variorum Repr., 82, in-8, 352 p. (maps).

2647. GAUTIER-DALCHÉ (Jean). Les colonies étrangères en Castille. I: Au nord du Tage. Anu. Est. med., 80 [82], t. 10, p. 469-486. - VALDEON BARUQUE (Julio). Las colonias extranjeras en Castilla. II: Al sur del Tajo (los Italianos en Andalucía en la Baja Edad media). Ibid., p. 487-503.

2648. GEREMEK (Bronisław). Le salariat dans l'artisanat parisien aux XIIIe-XVe siècles: étude sur le marché de la main-d'oeuvre au moyen âge. Trad. du polonais par Anna POSNER et Christiane KLAPISCH-ZUBER. Paris, La Haye et New York, Mouton, 82, in-8, 147 p.

2649. GHIDONI (Enzo). Agricoltori e agricoltura del XV secolo: le Castalderie estensi. At. M. Deput. Stor. pa. antiche Prov. modenesi, 82, s. 11, vol. 4, p. 142-163.

2650. GOETZ (Hans-Werner). Typus einer Adelsherrschaft im späteren 9. Jahrhundert: Der Linzgaugraf Udalrich. St. Galler Kultur u. Gesch., 81, vol. 11, p. 131-173.

2651. GOTTFRIED (Robert S.). Bury St. Edmunds and the urban crisis, 1290-1539. Princeton, N. J., Princeton U. P., 82, in-8, XVI-313 p.

2652. GRANASZTÓI (György). A polgári család a középkor végi Magyarországon. Adalékok és felvetések egy "jóléti társadalom" természetrajzához. (La famille bourgeoise en Hongrie à la fin du moyen âge. Faits et hypothèses sur "une société de bien-être".) Tört. Szle, 82, vol. 25, n° 4, p. 605-664.

2653. CRECI (Roberto). Una proprietà laica del parmense nella prima metà del Quattrocento: i beni di Pietro Rossi in Basilicanova e Mamiano. Nuova R. stor., 82, a. 66, p. 1-36.

2654. GRIMM (Paul Eugen). Die Anfänge der Bündner Aristokratie im 15. und 16. Jahrhundert. Zürich, 81, in-8, 255 p. (Thèse lettres)

2655. GUARDUCCI (Piero), OTTANELLI (Valeria). I servitori domestici della casa borghese toscana nel basso Medioevo. Present. di Giovanni CHERUBINI. Firenze, Salimbeni, 82, in-8, VII-101 p. (Quad. di Stor. urbana e rurale, 1)

2656. GUERREAU (Alain). Analyse statistique des finances municipales de Dijon au XVe siècle: observations de méthode sur l'analyse factorielle et les procédés classiques. Bibl. Ec. Chartes, 82, t. 140, p. 5-34.

2657. GUREVIČ (Aaron J.). Au moyen âge: conscience individuelle et image de l'au-delà. A. Ec., Soc., Civ., 82, a. 37, p. 255-275.

2658. GUT (François). Scènes de vie journalière à Compiègne et aux environs (1400-1435), d'après les lettres de rémission. In: Actes du Colloque Jeanne d'Arc [Cf. n° 230], p. 133-176.

2659. Hacienda y comercio. Actas del II Coloquio de historia medieval andaluza, Sevilla, 8-10 de abril 1981. Sevilla, Diputación provincial, 82, in-8, III-444 p.

2660. HODGES (Richard). Dark age economics. The origin of towns and trade, A. D. 600-1000. London, Duckworth, 82, in-8, 240 p. (45 ill.).

2661. HOLT (J. C.). Feudal society and the family in early medieval England. 1: The revolution of 1066. Trans. roy. hist. Soc., 82, vol. 32, p. 193-212.

2662. HOUBEN (Hubert). La realtà sociale medievale nello specchio delle fonti commemorative. Quad. mediev., 82, n° 13, p. 82-98.

2663. Bibl. 81, n° 2252. JANIN (V. L.). Novgorodskaja feodal'naja votčina. (The Novgorod feudal estate.) - CR: Ju. A. Kizilov, Vopr. Ist., 82, n° 8, p. 134-136.

2664. JENKS (Stuart). War die Hanse kreditfeindlich? Vjschr. f. Soz.- u. Wirtschaftsgesch., 82, Bd 69, p. 305-338.

2665. KELLENBENZ (Hermann). Las relaciones económicas y culturales entre España y Alemania meridional alrededor de 1500. Anu. Est. mediev., 80 [82], t. 10, p. 545-554.

2666. KENT (D. V.), KENT (F. W.). Neighbours and neighbourhood in Renaissance Florence: the district of the Red Lion in the fifteenth century. Locust Valley, N. Y., J. J. Augustin, 82, in-8, XIV-192 p.

2667. KIZILOV (Ju. A.). Gorodskoj stroj Rossii XIV-XV vv. v sravnitel'no-istoričeskom aspekte. (Comparative-historical aspects of the urban system in 14th-15th century Russia.) Vopr. Ist., 82, n° 12, p. 20-33.

2668. KLAPISCH-ZUBER (Christiane). Le complexe de Griselda. Dot et dons de mariage au Quattrocento. Mél. Ec. franç. Rome, Moyen Age, Temps mod., 82, t. 94, p. 7-43.

2669. KRAG (Claus). Treller og trellehold. (Slaves and slavery in the Viking period.) [Norsk] Hist. T., 82, vol. 61, p. 211-227. [Eng. summary]

2670. KREKIĆ (Bariša). Le rôle de Dubrovnik (Raguse) dans la navigation des Mudae vénitiennes au XIVe siècle. Trav. Mém. Centre Rech. Hist. Civ. Byzance, 81, t. 8, p. 247-257.

2671. KUEHN (Thomas). Emancipation in late medieval Florence. New Brunswick, N. J., Rutgers U. P., 82, in-8, XII-247 p.

2672. LAGOS TRINDADE (María José)†. Marchands étrangers de la Méditerranée au Portugal pendant le moyen âge. Anu. Est. mediev., 80 [82], t. 10, p. 343-359.

2673. LANGDON (John). The economics of horses and oxen in medieval England. Agric. Hist., 82, vol. 30, p. 31-40.

2674. LA RONCIERE (Charles M. de). Prix et salaires à Florence au XIVe siècle (1280-1380). Rome, Ecole franç. de Rome, 82, in-8, V-867 p. (115 tableaux, 58 graph., 2 cartes). (Coll. de l'Ec. franç. de Rome, 59)

2675. LINDKVIST (Thomas). Medeltida bönder och skatter i en inledande problemställning. (Medieval peasants and taxes: an introductory presentation of problems.) [Svensk] Hist. T., 82, vol. 102, p. 423-436. [Eng. summary]

2676. LLOYD (T. H.). Alien merchants in England in the high middle ages. Brighton, Harvester Press; New York, St. Martin's Press, 82, in-8, 253 p.

2677. LÓPEZ DE COCA CASTAÑER (José enrique). Los genoveses en Málaga durante el reinado de los Reyes Católicos. Anu. Est. mediev., 80 [82], t. 10, p. 619-650.

2678. LORCIN (Marie-Thérèse). Veuve noble et veuve paysanne in Lyonnais d'après les testaments des XIVe et XVe siècles. A. Démogr. hist., 81, p. 273-288.

2679. LUCAS (Angela M.). Women in the Middle Ages: religion, marriage and letters. Brighton, Harvester Press, 82, in-8, 224 p.

2680. LUDWIG (Karl-Heinz). Zur Problematik des technikgeschichtlichen Erstbelegs im Mittelalter. Technikgesch., 82, Bd 49, p. 267-278.

2681. MAGNOU-NORTIER (Elisabeth). La terre, la rente et le pouvoir dans les pays de Languedoc pendant le haut moyen âge. le partie: La villa: une nouvelle problématique. Francia [München], 81 [82], Bd 9, p. 79-115.

2682. MAGUIN (Martine). La vigne et le vin en Lorraine: l'exemple de la Lorraine médiane à la fin du moyen âge. Nancy, Presses univ. Nancy, 82, in-8, 318 p. (cartes).

2683. MANCA (Ciro). Colonie iberiche in Italia nei secoli XIV e XV. Anu. Est. med., 80 [82], t. 10, p. 505-538.

2684. MARQUES (A. H. de Oliveira). Cidades medievais portuguesas (Algumas bases metodológicas gerais). (Villes médiévales portugaises. Quelques bases méthodologiques générales.) R. Hist. econ. soc. [Lisboa], 82, n° 9, p. 1-16.

2685. MATOLCSI (János). Állattartás őseink korában. (L'élevage à l'époque de nos ancêtres.) Budapest, Gondolat Kiadó, 82, in-8, 332 p. (ill.).

2686. MATTOSO (José). A nobreza medieval portuguesa e as correntes monásticas dos séculos XI e XII. (La noblesse médiévale portugaise et les courants monastiques des XIe et XIIe siècles.) R. Hist. econ. soc. [Lisboa], 82, n° 10, p. 29-47.

2687. MATTOSO (José), BETTENCOURT (Olga). As inquiriçoes de 1258 como fonte da historia da nobreza [portuguesa] - o julgado de Aguiar de Sousa. (Les enquêtes de 1258 comme source de l'histoire de la noblesse [portugaise] - le jugement d'Aguiar de Sousa.) R. Hist. econ. soc. [Lisboa], 82, n° 9, p. 17-74 (9 cartes).

2688. MAUBERT (Claude Guy). Le mouvement du port de Barcelona pendant l'hiver 1357. Anu. Est. mediev., 80 [82], t. 10, p. 659-688.

2689. MILLWARD (Robert). An economic analysis of the organization of serfdom in eastern Europe. J. econ. Hist., 82, vol. 42, n° 3, p. 513-548.

2690. MIŚKIEWICZOWA (Maria). Mazowsze

płockie we wczesnym średniowieczu. (La Masovie de Płock au bas moyen âge [VIe-XIIIe s.].) Płock, Tow. Nauk. Płockie, 82, in-8, 283 p.

2691. MOLLAT (Michel). Essai d'orientation pour l'étude la guerre de course et la piraterie (XIIIe-XVe siècles). Anu. Est. mediev., 80 [82], t. 10, p. 743-749.

2692. MOLLAT (Michel). Philippe Auguste et la mer. In: La France de Philippe Auguste [Cf. n° 237], p. 605-623.

2693. MÜLLER (Irmgard). Sieche, Seuchen und Spitaldienst im Spiegel der Heiltätigkeit Elisabeths von Thüringen. Hess. Jb. f. Landesgesch., 82, Bd 32, p. 1-17.

2694. NAGY (Anikó), S. A távolsági kereskedelem útvonalai Magyarországon a X-XIV. században. (Les routes du commerce à longue distance en Hongrie aux Xe-XIVe s.) Magy. Keresk. Vendéglátóip. Múz. Évk., 82, p. 25-51.

2695. NAZAROVA (E. L.). Osvoboditel'naja bor'ba livov v načale XIII veka. (The liberatory struggle of the Livs at the beginning of the 13th cent.) Vopr. Ist., 82, n° 1, p. 94-107.

2696. Nobiltà e ceti dirigenti in Toscana nei secoli XI-XIII. Strutture e concetti. [Atti del IV Convegno, Firenze, 12 dic. 1981.] Monteoriolo, Papafava, 82, in-8, IX-117 p. (Assoc. toscana della nobiltà ital.; Deput. di Stor. pa. per la Toscana; Sovrin. arch. per la Toscana; Univ. toscane; Comit. di Stud. sulla Stor. dei ceti dirigenti in Toscana)

2697. OEXLE (Otto Gerhard). Die mittelalterliche Zunft als Forschungsproblem. Ein Beitrag z. Wissenschaftsgesch. d. Moderne. Bl. f. deutsche Landesgesch., 82, Jg. 118, p. 1-44.

2698. PÁLÓCZI HORVÁTH (András). Régészeti adatok a kunok viseletéhez. (Archäologische Angaben zur Tracht der Kumanen.) Archaeol. Ért., 82, vol. 109, n° 1, p. 89-107.

2699. PARISSE (Michel). Noblesse et chevalerie en Lorraine médiévale. Les familles nobles du XIe au XIIIe siècle. Nancy, Publ. de l'Univ. de Nancy II, 82, in-8, 480 p. (ill., tableau, cartes).

2700. PETRALIA (Giuseppe). Mercanti e famiglie pisane in Sicilia nel XV secolo. Annu. Istit. stor. ital. Età Mod. contemp., 81-82, vol. 33-34, p. 167-296.

2701. PETROV (M. T.). Ital'janskaja intelligencija v èpokhu Renessansa. (Italian intelligentsia in the Renaissance.) Leningrad, Nauka, 82, 217 p. (AN SSSR. In-t istorii SSSR, Leningr. otd-nie)

2702. PEYER (Hans Conrad). Könige, Stadt und Kapital. Aufsätze zur Wirtschafts- u. Sozialgesch. d. Mittelalters. Zürich, Neue Zürcher Zeitung, 82, in-8, 340 p. - IDEM. Gastfreundschaft und kommerzielle Gastlichkeit im Mittelalter. Hist. Z., 82, Bd 235, p. 265-288.

2703. PINI (Antonio Ivan). Potere pubblico e addetti ai trasporti e al vettovagliamento cittadino nel Medioevo: il caso di Bologna. Nuova R. stor., 82, a. 66, p. 253-281.

2704. PINTO (Giuliano). La Toscana nel tardo Medio Evo. Ambiente, economia rurale, società. Firenze, Sansoni, 82, in-8, 502 p. (Nuovi saggi)

2705. PISTARINO (Geo). Genova e l'Islam nel Mediterraneo occidentale (secoli XII-XIII). Anu. Est. mediev., 80 [82], t. 10, p. 189-205.

2706. PLATELLE (Henri). L'enfant et la vie familiale au moyen âge. Mél. Sci. relig., 82, a. 39, p. 67-85.

2707. PREVENIER (W.), BAERTEN (J.). Nieuwe inzichten van Duitse mediëvisten over de sociale en politieke spanningen in een aantal laat-middeleeuwse steden (Gent, Keulen, Mainz, Braunschweig en Lübeck). (Neue Einsichten holländ. Mediävisten betreffend die sozialen u. polit. Spannungen in einer Anzahl spätmittelalterl. Städte.) R. belge Philol. Hist., 82, t. 60, p. 339-354.

2708. REYERSON (Kathryn L.). Le rôle de Montpellier dans le commerce des draps de laine avant 1350. A. Midi, 82, t. 94, p. 17-40. - EADEM. Medieval silks in Montpellier: the silk market ca. 1250 - ca. 1350. J. european econ. Hist., 82, vol. 11, p. 117-140.

2709. RIU (Manuel). Enterramientos infantiles frente a las puertas o en el subsuelo de las viviendas en la España medieval (siglos X al XIII). Acta hist. archaeol. mediev., 82, a. 3, n° 3, p. 185-200 (6 fig.).

2710. ROGOZINSKI (Jan). Power, caste, and law: social conflict in fourteenth century Montpellier. Foreword by Joseph R. STRAYER. Cambridge, Mass., Medieval Academy of America, 82, in-8, XXII-200 p.

2711. ROYER DE CARDINAL (Susana). Tensiones sociales en la baja edad media castellana. Cuad. Hist. España, 81 [82], t. 65-66, p. 277-358.

2712. RUTKOWSKA-PŁACHCIŃSKA (Anna). Salon-de-Provence, une société urbaine du bas moyen âge. Wrocław, Zakł. Narod. im. Ossolińskich, 82, in-8, 135 p. (Acad. Pol. des Sci., Inst. d'hist. de la Culture materielle)

2713. SALAMON (Agnes), DUMA (György). Archäologische und naturwissenschaftliche Untersuchungen der frühmittelalterlichen Tongefäße aus Környe, Komitat Komorn, Ungarn. Anz. d. phil.-hist. Kl. d. österr.-Akad. d. Wiss., 82, p. 181-203 (10 Bl. Abb.).

2714. SANTAMARÍA ARÁNDEZ (Álvaro). La reconquista de los vias marítimas [en el Mediterráneo]. Anu. Est. mediev., 80 [82], t. 10, p. 41-133.

2715. SCHILLINGER (Erika). Studien über

die Beziehungen zwischen Herrschaftsgut und Zelgverfassung, vorwiegend nach Urbaren des südlichen Oberrheingebiets. Z. f. d. Gesch. d. Oberrheins, 82, Bd 130, p. 81-166.

2716. SCHMIDT-WIEGAND (Ruth). Hanse und Gilde. Genossenschaftliche Organisationsformen im Bereich d. Hanse und ihre Bezeichnungen. Hans. Gesch.-Bl., 82, Jg. 100, p. 21-40.

2717. SEVILLANO COLOM (Francisco)†. Monedas que circulaban en el Mediterráneo a fines del siglo XV. Anu. Est. mediev., 80 [82], t. 10, p. 699-732.

2718. ŠIRINA (D. A.). Russkij srednevekovyj gorod v dorevolucionnoj istoriografii (seredina XIX v. - 1917 g.). (The russian medieval town in pre-revolutionary historiography, middle of the 19th cent. - 1917.) Ist. Zap., 82, n° 317-349.

2719. SOMOGYI (Péter). A Kárpát-medencei sarlós temetkezési szokás eredete. (Ursprung des Bestattungsbrauches mit Sichel im Karpatenbecken.) Archaeol. Ert., 82, vol. 109, n° 2, p. 191-200.

2720. Społeczeństwo Polski średniowiecznej. Zbiór studiów. (La société de la Pologne médiévale. Recueil d'études.) T. 2. Réd. par Stefan Krzysztof KUCZYŃSKI. Warszawa, Państw. Wydawn. Nauk., 82, in-8, 322 p. (Pol. Akad. Nauk, Inst. Hist.)

2721. STEUER (Heiko). Frühgeschichtliche Sozialstrukturen in Mitteleuropa. Eine Analyse d. Auswertungsmethoden d. archäolog. Quellenmaterials. Göttingen, Vandenhoeck u. Ruprecht, 82, in-8, 613 p. (114 graph. Darst. u. Kt.). (Abh. d. Akad. d. Wiss. in Göttingen, Phil.-Hist. Kl., Folge 3, 128)

2722. SUCHODOLSKI (Stanisław). Moneta i obrót pieniężny w Europie Zachodniej. (La monnaie et la circulation de l'argent en Europe occidentale [IVe-XIe s.].) Wrocław, Zakł. Narod. im. Ossolińskich, 82, in-8, 277 p. (Pol. Akad. Nauk, Inst. Hist. Kult. mater. Kultura Europy Wczesnosredniowiecznej, 13)

2723. SVERDLOV (M. B.). Čeljad' i kholopy v Drevnej Rusi (genezis soslovija feodal'nogo obščestva). (Servants and kholops in old Russia. On the genesis of this social group of feudal society.) Vopr. Ist., 82, n° 9, p. 42-56.

2724. TAAVITSAINEN (J.-P.). Keskiajan kangaskaupasta kirjallisten ja esineellisten lähteiden valossa. (On the medieval cloth trade to Finland in the light of written sources and earth finds.) Suomen Museo, 82, t. 89, p. 43-68. [Eng. summary]

2725. TOCH (Michael). Geld und Kredit in einer spätmittelalterlichen Landschaft. Zu einem unbeachteten hebräischen Schuldenregister aus Niederbayern (1321-1332). Deutsch. Arch. f. Erforsch. d. M.-A., 82, Bd 38, p. 499-550 (Abb.). - IDEM. Geldrechnung und Geldumlauf im späten 13. und frühen 14. Jahrhundert. Mitt. d. Ver. f. Gesch. d. Stadt Nürnberg, 82, Bd 69, p. 332-340.

2726. TORMA (István). Mittelalterliche Ackerfeld-Spuren im Wald von Tamási (Komitat Tolna). Acta archaeol. Acad. Sci. hungaricae, 81, vol. 33, p. 245-256.

2727. TRENCHS ODENA (José). "De Alexandrinis" (El comercio prohibido con los musulmanes y el Papado de Aviñon durante la primera mitad del siglo XIV). Anu. Est. mediev., 80 [82], t. 10, p. 237-320.

2728. VERGER (Jacques). Abélard et les milieux sociaux de son temps. In: Abélard et son temps [Cf. n° 227], p. 107-131.

2729. VERLINDEN (Charles). Aspects quantitatifs de l'esclavage méditerranéen au bas moyen âge. Anu. Est. mediev., 80 [82], t. 10, p. 769-789.

2730. VERLINDEN (Charles). Marchands chrétiens et juifs dans l'Etat mamelouk au début du XVe siècle d'après un notaire vénitien. B. Inst. hist. belge Rome, 81 [82], n° 51, p. 19-86.

2731. VERNET (Robert). Les relations céréalières entre le Maghreb et la péninsule ibérique du XIIe au XVe siècle. Anu. Est. med., 80 [82], t. 10, p. 321-335.

2732. WERNER (Matthias). Adelsfamilien im Umkreis der frühen Karolinger. Die Verwandtschaft Irminas von Oeren und Adelas von Pfalzel. Personengeschichtl. Untersuchungen z. frühmittelalterl. Führungsschicht im Maas-Mosel-Gebiet. Sigmaringen, Thorbecke, 82, in-8, 348 p. (2 Kt., 1 Stammtaf.). (Vorträge u. Forsch., Sonderband 28)

2733. WICKHAM (Chris). Studi sulla società degli Appennini nell'alto Medioevo. Contadini, signori e insediamento nel territorio di Valva, Sulmona. Bologna, Clueb, 82, in-8, 124 p. (tav.). (Quad. del Centro Stud. sorelle Clarke. Univ. degli Studi di Bologna, 2)

2734. WOLFF (Philippe). Monnaie et développement économique dans l'Europe médiévale. Hist., Econ., Soc., 82, a. 1, p. 491-510.

2735. ŽEMLIČKA (Josef). Výzkum hospodářských dějin přemyslovského období (stav, problémy, výhledy). (Research into the economic history of the Přemyslid era. State, problems, outlooks.) In: Historiografie čelem k budoucnosti [Cf. n° 525], p. 245-261.

2736. ZIENTARA (Benedykt). Walloons in Silesia in the 12th and 13th century. Quaestiones Medii Aevi, 81, t. 2, p. 127-150.

2737. ZIMIN (A. A.). Rossija na rubeže XV-XVI stoletij. Očerki social'no-polit. istorii. (Russia at the turn of the 15th-16th centuries. Essays on socio-political history.) Moskva, Mysl', 82, 333 p. (ill.).

2738. ZYLBERGELD (Léon). Contribution à l'étude des ordonnances du pain du XIIIe siècle: l'exemple de la "Brodtaxe" de Lübeck (1255). R. belge Philol. Hist., 82, vol. 60, p. 263-304.

§ 9. Histoire de la civilisation, histoire littéraire, histoire de l'enseignement, des sciences et de la technique.

2739. Bibliographie [de civilisation médiévale]. [Cf. Bibl. 81, n° 2317.] Cah. Civ. méd., 81-82, t. 24-25, p. 1-255.

* 2740. Christine de Pisan. A bibliography by E. YENAL. London, Scarecrow Press, 82, in-8, 176 p.

* 2741. ZUFFEREY (F.). Bibliographie des poètes provençaux des XIVe et XVe siècles. Genève, Droz, 81, in-8, XLVI-94 p. (Publ. romanes et franç., 159)

2742. ADAMIK (Tamás). Grammatika, retorika, logika Joannes Saresberiensisnél. (Grammaire, réthorique et logique chez Joannes Saresberiensis [?-1180].) Ant. Tanulm., 82, vol. 29, n° 1, p. 39-50. [Evêque de Chartres, d'origine anglaise]

2743. Adelige Sachkultur des Spätmittelalters. Internat. Kongreß Krems an der Donau, 22. bis 25. Sept. 1980. Wien, Österr. Akad. d. Wiss., 82, in-8, 386 p. (Veröff. d. Inst. f. mittelalterl. Realienkunde Österreichs, 5)

2744. BARBERO (Alessandro). Il mito angioino nella cultura italiana e provenzale fra Duecento e Trecento. I: La multiforme immagine di Carlo d'Angiò. II: Roberto d'Angiò fra guelfismo e umanesimo. B. stor. bibliogr. subalpino, 81, a. 79, p. 107-220; 82, a. 80, p. 389-450.

2745. BEAUJOUAN (Guy). Une lente préparation au "décollage" des sciences (quadrivium et médecine) dans la France de Philippe Auguste. In: La France de Philippe Auguste [Cf. n° 237], p. 847-860.

2746. BENSON (Robert L.) a. others. Renaissance and renewal in the twelfth century. Cambridge, Mass., Harvard U. P., 82, in-8, XXX-781 p.

2747. BOURGAIN (Pascale). Héloïse. In: Abélard et son temps [Cf. n° 227], p. 211-237.

2748. BROOKS (Nicholas). Latin and the vernacular languages in early mediaeval Britain. Leicester, U. P., 82, in-8, 192 p. (Stud. in Early Engl. Hist.)

2749. BURROW (John A.). Mediaeval writers and their work: Middle English literature and its background, 1100-1500. London, Oxford U. P., 82, in-8, 208 p.

2750. CLAGETT (Marshall). William of Moerbeke: translator of Archimedes. Proc. am. philos. Soc., 82, vol. 126, n° 5, p. 356-366.

2751. COLIN (Jean). Cyriaque d'Ancône. Le voyageur, le marchand, l'humaniste. Paris, Maloine, 81, in-8, 610 p. (75 fig.).

2752. COURTENAY (William J.), TACHAU (Katherine H.). Ockham, Ockhamists, and the English-German nation at Paris, 1339-1341. Hist. of Univ., 82, vol. 2, p. 53-96.

2753. CUSTANCE (Roger). Winchester College: 6th centenary essays. London, Oxford U. P., 82, in-8, 544 p. (ill.).

2754. DANECKI (Janusz). Literatura i kultura w imperium kalifów. Studium twórczości adabowej al-Mubarrada. (Littérature et culture de l'empire des califes. Etudes sur le thème de l'adab dans les oeuvres d'al-Mubarrad.) Warszawa, 82, in-8, 176 p. (Rozprawy Uniw. Warsz., 202)

2755. D'ANGELO (B.). Poesia francescana inglese prima di Geoffrey Chaucer (1340?-1400). Arch. francisc. hist., 82, t. 75, p. 320-361.

2756. DEAN (James). The world grown old and genesis in middle English historical writings. Speculum, 82, vol. 57, n° 3, p. 548-568.

2757. DUFOURNET (Jean). Sur Philippe de Commynes. Quatre études. Paris, Soc. d'Ed. d'Enseignement sup., 82, in-8, 152 p. (Biblioth. du moyen âge)

2758. FEKHNER (M. V.). Šelkovye tkani v srednevekovoj Vostočnoj Evrope. (Archaeological data on the silk fabrics in mediaeval Eastern Europe.) Sovet. Arkheol., 82, n° 2, p. 57-70.

2759. FERINCZ (István). Literaturnye tradicii Kievskoj Rusi v literature XIII-XV vv. (Les traditions littéraires de la Russie de Kiev dans la littérature des XIIIe-XVe siècles). Diss. slavicae, 81, Suppl., p. 79-91.

2760. GÄTJE (Helmut). Zur Lehre von den Temperamenten bei Averroes. Z. d. deutsch. morgenländ. Ges., 82, Bd 132, p. 243-268.

2761. GARDY (Philippe). Naissance du théâtre en pays occitan: les célébrations carnavalesques. R. Hist. Théâtre, 82, a. 34, p. 10-31.

2762. GRANSDEN (Antonia). Historical writing in England. [Vol. 1. Cf. Bibl. 74-75, n° 2851.] Vol. 2: C. 1307 to the early 16th century. Ithaca, N. Y., Cornell U. P.; London, Routledge, 82, in-8, XXIV-644 p.

2763. HARTUNG (Wolfgang). Die Spielleute. Eine Randgruppe in d. Gesellschaft d. Mittelalters. Wiesbaden, Steiner, 82, in-8, VIII-108 p. (Ill.). (Vjschr. f. Soz.-u. Wirtschaftsgesch., Beih. 72)

2764. HEIMPEL (Hermann). Die Vener von Gmünd und Straßburg, 1162-1447. Studien u. Texte zur Gesch. e. Familie sowie d. gelehrten Beamtentums in d. Zeit d. abendländ. Kirchenspaltung u. d. Konzilien v. Pisa, Konstanz u. Basel. Bd 1-3. Göttingen, Vandenhoeck u. Ruprecht, 82, 3 vol. in-8, X-633 p., p. 638-1165, 1170-1625. (Veröff. d. Max-Planck-Inst. f. Gesch., 52)

2765. HIRTH (Wolfgang). Corpusbildung in der deutschsprachigen medizinischen

Fachliteratur des Mittelalters. Sudhoffs Arch., 82, Bd 66, p. 239-275.

2766. Hrabanus Maurus. Lehrer, Abt und Bischof. Hrsg. v. Raymund KOTTJE u. Harald ZIMMERMANN. Wiesbaden, Steiner, 82, in-8, XII-208 p. (Akad. d. Wiss. u. d. Lit. Mainz, Abh. d. Geistes- u. Sozialwiss. Kl., Einzelveröff., 4)

2767. JACQUART (Danielle). Le milieu médical en France du XIIe au XVe siècle. Genève, Droz, 81, in-8, 487 p.

2768. KLANICZAY (Tibor). A nagy személyiségek humanista kultusza a XV. században. (Le culte humaniste des grands personnages au XVe siècle.) Irodtört. Közl., 82, vol. 86, n° 2, p. 135-150.

2769. KOENIG (Gerd G.). Schamane und Schmied, Medicus und Mönch: ein Überblick zur Archäologie d. merowing. Medizin im südl. Mitteleuropa. Helvetia archaeol., 82, Bd 13, p. 75-153 (Abb.).

2770. KUNITZSCH (Paul). Medizin, Naturwissenschaft und Technik im Mittelalter. Kontinuität u. Wandel in Darstellung u. Deutung: Die arabisch-islamische Welt. Medizinhist. J., 82, Bd 17, p. 54-62.

2771. LECOUTEUX (Claude). Les monstres dans la littérature allemande du moyen âge. Contribution à l'étude du merveilleux médiéval. T. 1: Etude. T. 2: Dictionnaire. T. 3: Documents. Göppingen, Kümmerle, 82, 3 vol. in-8, IX-346, IX-272, VI-52 p. (Göppinger Arbeiten z. Germanistik, 330/1-3)

2772. LEONARDI (Claudio). Alcuino e la rinascita culturale carolingia. Schede mediev., 82, n° 2, p. 32-53.

2773. Literarisches Mäzenatentum. Ausgewählte Forschungen zur Rolle d. Gönners u. Auftraggebers in d. mittelalterl. Literatur. Hrsg. v. Joachim BUMKE. Darmstadt, Wiss. Buchges., 82, in-8, V-412 p. (Ill.). (Wege d. Forsch., 598)

2774. LOSEV (A. F.). Éstetika Vozroždenija (Aesthetics of the Renaissance.) Moskva, Mysl', 82, 623 p. (ill.).

2775. LUCIANI (Evelyne). Les Confessions de saint Augustin dans les lettres de Pétrarque. Paris, Etudes augustiniennes, 82, in-8, 274 p.

2776. MEANEY (Audrey). Anglo-Saxon amulets and curing-stones. London, Brit. Archaeol. Rep., 82, in-4, 364 p. (fig.).

2777. Medizin im mittelalterlichen Abendland. Hrsg. v. Gerhard BAADER u. Gundolf KEIL. Darmstadt, Wiss. Buchges., 82, in-8, VII-516 p. (Wege d. Forsch., 363)

2778. MÉSZÁROS (István). Ars, Litteratura, Philosophia. Tudomány- és tananyagrendszerek Alkuintól Erasmusig. (Systèmes de sciences et de programmes d'études d'Alcuin à Erasme.) Filol. Közl., 82, vol. 28, n° 1, p. 1-37.

2779. MINNIS (Alastair). The mediaeval theory of authorship: scholastic literary attitudes in the Later Middle Ages. Menston, Scolar Press, 82, in-8, 376 p.

2780. MITRE FERNÁNDEZ (Emilio). Historiografía y mentalidades históricas en la Europa medieval. Madrid, Univ. Complutense, 82, in-8, 156 p.

2781. MOLLAY (Károly). Német-magyar nyelvi érintkezések a XVI. század végéig. (Contacts entre les langues allemande et hongroise jusqu'à la fin du XVIe siècle.) Budapest, Akadémiai Kiadó, 82, in-8, 643 p. (Nyelvészeti tanulmányok, 23)

2782. MORGAN (D. O.). Mediaeval historical writing in the Christian and Islamic worlds. London, Univ., School of Or. a. Afr. Stud., 82, in-8, VI-160 p.

2783. MÜLLER (Jan-Dirk). Gedechtnus: Literatur und Hofgesellschaft um Maximilian I. München, Fink, 82, in-8, 419 p. (Forsch. z. Gesch. d. älteren deutsch. Lit., 2)

2784. MYL'NIKOV (A. S.). Kul'tura česskogo Vozroždenija. (Culture of the Czech Renaissance.) Leningrad, Nauka, 82, 176 p. (ill.). (Iz istorii mirovoj kul'tury. AN SSSR)

2785. NEUENDORFF (Dagmar). Studie zur Entwicklung der Herrscherdarstellung der deutschsprachigen Literatur des 9.-12. Jahrunderts. Stockholm u. Berlin, Almqvist & Wiksell Internat., 82, in-8, 345 p. (Acta Univ. Stockholmniensis, Stockholmer germanist. Forsch., 29)

2786. NILSSON (Bertil). De äldsta svenska kyrkernas orientering och frågan om de förkristna nordbornas väderstrecksbegrepp. (The orientation of the earliest Swedish churches and the question of the pre-Christian Nordic population's concept of the quarters of the compass.) Kyrkohist. Årsskr., 82, vol. 82, p. 55-67. [Eng. summary]

2787. OBRIST (Barbara). Les débuts de l'imagerie alchimique (XIVe-XVe siècles). Paris, Sycomore, 82, in-8, 328 p. (72 p. ill.).

2788. PAQUET (Jacques). Coût des études, pauvreté et labeur: fonctions et métiers d'étudiants au moyen âge. Hist. of Univ., 82, vol. 2, p. 15-52.

2789. PENSOM (R.). Literary technique in the chanson de Roland. Genève, Droz, 82, in-8, 216 p. (Hist. des idées et critique litt., 203)

2790. PETROCCHI (Massimo). Il simbolismo delle piante in Rabano Mauro e altri studi di storia medievale. Roma, Ediz. di Stor. e Letter., 82, in-8, 128 p. (tav.).

2791. PETTI-BALBI (Giovanna). Per la biografia di Giacomo Curlo. At. Soc. ligure Stor. pa., 82, n. s., vol. 22, p. 103-121.

2792. PEZZELLA (Salvatore). Astronomia ed astrologia nel Medioevo. Da un manoscritto inedito, sec. XIII, della città di Firenze. Pref. di G. TAGLIAFERRI. Firenze, La giuntina, 82, in-8, 170 p. (tav.). [Segue: Trascrizione del testo originale]

2793. PHILIPPE (Robert). Les premiers moulins à vent. A. Normandie, 82, t. 32, p. 99-120.

2794. PILZ (Anders). Die gelehrte Welt des Mittelalters. Köln u. Wien, Böhlau, 82, in-8, 298 p.

2795. REDL (Károly). Az első európai pénzelméletről. Nicole Oresme Értekezése a pénzről. (Sur la première théorie de monnaie européenne. Le traité de Nicole Oresme sur la monnaie.) Magy. Filoz. Szle, 82, vol. 26, n° 3, p. 309-335.

2796. Représentation (La) de l'antiquité au moyen âge. Actes du colloque des 26, 27 et 28 mars 1981, Univ. de Picardie, Centre d'Etudes médiévales. Publ. par les soins de Danielle BUSCHINGER et André CREPIN. Wien, Halosar, 82, in-8, 398 p. (33 ill.). (Wiener Arbeiten z. german. Altertumskunde u. Philol., 20)

2797. ROSSI (Marguerite). Le duel judiciaire dans les chansons du cycle carolingien: structure et fonction. In: Mélanges R. Louis [Cf. n° 519], p. 945-960.

2798. Russkaja i armjanskaja srednevekovye literatury. (Russian and Armenian medieval literature.) Redkol.: D. S. LIKHAČEV (otv. red.) i dr. Leningrad, Nauka, 82, 443 p. (ill.). (AN SSSR. In-t rus. lit. - Pušk. dom; Erev. un-t AN ArmSSR. In-t lit.)

2799. SAYCE (Oliver). The mediaeval German lyric, 1150-1300: the development of its themes and forms in their European context. London, Oxford U. P., 82, in-8, 530 p.

2800. SCHWEIKLE (G.). Mittelalterliche Realität in deutscher höfischer Lyrik und Epik um 1200. German.-rom. Mschr., 82, Bd 63, p. 265-285.

2801. SIRAISI (Nancy G.). Some recent work on western European medical learning, ca. 1200 - ca. 1500. Essay review. Hist. of Univ., 82, vol. 2, p. 225-238.

2802. SPRANDEL (Rolf). Gesellschaft und Literatur im Mittelalter. Paderborn, München, Wien u. Zürich, Schöningh, 82, in-8, 310 p. (3 Ill.). (Uni-Taschenbücher, 1218)

2803. STEFFEN (Walter). Die studentische Autonomie im mittelalterlichen Bologna. Eine Untersuchung über d. Stellung d. Studenten u. ihrer Universitas gegenüber Professoren u. Stadtregierung im 13./14. Jh. Bern, Lang, 81, 246 p. (Geist u. Werk d. Zeiten, 58)

2804. Studien zur mittelalterlichen Geistesgeschichte und ihrer Quellen. Hrsg. v. Albert ZIMMERMANN. Für d. Druck besorgt v. Gudrun VUILLEMIN-DIEM. Berlin u. New York, de Gruyter, 82, in-8, VIII-318 p. (4 Ill.). (Misc. mediaevalia, 15)

2805. SZKLENAR (Hans). Mäzene im Mittelalter. Bl. f. deutsche Landesgesch., 82, Jg. 118, p. 237-252.

2806. THOMASSET (C.). Une vision du monde à la fin du XIIIe siècle. Commentaire du Dialogue de Placides et Timéo. Genève, Droz, 82, in-8, 352 p. (Publ. romanes et franç., 161)

2807. TILLIETTE (Jean-Yves). Un cas d'archaïsme littéraire au début du Quattrocento: l'oeuvre poétique de Niccolò di Michele Bonaiuti. Mél. Ec. franç. Rome, Moyen Age, Temps mod., 82, t. 94, p. 337-391.

2808. TUILIER (André). La fondation de la Sorbonne, les querelles universitaires et la politique du temps. Mél. Bibl. Sorbonne, 82, t. 3, p. 6-43.

2809. VARJAS (Béla). A magyar reneszánsz irodalom történeti gyökerei. (Les origines historiques de la littérature de la Renaissance en Hongrie.) Budapest, Akadémiai Kiadó, 82, in-8, 375 p.

2810. VERGER (Jacques). Des écoles à l'université: la mutation institutionnelle. In: La France de Philippe Auguste [Cf. n° 237], p. 817-845.

2811. VOSS (R.). Die Artusepik Hartmanns von Aue. Köln u. Wien, Böhlau, 82, in-8, VIII-257 p. (Literatur u. Leben, 25)

2812. WERNER (Ernst). Ideologie und Gesellschaft im europäischen Hochmittelalter. Das 11. Jahrhundert. Jb. f. Gesch. d. Feudalismus, 82, Bd 6, p. 11-52.

2813. WULZ (Wolfgang). Der spätstaufische Geschichtsschreiber Burchard von Ursperg. Persönlichkeit u. hist.-polit. Weltbild. Stuttgart, Müller u. Gräff, 82, in-8, 299 p. (Ill.). (Schr. z. südwestdeutsch. Landeskde, 18)

Cf. n°s 195, 868, 2216, 2270, 2856, 2873, 3020, 5228.

§ 10. Histoire de l'art.

a. Généralités.

* Cf. n° II.

2814. CHAMBERLAIN (E. R.). The world of the Italian Renaissance. London, Allen a. Unwin, 82, in-8, 319 p. (ill.).

2815. DODWELL (C. R.). Anglo-Saxon art: a new perspective. Manchester, U. P., 82, in-8, 363 p. (ill., pl.). (Stud. in the Hist. of Art)

2816. DRAPER (Peter), COLDSTREAM (Nicola). Mediaeval art and architecture at Canterbury. London, Brit. Archaeol. Assoc., 82, in-4, 172 p. (ill.).

2817. DUNLOP (Ian). The cathedral's crusade: the rise of the Gothic style in

France. New York, Taplinger, 82, XVI-235 p.

2818. DURLIAT (Marcel). L'art roman. Paris, Mazenod, 82, in-fol., 614 p. (ill. en noir et en coul.). (L'art et les grandes civilisations, 12)

2819. EVANS (Joan). English art, 1307-1461. London, Art Book Co., 82, in-4, XXIV-272 p. (ill., fig.).

2820. STIRNEMANN (Patricia Danz). Au temps de Philippe Auguste. In: La France de Philippe Auguste [Cf. n° 237], p. 955-978.

2821. ŚWIECHOWSKI (Zygmunt). Sztuka romańska w Polsce. (L'art roman en Pologne.) Warszawa, Arkady, 82, in-4, 279 p. (Dzieje Sztuki w Pol.)

2822. VAYER (Lajos). Az itáliai reneszánsz müvészete. (L'art de la Renaissance italienne.) Budapest, Corvina, 82, in-8, 394 p. (8 pl.).

2823. WEITZMANN (Kurt). Art in the mediaeval West and its contacts with Byzantium. London, Variorum Repr., 82, in-4, 322 p. (ill.).

b. Travaux particuliers.

2824. ANDREWS (David). Mediaeval Lazio: studies in architecture, painting and ceramics. London, Brit. Archaeol. Rep., 82, in-4, 377 p. (ill., fig.).

2825. AXBOE (Morten). The Scandinavian gold bracteates. Studies on their manufacture a. regional variations, with a suppl. to the catalogue of Mogens B. Mackeprang. Acta archaeol., 81 [82], vol. 52, p. 1-100 (ill., maps).

2826. AZCÁRATE (J. M.). Einige Aspekte zum germanisch-deutschen Einfluß auf die Kunst des Hochmittelalters in Spanien. Ges. Aufsätze z. Kulturgesch. Spaniens, 82, Bd 30, p. 1-18.

2827. BARTON (Peter F.). Marginalien zur Kunst- und Kirchengeschichte des 15. und 16. Jahrhunderts. Jb. f. d. Gesch. d. Protestantismus in Österr., 82, Bd 98, p. 21-58.

2828. CAMUS (Marie-Thérèse). La reconstruction de Saint-Hilaire-le-Grand de Poitiers à l'époque romane: la marche des travaux. Cah. Civ. méd., 82, a. 25, n° 2, p. 101-120.

2829. CARLVANT (Kerstin B. E.). Collaboration in a fourteenth-century psalter: the Franciscan Iconographer and the two Flemish illuminators of MS 3384, 8° in the Copenhagen Royal Library. Sacris erudiri, 82, t. 25, p. 135-166 (5 fig.).

2830. COLLIN (Hubert). Les églises romanes de Lorraine, introduction générale. Nancy, Soc. d'Archéol. lorraine, 81, 235 p. (ill.).

2831. CSAPODI-GÁRDONYI (Klára). Euro-päische Buchmalerei. Gütersloh, Prisma; Budapest, Corvina, 82, in-4, 57 p. (100 pl.).

2832. DUBOURG-NOVES (Pierre). Les sculptures de la nef de Fontevrault. B. archéol., 78 [82], n. sér., fasc. A, n° 14, p. 105-140.

2833. DURLIAT (Marcel). Les chapiteaux romans de l'église de Saint-Gaudens. R. Comminges, 82, t. 95, p. 31-70.

2834. ELEEN (Luba). Illustration of the Pauline Epistles in French and English Bibles of the 12th and 13th centuries. London, Oxford U. P., 82, in-4, 205 p. (ill.).

2835. ERDMANN (Wolfgang). Die Entwicklung des Lübecker Bürgerhauses im 13. und 14. Jahrhundert unter dem Einfluß von Profanarchitektur des Ostseeraumes. Heimat- [Lübeck], 82, Bd 89, H. 6-7, p. 220-232. - IDEM. Entwicklungstendenzen des Lübecker Hausbaues 1100 bis um 1360 - eine Ideenskizze. Lübecker Schr. z. Archäol. u. Kunstgesch., 82, Bd 7, p. 17-36.

2836. ERLANDE-BRANDENBURG (A.). L'architecture militaire au temps de Philippe Auguste: une nouvelle conception de la défense. In: La France de Philippe Auguste [Cf. n° 237], p. 595-603.

2837. FABINI (Hermann). Sibiul gotic. (La ville de Sibiu gothique.) București, Ed. tehnică, 82, in-8, 200 p. (ill., pl.). (Arhitectura de-a lungul veacurilor)

2838. FAENSEN (Hubert), BEYER (Klaus G.). Kirchen und Klöster im alten Rußland. Stilgeschichte d. altruss. Baukunst von d. Kiewer Rus bis z. Verfall d. Tatarenherrschaft. Leipzig, Koehler u. Amelang, 82, in-4, 267 p. (Abb.).

2839. FEUER-TÓTH (Rózsa). Renaissancebaukunst in Ungarn. Budapest, Corvina - Magyar Helikon, 81, in-4, 241 p.

2840. GARDNER VON TEUFFEL (Christa). Lorenzo Monaco, Filippo Lippi und Filippo Brunelleschi: die Erfindung der Renaissancepala. Z. f. Kunstgesch., 82, Bd 45, p. 1-30 (ill).

2841. GASTEV (A. A.). Leonardo da Vinči. (Leonardo da Vinci.) Moskva, Molodaja gvardija, 82, 400 p. (ill.). (Žisn' zamečat. liudej. Ser. biogr., 627)

2842. GAUTHIER (Marie-Madeleine). Les routes de la foi: reliques et reliquaires de Jérusalem à Compostelle. Paris, Bibliothèque des Arts, 82, in-4, 220 p. (ill.). - EADEM. Un patronage énigmatique: les orfèvres-émailleurs à Paris au temps de Philippe Auguste. In: La France de Philippe Auguste [Cf. n° 237], p. 981-998.

2843. GOUSSET (Marie-Thérèse). Un aspect du symbolisme des encensoirs romans: la Jérusalem céleste. Cah. archéol., 82, t. 30, p. 81-106.

2844. GRUNDMANN (Günther). Burgen, Schlösser und Gutshäuser in Schlesien. Bd

1: Die mittelalterlichen Burgruinen, Burgen und Wohntürme. Bearb. v. Dieter GROSSMANN unter Mitarb. v. Hanna NOGOSSEK. Frankfurt (Main), Weidlich, 82, in-4, XXI-189-150 p. (379 Ill. u. graph. Darst.). (Bau- u. Kunstdenkmäler im östl. Mitteleuropa, 1)

2845. HAMANN-MACLEAN (Richard). Die Kathedrale von Reims. Bildwelt u. Stilbildung. Marburger Jb. f. Kunstwiss., 81, Bd 20, p. 21-54.

2846. HENRIET (Jacques). La cathédrale de Saint-Etienne de Sens: le parti du Premier Maître et les campagnes du XIIe siècle. B. monumental, 82, t. 140, n° 2, p. 82-168.

2847. HENWOOD (Philippe). Les orfèvres parisiens pendant le règne de Charles VI (1380-1422). B. archéol., 79 [82], n. sér., fasc. A, n° 15, p. 85-180.

2848. HOLL (Imre). Feuerwaffen und Stadtmauern. Angaben zur Entwicklung der Wehrarchitektur des 15. Jahrhunderts. Acta archaeol. Acad. Sci. hungaricae, 81, vol. 33, p. 201-243.

2849. HORSTE (Kathryn). The Passion series from La Daurade [Toulouse] and problems of narrative composition in the cloister chapel. Gesta, 82, vol. 21, p. 31-62.

2850. JACOBY (Zehava). The workshop of the Temple area in Jerusalem in the twelfth century: its origin, evolution and impact. Z. f. Kunstgesch., 82, Bd 45, p. 325-394 (ill.).

2851. JAMES (John). The contractors of Chartres. London, Croom Helm, 82, 2 vol. in-8, 200 p. (ill., plans).

2852. KLINKOTT (Manfred). Islamische Baukunst in Afghanisch-Sistan. Mit einem geschichtl. Überblick von Alexander d. Großen bis z. Zeit d. Safawiden-Dynastie. Berlin, Reimer, 82, in-4, 295 p. (172 Abb., 6 Taf., Kte). (Archäolog. Mitt. aus Iran, Erg.-Bd 8)

2853. KRETZENBACHER (Leopold). Maskenschild und Schildmaske. Gedanken z. gotischen Kreuzigungsfresko in d. obersteirischen Utsch um 1400. Z. d. hist. Ver. f. Steiermark, 82, Jg. 73, p. 45-79 (8 Abb.).

2854. LACROIX (Pierre). Eglises jurassiennes romanes et gothiques: histoire et architecture. Besançon, Cêtre, 81, 316 p. (ill.).

2855. LEGENDRE (Léonard), VEILLEROT (Jean-Michel). L'architecte, l'équerre et la géométrie instrumentale au moyen âge: analyse du plan de la cathédrale de Reims. Médiévales, 82, n° 1, p. 48-84.

2856. Literatur und bildende Kunst im Tiroler Mittelalter. Die Iwein-Fresken v. Rodenegg u. andere Zeugnisse d. Wechselwirkung v. Literatur u. bildender Kunst. Hrsg. v. Egon KÜHEBACHER. Innsbruck, Inst. f. Germanistik d. Univ., 82, in-8,

223 p. (Innsbrucker Beitr. z. Kulturwiss., germanist. R., 15)

2857. ŁODYŃSKA-KOSIŃSKA (Maria). "Ingenium et labor". Uwagi o cechach nowatorskich ołtarza Mariackiego Wita Stwosza. (Traits novateurs du retable de Notre Dame [de Cracovie] de Wit Stwosz.) B. Hist. Sztuki, 81 [82], a. 43, n° 2, p. 135-150.

2858. MARSCHALL (Hans Günther). Die romanische Baukunst in Westlothringen. T. 1: Die Kathedrale von Verdun. Saarbrükken, Saarbrücker Zeitung, 81, in-4, 349 p. (Ill., Taf.).

2859. MARTIN (Jean-Marie), NOYÉ (Ghislaine). La cité [disparue] de Montecorvino en Capitanate et sa cathédrale. Mél. Ec. franç. Rome, Moyen Age, Temps mod., 82, t. 94, p. 513-549 (7 fig.).

2860. MENZ - VON DER MUEHLL (Marguerite). Die St. Galler Elfenbeine um 900. Frühmittelalterl. Stud., 81 [82], Bd 15, p. 387-434 (Ill.).

2861. MONETTI (F.), RESSA (F.). La costruzione del castello di Torino, oggi Palazzo Madama. Torino, Bottega d'Erasmo, 81, in-8, 200 p. (ill.).

2862. MORGAN (Nigel J.). Early Gothic manuscripts. I: 1190-1250. London a. New York, Oxford U. O., 82, in-4, 276 p. (330 fig., 6 pl.). (A survey of manuscripts illuminated in the British Isles, 4/1)

2863. MOTTA (Rossella). Un documento per la storia della miniatura duecentesca della Francia nord-orientale: il ms. V. E. 471 della Biblioteca nazionale di Roma. Mél. Ec. franç. Rome, Moyen Age, Temps mod., 82, t. 94, p. 171-190.

2864. MÜLLER-Wille (Michael). Königsgrab und Königsgrabkirche. Funde u. Befunde im frühgeschichtl. u. mittelalterl. Nordeuropa. Ber. d. röm.-german. Komm., 82, Jg. 63, p. 344-412 (Abb., Kt.).

2865. NORN (Otto). Granitkirker i Jylland og Angel. Romansk stenhuggerkunst. (Granite churches in Jutland and Angel. The art of the Romanesque stone-cutter.) Sønderjyske Årb., 82, p. 5-29.

2866. PEŠINA (Jaroslav). Mistr Vyšebrodského cyklu. (Der Meister des Hohenfurther Zyklus.) Fot. Prokop PAUL. Praha, Odeon, 82, in-4, 262 p. (České dějiny, 55)

2867. PLATT (Colin). The castle in mediaeval England and Wales. London, Secker a. Warburg, 82, in-4, 224 p. (ill.).

2868. PÜSPÖKI NAGY (Péter). Boldogfa [Pozsonyboldogfa]. A középkori falu. A román stilusú templom. A római kori felirat. A táj régi földrajza és társadalma. - Oklevélregeszták. (Boldogfa [Matka Božia]. Le village médiéval. L'église en style roman. L'épigraphie de l'époque romaine. La géographie et la société ancienne de la région. - Régestes de diplômes.) Bratislava, Madách Kiadó; Budapest, Gondolat Kiadó, 82, in-8, 261 p. (48 pl.).

2869. RICHTEROVÁ (Julie). Středověké kachle. (Mittelalterliche Kacheln. Aus d. Sammlung d. Museums d. Hauptstadt Prag.) Praha, Muzeum hl. měesta Prahy, 82, in-4, 173 p.

2870. ROUSSEAU (Pierre). Le duel de Roland et de Feragut sur quelques chapiteaux d'Espagne et de France. In: Mélanges R. Louis [Cf. n° 519], p. 529-548.

2871. SANDERSON (Warren). Archbishop Radbod, Regino of Prüm and late Carolingian art and music in Trier. Jb. d. Berliner Museen, 82, Bd 24, p. 41-61.

2872. SCHADT (Hermann). Die Darstellungen der Arbores Consanguinitatis und der Arbores Affinitatis. Bildschemata in jurist. Handschriften. Tübingen, Wasmuth, 82, in-4, 410 p. (171 p. Ill., graph. Darst.).

2873. SCHWAB (Ute). Zum Verständnis des Isaak-Opfers in literarischer und bildlicher Darstellung des Mittelalters. Frühmittelalterl. Stud., 81 [82], Bd 15, p. 435-494.

2874. SKÝBOVA (Ánna). České královské korunovační klenoty. (Die königl. böhmischen Krönungskleinodien.) Fot. Alexander PAUL. Praha, Panorama, 82, in-4, 96 p.

2875. SMIRNOVA (E. S.), LAURINA (V. K.), GORDIENKO (E. A.). Živopis' Velikogo Novgoroda. XV vek. (Painting of Great Novgorod, 15th cent.) Moskva, Nauka, 82, 575 p. (ill.). (Centry khudož kul'tury srednevekovoj Rusi. AN SSSR. Nauč. sovet po istorii mirovoj kul'tury; VNII iskusstvoznanija M-va kul'tury SSSR)

2876. THOMPSON (F. H.). Studies in mediaeval sculpture. London, Soc. of Antiq., 82, in-8, 135 p. (ill., fig.).

2877. VACKOVÁ (Jarmila), ŠMAHEL (František). Odezva husitských Čech v evropském malířství 15. století. (Der Widerhall d. hussitischen Böhmens im Genter Altar u. in d. europ. Malerei d. 15. Jh.) Umění, 82, vol. 30, p. 308-342.

2878. VIEILLARD-TROÏEKOUROFF (May). Supplément au Recueil général des monuments sculptés en France pendant le haut moyen âge (IVe-Xe siècles). T. 1: Paris et son département. B. archéol., 79 [82], n. sér., fasc. A, n° 15, p. 181-230.

2879. WATKINSON (Barbara). Artisan products of the Val de Loire: their formative role in the development of the medieval art of central France. Francia [München], 81 [82], Bd 9, p. 623-645 (4 pl.).

2880. WEHLI (Tünde). Painting in medieval Spain. Budapest, Corvina, 81, in-8, 42 p. (48 pl., carte).

2881. WERCKMEISTER (Otto Karl). Die Auferstehung der Toten am Westportal von St. Lazare in Autun. Frühmittelalterl. Stud., 82, Bd 16, p. 208-236.

2882. WOODMAN (Francis). The architectural history of Canterbury Cathedral. London, Routledge, 82, in-8, 302 p. (ill., fig.).

2883. Živopis' Drevenj Rusi XI - načala XIII veka. Mosaiki. Freski. Ikony. (Painting of old Russia, 11th - beginning of the 13th cent. Mosaics. Frescoes. Icons.) Avt.-sost.: N. B. SAL'KO. Leningrad. Khudožnik RSFSR, 82, 310 p. (ill.).

Cf. n°s 211, 1964, 2310, 2940.

§ 11. Histoire de la musique.

2884. ATKINSON (Charles M.). Zur Entstehung und Überlieferung der "Missa greca". Arch. f. Musikwiss., 82, Bd 39, H. 1, p. 113-145 (1 Taf.).

2885. BALLKE (Jürgen). Untersuchungen zum sechsten Buch des Speculum musicae des Jacobus von Lüttich unter besonderer Berücksichtigung der Tetrachord- und Moduslehre. Frankfurt a. M. u. Bern, Lang, 82, in-8, 337 p. (Ill., graph. Darst., Noten). (Europ. Hochschulschr., R. 36: Musikwiss., 3)

2886. CELI (Claudia). La danza aulica italiana nel XV secolo. Nuova R. music. ital., 82, a. 16, p. 218-225.

2887. DENNERY (Annie). Les notations musicales au moyen âge. Medievales, 82, vol. 1, p. 89-103.

2888. DONATI (G.). Un nuovo metodo di codificazione cifrata degli incipit musicali. Schede medievali, 82, t. 3, p. 281-288.

2889. Guillaume de Machaut. Colloque-Table ronde organisée par l'Univ. de Reims, Reims, 19-22 avril 1978. Paris, Klincksieck, 82, in-8, 360 p. (Actes et colloques)

2890. HESBERT (René-Jean). Les antiphonaires monastiques insulaires. R. bénédictine, 82, t. 92, p. 358-375.

2891. LE VOT (Gérard). Notation, mesure et rythme dans le "canso" troubadouresque. Cah. Civ. méd., 82, vol. 25, p. 205-217.

2892. Liturgie et musique (IXe-XIVe siècles). Ouvrage publ. avec le concours du C.N.R.S. Toulouse, Privat, 82, in-8, 429 p. (Cah. de Fanjeaux, 17)

2893. PAGE (Christopher). The performance of songs in late medieval France: a new source. Early Music, 82, vol. 10, p. 441-450.

2894. ROCHE (Jerome), ROCHE (Elizabeth). Dictionary of early music, from the troubadours to Monteverdi. London, Faber, 82, in-8, 208 p. (ill.).

2895. SZENDREI (Janka). A magyar középkor hangjegyes forrásai. (Les sources des notes musicales du moyen âge hongrois.) Budapest, Magyar Tud. Akadémia Zenetudományi Intézete, 81, in-8, 302 p. (Műhelytanulmányok a magyar zenetörténethez, 1) - CR: K. Körmendy, Magy. Könyvszle, 82, vol. 98, n° 3, p. 290-292.

2896. TREITLER (Leo). The early history of music writing in the West (9th-13th cent.). J. am. musicol. Soc., 82, vol. 35, p. 237-279 (ill.).

2897. WALKER (T.). Sui Tenor francesi nei mottetti del '200. Schede medievali, 82, t. 3, p. 309-336.

Cf. n°s 213, 2151.

§ 12. Histoire de la philosophie.

* 2898. BATAILLON (Louis-Jacques). Bulletin d'histoire des doctrines médiévales. [Cf. Bibl. 81, n° 2463.] R. Sci. philos. théol., 82, t. 66, p. 245-265.

* 2899. RUELLO (Francis). Bulletin d'histoire des idées médiévales [CR de 16 ouvrages]. Rech. Sci. relig., 82, t. 70, p. 269-310. [Cf. Bibl. 80, n° 2508]

2900. Albertus Magnus. Sein Leben und seine Bedeutung. Hrsg. v. Manfred ENTRICH. Graz, Wien u. Köln, Styria, 82, in-8, 148 p.

2901. ALVERNY (Marie-Thérèse d'). Les nouveaux apports dans les domaines de la science et de la pensée au temps de Philippe Auguste: la philosophie. In: La France de Philippe Auguste [Cf. n° 237], p. 863-879.

2902. Cambridge history of later mediaeval philosophy: from the rediscovery of Aristotle to the disintegration of scholasticism. Editors: Norman KRETZMANN, Anthony KENNY, Jan PINBORG; associate editor: Eleonore STUMP. London a. New York, Cambridge U. P., 82, in-8, XIV-1035 p.

2903. CHÂTILLON (Jean). Abélard et les Ecoles. In: Abélard et son temps [Cf. n° 277], p. 133-160.

2904. DALES (Richard C.). Discussions of the eternity of the world during the first half of the twelfth century. Speculum, 82, vol. 57, n° 3, p. 495-508.

2905. Dzieje filozofii średniowiecznej w Polsce. (Histoire de la philosophie médiévale en Pologne.) Ouvrage collectif réd. par Zdzisław KUKSEWICZ. [T. 1. Cf. Bibl. 74-75, n° 2966.] T. 9: Początki humanizmu oprac. Juliusz DOMAŃSKI. (T. 9: Les débuts de l'humanisme. Aut.: J. DOMAŃSKI.) Wrocław, Zakł. Narod. im. Ossolińskich, 82, in-8, 261 p. (Pol. Akad. Nauk, Inst. Filozofii i Socjologii)

2906. ELDERS (Leo J.). De metafysica van St. Thomas van Aquino in historische perspectief. (La métaphysique de St. Thomas d'Aquin dans une perspective historique.) I: Het gemeenschappelijk zijnde. Brugge, Tabor, 82, in-8, 327 p. (Studia Rodensia, 3)

2907. English logic in Italy in the 14th and 15th centuries. Acts of the 5th Symposium on medieval logic and semantics, Rome, 10-14 Nov. 1980, ed. by A. MAIERU'. Napoli, Bibliopolis, 82, in-8, 388 p. (Hist. of Logic, 1)

2908. ESSER (Dietrich). Der Kölner Seligsprechungsprozeß des Johannes Duns Scotus 1706/7. Franzisk. Stud., 82, Bd 64, p. 203-244.

2909. GAUTHIER (R. A.). Notes sur les débuts (1225-1240) du premier "Averroïsme". R. Sci. philos. théol., 82, vol. 66, p. 245-261.

2910. HOSSFELD (Paul). Zum Euklidkommentar des Albertus Magnus. Arch. Fr. Praedicatorum, 82, t. 52, p. 155-183.

2911. JOLIVET (Jean). Non-réalisme et platonisme chez Abélard. In: Abélard et son temps [Cf. n° 227], p. 175-195.

2912. JORDAN (Mark D.). The controversy of the Correctoria and the limits of metaphysics. Speculum, 82, vol. 57, n° 2, p. 292-314.

2913. KIANKA (Frances). Demetrius Cydones and Thomas Aquinas. Byzantion, 82, t. 52, p. 264-286.

2914. McEVOY (James). The philosophy of Robert Grosseteste. London, Oxford U. O., 82, in-8, XVIII-560 p.

2915. SMALLEY (Beryl). Studies in mediaeval thought from Abelard to Wyclif. London, Hambledon, 82, in-8.

2916. STAGNITTA (A.). Teorie della logica en Alberto Magno. Angelicum, 82, t. 59, p. 162-190.

2917. TACHAU (Katherine H.). The problem of the species in medio at Oxford in the generation after Ockham. Med. Stud., 82, vol. 44, p. 394-443.

2918. THEIS (Robert). Struktur und Dialektik. Eine strukturale Analyse von Thomas de Aquino, "De Veritate" I, 4. Filosofia oggi, 82, a. 5, p. 227-244.

2919. WATTS (Pauline Moffitt). Nicolaus Cusanus: a fiteenth-century vision of man. Leiden, Brill, 82, in-8, IX-248 p. (ill.). (Stud. in the Hist. of Christ. thought, 30)

2920. WENIN (Christian). La signification des universaux chez Abélard. R. philos. Louvain, 82, t. 80, p. 414-448.

2921. ZAMBELLI (Paola). Albert le Grand et l'astrologie. Rech. Théol. anc. méd., 82, t. 49, p. 141-158.

Cf. n°s 2216, 2525, 2536, 2760.

§ 13. Histoire de l'Eglise.

a. Généralités.

2922. Cristianizzazione ed organizzazione ecclesiastica delle campagne nell'alto Medioevo: espansione e resistenze. Settimane di studio del Centro italiano di studi sull'alto Medioevo, XXVIII, 10-16 aprile 1980. Spoleto, presso la sede del Centro, 82, 2 vol. in-8, 1245 p. compless. (tav.).

2923. DOSSAT (Yves). Eglise et hérésie

en France au XIIIe siècle. London, Variorum Repr., 82, in-8, 364 p.

2924. REUTER (Timothy). The "imperial church system" of the Ottonian and Salian rulers: a reconsideration. J. eccles. Hist., 82, vol. 33, p. 347-374.

2925. ROSENWEIN (Barbara H.). Rhinoceros bound: Cluny in the tenth century. Philadelphia, Univ. of Pennsylvania Press, 82, in-8, XXII-173 p.

Cf. n° 2342.

b. Papauté.

2926. BAUM (Wilhelm). Enea Silvio Piccolomini (Pius II.), Cusanus und Tirol. Schlern, 82, Bd 56, p. 174-195.

2927. CHENEY (Christopher R.). The Papacy and England, 12th to 14th centuries: historical and legal studies. London, Variorum Repr., 82, in-8, 346 p.

2928. HERDE (Peter). Die Entwicklung der Papstwahl im dreizehnten Jahrhundert. Praxis u. kanonist. Grundlagen. Österr. Arch. f. Kirchenrecht, 81, Bd 32, p. 11-41.

2929. HIERSEMANN (Michael). Der Konflikt Papst - Konzil und die Reformatio Sigismundi im Spiegel ihrer Überlieferung. Z. f. hist. Forsch., 82, Bd 9, p. 1-13.

2930. HOUSLEY (Norman). The Italian crusades: the Papal-Angevin alliance and the crusades against Christian lay powers, 1254-1343. London a. New York, Oxford U. P., 82, in-8, 293 p. (maps). - IDEM. The mercenary companies, the Papacy, and the crusades, 1356-1378. Traditio, 82, vol. 38, p. 253-280. - IDEM. Politics and heresy in Italy: antiheretical crusades, orders and confraternities, 1200-1500. J. eccles. Hist., 82, vol. 33, p. 193-208. - IDEM. Pope Clement V and the crusades of 1309-1310. J. medieval Hist., 82, vol. 8, p. 29-43.

2931. KAJANTO (Iiro). Papal epigraphy in Renaissance Rome. The chapters on paleontography by Ulla NYBERG. Helsinki, 82, in-8, 143 p. (ill.). (A. Acad. sci. fennicae, Ser. B, 222)

2932. KOLMER (Lothar). Papst Clemens IV. beim Wahrsager. Deutsch. Arch. f. Erforsch. d. M.-A., 82, Jg. 38, p. 141-165.

2933. MELVILLE (Gert). Quellenkundliche Beiträge zum Pontifikat Benedikts XII. anhand von neu aufgefundenen "Gesta". T. 1 (mit Texted.). Hist. Jb., 82, Jg. 102, p. 144-182.

2934. MEUTHEN (Erich). Eine bisher unbekannte Stellungnahme Cesarinis (Anfang November 1436) zur Papstwahl. Quellen u. Forsch., 82, Bd 62, p. 143-179.

2935. TRYSTRAM (Florence). Le coq et la louve: Gerbert et l'an mille. Paris, Flammarion, 82, in-8, 405 p.

2936. ULLMANN (Walter). Das Papstwahldekret von 1059. Z. d. Savigny-Stiftung f. Rechtsgesch., Kanon. Abt., 82, Bd 99 (68), p. 32-51.

2037. WRIGLEY (John E.). The conclave and the electors of 1342. Arch. Hist. pontif., 82, t. 20, p. 51-81.

2938. ZIESE (Jürgen). Wibert von Ravenna. Der Gegenpapst Clemens III. (1084-1100). Stuttgart, Hiersemann, 82, in-8, 307 p. (Päpste u. Papsttum, 20)

2939. ZÖLLNER (Walter). Die jüngeren Papsturkunden des Staatsarchivs Magdeburg. Bestände Halberstadt, Quedlinburg u. übrige Gebiete. [Cf. Bibl. 67, n° 2599.] Leipzig, St.-Benno-Verl., 82, in-8, 264 p. (Studien z. kathol. Bistums- u. Klostergesch., 23)

Cf. n° 2421.

c. Ordres religieux.

2940. Achthundert Jahre Franz von Assisi. Franziskanische Kunst und Kultur des Mittelalters. Krems, Amt d. Niederösterr. Landesregierung, 82, XVIII-775 p.

2941. BANTON (Nicholas). Monastic reforms and the unification of tenth-century England. Stud. Church Hist., 82, vol. 18, p. 17-85.

2942. BERMAN (Constance Hoffman). Land acquisition and the use of the mortgage contract by the Cistercians of Berdoues. Speculum, 82, vol. 57, n° 2, p. 250-266.

2943. BIENVENU (Jean-Marc). L'étonnant fondateur de Fontevraud, Robert d'Arbrissel. Paris, Nouv. Ed. latines, 81, in-8, 189 p. (ill.).

2944. DUBOIS (Jacques). Histoire monastique en France au XIIe siècle: les institutions monastiques et leur évolution. London, Variorum Repr., 82, in-8, 342 p. (maps).

2945. ELDER (E. R.). The Cistercians in the late Middle Ages. Oxford, Mowbray, 82, in-8, 164 p.

2946. ESTOW (Clara). The economic development of the order of Calatrava, 1158-1366. Speculum, 82, vol. 57, n° 2, p. 267-291.

2947. FELTEN (Franz J.). Zur Geschichte der Klöster Farfa und S.Vincenzo al Volturo im achten Jahrhundert. Quellen u. Forsch., 82, Bd 62, p. 1-58.

2948. FRACHBOUT (André). Les premiers spirituels cisterciens. Paris, Desclée de Brouwer, 82, in-8, 140 p. (Pain de Cîteaux)

2949. FREEDMAN (Paul). Military orders in Osona during the twelfth and thirteenth centuries. Acta hist. archaeol. mediev., 82, a. 3, n° 3, p. 55-69.

2950. Frühes Mönchtum in Salzburg. Hrsg. v. Eberhard ZWINK. Salzburg, Landespressebüro, 82, in-8, 264 p. (Salzburg

Diskussionen, 4. Schriftenreihe d. Landespressebüros)

2951. GILMOUR-BRYSON (Anne). The trial of the Templars in the papal state and the Abruzzi. Città del Vaticano, Bibliotheca Apostolica Vaticana, 82, in-8, 313 p. (3 pl.). (Studi e testi, 303)

2952. GONZÁLEZ I BETLINKSI (Margarida), RUBÍO I RODON (Anna). La regla de L'Ordre de Santa Clara de 1263. En cas concrete de la seva applicació: el monastir de Pedralbes. Acta hist. archaeol. mediev., 82, a. 3, n° 3, p. 9-46.

2953. GREGOIRE (Reginald). Il monachesimo carolingio dopo Benedetto d'Aniane (821). Studia monastica, 82, vol. 24, p. 349-388.

2954. HOLLNÉ GYÜRKY (Katalin). Das mittelalterliche Dominkanerkloster in Buda. - MATOLCSI (János). Mittelalterliche Tierknochen aus dem Dominikanerkloster von Buda. Budapest, Akadémiai Kiadó, 81, in-8, 253 p. (Fontes archaeologici Hungariae)

2955. JARITZ (Gerhard). Zur Alltagskultur im spätmittelalterlichen St. Peter [in Salzburg]. Stud. u. Mitt. z. Gesch. d. Benediktinerordens, 82, Bd 93, p. 548-569.

2956. KOLLER (Heinrich). Zur Frühgeschichte der Zisterzienser in Österreich. Jb. f. Gesch. d. Feudalismus, 82, Bd 6, p. 137-150.

2957. LECLERCQ (Jean). La réforme bénédictine anglaise du Xe siècle vue du continent. Studia monastica, 82, t. 24, p. 105-125.

2958. LICKTEIG (Franz-Bernard). The German Carmelites at the medieval universities. Roma, Institutum Carmelitanum, 81, in-8, 608 p.

2959. McGUIRE (Brian Patrick). The Cistercians in Denmark: their attitudes, roles, and functions in medieval society. Kalamazoo, Mich., Cistercian Publ., 82, in-8, XIV-421 p. (Cistercian Stud. Ser., 35)

2960. PARTNER (Peter). The murdered magicians: the Templars and their myth. Oxford a. New York, Oxford U. P., 82, in-8, XXI-209 p.

2961. PEANO (Pierre), O. F. M. Aux origines du spiritualisme franciscain dans la province de Provence. Arch. francisc. hist., 82, a. 75, p. 97-125.

2962. PETZOLD (Klaus). Monasterium Kempnicense. Eine Untersuchung z. Vor- u. Frühgesch. d. Klosterwesens zwischen Saale u. Elbe. Leipzig, St.-Benno-Verl., 82, in-8, XII-145 p. (Abb., Kt.). (Studien z. kathol. Bistums- u. Klostergesch., 25)

2963. PLATELLE (Henri). La mort précieuse: la mort des moines, d'après quelques sources des Pays-Bas du Sud. R. Mabillon, 82, t. 60, p. 151-174.

2964. REINHARDT (Rudolf). Die Einung der Benediktiner-Äbte in der Diözese Konstanz in den Jahren 1477-1481. Z. f. württemberg. Ldesgesch., 82, Bd 41, p. 350-363.

2965. RÖSENER (Werner). Zur Wirtschaftstätigkeit der Zisterzienser im Hochmittelalter. Z. f. Agrargesch., 82, Jg. 30, p. 117-148.

2966. SCALFATI (Silvio P. P.). Die benediktinische Ausdehnungspolitik auf der Insel Korsika im Zeitalter der Kirchenreform. Jb. f. Gesch. d. Feudalismus, 82, Bd 6, p. 123-136.

2967. SEHI (Meinrad). Die Bettelorden in der Seelsorgsgeschichte der Stadt und des Bistums Würzburg bis zum Konzil von Trient. Eine Unters. über d. Mendikantenseelsorge unter bes. Berücks. d. Verhältnisse in Würzburg. Würzburg, Echter-Verl., 81, in-8, 508 p. (Ill.). (Forsch. z. fränk. Kirchen- u. Theologiegesch.)

2968. SHAHAR (S.). Des lépreux pas comme les autres: l'ordre de Saint-Lazare dans le royaume latin de Jérusalem. R. hist., 82, t. 267, p. 19-41.

2969. VALTER (Ilona). Die archäologische Erschließung des Zisterzienserklosters von Bélapátfalva [Ungarn]. Acta archaeol. Acad. Sci. hungaricae, 81, vol. 33, p. 179-200.

2970. WISPLINGHOFF (Erich). Untersuchungen zur frühen Geschichte des Benediktinerklosters St. Pantaleon in Köln. Arch. f. Diplomatik, 82, Bd 28, p. 38-57.

Cf. n°s 2686, 3090.

d. Hagiographie[1].

2971. Atti del Simposio internazionale cateriniano-bernardiniano, Siena, 17-20 aprile 1980. Siena, Acad. senese degli Intronati, 82, in-8, VII-994 p.

2972. GOODICH (Michael). Vita perfecta. The ideal of sainthood in the thirteenth century. Stuttgart, Hiersemann, 82, in-8, VIII-290 p. (Monogr. z. Gesch. d. M.-A., 25)

2973. MARC'HADOUR (Germain). Saint Bernard et saint Thomas More. Collectanea cisterc., 82, t. 44, p. 26-59.

2974. REZEAU (Pierre). Les prières aux saints en français à la fin du moyen âge. Introduction. Les prières à plusieurs saints. Genève, Droz, 82, in-8, 240 p. (Publ. romanes et franç., 163)

2975. NAHMER (Dieter von der). Die Bibel im **Adalhard**leben des Radbert von Corbie. Studi mediev., 82, ser. 3, a. 23, p. 15-83.

2976. RAY (Roger). What do we know

---

1. Classement dans l'ordre alphabétique de la forme latine des noms des saints.

about Bede's Commentaries? Rech. Théol. anc. méd., 82, t. 82, p. 5-20.

2977. Centenario (XV) della nascita di San **Benedetto**. At. Soc. ligure Stor. pa., 82, n. s., vol. 22, p. 39-60. [Contiene i riassunti delle conferenze di: G. ARNALDI, C. LEONARDI, M. PELLEGRINO, V. POLONIO, A. PRATESI, S. PRIOCCO, D. PUNCUH.]

2978. BOUGEROL (Jacques Guy), O. F. M. Sermons médiévaux en l'honneur de saint **François**. Arch. francisc. hist., 82, a. 75, p. 382-415. - Centenario (VIII) della nascita di San Francesco. At. Soc. ligure Stor. pa., 82, n. s., vol. 22, p. 75-83. [Contiene i riassunti delle conferenze di: J. G. BOUGEROL, P. BREZZI, G. CRACCO, C. LEONARDI, R. RUSCONI, P. SMIRAGLIA.] - DESBONNETS (T.). La diffusion du culte de saint François en France d'après les bréviaires manuscrits étrangers à l'ordre. Arch. francisc. hist., 82, a. 75, p. 153-215. - DI FONZO (Lorenzo). Per la cronologia di S. Francesco. Gli anni 1182-1212. Misc. francesc., 82, a. 82, p. 1-115. - SCHMITT (Clément). L'apport de l'Archivum franciscanum historicum sur sur saint François (1908-1981). Arch. francisc. hist., 82, a. 75, p. 3-71.

2979. STOCLET (Alain J.). **Fulrad** de Saint-Denis (v. 710-784), abbé et archiprêtre de monastères "exempts". Moyen Age, 82, t. 88, sér. 4, t. 37, p. 205-235.

2980. SAXER (Victor). Le culte et la légende hagiographique de saint **Guillaume de Gellone**. In: Mélanges R. Louis [Cf. n° 519], p. 565-589.

2981. **Maximus Confessor**: Actes du symposium sur Maxime le Confesseur, Fribourg, 2-5 sept. 1980. Ed. par Felix HEINZER et Christoph SCHÖNBORN. Fribourg, Ed. universitaires, 82, 82, in-8, 438 p. (Paradosis, 27)

2982. HORSTKÖTTER (Ludger). **Norbert**-Patrozinien und Stätten besonderer Norbert-Verehrung in Deutschland. Ein Beitrag z. 400. Gedenktag d. Heiligsprechung Norberts durch Papst Gregor XIII. Analecta praemonstratensia, 82, t. 58, p. 5-34.

2983. GAMBER (K.). Die kirchlichen und politischen Verhältnisse in den oberen Donauprovinzen zur Zeit **Severins**. Verh. f. Oberpfalz, 82, Bd 122, p. 255-270. - GENSER (Kurt). Neues zu einigen Wirkungsstätten des heiligen Severin. Mitt. d. Ges. f. salzburg. Landeskde, 82, Bd 122, p. 61-70.

2984. LARSSON (Lars-Olof). Den helige **Sigfrid** och Växjö stifts äldsta historia: metod- och materialfrågor kring problem i tidigmedeltida kyrkohistoria. (St. Sigfrid and the earliest history of Växjö diocese [Sweden].) Kyrkohist. Årsskr., 82, vol. 82, p. 68-94. [Eng. summary]

2985. St. **Thomas Cantilupe**, bishop of Hereford. Essays in his honour. Hereford, Friends of Hereford Cathedral, 82, in-8, 190 p.

2986. VAN MOOLEN BROEK (J. J.). **Vitalis van Savigny** (†1122). Bronnen en vroege cultus. (Vital de Savigny. Sources et débuts de son culte.) Met editië van diplomat. teksten. Amsterdam, Acad. Pers, 82, in-8, 489 p.

Cf. n° 2517.

e. Travaux particuliers.

* 2987. FERRARA (Mario). Nuova bibliografia savonaroliana. Vaduz, Topos, 81, in-8, 230 p.

2988. AMBERG (Gottfried). Ceremoniale Coloniense. Die Feier d. Gottesdienstes durch d. Stiftskapitel an d. Hohen Domkirche in Köln bis zum Ende d. reichsstädt. Zeit. Siegburg, Schmitt, 82, in-8, 227 p. (Ill., graph. Darst.). (Stud. z. Kölner Kirchengesch., 17)

2989. ARDUINI (Maria Lodovica). Ruperto di Deutz tra riforma della chiesa ed escatologia. Rech. Théol. anc. méd., 82, t. 49, p. 90-120.

2990. AUBRUN (Michel). L'ancien diocèse de Limoges, des origines au milieu du XIe siècle. Clermont-Ferrand, Inst. d'Etudes du Massif Central, 81, in-8, 468 p.

2991. BARBER (Malcolm). The Templars and the Turin shroud. Cath. hist. R., 82, vol. 68, n° 2, p. 206-225.

2992. BARSTOW (Anne Llewellyn). Married priests and the reforming papacy: the eleventh century debates. New York a. Toronto, Edwin Mellen, 82, in-8, XI-275 p. (Texts a. Stud. in Religion, 12)

2993. BARTLETT (Robert). Gerald of Wales, 1146-1223. London, Oxford U. P., 82, in-8, 246 p. (Oxford Hist. Monogr.)

2994. BELLAVISTA (J.). La liturgía a Catalunya en els segles de transició de l'Alta a la Baixa Edad Mitjana. R. catal. Teol., 81, t. 6, p. 127-156. [Eng. summary]

2995. BENE (Eduard). La rénovation de l'abbaye de Tihany. In: Objet et méthodes de l'histoire de la culture [Cf. n° 607], p. 161-167.

2996. BERNSTEIN (Alan E.). Esoteric theology: William of Auvergne on the fires of hell and purgatory. Speculum, 82, vol. 57, n° 3, p. 509-531.

2997. BLÖCKER (Monica). Wetterzauber. Zu einem Glaubenskomplex des frühen Mittelalters. Francia [München], 81 [82], Bd 9, p. 117-131.

2998. BOESPLUG (François-Dominique). Animal symbolicum: imaginaire et symbole chez Gilbert Durand. R. Sci. phils. théol., 81, t. 65, p. 573-592.

2999. BOOCKMANN (Hartmut). Der Streit um das Wilsnacker Blut. Zur Situation d. deutsch. Klerus in d. Mitte d. 15 Jh. Z.

f. hist. Forsch., 82, Bd 9, p 385-408.

2999a. BOULIER (Jean). Jean Hus. Bruxelles, Complexe, 82, in-8, 306 p. (ill., 3 cartes). (Le temps et les hommes).

3000. BOUTHILLIER (Denise), TORRELL (Jean-Pierre). De la légende à l'histoire. Le traitement du "miraculum" chez Pierre le Vénérable et chez son biographe Raoul de Sully. Cah. Civ. méd., 82, t. 25, p. 81-99.

3001. BRANN (Noel J.). The proto-protestant assault upon Church magic: the "Errores Bohemanorum" according to the abbot Trithemius (1462-1516). J. relig. Hist., 82, vol. 12, p. 9-22.

3002. BYNUM (Caroline Walker). Jesus as mother: studies in the spirituality of the high middle ages. Berkeley a. Los Angeles, Univ. of California Press, 82, in-8, XIV-279 p.

3003. CHATILLON (Jean). Le mouvement théologique dans la France de Philippe Auguste. In: La France de Philippe Auguste [Cf. n° 237], p. 881-902.

3004. CHENEY (Christopher R.). The English church and its laws, 12th to 14th centuries. London, Variorum Repr., 82, in-8, 346 p.

3005. CHOUX (Jacques). La Lorraine chrétienne au moyen âge: recueil d'études. Metz, Ed. Serpenoise, 81, in-8, 350 p. (ill.).

3006. CRONE (Marie-Luise). Untersuchungen zur Reichskirchenpolitik Lothars III. (1125-1137) zwischen reichskirchlicher Tradition und Reformkurie. Frankfurt (Main) u. Bern, Lang, 82, in-8, 398 p. (Europ. Hochschulschr. Reihe 3: Gesch. u. ihre Hilfswiss., 170)

3007. CURTO HOMEDES (Albert). Notes sobre l'eremitisme català baixmedieval. Acta hist. archaeol. mediev., 82, a. 3, n° 3, p. 71-92.

3008. DAHAN (Gilbert). L'exégèse de l'histoire de Caïn et Abel du XIIe au XIVe siècle en Occident. Rech. Théol. anc. méd., 82, t. 49, p. 21-89.

3009. EVANS (G. R.). The place of Odo of Soisson's Quaestiones. Problem-solving in mid-twelfth century Bible study and some matters of logic and language. Rech. Théol. anc. méd., 82, t. 49, p. 121-140.

3010. FLECKENSTEIN (Josef). Über das Aachener Marienstift als Pfalzkapelle Karls des Großen. In: Festschr. f. B. Schwineköper [Cf. n° 527], p. 19-28.

3011. FLORI (Jean). La chevalerie selon Jean de Salisbury (nature, fonction, idéologie). R. Hist. ecclés., 82, vol. 77, p. 35-77.

3012. FOIS (Mario). La critica dell'arcivescovo di Toledo, Pedro Tenorio, al trattato del card. Pierre Flandrin sull'inizio dello Scisma d'Occidente (settembre

1379). Hispania sacra, 81, t. 33, p. 563-592.

3013. GAUDEMET (Jean). Le célibat ecclésiastique. Le droit et la pratique du IXe au XIIIe siècle. Z. d. Savigny-Stiftung f. Rechtsgesch. Kanon. Abt., 82, Bd 99 (68), p. 1-31.

3014. GORRE (Renate). Die ersten Ketzer im 11. Jahrhundert, religiöse Eiferer - soziale Rebellen? Zum Wandel d. Bedeutung religiöser Weltbilder. Konstanz, Hartung-Gorre, 82, in-8n 346 p. (Konstanzer Diss., 4)

3015. GÓRSKI (Karol). Problemy chrystianizacji w Prusach, Inflantach i na Litwie. (Problèmes de la christianisation en Prusse, Livonie et Lituanie [XIIIe-XVIe s.].) Komunikaty maz.-warm., 82, a. 31, n° 3, p. 151-168.

3016. GRABOÏS (Arieh). Le schisme de 1130 et la France. R. Hist. ecclés., 81, vol. 76, p. 593-612.

3017. GUILLOT (Olivier). La conversion des Normands peu après 911: des reflets contemporains à l'historiographie ultérieure (Xe-XIe siècles). Cah. Civ. méd., 81, a. 24, p. 101-116, 181-219.

3018. GUILLOTEL (Hubert). L'exode du clergé breton devant les invasions scandinaves. M. Soc. Hist. Archéol. Bretagne, 82, t. 59, p. 269-315.

3019. GUNNES (Erik). Prester og deier - sølibatet i norsk middelalder. (Priests and maids - the celibacy in medieval Norway.) In: Hammarspor. Oslo, Univ.forl., 82, p. 20-44.

3020. HEIMMEL (Jennifer P.). "God is our mother": Julian of Norwich and the medieval image of Christian feminine divinity. Salzburg, Inst. f. Anglistik u. Amerikanistik, Univ. Salzburg, 82, in-8, III-111 p. (Elizabethan a. Renaissance Stud., 92, 5. Salzburg Stud. in Eng. literature)

3021. HOLBACH (Rudolf). Stiftsgeistlichkeit im Spannungsfeld von Kirche und Welt. Studien z. Gesch. d. Trierer Domkapitels u. Domklerus im Spätmittelalter. T. 1, 2. Trier, Trierer Hist. Forschungen, 82, 2 vol. in-8, 362 p., p. 363-781 (Kt.). (Trierer hist. Forsch., 2)

3022. HOWELL (M.). Abbatial vacancies and the divided Mensa in medieval England. J. eccles. Hist., 82, vol. 33, p. 173-192.

3023. JEHL (Rainer). Die Geschichte des Lasterschemas und seiner Funktion: von der Väterzeit bis zur Karolingischen Erneuerung. Franzisk. Stud., 82, Bd 64, p. 201-359.

3024. KADLEC (J.). Studien und Texte zum Leben und Wirken des Prager Magisters Andreas von Brod. Münster, Aschendorff, 82, in-8, XVIII-322 p. (Beitr. z. Gesch. d. Philos. u. Theol. d. M.-A., N. F., 22)

13. HISTOIRE DE L'EGLISE

3025. KERN (Udo), HOFFMANN (Fritz), FALCKE (Heino). Gespräch mit Meister Eckhart. Internat. Meister-Eckhart-Woche. Berlin, Evang. Verlagsanst., 82, in-8, 100 p. (Aufsätze u. Vorträge z. Theol. u. Religionswiss., 77)

3026. KŁOCZOWSKI (Jerzy). Kler katolicki w Polsce średniowiecznej. Problem pochodzenia i dróg awansu. (Le clergé catholique en Pologne médiévale: le problème du recrutement, de l'origine sociale et de la promotion.) Kwart. hist., 81 [82], a. 88, n° 4, p. 923-938.

3027. KOLLER-NEUMANN (Irmtraut). Die Lehen des Bistums Bamberg in Kärnten bis 1400. Klagenfurt, Verl. d. Kärtner Landesarchivs, 82, in-8, 168 p. (Das Kärtner Landesarchiv, 2)

3028. KOLMER (Lothar). Ad capiendas vulpes. Die Ketzerbekämpfung in Südfrankreich in der ersten Hälfte des 13. Jh. u. die Ausbildung d. Inquisitionsverfahrens. Bonn, Röhrscheid, 82, in-8, 258 p.

3029. KUPPER (Jean-Louis). Liège et l'Eglise impériale aux XIe-XIIe siècles. Paris, Belles Lettres, 81, in-8, 568 p. (cartes). (Biblioth. de la Fac. de philos. et lettres de l'Univ. de Liège, 228)

3030. LORCIN (Marie-Thérèse). Le clergé de l'archidiocèse de Lyon d'après les testaments des XIVe et XVe siècles. Cah. Hist., 82, t. 27, p. 125-162.

3031. McGRATH (Alister E.). Forerunners of the Reformation? A critical evaluation of the evidence for precursors of the reformation doctrine of justification. Harvard theol. R., 82, vol. 75, n° 2, p. 219-243.

3032. MAGYAR (István Lénárd). "Questio bulgarica". A kereszténység felvétele Bulgáriában. (La christianisation de la Bulgarie.) Századok, 82, vol. 116, n° 5, p. 839-879.

3033. MAKAROVA (T. I.). Arkheologičeskie dannye dlja datirovki cerkvi Ioanna Predteči v Kerči. (Archaeological data on the church of John the Precursor in Kerch.) Sovet. Arkheol., 82, n° 4, p. 91-106.

3034. MANSELLI (Raoul). Spiritualité et hétérodoxie en France au temps de Philippe Auguste. In: La France de Philippe Auguste [Cf. n° 237], p. 905-926.

3035. MARTINET (Suzanne), MERLETTE (Bernard). Ganelon, évêque de Laon, contemporain de Charlemagne. In: Mélanges R. Louis [Cf. n° 519], p. 67-84.

3036. MILLET (Hélène). Les chanoines du chapitre cathédral de Laon, 1272-1412. Rome, Ecole franç. de Rome, 82, in-8, 548 p.

3037. MISONNE (Daniel). Gérard de Brogne et sa dévotion aux reliques. Sacris erudiri, 82, t. 25, p. 1-26. [Gérard de Brogne: abbé de St.-Pierre au Mont Blandin de Gand]

3038. MOLNAR (Amedeo). La letteratura taborita. R. Stor. Letter. relig., 82, a. 18, p. 3-32.

3039. MONTAGNES (Bernard), O. P. La répresssion des sacralités populaires en Languedoc au XVe siècle. Arch. Fr. Praedicatorum, 82, t. 52, p. 155-185.

3040. MORLION (Carla). De onuitgegeven kloosterkroniek van het St.-Agneeteconvent als bron voor de deugtenspiegel en spiritualiteitsbelcving bij de vrouwelijke Moderne Devoten (Gent, 1434-1535). (La chronique inédite du couvent de Sainte-Agnès comme miroir des vertus et de la spiritualité des Dévots modernes féminins à Gand.) Ons geest. Erf, 82, t. 56, p. 342-362.

3041. MÜLLER (Heribert). Zur Prosopographie des Basler Konzils: französische Beispiele. Annu. Hist. Concil., Jg. 14, p. 140-170.

3042. MÜLLER (Iso). Zum Churer Bistum im Frühmittelalter. Schweiz. Z. f. Gesch., 81, vol. 31, p. 277-307.

3043. NAGY (András). Savonarola-kisérlet. (La tentative de Savonarole). Budapest, Magvető, 82, in-8, 153 p.

3044. OAKLEY (Francis). Natural law, the Corpus mysticum and consent in conciliar thought from John of Paris to Matthias Ugonius. Speculum, 81, vol. 56, p. 786-810.

3045. OLSEN (Glenn W.). Reform after the pattern of the primitive church in the thought of Salvian of Marseilles. Cath. hist. R., 82, vol. 68, n° 1, p. 1-12.

3046. PIETRI (Luce). La succesion des premiers évêques tourangeaux: essai sur la chronologie de Grégoire de Tours. Mél. Ec. franç. Rome, Moyen Age, Temps mod., 82, t. 94, p. 551-619.

3047. PODSKALSKY (Gerhard). Christentum und theologische Literatur in der Kiever Rus' (988-1237). München, Beck, 82, in-8, XII-361 p.

3048. ROCHÉ (Déodat). Les Cathares et l'amour spirituel. Cah. Et. cathares, 82, a. 33, sér. 2, n° 94, p. 3-39.

3049. ROLL (Eugen). Die Waldenser. Aufbruch in eine neue Zeit. Stuttgart, Mellinger, 82, in-8, 313 p. (28 Ill., 1 Kt.).

3050. RUDT DE COLLENBERG (Wipertus H.). Les cardinaux de Chypre Hugues et Lancelot de Lusignan. Arch. Hist. pontif., 82, vol. 20, p. 83-128. - IDEM. Le royaume et l'Eglise de Chypre face au Grand Schisme (1378-1417) d'après les Registres des Archives du Vatican. Mél. Ec. franç. Rome, Moyen Age, Temps mod., 82, t. 94, p. 621-701.

3051. ŠČAPOV (Ja. N.). Pamjatniki cerkovnogo prava IX-XII vv. Drevnej Rusi i slavjanskikh stran. (Monuments of church law in old Russia and Slavic countries, 9th-12th cent.) Opyt sravnit.-ist. izučenija. Ist. Zap., 82, n° 107, p. 303-331.

3052. SCHIMMELPFENNIG (Bernhard). Die Degradation von Klerikern im späten Mittelalter. Z. f. Religions- u. Geistesgesch., 82, Bd 34, p. 305-323.

3053. SCHMIDT (Tilmann). Die Propstei von Nordhausen im Jahre 1320 zwischen päpstlichem Besetzungs- und königlichem Vorschlagsrecht. Deutsch. Arch. f. Erforsch. d. M.-A., 82, Jg. 38, p. 460-498.

3054. SCHWINEKÖPER (Berent). Christus-Reliquien-Verehrung und Politik. Stud. über d. Mentalität d. Menschen des frühen Mittelalters, insbes. über d. religiöse Haltung u. sakrale Stellung d. früh- u. hochmittelalterl. deutschen Kaiser u. Könige. Bl. f. deutsche Landesgesch., 81, Jg. 117, p. 183-281.

3055. ŠEMKOV (Georgi). Der Einfluß der Bogomilen auf die Katharer. Saeculum, 81, Bd 32, p. 349-373.

3056. SIEBEN (Hermann Josef). Der Konzilstraktat des Nikolaus von Kues De concordantia catholica. Annu. Hist. Concil., 82, Jg. 14, p. 171-226.

3057. SILVESTRE (Hubert). Que nous apprend Renier de Saint-Laurent [à Liège] sur Rupert de Deutz. Sacris erudiri, 82, t. 25, p. 49-97.

3058. STERNS (Indrikis). Crime and punishment among the Teutonic Knights. Speculum, 82, vol. 57, n° 1, p. 84-111.

3059. [TÓTH (Imre), H.] TOT (I.), H. Služebnaja mineja na mesjac fevral' pervoj poloviny XII v. (La liturgie pour le mois de février datant de la 1e moitié du XIIe s.) Diss. slavicae, 81, Suppl., p. 140-162 (1 pl.). [Le ms. n° 103 des Archives Centrales d'Etat à Moscou]

3060. Troisième (Le) concile du Latran (1179). Sa place dans l'histoire. Table ronde du C. N. R. S. (26 avril 1980), Paris. Ed. par Jean LONGERE. Préf. d'E. MOLLAT. Paris, Etudes augustiniennes, 82, in-8, 153 p.

3061. Vita religiosa, morale e sociale ed i concili di Split (Spalato) dei secc. X-XI. Atti del Symposium internazionele di storia ecclesiastica, Split, 26-30 settembre 1978. A cura di A. G. MATANIĆ. Padova, Antenore, 82, in-8, XXVII-568 p. (Medioevo e Umanesimo, 49)

3062. VITOLO (Giovanni). Istituzioni ecclesiastiche e vita religiosa dei laici nel Mezzogiorno medievale. Il codice della Confraternità di S. Maria di Montefusco, sec. XI. Roma, Herder, 82, in-8, XVI-208 p. (Italia sacra, 34)

3063. VOGEL (Jörgen). Zur Kirchenpolitik Heinrichs IV. nach seiner Kaiserkrönung und zur Wirksamkeit der Legaten Gregors VII. und Clemens' (III.) im deutschen Reich 1084/85. Frühmittelalterl. Stud., 82, Bd 16, p. 161-192.

3064. WARD (Benedicta). Miracles and the medieval mind: theory, record, and event, 1000-1215. Philadelphia, Univ. of Pennsylvania Press, 82, in-8, X-320 p. (The Middle Ages)

3065. WATTS (Pauline Mofitt). Niclaus Cusanus, a 15th century vision of man. Leiden, Brill, 82, in-8, IX-248 p. (8 fig.). (Stud. in the Hist. of Christian Thought, 30)

Cf. n°s 2216, 2256, 2404, 2596.

§ 14. Histoire du peuplement.
Toponomastique. Urbanisme.

3066. ABERG (F. A.), BROWN (Anthony Ernest). Mediaeval moated sites in North-West Europe. London, Brit. Archaeol. Rep., 82, in-4, 196 p. (ill., fig.).

3067. ARNOLD (C. J.). Anglo-Saxon cemeteries on the Isle of Wight. London, Brit. Museum Publ., 82, in-4, 208 p. (ill.).

3068. BEEBY (S.) a. others. Great Moravia: the archaeology of 9th century Czechoslovakia. London, Brit. Mus. Publ., 82, in-4, 48 p. (ill., map).

3069. Beiträge zum hochmittelalterlichen Städtewesen. Hrsg. v. Bernhard DIESTELKAMP. Köln u. Wien, Böhlau, 82, in-4, XXVI-235 p. (18 graph. Darst. u. Kt.). (Städteforsch., Reihe A: Darst., 11)

3070. Beiträge zum spätmittelalterlichen Städtewesen. Hrsg. v. Bernhard DIESTELKAMP. Köln u. Wien, Böhlau, 82, in-4, XX-169 p. (6 graph. Darst., Kt.). (Städteforsch., Reihe A: Darst., 12)

3071. BELJAEVA (S. A.). Južnorusskie zemli vo vtoroj polovine XIII - XIV v. Po materlialam arkheologičeskikh issledovanij. (South Russian lands in the second half of the 13th and the 14th cent. On the basis of archaeological researches.) Kiev, Naukova dumka, 82, 118 p.

3072. BOHÁČ (Zdeněk). Katastry - málo využitý pramen k dějinám osídlení. (Die Kataster - eine wenig verwertete Quelle für die Siedlungsgeschichte.) Hist. Geogr., 82, vol. 20, p. 15-87.

3073. CASE (H. J.), WHITTLE (A. W. R.). Settlement patterns in the Oxford region: excavations at the Abingdon causewayed enclosure and other sites. London, Council for Brit. Archaeol., 82, in-8, 160 p. (ill.).

3074. ČERNÝ (Ervín). Dosavadní výsledky a závěry historickogeografického výzkumu zaniklých středověkých osad a jejich plužin na Drahanské vrchovině. (Die bisherigen Ergebnisse u. Schlußfolgerungen d. hist.-geogr. Erforschung v. Wüstungen u. ihren Feldfluren auf d. Drahaner Hügelland [Mähren].) Hist. Geogr., 82, vol. 20, p. 89-110.

3075. Chronique des fouilles médiévales en France. [Cf. Bibl. 81, n° 2586.] Archéol. méd., 82, t. 12, p. 297-391.

3076. CONRAD (Klaus). Urkundliche Grundlagen einer Siedlungsgeschichte Pommerns bis 1250. Z. f. Ostforsch., 82, Jg. 31, p. 337-360 (2 Kt.). [Eng. summary]

3077. DELACAMPAGNE (Florence). Seigneurs, fiefs et mottes du Cotentin (Xe-XIIe siècles): étude historique et topographique. Archéol. méd., 82, t. 12, p. 175-207.

3078. DEL GIUDICE (Carlo Alberto). Toponimi prediali in territorio Carrarese. At. M. Deput. Stor. pa. antiche Prov. modenesi, 82, s. 11, vol. 4, p. 359-372.

3079. ENNEN (Edith). Stadterhebungs- und Stadtgründungspolitik der Kölner Erzbischöfe. In: Festschr. f. B. Schwineköper [Cf. n° 527], p. 337-353.

3080. FEVRIER (Paul-Albert). Problèmes de l'habitat du Midi méditerranéen à la fin de l'antiquité et dans le moyen âge. Jb. d. röm.-german. Zentralmus. Mainz, 78 [82], Bd 25, p. 208-247 (ill., cartes).

3081. GEUENICH (Dieter). Zur Landnahme der Alemannen. Frühmittelalter. Stud., 82, Bd 16, p. 25-44.

3082. GIESE (Wolfgang). Zur Bautätigkeit von Bischöfen und Äbten des 10. bis 12. Jahrhunderts. Deutsch. Arch. f. Erforsch. d. M.A., 82, Jg. 38, p. 388-438.

3083. GUALAZZINI (Ugo). Ricerche sulla formazione della città nova di Cremona dall'età bizantina a Federico II. Contributi storico-giuridici sulla genesi dei centri urbani. Milano, Giuffrè, 82, in-8, IV-160 p. (tav.). Pubbl. della Fac. di Giurispr., Univ. di Parma, 51)

3084. GUIRAUD (Jean-François). Le réseau de peuplement dans le duché de Gaëte du Xe au XIIIe siècle. Mél. Ec. franç. Rome, Moyen Age, Temps mod., 82, t. 94, p. 485-511.

3085. HELLE (Knut). Kongssete og kjøpstad: fra opphavet til 1536. (The King's residence and city: from the beginning until 1536.) Bergen, Univ.forl., 82, XVII-998 p. (ill.). (Bergen bys historie, 1)

3086. IRGANG (Winfried). Neuere Urkundenforschungen zur Siedlungsgeschichte Schlesiens und Kleinpolens. Z. f. Ostforsch., 82, Jg. 31, p. 361-384. [Eng. summary]

3087. JAKOB (H.). Der Klotzgau - ein slawischer Kleingau am Rande der Fränkischen Alb. Z. f. Archäol., 82, Bd 16, p. 95-112 (7 Abb., Kt.). - IDEM. Die ur- und frühgeschichtliche Besiedlung zwischen Elbtalweitung und oberem Osterzgebirge. Arbeits- u. Forsch.-Ber. z. sächs. Bodendenkmalpflege, 82, Bd 24/25, p. 25-137 (4 Kt.).

3088. JANECZEK (Andrzej). Osadnictwo województwa bełskiego XIV - XVI w. w źródłach i historiografii Rusi Czerwonej. (La colonisation de la voïvodie de Belz aux XIVe-XVIe s. dans les sources et l'historiographie de la Russie Rouge.) Kwart. Hist. Kult. mater., 82, a. 30, n° 1, p. 67-81.

3089. KUBINYI (András). Burgstadt, Vorburgstadt und Stadtburg. Zur Morphologie des mittelalterlichen Buda. Acta archaeol. Acad. Sci. hungaricae, 81, vol. 33, p. 161-178.

3090. LINGENBERG (Heinz). Die Anfänge des Klosters Oliva und die Entstehung der deutschen Stadt Danzig. Die frühe Gesch. d. beiden Gemeinwesen bis 1308/10. Stuttgart, Klett-Cotta, 82, in-8, 503 p. (graph. Darst., Kt.). (Kieler hist. Stud., 30)

3091. MATEI (Mircea D.), EMANDI (Emil I.). Habitatul medieval rural din Valea Moldovei şi din bazinul Someşului Mare. Secolele XI-XVII. (L'habitat médiéval rural dans la vallée de la Moldova et le bassin du Grand Someş, XIe-XVIIe s.) Bucureşti, Ed. Academiei, 82, in-8, 196 p. (35 fig.).

3092. METZLER (Jeannot), ZIMMER (Johny), BAKKER (Lothar). Ausgrabungen in Echternach. Mit Beitr. v. J. BINTZ, E. GROESSENS, G. VANDENVEN, R. WEILLER. Luxembourg, Publ. du Ministère des Affaires culturelles, 81, in-4, 394 p. (ill., 10 pl.).

3093. Per una storia delle dimore rurali. [Atti dell'incontro di Cuneo, 8-9 dicembre 1979.] Archeol. mediev., 82, a. 9, p. 7-436.

3094. Paysage (Le) urbain au moyen âge. Actes du 11e Congrès des historiens médiévistes de l'enseignement supérieur, Univ. de Lyon II et III, juin 1980. Lyon. Presses univ. de Lyon, 81, in-8, 280 p. (ill.).

3095. Pommern und Mecklenburg. Beitr. z. mittelalt. Städtegesch. Hrsg. v. Roderich SCHMIDT. Köln u. Wien, Böhlau, 81, in-8, VIII-157 p. (Veröff. d. Hist. Komm. f. Pommern, Reihe 5: Forsch. z. pommerschen Gesch., 19)

3096. RICHTER (Miroslav). Hradišťko u Davle - městečko ostrovského klášstera. (Hradišťko bei Davle - eine Kleinstadt d. Ostrover Klosters.) Praha, Academia, 82, in-4, 324 p. (64 fig.). (Monumenta archaeologica, 20)

3097. SANTORO (Lucio). Castelli angioini e aragonesi nel Regno di Napoli. Milano, Rusconi immagini, 82, in-8, 254 p. (fig.). (I castelli)

3098. SCHULZE (Hans K.). Der Anteil der Slawen an der mittelalterlichen Siedlung nach deutschem Recht in Ostmitteldeutschland. Z. f. Ostforsch., 82, Jg. 31, p. 321-336 (4 Kt.). [Eng. summary]

3099. SIMON (K.). Zur Anthropologie der spätslawischen Landbevölkerung von Schirmenitz, Kr. Oschatz. Arbeits- u. Forsch.-Ber. z. sächs. Bodendenkmalpflege, 82, Bd 24/25, p. 173-310 (44 Abb., 27 Tab., Kt.).

3100. ŠMAHEL (František). Základy města: Tábor 1432-1452. (Die Grundsteine der Stadt: Tabor 1432-1452.) Husit. Tábor, 82, vol. 5, p. 7-134.

3101. SPORS (Józef). Lokalizacja miasta

lokacyjnego na prawie lubeckim w Gdańsku w drugiej połowie XIII i na początku XIV w. (La localisation de la ville fondée à Gdańsk selon le droit de Lübeck dans la seconde moitié du XIIIe et au début du XIVe s.) Roczn. Gdański, 82, vol. 42, fasc. 1, p. 17-81.

3102. STEURS (Willy). La région entre Dommel et Peel (Brabant septentrional). Peuplement rural, géographie politique et création de villes, 1200-1400 environ. R. belge Philol. Hist., 82, t. 60, p. 791-808.

3103. ZOLNAY (László). Az elátkozott Buda. - Buda aranykora. (Buda damné. - L'âge d'or de Buda.) Budapest, Magvető, 82, in-8, 605 p.

3104. ZOPFI (Fritz). Spuren und Probleme des alemannisch-romanischen Berührungsprozesses im Glarnerland. Schweiz. Z. f. Gesch., 82, Bd 32, p. 239-269.

Cf. n°s 500, 1074, 1104, 2461, 2620, 2733, 2844.

K

EPOQUE MODERNE, OUVRAGES GENERAUX

§ 1. Généralités. 3105-3174. - § 2. Histoire par Etats. 3175-4326. - § 3. Découvertes géographiques. 4327-4338.

§. 1. Généralités.

* 3105. Bibliographie zur Zeitgeschichte, 1953-1980. Im Auftr. d. Inst. f. Zeitgesch. München hrsg. v. Thilo VOGELSANG u. Hellmuth AUERBACH. Unter Mitarb. v. Ursula van LAAK. Bd 1: Allgemeiner Teil. Hilfsmittel - Geschichtswiss. Gesellschaft u. Politik. Biogr. Bd 2: Geschichte des 20. Jahrhunderts bis 1945. Allg. Gesch. - Europ. Gesch. - Gesch. d. I. Weltkrieges - Deutsche Gesch. - Gesch. einzelner Staaten - Gesch. d. II. Weltkrieges. München, New York, London u. Paris, Saur, 82, 2 vol. in-4, XVI-445, VIII-559 p.

* 3106. BRUNSCHWIG (Henri). Bulletin historique: Afrique noire, 1979-1981. R. hist., 82, a. 106, t. 267, p. 125-162. [Cf. Bibl. 78-79, n° 6995]

* 3107. Jahresbibliographie. Bibliothek für Zeitgeschichte, Weltkriegsbücherei, Stuttgart. Jahrgang 52: 1980. Jahrgang 53: 1981. Neue Folge d. Bücherschau d. Weltkriegsbücherei. München, Bernard u. Graefe, 81-82, 2 vol. in-8, XIV-567, XIV-645 p.

* Cf. n^{os} X, XI, 6900.

** 3108. Ameryka Łacińska w relacja Polaków. Antologia. (L'Amérique latine dans les relations des Polonais. Anthologie.) Choix, avant-propos, commentaires et annotations par Marcin KULA. Warszawa, Interpress, 82, in-8, 409 p.

** 3109. HUMBOLDT (Alexander). Lateinamerika am Vorabend der Unabhängigkeitsrevolution. Eine Anthologie v. Impressionen u. Urteilen. Aus seinen Reisetagebüchern. Zusammengestellt u. erl. durch Margot FAAK. Mit einer einleitenden Studie v. Manfred KOSSOK. Berlin, Akad.-Verl., 82, 408 p. (Abb.). (Beitr. z. Alexander-von-Humboldt-Forschung, 5)

** 3110. SAMBUCUS (Johannes). Emblemata. Antverpiae 1564. A fakszimile szövegét gondozta VARJAS Béla; a kísérő tanulmányt irta August BUCK. [Hasonmás kiad.] (Le texte du fac-similé a été soigné par - ; étude complémentaire réd. par - . [Ed. fac-sim.].) Budapest, Akadémiai Kiadó, 82, in-8, 240 p. (Etude complémentaire: 43 p.). (Bibliotheca Hungarica antiqua, 11)

3111. ALBÒNICO (Aldo). America latina. Tra nazionalismo, socialismo e imperialismo. Milano, Marzorati, 82, in-8, 292 p. (Clio, 3)

3112. ANDERLE (Ádám). Az államfejlődés alternatívái az Andok térségben a 19. szádad elején. (Alternatives de l'évolution étatique dans la région des Andes au début du XIXe s.) Századok, 82, vol. 116, n° 2, 292-300. [Ecuador, Perú, Bolivia]

3113. Aufklärung - Vormärz - Revolution. Mitteilungen d. internat. Forschungsgruppe "Demokratische Bewegungen in Mitteleuropa 1770-1850" an d. Univ. Innsbruck. Hrsg. v. Helmut REINALTER. Bd 1, 2. Innsbruck, Inn-Verl., 81-82, 2 vol. in-8, 72, 84 p.

3114. Australiana: Italia, Europa, Australia ieri e oggi. A cura di Paolo BERTINETT e Claudio GORLIER. [Atti di un Congresso tenuto a Torino nel 1980.] Roma, Bulzoni, 82, in-8, 276 p. (tav.).

3115. Avstralija i Okeanija v sovremennom mire. (Australia and Oceania in the contemporary world.) Sbornik statej. Otv. red. K. V. MALAKHOVSKIJ. Moskva, Nauka, 82, 216 p. (AN SSSR. In-t vostokovedenija)

3116. BEREND (T. Iván). Válságos évtizedek. Közép- és Kelet-Európa a két világháboru között. (Décennies de crise. L'Europe centrale et de l'Est entre les deux guerres mondiales.) Budapest, Gondolat, 82, in-8, 438 p. (16 pl.).

3117. BEST (Geoffrey). War and society in revolutionary Europe, 1770-1870. London, Fontana; New York, St. Martin's Press, 82, in-8, VI-336 p.

3118. BLANK (A. S.). Staryj i novyj fašizm. Polit.-sociol. očerk. (Old and new fascism.) Moskva, Politizdat, 82, 256 p. (ill.).

3119. BREUILLY (John). Nationalism and the state. New York, St. Martin's Press, 82, in-8, X-421 p.

3120. BUCK (Peter). People who counted: political arithmetic in the eighteenth century. Isis, 82, vol. 73, n° 266, p. 28-45.

3121. CELL (John W.). The highest stage of white supremacy: the origins of segregation in South Africa and the American South. London a. New York, Cambridge U. P., 82, in-8, XIV-320 p.

3122. CHEVALIER (François). Dictatures et légitimité en Amérique latine, particulièrement au XIXe siècle. In: Dictatures et légitimité [Cf. n° 236], p. 381-399.

3123. CHIAMA (Jean), SOULET (Jean-François). Histoire de la dissidence. Oppositions et révoltes en URSS, dans les démocraties populaires, de la mort de Staline à nos jours. Paris, Seuil, 82, in-8, 500 p.

3124. CLOGG (Richard). Balkan society in the age of Greek independence. London, Macmillan, 82, in-8, 220 p.

3125. COLLIER (Ruth Berins). Regimes in tropical Africa: changing forms of supremacy, 1945-1975. Berkeley a. Los Angeles, Univ. of California Press, 82, in-8, X-221 p.

3126. Democrazia in America latina negli anni '80. [Atti di un Congresso tenuto a Torino nel 1981.] Milano, Angeli, 82, in-8, 200 p. (Cons. reg. del Piemonte)

3127. DREISZIGER (N. F.). Mobilization for total war: Canadian, American and British experience: 1914-1918, 1939-1945. Gerrards Cross, C. Smythe, 82, in-8, XVI-155 p.

3128. DÜLMEN (Richard van). Entstehung des frühneuzeitlichen Europa, 1550-1648. Frankfurt (Main), Fischer-Taschenbuch-Verl., 82, in-8, 495 p. (33 Ill., graph. Darst.). (Fischer-Weltgesch., 24)

3129. EDWARDS (Owen Dudley). Divided treasons and divided loyalties: Roger Casement and others. Trans. roy. hist. Soc., 82, vol. 32, p. 153-174.

3130. Essais sur la formation des consciences nationales en Amérique latine. [1. Cf. Bibl. 80, n° 2728.] 2: Espace et identité nationale en Amérique latine. Par Christian GIRAULT, Wilfredo CASANOVA, Maurice BIRCKEL, Bernard LAVALLÉ, Yves AGUILA, Jean-Paul DELER. Introd. de Joseph PÉREZ. Paris, Ed. du C.N.R.S., 81, in-8, 129 p. (Coll. de la Maison des pays ibériques, 8)

3131. GOKHALE (B. K.). History of the modern world. Delhi, Himalaya Publ. House; London, J. K. Publ., 82, in-8, 535 p.

3132. HOVI (Kalervo). Eurooppalaisten talonpoikaissotien typologia. Keski- ja uuden ajan vaihde. (Typologie der europäischen Bauernkriege. Wende d. Mittelalters zur Neuzeit.) Faravid, 81, t. 5, p. 67-114. [Dt. Zsfassung]

3133. Ideology (The) of slavery in Africa. Ed. by Paul E. LOVEJOY. London, Sage Publ., 82, in-8, 311 p. (maps).

3134. Indianité, ethnocide, indigénisme en Amérique latine. GRAL [Groupe de recherches sur l'Amérique latine], Toulouse-Le Mirail [Semaine latino-américaine, mars 1980]. Paris, Ed. du C.N.R.S., 82, in-8, VIII-263 p. (Amérique latine, pays ibériques, 7)

3135. KASER (Karl). Handbuch der Regierungen Südosteuropas (1833-1980). Bd 1, 2. Graz, Inst. f. Gesch. d. Univ., 81-82, 2 vol. in-8, 634, 573 p. (Zur Kunde Südosteuropas, 2/1-2)

3136. KEMÉNY (G. Gábor). Parallelen der Nationalitätenfrage in Großbritannien und in Osteuropa im letzten Werk von Endre Arató: Die Nationalitätenfrage in Großbritannien [Cf. Bibl. 80, n° 3352]. In: Gedenkschrift E. Arató [Cf. n° 497], p. 473-494.

3137. KENNEDY (P.), NICHOLLS (Anthony). Nationalist and racialist movements in Britain and Germany before 1914. London, Macmillan, 82, in-8, 224 p.

3138. KHAČATUROV (K. A.). Latinskaja Amerika: ideologija i vnešnaja politika. (Latin America: ideology and foreign policy.) Moskva, Meždunar. otnošenija, 82, 304 p.

3139. KIERNAN (B.), BOUA (C.). Peasants and politics in Europe, 1550-1650. London, Zed Press, 82, in-8, 384 p.

3140. KOENIGSBERGER (Helmut G.). Die Krise des 17. Jahrhunderts. Z. f. hist. Forsch., 82, Bd 9, p. 143-165.

3141. KOSTIAINEN (Auvo). Santeri Nuorteva - kansainvälinen suomalainen. (S. Nuorteva - an international Finn.) Helsinki, Soc. Historica Finlandiae, 82, in-8, 224 p. (ill.). (Hist. Tutkimuksia, 120) [Eng. summary]

3142. KŘIVSKÝ (Petr). Století odchází. Světla a stíny "belle époque". (Das Jahrhundert schreitet fort. Die Licht- und Schattenseiten der "belle époque".) Praha, 82, in-8, 335 p. (32 fig., carte). (Archiv, 33)

3143. Krizis političeskoj sistemy kapitalizma v stranakh Central'noj i Jugo-Vostočnoj Evropy (Mežvoennyj period). (The crisis of the political system of capitalism in the countries of Central and South Eastern Europe. Inter-war period.) Redkol.: M. INCE, A. KLEVANSKIJ, I. KOSTJUŠKO i dr. Moskva, Nauka, 82, 232 p. (AN SSSR, In-t slavjanovedenija i balkanistiki. Veng. akad. nauk, In-t istorii)

3144. KUN (Miklós). The origins of Pan-Slavism: an attempt towards the evaluation of the Slav movements in the first half of the 19th century. In: Gedenkschrift E. Arató [Cf. n° 497], p. 167-186.

3145. LEE (Stephen J.). Aspects of European history, 1789-1970. London, Methuen, 82, in-8, 384 p.

3146. LUTZ (Heinrich). Politik, Kultur und Religion im Werdeprozeß der frühen Neuzeit. Aufsätze u. Vorträge. Hrsg. v.

1. GENERALITES

Moritz CSÁKY u. a. Klagenfurt, Univ.-Verl. Carinthia, 82, in-8, XXI-365 p.

3147. MARTIN (Michel L.). Réflexions sur la nature et la légitimité du pouvoir martial en Afrique noire contemporaine. In: Dictatures et légitimité [Cf. n° 236], p. 443-466.

3148. Men at war. Politics, technology and innovation in the twentieth century. Ed. by Timothy TRAVERS a. Christon ARCHER. Chicago, Precedent, 82, in-8, 228 p.

3149. MILZA (Pierre). Les imitations du fascisme en Europe. In: Dictatures et légitimité [Cf. n° 236], p. 285-308.

3150. NIEDERHAUSER (Emil). The rise of nationality in Eastern Europe. Budapest, Corvina, 82, in-8, 339 p. (Corvina books)

3151. Österreich und die deutsche Frage im 19. und 20. Jahrhundert. Probleme d. polit.-staatl. u. soziokulturellen Differenzierung im deutschen Mitteleuropa. Hrsg. v. Heinrich LUTZ u. Helmut RUMPLER. Wien, Verl. f. Gesch. u. Politik, 82, in-8, 348 p. (Wiener Beitr. z. Gesch. d. Neuzeit, 9)

3152. OKEY (Robin). Eastern Europe, 1740-1980: feudalism to communism. London, Hutchinson, 82, in-8, 256 p.

3153. Parlamentarismus und Demokratie im Europa des 19. Jahrhunderts. Hrsg. v. Hans-Dietrich LOOCK u. Hagen SCHULZE. Mit Beitr. v. M. BERNATH u. a. München, Beck, 82, in-8, 201 p.

3154. Pensiero (Il) reazionario: la politica e la cultura dei fascismi. A cura di Bruno BANDINI. [Atti del Congresso tenuto a Ravenna nel 1980.] Ravenna, Longo, 82, in-8, 228 p. (fig.). (IP, 8)

3155. PERRIER (Jean-François). Dictatures et légitimité en Afrique noire. In: Dictatures et légitimité [Cf. n° 236], p. 467-481.

3156. Političeskaja sistema obščestva v Latinskoj Amerike. (The political system of society in Latin America.) Otv. red.: A. F. SUL'GOVSKIJ. Moskva, Nauka, 82, 479 p. (AN SSSR. In-t Lat. Ameriki)

3157. PRIMAKOV (E. M.). Vostok posle krakha kolonial'noj sistemy. (The East after the collapse of the colonial system.) Moskva, Nauka, 82, 208 p.

3158. Probleme politischer Partizipation im Modernisierungsprozeß. Hrsg. v. Peter STEINBACH. Stuttgart, Klett-Cotta, 82, in-8, 508 p. (graph. Darst.). (Gesch. u. Theorie d. Politik, Unterreihe A: Gesch., 5)

3159. Problemy historii Słowian i Europy Środkowej w XIX i XX wieku. Zbiór stodiów. (Problèmes de l'histoire des Slaves et d'Europe Centrale aux XIXe et XXe siècles. Recueil d'études.) Wrocław, Zakł. Narod. im. Ossolińskich, 82, in-8, 146 p. (Pol. Akad. Nauk, Komitet Nauk Historycznych. Komisja Hist. Narodów Słowiańskich i Europy Środkowej w XIX i XX wieku)

3160. Profili di storia contemporanea. 4: Democrazie e totalitarismi dalla prima alla seconda guerra mondiale, 1918-1945. Di Franco GAETA. Bologna, Il mulino, 82, in-8, 522 p. (Univers. paperbacks Il mulino, 90)

3161. Bibl. 81, n° 2668. RAKHŠMIR (P. Ju.). Proiskhoždenie fašisma. (The origin of fascism.) – CR: G. S. Filatov, Nov. novejš. Ist., 82, n° 5, p. 190-192. – RAKHŠMIR (P. Ju.). Sovremennaja buržuaznaja istoriografija o genezise fašizma. (Contemporary bourgeois historiography on the genesis of fascism.) Ibid., n° 3, p. 33-48.

3162. Revolutionen der Neuzeit 1500-1917. Hrsg. u. eingel. v. Manfred KOSSOK. Berlin, Akad.-Verl., 82, in-8, 604 p.

3163. ROBINSON (R. A. H.). Fascism in Europe, 1919-1945. London, Hist. Assoc., 82, in-8, 34 p.

3164. ROSENBERG (William G.), YOUNG (Marilyn B.). Transforming Russia and China: revolutionary struggle in the twentieth century. New York, Oxford U. P., 82, in-8, XIX-397 p.

3165. ROUQUIÉ (Alain). Dictatures et légitimité dans les Etats de l'Amérique latine contemporaine. In: Dictatures et légitimité [Cf. n° 236], p. 401-414.

3166. SAMHABER (Ernst). Geschichte Europas. Bonn, Europa-Union, 82, in-8, 512 p.

3167. SKALWEIT (Stephan). Der Beginn der Neuzeit. Epochengrenze u. Epochenbegriff. Darmstadt, Wiss. Buchges., 82, in-8, IX-169 p. (Erträge d. Forsch., 178)

3168. SZABÓ (László). Magyar múlt Dél-Amerikában 1519-1900. Budapest, Európa, 82, in-8, 281 p.

3169. SZARKA (László). Problème de la continuité dans les mouvements nationaux hongrois et slovaques. Acta hist. Acad. Sci. hungaricae, 82, vol. 28, p. 147-154.

3170. Velikij Oktjabr' i revoljucii 40-kh godov v stranakh Central'noj i Jugo-Vostočnoj Evropy. (The Great October and the revolutions of the 40s in the countries of Central and South-Eastern Europe.) Opyt sravn. izuč. soc.-èkon. preobr. v. rev. processe. Redkol.: A. Ja. MANUSEVIČ (otv. red.) i dr. 2-e izd., pererab. i dop. Moskva, Nauka, 82, 535 p. (AN SSSR. In-t slavjanovedenija i balkanistiki)

3171. WOLOCH (Isser). Eighteenth-century Europe: tradition and progress, 1715-1789. London, W. W. Norton, 82, in-8, 382 p.

3172. WORTMAN (Miles L.). Government and society in Central America, 1680-1840. New York, Columbia U. P., 82, in-8, XVII-374 p.

3173. YOUNG (Crawford). Ideology and development in Africa. New Haven, Conn.,

Yale U. P., 82, in-8, XVII-376 p. (Council on Foreign Relations Books)

3174. ZAGORIN (Perez). Rebels and rulers, 1500-1660. Vol. 1: Society, States and early modern revolution, agrarian and urban rebellions. Vol. 2: Provincial rebellion, revolutionary civil wars, 1560-1660. London, Cambridge U. P., 82, 2 vol. in-8, VIII-280, VII-231 p.

Cf. n[os] 4100, 6412.

§ 2. Histoire par Etats[1].

Afghanistan.

3175. GUREVIČ (N. M.). Social'no-ėkonomičeskie predposylki revoljucii 1978 g. v Afganistane. (Socio-economic prerequisites of the revolution of 1978 in Afghanistan.) Vopr. Ist., 82, n° 7, p. 55-70.

3176. MOLTMANN (Gerhard). Die Verfassungsentwicklung Afghanistans 1919-1981. Von d. absluten Monarchie z. sozialist. Republik. Hamburg, Deutsches Orient-Inst., 82, in-8, 184 p. (Mitt. d. Deutsch. Or.-Inst., 18)

Afrique du Sud.

3177. LEWSEN (Phyllis). John S. Merriman: paradoxical South African statesman. New Haven, Conn., Yale U. P., 82, in-8, XII-431 p.

3178. THOMPSON (Leonard), PRIOR (Andrew). South African politics. New Haven, Conn., Yale U. P., 82, in-8, XII-255 p.

Albanie.

3179. SCHNYTZER (Adi). The Stalinist economic strategy in practice: the case of Albania. London, Oxford U. P., 82, in-8, 180 p. (tabl.). (Economies of the world)

Allemagne.

* 3180. Bibliographie zur Geschichte der CDU und CSU 1945-1980. Erstellt v. Gerhard HAHN. Stuttgart, Klett-Cotta, 82, in-8, LXVIII-961 p. (Forsch. u. Quellen z. Zeitgesch., 4)

* 3181. Flugblätter aus Deutschland, 1939, 1940. Bibliographie, Katalog. Klaus KIRCHNER. Erlangen, Verl. D u. C, 82, in-4, LXXXI-378 p. (Ill.). (Flugblattpropaganda im 2. Weltkrieg. Europa, 2)

* 3182. Nazi Era (The), 1919-1945. A select bibliography of published works from the early roots to 1980. Comp. by Helen KEHR a. Janet LANGMAID. London, Mansell, 82, in-8, 620 p.

* 3183. Quellenkunde zur deutschen Geschichte der Neuzeit von 1500 bis zur Gegenwart. Hrsg. v. Winfried BAUMGART. [Bd 5. Cf. Bibl. 76-77, n° 7862.] Bd 3: Absolutismus u. Zeitalter d. Französischen Revolution (1715-1815). Bearb. v. Klaus MÜLLER. Bd 4: Restauration, Liberalismus u. nationale Bewegung (1815-1870). Akten, Urkunden u. persönl. Quellen. Bearb. v. Wolfram SIEMANN. Darmstadt, Wiss. Buchges., 82, 2 vol. in-8, X-208, X-225 p.

* 3184. SHOWALTER (Dennis). Military history in Germany, 1980-1981: overview of periodical literature. Milit. Affairs, 82, vol. 46, n° 2, p. 93-96.

** 3185. Akten der Reichskanzlei. Weimarer Republik. Hrsg. f. d. Hist. Komm. b. d. Bayer. Akad. d. Wiss. v. Karl Dietrich ERDMANN, f. d. Bundesarch. v. Hans BOOMS. [Cf. Bibl. 80, n° 2792.] Die Kabinette Brüning I u. II, 30. März 1930 bis 10. Okt. 1931, 10. Okt. 1931 bis 1. Juni 1932. Bd 1: 30. März 1930 bis 28. Febr. 1931. Dokumente Nr. 1-252. Bearb. v. Tilman KOOPS. Bd 2: 1. März 1931 bis 10. Okt. 1931. Dokumente Nr. 253-514. Bearb. v. Tilman KOOPS. Boppard (Rhein), Boldt, 82, 2 vol. in-8, CVII-918 p.; XVI p., p. 919-1922.

** 3186. Akten zur Vorgeschichte der Bundesrepublik Deutschland, 1945-1949. Hrsg. v. Bundesarch. u. Inst. f. Zeitgesch. [Bd 5. Cf. Bibl. 81, n° 2694.] Bd 3: Juni-Dezember 1947. Bearb. v. Günter PLUM. München u. Wien, Oldenbourg, 82, in-8, 1062 p.

** 3187. Eingliederung (Die) der niederländischen Glaubensflüchtlinge in die Frankfurter Bürgerschaft, 1554-1596. Ausz. aus d. Frankfurter Ratsprotokollen. Veröff. v. Hermann MEINERT. Frankfurt (Main), Kramer, 81, in-8, XXXXIV620 p.

** 3188. Friedrich der Große. Hrsg. v. Otto BARDONG. Darmstadt, Wiss. Buchges., 82, in-8, XXI-580 p. (Ausgew. Quellen z. deutsch. Gesch. d. Neuzeit, 22)

** 3189. Hauptausschuß (Der) des Deutschen Reichstags 1915-1918. Eingel. v. Reinhard SCHIFFERS. Bearb. v. Reinhard SCHIFFERS u. Manfred KOCH in Verb. mit Hans BOLDT. Bd 1: 1.-45. Sitzung 1915. Bd 2: 46.-117. Sitzung 1916. Bd 3: 118.-190. Sitzung 1917. Düsseldorf, Droste, 81, 3 vol. in-4, XLV-329 p.; VIII p., p. 333-1092; VIII p., p. 1095-1822. (Quellen z. Gesch. d. Parlamentarismus u. d. polit. Parteien. Reihe 1: Von d. konstitutionellen Monarchie z. parlamentar. Republik, 9)

** 3190. Kabinettsprotokolle (Die) der Bundesregierung. Hrsg. f. d. Bundesarchiv. Bd 1: 1949. Boppard (Rhein), Boldt, 82, in-8, VII-377 p.

** 3191. Mittwoch-Gesellschaft (Die). Protokolle aus d. geistigen Deutschland 1932-1944. Hrsg. v. Klaus SCHOLDER. Berlin, Severin u. Siedler, 82, in-8, 383 p.

** 3192. Neubeginn und Restauration. Dokumente zur Vorgeschichte d. Bundesrepublik Deutschland 1945-1949. Hrsg. v. Klaus-Jörg RUHL. München, Deutsch. Ta-

---

1. Classement dans l'ordre alphabétique de la forme française des noms des Etats.

schenbuch-Verl., 82, in-8, 566 p. (dtv, 2932. dtv-Dokumente)

** 3193. Politische Korrespondenz des Herzogs und Kurfürsten Moritz von Sachsen. Bd 1: Bis zum Ende des Jahres 1543. Berlin, Akad.-Verl., 82, in-8, 762 p.

** 3194. Reichstagsbrand (Der) und Georgi Dimitroff. Inst. f. Marxismus-Leninismus beim ZK d. SED. Bd 1: Dokumente, 27. Febr. bis 20. Sept. 1933. Berlin, Dietz, 82, in-8, 633 p. (Abb.).

** 3195. STAUDINGER (Hans). Wirtschaftspolitik im Weimarer Staat. Lebenserinnerungen e. polit. Beamten im Reich u. in Preußen 1889-1934. Hrsg. u. eingel. v. Hagen SCHULZE. Bonn, Verl. Neue Ges., 82, in-8, XXV-152 p. (Arch. f. Sozialgesch., Beih. 10)

** 3196. Unter Wilhelm II. 1890-1918. Hrsg. v. Hans FENSKE. Darmstadt, Wiss. Buchges., 82, in-8, XXXI-555 p. (Quellen z. polit. Denken d. Deutschen im 19. u. 20. Jh., 8)

** 3197. Untersuchungsberichte zur republikanischen Bewegung in Hessen, 1831-1834. Hrsg. v. Reinhard GÖRISCH u. Thomas Michael MAYER. Frankfurt (Main), Insel-Verl., 82, in-8, 427 p. (Ill., Kt.).

** 3198. Weizsäcker-Papiere (Die) 1900-1932. Hrsg. v. Leonidas E. HILL. Berlin, Frankfurt (Main) u. Wien, Ullstein Propyläen, 82, in-8, 712 p.

3199. ANDERSON (Margaret Lavinia), BARKIN (Kenneth). The myth of the Puttkammer purge and the reality of the Kulturkampf: some reflections on the historiography of imperial Germany. J. mod. Hist., 82, vol. 54, n° 4, p. 647-686.

3200. Anfänge westdeutscher Sicherheitspolitik 1945-1956. Hrsg. v. Militärgeschichtlichen Forschungsamt. Bd 1: Von der Kapitulation bis zum Plevenplan. Von Roland G. FOERSTER u. a. München u. Wien, Oldenbourg, 82, in-8, XXV-940 p. (4 Graphiken, 6 Kt.).

3201. ANGERMEIER (Heinz). Reichsreform und Reformation. Hist. Z., 82, Bd 235, p. 529-604.

3202. ARENDT (Hans-Jürgen). Zur Frauenpolitik des faschistischen deutschen Imperialismus im zweiten Weltkrieg. Jb. f. Gesch., 82, Bd 26, p. 299-333.

3203. ARNDT (Helmut). Zu einigen Aspekten sozialdemokratischer Kommunalpolitik in der Weimarer Republik. Jb. f. Regionalgesch., 82, Bd 9, p. 105-119.

3204. ARNOLD (Klaus). Damit der arm man vnnd gemainer nutz iren furgang haben ... Zum deutschen "Bauernkrieg" als politischer Bewegung: Wendel Hiplers u. Friedrich Weygandts Pläne einer "Reformation" d. Reiches. Z. f. hist. Forsch., 82, Bd 9, p. 257-313.

3205. ARON (Raymond). Clausewitz - Stratege und Patriot. Hist. Z., 82, Bd 234, p. 295-316.

3206. BALFOUR (M.). West Germany, a contemporary history. London, Croom Helm, 82, in-8, 304 p.

3207. BENTELI (Marianne). Le cas de l'Allemagne national-socialiste. In: Dictatures et légitimité [Cf. n° 236], p. 247-273.

3208. BEYER (Hans). Die Revolution in Bayern 1918/19. Berlin, Deutsch. Verl. d. Wiss., 82, in-8, 192 p.

3209. BLESSING (Werner K.). Staat und Kirche in der Gesellschaft. Institutionelle Autorität u. mentaler Wandel in Bayern während d. 19. Jh. Göttingen, Vandenhoeck u. Ruprecht, 82, in-8, 422 p. (Kritische Stud. z. Geschichtswiss., 51)

3210. BROWN (Courtney). The nazi vote: a national ecological study. Am. pol. Sci. R., 82, vol. 76, n° 2, p. 285-302.

3211. BÜTTNER (Ursula). Hamburg in der Staats- und Wirtschaftskrise, 1928-1931. Hamburg, Christians, 82, in-8, 748 p. (Hamburger Beiträge zur Sozial- u. Zeitgeschichte, 16)

3212. BUFFOTOT (Patrice). Le réarmement aérien allemand et l'approche de la guerre vus par le 2e Bureau Air français. In: Deutschland u. Frankreich 1936-1939 [Cf. n° 235], p. 249-289.

3213. BURCKHARDT (Hans), ERXLEBEN (Günter), NETTBALL (Kurt). Die mit dem blauen Schein. Über d. antifaschist. Widerstand in d. 999er Formation d. faschist. deutschen Wehrmacht (1942 bis 1945). Berlin, Militärverl. d. DDR, 82, in-8, 371 p. (Abb.).

3214. CORNI (Gustavo). Stato assoluto e società agraria in Prussia nell'età di Federico II. Bologna, Il mulino, 82, in-8, 479 p. (A. dell'Istit. stor. italo-germanico. Monogr., 4. Istit. trentino di Cult., Pubbl. dell'Istit. stor. italo-germ. in Trento)

3215. CRAIG (Gordon A.). The Germans. New York, G. P. Putnam's Sons, 82, in-8, 350 p.

3216. CRANKSHAW (Edward). Bismarck. London, Macmillan, 82, in-8, 560 p.

3217. DEIST (Wilhelm). Heeresrüstung und Aggression 1936-1939. In: Deutschland u. Frankreich 1936-1939 [Cf. n° 235], p. 129-152.

3218. DOEHLER (Edgar), FISCHER (Egbert). Revolutionäre Militärpolitik gegen faschistische Gefahr. Militärpolit. Probleme d. antifaschist. Kampfes d. KPD von 1929 bis 1933. Berlin, Militärverl. d. DDR, 82, in-8, 245 p. (Militärhistor. Studien, 22. N. F.)

3219. DOMBERG (John). The Putsch that failed: Munich 1923 - Hitler's rehearsal for power. London, Weidenfeld a. Nicolson, 82, in-8, 385 p.

3220. DROBISCH (Klaus). Zeitgenössische Berichte über Nazikonzentrationslager 1933-1939. Jb. f. Gesch., 82, Bd 26, p. 103-133.

3221. DRUMMOND (Gordon D.). The German social democrats in opposition, 1949-1960: the case against rearmament. Norman, Univ. of Oklahoma Press, 82, in-8, IX-374 p.

3222. DÜLFFER (J.). Aufrüstung, Kriegswirtschaft und soziale Frage im "Dritten Reich", 1936-1939. In: Deutschland u. Frankreich 1936-1939 [Cf. n° 235], p. 409-425.

3223. DÜLMEN (Richard van). Bäuerlicher Protest und patriotische Bewegung. Z. f. bayer. Landesgesch., 82, Bd 45, p. 331-361.

3224. DUMONT (Franz). Die Mainzer Republik von 1792/93. Studien zur Revolutionierung in Rheinhessen u. d. Pfalz. Alzey, Verl. d. Rheinhess. Druckwerkstätte, 82, in-8, XII-546 p. (Allzeyer Geschichtsblätter, Sonderh., 9)

3225. EHLERT (Hans Gotthard). Die wirtschaftliche Zentralbehörde des Deutschen Reiches 1914 bis 1919. Das Problem d. "Gemeinwirtschaft" in Krieg u. Frieden. Wiesbaden, Steiner, 82, in-8, 597 p. (Beitr. z. Wi.- u. Sozialgesch., 19)

3226. ERDMANN (Karl Dietrich). Preußen. Seine Wirkung auf die deutsche Geschichte. Vorlesungen. Stuttgart, Klett-Cotta, 82, in-8, 109 p.

3227. FARKAS (Márton). A császári sas lehull. (Der kaiserliche Adler fällt.) Budapest, Kossuth Kiadó, 82, in-8, 197 p. (8 pl.). (Népszerü történelem) - CR: G. Rázsó, Hadtört. Közl., 82, vol. 29, n° 4, p. 659-661.

3228. FRICKE (Dieter). Deutscher Flottenverein und Regierung 1900-1906. Z. f. Geschichtswiss., 82, Jg. 30, p. 140-157.

3229. Geschichte der Freien Deutschen Jugend. Berlin, Neues Leben, 82, in-8, 683 p. (Abb.).

3230. Geschichte original - am Beispiel der Stadt Münster. Hrsg. v. Stadtarchiv Münster u. Stadtmuseum Münster durch Hans GALEN u. a. [1, 2. Cf. Bibl. 78-79, n° 3106.] Bd 5: Die Juden in Münster. Von d. Anfängen bis z. Gegenwart. Dokumente, Fragen, Erl., Darst. Von Diethard ASCHOFF. Bd 7: Die Hansestadt. Wirtschaftl. Verpflechtungen vom 12.-17. Jh. Dokumente, Fragen, Erl., Darst. Von Clemens von LOOZ-CORSWAREM. Bd 8: Die Gilden. Berufsgenossenschaften, Sozialverbände, Standesverbände. Dokumente, Fragen, Erl., Darst. Von Hans-Dieter HOMANN. Münster, Aschendorff, 81-82, 3 vol. in-4, 48, 16, 16 p. (Ill., Kt.).

3231. GIERSCH (Reinhard). Von der "Nationalsozialistischen Betriegszellenorganisation" zur "Deutschen Arbeitsfront" 1932-1934. Jb. f. Gesch., 82, Bd 26, p. 43-73.

3232. GIES (Horst). Konfliktregelung im Reichsnährstand: der Westfalen-Streit u. die Meinberg-Revolte. Z. f. Agrargesch., 82, Jg. 30, H. 2, p. 176-204.

3233. GOSSWEILER (K.). Kapital, Reichswehr und NSDAP 1919-1924. Berlin, Akad.-Verl., 82, in-8, 616 p. (Abb.).

3234. GRILL (Johnpeter Horst). The nazi party's rural propaganda before 1928. Central european Hist., 82, vol. 15, n° 2, p. 149-185.

3235. GRÜBLER (Michael). Die Spitzenverbände der Wirtschaft und das erste Kabinett Brüning. Vom Ende d. Großen Koalition 1929/30 bis z. Vorabend d. Bankenkrise 1931. Eine Quellenstudie. Düsseldorf, Droste, 82, in-8, 500 p. (Beitr. z. Gesch. d. Parlamentarismus u. d. polit. Parteien, 70)

3236. GRÜNTHAL (Günther). Parlamentarismus in Preußen 1848/49 - 1857/58. Preußischer Konstitutionalismus - Parlament u. Regierung in d. Reaktionsära. Düsseldorf, Droste, 82, in-8, 539 p. (Handb. d. Gesch. d. deutsch. Parlamentarismus)

3237. Gustav Stresemann. Hrsg. v. Wolfgang MICHALKA u. Marshall M. LEE. Darmstadt, Wiss. Buchges., 82, in-8, XXVII-465 p. (Wege d. Forsch., 539)

3238. HAHN (Hans-Werner). Wirtschaftliche Integration im 19. Jahrhundert. Die Hessischen Staaten u. d. Deutsche Zollverein. Göttingen, Vandehoeck u. Ruprecht, 82, in-8, 486 p. (Kritische Studien z. Geschichtswiss., 52)

3239. HAMILTON (Richard F.). Who voted for Hitler? Princeton, N. J., Princeton U. P., 82, in-8, XV-664 p.

3240. HARMAN (Christopher). The lost revolution: Germany, 1918-1923. London, Bookmarks, 82, in-8, 336 p. (maps).

3241. HAUNFELDER (Bernd). Die politischen Wahlen im Regierungsbezirk Münster, 1848-1867. Bd 1: Textteil. Bd 2: Anhang. Münster, Regensberg, 82, 2 vol. in-8, VII-509 p., p. 510-794 (Kt.).

3242. HERTZ-EICHENRODE (Dieter). Wirtschaftskrise und Arbeitsbeschaffung. Konjunkturpolitik 1925/26 u. d. Grundlagen d. Krisenpolitik Brünings. Frankfurt (Main) u. New York, Campus-Verl., 82, in-8, 317 p.

3243. HERZSTEIN (Robert Edwin). When Nazi dreams come true: the Third Reich's internal struggle over the future of Europe after a German victory. London, Sphere, 82, in-8, XII-308 p. (Abacus Books)

3244. HEYDENREUTER (Reinhard). Der landesherrliche Hofrat unter Herzog und Kurfürst Maximilian I. von Bayern (1598-1651). München, Beck, 81, in-8, XL-381 p. (Schriftenr. z. bayer. Landesgesch., 72)

3245. HÖRSTER-PHILIPPS (Ulrike). Konservative Politik in der Endphase der Weimarer Republik. Die Regierung Franz von Papen. Köln, Pahl-Rugenstein, 82, in-8, X-400 p. (Pahl-Rugenstein-Hochschulschriften, Ges.- u. Naturwiss., 102)

3246. HOFFMANN (Peter). Generaloberst Ludwig Becks militärpolitisches Denken. Hist. Z., 82, Bd 234, p. 101-121.

3247. HULL (Isabel V.). The entourage of Kaiser Wilhelm II, 1888-1918. London a. New York, Cambridge U. P., 82, in-8, XII-413 p.

3248. INGRAO (Charles). "Barbarous strangers": Hessian state and society during the American revolution. Am. hist. R., 82, vol. 87, n° 4, p. 954-976.

3249. JARAUSCH (Konrad H.). Students, society, and politics in imperial Germany: the rise of academic illiberalism. Princeton, N. J., Princeton U. P., 82, in-8, 448 p.

3250. JASPER (Gotthard). Justiz und Politik in der Weimarer Republik. Vjhefte f. Zeitgesch., 82, Jg. 30, p. 167-205.

3251. KAPPELHOFF (Bernd). Absolutistisches Regiment oder Ständeherrschaft? Landesherr u. Landstände in Ostfriesland im 1. Drittel d. 18. Jh. Hildesheim, Lax, 82, in-8, VII-486 p. (3 graph. Darst.). (Veröff. d. Hist. Komm. f. Niedersachsen u. Bremen, 24. Unters. z. Ständegsch. Niedersachsachsens, 4)

3252. KAULISCH (Baldur). Alfred von Tirpitz und die imperialistische deutsche Flottenrüstung. Eine polit. Biographie. Berlin, Militärverl. d. DDR, 82, in-8, 245 p. (Abb.).

3253. KLINKSIEK (Dorothee). Die Frau im NS-Staat. Stuttgart, Deutsche Verl.-Anstalt, 82, in-8, 177 p. (Schriftenreihe d. Vjhefte f. Zeitgesch., 44)

3254. KLOTZBACH (Kurt). Der Weg zur Staatspartei. Programmatik, pratische Politik u. Organisation d. deutschen Sozialdemokratie 1945 bis 1965. Berlin u. Bonn, Dietz, 82, in-8, 656 p.

3255. KOHLER (Henning). Das Ende Preußens in französischer Sicht. Berlin u. New York, de Gruyter, 82, in-8, X-122 p. (Veröff. d. Hist. Komm. zu Berlin, 53)

3256. KÖHLER (Alfred). Antihabsburgische Politik in der Epoche Karls V. Die reichsständische Opposition gegen die Wahl Ferdinands I. zum röm. König u. gegen d. Anerkennung seines Königstums (1524-1534). Göttingen, Vandenhoeck u. Ruprecht, 82, in-8, 444 p. (graph. Darst.). (Schriftenreihe d. Hist. Komm. bei d. Bayer. Akad. d. Wiss., 21)

3257. LACINA (Evelyn). Emigration 1933-1945. Sozialhist. Darstellung d. deutschsprachigen Emigration u. einiger ihrer Asylländer aufgrund ausgew. zeitgenöss. Selbstzeugnisse. Stuttgart, Klett-Cotta, 82, in-8, 693 p. (Beitr. z. Wirtschaftsgesch., 14)

3258. LAHNSTEIN (Peter). Die unvollendete Revolution 1848-1849. Badener u. Württemberger in d. Paulskirche. Stuttart, Berlin, Köln u. Mainz, Kohlhammer, 82, in-8, 259 p. (Ill., 1 Kt.).

3259. LANGER (Hermann). Zur faschistischen Manipulierung der deutschen Jugend während des zweiten Weltkrieges. Jb. f. Gesch., 82, Bd 26, p. 335-363.

3260. LOMBARDINI (Sandro). La guerra dei contadini in Germania: punti di arrivo e punti di partenza nel dibattito storiografico recente. Arch. stor. ital., 82, a. 140, p. 355-442.

3261. LOUGEE (Robert W.). The anti-revolution bill of 1894 in Wilhelmine Germany. Central european Hist., 82, vol. 15, n° 3, p. 224-240.

3262. ŁUKASZEWICZ (Bohdan), WRZESIŃSKI (Wojciech). IV Dzielnica Związku Polaków w Niemczech 1922-1939 (W 60 rocznicę powstania). (Le IVe Arrondissement de l'Union des Polonais en Allemagne 1922-1939. Pour le 60e anniversaire de sa fondation.) Olsztyn, Pojezierze, 82, in-8, 198 p. (Ośrodek Badań Nauk. im. W. Kętrzyńskiego w Olsztynie. Bibl. Olsztyńska, 10

3263. LUTTENBERGER (Albrecht Pius). Glaubenseinheit und Reichsfriede. Konzeptionen u. Wege konfessionsneutraler Reichspolitik 1530-1552 (Kurpfalz, Jülich, Kurbrandenburg). Göttingen, Vandenhoeck u. Ruprecht, 82, in-8, 753 p. (Schriftenreihe d. Hist. Komm. bei d. Bayer. Akad. d. Wiss., 20)

3264. LUTZ (Heinrich). Die deutsche Nation zu Beginn der Neuzeit. Fragen nach dem Gelingen u. Scheitern deutscher Einheit im 16. Jh. Hist. Z., 82, Bd 234, p. 529-559.

3265. Machtergreifung (Die) in Süddeutschland. Das Ende der Weimarer Republik in Baden u. Württemberg 1928-1933. Hrsg. v. Thomas SCHNABEL. Stuttgart, Kohlhammer, 82, in-8, 344 p. (Schr. z. polit. Landeskunde Baden-Württembergs, 6)

3266. McINTOSH (Christopher). The Swan King: Ludwig II of Bavaria. London, A. Lane, 82, in-8, 224 p.

3267. MADDEN (Paul). Some social characteristics of early nazi party members, 1919-1923. Central european Hist., 82, vol. 15, n° 1, p. 34-56.

3268. MAIER (Klaus A.). Der Aufbau der Luftwaffe und ihre strategisch-operative Konzeption, insbesondere gegenüber den Westmächten. In: Deutschland u. Frankreich 1936-1939 [Cf. n° 235], p. 292-324.

3269. MASER (Werner). Das Regime. Alltag in Deutschland, 1933-1945. München, Bertelsmann, 83, in-8, 445 p.

3270. MENK (Gerhard). Philippe Ludwig I. von Hanau-Münzenberg (1553-1580), Bildungsgeschichte und Politik eines Reichsgrafen in der zweiten Hälfte des 16. Jahrhunderts. Hess. Jb. f. Landesgesch., 82, Bd 32, p. 127-173.

3271. MIELKE (Friedrich). Preußische Monarchen und ihre denkmalpflegerischen Ambitionen. Alte Stadt, 81, Jg. 8, p. 133-151.

3272. MORGAN (David W.). Ernst Däumig and the German revolution of 1918. Central european Hist., 82, vol. 15, n° 4, p. 303-331.

3273. MÜLLER (Georg). Die Grundlegung der westdeutschen Wirtschaftsordnung im Frankfurter Wirtschaftsrat 1947 - 1949. Frankfurt (Main), Haag u. Herchen, 82, in-8, 389 p.

3274. MÜLLER (Klaus). Studien zum Übergang vom Ancien Regime zur Revolution im Rheinland. Bürgerkämpfe u. Patriotenbewegung in Aachen u. Köln. Rhein. Vjsbl., 82, Jg. 46, p. 102-160.

3275. MÜLLER (Klaus-Jürgen). Armée et politique en Allemagne dans la première partie du XXe siècle. Essai d'interprétation historique. Francia [München], 81 [82], Bd 9, p. 495-514.

3276. MÜLLER (Klaus-Jürgen). Die deutsche öffentliche Meinung und Frankreich 1933-1939. In: Deutschland u. Frankreich 1936-1939 [Cf. n° 235], p. 17-46.

3277. MUTH (Heinrich). Jugendopposition im Dritten Reich. Vjhefte f. Zeitgesch., 82, Jg. 30, p. 369-417.

3278. NISCHAN (Bodo). Calvinism, the Thirty Years' war, and the beginning of absolutism in Brandenburg: the political thought of John Bergius. Central european Hist., 82, vol. 15, n° 3, p. 203-223.

3279. NISSEN (Walter). Otto von Bismarcks Göttinger Studentenjahre, 1832-1833. Mit e. Vorw. v. Rudolf VIERHAUS. Göttingen, Vandenhoeck u. Ruprecht, 82, in-8, 53 p.

3280. OBERSCHELP (Reinhard). Niedersachsen 1760-1820. Wirtschaft, Gesellschaft, Kultur im Land Hannover u. Nachbargebieten. Bd 1, 2. Hildesheim, Lax, 82, 2 vol. in-8, XIV-375, VIII-383 p. (Ill.). (Veröff. d. Hist. Komm. f. Niedersachsen u. Bremen, 35. Quellen u. Unters. z. allg. Gesch. Niedersachsens in d. Neuzeit, 4)

3281. OTTMAR (Johann). Der Bauernaufstand von 1525 zwischen Nordschwarzwald und oberem Neckar. Glatter Schr., 82, Bd 2, p. 3-102.

3282. OTTO (Ulrich). Die historisch-politischen Lieder und Karikaturen des Vormärz und der Revolution von 1848, 1849. Köln, Pahl-Rugenstein, 82, in-8, 603 p. (Ill., Noten). (Pahl-Rugenstein-Hochschulschriften Gesellschafts- u. Naturwiss., 100. Ser. Kulturgesch.)

3283. OVERESCH (Manfred). Die Weimarer Republik. Düsseldorf, Droste, 82, in-8, 686 p. (Chronik deutsch. Zeitgesch., 1)

3284. OVERY (Richard). The Nazi economic recovery, 1932-1938. London, Macmillan, 82, in-8, 80 p.

3285. PACHTER (Henry). Weimar etudes. Forew. by Walter LAQUEUR. New York, Columbia U. P., 82, in-8, XVII-387 p.

3286. PÄTZOLD (Kurt). Der historische Platz des antijüdischen Progroms von 1938. Zu einer Kontroverse. Jb. f. Gesch., 82, Bd 26, p. 193-216.

3287. PALONEN (Kari). Politikverständnis und Politikdiskussion in Deutschland zwischen Bismarck und Hitler. Zwischenbericht eines Forschungsprojekts mit programmat. Ausgangspunkten u. Fallstudien. Helsinki, 82, in-8, 148 p. (Research reports. Dept. of Polit. Science, Univ. of Helsinki, Ser. A, 61)

3288. PARENT (Thomas). Passiver Widerstand im Preußischen Verfassungskonflikt. Die Kölner Abgeordnetenfeste. Köln, dme-Verl., 82, in-8, 503 p. (Ill.). (Kölner Schr. zu Gesch. u. Kultur, 1)

3289. PETZOLD (Joachim). Die Demagogie des Hitlerfaschismus. Die polit. Funktion d. Naziideologie auf d. Wege zur faschist. Diktatur. Berlin, Akad.-Verl., 82, in-4, XX-444 p.

3290. PFLANZE (Otto). Bismarcks Herrschaftstechnik als Problem der gegenwärtigen Historiographie. Hist. Z., 82, Bd 234, p. 561-599.

3291. PRESS (Volker). Zwischen Versailles und Wien. Die Pfälzer Kurfürsten in d. deutsch. Gesch. d. Barockzeit. Z. f. d. Gesch. d. Oberrheins, 82, Bd 130, p. 207-262.

3292. Preußische Reformen, Wirkungen und Grenzen. Aus Anlaß d. 150. Todestages d. Freiherrn vom u. zum Stein. Berlin, Akad.-Verl., 82, in-8, 167 p. (S.-B. d. Akad. d. Wiss. d. DDR: G; Jg. 1982, 1)

3293. Protestantismus und Politik. Werk u. Wirkung Adolf Stoeckers. Von Günter BRAKELMANN, Martin GRESCHAT, Werner JOCHMANN. Hamburg, Christians, 82, in-8, 252 p. (Hamburger Beitr. z. Sozial- u. Zeitgesch., 17)

3294. RICHARDI (Hans-Günter). Schule der Gewalt. Die Anfänge d. Konzentrationslagers Dachau 1933-1934. Ein dokumentarischer Bericht. München, Beck, 83, in-8, XII-331 p. (31 Ill., 1 graph. Darst.).

3295. RIETZLER (Rudolf). "Kampf in der Nordmark". Das Aufkommen d. Nationalsozialismus in Schleswig-Holstein (1919-1928). Neumünster, Wachholtz, 82, in-8, 500 p. (Stud. z. Wirtschafts- u. Sozialgesch. Schleswig-Holsteins, 4)

3296. RÖDEL (Walter G.). Pestepidemien in Mainz im 17. Jahrhundert. Scripta Mercaturae, 81 [82], p. 85-103.

3297. ROHL (John C. G.), SOMBART (Nicolaus) a. others. Kaiser Wilhelm II: new interpretations. London a. New York, Cambridge U. P., 82, in-8, XIII-319 p. (Corfu Papers, 1979)

3298. SACKETT (Robert Eben). Popular

entertainment, class and politics in Munich, 1900-1923. Cambridge, Mass., Harvard U. P., 82, in-8, VIII-194 p.

3299. SCHIEDER (Theodor). Friedrich der Große und Machiavelli. Das Dilemma von Machtpolitik u. Aufklärung. Dietrich Gerhard zum 85. Geburtstag am 7. Nov. 1981. Hist. Z., 82, Bd 234, p. 265-294.

3300. SCHMID (Hermann). Das Ringen Karl Theodors von Dalberg mit Kurbaden um die bischöflich-konstanzischen Patronatsrechte (1802-1804). Feiburg. Diöz.-Arch., 82, Bd 102, p. 76-117.

3301. SCHMIDT (Ernst-Heinrich). Heimatheer und Revolution 1918. Die militär. Gewalten im Heimatgebiet zw. Oktoberreform u. Novemberrevolution. Stuttgart, Deutsche Verl.-Anst., 81, in-8, 456 p. (Beitr. z. Militär- u. Kriegsgesch., 23)

3302. SCHMIDT (Hans). Zur Vorgeschichte der Heirat Kaiser Leopolds I. mit Eleonore Magdalena Theresia von Pfalz-Neuburg. Z. f. bayer. Landesgesch., 82, Bd 45, p. 299-330.

3303. SCHMIDT (Matthias). Albert Speer. Das Ende eines Mythos. Speers wahre Rolle im Dritten Reich. Bern, Scherz, 82, in-8, 301 p.

3304. SCHOENBAUM (David). Zabern 1913: consensus politics in imperial Germany. Boston, Allen a. Unwin, 82, in-8, 197 p.

3305. SCHREIBER (Gerhard). Die Rolle Frankreichs im strategischen und operativen Denken der deutschen Marine. In: Deutschland u. Frankreich 1936-1939 [Cf. n° 235], p. 167-213.

3306. SCHULZE (Hagen). Weimar. Deutschland 1917-1933. Berlin, Severin u. Siedler, 82, in-8, 462 p. (Ill., graph. Darst., Kt.). (Die Deutschen u. ihre Nation, 4)

3307. SEATON (Albert). The German army, 1933-1945. London, Weidenfeld a. Nicolson, 82, in-8, 310 p.

3308. SICKEN (Bernhard). Landesherrliche Einnahmen und Territorialstruktur. Die Fürstentümer Ansbach und Kulmbach zu Beginn der Neuzeit. Jb. f. fränk. Landesforsch., 82, [Bd] 42, p. 153-248.

3309. Sonderrecht (Das) für die Juden im NS-Staat. Eine Sammlung d. gesetzl. Maßnahmen u. Richtlinien - Inhalt u. Bedeutung. Hrsg. v. Joseph WALK unter Mitarbeit von Daniel Cil BRACHER, Bracha FREUNDLICH, Yoram Konrad JACOBY u. Hans Isaak WEISS. Mit Beiträgen v. Robert M. W. KEMPNER u. Adalbert RÜCKERL. Heidelberg u. Karlsruhe, C. F. Müller, 81, in-8, XVII-452 p.

3310. Sozialgeschichtliches Arbeitsbuch. Bd 1: Materialien zur Statistik des Deutschen Bundes 1815-1870. Von Wolfram FISCHER u. a. München, Beck, 82, in-8, 254 p. (graph. Darst.).

3311. SPANGER (Hans-Joachim). Die SED und der Sozialdemokratismus. Ideolog. Abgrenzung in der DDR. Köln, Verl. f. Wiss. u. Politik, 82, in-8, 256 p.

3312. STACHURA (Peter D.). The German youth movement, an interpretative and documentary history. London, Macmillan, 82, in-8, 256 p.

3313. STEPHAN (Benrd). Kulturpolitische Maßnahmen des Kurfürsten Friedrich III., des Weisen, von Sachsen. Luther-Jb., 82, Jg. 49, p. 50-95.

3314. STEPHENSON (Jill). Women's labor service in nazi Germany. Central european Hist., 82, vol. 15, n° 3, p. 241-265.

3315. Studia z dziejów myśli politycznej w Niemczech XIX i XX wieku. (Etudes sur l'histoire de la pensée politique en Allemagne aux XIXe et XXe s.) Ouvrage collectif réd. par Henryk OLSZEWSKI. Poznań, Wydawn. Nauk. Uniw. im. A. Mickiewicza, 82, in-8, 282 p. (Prawo, 113)

3316. Studien zur Geschichte des Faschismus und des antifaschistischen Widerstandes (I). Hrsg. v. Dietrich EICHHOLTZ u. Klaus MAMMACH. Berlin, Akad.-Verl., 82, in-8, 392 p. (Jb. f. Gesch., 26)

3317. TENFELDE (Klaus). Großstadtjugend in Deutschland vor 1914. Eine hist.-demogr. Annäherung. Vjschr. f. Soz.- u. Wirtschaftsgesch., 82, Bd 69, p. 182-218.

3318. TERVOOREN (Klaus). Die Mainzer Republik 1792/93. Bedingungen, Leistungen u. Grenzen eines bürgerl.-revolutionären Experiments in Deutschland. Frankfurt (Main) u. Bern, Lang, 82, in-8, 353 p. (Europ. Hochschulschr., Reihe 3: Gesch. u. ihre Hilfswiss., 159)

3319. VOGLER (Günter). Nürnberg 1524/25. Studien z. Gesch. d. reformator. u. sozialen Bewegung in d. Reichsstadt. Berlin, Deutsch. Verl. d. Wiss., 82, in-8, 382 p.

3320. Vom alten Reich zu neuer Staatlichkeit. Kontinuität u. Wandel im Gefolge d. Französ. Revolution am Mittelrhein. Alzeyer Kolloquium 1979. Wiesbaden, Steiner, 82, in-8, 177 p. (Geschichtl. Landeskde, 22)

3321. Von der Ständeversammlung zum demokratischen Parlament. Die Gesch. d. Volksvertretungen in Baden-Württemberg. Hrsg. v. d. Landeszentrale f. Polit. Bildung Baden-Württemberg. Von Peter BLICKLE u. a. Stuttgart, Theiß, 82, in-8, 376 p. (Ill., graph. Darst., Kt.).

3322. WĄSICKI (Jan). Rzesza i państwa niemieckie 1789-1815. (Le Reich et les Etats allemands 1789-1815.) Poznań, Wydawn. Pozn., 82, in-8, 432 p. - IDEM. Prusy i Niemcy. (La Prusse et l'Allemagne [1648-1919].) Przegl. zach., 81 [82], a. 37, n° 1/2, p. 9-27.

3323. WEGNER (Bernd). Hitlers politische Soldaten. Die Waffen-SS 1933-1945. Studien z. Leitbild, Struktur u. Funktion e. nationalsozialist. Elite. Paderborn, Schöningh, 82, in-8, 363 p.

3324. Weimars Ende. Prognosen u. Diagnosen in d. deutsch. Literatur u. polit. Publizistik 1930-1933. Hrsg. v. Thomas KOEBNER. Frankfurt (Main), Suhrkamp, 82, in-8, 433 p. (Suhrkamp-Taschenbuch, 2018. Materialien)

3325. WIEDNER (Hartmut). Soldatenmißhandlungen im Wilhelminischen Kaiserreich 1890-1914). Arch. f. Sozialgesch., 82, Bd 22, p. 159-199.

3326. WIELAND (Günther). Die normativen Grundlagen der Schutzhaft in Hitlerdeutschland. Jb. f. Gesch., 82, Bd 26, p. 75-102.

3327. WILLAX (Franz). Reichskreis und Städtebündnis. Zur Politik des Nürnberger Rates 1663-1672. Mitt. d. Ver. f. Gesch. d. Stadt Nürnberg, 82, Bd 69, p. 283-303.

3328. WISTRICH (Robert S.). Who's who in Nazi Germany. London, Weidenfeld a. Nicolson; New York, Macmillan, 82, in-8, 359 p.

3329. ZIMMERMANN (Gunter). Die Antwort der Reformatoren auf die Zehntenfrage. Eine Analyse d. Zusammenhangs von Reformation u. Bauernkrieg. Frankfurt (Main) u. Bern, Lang, 82, in-8, 175 p. (Europ. Hochschulschr., Reihe 3: Gesch. u. ihre Hilfswiss., 164)

Cf. n°s 507, 4354, 4492, 6499.

Argentine.

3330. DUCATENZEILER (Graciela). Syndicats et politique en Argentine, 1955-1973. Montréal, Presses de l'Univ. de Montréal, 82, in-8, 292 p.

3331. FELDMAN (David L.). Argentina, 1945-1971: military assistance, military spending, and the political activity of the armed forces. J. inter-am. Stud. a. World Affairs, 82, vol. 24, n° 3, p. 321-336.

3332. GILLISPIE (Richard). Soldiers of Perón: Argentina's Montoneros. London, Oxford U. P., 82, in-8, XVI-310 p.

3333. McLYNN (F. J.). Urquiza and the montoneros: an ambigous chapter in Argentine history. Ibero-am. Arch., 82, N. F., Jg. 8, p. 283-295.

3334. NEWTON (Ronald C.). Indifferent sanctuary: German-speaking refugees and exiles in Argentina, 1933-1945. J. interam. Stud. a. World Affairs, 82, vol. 24, n° 4, p. 395-420.

3335. PITT (Ingrid), RUDLIN (Tony). The Perons. London, Thames-Methuen, 82, in-8, 320 p.

3336. SLATTA (Richard W.). Pulperias and contraband capitalism in nineteenth-century Buenos Aires province. America, 82, vol. 38, n° 3, p. 347-362.

3337. SZILÁGYI (Miklós). A peronizmus munkáspolitikájáról 1943-1955. (La politique ouvrière du péronisme.) Párttört. Közl., 82, vol. 28, n° 1, p. 119-145.

Australie.

3338. BAIN (Mary A.). Ancient landmarks. Perth, U. West. Austral. Press; Cambridge, P. Moore, 82, in-8, XII-388 p.

3339. BELL (Roger). Testing the open door thesis in Australia, 1941-1946. Pacific hist. R., 82, vol. 51, n° 3, p. 283-311.

3340. BIGNELL (Merle). Fruit of the country: history of the Shire of Gnowangerup, Western Australia. Perth, U. West. Austral. Press; Cambridge, P. Moore, 82, in-8, X-326 p. (ill.). - IDEM. Place to meet: history of Karanning Shire, Western Australia. Perth. U. West. Austral. Press; Cambridge, P. Moore, 82, in-8, XII-356 p. (ill.).

3341. CONNOLLY (C. N.). The origins of the nominated Upper House in New South Wales. Hist. Stud. Australia N. Z., 82, vol. 20, p. 53-72.

3342. CRESCIANI (G.). Fascism, anti-fascism and Italians in Australia, 1922-1945. Canberra, Austral. Nat. Univ. Press; London, Eurospan, 82, in-8, XVIII-280 p.

3343. GLOVER (Rhoda). Plantagenet: rich and beautiful - a history of the Shire of Plantagenet, Western Australia. Perth, U. West. Austral. Press; Cambridge, P. Moore, 82, in-8, XVII-412 p.

3344. HOLT (Stephen). Manning Clark and Australian history, 1915-1963. Brisbane a. New York, Univ. of Queensland Press, 82, in-8, XII-207 p.

3345. ROBSON (L. L.). The First Australian Imperial Force. A study of its recruitment, 1914-1918. Melbourne, U. P., 82, in-8, 238 p.

3346. SERLE (A. G.). John Monash, a biography. Melbourne, U. P., 82, in-8, 600 p. (ill., maps).

3347. STANNAGE (C. T.). A new history of Western Australia. Perth, U. West. Austral. Press; Cambridge, P. Moore, 82, in-8, XXII-836 p.

Autriche (Autriche-Hongrie)

* Cf. n° III.

** 3348. FLOTOW (Ludwig Freiherr von). November 1918 auf dem Ballhausplatz. Erinnerungen d. letzten Chefs d. Österr.-Ungar. Auswärtigen Dienstes 1985-1920. Bearb. v. Erwin MATSCH. Köln u. Wien, Böhlau, 82, in-8, 427 p.

** 3349. Protokolle des Ministerrates der Ersten Republik, 1918-1938. Hrsg. v. Rudolf NECK u. Adam WANDRUSZKA. Gesamtred.: Isabella ACKERL. Abt. 8: 20. Mai 1932 bis 25. Juli 1934. Bd [1. Cf. Bibl. 80, n° 2947.] 2: Kabinett Dr. Engelbert Dollfuß, 26. Okt. 1932 bis 20. März 1933. Bearb. v. Gertrude ENDERLE-BURCEL. Wien, Österr. Staatsdruckerei, 82, in-8, XL-582 p.

3350. BARKER (Thomas M.). Army, aristocracy, monarchy: essays on war, society, and government in Austria, 1618-1780. Boulder, Colo., Social Science Monographs, 82, in-8, IX-290 p. (East European Monographs, 105)

3351. Bauernkriege (Die) und Michael Gaismair. Protokoll d. Internat. Symposiums vom 15. bis 19. Nov. 1976 in Innsbruck-Vill. Hrsg. v. Fridolin DÖRRER. (Anläßl. d. 450. Todestages v. Michael Gaismair.) Innsbruck, Tiroler Landesarchiv, 82, in-8, 351 p. (4 Kt.). (Veröff. d. Tiroler Landesarchivs, 2)

3352. BERNARD (Paul P.). Kaunitz and Austria's secret fund. East european Quar., 82, vol. 16, n° 2, p. 129-136.

3353. BRIX (Emil). Die Umgangssprachen in Altösterreich zwischen Agitation und Assimilation. Die Sprachenstatistik in d. zisleithan. Volkszählungen 1880 bis 1910. Wien, Köln u. Graz, Böhlau, 82, in-8, 537 p.

3354. Erzherzog Johann von Österreich. Sein Wirken in seiner Zeit. Festschrift zur 200. Wiederkehr seines Geburtstages. Hrsg. v. Othmar PICKL. Graz, Hist. Landeskomm. f. Steiermark, 82, in-4, 284 p. (16 Abb.). (Forsch. z. geschichtl. Landeskunde d. Steiermark, 33)

3355. FICHTNER (Paula Sutter). Ferdinand I of Austria: the politics of dynasticism in the age of Reformation. Boulder, Colo., East European Monographs, 82, in-8, 362 p. (East European Monographs, 100)

3356. Vacat.

3357. HASLIP (Joan). The Emperor and the actress: the love story of Emperor Franz Josef and Katharina Schratt. London, Weidenfeld a. Nicolson, 82, in-8, XII-284 p. (ill).

3358. HEIDRICH (Charlotte). Burgenländische Politik in der Ersten Republik. Deutsch-nationale Parteien u. Verbände im Burgenland vom Zerfall d. Habsburgermonarchie bis z. Beginn d. autoritären Regimes (1918-1933). München, Oldenbourg; Wien, Verl. f. Gesch. u. Politik, 82, in-8, 204 p. (Stud. u. Quellen z. österr. Zeitgesch., 4)

3359. LIEBMANN (Maximilian). Kardinal Innitzer und der Anschluß. Kirche u. Nationalsozialismus in Österreich 1938. Graz, Inst. f. Kirchengesch. d. Theol. Fak. d. Karl-Franzens-Univ. Graz, 82, in-8, 162 p. (Grazer Beitr. z. Theologiegesch. u. kirchl. Zeitgesch., 1)

3360. PAULEY (Bruce F.). Hitler and the forgotten Nazis: history of Austrian national socialism. London, Macmillan, 82, in-8, 360 p.

3361. STADLER (Karl R.). Adolf Schärf: Mensch, Politiker, Staatsmann. Vorwort v. Bruno KREISKY. Wien, München u. Zürich, Europa-Verl., 82, in-8, 503 p.

3362. STÖCKELLE (Angela). Taufzeremoniell und politische Patenschaften am Kaiserhof. Mit. d. Inst. f. österr. Gesch.- Forsch., 82, Bd 90, p. 271-337.

3363. Sul bicentenario teresiano (1780- 1980). [Scritti di:] Franz A. J. SZABO, Carlo CAPRA. Soc. e Stor., 82, a. 5, p. 411-434.

3364. SULLY (Melanie A.). Continuity and change in Austrian socialism: the eternal quest for the third way. Boulder, Colo., East European Monographs, 82, in-8, XIV-288 p. (East European Monographs, 114)

3365. Ungarn und Österreich unter Maria Theresia und Joseph II. Neue Aspekte im Verhältnis der beiden Länder. Hrsg. v. Anna Maria DRABEK, Richard Georg PLASCHKAU u. Adam WANDRUSCHKA. Wien, Verl. d. Österr. Akad. d. Wiss., 82, in-8, 164 p. (Texte d. österr.-ungar. Historikertreffens, 2. Österr. Akad. d. Wiss., Veröff. d. Komm. f. Gesch. Österreichs, 11)

3366. WOLFF (Lawrence). Czas and the Polish perspective on the Austro-Hungarian compromise of 1867. Polish R., 82, vol. 27, n° 1-2, p. 65-76.

Bolivie.

3367. KLEIN (Herbert Sanford). Bolivia, the evolution of a multi-ethnic society. London a. New York, Oxford U. P., 82, in-8, XI-318 p. (maps, tab.). (Latin Amer. Hist.)

3368. KOHL (James V.). The Cliza and Ucureña war: syndical violence and national revolution in Bolivia. Hisp. am. hist. R., 82, vol. 62, n° 4, p. 607-628.

Brésil.

3369. GLINKIN (A. N.). Sovremennaja Brazilija. (Contemporary Brazil.) Nov. novejš. Ist., 82, n° 5, p. 156-170.

3370. HILTON (Stanley E.). The armed forces and industrialists in modern Brazil: the drive for military autonomy (1889-1954). Hisp. am. hist. R., 82, vol. 62, n° 4, p. 629-673.

3371. Bibl. 81, n° 2860. KALMYKOV (N. P.). Diktatura Vargasa i brazil'skij rabočij klass. Rabočaja politika brazil'skogo pravitel'stva v 1930-1945 godakh. (Vargas' dictatorship and the Brazilian working class. Brazilian government's labour policy in 1930-1945.) – S. M. Khenkin, Nov. novejš. Ist., 82, n° 5, p. 188-190; Ju. A. Antonov, Lat. Amerika, 82, n° 10, p. 127-129.

3372. MURILO DE CARVALHO (José). Armed forces and politics in Brazil, 1930-1945. Hisp. am. hist. R., 82, vol. 62, n° 2, p. 193-223.

Bulgarie.

* Cf. n° V.

3373. CRAMPTON (Richard J.). Bulgaria 1878-1918. A history. Boulder, Colo., East European Monogr., 82, in-8, XIV-580 p. (maps). (East European Monographs) - IDEM. The second Stambolovist ministry. Public order a. internat. unrest, 1093-1908. Bulg. hist. R., 82, a. 10, n° 1, p. 37-50.

3374. DOLMÁNYOS (István). 9. September 1944. Der Sieg d. sozialist. Revolution in Bulgarien u. ihre osteurop. Zusammenhänge. Studia slavica Acad. Sci. hungaricae, 81, vol. 27, p. 107-127.

3375. GRĂNČAROV (Stojčo). The Bulgarian bourgeois democracy, 1879-1919. Bulg. hist. R., 82, a. 10, n° 2, p. 31-48.

Canada.

* 3376. Annual bibliography of Ontario history. 1980. 1981 / Ontario Historical Society = Bibliographie annuelle d'histoire ontarienne, 1980. 1981 / Société historique de l'Ontario. Ed. Gaétan GERVAIS, Ashley THOMSON. Sudbury, Ont., Laurentian Univ. = Univ. Laurentienne, 81-82, 2 vol. in-8, 87, 89 p.

* 3376a. Bibliographie d'histoire de l'Amérique française (publications récentes) préparée depuis 1967 par le Centre de bibliographie historique de l'Amérique française sous la dir. de Paul AUBIN et Paul-André LINTEAU. [Cf. Bibl. 81, n° 6242.] R. Hist. Amérique franç., 81-82, vol. 35, p. 122-150, 293-306, 444-463, 605-628.

* 3377. Recent publications relating to the history of the Atlantic region: bibliography / bibliographie. Editor: Eric L. SWANICK. Acadiensis, 82, vol. 11, Spring, p. 146-174.

* 3378. STRATHERN (Gloria M.). Alberta, 1954-1979: a provincial bibliography. Edmonton, Univ. of Alberta, 82, in-8, 745 p.

* 3379. Yukon bibliography: update to 1980. Compiler: Irina G. SINGH; editors: Geraldine A. COOKE, Irina G. SINGH. Edmonton, Boreal Inst. f. Northern Studies, Univ. Alberta, 82, in-8, 231 p. (Occasional publ., 8-7)

* Cf. n° VI.

3380. BEHIELS (Michael D.). The Bloc Populaire Canadien and the origins of French-Canadian neo-nationalism, 1942-8. Canad. hist. R., 82, vol. 63, p. 487-512.

3381. CHIASSON (Paulette M.). As others saw us: Nova Scotian travel literature from the 1770s to the 1860s. Nova Scotia hist. R., 82, vol. 2, n° 2, p. 9-24.

3382. COMEAU (Paul-André). Le Bloc populaire, 1942-1948. Montréal, Québec/Amérique, 82, in-8, 478 p. (Dossiers documents) - CR: D. Monière, Canad. J. pol. Sci., 83, vol. 16, p. 369-371.

3383. Dictionary of Canadian biography. [Vol. 4. Cf. Bibl. 78-79, n° 3385.] Vol. 11: 1881-1890. General ed.: Francess G. HALPENNY. Toronto, Univ. Press, 82, in-8, 1092 p. - Version franç.: Dictionnaire biographique du Canada. Vol. 11: 1881 à 1890. Directeur général adjoint: Jean HAMELIN. Québec, Presses de l'Univ. Laval, 82, in-8, 1192 p.

3384. GRANATSTEIN (J. L.). The Ottawa men: the civil service mandarins, 1935-1957. Toronto, Oxford Univ. Press, 82, in-8, 333 p. - CR: T. H. McLeod, Canad. J. pol. Sci., 83, vol. 16, p. 363-364. A. Andrew, Dalhousie R., 82-83, vol. 62, p. 511-514. J. E. Hodgetts, Int. J., 81-82, vol. 37, p. 636-638.

3385. HARRIS (Stephen). Or there would be chaos: the legacy of Sam Hughes and military planning in Canada, 1919-1939. Milit. Affairs, 82, vol. 46, n° 3, p. 120-127.

3386. McCALL-NEWMAN (Christina). Grits: an intimate portrait of the Liberal Party. Toronto, Macmillan, 82, in-8, 479 p. - CR: R. Whitaker, Canad. hist. R., 83, vol. 64, p. 221-222.

3387. OWRAM (Douglas). The myth of Louis Riel. Canad. hist. R., 82, vol. 63, p. 315-336.

3388. PERCY (M. B.), NORRIE (K. H.), JOHNSTON (R. G.). Reciprocity and the Canadian general election of 1911. Explor. in econ. Hist., 82, vol. 19, n° 4, p. 409-434.

3389. TAYLOR (Charles). Radical Tories: the conservative tradition in Canada. Toronto, Anansi, 82, in-8, 231 p. - CR: C. Berger, Canad. hist. R., 83, vol. 64, p. 219-221.

3390. TIŠKOV (V. A.), KOŠELEV (L. V.). Istorija Kanady. (The history of Canada.) Moskva, Mysl', 82, 268 p. (ill.).

Chili.

3391. BÄHR (Jürgen), CAVIEDES (César), HÖPNER (Michael). Eine regionale Analyse der Präsidentschaftswahlen des Jahres 1970 in Chile. Ibero-am. Arch., 82, N. F., Jg. 8, p. 209-241.

3392. ETTMÜLLER (Wolfgang). Germanisierte Heeresoffiziere in der chilenischen Politik 1920-1932. Ibero-am. Arch., 82, N. F., Jg. 8, p. 85-160.

3393. HIRSCH-WEBER (Wolfgang). Aufstand der Massen? Wahlausgang u. Stimmenthaltung in Chile 1915-1921. Ibero-am. Arch., 82, N. F., Jg. 8, p. 5-83.

3394. MONTEON (Michael). Chile in the nitrate era: the evolution of economic dependence, 1880-1930. Madison, Univ. of Wisconsin Press, 82, in-8, XVIII-256 p.

3395. NOLTE (Detlef). Zwischen Kooperation und Konfrontation: die chilenischen Gewerkschaften unter Allende. Ibero-am. Arch., 82, N. F., Jg. 8, p. 161-208.

3396. O'BRIEN (Thomas F.). The nitrate industry and Chile's crucial transition, 1870-1891. New York, New York U. P., 82, in-8, XV-211 p.

3397. WOLL (Allen). A functional past: the uses of history in nineteenth century Chile. Baton Rouge, Louisiana State U. P., 82, in-8, 211 p.

3398. WRIGHT (Thomas C.). Land-owners and reform in Chile: the Sociedad Nacional de Agricultura, 1919-1940. Urbana, Univ. of Illinois Press, 82, in-8, XIX-249 p.

Chypre.

3399. MAYES (Stanley). Makarios. London, Macmillan, 82, in-8, 484 p.

Danemark.

3400. ANDERSEN (Harald Westergård). Dansk politik i går og dag. Fra 30'ernes økonomiske krise til stagnation i 80'erne. (La politique danoise hier et aujourd'hui. De la crise écon. des années 30 à la stagnation des années 80.) Friborg, Fremad, 82, in-8, 333 p.

3401. CZAPLIŃSKI (Władysław). Dzieje Danii nowożytnej (1500-1975). (Histoire du Danemark moderne, 1500-1975.) Warszawa, Państw. Wydawn. Nauk., 82, in-8, 355 p. (Wydawn. Inst. Bałtyckiego w Gdańsku, 11. Ser. Skandynoznawcza, 5)

Egypte.

3402. ABU IZZEDIN (Nejla M.). Nasser of the Arabs, an Arab assessment. London, Third World Centre for Research, 82, in-8, 467 p.

3403. Egypte (L') au XIXe siècle. [Colloque internat. du C.N.R.S.,] Aix-en-Provence, 4-7 juin 1979. Paris, Ed. du C.N.R.S., 82, in-8, 340 p. (Colloques internat. du C.N.R.S., 594)

3404. FERNANDEZ-ARMESTO (Felipe). Sadat and his statecraft. Windsor Forest, Kensal, 82, in-8, 196 p. (ill.).

3405. HIRST (David), BEESON (I.). Sadat. London, Faber, 82, in-8, 384 p.

3406. HOPWOOD (Derek). Egypt: politics and society, 1945-1981. London, Allen a. Unwin, 82, in-8, 198 p.

3407. KRÄMER (Gudrun). Minderheit, Millet, Nation? Die Juden in Ägypten 1914-1952. Wiesbaden, Harrassowitz, 82, in-8, VIII-477 p. (Bonner orientalist. Stud., 27: Stud. z. Minderheitenproblem im Islam, 7)

3408. SHOUKRI (Ghali). Egypt: portrait of a President, 1971-1981. The counter-revolution in Egypt, Sadat's road to Jerusalem. London, Zed, 81, in-8, V-465 p. (Middle East ser.)

3409. VLADIMIROV (V. V.). Politika "otkrytykh dverej" v Egipte i mestnaja buržuazija. ("Open door" politicy in Egypt and the local bourgeoisie.) Nar. Azii Afr., 82, n° 2, p. 25-36.

Espagne.

* 3410. RUHL (Klaus-Jörg). Der spanische Bürgerkrieg. Literaturbericht u. Bibliographie. Bd 1: Der politische Konflikt. München, Bernard u. Graefe, 82, in-8, XXVII-194 p. (Schr. d. Bibl. f. Zeitgesch., 22)

3411. ALEXANDER (Bill). British volunteers for liberty: Spain, 1936-1939. London, Lawrence a. Wishart, 82, in-8, 288 p. (ill.).

3412. ASTORKIA (Madeline). L'aviation et la guerre d'Espagne: la cinquième arme face aux exigences de la guerre moderne. In: Deutschland u. Frankreich 1936-1939 [Cf. n° 235], p. 325-348.

3413. BEEVOR (Anthony). The Spanish civil war. London, Orbis, 82, in-8, 384 p. (ill., maps).

3414. CARR (Raymond). Spain, 1808-1975. 2nd rev. ed. London, Oxford U. P., 82, in-8, 888 p. (Oxford Hist. of Mod. Europe)

3415. FALCOFF (Mark), PIKE (Frederic B.) a. others. The Spanish civil war, 1936-1939: American hemispheric perspectives. Lincoln, Univ. of Nebraska Press, 82, in-8, XXIV-357 p.

3416. BARSÁNYI (Iván). El nacimiento del régimen político de la dictadura de Franco. Acta Univ. szegediensis, Acta hist., 82, vol. 73, p. 17-30. – IDEM. Politikai küzdelmek, munkásmozgalmi viták a köztársasági Spanyolországban, 1938. április – december. (Luttes politiques, discussions du mouvement ouvrier dans l'Espagne républicaine, avril – déc. 1938.) Párttört. Közl., 82, vol. 28, n° 2, p. 81-120.

3417. Historical dictionary of the Spanish Civil War, 1936-1939. Ed. by James W. CORTADO. Westport, Conn., Greenwood Press, 82, in-8, XXVIII-571 p.

3418. KOSSOK (Manfred). Der aufgeklärte Absolutismus in Spanien. Zehn Thesen über Wesen u. Funktion. Z. f. Geschichtswiss., 82, Jg. 30, p. 111-129.

3419. MARAVALL (José Antonio). Utopía y reformismo en la España de los Austrias. Madrid, Siglo XIX, 82, in-8, 398 p.

3420. MINTZ (Jerome R.). The anarchists of Casas Viejas [1914-1936]. Chicago a. London, Univ. of Chicago Press, 82, in-8, XVI-336 p. (ill., 38 p. of pl., maps).

3421. PÉREZ (Joseph). Les Comunidades de Castille et leurs interprétations. Cah. Monde hispan., 82, n° 38, p. 5-28.

3422. PÉREZ-RAMOS (Barbara). Intelligenz und Politik im Spanischen Bürgerkrieg,

1936-1939. Bonn, Bouvier, 82, in-8, VII-264 p. (Stud. z. Lit.- u. Sozialgesch. Spaniens u. Lateinamerikas, 6)

3423. RICHARDSON (R. Dan). Comintern army: the international brigades and the Spanish civil war. Lexington, Univ. of Kentucky Press, 82, in-8, 232 p.

3424. RODRIGUEZ (Mario). The "American question" at the Cortes of Madrid. Americas, 82, vol. 38, n° 3, p. 293-314. [Spanish colonies, early 19th cent.]

3425. ROSARIO PRIETO (María). Las Cortes del Despotismo Ilustrado: medidas económicas. Hispania [Madrid], 82, t. 42, p. 91-171.

Cf. n° 4889.

Etats-Unis d'Amérique.

* 3426. Jewish immigrants of the Nazi period in the U.S.A. Sponsored by the Research Foundation for Jewish Immigration, New York. Ed. by Herbert A. STRAUSS. [Vol. 1, 2. Cf. Bibl. 81, n° 2909.] Vol. 3, Part 1: Guide to the oral history collections of the Research Foundation for Jewish Immigration, New York. Comp. by Joan C. LESSING. Part 2: Classified list of articles concerning immigration in German Jewish periodicals, Jan. 30, 1933 to Nov. 9, 1938. Comp. by Daniel R. SCHWARZ, Daniel S. NIEDERLAND. New York, München, London a. Paris, Saur, 82, 2 vol. in-8, XXXVI-152, XXII-177 p.

* 3427. COX (Richard J.). A bibliography of articles, books, and dissertations on Maryland history, 1981. Maryland hist. Mag., 82, vol. 77, n° 3, p. 279-290. - IDEM. Understanding the monumental city: a bibliographical essay on Baltimore history. Ibid., n° 1, p. 70-111.

* 3428. Southern history in periodicals, [1980. Cf. Bibl. 81, n° 2911.] 1981: a selected bibliography. J. south. Hist. 82, vol. 48, n° 2, p. 225-259.

* 3429. Writings on American history. A subject bibliography of articles. [1979-1980. Cf. Bibl. 81, n° 2912.] 1980-1981. Ed. by Cecelia DADIAN a. others. Millwood, N. Y., Kraus International, 82, in-8, XVI-258 p.

** 3430. ADAMS (Henry). The letters of Henry Adams, 1858-1892. Vol. 1-3. Ed. by J. C. LEVENSON a. others. Cambridge, Mass., Belknap Press of Harvard U. P., 82, 3 vol., XLVI-574, VIII-645, XI-638 p.

** 3431. CARTER (Jimmy). Keeping faith: memoirs of a President. London, Collins, 82, in-8, 640 p.

** 3432. CLAY (Henry). The papers of Henry Clay. [Vol. 6. Cf. Bibl. 81, n° 2916.] Vol. 7: Secretary of state, January 1, 1828 - March 4, 1829 [with subject index vol. 1-6]. Ed. by Robert SEAGER II a. others. Lexington, Univ. Press of Kentucky, 82, XI-777 p.

** 3433. DOUGLASS (Frederick). The Frederick Douglass papers. Ser. 1: Speeches, debates, and interviews. [Vol. 1. Cf. Bibl. 78-79, n° 3465.] Vol. 2: 1847-1854. Ed. by John W. BLASSINGAME. New Haven, Conn., Yale U. P., 82, in-8, XXXVII-613 p.

** 3434. EISENHOWER (Dwight D.). Diaries. Ed. by Robert H. FERRELL. London, Norton, 82, in-8, 464 p. (ill.). [Am. ed. Cf. Bibl. 81, n° 2920]

** 3435. FRANKLIN (Benjamin). The papers of Benjamin Franklin. [Vol. 21. Cf. Bibl. 78-79, n° 3468.] Vol. 22: March 23, 1775 through October 27, 1776. Ed. by William B. WILLCOX a. others. New Haven, Conn., Yale U. P., 82, in-8, LIII-726 p.

** 3436. GRANT (Ulysses S.). The papers of Ulysses S. Grant. [Vol. 7, 8. Cf. Bibl. 78-79, n° 3470.] Vol. 9: July 7 - December 31, 1863. Vol. 10: January 1 - May 31, 1864. Ed. by John Y. SIMON. Carbondale, Southern Illinois U. P., 82, 2 vol. in-8, XXIV-700, XXV-618 p.

** 3437. Public papers of the presidents of the United States. Jimmy Carter, 1980-1981. [Vol. 1. Cf. Bibl. 81, n° 2929.] Vol. 2: May 24 to September 26, 1980. Vol. 3: September 29, 1980 to January 20, 1981. Washington, D. C., Government Printing Office, 82, 2 vol. in-8, IX p., p. 969-1948-A112 p.; IX p., p. 1949-3050-A146 p.

** 3438. Public papers of the presidents of the United States. Ronald Reagan, 1981. January 20 to December 31, 1981. Washington, D. C., Government Printing Office, 82, IX-1328-A29-B17 p.

** 3439. TUGWELL (Rexford G.). To the lesser heights of Morningside: a memoir. Philadelphia, Univ. of Pennsylvania Press, 82, in-8, XVII-264 p.

** 3440. WEBSTER (Daniel). The papers of Daniel Webster: correspondence. [Vol. 4. Cf. Bibl. 80, n° 3056.] Vol. 5: 1840-1843. Ed. by Harold D. MOSER. Hanover, N. H., U. P. of New England, 82, XXIX-588 p.

** 3441. WILSON (Woordow). The papers of Woodrow Wilson. [Vol. 36, 37. Cf. Bibl. 81, n° 2934.] Vol. 38: August 7 - November 19, 1916. Vol. 40: November 20, 1916 - January 23, 1917. Ed. by Arthur S. LINK a. others. Princeton, N. J., Princeton U. P., 82, 2 vol., XXVI-716, XXIV-598 p. [vol. 39 to be published later]

3442. ALLIN (Craig W.). The politics of wilderness preservation. Westport, Conn., Greenwood Press, 82, in-8, 304 p. (Contrib. in Polit. Sci., 64)

3443. ALSOP (Joseph). F. D. R., the life and times of Franklin Delano Roosevelt. London, Thames a. Hudson, 82, in-4, 256 p. (260 ill.).

3444. Amerikanskij ežegodnik. (American yearbook.) Redkol.: G. N. SEVOST'JANOV

2. HISTOIRE PAR ETATS

(otv. red.) i dr. [1980, 1981. Cf. Bibl. 81, n° 2938.] 1982. Moskva, Nauka, 82, 317 p. (AN SSSR. In- vseobšč. ist.)

3445. ANDERSON (Dwight G.). Abraham Lincoln: the quest for immortality. New York, Alfred A. Knopf, 82, in-8, VIII-271 p.

3446. ANDERSON (Judith Icke). William Taft, an intimate history. London, Norton, 82, in-4, 277 p. (ill.). [Amer. ed. Cf. Bibl. 81, n° 2942]

3447. ARMSTRONG (David A.). Bullets and bureaucrats: the machine gun and the United States army, 1861-1916. Westport, Conn., Greenwood Press, 82, in-8, XV-239 p. (Contrib. in Milit. Hist., 29)

3448. BAILEY (Thomas A.). Presidential saints and sinners. London, Collier Macmillan, 82, in-8, 256 p.

3449. BAJBAKOVA (L. V.). Negritjanskij vopros v politike respublikanskoj partii SŠA (konec 70-kh - načalo 80-kh godov XIX g.). (The Negro question and the US Republican party policy, end of the 1870s - beginning of the 1880s.) Nov. novejš. Ist., 82, n° 6, p. 79-91.

3450. BARNWELL (John). Love of order: South Cartolina's first secession crisis [1850-1851]. Chapel Hill, Univ. of North Carolina Press, 82, in-8, X-258 p.

3451. BERGERON (Paul H.). Antebellum politics in Tennessee. Lexington, Univ. Press of Kentucky, 82, in-8, XII-208 p.

3452. BERRY (Mary Frances), BLASSINGAME (John W.). Long memory: the black experience in America. New York, Oxford U. P., in-8, XXI-486 p.

3453. BERTHOFF (Rowland). Peasants and artisans, puritans and republicans: personal liberty and communal equality in American history. J. am. Hist., 82, vol. 69, n° 3, p. 579-598.

3454. BILLINGSTON (Ray Allen). Land of savagery, land of promise: the European image of the American frontier in the 19th century. London, Norton, 82, in-8, 380 p. (ill.).

3455. BRAUER (Carl M.). Kennedy, Johnson, and the war on poverty. J. am. Hist., 82, vol. 69, n° 1, p. 98-119.

3456. BREMNER (Robert H.), REICHARD (Gary W.) a. others. Reshaping America: society and institutions, 1945-1960. Columbus, Ohio State U. P., 82, in-8, XII-403 p. (Stud. in Recent Am. Hist., 1)

3457. BRINKLEY (Alan). Voices of protest: Huey Long, Father Coughlin, and the great depression. New York, A. A. Knopf, 82, in-8, XIII-348 p.

3458. BRUCE (Dickson D.) Jr. The rhetoric of conservatism: the Virginia convention of 1829-1830 and the conservative tradition in the South. San Marino, Calif., Huntington Libr., 82, in-8, XXI-218 p.

3459. BURNS (James MacGregor). The American experiment: the vineyard of liberty. New York, A. A. Knopf, 82, in-8, XII-741 p.

3460. BURT (Carry W.). Tribalism in crisis: federal Indian policy, 1953-1961. Albuquerque, Univ. of New Mexico Press, 82, in-8, X-180 p.

3461. CARO (Robert A.). The years of Lyndon Johnson. Vol. 1: The path to power. New York, Alfred A. Knopf, 82, in-8, XXIII-882 p.

3462. CIMPRICH (John). Slave behavior during the federal occupation of Tennessee, 1862-1865. Historian, 82, vol. 44, n° 3, p. 335-346.

3463. CLEMENTS (Kendrick A.). William Jennings Bryan: missionary isolationist. Knoxville, Univ. of Tennessee Press, 82, in-8, XVI-214 p.

3464. COLLINS (Robert M.). American corporatism: the Committee for Economic Development, 1942-1964. Historian, 82, vol. 44, n° 2, p. 151-173.

3465. COTTROL (Robert J.). The Afro-Yankees: Providence's black community in the antebellum era. Westport, Conn., Greenwood Press, 82, in-8, XVIII-200 p. (Contrib. in Afro-Am. a. African Stud., 68)

3466. CRESS (Lawrence Delbert). Citizens in arms: the army and the militia in American society to the War of 1812. Chapel Hill, Univ. of North Carolina Press, 82, in-8, XVI-238 p.

3467. DAWSON (Joseph G.) III. Army generals and reconstruction: Louisiana, 1862-1877. Baton Rouge, Louisiana State U. P., 82, in-8, 294 p.

3468. DELANOE (Nelcya). L'entaille rouge: terres indiennes et démocratie américaine, 1776-1980. Paris, Maspero, 82, in-8, 413 p.

3469. DE SANTIS (Vincent P.). Rutherford B. Hayes and the removal of the troops and the end of reconstruction. In: Region, race, and reconstruction [Cf. n° 537], p. 417-450.

3470. DEWEY (Frank L.). The Waterson-Madison episode: an incident in Thomas Jefferson's law practice. Virginia Mag. Hist. a. Biogr., 82, vol. 90, n° 2, p. 165-176.

3471. DINNERSTEIN (Leonard). America and the survivors of the holocaust. New York, Columbia U. P., 82, in-8, XIV-409 p.

3472. DIPPIE (Brian W.). The vanishing American: white attitudes and U. S. Indian policy. Middletown, Conn., Wesleyan U. P., 82, in-8, XVII-423 p.

3473. DRAGO (Edmund L.). Black politicians and reconstruction in Georgia: a splendid failure. Baton Rouge, Louisiana State U. P., 82, in-8, XII-201 p.

3474. DUFFY (John J.), MULLER (H.

Nicholas) III. An anxious democracy: aspects of the 1830s [in Vermont]. Westport, Conn., Greenwood Press, 82, in-8, XII-172 p.

3475. DUGGER (Ronnie). The politician: the life and times of Lyndon Johnson, the drive for power, from the frontier to master of the Senate. London a. New York, W. W. Norton, 82, in-8, 514 p.

3476. DUNLAY (Thomas W.). Wolves for the blue soldiers: Indian scouts and auxiliaries with the United States army, 1860-1890. Lincoln, Univ. of Nebraska Press, 82, in-8, 304 p.

3477. DURAM (James C.). A moderate among extremists: Dwight D. Eisenhower and the school desegregation crisis. Chicago, Nelson-Hall, 81, in-8, XIV-306 p.

3478. EAGLES (Charles W.). Jonathan Daniels and race relations: the evolution of a southern liberal. Knoxville, Univ. of Tennessee Press, 82, in-8, XVIII-254 p.

3479. EDWARDS (Jerome E.). Pat McCarran: political boss of Nevada. Reno, Univ. of Nevada Press, 82, in-8, X-227 p. (Nevada Stud. in Hist. a. Pol. Sci., 17) [Patrick A. McCarran: U. S. Senator]

3480. ELLSWORTH (Scott). Death in a promised land: the Tulsa race riot of 1921. Foreword by John Hope FRANKLIN. Baton Rouge, Louisiana State U. P., 82, in-8, XVII-159 p.

3481. FIELD (Phyllis F.). The politics of race in New York: the struggle for black suffrage in the Civil War era. Ithaca, N. Y., Cornell U. P., 82, in-8, 264 p.

3482. FIELS (Barbara J.). Ideology and race in American history. In: Region, race, and reconstruction [Cf. n° 537], p. 143-177.

3483. FOSTER (Gaines M.). The limitations of federal health care for freedmen, 1862-1868. J. south. Hist., 82, vol. 48, n° 3, p. 349-372.

3484. FOWLER (Loretta). Arapahoe politics, 1851-1978: symbols in crises of authority. Foreword by Fred EGGAN. Lincoln, Univ. of Nebraska Press, 82, in-8, XX-373 p.

3485. FRAGNOLI (Raymond R.). The transformation of reform: progressivism in Detroit - and after, 1912-1933. New York, Garland, 82, in-8, VII-410 p.

3486. FRANKLIN (John Hope), MEIER (August) a. others. Black leaders of the twentieth century. Urbana, Univ. of Illinois Press, 82, in-8, XI-372 p. (Blacks in the New World)

3487. FREEHLING (Alison Goodyear). Drift toward dissolution: the Virginia slavery debate of 1831-1832. Baton Rouge, Louisiana State U. P., 82, in-8, XIV-306 p.

3488. FRIEDMAN (Lawrence J.). Gregarious saints: self and community in American abolitionism, 1830-1870. New York, Cambridge U. P., 82, in-8, XI-344 p.

3489. FRISCH (Michael H.). Urban theorists, urban reform, and American political culture in the progressive period. Pol. Sci. Quar., 82, vol. 97, n° 2, p. 295-316.

3490. FRY (Joseph A.). Henry S. Sandford: diplomacy and business in nineteenth-century America. Reno, Univ. of Nevada Press, 82, in-8, XI-226 p. (Nevada Stud. in Hist. a. Pol. Sci., 16)

3491. GALVIN (John T.). Patrick J. McGuire: Boston's last democratic boss. New England Quar., 82, vol. 55, n° 3, p. 392-415.

3492. GREEN (Michael D.). The politics of Indian removal: Creek government and society in crisis. Lincoln, Univ. of Nebraska Press, 82, in-8, XIII-237 p.

3493. GREENSTEIN (Fred I.). The hidden-hand presidency: Eisenhower as leader. New York, Basic Books, 82, in-8, X-286 p.

3494. GRESSLEY (Gene M.). James G. Blaine, "Alferd" E. Packer, and western particularism. Historian, 82, vol. 44, n° 3, p. 364-381.

3495. GRIFFITH (Robert). Dwight D. Eisenhower and the corporate commonwealth. Am. hist. R., 82, vol. 87, n° 1, p. 87-122.

3496. GUINSBERG (Thomas N.). The pursuit of isolationism in the United States senate from Versailles to Pearl Harbor. New York, Garland, 82, in-8, 325 p. (Modern Am. Hist.)

3497. HAHN (Steven). Common right and commonwealth: the stock-law struggle and the roots of southern populism. In: Region, race, and reconstruction [Cf. n° 537], p. 51-88.

3498. HAMMACK (David C.). Power and society: greater New York at the turn of the century. New York, Russell Sage Foundation, 82, in-8, XIX-422 p.

3499. HARLAN (Louis R.). Booker T. Washington's discovery of Jews. In: Region, race, and reconstruction [Cf. n° 537], p. 267-279.

3500. HASSLER (Warren W.) Jr. With shield and sword: American military affairs, colonial times to the present. Ames, Iowa State U. P., 82, in-8, X-462 p.

3501. HATTAWAY (Herman), JONES (Archer). The war board, the basis of the United States first general staff. Milit. Affairs, 82, vol. 46, n° 1, p. 1-6.

3502. HEALE (Michael J.). The presidential quest: candidates and images in American political culture, 1787-1852. New York, Longman, 82, in-8, XI-268 p.

3503. HEARDEN (Patrick J.). Independence and empire: the new south's cotton mill campaign, 1865-1901. DeKalb, Northern

Illinois U. P., 82, in-8, XV-175 p.

3504. HEITZMANN (William Ray). The ironclad Weehawken in the civil war. Am. Neptune, 82, vol. 42, n° 3, p. 193-202.

3505. HINCKLEY (Ted C.). Alaskan John G. Brady: missionary, businessman, judge, and governor, 1878-1918. Columbus, Ohio State U. P., 82, in-8, XVII-398 p.

3506. HOLLEY (I. B.) Jr. General John M. Palmer, citizen soldiers, and the army of a democracy. Westport, Conn., Greenwood Press, 82, in-8, XVIII-814 p. (Contrib. in Military Hist., 28)

3507. HOYT (Edwin P.). Pacific destiny: the story of America in the Western sea from the early 1800's to the 1980's. London, W. W. Norton, 82, in-8, 336 p.

3508. HUDSON (James J.). The role of the California national guard during the San Francisco general strike of 1934. Milit. Affairs, 82, vol. 46, n° 2, p. 76-84.

3509. IVERSON (Peter). Carlos Montezuma and the changing world of the American Indians. Albuquerque, Univ. of New Mexico Press, 82, in-8, XV-222 p.

3510. JOHNSON (David A.). Industry and the individual on the far western frontier: a case study of politics and social change in early Nevada. Pacific hist. R., 82, vol. 51, n° 3, p. 243-264.

3511. JONAS (Manfred), WELLS (Robert V.) a. others. New opportunities in a new nation: the development of New York after the revolution. Schenectady, N. Y., Union College Press, 82, in-8, XI-146 p.

3512. JONES (James Pickett). John A. Logan: stalwart republican from Illinois. Tallahassee, Univ. Presses of Florida, 82, in-8, XII-291 p.

3513. JORDAN (Hamilton). The crisis, the last year of the Carter presidency. London, M. Joseph, 82, in-8, 432 p.

3514. KAHRL (William L.). Water and power: the conflict over Los Angeles' water supply in the Owens Valley. Berkeley a. Los Angeles, Univ. of California Press, 82, in-8, XII-583 p.

3515. KLEPPNER (Paul). Who voted? The dynamics of electoral turnout, 1870-1980. New York, Praeger, 82, in-8, XI-238 p.

3516. KOENIGER (A. Cash). The New Deal and the states: Roosevelt versus the Byrd organization in Virginia. J. am. Hist., 82, vol. 68, n° 4, p. 876-896. [Harry F. Byrd, U. S. senator, Virginia, 1930s]

3517. KURTZ (Michael L.). The assassination of John F. Kennedy: a historical perspective. Historian, 82, vol. 45, n° 1, p. 1-19. - IDEM. The crime of the century: the Kennedy assassination from a historian's perspective. Brighton, Harvester Press, 82, in-82, in-8, 272 p.

3518. KUTLER (Stanley R.). The American inquisition: justice and injustice in the cold war. New York, Hill a. Wang, 82, in-8, XIV-285 p.

3519. KUTOLOWSKI (John F.), KUTOLOWSKI (Kathleen Smith). Commissions and canvasses: the militia and politics in western New York, 1800-1845. New York Hist., 82, vol. 63, n° 1, p. 5-38.

3520. LAWSON (Michael L.). Dammed Indians: the Pick-Sloan Plan and the Missouri river Sioux, 1944-1980. Foreword by Vine DELORIA, Jr. Norman, Univ. of Oklahoma Press, in-8, XXVI-261 p.

3521. LIMBAUGH (Ronald H.). Rocky Mountain carpetbaggers: Idaho's territorial governors, 1863-1890. Moscow, Univ. Press of Idaho, 82, in-8, 234 p.

3522. LINK (Arthur S.) a. others. Woodrow Wilson and a revolutionary world, 1913-1921. Chapel Hill, Univ. of North Carolina Press, 82, in-8, VIII-241 p. (Supplementary Volumes to the Papers of Woodrow Wilson)

3523. LOMASK (Milton). Aaron Burr: the conspiracy and years of exile, 1805-1836. New York, Farrar, Straus, a. Giroux, 82, in-8, XVIII-475 p.

3524. LONG (Edward R.). Earl Warren and the politics of anti-communism. Pacific hist. R., 82, vol. 51, n° 1, p. 51-70.

3525. LYTHGOE (Dennis L.). Let 'em holler: a political biography of J. Bracken Lee. Salt Lake City, Utah State Hist. Soc., 82, in-8, XI-343 p.

3526. McCARDELL (John). The idea of a Southern nation: Southern nationalists and Southern nationalism, 1830-1860. London, W. W. Norton, 82, in-8, 406 p.

3527. McCORMICK (Richard P.). The presidential game: the origins of American presidential politics. London a. New York, Oxford U. P., 82, in-8, 279 p.

3528. McFEELY (William S.). Amos T. Akerman: the lawyer and racial justice. In: Region, race, and reconstruction [Cf. n° 537], p. 395-415. [U. S. Attorney-General, 1870-1871]

3529. McGOVERN (James R.). Anatomy of a lynching: the killing of Claude Neal. Baton Rouge, Louisiana State U. P., 82, in-8, XII-170 p.

3530. McMILLEN (Neil R.). Perry W. Howard: boss of black-and-tan republicanism in Mississippi, 1924-1960. J. south. Hist., 82, vol. 48, n° 2, p. 205-224.

3531. McMURRY (Richard M.). John Bell Hood and the war for southern independence. Lexington, Univ. Press of Kentucky, 82, in-8, XI-239 p.

3532. McWHINEY (Grady), JAMIESON (Perry D.). Attack and die: civil war military tactics and the southern heritage. University, Univ. of Alabama Press, 82, in-8, XV-209 p.

3533. MASSARO (John). LBJ and the Fortas nomination for chief justice. Pol. Sci. Quar., 82, vol. 97, n° 4, p. 603-622. [Lyondon B. Johnson, Abe Fortas]

3534. MILLER (Char). Fathers and sons: the Bingham family and the American mission. Philadelphia, Temple U. P., 82, in-8, XI-308 p. (Am. Civilization)

3535. MILLER (Darlis A.). The California column in New Mexico. Albuquerque, Univ. of New Mexico Press, 82, in-8, XVI-318 p.

3536. MILLER (John E.). Governor Philip F. La Follette, the Wisconsin progressives, and the New Deal. Columbia, Univ. of Missouri Press, 82, in-8, 229 p. - IDEM. Philip La Follette: rhetoric and reality. Historian, 82, vol. 45, n° 1, p. 65-83.

3537. MISCAMBLE (Wilson D.). Thurman Arnold goes to Washington: a look at anti-trust policy in the later New Deal. Business Hist. R., 82, vol. 56, n° 1, p. 1-15.

3538. MONKKONEN (Eric H.). From cop history to social history: the significance of the police in American history. J. soc. Hist., 82, vol. 15, n° 4, p. 575-592.

3539. MOORE (Jamie W.). National security in the American army's definition of mission, 1865-1914. Milit. Affairs, 82, vol. 46, n° 3, p. 127-132.

3540. MORRIS (Richard B.). John Jay and the adoption of the federal constitution in New York: a new reading of persons and events. New York Hist., 82, vol. 63, n° 2, p. 133-164.

3541. MURPHY (Bruce Allen). The Brandeis-Frankfurter connection: the secret political activities of two supreme court justices. New York, Oxford U. P., 82, in-8, X-473 p.

3542. MYRES (Sandra L.). Westering women and the frontier experience, 1800-1915. Albuquerque, Univ. of New Mexico Press, 82, in-8, XXII-365 p. (Hist. of the Am. Frontier)

3543. NEELY (Mark E.) Jr. The Abraham Lincoln encyclopedia. New York, McGraw-Hill, 82, in-8, XII-356 p.

3544. NELSON (William E.). The roots of American bureaucracy, 1830-1900. Cambridge, Mass., Harvard U. P., 82, in-8, VIII-208 p.

3545. NORTON (Mary Beth). People and a nation: the history of the United States. Vol. 1, 2. London, Houghton Mifflin, 82, 2 vol. in-8, 512, 640 p.

3546. OATES (Stephen B.). Let the trumpet sound, the life of Martin Luther King. London, Search Press, 82, in-8, 520 p.

3547. OLIEN (Roger M.). From token to triumph: the Texas republicans since 1920. Dallas, Tex., SMU Press, 82, in-8, X-309 p.

3548. O'REILLY (Kenneth). A new deal for the FBI: the Roosevelt administration, crime control, and national security. J. am. Hist., 82, vol. 69, n° 3, p. 638-658.

3549. PARKS (Lillian Rogers). The Roosevelts. London, Prentice-Hall, 82, in-8, 284 p.

3550. PEROFF (Nicholas C.). Menominee drums: tribal termination and restoration. Norman, Univ. of Oklahoma Press, 82, in-8, XIII-282 p.

3551. PETERSON (Merrill D.). Olive branch and sword: the compromise of 1833. Baton Rouge, Louisiana State U. P., 82, in-8, 132 p.

3552. PETROVSKAJA (M. M.). SŠA: politika skvoz'prizmu oprosov. (USA: politics in the light of referendums.) Moskva, Meždunar. otnošenija, 82, 271 p. (AN SSSR. In-t SŠA i Kanady)

3553. PISANI (Donald J.). State vs. nation: federal reclamation and water rights in the progressive era. Pacific hist. R., 82, vol. 51, n° 3, p. 265-282.

3554. PÓKA-PIVNY (Aladár), ZACHAR (József). Az amerikai függetlenségi háború magyar hőse, Kováts Mihály ezredes [1724-1779]. (Oberst Mihály Kováts, Held des Amerikanischen Unabhängigkeitskrieges.) Budapest, Zrinyi Kiadó, 82, in-8, 179 p. - CR: I. Czigány, Hadtört. Közl., 82, vol. 29, n° 4, p. 657-659.

3555. Političeskie partii SŠA v novejšee vremja. (Political parties of the USA in the contemporary period.) Monografija. Redkol.: G. A. GOLOVANOVA (otv. red.) i dr. Moskva, Izd-vo MGU, 82, 284 p. (Probl. amerikanistiki) [Cf. Bibl. 81, n° 3095]

3556. Politische (Das) System der USA. Geschichte und Gegenwart. Berlin, Staatsverl. d. DDR, 82, in-8, 367 p. (Studien z. polit. System d. Imperialismus, 1)

3557. POPE (Robert Dean). Of the man at the center: biographies of southern politicians from the age of segregation. In: Region, race, and reconstruction [Cf. n° 537], p. 89-112.

3558. POWELL (Lawrence N.). The politics of livelihood: carpet-baggers in the deep South. In: Region, race, and reconstruction [Cf. n° 537], p. 315-347.

3559. PREUSSEN (Ronald W.). John Foster Dulles: the road to power. New York, Free Press, 82, in-8, XIV-575 p.

3560. QUINBY (Lee). Thomas Jefferson: the virtue of aesthetics and the aesthetics of virtue. Am. hist. R., 82, vol. 87, n° 2, p. 337-356.

3561. RABINOWITZ (Howard N.) a. others. Southern black leaders of the reconstruction era. Urbana, Univ. of Illinois Press, 82, in-8, XXIV-422 p. (Blacks in the New World)

3562. REEVES (Thomas C.). The life and

times of Joe McCarthy. London, Blond a. Briggs, 82, in-8, 832 p.

3563. RETER (Ronald F.). President Theodore Roosevelt and the Senate's "advise and consent" to treaties. Historian, 82, vol. 44, n° 4, p. 483-504.

3564. RIGHTER (Robert W.). Crucible for conservation: the creation of Grand Teton National Park. Boulder, Colorado Associated U. P., 82, in-8, IX-192 p.

3565. ROBINSON (David). The political odyssey of William Henry Channing. Am. Quar., 82, vol. 34, n° 2, p. 165-184.

3566. ROLAND (Charles P.). The ever-vanishing South. J. south. Hist., 82, vol. 48, n° 1, p. 3-20.

3567. ROSSBACH (Jeffery). Ambivalent conspirators: John Brown, the Secret Six, and a theory of slave violence. Philadelphia, Univ. of Pennsylvania Press, 82, in-8, XII-298 p.

3568. ROTHSCHILD (Mary Aickin). A case of black and white: northern volunteers and the southern freedom summers, 1964-1965. Westport, Conn., Greenwood Press, 82, in-8, XIV-213 p. (Contrib. in Afro-Am. a. African Stud., 69)

3569. SCALES (James R.), GOBLE (Danney). Oklahoma politics: a history. Norman, Univ. of Oklahoma Press, 82, in-8, XII-372 p.

3570. SCHLISSEL (Lillian). Women's diaries of the westward journey. New York, Schocken Books, 82, in-8, VIII-262 p.

3571. SEALANDER (Judith). Feminist against feminist: the first phase of the equal rights amendment debate, 1923-1963. South Atlantic Quar., 82, vol. 81, n° 2, p. 147-161.

3572. SHAPIRO (Samuel). A black senator from Mississippi: Blanche K. Bruce (1841-1898). R. Politics, 82, vol. 44, n° 1, p. 83-109.

3573. SIVAČEV (N. V.). SŠA: gosudarstvo i rabočij klass (ot obrazovanija Soedinennykh Štatov Ameriki do okončanija vtoroj mirovoj vojny). (USA: state and working class. From the formation of the United States of America till the end of the second world war.) Moskva, Mysl', 82, 343 p. - IDEM. Franklin Ruzvel't - prezident dejstvija i politiěeskij realist (K 100-letiju so dnja roždenija). (Franklin Roosevelt - president of action and political realist.) SŠA - ěkon., polit., ideol., 82, n° 1, p. 20-33.

3574. SKOCPOL (Theda), FINEGOLD (Kenneth). State capacity and economic intervention in the early New Deal. Pol. Sci. Quar., 82, vol. 97, n° 2, p. 255-278.

3575. SKOWRONEK (Stephen). Building a new American state: the expansion of national administrative capacities, 1877-1920. London a. New York, Cambridge U. P., 82, in-8, X-389 p.

3576. SMITH (Ronald A.). Freedom of religion and the land ordinance of 1785. J. Church a. State, 82, vol. 24, p. 589-602.

3577. SOGRIN (V. V.). Džordž Vašington (K 250-letiju so dnja roždenija). (George Washington's 250th birthday.) SŠA - ěkon., pol., ideol., 82, n° 2, p. 9-17.

3578. SONNICHSEN (C. L.). Tucson: the life and times of an American city. Norman, Univ. of Oklahoma Press, 82, in-8, XIV-369 p.

3579. SPOTOV (B. M.). Fermerskoe dviženie v SŠA. 1780-1790-e gody. (The farmers' movement in the USA, 1780-1790.) Moskva, Nauka, 82, 215 p. (ill.). (AN SSSR. In-t vseobšč. istorii)

3580. STROZIER (Charles B.). Lincoln's quest for union: public and private meanings. New York, Basic Books, 82, in-8, XXIII-271 p.

3581. STUART (Meriwether). Dr. Lugo: an Austro-Venetian adventurer in Union espionage. Virginia Mag. Hist. a. Biogr., 82, vol. 90, n° 3, p. 339-358.

3582. STUART (Reginald C.). War and American thought: from the revolution to the Monroe Doctrine. Kent, Ohio, Kent State U. P., 82, in-8, XVI-245 p.

3583. SWEENEY (James R.). Rum, romanism, and Virginia democrats: the party leaders and the campaign of 1928. Virginia Mag. Hist. a. Biogr., 82, vol. 90, n° 4, p. 403-431.

3584. THEOHARIS (Athan G.) a. others. Beyond the Hiss Case: the FBI, Congress, and the cold war. Philadelphia, Temple U. P., 82, in-8, XI-423 p.

3585. THOMPSON (Margaret S.). Ben Butler versus the Brahmins: patronage and politics in early gilded age Massachusetts. New England Quar., 82, vol. 55, n° 2, p. 163-186.

3586. THORNTON (J. Mills) III. Fiscal policy and the failure of radical reconstruction in the lower South. In: Region, race, and reconstruction [Cf. n° 537], p. 349-394.

3587. TIFFIN (Susan). In whose best interest? Child welfare reform in the progressive era. Westport, Conn., Greenwood Press, 82, in-8, 310 p. (Contrib. to the Study of Childhood a. Youth, 1)

3588. TOSIELLO (Rosario Joseph). "Requests I cannot ignore" - a new perspective on the role of cardinal O'Connell in the Sacco-Vanzetti case. Cath hist. R., 82, vol. 58, n° 1, p. 46-53.

3589. TRACHENBERG (Alan). The incorporation of America: culture and society in the gilded age. New York, Hill a. Wang, 82, in-8, VII-260 p. (Am. Century Ser.)

3590. TRAFZER (Clifford E.). The Kit Carson campaign: the last great Navajo war. Norman, Univ. of Oklahoma Press, 82, in-8, XVIII-277 p.

3591. TREFOUSSE (Hans L.). Carl Schurz: a biography. Knoxville, Univ. of Tennessee Press, 82, in-8, VIII-386 p.

3592. TURNER (Michael). The vice president as policy maker: Rockefeller in the Ford White House. Westport, Conn., Greenwood Press, 82, in-8, XVII-252 p. (Contrib. in Pol. Sci., 78)

3593. TURNER (Thomas Reed). Beware the people weeping: public opinion and the assassination of Abraham Lincoln. Baton Rouge, Louisiana State U. P., 82, in-8, XVI-265 p.

3594. UPHAM (Steadman). Politics and power: the economic and political history of the Western Pueblo. London a. New York, Academic Press, 82, in-8, XVI-225 p. (ill.). (Stud. in archaeol.)

3595. WAGENKNECHT (Edward). American profile, 1900-1909. Amherst, Univ. of Massachusetts Press, 82, in-8, VIII-365 p.

3596. WEBER (David J.). The Mexican frontier, 1821-1846: the American southwest under Mexico. Albuquerque, Univ. of New Mexico Press, 82, in-8, XXIV-416 p.

3597. WEBER (Paul J.). James Madison and religious equality: the perfect separation. R. Politics, 82, vol. 44, n° 2, p. 163-186.

3598. WESTWOOD (Howard C.). The Vicksburg/Port Hudson gap - the pincers never pinched. Milit. Affairs, 82, vol. 46, n° 3, p. 113-120. [Civil war]

3599. WHITE (G. Edward). Earl Warren: a public life. New York, Oxford U. P., 82, in-8, X-429 p.

3600. WHITE (Gerald T.). The United States and the problem of recovery after 1893. University, Univ. of Alabama Press, 82, in-8, X-160 p.

3601. WINKLE (Kenneth J.). A social analysis of voter turnout in Ohio, 1850-1860. J. interdisc. Hist., 82, vol. 13, n° 3, p. 411-436.

3602. WYATT-BROWN (Bertram). Modernizing southern slavery: the pro-slavery argument reinterpreted. In: Region, race, and reconstruction [Cf. n° 537], p. 27-49.

Cf. n°s 495, 4900.

Finlande.

* Cf. n° VII.

3603. ARIMO (R.). Linnoittaminen ja sotatoimet 1918-1944. (Fortification and military operations [in Finland] 1918-1944.) Tiede ja Ase, 82, t. 40, p. 102-152.

3604. HIETANEN (Silvo). Siirtoväen pika-asutuslaki 1940. Asutuspoliittinen tausta ja sisältö sekä toimeenpano. (The Prompt Settlement Act of 1940 for displaced persons - its background, content and execution.) Helsinki, Suomen historiallinen seura, 82, in-8, 310 p. (Hist. Tutkimuksia, 117)

3605. LAINE (Antti). Suur-Suomen kahdet kasvot. Itä-Karjalan siviiliväestön asema seuomalaisessa miehityshallinnossa 1941-1944. (Die Finnisierungsmaßnahmen der Militärverwaltung Ostkareliens als Teil der finnischen Kriegspolitik.) Helsinki, Otava, 82, in-8, 490 p. (ill.). (Publ. Univ. Joensuu, Ser. A, 24) [Mit dt. Zsfassung]

3606. MANNINEN (Turo). Vapaustaistelu, kansalaissota ja kapina. Taistelun luonne valkoisten sotapropagandassa vuonna 1918. (Main characteristics of White war propaganda.) Jyväskylä, Jyväskylän yliopisto, 82, in-8, 269 p. (Stud. hist. Jyväskyläensia, 24) [Eng. summary]

3607. PELTONEN (Arvo). Suomen kaupunkijärjestelmän kasvu 1815-1970. (Teollistumisen leviämisen vaikutuksista periferisen maan kaupungistumiseen. (The growth of town system in Finland 1815-1970. The influence of industrialization in the urbanization of a periferic country.) Helsinki, Societas Scientiarum Fennica, 82, in-8, 219 p. (Bidr. t. Känn. av Finl. Natur Folk, 128) [Eng. summary]

3608. SALO (Unto). Suomen kaupunkilaitoksen syntyjuuria ja varhaisvaiheita. (Birth and early stages of the Finnish city.) Hist. Ark., 82, t. 78, p. 7-98. [Eng. summary]

France.

* 3609. SENKOWSKA-GLUCK (Monika), MICHALSKI (Jerzy). L'historiographie polonaise de la Révolution française et de l'époque napoléonienne. Orientations actuelles de l'historiographie polonaise des Lumières et de la Révolution. A. hist. Revol. franç., 81, a. 53, p. 608-631.

* Cf. n° VIII.

**3610. Archives parlementaires de 1787 à 1860. Recueil complet des débats législatifs et politiques des chambres françaises. Fondé par MM. Jérôme MARIVAL et Emile LAURENT, continué par l'Inst. d'Hist. de la Révol. franç., Univ. de Paris I. 1e série, 1787-1799. [T. 92. Cf. Bibl. 81, n° 3167.] T. 93: Du 21 messidor au 12 thermidor an II (9 juillet au 30 juillet 1794). Paris, Ed. du C. N. R. S., 82, in-4, 776 p.

** 3611. BERTIER DE SAUVIGNY (Guillaume de). La France et les Français vus par les voyageurs américains. Paris, Flammarion, 82, in-8, 428 p.

** 3612. BOMBELLES (Marc [-Marie] de). Journal du marquis de Bombelles. Texte établi, prés. et annoté par Jean GRASSION et Franz DURIF. T. 1: 1780-1784. T. 2: 1784-1789. Genève, Droz, 78-82, 2 vol. in-8, 396, 412 p. (Hist. des idées et critique litt., 170, 201)

** 3613. Contre Retz: sept pamphlets du temps de la Fronde. Ed. par C. JONES. Exeter, Univ. of Exeter, 82, in-8, XXXVIII-62 p.

** 3614. FAURE (Edgar). Mémoires. T. 1: Avoir toujours raison, c'est un grand tort. Paris, Plon, 82, in-8, 691 p.

** 3615. Fronde (La). Contestation démocratique et misère paysanne. 52 mazarinades prés. par Hubert CARRIER. Paris, EDHIS, 82, 2 vol. in-8, pagination multiple. [Reprod. en fac-sim d'un choix de mazarinades, 1649-1652]

** 3616. GAULLE (Charles de). Lettres, notes et carnets. [T. 1, 2. Cf. Bibl. 81, n° 3171.] T. 3: Juin 1940-juillet 1941. T. 4: Juillet 1941-mai 1943. Paris, Plon, 81-82, 2 vol. in-8, 521, 652 p.

** 3617. Guerre et paix en Algérie au XVIIe siècle. Les Mémoires de voyage du sieur J. de L'Hermine [éd. par Michelle MAGDELAINE]. Toulouse, Privat, 82, in-8, 226 p.

** 3618. HANOTAUX (Gabriel). Carnets, 1907-1925. Publ. par Georges DETHAN, avec la collab. de Georges-Henri SOUTOU et Marie-Renée MOUTON. Paris, Pedone, 82, in-8, XXII-445 p.

** 3619. MONLUC (Blaise de). Commentaires, 1521-1576. Ed. établie et annotée par Paul COURTEAULT. Préf. par Jean GIONO. Paris, Gallimard, 81, in-8, XXXII-1591 p. (cartes). (Biblioth. de la Pléiade, 174)

** 3620. Papiers (Les) de Richelieu. Section politique intérieure: correspondance et papiers d'Etat, réunis par Pierre GRILLON. [T. 4. Cf. Bibl. 81, n° 3177.] T. 5: 1630. Paris, Pedone, 82, in-4, 778 p. (Monumenta Europae historica) [Cf. n° 7012]

** 3621. Recueil de documents relatifs aux séances des Etats Généraux. Vol. 2: Les séances de la noblesse, 6 mai - 16 juillet 1789. T. 1: 6-27 mai 1789. [1e partie. Cf. Bibl. 74-75, n° 3867.] T. 2: 2e partie: 15-20 mai 1789. Ed. par Olga ILOVAÏSKY. Paris, Ed. du C. N. R. S., 82, in-4, 352 p.

** 3622. SAMARAN (Charles). Lettres inédites du cardinal Georges d'Armagnac (1555). Bibl. Ec. Chartes, 82, t. 140, livr. 1, p. 35-60.

** 3623. TOCQUEVILLE (Alexis de). Oeuvres complètes. T. 2: L'Ancien Régime et la Révolution. 1. Introd. par Georges LEFEBVRE. 2: Fragments et notes inédites sur la Révolution. Texte établi et annoté par André JARDIN. Paris, Gallimard, 81, 2 vol. in-8, 362, 448 p.

** 3624. VOSS (Jürgen). Die Briefe der Herzogin Elisabeth-Charlotte von Orléans an die ehemalige Versailler Hofdame Madame de Ludres (1687-1722). Z. f. d. Gesch. d. Oberrheins, 81, Bd 129, p. 234-275.

3625. Administration et Parlement depuis 1815. Genève, Droz, 82, in-8, 140 p. (Publ. de l'Ec. prat. des Hautes Etudes, IVe Section: Sci hist. et philol., Hautes Et. médiév. et mod., 48)

3626. AL'BINA (L. L.). "Političeskoe zaveščanie Rišel'e: spory o podlinnosti. (The "Political testament" of Richelieu: the discussion about its authenticity.) Nov. novejš. Ist., 82, n° 1, p. 56-74.

3627. ALLAIN (Jean-Claude). Joseph Caillaux. T. 1: Le défi victorieux, 1863-1914. T. 2: L'oracle, 1914-1944. Paris, Impr. nationale, 78-82, 2 vol. in-8, 537, 596 p. (ill.).

3628. ANDREWS (William G.). Presidential government in Gaullist France: a study of executive-legislative relations, 1958-1974. Albany, State Univ. of New York Press, 82, in-8, XIII-304 p.

3629. ARNAL (Oscar L.). Catholic roots of collaboration and resistance in France in the 1930s. Canad. J. Hist., 82, vol. 17, p. 87-110. - IDEM. The nature and success of Breton Christian democracy: the exemple of L'Ouest-Eclair. Cath. hist. R., 82, vol. 68, n° 2, p. 226-248.

3630. AUSPITZ (Katherine). The radical bourgeoisie: the Ligue de l'Enseignement and the origins of the Third Republic, 1866-1885. London a. New York, Cambridge U. P., 82, in-8, X-237 p.

3631. BABELON (Jean-Pierre). Henri IV. Paris, Fayard, 82, in-8, 1104 p.

3632. BAECHLER (Christian). Le parti catholique alsacien, 1890-1939. Du Reichsland à la République jacobine. Paris, Ophrys, 82, in-8, XXI-764 p.

3633. BARKER (Nancy R.). Un "prince-bourgeois"? Le cas de Philippe-Egalité. R. Hist. dipl., 82, a. 96, p. 209-224.

3634. BARYCZ (Henryk), JOBERT (Ambroise). Humanisme et fanatisme à Paris (1542-1572), d'après quelques Polonais. R. Hist. mod., 82, t. 29, p. 96-112.

3635. BÉNÉ-PETITCLERC (Frédérique). Madame de Pompadour: histoire d'un mécénat. Strasbourg, Istra, 81, in-8, 127 p. (ill.).

3636. BERSTEIN (Serge). Histoire du parti radical. [T. 1. Cf. Bibl. 80, n° 3234.] T. 2: Crise du radicalisme, 1926-1939. Paris, Presses de la Fondation nat. des Sci. pol., 82, in-8, 666 p.

3637. BESSON (André). Malet, l'homme qui fit trembler Napoléon [Ier]. Paris, Ed. France-Empire, 82, in-8, 310 p.

3638. BIDELMAN (Patrick Kay). Pariahs stand up! The founding of the liberal feminist movement in France, 1858-1889. Westport, Conn., Greenwood, 82, in-8, XXVIII-285 p. (Contrib. in Women's Stud., 31)

3639. BIVER (Marie-louise). Le Panthéon

à l'époque révolutionnaire. Paris, Presses univ. France, 82, in-8, VIII-132 p. (ill.).

3640. BORDONOVE (Georges). Les rois qui ont fait la France. [T. 1. Cf. Bibl. 81, n° 3204.] T. 2: Louis XIII, le Juste. T. 4: Louis XV, le Bien-Aimé. Paris, Pygmalion, 81-82, 2 vol. in-8, 307, 315 p. (pl.).

3641. BURY (J. P. T.). Gambetta's final years, the era of difficulties, 1877-1882. London a. New York, Longman, 82, in-8, 392 p.

3642. ČERNEGA (V. N.). Respublikanskaja partija v političeskoj žizni Francii (1962-1981). (The Republican Party in the political life of France, 1962-1981.) Moskva, Nauka, 82, 188 p. (AN SSSR. In-t mirovoj èkonomiki i meždunar. otnošenij)

3643. CHANAL (Michel). La milice française dans l'Isère (février 1943-août 1944). R. Hist. 2e Guerre mond., 82, a. 32, n° 127, p. 1-42.

3644. CHAUNU (Pierre). La France. Histoire de la sensibilité des Français à la France. Paris, Laffont, 82, in-8, 396 p. (Les hommes et l'histoire)

3645. CHAUSSINAND-NOGARET (Guy). Mirabeau. Paris, Ed. du Seuil, 82, in-8, 286 p.

3646. CHAUSSINAND-NOGARET (Guy). Un aspect de la pensée nobiliaire au XVIIIe siècle: "l'antimobilisme". R. Hist. mod., 82, t. 29, p. 442-452.

3647. CHEVALLIER (Pierre). Louis XIII, roi cornélien. Paris, Fayard, 82, in-8, 693 p. (ill.).

3648. CHIAPPE (Jean-François). La Vendée en armes. T. 1: 1793. T. 2: Les géants. T. 3: Les Chouans. Paris, Perrin, 82, 3 vol. in-8, 544, 478, 689 p. (ill.).

3649. CHRISTIENNE (Charles). L'armée de l'air française de mars 1936 à septembre 1939. In: Deutschland u. Frankreich 1936-1939 [Cf. n° 235], p. 215-248.

3650. Church, state and society under the Bourbon kings of France. Ed. by Richard M. GOLDEN. Lawrence, Kansas, Coronado Press, 82, in-8, 379 p.

3651. DEFRASNE (Jean). Histoire de la collaboration. Paris, Presses univ. France, 82, in-8, 128 p.

3652. DEMUTH (Gilles). Les Ardennes sous le Premier Empire: le préfet Frain, 1800-1814. R. hist. ardennaise, 82, n° 17, p. 133-247.

3653. DESCHAMPS (Henri). La politique aux Antilles françaises de 1946 à nos jours. Paris, Librairie gén. de Droit et de Jurisprudence, 81, in-8, 201 p.

3654. DESCIMON (Robert), BARNAVI (Elie). La Ligue à Paris (1585-1594): une révision [Cf. BARNAVI (Elie). Le parti de Dieu. Bibl. 80, n° 3232.]. A. Ec., Soc., Civ., 82, a. 37, p. 72-128.

3655. DREYFUS (François-Georges). De Gaulle et le gaullisme: essai d'interprétation. Paris, Presses univ. France, 82, in-8, 319 p.

3656. DUTAILLY (Henry). Programmes d'armement et structures modernes dans l'armée de terre, 1935-1939. In: Deutschland u. Frankreich 1936-1939 [Cf. n° 235], p. 105-128.

3657. DUVERLIE (Dominique). Amiens sous l'occupation allemande, 1940-1944. R. Nord, 82, t. 64, p. 145-172.

3658. EMMANUELLI (François-Xavier). Pour une réhabilitation de l'histoire politique provinciale: l'exemple de l'Assemblée des communautés de Provence (1660-1786). R. hist. Droit franç. étr., 81, a. 59, p. 431-450.

3659. ERBE (Michael). Geschichte Frankreichs von der Großen Revolution bis zur Dritten Republik, 1789-1884. Stuttgart, Berlin, Köln u. Mainz, Kohlhammer, 82, in-8, 280 p. (Kt.).

3660. ESTEBE (Jean). Les ministres de la République, 1871-1914. Paris, Presses de la Fondation nat. des Sci. pol., 82, in-8, 256 p. (graph., cartes).

3661. FARRAR (Marjorie M.). Victorious nationalism beleaguered: Alexandre Millerand as French premier in 1920. Proc. am. philos. Soc., 82, vol. 126, n° 6, p. 481-519.

3662. FERAARD (Stéphane). Les matériels de l'armée de Terre française, 1940. T. 1: Infanterie, blindés, artillerie de D. C. A. et divisionnaire. Paris, Lavauzelle, 82, in-8, 180 p.

3663. France (La) et la question juive, 1940-1944. Actes du Colloque du Centre de documentation juive contemporaine, 10 au 12 mars 1979, Paris. Paris, S. Messinger, 81, in-8, 413 p.

3664. Franche-Comté (La) à la recherche de son histoire, 1800-1914. Par René LOCATELLI, Claude-Isabelle BRELOT, Jean-Marc DEBARD et al. Paris, Belles Lettres, 82, in-8, 488 p. (ill.). (A. litt. Univ. Besançon, 264. Cah. d'études comtoises, 31)

3665. FRANKENSTEIN (Robert). Le prix du réarmement français (1935-1939). Paris, Publications de la Sorbonne, 82, in-8, 382 p.

3666. FRENAY (Etienne), ROSSET (Philippe). La Seconde République dans les Pyrénées-Orientales, 1848-1851. Perpignan, Direction des Services d'Archives, 81, in-8, 167 p.

3667. French cities in the nineteenth century. Ed. by John M. MERRIMAN. London, Hutchinson, 82, in-8, XII-311 p. [Cf. n°s 3672, 3707, 3742, 5469, 6115, 6414, 6415]

3668. GAXOTTE (Pierre). Paris au XVIIIe siècle. Paris, Artaud, 82, 286 p. (ill., 16 p. de pl.).

3669. GIRAULT DE COURSAC (Paul), GIRAULT DE COURSAC (Pierrette). Enquête sur le procès du roi Louis XVI. Paris, Table Ronde, 82, in-8, 661 p.

3670. GOLDSTEIN (Jan). The hysteria diagnosis and the politics of anticlericalism in late nineteenth-century France. J. mod. Hist., 82, vol. 54, n° 2, p. 209-239.

3671. GOŁOSZ (Kazimierz). Zagraniczna polityka kulturalna 5 Republiki 1958-1974. (La politique culturelle étrangère de la 5e République en 1958-1974.) Katowice, 82, in-8, 174 p. (Prace Nauk. Uniw. Śłaskiego w Katowicach, 498)

3672. GORDON (David). Industrialization and republican politics: the bourgeois of Reims and Saint-Etienne under the Second Empire. In: French cities in the 19th century [Cf. n° 3667], p. 117-138.

3673. Grands notables du Premier Empire. Notices de biographie sociale, publ. sous la dir. de Louis BERGERON et Guy CHAUSSINAND-NOGARET. [7. Cf. Bibl. 81, n° 3260.] 8: Loir-et-Cher, Indre-et-Loire, par Jeanine LABUSSIERE, Loire-Inférieure, par Béatrix GUILLET. Paris, Ed. du C. N. R. S., 82, in-8, 224 p.

3674. GUILLEN (Pierre). Idéologie et relations internationales: les Français libres et l'idée européenne. In: L'historien et les relations internat. [Cf. n° 508], p. 295-308.

3675. HAHNER (Péter). Danton vagy Robespierre? (Danton ou Robespierre?) Világosság, 82, vol. 23, n° 2, p. 93-101.

3676. Histoire du Nord-Pas-de-Calais, de 1900 à nos jours. Sous la dir. de Yves-Marie HILAIRE. Toulouse, Privat, 82, in-8, 540 p. (ill.).

3677. HOFF (Pierre). Les programmes d'armement de 1919 à 1939. Vincennes, Service hist. de l'Armée de terre, 82, in-4, 479 p.

3678. HOLMES (Stephen). Two concepts of legitimacy: France after the Revolution. Pol. Theory, 82, vol. 10, p. 165-183.

3679. HUARD (Raymond). Le mouvement républicain en Bas-Languedoc: la préhistoire des partis. Paris, Presses de la Fondation nat. des Sci. pol., 82, in-8, 520 p.

3680. HUTTON (Patrick H.). The cult of the revolutionary tradition: the Blanquists in French politics, 1864-1893. Berkeley, Los Angeles a. London, Univ. of California Press, 82, in-8, 218 p.

3681. JACOB (James E.). Ethnic identity and the crisis of separation of church and state: the case of the Basques of France, 1870-1914. J. Church a. State, 82, vol. 24, n° 2, p. 303-320.

3682. JONAS (Friedrich). Soziologische Betrachtungen zur französischen Revolution. Stuttgart, Enke, 82, in-8, 178 p.

3683. JONES (P. M.). An improbable democracy: 19th-century elections in the Massif Central. Eng. hist. R., 82, vol. 97, p. 530-557.

3684. JOUHAUD (Christian). Le Conseil du Roi, Bordeaux et les Bordelais (1579-1610, 1630-1680). A. Midi, 81, t. 93, p. 377-396.

3685. KAPLAN (Steven L.). The famine plot persuasion in eighteenth century France. Philadelphia, Amer. Philos. Soc., 82, in-8, 80 p. - Trad. franç.: Le complot de la famine: histoire d'une rumeur au XVIIIe siècle. Paris, Colin, 82, in-8, 78 p.

3686. KEDWARD (H. R.). Patriots and patriotism in Vichy France. Trans. roy. hist. Soc., 82, vol. 32, p. 175-192.

3687. KELLY (George Armstrong). Victims, authority, and terror: the parallel deaths of d'Orleans, Custine, Bailly, and Malesherbes. Chapel Hill, Univ. of North Carolina Press, 82, in-8, X-393 p.

3688. KENNEDY (Michael L.). The Jacobin clubs in the French revolution: the first years. Princeton, N. J., Princeton U. P., 82, in-8, XII-381 p.

3689. KERMINA (Françoise). Saint-Just: la Révolution aux mains d'un jeune homme. Paris, Perrin, 82, in-8, 348 p.

3690. KETTERING (Sharon). The causes of the judicial Frondes. Canad. J. Hist., 82, vol. 17, p. 275-306.

3691. KIESWETTER (James K.). The imperial restoration: continuity in personnel and policy under Napoleon I and Louis XVIII. Historian, 82, vol. 45, n° 1, p. 31-46.

3692. KITCHENS (James H.) III. Judicial commissaires at the parlement of Paris: the case of the Chambre de l'Arsenal. French hist. Stud., 82, vol. 12, n° 3, p. 323-350.

3693. KNECHT (R. J.). Francis I. New York, Cambridge U. P., 82, in-8, XV-480 p.

3694. LABATUT (Jean-Pierre). Patriotisme et noblesse sous le règne de Louis XIV. R. Hist. mod., 82, t. 29, p. 622-634.

3695. LABROUSSE (Elisabeth). Regards sur le garantisme de la Révolution française et sur le garantisme de Sismondi. Econ. et Soc., 82, t. 16, p. 621-640.

3696. LAURENS (André). Une police politique sous l'Occupation: la milice française en Ariège, 1942-1944. Foix, Centre régional de Documentation pédagog., 82, in-8, 252 p.

3697. LIAUZU (Claude). Aux origines des tiers-mondismes: colonisés et anticolonialistes en France, 1919-1939. Paris, Harmattan, 82, in-8, 274 p.

3698. LIVIAN (Marcel). Le parti socialiste et l'immigration: le gouvernement Léon Blum, la main d'oeuvre immigrée et les réfugiés politiques, 1920-1940. Paris,

Anthropos, 82, in-8, XVIII-265 p.

3699. LJUBLINSKAJA (A. D.). Francija pri Rišel'e. Francuzskij absoljutizm v 1630-1642 gg. (France under Richelieu. French absolutism in 1630-1542.) Leningrad, Nauka, 82, 275 p. (AN SSSR. In-t istorii SSSR. Leningr. otd-nie)

3700. LOCKE (Robert R.), CUBBERLY (Ray E.). A new mémoire on the French coup d'état of December 2, 1851. French hist. Stud., 82, vol. 12, n° 4, p. 564-588.

3701. MacKENZIE (Norman). The escape from Elba. The fall and flight of Napoleon, 1814-1815. Oxford a. Melbourne, Oxford U. P., 82, in-8, 299 p.

3702. MAGA (Timothy P.). Closing the door: the French government and refugee policy, 1933-1939. French hist. Stud., 82, vol. 12, n° 2, p. 424-442.

3703. MARGADANT (Ted W.). Proto-urban development and political mobilization during the Second Republic. In: French cities in the 19th century [Cf. n° 3667], p. 96-116.

3704. MARGAIRAZ (Michel). Autour des accords Blum-Byrnes: Jean Monnet entre le consensus national et le consensus atlantique. Hist., Econ., Soc., 82, a. 1, p. 439-470.

3705. MARTIN (Benjamin F.). The courts, the magistrature, and promotions in Third Republic France, 1871-1914. Am. hist. R., 82, vol. 87, p. 977-1009.

3706. MELLER (Stefan). Kamil Desmoulins. (Camille Desmoulins.) Warszawa, Czytelnik, 82, in-8, 333 p.

3707. MERRIMAN (John R.). Restoration town, bourgeois city: changing urban politics in industrializing Limoges. In: French cities in the 19th century [Cf. n° 3667], p. 42-72.

3708. METTRA (Claude). La France des Bourbons. T. 1: D'Henri IV à Louis XIV. T. 2: Du Régent à Charles X. Bruxelles, Complexe, 81-82, 2 vol. in-8, 363, 328 p.

3709. MEYER (Daniel). Quand les rois régnaient à Versailles. Paris, Fayard, 82, in-8, 252 p.

3710. MEYER (Jean). Colbert. Paris, Hachette, 81, in-8, 369 p.

3711. MICHAEL (Robert). The Radicals and Nazi Germany. The revolution in French attitudes towards foreign policy, 1933-1939. Washington, D. C., Univ. Press of America, 82, in-8, VI-141 p.

3712. MIECK (Ilja). Die Entstehung des modernen Frankreichs, 1450-1610. Strukturen, Institutionen, Entwicklungen. Stuttgart, Berlin, Köln u. Mainz, Kohlhammer, 82, in-8, 316 p. (graph. Darst.).

3713. MINOT (Bernard). La chute du premier gouvernement Blum et l'action des Commissions des Finances, 1936-1937. R.

Econ. pol., 82, a. 92, p. 35-51.

3714. MITCHELL (Allan). La mentalité xénophobe: le contre-espionnage en France et les racines de l'affaire Dreyfus. R. Hist. mod., 82? t. 29, p. 489-499.

3715. NAPO (F.). 1907: la révolte des vignerons. Toulouse, Privat, 82, in-8, 281 p.

3716. NARDIN (Pierre). Gribeauval, lieutenant général des armées du Roi, 1715-1789. Paris, Fondation pour les Etudes de Défense nationale, 82, in-8, 383 p.

3717. OBIČKINA (E. O.). Rasprostranenie idej prosveščenija sredi francuzskogo krest'janstva nakanune revoljucii konca XVIII veka. (The spread of the Enlightenment ideas among the French peasantry on the eve of the 18th-century revolution.) Nov. novejš. Ist., 82, n° 2, p. 45-57.

3718. PARENT (Michel). Vauban, un encyclopédiste avant la lettre. Paris, Berger-Levrault, 82, in-8, 217 p. (ill.). (Illustres inconnus)

3719. Paroisses et communes de France. Dictionnaire d'histoie administrative et démographique publ. par le Laboratoire de démographie historique de l'Ecole des Hautes Etudes en Sciences sociales, sous la dir. de Jacques DUPAQUIER et Jean-Pierre BARDET. [T. 26, 87. Cf. Bibl. 81, n° 3339.] T. 45: Loiret. Par Christian POITOU. T. 48: Lozère. Par René Jean BERNARD. Paris, Ed. du C. N. R. S., 82, 2 vol. in-8, 536, 313 p. (cartes).

3720. Paysans (Les) et la politique, 1750-1850. Colloque organisé à l'université de Rennes II, 21-27 mai 1981. A. Bretagne, 82, t. 89, p. 135-269.

3721. PETITFRERE (Claude). Les Vendéens d'Anjou: 1793. Analyse de structures militaires, sociales et mentales. Paris, Bibliothèque nat., 81, in-8, 497 p.

3722. PILBEAM (Pamela). The growth of liberalism and the crisis of the Bourbon Restoration, 1827-1830. Hist. J., 82, vol. 25, p. 351-366.

3723. PONIATOWSKI (Michel). Talleyrand et le Directoire. Paris, Perrin, 82, in-8, 904 p.

3724. PLESSIS (Alain). Napoléon III, un dictateur? In: Dictatures et légitimité [Cf. n° 236], p. 188-222.

3725. PRICE (Roger). Techniques of repression: the control of popular protest in mid-nineteenth-century France. Hist. J., 82, vol. 25, p. 859-887.

3726. RABAUT (Jean). Jean Jaurès. Paris, Perrin, 81, in-8, 270 p. (pl.).

3727. REINHARDT (Steven G.). Crime and royal justice in ancien régime France: modes of analysis. J. interdisc. Hist., 82, vol. 13, n° 3, p. 437-460.

3728. REMOND (René). Les droites en

France. Paris, Aubier, 82, in-8, 544 p. (Coll. historique)

3729. REMOND (René). L'image de l'Allemagne dans l'opinion publique française de mars 1936 à septembre 1939. In: Deutschland u. Frankreich 1936-1939 [Cf. n° 235], p. 3-16.

3730. REMOND (René), COUTROT (Aline), BOUSSARD (Isabelle). Quarante ans de cabinets ministériels, de Léon Blum à Georges Pompidou. Paris, Presses de la Fondation nat. des Sci. pol., 82, in-8, 277 p.

3731. Représentation et vouloir politiques: autour des Etats Généraux de 1614. Sous la dir. de Roger CHARTIER et Denis RICHET. Paris, Ecole des Hautes Etudes en Sci. soc., 82, in-8, 194 p. (Recherches d'hist. et de sci. soc., 4)

3732. REVUNENKOV (V. G.). Očerki po istorii Velikoj Francuzskoj revolucii: Padenie monarkhii. 1789-1792. (Essays on the history of the Great French revolution: the fall of the monarchy, 1789-1792.) Leningrad, Izd-vo LGU, 82, 240 p. (ill.).

3733. RIEMENSCHNEIDER (Rainer). Décentralisation et régionalisme au milieu du XIXe siècle. Romantisme, 82, a. 12, p. 115-135.

3734. ROBRIEUX (Philippe). Histoire intérieure du Parti Communiste. [T. 1, 2. Cf. Bibl. 81, n° 3352.] T. 3: 1972-1982. Paris, Fayard, 82, in-8, 544 p.

3735. ROOT (Hilton L.). En Bourgogne, l'Etat et la communauté rurale, 1661-1789. A. Ec., Soc., Civ., 82, a. 37, p. 288-302.

3736. ROSSET (Philippe). L'agitation anticléricale dans le diocèse de Perpignan au début de la Monarchie de Juillet. R. hist., 82, a. 106, t. 268, p. 185-204.

3737. RUDELLE (Odile). La république absolue: aux origines de l'instabilité constitutionnelle de la France républicaine, 1870-1889. Paris, Publications de la Sorbonne, 82, in-8, 327 p.

3738. SADOUN (Marc). Les socialistes sous l'Occupation: Résistance et collaboration. Paris, Presses de la Fondation nat. des Sci. pol., 82, in-8, XX-324 p.

3739. SARTORIUS (Francis), DE PAEPE (Jean-Luc). Belges ralliés à la Commune de Paris. [Suite de Bibl. 81, n° 3360.] R. belge Hist. milit., 81-82, t. 24, p. 251-274, 383-400, 495-503, 571-590.

3740. SCHNUR (Roman). Vive la République oder Vive la France. Zur Krise d. Demokratie in Frankreich 1939/1940. Berlin, Duncker u. Humblot, 82, in-8, 98 p. (Schr. z. Verfassungsgesch., 34)

3741. SCHOR (Ralph). Les partis politiques français et le droit d'asile (1919-1939). R. hist., 81, a. 105, t. 266, p. 445-459.

3742. SCOTT (Joan W.). Mayors versus police chiefs: socialist municipalities confront the French state. In: French cities in the 19th century [Cf. n° 3667], p. 230-245.

3743. SHULIM (Joseph I.). The continuing controversy over the etiology and nature of the French Revolution. Canad. J. Hist., 81, vol. 16, p. 357-378.

3744. SMITH (Bonnie G.). The rise and fall of Eugène Lerminier. French hist. Stud., 82, vol. 12, n° 3, p. 377-400. [Political reformer, 1803-1857]

3745. SOBOUL (Albert). La civilisation et la Révolution française. [T. 1. Cf. Bibl. 70-71, n° 4591.] T. 2: La Révolution française. Paris, Arthaud, 82, in-8, 541 p. (ill., pl.). (Les Grandes civilisations, 10/2) - IDEM. Problèmes de la dictature révolutionnaire (1789-1796). In: Dictatures et légitimité [Cf. n° 236], p. 159-173.

3746. Soziale und politische Konflikte im Frankreich des Ancien Régime. Studien aus d. Forschungsprojektschwerpunkt "Soziale Mobilität im frühmodernen Staat: Bürgertum u. Ämterwesen" am Fachbereich 13 d. Freien Univ. Berlin. Hrsg. v. Klaus MALETTKE. Mit Beitr. v. Kuno BÖSE u. a. Berlin, Colloquium-Verl., 82, in-8, XIII-199 p. (Einzelveröff. d. Hist. Komm. zu Berlin, 32)

3747. STOREZ (Isabelle). La philosophie politique du chancelier d'Aguesseau. R. hist., 81, a. 105, t. 266, p. 381-400.

3748. SUTHERLAND (Donald). The Chouans. The social origins of popular counterrevolution in upper Brittany, 1770-1796. London a. New York, Oxford U. P., 82, in-8, 372 p. (tab., charts, map).

3749. SUTTON (Michael). Nationalism, positivism and Catholicism: the politics of Charles Maurras and French Catholics, 1890-1914. London, Cambridge U. P., 82, in-8, 336 p. (Cambr. Stud. in the Hist. a. Theory of Pol.)

3750. TACKETT (Timothy). The west in France in 1789: the religious factor in the origins of the counterrevolution. J. mod. Hist., 82, vol. 54, n° 4, p. 715-745.

3751. THALMANN (Rita). L'émigration allemande et l'opinion française de 1936 à 1939. In: Deutschland u. Frankreich 1936-1939 [Cf. n° 235], p. 47-70.

3752. TUDESQ (André-Jean). Le monde paysan dans le système politique censitaire: un absent ou un enjeu? A. Bretagne, 82, t. 89, p. 215-228.

3753. TULARD (Jean). Le Grand Empire. Paris, A. Michel, 82, in-8, 365 p. - IDEM. Les dictatures de l'époque libérale: Napoléon Ier. In: Dictatures et légitimité [Cf. n° 236], p. 175-187.

3754. URBAŃCZYK (Tadeusz). Francuska doktryna wojenna w latach 1918-1939. (La doctrine française de guerre dans les années 1918-1939.) Wojsk. Przegl. hist., 82, a. 27, n° 1, p. 211-234.

3755. VINOT (Bernard). Les origines familiales de Saint-Just et son environnement social. A. hist. Révol. franç., 82, a. 54, p. 161-180.

3756. VOVELLE (Michel). Formes de politisation de la société rurale en Provence sous la Révolution française: entre jacobinisme et contre-révolution au village. A. Bretagne, 82, t; 89, p. 185-204.

3757. WEBER (Eugen). Comment la politique vint aux paysans: a second look at peasant politicization. Am. hist. R., 82, vol. 87, n° 2, p. 357-389.

3758. WILLETTE (Luc). Le coup d'Etat du 2 décembre 1851. Paris, Aubier-Montaigne, 82, in-8, 223 p. (ill.).

3759. WILSON (Stephen). Ideology and experience: antisemitism in France at the time of the Dreyfus affair. Rutherford, N. J., Fairleigh Dickinson U. P., 82, in-8, XVIII-812 p. (Littman Libr. of Jewish Civ.)

3760. WINOCK (Michel). Edouard Drumont et Cie: antisémitisme et fascisme en France. Paris, Ed. du Seuil, 82, in-8, 218 p.

3761. ZACHAR (József). Ráttky György kuruc ezereskapitány, francia generális, ? - 1742. (Der Kurutzenoberst u. französische General György Ráttky.) Hadtört. Közl., 82, vol. 29, n° 3, p. 355-392.

Cf. n° 5234.

Grande-Bretagne.

* 3762. RICHARD (Stephen). British Government publications, an index to Chairmen and authors. Vol. 1: 1800-1899. Vol. 3: 1941-1978. London, Library Assoc., 82, 2 vol. in-4, 186, 152 p.

* Cf. n° IX.

** 3763. ASQUITH (Herbert Henry). Letters to Venetia Stanley, ed. by Michael a. Eleanor BROCK. London, Oxford U. P., 82, in-8, 969 p. (ill., maps).

** 3764. BODELL (James). A soldier's view of Empire: the reminiscences of James Bodell, 1831-1892, ed. by Keith SINCLAIR. London, Bodley Head, 82, in-8, 216 p. (ill).

** 3765. CHURCHILL (Sir Winston S.). Churchill speaks, 1897-1963: speeches in peace and war, ed. by Robert Rhodes JAMES. London, Windward, 82, in-8, 996 p.

** 3766. DEVONSHIRE ([William,] 4th Duke of). Memoranda on State affairs, 1759-1762, ed. by Peter Douglas BROWN a. Karl W. SCHWEIZER. London, Roy. Hist. Soc., 82, in-4, 208 p. (Camden Soc.)

** 3767. GILBERT (Martin). Winston S. Churchill. Companion vol. 5 [to Bibl. 76-77, n° 4228.]: Documents. Part [1. Cf. Bibl. 80, n° 3346.] 3: The coming of war. London, Heinemann, 82, in-8, 1684 p.

** 3768. GLADSTONE (William Ewart). The Gladstone diaries: with cabinet minutes and prime-ministerial correspondence. [Vol. 5, 6. Cf. Bibl. 78-79, n° 3826.] Vol. 7: January 1869-June 1871. Vol. 8: July 1871-December 1874. Ed. by H. C. G. MATTHEW. London a. New York, Oxford U. P., 82, 2 vol. in-8, CXIII-528, 612 p.

** 3769. Historical Manuscript Commission, London. W. E. Gladstone. Vol. 4: Autobiographical memoranda, 1868-1894. London, H. M. Stationery Office, 82, in-8, 176 p. (Prime Ministers' Papers) [Vol. 2. Cf. Bibl. 73, n° 2745]

** 3770. WEBB (Beatrice). The diary of Beatrice Webb. Vol. 1: "Glitter around and darkness within", 1873-1892. Ed. by Norman MacKENZIE, Jeanne MacKENZIE. Cambridge, Mass., Belknap Press of Harvard U. P.; London, Virago, 82, in-8, XXII-386 p.

3771. ADELMAN (Paul). The decline of the Liberal Party, 1910-1931. London, Longman, 82, in-8, 104 p. (Seminar Stud. in Hist.)

3772. ANDERSON (Peter D.). Robert Stewart, Earl of Orkney, Lord of Shetland, 1533-1593. Edinburgh, J. Donald, 82, in-8, 300 p.

3773. ASKWITH (Betty). Piety and wit: biography of Harriet, Countess Granville, 1785-1862. London, Collins, 82, in-8, 208 p. (ill., tab.).

3774. BARKER (Rachel). Conscience, government and war: conscientious objection in Great Britain, 1939-1945. London, Routledge, 82, in-8, 184 p.

3775. BARNARD (T. C.). The English Republic, 1649-1660. London, Longman, 82, in-8, 120 p. (Seminar Stud. in Hist.)

3776. BEER (Barrett L.). Rebellion and riot: popular disorder in England during the reign of Edward VI. Kent, Ohio, Kent State U. P., 82, in-8, X-259 p.

3777. BIRMINGHAM (Stephen). The Duchess: the story of Wallis Warfield Windsor. London, Macmillan, 82, in-8, 304 p. (ill.).

3778. BOURNE (Kenneth). Palmerston: the early years, 1784-1841. London, A. Lane; New York, Macmillan, 82, in-8, XIV-749 p. (16 p. of pl.).

3779. BOYD (Nancy). Josephine Butler, Octavia Hill, Florence Nightingale: three Victorian women who changed their world. London, Macmillan, 82, in-8, 264 p.

3780. BRADFORD (Sarah). Disraeli. London, Weidenfeld a. Nicolson, 82, in-8, 432 p.

3781. BROOKS (Colin). Projecting, political arithmetic and the act of 1695. Eng. hist. R., 82, vol. 97, p. 31-53.

3782. BROWNING (Reed). Political and

constitutional ideas of the court whigs. Baton Rouge, Louisiana State U. P., 82, in-8, XI-281 p.

3783. CHRISTIE (Ian Ralph). Wars and revolutions: Britain, 1760-1815. Cambridge, Mass., Harvard U. P.; London, E. Arnold, 82, in-8, 359 p. (The New Hist. of England)

3784. CLARK (J. C. D.). The dynamics of change: the crisis of the 1750s and English party systems. London a. New York, Cambridge U. P., 82, in-8, XIII-615 p. (Cambridge Stud. in the Hist. a. Theory of Politics)

3785. COLLEY (Linda). In defiance of oligarchy: the Tory party, 1714-1760. New York, Cambridge U. P., 82, in-8, VIII-375 p.

3786. COOKSON (J. E.). The friends of peace: anti-war liberalism in England, 1793-1815. London a. New York, Cambridge U. P., 82, in-8, VI-330 p.

3787. COOPER (Richard). William Pitt, taxation, and the needs of war. J. brit. Stud., 82, vol. 22, n° 1, p. 94-103.

3788. CRONIN (James E.), SCHNEER (Jonathan) a. others. Social conflict and the political order in modern Britain. New Brunswick, N. J., Rutgers U. P., 82, in-8, 221 p.

3789. CROSLAND (Susan). Tony Crosland. London, Cape, 82, in-8, 448 p.

3790. CROSS (John Arthur). Lord Swinton. London, Oxford U. P., 82, in-8, 346 p.

3791. D'ARCY (Fergus A.). Charles Bradlaugh and the English republican movement, 1868-1878. Hist. J., 82, vol. 25, p. 367-383.

3792. DAVIS (Richard W.). Committee and other procedures in the House of Lords, 1660-1685. Huntington Libr. Quar., 82, vol. 45, n° 1, p. 20-35.

3793. DENHOLM (A. F.). Lord Ripon, 1827-1909, a political biography. London, Croom Helm, 82, in-8, 304 p.

3794. DINWIDDY (J. R.). The early 19th-century campaign against flogging in the army. Eng. hist. R., 82, vol. 97, p. 308-331.

3795. DOOLITTLE (I. G.). Walpole's City Election Act (1725). Eng. hist. R., 82, vol. 97, p. 504-529.

3796. DURRANS (P. J.). A two-edged sword: the Liberal attack on Disraelian imperialism. J. imp. commonw. Hist., vol. 10, p. 262-284.

3797. EROFEEV (N. A.). Tumannyj Al'bion. Anglija i angličane glazami russkikh. 1825-1853 gg. (Foggy Albion. Britain and the British as seen by Russians, 1825-1853.) Moskva, Nauka, 82, 320 p. (AN SSSR. In-t vseobšč. istorii)

3798. FIELD (John H.). Towards a programme of imperial life, the British Empire at the turn of the century. Oxford, Clio, 82, in-8, 256 p.

3799. FISHER (Nigel). Harold Macmillan. London, Weidenfeld a. Nicolson, 82, in-8, 404 p. (ill.).

3800. FOSTER (Elizabeth Read). Procedure and the house of lords in the seventeenth century. Proc. am. philos. Soc., 82, vol. 126, n° 3, p. 183-187.

3801. FOX (Alistair). Thomas More: history and providence. New Haven, Conn., Yale U. P.; Oxford, Blackwell, 82, in-8, XI-271 p.

3802. FRASER (Derek) a. others. Municipal reform and the industrial city. New York, St. Martin's Press, 82, in-8, X-165 p. (Themes in Urban Hist.)

3803. FRASER (Peter). British war policy and the crisis of liberalism in May 1915. J. mod. Hist., 82, vol. 54, n° 1, p. 1-26.

3804. FRITZE (Ronald M.). The role of family and religion in the local politics of early Elizabethan England: the case of Hampshire in the 1560s. Hist. J., 82, vol. 25, p. 267-287.

3805. GALLAGHER (John). The decline, revival and fall of the British Empire. London, Cambridge U. P., 82, in-8, 211 p.

3806. GREAVES (Richard L.). Concepts of political obedience in late Tudor England: conflicting perspectives. J. brit. Stud., 82, vol. 22, n° 1, p. 23-34.

3807. GUY (J. A.). Henry VIII and the praemunire manoeuvres of 1530-1531. Eng. hist. R., 82, vol. 97, p. 481-503.

3808. HARRIS (Kenneth). Attlee. London, Weidenfeld a. Nicolson, 82, in-8, 630 p.

3809. HESS (Jürgen C.). Vom Erfolg und Scheitern einer Reformbewegung. Neue Literatur z. britischen Labour Party. Arch. f. Sozialgesch., 82, Bd 22, p. 563-584.

3810. HEWITT (George R.). Scotland under Morton, 1572-1580. Edinburgh, J. Donald, 82, in-8, 224 p.

3811. Historical Manuscripts Commission, London. Papers of British Cabinet Ministers, 1782-1900. London, H. M. Stationery Office, 82, in-8, 92 p.

3812. HOLLAND (R. F.). Britain and the Commonwealth alliance, 1918-1939. London, Macmillan, 82, in-8, 390 p.

3813. HOLMES (Geoffrey). Augustan England: professions, State and society, 1680-1730. London, Allen a. Unwin, 82, in-8, 346 p.

3814. HOLMES (M.). Political pressure and economic policy: the British Government, 1970-1974. London, Butterworth, 82, in-8, 176 p.

3815. HONE (J. Ann). For the cause of truth: radicalism in London, 1796-1821. London a. New York, Oxford U. P., 82, in-8, 412 p. (Oxford Hist. Monographs)

3816. HOROWITZ (Mark R.). Richard Empson, minister of Henry VII. B. Inst. hist. Research, 82, vol. 55, p. 35-49.

3817. HUME (Leslie Parker). The National Union of British Suffrage Societies, 1897-1914. New York, Garland, 82, in-8, 253 p.

3818. HUNT (Barry D.). Sailor-scholar: Admiral Sir Herbert Richmond, 1871-1946. London, C. Smythe, 82, in-8, XII-260 p.

3819. JEANNIN (Pierre). Cromwell: une dictature introuvable? In: Dictatures et légitimité [Cf. n° 236], p. 143-158.

3820. JOHNSTONE (W. Ross). Great Britain, Great Empire, an evaluation of the British imperial experience. Brisbane, Queensland U. P., 82, in-8, 324 p.

3821. JONES (Clyve). The impeachment of the Earl of Oxford and the Whig schism of 1717: four new lists. B. Inst. hist. Research, 82, vol. 55, p. 66-87.

3822. JUPP (James). The radical left in Britain 1931-1941. London, Cass, 82, in-8, VIII-261 p.

3823. KRADITOR (Aileen S.). Ideas of the Woman Suffrage Movement, 1890-1920. London, W. W. Norton, 82, in-8, XVI-314 p.

3824. LABUTINA (T. L.). Političeskaja bor'ba v Anglii v period restavracii Stjuartov 1660-1681. (The political struggle in England during the Stuart restoration 1660-1681.) Moskva, Nauka, 82, 207 p. (ill.). (AN SSSR. In-t vseobšč. istorii)

3825. LAQUEUR (Thomas W.). The Queen Caroline affair: politics as an art in the reign of George IV. J. mod. Hist., 82, vol. 54, n° 3, p. 417-466.

3826. LINDLEY (Keith). The Fenland riots and the English Revolution. London, Heinmann Educ., 82, in-8, 276 p.

3827. LOOMIE (Albert J.). Alonso de Cárdenas and the Long Parliament, 1640-1648. Eng. hist. R., 82, vol. 97, p. 289-307.

3828. MacDOUGALL (Hugh A.). Racial myth in English history: Trojans, Teutons, and Anglo-Saxons. Hanover, N. H., Univ. Press of New England, 82, in-8, IX-146 p.

3829. MATHER (Jean). The moral code of the English civil war and interregnum. Historian, 82, vol. 44, n° 2, p. 207-228.

3830. MILLER (John). Charles II and his Parliaments. Trans. roy. hist. Soc., 82, vol. 32, p. 1-23.

3831. MÖTTELI (Rodolphe Max). Wendepunkt 1910. Zur Geschichte der Liberalen Partei Großbritanniens 1885-1924. Zürich, 82, in-8, 279 p. [Thèse lettres]

3832. MOODY (T. W.). Davitt and the Irish revolution, 1846-1882. London, Oxford U. P., 82, in-8, 520 p.

3833. MORRAH (Patrick). The Royal Family: Charles I and his family. London, Constable, 82, in-8, 277 p. (ill.).

3834. MORRILL (John S.). Reactions to the English Civil War, 1642-1649. London, Macmillan, 82, in-8, 288 p.

3835. MOSLEY (Nicholas). The rules of the game: Sir Oswald and Lady Cynthia Mosley, 1896-1933. London, Secker a. Warburg, 82, in-8, 288 p.

3836. O'GORMAN (Frank). The emergence of the British two-party system, 1760-1832. London, E. Arnold; New York, Holmes a. Meier, 82, in-8, XI-132 p. (Foundations of Modern Hist.)

3837. OWEN (David). The government of Victorian London, 1855-1889: the metropolitan board of works, the vestries, and the city corporation. Ed. by Roy McLEOD. Cambridge, Mass., Belknap Press of Harvard U. P., 82, in-8, XV-466 p.

3838. PARRY (J. P.). Religion and the collapse of Gladston'es first government, 1870-1874. Hist. J., 82, vol. 25, p. 71-101.

3839. PAZ (D. G.). Another look at lord John Russell and the papal aggression, 1850. Historian, 82, vol. 45, n° 1, p. 47-64.

3840. PEARDON (Barbara). The politics of polemic: John Ponet's Short treatise of politic power and contemporary circumstances, 1553-1556. J. brit. Stud., 82, vol. 22, n° 1, p. 35-49.

3841. PELLEW (Jill). The Home Office, 1848-1914, from clerks to bureaucrats. London, Heinemann Educ., 82, in-8, 271 p.

3842. PHILLIPS (John A.). Electoral behavior in unreformed England: plumpers, splitters, and straights. Princeton, N. J., Princeton U. P., 82, in-8, XIX-353 p.

3843. POCOCK (J. G. A.). The limits and divisions of British history: in search of the unknown subject. Am. hist. R., 82, vol. 87, n° 2, p. 311-336.

3844. Politische (Das) System Großbrittaniens. Von d. engl. bürgerl. Revolution bis z. Gegenwart. Berlin, Staatsverl. d. DDR, 82, in-8, 472 p. (Studien z. polit. System d. Imperialismus, 2)

3845. Problemy britanskoj istorii. (Problems of British history.) Sbornik. Redkol.: I. I. ŽIGALOV (otv. red.) i dr. Moskva, Nauka, 82, 267 p. (AN SSSR. In-t vseobšč. istorii) [Cf. Bibl. 80, n° 3434]

3846. PUGH (Evelyn L.). Florence Nightingale and J. S. Mill debate women's rights. J. brit. Stud., 82, vol. 21, n° 2, p. 118-138.

3847. PUGH (Martin). The making of modern British politics, 1867-1939. New

York, St. Martin's Press; Oxford, Blackwell, 82, in-8, XI-337 p.

3848. QUINLIVAN (Patrick), ROSE (Paul). The Fenians in England, 1865-1872. London, J. Calder, 82, in-8, 197 p. (ill.).

3849. RAMSAY (G. D.). A saint in the City: Thomas More at Mercers' Hall, London. Eng. hist. R., 82, vol. 97, p. 269-288.

3850. RANCY (Catherine). Fantastique et décadence en Angleterre, 1890-1914. Paris, Ed. du C. N. R. S., 82, in-8, 232 p.

3851. RAPP (Dean). The left-wing Whigs: Whitbread, the mountain and reform, 1809-1815. J. brit. Stud., 82, vol. 21, n° 2, p. 35-66.

3852. READ (Donald). Edwardian England: reassessments. London, Croom Helm, 82, in-8, 192 p.

3853. REGUER (Sara). Persian oil and the first lord: a chapter in the career of Winston Churchill. Milit. Affairs, 82, vol. 46, n° 3, p. 134-139.

3854. RIDLEY (Jasper). The statesman and the fanatic: Thomas Wolsey and Thomas More. London, Hutchinson, 82, in-8, 338 p. (ill.).

3855. RITTER (Gerhard A.). Friedensbewegung in Großbritannien 1914-1918/19. Die Union of Democratic Control und ihr Kampf um eine gerechte Friedensordnung. Arch. f. Sozialgesch., 82, Bd 22, p. 403-421.

3856. ROBERTS (Clayton). The fall of the Godolphin ministry. J. brit. Stud., 82, vol. 22, n° 1, p. 71-93.

3857. RODES (Robert E.) Jr. Lay authority and reformation in the English church: Edward I to the civil war. Notre Dame, Ind., Univ. of Notre Dame Press, 82, in-8, XII-319 p.

3858. ROYLE (Edward), WALVIN (James). Radicalism and reform, 1776-1848. Brighton, Harvester Press, 82, in-8, 256 p.

3859. RULE (Margaret). "Mary Rose", the excavation and raising of Henry VIII's flagship. London, Windward, 82, in-4, 224 p. (ill., pl.).

3860. Scottish urban history. Ed. by George GORDON, Brian DICKS. Aberdeen, Univ. Press, 82, in-8, 280 p. (ill.).

3861. SELDON (Antont). Churchill's Indian Summer: the Conservative Government of 1951-1955. London, Hodder, 82, in-8, 667 p.

3862. SHANNON (Richard). Gladstone. Vol. 1: 1809-1865. London, H. Hamilton, 82, in-4, 480 p. (ill.).

3863. SHARP (James J.). The flower of Scotland: the history of Scottish monarchy. Edinburgh, J. Thin, 82, in-8, 192 p. (ill.).

3864. SIMPER (Robert). Britain's maritime heritage. Newton Abbot, David a. Charles, 82, in-8, 384 p.

3865. SMITH (Annette M.). Jacobite estates of the forty-five. Edinburgh, J. Donald, 82, in-8, 296 p.

3866. SOAMES (Mary). The Churchill family album, a personal anthology. London, A. Lane, 82, in-4, 220 p. (450 ill.).

3867. SPATER (George). William Cobbett: the poor man's friend. Vol. 1, 2. London a. New York, Cambridge U. P., 82, 2 vol. in-8, XV-310 p.; VIII p., p. 311-653.

3868. Structure (The) of 19th century [British] cities. Ed. by James H. JOHNSON, Colin G. POOLEY. London, Croom Helm, 82, in-8, 312 p. (ill.).

3869. STUART (Denis). Dear Duchess: Millicent, Duchess of Sutherland, 1867-1955. London, Gollancz, 82, in-8, 256 p.

3870. VERNON (Betty). Ellen Wilkinson, a biography. London, Croom Helm, 82, in-8, 272 p.

3871. WALLACE (Martin). The British Government in Northern Ireland from devolution to direct rule. Newton Abbot, David a. Charles, 82, in-8, 160 p.

3872. WARDE (Alan). Consensus and beyond: the development of Labour Party strategy since the Second World War. Manchester, Univ. Press, 82, in-8, 243 p.

3873. WECKER (Regina). Geschichte und Geschichtsverständnis bei Edmund Burke. Bern, Lang, 81, in-8, 165 p. (Europ. Hochschulschr., Reihe 3: Gesch. u. ihre Hilfswissenschaften, 138)

3874. WELLENREUTHER (Hermann). Korruption und das Wesen der englischen Verfassung im 18. Jahrhundert. Hist. Z., 82, Bd 234, p. 33-62.

3875. WESTON (Corinne C.). Salisbury and the Lords, 1868-1895. Hist. J., 82, vol. 25, p. 103-129.

3876. WETTERN (Desmond). The decline of British sea power. London, Jane's Publ., 82, in-8, 224 p. (ill., maps).

3877. WILLIAMSON (Philip). "Safety first": Baldwin, the Conservative Party and the 1929 General Election. Hist. J., 82, vol. 25, p. 385-409.

3878. WOOLRYCH (Austin). Commonwealth to protectorate. New York, Oxford U. P., 82, in-8, XII-446 p.

3879. YOUNG (Kenneth), GARSIDE (Patricia). Metropolitan London: politics and urban change, 1837-1981. London, E. Arnold, 82, in-8, 416 p. (Stud. in Urban Hist.)

Cf. n° 5317.

Grèce.

3880. BARDA (Christina). Politeuomenoi stratiōtikoi stēn Hellada sta telē tou 19ou aiōna. (Militaires politisés en Grèce à la fin du XIXe s.) Mnēmōn, 80-82 [82], t. 8, p. 47-63.

3881. BONJOUR (Edgar). Griechenland während des Zweiten Weltkriegs in den Berichten der Schweizer Gesandtschaft. Schweiz. Z. f. Gesch., 82, Bd 32, p. 545-560.

3882. BOUTZOUBĒ-BANIA (Aleka). To Kapodistriako komma 1832-1833. Apo tēn hētta ston paragkōnismo kai tēn katadiōxe. (Le parti Capodistrien 1832-1833. De la défaite à l'écrasement et à la persécution.) Mnēmōn, 80-82 [82], t. 8, p. 85-116.

3883. ESCHE (Matthias). Die Kommunistische Partei Griechenlands 1941-1949. Ein Beitrag z. Politik d. KKE vom Beginn d. Résistance bis z. Ende d. Bürgerkrieges. München u. Wien, Oldenbourg, 82, in-8, 397 p. (Studien z. mod. Gesch., 27)

3884. HERZFELD (Michael). Ours once more: folklore, ideology, and the making of modern Greece. Austin, Univ. of Texas Press, 82, in-8, X-197 p.

3885. LIAKOS (Antones). Hoi phileleutheroi stēn Epanastasē tou 1862. Ho politikos syllogos "Rēgas Pherraios". (Les libéraux lors de la Révolution de 1862. L'association politique "Rēgas Pherraios".) Mnēmōn, 80-82 [82], t. 8, p. 9-46.

3886. LOULIS (John C.). The Greek communist party, 1940-1944: policies, organisation. London, Croom Helm, 82, in-8, 256 p.

3887. WOODHOUSE (C. M.). Karamanlis, the restorer of Greek democracy. London, Oxford U. P., 82, in-8, 302 p.

Haïti.

3888. BELLEGARDE-SMITH (Patrick). International relations-social theory in a small state: an analysis of the thought of Dantes Bellegarde [Haitian diplomat, 1877-1966]. Americas, 82, vol. 39, n° 2, p. 167-184.

Hongrie.

* Cf. n° X.

** 3889. BARANYAI DECSI (János) [156?-1601] magyar historiája, 1592-1598. (Ioannis DECII BAROVII Commentariorum de rebvs Vngaricis libri qvi extant.) Ford. és bev. KULCSÁR Péter, jegyz. BELLUS Ibolya. (Trad. et introd. par - , annoté par - .) Budapest, Helikon-Európa, 82, in-8, 414 p. (Bibliotheca historica)

** 3890. BOLDIZSÁR (Iván). Don, Buda, Párizs. (Don, Buda, Paris.) Budapest, Magvető, 82, in-8, 410 p. (Tények és tanuk) [Mémoires]

** 3891. CSERÉPFALVI (Imre). Egy könyvkiadó feljegyzései. (Les notes d'un éditeur.) Budapest, Gondolat, 82, in-8, in-8, 483 p. (pl.). [Mémoires]

** 3892. Debrecen város magistrátusának jegyzőkönyvei. Szerk. SZENDREY István. (Les procès-verbaux de la magistrature de la ville de Debrecen. Réd. par - .) [1548-49. Cf. Bibl. 81, n° 3495.] 1550/51, 1551/1552. 1552/1554. Ford., vál. BALOGH István. (Trad., choisis par - .) Debrecen, Hajdu-Bihar megyei Levéltár - Kossuth Lajos Tudományegyetem, 82, 2 vol. in-8, 92, 124 p. (A Hajdu-Bihar megyei Levéltár forráskiadványai, 3-4)

** 3893. Júliustól júniusig. Dokumentumok 1956-1957 történetéből. Összeáll. RÁKOSI Sándor. (De juillet à juin. Documents concernant l'histoire de 1956-1957. Réd. par - .) Budapest, Kossuth Kiadó, 81, in-8, 269 p. - CR: R. L. Réti, Párttört. Közl., 82, vol. 28, n° 4, p. 238-239.

** 3894. Kőszeg ostromának emlékezete. Vál., szerk., bev. és jegyz. BARISKA István. (En souvenir du siège de Kőszeg [1532]. Choix, réd., intr. et notes de - .) Budapest, Európa-Helikon, 82, in-8, 279 p. (Bibliotheca historica)

** 3895. Literátor-politikusok levelei Jenei Ferenc gyüjtéséből. 1566-1623. Sajtó alá rend. JANKOVICS József. (Correspondance des hommes politiques - hommes de lettres de la collection de Ferenc Jenei 1566-1623. Publ. par - .) Budapest, Magy. Tud. Akadémia Irodalomtudományi Intézete; Szeged, József Attila Tudományegyetem, 81 [82], in-8, 334 p. (Adattár XVI-XVIII. századi szellemi mozgalmaink történetéhez, 5)

** 3896. Magyar emlékirók, 16-18. század. Vál., a szöveget gondozta és jegyz. BITSKEY István. (Mémorialistes hongrois, XVIe-XVIIIe siècles. Choix, éd. et notes par - .) Budapest, Szépirodalmi Könyvkiadó, 82, in-8, 1000 p. (Magyar remekirók)

** 3897. MEDNYÁNSZKY (Alajos). Festői utazás a Vág folyón, Magyarországon, 1825. Ford. SOLTÉSZ Gáspár, szerk. KATONA Tamás. (Malerische Reise auf dem Waagfluß in Ungarn, 1825. Übers. von -, red. von - .) Budapest, Európa; Bratislava, Tatran, 81, in-8, 121 p. (Bibliotheca saeculorum)

** 3898. Szigetvári levelek a török hódoltság korából. A leveleket az Országos Levéltár anyagából vál. PATAKI János. (Lettres de Szigetvár de l'époque de l'occupation par les Turcs. Choix des matériaux des Archives Nationales par - .) Szigetvár, Várbaráti Kör, 82, in-8, 136 p. (carte). (A Szigetvári Várbaráti Kör kiadványai, 9)

** 3899. URBÁN (Aladár). "Honunkat dúló ellenségeinknek minden lépteit nehezitsük ..." Válogatás Batthyány Lajos miniszterelnöki irataiból, 1848. szeptember 13. - szeptember 26. ("Rendons difficile chaque pas de l'ennemi qui ravage notre patrie ..." Sélection de documents présidentiels de Lajos Batthyány, du 13 au 26 sept. 1848.) Századok, 82, vol. 116, n° 6, p. 1262-1295.

** 3900. [VUKOVICS (Sebő).] Vukovics Sebő [1811-1872] visszaemlékezései 1849-re. Sajtó alá rend., utószó és jegyz. KATONA Tamás. (Les mémoires de S. Vukovics concernant 1849. Publ., postface et notes par - .) Budapest, Magyar Helikon, 82, in-8, 243 p. (Bibliotheca historica)

3901. ANDICS (Erzsébet). Erste Reagierungen der ungarischen Konservativen auf die Revolutionsereignisse und ihre Abwartungstaktik im Frühjahr und Anfang Sommer 1849. In: Gedenkschrift E. Arató [Cf. n° 497], p. 39-60. - EADEM. Széchenyi és Metternich. ([István] Széchenyi et Metternich.) Tört. Szle, 82, vol. 25, n° 3, p. 560-586.

3902. Bács-Kiskun megye múltjából. Szerk. IVÁNYOSI-SZABÓ Tibor. 6: Helytörténeti források és szemelvények a XVIII-XIX. századból. Ford. és jegyz. SZŐTS Rudolf. (Du passé du comitat de Bács-Kiskun. Réd. par - . 6: Sources d'histoire locale et extraits des XVIIIe-XIXe s. Trad. et notes par - .) Kecskemét, 82, in-8, 178 p. (A Bács-Kiskun megyei Levéltár kiadványai, 8)

3903. BALÁZS (Eva), H. Mentalité et politique en Hongrie au XVIIIe siècle. In: Objet et méthodes de l'histoire des cultures [Cf. n° 607], p. 123-132.

3904. BALOGH (Edgár). [1. köt.:] Hét próba. Egy nemzedék története, 1924-1934. [2. köt.:] Szolgálatban. Egy nemzedék története, 1935-1944. ([Vol. 1:] Les sept épreuves. Histoire d'une génération, 1924-1934. [Vol. 2:] Au service. Histoire d'une génération, 1934-1944.) Budapest, Magvető, 81, 2 vol. in-8, 421, 422 p. (Tények és tanuk)

3905. BÁRSONY (István). Bethlen Gábor megítélése korában és a történetírásban. (Die Beurteilung Gábor Bethlens zu seiner Zeit und in der Geschichtsschreibung.) Acta Univ. debreceniensis. Ser. hist., 81, vol. 31: Magy. tört. Tanulm., 14, p. 7-35.

3906. BATKAY (William M.). Authoritarian politics in a transitional state: István Bethlen and the unified party in Hungary, 1919-1926. Boulder, Colo., East European Monographs, 82, in-8, 169 p. (East European Monographs, 102)

3907. [Batthyány (Lajos):] ERDŐDY (Gábor). Batthyány és az európai változások 1848-ban. (Batthyány et les changements européens en 1848.) Századok, 82, vol. 116, n° 6, p. 1251-1261. - GERGELY (András). Batthyány Lajos a reformellenzék élén. (L. Batthyány à la tête de l'opposition réformiste.) Ibid., p. 1159-1174. - SZABAD (György). Batthyány és Magyarország alkotmányos önkormányzatának kérdése 1848 tavaszán. (Batthyány et la question de l'autonomie constitutionelle de la Hongrie au printemps de 1848.) Ibid., p. 1175-1192. - URBÁN (Aladár). Batthyány Lajos (1807-1849) első magyar miniszterelnök. (L. Batthyány premier président du conseil hongrois.) Budapest, Tudományos Ismeretterjesztő Társulat, 82, in-8, 41 p. (Történelmi füzetek). - IDEM. Batthyány és a honvédelem 1848-ban. (Batthyány et la défense nationale en 1848.) Századok, 82, vol. 116, n° 6, p. 1229-1250. - VARGA (János). Batthyány és a jobbágyfelszabadítás. (Batthyány et l'affranchissement des serfs.) Ibid., p. 1193-1228. [Cf. n° 3955.]

3908. BENDA (Kálmán). Bocskai István. (I. Bocskai [1557-1606].) Alföld, 82, vol. 33, n° 11, p. 74-86.

3909. BERECZ (János). Ellenforradalom tollal és fegyverrel, 1956. 2. bőv., jav. kiad. (Contre-révolution avec plume et arme, 1956. 2e éd. augmentée et corr.) Budapest, Kossuth Kiadó, 81, in-8, 183 p. - CR: R. Simon, Párttört. Közl., 82, vol. 28, n° 2, p. 230-232.

3910. Budapest története képekben, 1493-1980. Képkatalógus. Főszerk. BERZA László. [Közread. a] Fővárosi Szabó Ervin Könyvtár Budapest Gyüjteménye. - Historia civitatis Budapestinensis in imaginibus 1493-1980. Catalogus imaginum. Red. summus - . [Ed.:] Collection Budapestinensium Bibliothecae Municipalis de Ervino Szabó nominatae. Tomus 1: N° 1-31.978. Budapest, 82, in-8, 912 p.

3911. DÁVID (Géza). A simontornyai szandzsák a 16. században. (Le sandjak de Simontornya au XVIe s.) Budapest, Akadémiai Kiadó, 82, in-8, 342 p. (carte).

3912. DÉNES (Iván Zoltán). Konzervatív identitás. A 19. századi magyar konzervatívok közéleti szerepe és önmagukról kialakított képe. (Identité conservatrice. Le rôle joué dans la vie publique par les conservateurs hongrois du XIXe siècle et l'image qu'ils se sont formée d'eux-mêmes.) Világosság, 82, vol. 23, n° 6, p. 344-350; n° 7, p. 406-413.

3913. DOLMÁNYOS (István). Sovetskaja Respublika Vengrii o Sovetskoj Rossii. (Die ungarische Räterepublik über Sowjet-Rußland.) In: Gedenkschrift A. Arató [Cf. n° 497], p. 259-289.

3914. FÜR (Lajos). Nemzetiségi kérdés, nemzetiségtudományi kutatások. (Le problème des minorités nationales, recherches scientifiques sur les minorités nationales.) Valóság, 82, vol. 25, n° 1, p. 34-46.

3915. GERŐ (András). Die Rolle Siebenbürgens und der Wahlen vom Jahre 1869 in der allgemeinen Debatte über das Wahlrecht im Jahre 1872. In: Gedenkschrift E. Arató [Cf. n° 497], p. 117-146.

3916. GYIVICSÁN (Anna). Geschichte der Slowaken in Ungarn und die Entwicklungsänderungen ihrer Nationalität zwischen 1918 und 1948. In: Gedenkschrift E. Arató [Cf. n° 497], p. 335-353.

3917. GYURKÓ (László). Arcképvázlat történelmi háttérrel. (Esquisse d'un portrait sur arrière-plan historique.) Budapest, Magvető, 82, in-8, 385 p. [János Kádár]

3918. HAJDU (Lajos). II. József igazgatási reformjai Magyarországon. (Les réformes administratives de Joseph II en Hongrie.) Budapest, Akadémiai Kiadó, 82, in-8, 527 p.

3919. HÁRSFALVI (Péter). Az önkormányzat Nyíregyházán a XVIII-XIX. században. (Autonomie à Nyíregyháza aux XVIIIe-XIXe s.) Budapest, Akadémiai Kiadó, 82, in-8, 169 p. (Értekezések a történeti tudományok köréből, 97)

3920. IZSÁK (Lajos). The policy of the bourgeois opposition parties in Hungary after the liberation 1944-1948. Acta hist. Acad. Sci. hungaricae, 82, vol. 28, p. 89-133. - IDEM. Vytesnenie burzuaznoj konservativno-liberal'noj oppozicii iz politceskoj zizni Vengrii, 1947-1949 gg. (Die Ausschließung der konservativ-bürgerlichen Opposition aus dem politischen Leben Ungarns.) In: Gedenkschrift E. Arató [Cf. n° 497], p. 417-439.

3921. JANOS (Andrew C.). The politics of backwardness in Hungary, 1825-1945. Princeton, N. J., Princeton U. P., 82, in-8, XXXVI-370 p.

3922. JULOW (Viktor), MOLNÁR (József). Kölcsey Ferenc (1790-1838) testamentuma. Bemutatja - . (Le testament de Ferenc Kölcsey, 1790-1838. Présenté par - .) Budapest, Európa-Helikon, 82, in-8, 75 p. (Kézirattár)

3923. KECSKEMÉTI (Károly). A liberalizmus és a zsidók emancipációja. (Le libéralisme et l'émancipation des Juifs.) Tört. Szle, 82, vol. 25, n° 2, p. 185-210.

3924. KIRÁLY (Péter). Der ruthenische Buchverlag in Ungarn und die Universitätsdruckerei von Ofen. In: Gedenkschrift E. Arató [Cf. n° 497], p. 13-22.

3925. KIRSCHNER (Béla). A KMP a Bethlen-Horthy-rendszer jellegéről 1921-1928. (Le Parti Communiste de Hongrie sur le caractère du régime Bethlen-Horthy.) Párttört. Közl., 82, vol. 28, n° 3, p. 63-90.

3926. KÖPECZI (Béla). Döntés előtt. Az ifju Rákóczi [Ferenc, II., 1676-1735] útja. (Avant la décision. L'évolution du jeune Ferenc Rákóczi II.) Budapest, Akadémiai Kiadó, 82, in-8, 288 p. (70 pl.).

3927. KŐVÁGÓ (László). A KMP a revizióról és a nemzetiségi kérdésről 1936-1942. (Le Parti Communiste de Hongrie sur la révision [des frontières] et la question des minorités.) Párttört. Közl., 82, vol. 28, n° 2, p. 48-80. - IDEM. Vlijanie leninskikh principov na formirovanie vengerskoj nacional'noj politiki. (Der Einfluß der Leninschen Prinzipien auf die Herausbildung der ungarischen Nationalitätenpolitik.) In: Gedenkschrift E. Arató [Cf. n° 497], p. 405-415.

3928. KOROM (Mihály). Az Ideiglenes Nemzetgyülés képviselőinek megválasztása 1944 decemberében. (L'élection en décembre 1944 des députés à l'Assemblée Nationale Provisoire.) Századok, 82, vol. 116, n° 2, p. 247-291. - IDEM. Népi demokráciánk születése. Népi bizottságos és nemzeti összefogás Kelet-Magyarországon 1944 őszén. (La naissance de notre démocratie populaire. Comitées populaires et union natio-nale en automne 1944 dans la partie orientale de la Hongrie.) Debrecen, Hajdu-Bihar megyei Tanács, 81, in-8, 383 p. - CR: E. Strassenreiter, Párttört. Közl., 82, vol. 28, n° 4, p. 226-231.

3929. KULIN (Ferenc). Hódíthatatlan szellem. Dózsa György [1472-1514] és a parasztháború reformkori értékeléséről. (Le génie invincible. Sur l'appréciation de György Dózsa et la guerre des paysans à l'époque des Réformes.) Budapest, Akadémiai Kiadó, 82, in-8, 151 p. (Irodalomtörténeti füzetek, 106)

3930. MANN (Miklós). Trefort Ágoston (1817-1888) élete és müködése. (La vie et l'activité d'Ágoston Trefort.) Budapest, Akadémiai Kiadó, 82, in-8, 195 p. [1872-1888: ministre de l'instruction publique]

3931. MÁTHÉ (Gábor). A magyar burzsoá igazságszolgáltatási szervezet kialakulása 1867-1875. (La formation du système juridique bourgeois en Hongrie.) Budapest, Akadémiai Kiadöo, 82, in-8, 239 p.

3932. MEZEY (Barna). A Rákóczi szabadságharc országgyülései. (Les Diètes de la guerre d'indépendance de Rákóczi.) Budapest, Eötvös Loránd Tudományegyetem, 81, in-8, 84 p. (Jogtörténeti értekezések, 11)

3933. MIKICS (Lajos). Politika, úriság és becsület Horthy tisztikarában. (Politik, Herrentum und Ehre im Offizierstab Horthys.) Budapest, Müvelődési Minisztérium Marxizmus-Leninizmus Oktatási Főosztály, 81, in-8, 191 p. (Szociológiai füzetek, 26) - CR: S. Szakály, Hadtört. Közl.,82, vol. 29, n° 4, p. 661-663.

3934. MUCS (Sándor). A Szociáldemokrata Párt katonapolitikája 1945-1947. (De la politique militaire du Parti social-démocrate de Hongrie, 1945-1947.) Párttört. Közl., 82, vol. 28, n° 3, p. 112-132.

3935. NAGY (László). Erdély és a tizenötéves háboru. (La Transylvanie et la guerre de quinze ans [1591-1606].) Századok, 82, vol. 116, n° 4, p. 639-688. - IDEM. Kuruc hajdúk - labanc hajdúk a XVII. század utolsó harmadában. (Die Haiduken im letzten Drittel des 17. Jh.) Acta Univ. debreceniensis. Ser. hist., 81, vol. 32: Magy. tört. Tanulm., 14, p. 45-92. - IDEM. "Nem jöttünk égi hadak-utján ..." Vázlatok a tanulmányok a XVII. századi kurucokról. ("Nous ne sommes pas venus par la voie lactée ..." Esquisses et études sur les Kouroutz du XVIIe s.) Budapest, Magvető, 82, in-8, 404 p. (Elvek és utak)

3936. NEMES (Dezső). Az MSzDP 1918. októberi rendkivüli kongresszusa. (Le congrès extraordinaire d'octobre 1918 du Parti social-démocrate de Hongrie.) Párttört. Közl., 82, vol. 28, n° 2, p. 3-47. - IDEM. Az őszirózsás forradalom és az MSzDP. (La révolution "aux reines-marguerites" et le Parti social-démocrate de Hongrie.) Ibid., n° 3, p. 3-62.

3937. Ráday Pál, 1677-1733. Előadások és tanulmányok születésének 300. évfordulójára. Szerk. ESZE Tamás. (Pál Ráday,

1677-1733. Exposés et études à l'occasion du 300e anniversaire de sa naissance. Réd. par - .) Budapest, Református Zsinati Iroda, 80 [81], in-8, 461 p.

3938. RING (Éva). Martinovics és kora. ([Ignác] Martinovics et son époque.) Valóság, 82, vol. 25, n° 6, p. 9-19.

3939. ROMSICS (Ignác). A Duna-Tisza köze hatalmi-politikai viszonyai 1918-19-ben. (La situation politique de la région entre le Danube et la Tisza en 1918-19.) Budapest, Akadémiai Kiadó, 82, in-8, 199 p. (Értekezések a történeti tudományok köréből, 96) - IDEM. Ellenforradalom és konszolidáció. A Horthy-rendszer első tiz éve. (Contre-révolution et consolidation. Les premières dix années du régime Horthy.) Budapest, Gondolat, 82, in-8, 281 p. (Magyar história)

3940. RUBIN (Péter). Francia barátunk, Auguste de Gerando 1819-1849. (Notre ami français Auguste de Gerando.) Budapest, Akadémiai Kiadó, 82, in-8, 179 p. (Irodalomtörténeti füzetek, 105)

3941. SAJTI (Enikő), A. Katonai közigazgatás és nemzetiségpolitika a Délvidéken, 1941 április. (L'administration publique militaire et politique vis-à-vis des minorités nationales dans la partie méridionale de la Hongrie, avril 1941.) Acta Univ. szegediensis, Acta hist., 82, vol. 72, p. 3-32.

3942. SCHLETT (István). A szociáldemokrácia és a magyar társadalom 1914-ig. (La social-démocratie et la société hongroise jusqu'à 1914.) Budapest, Gondolat Kiadó, 82, in-8, 287 p. (Magyar história)

3943. STEFKA (István). Hol a haza? Nemzetiségek Magyarországon 1945-1980. (Où est la patrie? Minorités nationales en Hongrie, 1945-1980.) Budapest, Szépirodalmi Kiadó, 82, in-8, 320 p. (44 pl.).

3944. STIER (Miklós). Zu Fragen der Erforschung der lokalen Machtelite. Acta hist. Acad. Sci. hungaricae, 82, vol. 28, p. 135-145.

3945. SUGÁR (István). Az egri vár hadinépe 1552 őszén. (Les habitants de la forteresse d'Eger en automne 1552.) Egri Múz. évk., 80-81, vol. 18, p. 47-64.

3946. SZABAD (György). Hungary's recognition of Croatia's self-determination in 1848 and its immediate antecedents. In: Gedenkschrift E. Arató [Cf. n° 497], p. 23-38.

3947. SZABÓ (Bálint). A Magyar Szocialista Munkáspárt politikájának alapvetése, 1956. november - 1957. junius. (Etablissement des principes de la politique du Parti Socialiste Ouvrier Hongrois, nov. 1956 - juin 1957.) Párttört. Közl., 82, vol. 28, n° 1, p. 3-58.

3948. SZÁNTÓ (Imre). A Délvidék feladása és Szeged 1848/1849 telén. Az Újszeged-szőregi csata. (Die Preisgabe des Südens und Szeged im Winter 1848/49. Die Schlacht von Újszeged-Szőreg [11.-13. 02. 1849].)

Hadtört. Közl., 82, vol. 29, n° 3, p. 482-494.

3949. Szlovákok Békéscsabán. - Slováci v Békéšskej Čabe. Vál., sajtó alá rend., jegyz. KRUPA András. (Slovaques à Békéscsaba. Choix, publ., notes par - .) Békéscsaba, Rózsa Ferenc Gimnázium - Békés megyei Tanács VB. - Tudomnányos Ismeretterjesztő Társulat Békés megyei Szervezete, 80, in-8, 103 p. (Bibliotheca Bekesiensis, 20)

3950. Szocializmus (A) útján. A népi demokratikus átalakulás és a szocializmus építésének kronológiája, 1944. szeptember - 1980. április. Szerk. SZABÓ Bálint, közrem. BOTOS János, VÉRTES Róbert. 2. jav., bőv. kiad. (Sur la voie du socialisme. La chronologie de la transformation démocratique populaire et de l'édification du socialisme, sept. 1944 - avril 1980. Réd. par - ., avec la collab. de - . 2e éd. corr. et élargie.) Budapest, Akadémiai Kiadó, 82, in-8, 719 p. (80 pl.).

3951. TAKÁCS (Ferenc). Két flamingó. Madarász László (1811-1909), Madarász József (1814-1915). (Les deux flamingos: László Madarász, József Madarász.) Budapest, Magvető, 82, in-8, 443 p. (Nemzet és emlékezet)

3952. TILKOVSZKY (Loránt). A Magyarországi Szociáldemokrata Párt tevékenysége a német nemzetiség körében 1919-1931. (L'activité du Parti social-démocrate de Hongrie au milieu du groupe ethnique allemand.) Párttört. Közl., 82, vol. 28, n° 4, p. 63-105.

3953. TÓTH (Ede). Mocsáry Lajos elveszettnek tartott röpirata: "A kiegyenlités". (Sur le tract de Lajos Mocsáry [1826-1916] considéré comme perdu: "L'arrangement".) Századok, 82, vol. 116, n° 4, p. 743-792.

3954. TÓTH (Gábor). Ellenzéki politikai mozgalmak a Tiszántúlon a harmincas években 1929-1939. (Mouvements oppositionnels dans les régions au-delà de la Tisza pendant les années 30.) Budapest, Akadémiai Kiadó, 82, in-8, 303 p.

3955. URBÁN (Aladár). Die Emissäre des ungarischen Ministerpräsidenten auf dem Szeklerland im Mai 1848. In: Gedenkschrift E. Arató [Cf. n° 497], p. 93-116. - IDEM. Vasvári [Pál] és a "Fővárosi csapat" a Lajtánál. ([Pál] Vasvári [1826-1849] und die "Hauptstädtische Truppe" an der Leitha [Sept.-Okt. 1848].) Hadtört. Közl., 82, vol. 29, n° 4, 525-547.

3956. VARGA (János). Helyét kereső Magyarország. Politikai eszmék és koncepciók az 1840-es évek elején. (La Hongrie cherchant sa place. Idées et conceptions politiques du début des années 1840.) Budapest, Akadémiai Kiadó, 82, in-8, 211 p. - IDEM. Elmélet és politika az MSzDP-ben a századelőn. (Théorie et politique dans le Parti social-démocrate de Hongrie au début du siècle.) Párttört. Közl., 82, vol. 28, n° 3, p. 133-163.

3957. VARSÁNYI (Péter István). Nagykikinda és környéke 1848 tavaszán. (Nagykikinda [Kikinda, Yougoslavie] et la région méridionale de la Hongrie au printemps de 1848.) Századok, 82, vol. 116, n° 4, p. 718-742.

3958. VASS (Előd). Kalocsa környékének török kori adóösszeirásai. (Les defters de l'époque turque dans les environs de Kalocsa.) Kalocsa, Városi Tanács, 80 [82], in-8, 189 p. (10 pl.). (Kalocsai múzeumi dolgozatok, 4)

Cf. n° 3365.

Iran.

* Cf. n° 7546.

** 3959. SCHIMKOREIT (Renate). Regesten publizierter safawidischer Herrscherurkunden. Erlasse u. Staatsschreiben d. frühen Neuzeit Irans. Berlin, Schwarz, 82, in-8, 552 p. (graph. Darst.). (Islamkundl. Untersuchugen, 68)

3960. ABRAHAMIAN (Ervand). Iran between two revolutions. Princeton, N. J., Princeton U. P., 82, in-8, XIII-561 p. (Princeton Stud. on the Near East)

3961. HOOGLUND (Eric J.). Land and revolution in Iran, 1960-1980. Austin, Univ. of Texas Press, 82, in-8, XIII-191 p. (Modern Middle East ser., 7)

3962. IVANOV (M. S.). Antifeodal'nye vosstanija v Irane v seredine XIX v. (Antifeudal revolts in Iran in the middle of the 19th cent.) Moskva, Nauka, 82, 247 p. (ill.).

Iraq.

3963. TARBUSH (Mohammad A.). The role of the military in politics: a case study of Iraq to 1941. London, Kegan Paul Internat., 82, in-8, 304 p.

3964. NIEUWENHUIS (Tom). Politics and society in early modern Iraq: Mamluk pashas, tribal shayks and local rule between 1802 and 1831. The Hague, Nijhoff, 82, in-8, XIII-227 p. (ill.). (Stud. in social hist., 6)

Irlande.

* 3965. Modern Ireland. A bibliography on politics, planning, research a. development. Comp. a. ed. by Michael Owen SHANNON. Westport, Conn., Greenwood Press, 81, in-8, XXVI-733 p.

* Cf. n° IX.

3966. BEAMES (Michael). Peasants and power: Whiteboys movements and their control in pre-famine Ireland. Brighton, Harvester Press, 82, in-8, 224 p.

3966a. BOTTIGHEIMER (Karl S.). Ireland and the Irish: a short history. New York, Columbia U. P., 82, in-8, IX-301 p.

3967. BOWMAN (John). De Valera and the Ulster question, 1917-1973. London, Oxford U. P., 82, in-8, 384 p.

3968. BOYCE (D. George). Nationalism in Ireland. Baltimore, Md., Johns Hopkins U. P.; London, Croom Helm, 82, in-8, 441 p.

3969. CANNY (Nicholas). The upstart Earl: a study of the social and mental worlds of Richard Boyle, first Earl of Cork, 1566-1643. London a. New York, Cambridge U. P., 82, in-8, XII-211 p.

3970. CORISH (Patrick J.). The Catholic community in the seventeenth and eighteenth centuries. Dublin, Helicon, 81, in-8, VII-156 p.

3971. GALLAGHER (Michael). The Irish Labour Party in transition, 1957-1982. Manchester, U. P., 82, in-8, 336 p.

3972. MURPHY (Detlef). Die Entwicklung der politischen Parteien in Irland. Nationalismus, Katholizismus u. agrar. Konservatismus als Determinanten d. irischen Politik von 1823-1977. Opladen, Leske u. Budrich, 82, in-8, 545 p. (Sozialwiss. Stud., 19)

3973. NOËL (Jean-C.). Images de l'Irlande dans la conscience française au XVIIIe siècle. Cah. Centre Et. irlandaises, 81, n° 6, p. 7-56.

3974. O'FARRELL (Patrick). Whose reality? The Irish famine in history and literature. Hist. Stud. Australia N. Z., 82, vol. 20, p. 1-13.

3975. VINOGRADOV (K. B.), KUŠNIR (S. A.). Čarlz Parnell. Stranicy političeskoj biografii. (Charles Parnell. Pages from his political biography.) Nov. novejš. Ist., 82, n° 5, p. 139-155.

Islande.

3976. HÄME (Mikko). Islantilaisten kansallistunnon herääminen. (The awakening of a national identity in Iceland.) Faravid, 81 [82], t. 5, p. 145-152. [Eng. summary]

Israël.

3977. Histoire de l'Etat d'Israël. Sous la dir. de Bernhard BLUMENKRANZ et Joseph KLATZMANN. Paris, Privat, 82, in-8, 416 p. (ill., cartes).

Italie.

* Cf. n° XII.

** 3978. BOTTAI (Giuseppe). Diario, 1935-1944. A cura di Giordano Bruno GUERRI. Milano, Rizzoli, 82, in-8, 578 p. (tav.). (Coll. stor. Rizzoli)

** 3979. Chiesa e società civile nel Settecento italiano. A cura di Saverio DI BELLA. Milano, Giuffrè, 82, in-8, XVII-513 p. (Fattore relig. e comunità pol.)

** 3980. EINAUDI (Luigi). Interventi e relazioni parlamentari. A cura di Stefania MARTINOTTI DORIGO. 1: Senato del Regno, 1919-1922. 2: Dalla Consulta nazionale al Senato della Repubblica, 1945-1958. Torino, Fondaz. L. Einaudi, 82, 2 vol. in-8. (Scrittori ital. di Pol. Econ. e Stor.)

** 3981. GARIBALDI (Giuseppe). Edizione nazionale degli scritti di Giuseppe Garibaldi. 10: Epistolario, IV: 1859. A cura di Massimo DE LEONARDIS. Roma, Istit. per la Stor. del Risorg. ital., 82, in-8, X-283 p. (ritr.). [Vol. 7. Cf. Bibl. 73, n° 2937]

** 3982. GIOLITTI (Giovanni). Memorie della mia vita. [Precede:] La figura e l'opera di Giovanni Giolitti, di O. MALAGODI. Milano, Garzanti, 82, in-8, 381 p. (Mem., Doc., Biogr.)

** 3983. Settecento napoletano. Documenti. A cura di Franco STRAZZULLO. 1. Napoli, Liguori, 82, in-8, 390 p. (fig., tav.). (Coll. napol. di Stud. e Doc. in memoria del conte G. Matarazzo di Licosa. Doc., 1)

** 3984. SPATAFORA (Filippo). Il Comitato d'Azione di Roma del 1862 al 1867. Memorie. Vol. 1. A cura di Anna Maria ISASTIA. Pisa, Nistri-Lischi, 82, in-8, VXV-628 p.

** 3985. VAGLIENTI (Piero). Storia dei suoi tempi, 1492-1514. A cura di Giuliana BERTI, Michele LUZZATI, Ezio TONGIORGI. Pisa, Nistri-Lischi, 82, in-8, XLVII-277 p. (Ediz. pisane di Stor. e d'Ar., 1)

** Cf. n° 413.

3986. ALIBERTI (Giovanni). Struttura fondiaria e livelli di rendita nello "Stato" di Novi nel Mezzogiorno napoleonico. Annu. Istit. stor. ital. Età mod. contemp., 81-82, vol. 33-34, p. 93-125.

3987. ARETIN (Karl Otmar Frh. von). Von der spanischen Vorherrschaft zum Spanischen Rat. Reichsitalien in d. Zeit d. Übergangs von d. spanischen z. österr. Vorherrschaft. Quellen u. Forsch., 82, Bd 62, p. 180-203.

3988. Aspetti della realtà fascista italiana e dei suoi echi nel mondo. Scritti di: Niccolò ZAPPONI, Leonardo RAPONE, Enrico DECLEVA, Rosaria QUARTARARO, Alberto SBACCHI, Luigi BRUTI LIBERATI. Stor. contemp., 82, a. 13, p. 569-908.

3989. BEDONI (Giuseppe). Il Piano menottiano del 1830 (nota storico-giuridica). At. M. Deput. Stor. pa. antiche Prov. modenesi, 82, s. 11, vol. 4, p. 285-302.

3990. BIANCO (Furio). Fiscalità ed espropriazione contadina nell'Italia nord-orientale durante gli anni napoleonici (1805-1813). Soc. e Stor., 82, a. 5, p. 555-582.

3991. BIROCCHI (Italo). Per la storia della proprietà perfetta in Sardegna. Provvedimenti normativi, orientamenti di governo e ruolo delle forze sociali dal 1839 al 1851. Milano, Giuffrè, 82, in-8, 551 p. (Pubbl. della Fac. di Giurispr., Univ. di Cagliari, Ser. 1, 25)

3992. BULGARELLI LUKAS (Alessandra). Le Universitates meridionali all'inizio del regno di Carlo di Borbone. Clio [Roma], 82, a. 18, p. 208-226.

3993. CARDOZA (Anthony L.). Agrarian elites and Italian fascism: the province of Bologna, 1901-1926. Princeton, N. J., Princeton U. P., 82, in-8, XVI-477 p.

3994. CASALI (Elide). Il villano dirozzato. Cultura, società e potere nelle campagne romagnole della Controriforma. Firenze, La nuova Italia, 82, in-8, 329 p. (Pubbl. della Fac. di Magist., Univ. di Bologna, nuova ser., 8) [In appendice: Dell'instruttione del giovane ben creato, di m. Bernardino CARROLI, libro terzo.]

3995. Città e controllo sociale in Italia tra XVIII e XIX secolo. [Atti del Congresso tenuto a Urbino nel 1979.] A cura di Ercole SORI. Milano, Angeli, 82, in-8, 515 p. (Coll. di Stor. urbana, 9)

3996. CITTADINI CIPRÌ (Anna Maria). Il Partito d'azione e la questione meridionale. Pref. di Leo VALIANI. Palermo, EPOS, 82, in-8, 406 p. (tav.). (Bibl. di Stor. pol. e soc. Stor. pol., 1)

3997. CONTINI (Gaetano). La valigia di Mussolini. I documenti segreti dell'ultima fuga del duce. Milano, Mondadori, 82, in-8, 185 p. (Le scie)

3998. Corte (La) e lo spazio. Ferrara estense. A cura di Giuseppe PAPAGNO e Amedeo QUONDAM. Roma, Bulzoni, 82, 3 vol. in-8, 1110 p. compless. (fig.). (Bibl. del Cinquecento, Centro Stud. Europa delle corti, 17)

3999. COZZI (Gaetano). Repubblica di Venezia e stati italiani. Politica e giustizia dal secolo XVIII. Torino, Einaudi, 82, in-8, XIX-423 p. (tav.). (Bibl. di Cult. stor., 146)

4000. Dall'età giolittiana ai nostri giorni. A cura di Giovanni Battista VARNIER. Milano, Giuffrè, 82, in-8, 492 p. (Fattore relig. e comunità pol.)

4001. DE GRAND (Alexander). Italian fascism: its origins and development. Lincoln, Univ. of Nebraska Press, 82, in-8, XII-174 p.

4002. DE LUNA (Giovanni); Storia del Partito d'azione, 1942-1947. Milano, Feltrinelli, 82, in-8, 382 p. (I fatti e le idee, 481)

4003. DELUREANU (Ştefan). Români alături de Garibaldi în expediţia celor o mie. (Roumains aux côtés de Garibaldi dans l'expédition des Mille.) R. Ist., 82, t. 35,

p. 1124-1138. [Rés. franç.]

4004. DI LALLA (Manlio). Storia della Democrazia cristiana. [1. Cf. Bibl. 80, n° 3629.] 3: 1962-1968. Casale Monferrato, Marietti, 82, in-8, 623 p. (tav.).

4005. DONATI (Claudio). Esercito e società civile nella Lombardia del secolo XVIII: dagli inizi della dominazione austriaca a metà degli anni sessanta. Soc. e Stor., 82, a. 5, p. 527-554.

4006. DORINI (Umberto). I Medici e i loro tempi. Firenze, Nerbini, 82, in-8, 575 p. (fig., tav.). [Ripr. fac-sim. dell'ediz. orig.]

4007. Emigrazione (L') socialista nella lotta contro il fascismo, 1926-1939. [Di G. ARFE' e altri.] Firenze, Sansoni, 82, in-8, VI-328 p. (Mater. stor., Istit. social. di Stud. stor.)

4008. FAUCCI (Riccardo). Stato, mercato, movimento operaio nel giovane Einaudi. R. stor. ital., 82, a. 94, p. 98-134.

4009. GABRIELI (Giuseppe). Massoneria e carboneria nel Regno di Napoli. Con un saggio introduttivo di Aldo A. MOLA. Con 14 documenti originali riprodotti fuori testo. Roma, Atanòr, 82, in-8, 135 p. (fig.).

4010. GALASSO (Giuseppe). L'altra Europa. Per un'antropologia storica del Mezzogiorno d'Italia. Milano, Mondadori, 82, in-8, VI492 p. (Gli Oscar studio, 94)

4011. GENTILE (Emilio). Il mito dello Stato nuovo dall'antigiolittismo al fascismo. Roma e Bari, Laterza, 82, in-8, IX-277 p. (Bibl. di Cult. mod., 358)

4012. GIOVAGNOLI (Agostino). Le premesse della ricostruzione. Tradizione e modernità nella classe dirigente cattolica del dopoguerra. Pref. di Pietro SCOPPOLA. Milano, Nuovo Istit. edit. ital., 82, in-8, XIV-468 p. (Cult., Stor., Soc., 2)

4013. JAEGER (Pier Giusto). Francesco II di Borbone, l'ultimo re di Napoli. Milano, Mondadori, 82, in-8, 322 p. (tav.). (Le scie)

4014. LJUBIN (V. P.). Italija nakanune vstuplenija v pervuju mirovuju vojnu (na puti k krakhu liberal'nogo gosudarstva). (Italy on the eve of joining the first world war.) Moskva, Nauka, 82, 192 p. (AN SSSR. INION. In-t vseobšč. istorii)

4015. Lombardia. Il territorio, l'ambiente, il paesaggio. A cura di Carlo PIROVANO. [2:] Dal predominio spagnolo alla peste manzoniana. Milano, Electa, 82, in-8, 297 p.

4016. Lombardia (La) spagnola nel XVII secolo: crisi e continuità. Stritti di: Paolo MALANIMA, Giorgio POLITI, Franco ANGIOLINI, Renato GIANNETTI. Soc. e Stor., 82, a. 5, p. 351-410.

4017. LOVETT (Clara M.). The democratic movement in Italy, 1830-1876. Cambridge, Mass., Harvard U. P., 82, in-8, X-285 p.

4018. Lunario romano. 11: Ottocento nel Lazio. A cura di Renato LEFEVRE. Roma, Gruppo cult. di Roma e del Lazio, 82, in-8, V-819 p. (fig., tav.).

4019. MACK SMITH (Denis). Mussolini. New York, A. A. Knopf, 82, in-8, XIV-429 p.

4020. MANA (Emma). Savigliano nel regime fascista: 1925-1939. B. stor. bibliogr. subalpino, 82, a. 80, p. 575-622.

4021. MANETTI (Giulio M.). Dalla riforma comunitativa al progetto costituzione sotto Pietro Leopoldo, granduca di Toscana (1765-1790). Ras. stor. toscana, 82, a. 28, p. 185-218.

4022. MARSENGO (Giorgio), PARLATO (Giuseppe). Dizionario dei piemontesi compromessi nei moti del 1821. Introd. di Giuseppe PARLATO. 1: A-E. Torino, Istit. per il Risorg. ital., Comit. di Torino, 82, in-8, 182 p. (tab.). (Pubbl. del Comit. di Torino dell'Istit. per la Stor. del risorg. ital. Nuova ser., 10)

4023. MENEGHETTI CESARINI (Francesca). La repressione dei vagabondi alla fine del XVIII secolo: il caso della Repubblica di Venezia. Soc. e Stor., 82, a. 5, p. 781-830.

4024. MILANI (Mino). Giuseppe Garibaldi. Biografia critica. Pref. di Giovanni SPADOLINI. Milano, Mursia, 82, in-8, VIII-614 p. (Stor. e Doc., 42)

4025. 1861 [Mille ottocento sessanta uno] - 1887. Il processo d'unificazione nella realtà del paese. Atti del L congresso di storia del Risorgimento italiano (Bologna, 5-9 novembre 1980). Roma, Istit. per la Stor. del Risorgimento ital., 82, in-8, 552 p.

4026. MONNIER (Philippe). Venise au XVIIIe siècle. Bruxelles, Complexe, 81, in-8, 368 p. (Le temps et les hommes, 2)

4027. MOZZARELLI (Cesare). Corte e amministrazione nel Principato gonzaghesco. Soc. e Stor., 82, a. 5, p. 245-262.

4028. MOZZARELLI (Cesare). Sovrano, società e amministrazione locale nella Lombardia teresiana (1749-1758). Bologna, Il mulino, 82, in-8, 236 p.

4029. NAJEMY (John M.). Machiavelli and the Medici: the lessons of Florentine history. Renaissance Quar., 82, vol. 35, n° 4, p. 551-576.

4030. NENNI (Pietro). Garibaldi. Milano, SugarCo, 82, in-8, 191 p. (fig.).

4031. NEVLER (VILIN) (V. E.). Demokratičeskie sily v bor'be za ob'edinenie Italii. 1830-1860. (Democratic forces in the struggle for the unification of Italy, 1830-1860.) Moskva, Nauka, 82, 374 p. (ill.). (AN SSSR. In-t vseobšč. Ist.)

4032. O'BRIEN (Albert C.). Italian youth in conflict: Catholic action and Fascist Italy, 1929-1931. Cath. hist. R., 82, vol.

68, n° 4, p. 625-635.

4033. PAVONCELLO (Nello). Antiche famiglie ebraiche italiane. 1. Roma, Carucci, 82, in-8, 130 p.

4034. PERRIA (Antonio). Andrea Doria, il corsaro. La casata e le gesta del più grande ammiraglio genovese del sedicesimo secolo. Milano, SugarCo, 82, in-8, 301 p. (tav.). (Nuova Bibl. stor., 31)

4035. PETERSEN (Jens). Risorgimento und italienischer Einheitsstaat im Urteil Deutschlands nach 1860. Hist. Z., 82, Bd 234, p. 63-99.

4036. ROMANO (Sergio). Giuseppe Volpi et l'Italie moderne. Finance, industrie et Etat de l'ère giolittienne à la Deuxième Guerre mondiale. Rome, Ecole franç. de Rome, 82, in-8, VII-267 p. (pl.). (Coll. de l'Ec. franç. de Rome, 65) - IDEM. Le fascisme. In: Dictatures et légitimité [Cf. n° 236], p. 223-246.

4037. ROMBALDI (Odoardo). Aspetti e problemi del Settecento modenese. 1: Storia e società nel Ducato estense. Contributi di studio. Modena, Aedes Muratoriana, 82, in-8, 124 p. (fig.). (Bibl., Deput. di Stor. pa. per le ant. Prov. modenesi, Nuova ser., 67)

4038. RUSCOE (J.). The Italian Communist Party, 1976-1981: on the threshold of government. London, Macmillan, 82, in-8, 308 p. (tab.).

4039. SALVEMINI (Biagio). Quadri territoriali e mercato internazionale: Terra di Bari nell'età della Restaurazione. Soc. e Stor., 82, a. 5, p. 831-876.

4040. SCORZA (Carlo). Mussolini tradito. Dall'archivio segretissimo e inedito dell'ultimo segretario nazionale del P. N. F. dal 14 aprile alla notte sul 25 luglio 1943. Roma, Dino, 82, in-fol., 235 p. (fig., tav.).

4041. SCOTONI (Lando). I territori autonomi dello Stato ecclesiastico nel Cinquecento. Cartografia e aspetti amministrativi, economici e sociali. Galatina, Congedo, 82, in-8, 117 p. (fig.). (Univ. degli Stud. di Lecce. Fac. di magist., Istit. di Geogr., Quad., 8)

4042. SMITH (Denis Mack). Mussolini. London, Weidenfeld a. Nicolson, 82, in-8, 429 p.

4043. SPADOLINI (Giovanni). Il mito di Garibaldi nella Nuova Antologia, 1882-1982. Firenze, Le Monnier, 82, in-8, 218 p. (fig.). (Quad. della Nuova Antologia, 14)

4044. TAVERA (Nedo). Elisa Bonaparte Baciocchi, principessa di Piombino. Firenze, Giuntina, 82, in-8, 149 p.

4045. TESSADRI (Elena S.). Il viceré Eugenio di Beauharnais. Milano, Edit. nuova, 82, in-8, 335 p.

4046. TOSCANO (Mario). Fermenti culturali ed esperienze organizzative della gioventù ebraica italiana (1911-1925). Stor. contemp., 82, a. 13, p. 915-964.

4047. TUCCI RUFFINI (Vittoria). Osservazioni per una interpretazione dei moti del 1831. At. M. Deput. Stor. pa. antiche Prov. modenesi, 82, s. 11, vol. 4, p. 265-284.

4048. VECCHIO (Giorgio). I cattolici milanesi e la politica. L'esperienza del Partito popolare. Milano, Vita e Pens., 82, in-8, XII-560 p. (Cult. e Stor., nuova ser., 4)

4049. VENTURINI (Fernando). Militari e politici nell'Italia umbertina. Stor. contemp., 82, a. 13, p. 167-250.

Cf. n° 4869.

Japon.

* Cf. n° 7538.

4050. DEACON (Richard). History of the Japanese Secret Service. London, Muller, 82, in-8, 320 p.

4051. FÄLT (Olavi K.). Eksotismista realismiin. Perinteinen Japaninkuva Suomessa 1930-luvun murroksessa. (From exotism to realism. The traditional image of Japan in Finland in the transition years of the 1930s.) Rovaniemi, Societas Historica Finlandiae Septentrionalis, 82, in-8, 363 p. (Stud. hist. septentrionalia, 5) [Eng. summary]

4052. FLETCHER (William Miles) III. The search for a new order: intellectuals and Fascism in prewar Japan. Chapel Hill, Univ. of North Carolina Press, 82, in-8, X-226 p.

4053. HANE (Mikiso). Peasants, rebels, and outcasts: the underside of modern Japan. New York, Pantheon, 82, in-8, XIII-297 p.

4054. JOHNSON (Chalmers). MITI and the Japanese miracle: the growth of industrial policy, 1925-1975. Stanford, Calif., Stanford U. P., 82, in-8, XVI-393 p. [MITI: Ministry of International Trade and Industry]

4055. KIRBY (E. Stuart). Russian studies of Japan. London, Macmillan, 82, in-8, 256 p.

4056. NAJITA (Tetsuo), KOSCHMANN (J. Victor), a. others. Conflict in modern Japanese history: the neglected tradition. Princeton, N. J., Princeton U. P., 82, in-8, X-456 p.

4057. NISHI (Toshio). Unconditional democracy: education and politics in occupied Japan, 1945-1952. Stanford, Calif., Hoover Institution Press, 82, in-8, XXXVIII-367 p. (Hoover Press Publication, 244)

4058. PINAEV (L. P.). Évoljucija voennoj politiki Japonii (1951-1980 gg.). (The evolution of military politics of Japan, 1951-1980.) Moskva, Nauka, 82, 168 p.

4059. VIÉ (Michel). Le Japon. Légitimité et illégitimité du pouvoir. In: Dictatures et légitimité [Cf. n° 236], p. 273-284.

4060. WILLIAMS (Justin) Sr. From Charlottesville to Tokyo: military government training and democratic reforms in occupied Japan. Pacific hist. R., 82, vol. 51, n° 4, p. 407-422.

Libye.

4061. WRIGHT (John). Libya, a modern history. London, Croom Helm, 82, in-8, 304 p.

Luxembourg.

* Cf. n° XIII.

4062. GREGOIRE (Pierre). Vom Schwedenbis zum "Kloeppel"-Kriege. Die dramat. Anfänge d. heimatl. Gewissensbildung u. d. bürgerl. Kulturpflege im Luxemburg d. 17. u. 18. Jh. Versuch eines nationalen Entwicklungsinventars. Luxemburg, Frëndeskrees, 82, in-8, 305 p. (ill.).

4063. SPRUNCK (Alphonse). Le prince Eugène de Savoie, gouverneur général des Pays-Bas autrichiens, et le Pays de Luxembourg. Hémecht, 82, t. 34, p. 387-411 (ill.).

Mexique.

4064. CAMP (Roderic A.). Mexican political biographies 1935-1980. 2nd ed., rev. a. expanded. Tucson, Univ. of Arizona Press, 82, in-8, XXI-447 p.

4065. HAMILTON (Nora). The limits of state autonomy: post-revolutionary Mexico. Princeton, N. J., Princeton U. P., 82, in-8, XVIII-391 p.

4066. HARRIS (Charles H.) III, SADLER (Louis R.). The "underside" of the Mexican revolution: El Paso, 1912. Americas, 82, vol. 39, n° 1, p. 69-84.

4067. HORVÁTH (Gyula). Tendencias políticas en México y la constitución de 1917. Acta Univ. szegediensis, Acta hist., 82, vol. 73, p. 31-44.

4068. JACOBS (Ian). Ranchero revolt: the Mexican revolution in Guerrero. Austin, Univ. of Texas Press, 82, in-8, XXII-234 p.

4969. MACIAS (Anna). Against all odds: the feminist movement in Mexico to 1940. Westport, Conn., Greenwood Press, 82, in-8, XV-195 p. (Contrib. in Women's Stud., 30)

4070. STEVENS (Donald Fithian). Agrarian policy and instability in Porfirian Mexico. Americas, 82, vol. 39, n° 2, p. 153-166.

4071. TUCK (Jim). The holy war in Los Altos: a regional analysis of Mexico's Cristero rebellion [1926-1929]. Tucson, Univ. of Arizona Press, 82, in-8, XIII-230 p.

4072. VOSS (Stuart F.). On the periphery of nineteenth century Mexico: Sonora and Sinaloa, 1810-1877. Tucson, Univ. of Arizona Press, 82, in-8, XV-318 p.

Cf. n° 3596.

Nicaragua.

4073. GRIGULEVIČ (I. R.). Augusto Sesar Sandino - general svobodnykh ljudej. (Augusto César Sandino - general of a free people. Nov. novejš. Ist., 82, n° 1, p. 93-107.

Nigéria.

4074. ISACHEI (Elizabeth). Studies in the history of Plateau State, Nigeria. London, Macmillan, 82, in-8, 304 p.

4075. WILLIAMS (David). President and power in Nigeria, the life of Shehu Shagari. London, F. Cass, 82, in-8, 276 p. (ill.).

Norvège.

* Cf. n° XIV.

4076. BULL (Edvard). Norgeshistorien etter 1945. (Norwegian post-war history.) Oslo, Cappelen, 82, in-8, 518 p. (ill.). (Cappelens almabøker)

4077. ERTRESVAAG (Egil). Et bysamfunn i utvikling, 1800-1920. (An urban society developing, 1800-1920.) Bergen, Univ.forl., 82, in-8, XIV-713 p. (ill.). (Bergen bys historie, 3)

4078. HIRSTI (Reidar). Gubben: Johan Nygaardsvold: mannen og epoken. (The Old Man: Johan Nygaardsvold: the man and his era.) Oslo, Gyldendal, 82, in-8, 269 p. (ill.).

4079. LIE (Haakon). Krigstid 1940-1945. (Wartime, 1940-1945.) Oslo, Tiden, 82, in-8, 302 p. (ill.).

4080. RIAN (Øystein). Grunntrekk ved det danske adelsvelde i Norge 1536-1625. (Characteristics of the Danish nobility reign in Norway 1536-1625.) In: Hammarspor. Oslo, Univ.forl., 82, p. 95-113.

Pays-Bas.

* Cf. n° XV.

4081. DUKE (Alastair). From King and country to King or country. Loyalty and treasons in the revolt of the Netherlands.

Trans. roy. hist. Soc., 82, vol. 32, p. 113-135.

4082. GERLO (Aloïs). De Briefwesseling van Philips van Marnix, Heer van Sint Aldegonde. Een inventaris. (La correspondance de Ph. van Marnix van Sint Aldegonde. Un inventaire.) Nieuwkoop, de Graaf, 82, in-8, 126 p. (6 fig.). (Biblioth. bibliogr. neerlandica, 6)

4083. REITSMA (Richard). Centrifugal and centripetal forces in the early Dutch republic. The states of Overijssel 1566-1600. Amsterdam, Rodopi, 82, in-8, 337 p.

4084. SCHILLING (Heinz). Die Geschichte der nördlichen Niederlande und die Modernisierungstheorie. Gesch. u. Ges., 82, Jg. 8, p. 475-517.

4085. TEITLER (G.). A "New" and an "Old Trend". Military thinking in the Netherlands and the Dutch East around the turn of the century. Low Countries Hist. Y. B., 82, vol. 15, p. 59-77.

4086. VAN AMERSFOORT (Hans). Immigration and the formation of minority groups: Dutch experience, 1945-1975. London, Cambridge U. P., 82, in-8, 234 p. (tab.).

Pérou.

4087. BLANCHARD (Peter). Indian unrest in the Peruvian sierra in the late nineteenth century. Americas, 82, vol. 38, n° 4, p. 449-461.

4088. GUICE (C. Norman). Giving Peru a voice: Federico Larranga and El Canal de Panama. Americas, 82, vol. 39, n° 1, p. 85-106.

4089. Peru: social'no-ėkonomičeskoe i političeskoe razvitie. 1968-1980. (Peru: socio-economic and political development, 1968-1980.) Redkol.: Ju. A. ZUBRICKIJ (otv. red.) i dr. Moskva, Nauka, 82, 296 p. (AN SSSR. In-t Lat. Ameriki)

4090. PIEL (Jean). Crise agraire et conscience créole au Pérou. Paris, Ed. du C. N. R. S., 82, in-8, 132 p. (C. N. R. S., Centre régional de publications de Toulouse, Amerique latine - pays ibériques)

Cf. n° 4520.

Pologne.

* Cf. n° XVI.

** 4091. Stańczycy. Antologia myśli społecznej i politycznej konserwatystów krakowskich. (Les "Stańczyk". Anthologie de la pensée sociale et politique des conservateurs cracoviens.) Choix des textes, avant-propos et annotations de Marcin KRÓL. Warszawa, Pax, 82, in-8, 252 p.

** Cf. n° 830.

4092. BEYRAU (Dietrich). Antisemitismus und Judentum in Polen, 1918-1939. Gesch. u. Ges., 82, Jg. 8, p. 205-232.

4093. CZUBIŃSKI (Antoni). Polska odrodzona. Społeczne i polityczne aspekty rozwoju państwa polskiego. Rozprawy i studia. (La Pologne indépendante [1918-1939]. Aspects sociaux et politiques du développement de l'Etat polonais. Dissertations et études.) Poznań, Wydawn. Pozn., 82, in-8, 461 p.

4094. DĄBROWSKI (Roman). Mniejszość niemiecka w Polsce i jej działalność społeczno-kulturalna w latach 1918-1939. (La minorité allemande en Pologne et son activité socio-culturelle dans les années 1918-1939.) Szczecin, 82, in-8, 200 p. (Rozprawy i Studia Wyższej Szkoły Pedagog. w Szczecinie, 53)

4095. DEMBROWSKI (Harry E.). The union of Lublin: Polish federalism in the golden age. Boulder, Colo., East European Monographs, 82, in-8, VII-380 p. (East European Monographs, 116)

4096. FEDOROWICZ (J. K.). The republic of nobles: studies in Polish history to 1864. Tr. from the Polish. London, Cambridge U. P., 82, in-8, 293 p. (ill., maps).

4097. GODLEWSKI (Jerzy Romuald). Wybrane zagadnienia polskiego planowania wojennego w latach 1919-1939. (Problèmes choisis de la planification de la guerre en Pologne dans les années 1919-1939.) Gdańsk, 82, in-8, 304 p. (Zesz. Nauk. Univ. Gdański. Rozprawy i Monografie, 39)

4098. GOLDBERG (Jacob). Die getauften Juden in Polen-Litauen im 16.-18. Jahrhundert. Taufe, soziale Umschichtung u. Integration. Jb. f. Gesch. Osteuropas, 82, Bd 30, p. 54-99.

4099. GÓRSKI (Konstanty). Historja jazdy polskiej. (Histoire de la cavalerie polonaise [XVe-XVIIIe s.].) Warszawa, Wydawn. Artyst. i Filmowe, 82, in-8, V-363 p. [Reprod. photo-offset de l'éd. Kraków 1894]

4100. HALICZ (E.). Polish national liberation struggles and the genesis of the modern nations. Odense, Univ. Press, 82, in-8, 198 p.

4101. JACHYMEK (Jan). Myśl polityczna Polskiego Stronnictwa Ludowego "Wyzwolenie" 1918-1931. (La pensée politique du Parti Socialiste Polonais "Wyzwolenie" [Libération] 1918-1931.) Lublin, Uniw. M. Curie-Skłodowskiej, 82, in-8, 344 p. (Rozpr. Wydz. Humanist. Rozprawy Habilitacyjne, 28)

4102. JASIŃSKI (Janusz). Kontakty Warmii z innymi ziemiami polskimi u schyłku XVIII i w pierwsze połowie XIX wieku. (Les contacts de la Warmie avec les autres terres polonaises à la fin du XVIIIe et dans la première moitié du XIXe s.) Komunikaty maz.-warm., 81 [82], a. 30, n° 2-4, p. 227-244.

4103. KATARDŻIEW (Iwan). Polsko-macedońskie stosunki kulturalne w przeszłości i teraźniejszości. (Les relations culturelles polono-madédoniennes dans le passé et le présent.) Studia hist. [Kraków], 82, a. 25, fasc. 1, p. 49-63.

4104. KOCZOROWSKI (Eugeniusz). Zarys dziejów Polski na morzu. (Précis de l'histoire maritime de la Pologne.) Gdynia, Wydawn. Uczelniane Wyższej Szkoły Morskiej, 82, in-8, 396 p.

4105. KONSTANKIEWICZ (Andrzej). Broń piechoty polskiej 1918-1939. (L'infanterie polonaise 1918-1939.) Wojsk. Przegl. hist., 82, a. 27, n° 3, p. 57-85.

4106. KUCZYŃSKI (Antoni). Polacy w dziele cywilizacyjnym na Syberii w początkach kolonizacji rosyjskiej. (L'oeuvre civilisatrice des Polonais au début de la colonisation russe de la Sibérie.) Przegl. hist., 82, vol. 73, p. 47-68.

4107. Kultura Górnego Śląska i Zagłebia Dąbrowskiego. Studia i szkice. (La culture de la Haute-Silésie et du Bassin de Dąbrowa. Etudes et esquisses.) Ouvrage collectif réd. par Mirosław FAZAN et Andrzej LINERT. Katowice, Śląski Inst. Nauk., 82, in-8, 412 p.

4108. ŁUCZAK (Aleksander). Koncepcja rozwoju społeczeństwa w myśli politycznej ruchu ludowego w latach 1918-1939. (Le développement de la société d'après les idées politiques du mouvement populaire en 1918-1939.) Kwart. hist., 82, a. 89, n° 1, p. 31-47.

4109. LUDWIKOWSKI (Rett Ryszard). Główne nurty polskiej myśli politycznej 1815-1890. (Les principaux courants de la pensée politique polonaise 1815-1890.) Warszawa, Państw. Wydawn. Nauk., 82, in-8, 465 p.

4110. Nationbuilding and the politics of nationalism. Essays on Austrian Galicia. Ed. by Andrei S. MARKOVITS a. Frank E. SYSYN. Cambridge, Mass., Harvard U. P., 82, in-8, VIII-344 p.

4111. OSICA (Janusz). Politycy anachronizmu. Konserwatyści wileńskiej grupy "Słowa" 1922-1928. (Les hommes politiques de l'anachronisme. Les conservateurs du groupe "Słowo" [Mot] de Wilno, 1922-1928.) Warszawa, Państw. Wydawn. Nauk., 82, in-8, 242 p.

4112. OSUCHOWSKI (Janusz). Państwo ludowe a kościół rzymsko-katolicki w Polsce w latach 1944-1948. Studium z zakresu stosunków władzy. (L'Etat populaire et l'Eglise catholique romaine en Pologne dans les années 1944-1948. Etude concernant le domaine des rapports de force.) Warszawa, 82, in-8, 216 p. (Dissertationes Univ. Varsoviensis, 175)

4113. PODHORECKI (Leszek). Jan Karol Chodkiewicz 1560-1621. Warszawa, Wydawn. Min. Obrony Narod., 82, in-8, 438 p.

4114. Polish Jewry. History and culture. Authors: Marian FUCHS a. others. Trans. from Polish by Bogna PIOTROWSKA a. Lech PETROWICZ. Warsaw, Interpress, 82, in-4, 196 p.

4115. Polska odrodzona 1918-1939. Państwo, społeczeństwo, kultura. (La Pologne indépendante 1918-1939. Etat, société, culture.) Réd. par Jan TOMICKI. Warszawa, Wiedza Powsz., 82, in-8, 679 p. (Konfrontacje Hist. Prace Inst. Hist. Pol. Akad. Nauk)

4116. STANLEY (John). The politics of the Jewish question in the duchy of Warsaw, 1807-1813. Jewish soc. Stud., 82, vol. 44, n° 1, p. 47-62.

4117. STAWECKI (Piotr). Koncepcje operacyjne Sztabu Generalnego wobec Prus Wschodnich w latach 1919-1939. (Les conceptions de l'Etat-major Général polonais concernant la Prusse Orientale dans les années 1919-1939.) Komunkaty maz.-warm., 81 [82], a. 30, n° 2-4, p. 381-398.

4118. SUŁEK (Zdzisław). Sprzysiężenie Jakuba Jasińskiego. (Le complot de Jakub Jasiński.) Warszawa, Wydawn. Min. Obrony Narod., 82, in-8, 279 p. (Wojsk. Inst. Historyczny im. W. Wasilewskiej)

4119. SZCZERBIŃSKI (Marek). Zarys działalności sokolstwa polskiego na obczyźnie w latach 1887-1918. (Précis de l'activité de l'association des Polonais "Sokół" à l'étranger dans les années 1887-1918.) Katowice, 82, in-8, 215 p. (Akad. Wychowania Fizycznego w Katowicach)

4120. WALICKI (A.). Philosophy and romantic nationalism. The case of Poland. Oxford, Clarendon Press, 82, in-8, 416 p.

4121. Władysław Sikorski żołnierz i polityk. (W. Sikorski, soldat et homme politique.) Choix et éd. des matériaux de Stanisław KALISZEWSKI, Witold KULISIEWICZ. Warszawa, Epoka, 82, in-8, 162 p. (Bibl. Tyg. Demokrat., 3)

4122. WOODALL (Jean). Policy and politics in contemporary Poland: reform, failure and crisis, 1970-1981. London, F. Pinter, 82, in-8, 256 p. - IDEM. The socialist corporation and technocratic power: Polish United Worker's Party, industrial organisation and workforce control, 1958-1980. London, Cambridge U. P., 82, in-8, 281 p. (Soviet a. E. European Stud.)

4123. WRZESIŃSKI (Wojciech). Warmia i Mazury w polskiej myśli politycznej w XIX i XX wieku. (La Warmie et la Mazurie dans la pensée politique polonaise aux XIXe et XXe s.) Komunikaty maz.-warm., 82, a. 31, n° 1-2, p. 3-15.

4124. Z perspektywy sześćdziesięciu lat. Referaty sesji naukowej Polskiej Akademii Nauk "Niepodległość - jej znaczenie dla rozwoju społeczeństwa polskiego", 8-9 XI 1978. (Dans la perspective de soixante ans. Rapports du Colloque Scientif. de l'Académie Polonaise des Sciences: "L'indépendance - son importance pour le développement de la société polonaise", 8-9 nov. 1978.) Réd.: Halina JANOWSKA, Maria NOWAK-KIEŁBIKOWA. Warszawa, Państw. Inst. Wydawn., 82, in-8, 386 p.

4125. ZIELIŃSKA (Zofia). Walka "Familii"

2. HISTOIRE PAR ETATS

o reforme Rzeczypospolitej 1743-1752. (La lutte de la "Famille" [les Czartoryski] pour la réforme de la République, 1743 - 1752.) Warszawa, Państw. Wydawn. Nauk., 82, in-8, 384 p.

4126. ŻYGULSKI (Zdzisław) jun. Broń w dawnej Polsce. Na tle uzbrojenia Europy i Bliskiego Wschodu. (L'arme en Pologne ancienne. Une comparaison avec l'armement de l'Europe et du Proche-Orient.) Warszawa, Państw. Wydwn. Nauk., 82, in-4, 334 p. (pl.).

Portugal.

4127. GEORGEL (Jacques). Le salazarisme. Histoire et bilan 1926-1974. Préf. de Mario SOARES. Paris, Cujas, 81, in-8, 310 p.

Roumanie.

* Cf. n° XVII.

** 4128. BÂLÂ (Ion), MORARU (Ion). Culegere de documente şi amintiri privind participarea locuitorilor din judeţul Teleorman în războiul pentru integrirea patriei 1916-1918. (Collection de documents et de mémoires concernant la participation des habitants du département de Teleorman à la guerre pour l'unification de la patrie.) Bucureşti, Ed. Acad., 82, in-8, 320 p. (ill.).

** 4129. Documente privind revoluţia de la 1848 în ţările române. C: Transilvania. (Documents concernant la révolution de 1848 dans les pays roumains. C: Transylvanie.) Bucureşti, Ed. Acad., 82, in-8, 606 p.

** 4130. EHRLER (J. J.). Banatul de la origini pînă acum (1774). (Le Banat, des origines jusqu'au présent, 1774.) Prefaţă, traducere şi note de Costin FENEŞAN. Timişoara, Facla, 82, in-8, 207 p.

** 4131. Mihai Viteazul în conştiinţa europeană. Vol. 1: Documente externe. (Michel le Brave dans la conscience européenne. Vol. 1: Documents étrangers.) Sous la réd. de Ion ARDELEANU, Vasile ARIMIA, Gheorghe BONDOC, Mircea MUŞAT. Bucureşti, Ed. Acad., 82, in-8, 693 p.

** 4132. Maramureşenii în lupta pentru libertate şi unitate naţională. Documente (1848-1918). (Les habitants du Maramureş dans la lutte pour la liberté et l'unité nationales. Documents 1848-1918.) Bucureşti, Direcţia generală a Arhivelor Statului, Filiala Maramureş, 81, in-8, 411 p. (ill., pl.).

** 4133. NECULCE (Ion). Opere. Letopiseţul Ţării Moldovei şi O seamă de cuvinte. (Oeuvres. La Chronique de Moldavie et Un certain nombre de mots.) Ed. critică şi studiu introductiv de Gabriel ŞTREMPEL. Bucureşti, Minerva, 82, in-8, 934 p. (Ediţii critice)

** 4134. POTRA (George). Documente privitoare la istoria oraşului Bucureşti (1634-1800). (Documents concernant l'histoire de la ville de Bucarest, 1634-1800.) Bucureşti, Ed. Acad., 82, in-8, 488 p. [Cf. n° 4150]

** Cf. n° 261.

4135. ALZATI (Cesare). Terra romena tra Oriente e Occidente. Chiese ed etnie nel tardo '500. Present. di Luigi PROSDOCIMI. Milano, Jaca book, 82, in-8, 338 p. (Di fronte e attraverso, 82)

4136. BEER (Klaus P.). Zur Entwicklung des Parteien- und Parlamentssystems in Rumänien 1928-1933. Die Zeit d. nationalbäuerl. Regierungen. Bd 1, 2. Frankfurt (Main), Lang, 82, 2 vol. in-8, XXV-1037 p. (Europ. Hochschulschr., Reihe 3: Gesch. u. ihre Hilfswiss., 186)

4137. BITOLEANU (Ion). Din istoria României moderne, 1922-1926. (Pages de l'histoire de la Roumanie moderne, 1922-1926.) Bucureşti, Ed. ştiinţ. şi enciclop., 81, in-8, 331 p.

4138. BODEA (Cornelia). 1848 la Români. O istorie în date şi mărturii. Vol. 1, 2. (1848 chez les Roumains. Une histoire en dates et témoignages.) Bucureşti, Ed. ştiinţ. şi enciclop., 82, 2 vol. in-8.

4139. BROWN (Victoria F.). The adapation of a western political theory in a peripheral state: the case of Romanian liberalism. In: Romania between east and west [Cf. n° 510], p. 269-301.

4140. COHEN (Lloyd A.). The Jewish question during the period of the Romanian national renaissance and the unification of the two principalities of Moldavia and Wallachia, 1848-1866. In: Romania between east and west [Cf. n° 510], p. 195-216.

4141. CORBU (Constantin). Rolul ţărănimii în istoria României (sec. XIX). (Le rôle de la paysannerie dans l'histoire de la Roumanie au XIXe s.) Bucureşti, Ed. ştiinţ. şi enciclop., 82, in-8, 561 p.

4142. GRECU (Victor V.). Unitatea şi independenţa naţională în gîndirea revoluţionarilor români din secolul trecut. (L'unité et l'indépendance nationales dans la pensée des révolutionnaires roumains du siècle passé.) R. Ist., 82, t. 36, p. 1277-1297. [Rés. franç.]

4143. IONESCU (Ştefan). Epoca brâncovenească - dimensiuni politice, finalitate culturală. (L'époque de Brâncoveanu - dimensions politiques, finalité culturelle.) Cluj-Napoca, Dacia, 81, in-8, 248 .

4144. ISCRU (Gheorghe D.). Revoluţia din 1821 condusă de Tudor Vladimirescu. (La révolution de 1821 conduite par T. Vladimirescu.) Bucureşti, Albatros, 82, in-8, 288 p. (pl.). (Memoria pământului românesc)

4145. Istoria României între anii 1918-1981. (Histoire de la Roumanie entre les années 1918 et 1981.) Bucureşti, Ed. didactică şi pedag., 81, in-8, 374 p.

4146. MICU (Iolanda), LUNGU (Radu). Domeniul lui Matei Basarab. (Le domaine de Matei Basarab.) R. Ist., 82, t. 35, p. 1313-1329. [Rés. franç.]

4147. MUŞAT (Mircea), ARDELEANU (Ion). Political life in Romania, 1918-1921. Bucharest, Ed. Acad., 82, in-8, 260 p. (Bibliotheca hist. Romaniae, Monogr., 19)

4148. ORMOS (Mária). A Vasgárda. (La Garde de Fer.) Tört. Szle, 82, vol. 25, n° 3, p. 426-443.

4149. PĂIUŞAN (Radu). Lupta socială şi naţională a Românilor bănăţeni împotriva dualismului austro-ungar în anii primului război mondial. (La lutte nationale et sociale des Roumains du Banat contre le dualisme austro-hongrois durant les années de la première guerre mondiale.) R. Ist., 82, t. 35, p. 35-54. [Rés. franç.]

4150. POTRA (George). Din Bucureştii de altădată. (Du Bucarest d'autrefois.) Bucureşti, Ed. ştiinţ. şi enciclop., 81, 471 p. (72 p. ill.). [Cf. n° 4134]

4151. SCAFEŞ (Cornel), ZODIAN (Vladimir). Barbu Ştirbei (1849-1856). (Barbu Ştirbei [prince de Valachi.) Bucureşti, Ed. militară, 81, in-8, 205 p.

4152. SMÂRCEA (Doina). Aspecte privind participarea tineretului revoluţionar şi democrat la lupta împotriva fascismului (1933-1939). (Aspects concernant la participation de la jeunesse révolutionnaire et démocratique à la lutte contre le fascisme.) R. Ist., 82, t. 35, p. 385-405. [Rés. franç.]

4153. STĂNESCU (Eugen). Les Pays roumains à la fin du XVIe siècle et le "Grand Dessein" de Michel le Brave: nécessité et possibilité dans l'histoire universelle. East european Quar., 82, vol. 16, n° 1, p. 1-16.

4154. STOICESCU (Nicolae). Matei Basarab (20 septembrie 1632 - 9 Aprilie 1654. (Matei Basarab [prince de Valachie], 20 sept. 1632 - 9 avril 1654.) Bucureşti, Ed. militară, 82, in-8, 248 p. (8 p. de pl.). (Domnitori şi voievozi, 21) - IDEM. Lupta lui Matei din Brîncoveni pentru ocuparea tronului Ţării Româneşti [1632]. (La lutte de Matei [Basarab] de Brîncoveni pour l'occupation du thrône de la Valachie.) R. Ist., 82, t. 35, p. 985-1992. [Rés. franç.]

4155. TOTU (Maria). Din tradiţiile democratice şi patriotice ale mişcării studenţeşti din România (1821-1877). (Des traditions démocratiques et patriotiques du mouvement estudiantin en Roumanie, 1821-1877.) R. Ist., 82, t. 35, p. 406-419. [Rés. franç.]

4156. UDREA (Traian). Activitatea guvernului Dr. Petru Groza în perioada decembrie 1946 - decembrie 1947. (L'activité déployée par le gouvernement Dr Petru Groza durant la période déc. 1946 - Déc. 1947.) R. Ist., 82, t. 35, p. 880-902. [Rés. franç.]

4157. VLAD (Radu-Dan). Procesul de la Tîrgovişte al mişcării antidinastice din 8 august 1870. (Le procès de Tîrgovişte du mouvement antidynastique du 8 août 1870.) R. Ist., 82, t. 35, p. 903-916. [Rés. franç.]

Cf. n° 458.

Suède.

** 4158. Borgarståndets riksdagsprotokoll från frihetstidesn början. På riksgäldskontorets uppdrag utg. av Nils STAF. (The Riksdag minutes of the Estate of Burghers since 1718. Ed. by Nils STAF.) [Vol. 7/1-2. Cf. Bibl. 74-75, n° 4494.] 8/1: 21/8 1742 - 14/5 1743. Stockholm, Riksdagens förvaltningskontor, 82, in-8, XII-591 p.

** 4159. Gävle stads dombok 1631-1639. Utg. av Erik BRÄNNMAN och Arne LENNER (Court records of the town of Gävle, 1631-1639. Ed. by Erik BRÄNNMAN a. Arne LENNER.) Gävle, Gästriklands kulturhist. fören., 82, in-8, 311 p. (ill.). (Bidr. t. Gästriklands kulturhist., 2)

** 4160. SCHEFFER (Carl Fredrik). Lettres particulières à Carl Gustaf Tessin 1744-1753. Ed. critique par Jan HEIDNER. Stockholm, Samf. f. utg. av handskrifter rörande Skaninaviens hist., 82, in-8, XIII-310 p. (Kungl. Samfundet f. utgivande av handskr. rörande Skandinaviens hist.,- 7) [Eng. summary]

** 4161. Sveriges ridderskaps och adels riksdagsprotokoll från och med 1719. På Ridsgäldsfullmäktiges uppdrag utg. av Sten LANDAHL. (Riksdag minutes of the Swedish Estate of Nobility from 1719 onwards. Ed. by Sten LANDAHL.) Vol. [31/3. Cf. Bibl. 72, n° 3519.] 32: 1778-1779. Stockholm, Riksdagesns tryckeriexp., 82, in-8, 693 p.

4162. ARTÉUS (Gunnar). Krigsmakt och samhälle i frihetstidens Sverige. (Military and society in Sweden during the Liberty era, 1719-72.) Stockholm, Militärhist. förl., 82, in-8, 437 p. (Militärhist. studier, 6) [Eng. summary]

4163. CARLSSON (Ingemar). Parti - partiväsen - partipolitiker 1731-43: kring uppkomsten av vara första politiska partier. (Party - party system - party politicians, 1731-43.) Stockholm, Almqvist o. Wiksell internat., 81, in-8, XII-341 p. (Stockholm stud. in Hist., 29) [Eng. summary]

4164. CAVALLIE (James). De höga officerarna: studier i den svenska militära hierarkien under 1600-tales senare del. (Die hohen Offiziere: Studien zur schwedischen Militärhierarchie in der zweiten Hälfte d. 17. Jh.) Stockholm, Militärhist. förl., 81, in-8, 224 p. (Militärhist. stud., 4) [Mit dt. Zsfassung]

4165. FINARDI (Sergio). La trasformazione in Svezia. Roma, Editori riuniti, 82, in-8, 221 p. (Politica, 23)

4166. Gustav II Adolf: 350 år efter

Lützen. Red. Gudrun EKSTRAND o. Katarina af SILLÉN. (Gustavus II Adolphus: 350 years after the battle of Lützen. Ed. by Gudrun EKSTRAND a. Katarina af SILLÉN.) Stockholm, Livrustkammaren, 82, in-8, 111 p. (ill.).

4167. HOLMBERG (Håkan). Folkmakt, folkfront, folkdemokrati: de svenska kommunisterna och demokratifrågan 1943-1977. (People's power, people's front, people's democracy: Swedish communists a. the problem of democracy, 1943-77.) Stockholm, Almqvist o. Wiksell internat., 82, in-8, 242 p. (Studia hist. Upsaliensia, 122) [Eng. summary]

4168. HOLMQUIST (Bengt M.), GRIPSTAD (Birger). Swedish weaponry since 1630: army matériel during 350 years. Stockholm, Defence matériel administr. - Royal Army mus., 82, in-4, 104 p. (ill.).

4169. LARSSON (Lars-Olof). Småländsk historia: stormaktstiden. (History of Småland: the Great power period [17th cent.].) Stockholm, Norstedt, 82, in-8, 285 p. (ill., maps).

4170. Linköpings historia. Ny, revid. o. kompletterad utg. (History of the town of Linköping. New, rev. a. compl. ed.) Vol. 1-5. Linköping, Kommittén f. Linköpings hist., 75-81, 5 vol. in-4, 402, 400, 234, 379, 471 p. (ill.).

4171. NORRBY (Jonas). Med Hälsinge regemente i Norge år 1718: bearbetning av Hälsinge regementes orderbok 8/10 - 28/11 1718. (With the Helsinge Regiment in Norway, 1718.) Karolinska Förb. Årsb., 81-82, vol. 70-71, p. 15-89.

4172. ROBERTS (Michael). The dubious hand: the history of a controversy [about the death of Charles XII]. Karolinska Förb. Årsb., 81-82, vol. 70-71, p. 174-242.

Suisse.

* Cf. n° XVIII.

4173. BUGNARD (Pierre-Philippe). La Gruyère face à la République chrétienne de Fribourg 1881-1914. Régionalisme et cantonalisme en Suisse au tournant du siècle. Le "fribourgeoisisme", un conflit sur les moyens de progrès et de l'autorité en milieu rural. Fribourg/Suisse, 82, 2 vol. in-8, 725 p. ens. (Thèse lettres)

4174. HUMBEL (Werner). Der Kirchenkonflikt oder "Kulturkampf" im Berner Jura 1873 bis 1878. Unter bes. Berücksichtigung d. Verhältnisses zw. Staat u. Kirche seit d. Vereinigungsurkunde von 1815. Bern, P. Lang, 81, in-8, 437 p. (Geist u. Werk d. Zeiten, 59)

4174a. JUNKE (Beat). Geschichte des Kantons Bern seit 1798. Bd 1: Helvetik, Mediation, Restauration 1798-1830. Bern, Hist. Ver. d. Kantons Bern, 82, in-8, 346 p.

4175. MAISSEN (Felici). Graubünden 1667-1668. Jber. d. hist. antiq. Ges. Graubünden, 81, vol. 111, p. 113-179.

4176. MEYER (Erich). Hans Jakob vom Staal der Jüngere, 1589-1657, Schultheiß von Solothurn, einsamer Mahner in schwerer Zeit. Jb. f. solothurn. Gesch., 81, vol. 54, p. 5-320 (ill.).

4177. RASCHLE (Christian). Landammann Franz Joseph Hegglin, 1810-1861, und die Politik des Kantons Zug in den Jahren 1831 bis 1847. Zug, Zürcher, 81, in-8, 422 p. (ill.).

4178. SCHAFFNER (Martin). Die demokratische Bewegung der 1860er Jahre. Beschreibung u. Erklärung d. Zürcher Volksbewegung v. 1867. Basel, Helbing & Lichtenhahn, 82, in-8, XVII-199 p. (Basler Beitr. z. Geschichtswiss., 146)

4179. SIMON (Christian). Untertanenverhalten und obrigkeitliche Moralpolitik. Studien z. Verhältnis Stadt u. Land im ausgehenden 18. Jh. am Beispiel Basels. Basel, Helbing & Lichtenhahn, 81, in-8, XIII-366 p. (Basler Beitr. z. Geschichtswiss., 145)

4180. SPIELMANN (Alex). L'aventure socialiste genevoise, 1930-1936. De l'opposition à l'émeute, de l'émeute au pouvoir, du pouvoir à l'opposition. Lausanne, Payot, 81, in-8, XI-880 p.

4181. STÜSSI (Jürg). Das Schweizer Militärwesen des 17. Jahrhunderts in ausländischer Sicht. Zürich, 82, in-8, V-367 p. (Thèse lettres)

4182. VENTURI (Franco). Ubi libertas, ibi patria. La rivoluzione ginevrina del 1782. R. stor. ital., 82, a. 94, p. 395-434.

Tanzanie.

4183. WESTERLUND (David). Freedom of religion under socialist rule in Tanzania, 1961-1977. J. Church a. State, 82, vol. 24, n° 1, p. 87-104.

Tchécoslovaquie.

* Cf. n° XIX.

** 4184. Z protokolů schuzí československé vlády. (Druhé Tusarovy.) 1920. Edice vybraných pasáží. (Aus den Sitzungsprotokollen der 3. tschechoslowak. Regierung. Die zweite Vl. Tusars. 1920. Edition ausgewählter Abschnitte.) Hrsg. v. Irena MALÁ. Praha, Státní ustřední archiv, 82, in-4, 69 p. (Edice dokumentů z fondů Státního ústředního archivu v Praze, 7/3) [Cf. n° 271]

** 4184a. Z protokolů schuzi 4. československé vlády. (1. Černého.) 15. září 1920 - 26. září 1921. Edice vybraných pasáží. (Aus den Sitzungsprotokollen der 4. tschechoslowak. Regierung. Die erste J. Černýs, 15. Sept. 1920 - 26. Sept. 1921. Edition ausgewählter Abschnitte.) Hrsg. v. Raisa MACHATKOVÁ. Praha, Státní ustřední archiv, 82, in-4, 157 p. (Edice dokumentů z fondů Státního ústředního archivu v Praze, 7/4) [Cf. n° 272]

4185. BRADLEY (Jon F. N.). Prague spring 1968 in historical perspective. East european Quar., 82, vol. 16, n° 3, p. 257-276.

4186. ČADA (Václav). Stratégia a taktika Komunistickej strany Československa v rokoch 1921-1938. (Strategie u. Taktik d. Kommunist. Partei d. Tschechoslowakei in d. J. 1921-1938.) Bratislava, Pravda, 82, in-8, 320 p. (16 fig.).

4187. CAMBEL (Samuel). K metodologickým otázkám výskumu dejín kolektivizácie československého polnohospodárstva. (Zu methodolog. Forschungsproblemen d. Gesch. d. Kollektivisierung d. tschechoslowak. Agrarwirtschaft.) Zborn. Ust. Marx.-Lenin., 82, vol. 21, n° 1, p. 9-36.

4188. HOLUB (Ota). Československá opevnění 1935-1938. I, II. (Tschechoslowakische Befestigungen 1935-1938.) Hist. Vojen., 81, n° 6, p. 62-76; 82, n° 1, p. 91-110. [Cf. n° 7275]

4189. KMONÍČEK (Josef). Návrat domů. Proměny pohraničí severovýchodních Čech v letech 1945-1948. (Heimkehr. Die Veränderungen d. Grenzgebiete Nordostböhmens in d. J. 1945-1948.) Hradec Králové, Kruh, 82, in-8, 175 p.

4190. KROPILÁK (Miroslav). Zjednotenie síl robotníckej triedy počas Slovenského národného povstania. (Unification of working class forces at the time of the Slovakian national uprising.) In: Historiografie čelem k budoucnosti [Cf. n° 525], p. 395-410.

4191. Kultur und Gesellschaft in der Ersten Tschechoslowakischen Republik. Vorträge d. Tagungen des Collegium Carolinum in Bad Wiessee vom 23. bis 25. Nov. 1979 u. vom 28. bis 30. Nov. 1980. Red.: Michael NEUMÜLLER. München u. Wien, Oldenbourg, 82, in-8, 351 p. (Bad Wiesseer Tagungen d. Collegium Carolinum)

4192. Materiály k politickým, hospodářským a sociálním dějinám Československa v letech 1929-1939. (Materialien z. polit., Wirtschafts- u. Sozialgeschichte d. Tschechoslowakei in d. J. 1929-1939.) Bearb. v. Josef HARNA, Zdeněk DEYL, Vlastislav LACINA. Sborn. k Děj. 19. a 20. Stol., 82, vol. 8, 354 p.

4193. NOËL (Léon). La Tchécoslovaquie d'avant Munich. Paris, Publ. de la Sorbonne, 82, in-8, 208 p. (ill.).

4194. PÁNEK (Jaroslav). Politické dějiny předbělo horských Čech - problém vnitřní periodizace. (Political history of Bohemia before the battle of the White Mountain [1526-1620] - a problem of internal periodization.) In: Historiografie čelem k budoucnosti [Cf. n° 525], p. 185-204.

4195. REINFELD (Barbara K.). Karel Havlíček, 1821-1856: a national liberation leader of the Czech renascence. Boulder, Colo., East European Monographs, 82, in-8, 135 p. (East European Monographs, 98)

4195a. SAMEK (Bohumil), HRUBÝ (Karel Otto). Brno - proměny města. (Brünner Metamorphosen.) Brno, Blok, 82, in-4, 264 p. (56 fig.).

4196. SCHMID (Karin). Die Slowakische Republik 1939-1945. Eine staats- u. völkerrechtliche Betrachtung. Bd 1, 2. Berlin, Berlin-Verl., 82, 2 vol. in-8, 638 p., p. 643-923. (Völkerrecht u. Politik, 12)

4197. Sílu nám dává strana. Kapitoly z dějin mládežnického a dětského hnutí v Československu. (Kraft gibt uns die Partei. Kapitel aus d. Gesch. d. Jugend- u. Kinderbewegung in d. Tschechoslowakei.) Vol. 1 (1918-1945). Von Josef BARTOŠ, Hana KRÁČMAROVÁ, Miloslav MOULIS u. Jaroslav STRAKA. Vol. 2 (1945-1980). Von Bruno HŘÍBEK, Josef BÁSTA u. Jiří ŠIMAN. Praha, Mladá fronta, 82, 2 vol. in-4, 304 p. (136 fig.); 264 p. (120 fig.).

4198. TRÜTZSCHLER VON FALKENSTEIN (Eugenie). Der Kampf der Tschechen um die historischen Rechte der böhmischen Krone im Spiegel der Presse 1861-1879. Wiesbaden, Harrassowitz, 82, in-8, 237 p. (Veröff. d. Osteuropa-Inst. München, 50)

4199. VOJTĚCH (Tomáš). Národní hnutí a osvobozenecký zápas českého lidu ve 2. polovině 19. století. (Die nationale Bewegung u. d. Befreiungskampf d. tschech. Volkes in d. 2. Hälfte d. 19. Jh.) Sborn. k Problem. Děj. Imper., 82, vol. 14, p. 57-70.

4200. VONDRÁŠEK (Václav). Ľudácka emigrácia a kontrarevolučné podzemie na Slovensku v rokoch 1945-1947. (Die Emigration der Volkspartei u. der konterrevolutionäre Untergrund in der Slowakei in den Jahren 1945-1947.) Hist. Cas., 82, vol. 30, p. 824-846.

4201. Zdroje a faktory dlhodobého rozvoja Slovenska v jednotnej ekonomike ČSSR. (Quellen u. Faktoren d. langfristigen Entwicklung d. Slowakei in d. einheitl. Ökonomie d. Tschechoslowakei.) [Von] Gerhard BRHLOVIČ, Milan KODAJ, Rudolf KRČ. Bratislava, Pravda, 82, in-8, 344 p.

4202. ZVARA (Juraj). Národ a národné vedomie. (Volk u. Nationalbewußtsein.) Bratislava, Pravda, 82, in-8, 224 p.

Cf. n° 7287.

Turquie.

* 4203. Bibliografija Turcii. Literatura na russkom jazyke. 1917-1975 gg. (Bibliography of Turkey. Literature in Russian, 1917-1975.) Otv. red.: A. M. ŠAMSUTDINOV. Moskva, Nauka, 82, 743 p. (AN SSSR. In-t vostokovedenija)

4204. KITROMILIDES (Paschalis M.). Ideologikēs synepies tēs koinonikēs diamachēs stē Smyrnē (1809-1810). Deltio Kentrou mikrasiat. Spoudōn, 82, t. 3, p. 9-39.

4205. LANDAU (Jacob M.). Pan-Turkism in Turkey. A study of irredentism. London, Hurst, 82, in-8, 219 p.

4206. LEVY (Avigdor). The contribution of Zaporozhian Cossacks to Ottoman military reform: documents and notes. Harvard ukrainian Stud., 82, vol. 6, p. 372-413.

4207. TÓTH (Sándor László). Szinán nagyvezér tervei 1593-94-ben. (Die Pläne des Großvezirs Sinan zwischen 1593 u. 1594.) Hadtört. Közl., 82, vol. 29, n° 2, p. 150-174.

U. R. S. S.

* 4208. EGAN (David R.), EGAN (Melinda A.). V. I. Lenin: an annotated bibliography. With the assistance of Julie Anne GENTHNER. Metuchen, N. J., a. London, Scarecrow, 82, in8, XXXIII-482 p.

* 4209. Razvitie obščestvennykh nauk v SSSR. Bibliogr. ukaz. 1967-1979 gg.(Development of social sciences in the URSS. Bibliographical index, 1967-1979.) Sost. N. I. OLEJNIK i dr. Kiev, Nauk. dumka, 82, 566 p. (AN USSR, Centr. nauč. b-ka)

* 4210. Trotsky bibliography: a liste of separately published titles, periodical articles and titles in collections treating L. D. Trotsky and Trotskyism. Ed. by Wolfgang LUBITZ. München, New York, London a. Paris, K. G. Saur, 82, in-8, 458 p.

** 4211. Fabrično-zavodskie komitety Petrograda v 1917 godu. Protokoly. (Factory and works committees of Petrograd in 1917. Proceedings.) Otv. red. I. I. MINC. Moskva, Nauka, 82, 349 p. (AN SSSR. Nauč. sovet po kompleks. probl. Velik. Okt. soc. revoljucija. In-t istorii SSSR. Centr. gos. arkh. Okt. revoljucii i soc. str-va Leningrada)

** 4212. GENKINA (È. B.). Protokoly Sovnarkoma RSFSR kak istoričeskij istočnik dlja izučenija gosudarstvennoj dejatel'noste V. I. Lenina. (The proceedings of the Council of People's Commissars of the RSFSR as historical source for studying the state activities of V. I. Lenin.) Moskva, Nauka, 82, 193 p. (AN SSSR. In-t istorii SSSR)

** 4213. Istorija dorevoljucionnoj Rossii v dnevnikakh i vospominanijakh. (History of pre-revolutionary Russia in diaries and memoirs.) Annot. ukaz. knig i publikacij v žurn. Nauč rukovod. P. A. ZAJONČKOVSKIJ. T. 3, č. [3. Cf. Bibl. 81, n° 3805.] 4: 1857-1894. Moskva, Kniga, 82, 399 p. (Gos. b-ka SSSR im. V. J. Lenina i dr.)

** 4214. PERNAL (A. B.). Six unpublished letters of Bohdan Khmel'nyts'ky (1656-1657). Harvard ukrainian Stud., 82, vol. 6, p. 217-232 p. (2 fig.).

** 4215. Socialističeskoe stroitel'stvo na Sakhaline i Kuril'skikh ostrovakh. 1946-1975 gg. (Socialist building in Sakhalin and the Kuriles, 1946-1975.) Sbornik dokumentov i materialov. Redkol.: A. T. KUZIN (gl. red.) i dr. Južno-Sakhalinsk, Dal'nevost. kn. izd-vo, 82, 415 p. (Part. arkh. Sakhal. obkoma KPSS. Gos. arkhiv Sakhal. obl.)

** 4216. Sovety Severo-Vostoka SSSR. Č. 2: 1941-1961 gg. (Soviets of the North-East of the USSR.) Sbornik dokumentov i materialov. Pod obšč. rcd. A. I. KRUŠANOVA. Magadan, Kn. izd-vo, 82.

** 4217. TROTSKY (Leon). The challenge of the Left opposition. [1923-1925; 1926-1927. Cf. Bibl. 81, n° 3810.] 1928-1929. Ed. by Naomi ALLEN a. George SAUNDERS. London, Pathfinder Press, 82, in-8, 436 p. - IDEM. How the revolution armed: military writings and speeches. Vol. 1: 1918. Vol. 2: 1919. Vol. 3: 1920. Vol. 4: 1921-1923. Tr. from the Russ. by B. PEARCE. London, New Park Publ., 79-82, 4 vol. in-8, 592, 668, 431, 480 p.

** 4218. V dni Oktjabrja. Vospominanija učastnikov Oktjabr'skogo vooružennogo vosstanija v Petrograde. (In the days of October. Reminiscences of participants in the October armed revolt in Petrograd.) Sost. Kh. M. ASTRAKHAN, nauč. red. L. M. SPIRIN. Leningrad, Lenizdat, 82, 406 p (B-Ka revoljucionnykh memuarov Is iskry vozgoritsja plamja. In-t istorii partii Leningr. obkoma KPSS - filial instituta marksizma-leninizma pri CK KPSS, Leningr. otd-nie In-ta istorii AN SSSR)

** 4219. V družnoj sem'ė ravnopravnykh narodov. (In friendly community of equal nations.) Dok. i materialy. Sost.: N. M. KULAGINA, V. G. PIKKUVIRTA, N. V. ŠUMEJKO. Petrozavodsk, Karelija, 82, 286 p. (Arkh. upr. pri Sovete Ministrov Karel. ASSR, Centr. gos. arkh. Karel. ASSR)

** 4220. Voennye morjaki v bor'be za vlast' Sovetov na Severe, 1917-1920 gg. (Military mariners in the struggle for the Soviet power in the North, 1917-1920.) Sbornik dokumentov. Redkol.: S. S. KHESIN (otv. red.) i dr. Leningrad, Nauka, 82, 407 p. (AN SSSR. In-t istorii SSSR, Centr. gos. arkhiv Voen.-Mor. Flota SSSR)

** 4221. Vojskovye komitety dejstvujuščej armii, mart 1917 g. - mart 1918 g. (Army committees of field forces, March 1917 - March 1918.) Sbornik dokumentov. Redkol.: L. M. GAVRILOV (otv. red.) i dr. Moskva, Nauka, 82, 608 p. (AN SSSR. In-t istorii SSSR. Gl. arkh. upr. pri Sovete Minostrov SSSR. Centr. gos. voen.-ist. arkh. SSSR)

4222. ABDULATIPOV (R. G.), BURMISTROVA (T. Ju.). Leninskaja politika internacionalizma v SSSR: istorija i sovremennost'. (Lenin's policy of internationalism in the USSR: past and present.) Moskva, Mysl', 82, 268 p.

4223. ADELMAN (Jonathan R.). The development of the Soviet party apparat in the Civil War: center, localities, and nationality areas. Russian Hist., 82, vol. 9, p. 86-110.

4224. AMBURGER (Erik). Fremde und Einheimische im Wirtschafts- und Kulturleben des neuzeitlichen Rußland. Ausgewählte Aufsätze, hrsg. v. Klaus ZERNACK. Wiesbaden, Steiner, 82, in-8, 326 p. (Quellen u. Stud. z. Gesch. d. östl. Europas, 17)

4225. ASTRAKHAN (Kh. M.). V. I. Lenin i sozdanie "levogo bloka" pri vyborakh vo II Gosudarstvenuju dumu v Peterburge. (V. I. Lenin and the formation of the "leftist block" in the elections of the 2nd State Duma in Petersburg. Ist. SSSR, 82, n° 2, p. 133-142.

4226. BALABKINS (Nicholas V.). Latvia's economic nationalism: 1934-1940. East european Quar., 82, vol. 16, n° 2, p. 151-169.

4227. BETTELHEIM (Charles). Les luttes de classes en U. R. S. S. [1. Cf. Bibl. 74-75, n° 4582.] 3: 1930-1941, I: Les dominés. Paris, Maspero et Ed. du Seuil, 82, in-8, 305 p.

4228. BILOF (Edwin G.). China in imperial Russian military planning, 1881-1887. Milit. Affairs, 82, vol. 46, n° 2, p. 69-76.

4229. BINGHAM (Madeleine). Princess Lieven: Russian intriguer. London, H. Hamilton, 82, in-8, 301 p.

4230. BLANK (Stephen). Soviet institutional development during NEP: a prelude to Stalinism? Russian Hist., 82, vol. 9, p. 325-346.

4231. Boevoe sodružestvo sovetskikh respublik. 1919-1922 gg. (Active cooperation of soviet republics, 1919-1922) Redkol.: I. I. MINC (otb. red.) i dr. Moskva, Nauka, 82, 248 p. (AN SSSR. Nauč. sovet po kompleks. probl. Istorija Velik. Okt. soc. revoljicii. Gruz. sekcija Nauč. soveta. In-t istorii arkheologii i ėtnografii. AN GSSR)

4232. BOFFA (Giuseppe). Il fenomeno Stalin nella storia del XX secolo. Le interpretazioni dello stalinismo. Roma e Bari, Laterza, 82, in-8, 272 p. (Stor. e Soc.)

4233. BORODIN (A. P.). Tret'ijun'skij blok i krušenie politiki mirnogo reformirovanija samoderžavija. (The Third of June Bloc and the collapse of the policy of peaceful reformation of the autocracy.) Vopr. Ist., 82, n° 8, p. 18-30.

4234. BRESLAUER (George W.). Khrushchev and Brezhnev as leaders: building authority in Soviet politics. London, Allen a. Unwin, 82, in-8, 331 p.

4235. BROVKIN (Vladimir). The Mensheviks and NEP society in Russia. Russian Hist., 82, vol. 9, p. 347-377.

4236. BULDAKOV (V. P.), KULEŠOV (S. V.). Meždunarodnoe značenie obrazovanija SSSR i buržuaznaja istoriografija. (The international significance of the formation of the USSR and bourgeois historiography.) Nov. novejš. Ist., 82, n° 5, p. 19-31.

4237. CARRERE D'ENCAUSSE (Hélène). Staline et le culte de la personnalité. In: Dictatures et légitimité [Cf. n° 236], p. 329-350.

4238. CHRISTOFF (Peter K.). K. S. Aksakov: a study in ideas. Princeton, N. J., Princeton U. P., 82, in-8, XIII-475 p.

4239. COLAS (Dominique). Lénine et la légitimation de la dictature de parti unique. In: Dictatures et légitimité [Cf. n° 236], p. 309-328.

4240. DE JONGE (Alex). The life and times of Grigorii Rasputin. London, Collins, 82, in-8, 368 p.

4241. DUKES (Paul). The making of Russian absolutism, 1613-1801. London, Longman, 82, in-8, XIV-198 p.

4242. DUMOVA (N. G.). Kadetskaja kontrrevoljucija i ee razgrom (oktjabr' 1917 - 1920 gg.). (The constitutional democratic counter-revolution and its defeat, October 1917 - 1920.) Moskva, Nauka, 82, 416 p. (AN SSSR. Nauč. sovet po kompleks. probl. Istorija Velikoj Okt. soc. revoljucii)

4243. EJDEL'MAN (M. Ja.). Gran' vekov: političeskaja bor'ba v Rossii. Konec XVIII - načalo XIX stoletija. (The turn of centuries: political struggle in Russia, end of the 18th - beginning of the 19th cent.) Moskva, Mysl', 82, 368 p. (ill.).

4244. ENGELSTEIN (Laura). Moscow, 1905: working-class organization and political conflict. Stanford, Calif., Stanford U. P., 82, in-8, VIII-308 p.

4245. ERMOLIN (A. P.). Revolucija i kazačestvo (1917-1920 gg.). (The Revolution and the Cossacks, 1917-1920.) Moskva, Mysl', 82, 224 p.

4246. ERUCHIS (M.). One step back, two steps forward: on the language policy of the Communist Party of the Soviet Union in the National Republics (Moldavian: a look back, a survey, and perspectives, 1924-1980). Boulder, Colo., East European Monographs, 82, in-8, 371 p. (East European Monogr., 109)

4247. FEYL (Othmar). Zu den deutschrussischen Beziehungen von 1861 bis 1917 im Lichte der Buchgeschichte. Die Berliner Druckhilfe f. d. russ. Opposition im Zarenreich. Ein geschichtl. Überblick. Jb. f. Gesch. d. sozialist. Länder Europas, 82, Bd 25, H. 2, p. 83-105.

4248. FILIPPOV (R. V.). K ocenke programmnykh osnov "Zemli i voli" 70-kh godov XIX veka. (The programme of the "Land and freedom" society of the 1870s.) Vopr. Ist., 82, n° 5, p. 16-30.

4249. FITZPATRICK (Sheila). The Russian revolution. Oxford, Oxford U. P., 82, in-8, VI-181 p.

4250. GARMIZA (V. V.). Klassovaja suščnost' ėsero-men'ševistiskikh mestnykh organov vlasti. (Class essence of socialist-revolutionary and menshevik-dominated local government bodies.) Vopr. Ist., 82, n° 2, p. 17-28.

4251. GOL'DBERG (A. L.). Istorija Rossii v inostrannykh izdanijakh XVI-XVII vekov. (Russian history in foreign publications of the 16th-17th cent.) Vopr. Ist., 82, n° 2, p. 103-117.

4252. GOLIKOVA (N. B.). Očerki po istorii gorodov Rossii konca XVII - načala XVIII v. Monografija. (Essays on the history of the towns of Russia, end of the 17th - beginning of the 18th cent.) Moskva, Izd. Mosk. un-ta, 82, 215 p.

4253. GORODECKIJ (E. N.). Istoriografičeskie i istočnikovedčeskie problemy Velikogo Oktjabrja, 1930-1960 gg. (Problems of the historiography and study of sources of the Great October revolution, 1930-1960.) Očerki. Moskva, Nauka, 82, 384 p. (AN SSSR. Nauč. sovet po kompleks. probl. Velik. Okt. soc. revoljucii. In-t istorii SSSR)

4254. HAGEN (Manfred). Die Entfaltung politischer Öffentlichkeit in Rußland 1906-1914. Wiesbaden, Steiner, 82, in-8, X-403 p. (Quellen u. Stud. z. Gesch. d. östl. Europas, 18)

4255. HAHN (Werner G.). Postwar Soviet politics: the fall of Zhdanov and the defeat of moderation, 1946-1953. Ithaca, N. Y., Cornell U. P., 82, in-8, 243 p.

4256. HECKER (Hans). Politisches Denken und Geschichtsschreibung im Moskauer Reich unter Ivan IV. Jb. f. Gesch. Osteuropas, 82, Bd 30, p. 1-15.

4257. HIMKA (John-Paul). Young radicals and independent statehood: the idea of a Ukrainian nation-state, 1890-1895. Slavic R., 82, vol. 41, n° 2, p. 219-235.

4258. HOVANNISIAN (Richard G.). The republic of Armenia. [Vol. 1. Cf. Bibl. 70-71, n° 5322.] Vol. 2: From Versailles to London, 1919-1920. Berkeley a. Los Angeles, Univ. of California Press, 82, in-8, XV-603 p.

4259. Internacionalizm sovetskogo naroda (istorija i sovremennost'). (Internationalism of the soviet people. Past a. present.) Otv. red. V. P. ŠERSTOBITOV. Moskva, Nauka, 82, 584 p. (ill.). (AN SSSR. In-t istorii SSSR)

4260. IVANOV (A. E.). Demokratičeskoe studenčestvo v revoljucii 1905-1907 gg. (Democratic students in the revolution of 1905-1907.) Ist. Zap. [Moskva], 82, n° 107, p. 171-226.

4261. Iz istorii ekonomičeskoj vzaimopomošči sovetskikh respublik (1918-1922 gg.). (From the history of economic co-operation of soviet republics.) Vopr. Ist., 82, n° 11, p. 95-106.

4262. JANSEN (Marc Carel). A show trial under Lenin: the trial of the Socialist Revolutionaries, Moscow, 1922. The Hague, Nijhoff, 82, in-8, XVI-232 p. (phot.). (Stud. in social Hist., 7)

4263. JOHNSON (Robert E.). Primitive rebels? Reflections on collective violence in imperial Russia. Slavic R., 82, vol. 41, n° 3, p. 432-435.

4264. KAPPELER (Andreas). Rußlands erste "Nationalitäten". Das Zarenreich u. d. Völker d. Mittleren Wolga vom 16. bis 19. Jh. Köln u. Wien, Böhlau, 82, in-8, VII-571 p. (13 Kt.). (Beitr. z. Gesch. Osteuropas, 14) - IDEM. Historische Voraussetzungen des Nationalitätenproblems im russischen Vielvölkerreich. Gesch. u. Ges., 82, 82, Jg. 8, p. 159-183.

4265. KHEJFEC (A. N.), ŠASTITKO (P. M.). Obrazovanie Sojuza SSR i zarubežnyj Vostok. (The formation of the USSR and the peoples of the East.) Vopr. Ist., 82, n° 11, p. 32-44.

4266. KIMERLING (Elise). Civil rights and social policy in Soviet Russia, 1918-1936. Russian R., 82, vol. 41, n° 1, p. 24-46.

4267. KONOVALJUK (O. I.). Nesostojatel'nost' buržuaznykh koncepcij rusifikacii i dezintegracii sovetskogo gosudarstva. (Groundlessness of the bourgeois concepts of russification and disintegration of the Soviet state.) Vopr. Ist., 82, n° 11, p. 69-83.

4268. KOROLEVA (N. G.). Pervaja russkaja revolkucija i carizm (Sovet ministrov Rossii v 1905-1907 gg.). (The first Russian revolution and tsarism. The Council of ministers in Russia, 1905-1907.) Moskva, Nauka, 82, 184 p. (AN SSSR. In-t istorii SSSR)

4269. KRUŠANOV (A. I.). Bor'ba trudjaščikhsja Dal'nego Vostoka za vlast' Sovetov. 1917-1922 gg. (K 60-letiju osvoboždenija Dal'nego Vostoka ot interventov i belogvardejcev). (The struggle of working people of the Far East for Soviet power, 1917-1922. 60 years after the liberation of the Far East from interventionist and white forces.) Ist. SSSR, 82, n° 6, p. 58-73.

4270. KUVŠINOV (V. A.). Razoblačenie partiej bol'ševikov ideologii i taktiki kadetov, fevral' - oktjabr' 1917 g. (Unmasking the constitutional-democrats' ideology and tactics by the Bolshevik party, February - October 1917.) Moskva, Izd-vo MGU, 82, 239 p.

4271. LEIGHTON (L. G.). Freemasonry in Russia: the Grand Lodge of Astraea (1815-1822). Slavonic R., 82, vol. 60, p. 244-261.

4272. LIKHOLAT (A. V.). Sozdanie i razvitie Sojuza SSR - torzestvo leninskoj nacional'noj politiki. (The foundation and consolidation of the USSR - a triumph of the Leninist nationalities policy.) Vopr. Ist., 82, n° 11, p. 16-31.

4273. LINCOLN (W. Bruce). In the vanguard of reform: Russia's enlightened bureaucrats, 1825-1861. DeKalb, Northern

Illinois U. P., 82, in-8, XIX-297 p. (ill.).

4274. LINCOLN (W. Bruce). The Romanovs, autocrats of all the Russias. London, Weidenfeld a. Nicolson, 82, in-8, XII-852 p. [Amer. ed. Cf. Bibl. 81, n° 3844]

4275. LUNDQUIST (Lennart). The party and the masses: an interorganizational analysis of Lenin's model for the Bolshevik revolutionary movement. Stockholm, Almqvist o. Wiksell internat.; Dobbs Ferry, N. Y., Transnational Publ., 82, in-4, 336 p.

4276. MALET (Michael). Nestor Makhno in the Russian civil war. London, Macmillan, 82, in-8, 232 p.

4277. MANNING (Roberta Thompson). The crisis of the old order in Russia: gentry and government. Princeton, N. J., Princeton U. P., 82, in-8, XV-555 p.

4278. MEDVEDEV (Roy A.). Khrushchev. Tr. from the Russian by B. PEARCE. Oxford, Blackwell, 82, in-8, 304 p.

4279. MEEHAN-WATERS (Brenda). Autocracy and aristocracy: the Russian service elite of 1730. New Brunswick, N. J., Rutgers U. P., 82, in-8, XII-274 p.

4280. MINC (I. I.). God 1918. (The year of 1918.) Moskva, Nauka, 82, 576 p. (AN SSSR. Nauč. sovet. po kompleks. probl. Velikaja Oktjabr'skaja revoljucija. In-t istorii SSSR)

4281. MINTZ (M.). The Secretariat of Internationality Affairs (Sekretariiat mizhnatsional'nykh sprav) of the Ukrainian General Secretariat (1917-1918). Harvard ukrainian Stud., 82, vol. 6, p. 25-42.

4282. MOONEY (Peter J.). Soviet superpower, the Soviet Union, 1945-1980. London, Heinemann Educ., 82, in-8, 210 p.

4283. MUKHAČEV (Ju. V.). Idejno-poličeskoe bankrotstvo planov buržuaznogo restavratorstva v SSSR. (Ideological and political bankruptcy of the plans of bourgeois restoration in the USSR.) Moskva, Mysl', 82, 269 p.

4284. NAKAI (Kazuo). Soviet agricultural policies in the Ukraine and the 1921-1922 famine. Harvard ukrainian Stud., 82, vol. 6, p. 43-61.

4285. NEČKINA (M. V.). O nas v istorii stranicy napišut ... Iz istorii dekabristov. (Pages of historical data wil be written about us ... From the history of the Decembrists.) Materialy i issled. Irkutsk, Vost.-Sib. kn. izd-vo, 82, 348 p.

4286. NICHOLS (Irby C.) Jr. Tsar Alexander I: pacifist, aggressor, or vacillator? East european Quar., 82, vol. 16, n° 1, p. 33-44.

4287. O'GAREFF (Val). Leaders of the Soviet republics, 1971-1980, a guide to posts and occupants. Canberra, Austral. Nat. Univ., Dept. of Law a. Pol. Sci.; London, Eurospan, 82, in-8, XVI-452 p.

4288. ORŽEKHOVSKIJ (I. V.). Samoderža- vie protiv revoljucionnoj Rossii (1826-1880 gg.). (Autocracy against revolutionary Russia, 1826-1880.) Moskva, Mysl', 82, 207 p.

4289. Bibl. 81, n° 3857. Ot kapitalizma k socializmu. Osnovnye problemy perekhodnogo perioda v SSSR. 1917-1937. (From capitalism to socialism. Basic problems of the transitional period in the USSR, 1917-1937.) - CR: V. Z. Drobižev, Vopr. Ist., 82, n° 5, p. 113-116.

4290. PLAMBECK (Petra). Publizistik im Rußland des 18. Jahrhunderts. Analyse d. Aufrufe zur Zeit d. Pugačev-Aufstandes 1773-1775. Hamburg, Buske, 82, in-8, IX-252 p. (Hamburger hist. Stud., 10)

4291. POZNANSKI (Renée). Intelligentsia et révolution. Blok, Gorki et Maïakovski face à 1917. Paris, Anthropos, 81, in-8, 246 p.

4292. PUŠKAREVA (I. M.). Fevral'skaja buržuazno-demokratičeskaja revolucija 1917 g. v Rossii. (The February bourgeois-democratic revolution of 1917 in Russia.) Moskva, Nauka, 82, 320 p. (AN SSSR. In-t istorii SSSR)

4293. RAEFF (Marc). Comprendre l'Ancien Régime russe. Etat et société en Russie impériale. Préf. d'Alain BESANCON. Paris, Seuil, 81, in-8, 256 p. (L'Univers historique)

4294. RASKOLNIKOV (F. F.). Kronstadt and Petrograd in 1917. Tr. from the Russ. by B. PEARCE. London, New Park Publ., 82, in-8, 368 p. (ill.).

4295. ROSENFELDT (Niels Erik). The consistory of the Communist church: the origins and development of Stalin's secret chancellery. Russian Hist., 82, vol. 9, p. 308-324.

4296. ROSENTHAL (Anne-Marie). L'antisémitisme en Russie, des origines à nos jours. Paris, Presses univ. France, 82, in-8, 176 p.

4297. Russkaja voennaja mysl'. Konec XIX - načalo XX v. (Russian military thought, end of the 19th - beginning of the 20th cent.) Pod red. P. A. ŽILINA. Moskva, Nauka, 82, 252 p. (AN SSSR. In-t voen. istorii MO SSSR)

4298. ŠACILLO (K. F.). Iz istorii osvoboditel'nogo dviženija v Rossii v načale XX veka (o konferencii liberal'nykh i revoljucionnykh partij v Pariže v sentjabre oktjabre 1904 goda). (From the history of the liberation movement in Russia at the beginning of the 20th century: the Conference of liberal and revolutionary parties in Paris, Sept.-Oct. 1904.) Ist. SSSR, 82, n° 4, p. 51-70.

4299. SCHRÖDER (Hans-Henning). Arbeiterschaft, Wirtschaftsführung und Parteibürokratie während der neuen ökonomischen Politik: eine Sozialgesch. d. bolschewist. Partei, 1920-1928. Wiesbaden, Harrassowitz, 82, in-8, 412 p. (Forsch. z. osteurop. Gesch., 31)

4300. SIMON (Gerhard). Nationsbildung und "Revolution von oben". Zur neuen sowjetischen Nationalitätenpolitik d. dreißiger Jahre. Gesch. u. Ges., 82, Jg. 8, p. 233-257.

4301. Bibl. 81, n° 3868. ŠKARENKOV (L. K.). Agonija beloj ėmigracii. (Agony of the white emigration.) - CR: G. Z. Ioffe, Nov. novejš. Ist., 82, n° 4, p. 181-183.

4302. Bibl. 81, n° 3869. Sovetskaja istoriografija Velikoj Oktjabr'skoj socialističeskoj revoljucii. (Soviet historiography of the Great October socialist revolution.) - CR: P. A. Golub, Vopr. Ist., 82, n° 10, p. 117-120.

4303. Stalinismus: Probleme d. Sowjetgesellschaft zw. Kollektivierung u. Weltkrieg. Hrsg. v. Gernot ERLER u. Walter SÜSS. Frankfurt (Main) u. New York, Campus-Verl., 82, in-8, 675 p.

4304. STARCEV (V. I.). Krakh kerenščiny. (Crash of Kerenski and his supporters.) Leningrad, Nauka, 82, 271 p. (AN SSSR. In-t istorii SSSR. Leningr. otd-nie)

4305. SYSYN (Frank E.). Regionalism and political thought in seventeenth-century Ukraine: the nobility's grievances at the Diet of 1641. Harvard ukrainian Stud., 82, vol. 6, p. 167-190.

4306. SZVÁK (Gyula). IV. Iván alakja az orosz történetirásban. (Ivan IV dans l'historiographie russe.) Századok, 82, vol. 116, n° 1, p. 93-122. - IDEM. Ot Karamzina do Solov'eva: k voprosu ėvoljucii obraza Ivana IV v russkoj istoriografii. (Von Karamzin zu Solov'ev: Zur Frage d. Entwicklung d. Bildes Ivans IV. in d. russ. Geschichtsschreibung.) In: Gedenkschrift E. Arató [Cf. n° 497], p. 219-236.

4307. THOMAS (Ludmilla). Geschichte Sibiriens. Von d. Anfängen bis z. Gegenwart. Berlin, Akad.-Verl., 82, in-8, VIII-232 p. (Abb., Kt.).

4308. TIMOFEEV (T. T.). Obrazovanie SSSR i internacional'naja solidarnost' trudjaščikhsja. (Formation of the USSR and international solidarity of working people.) Nov. novejš. Ist., 82, n° 6, p. 26-43.

4309. TROICKIJ (S. M.). Rossija v XVIII veke. (Russia in the 18th cent.) Sbornik statej i publ. Moskva, Nauka, 82, 253 p. (AN SSSR. In-t istorii SSSR)

4310. URBAN (George R.). Stalinism, its impact on Russia and the world. London, M. T. Smith, 82, in-8, 400 p.

4311. Velikaja Oktjabr'skaja socialističeskaja revolucija i pobeda Sovetskoj vlasti na Ukraine, fevr. 1917 g. - fevr. 1918 g. Khronika važnejšikh ist.-part. i rev. sobytij. (The Great October Socialist revolution and the victory of the Soviet power in the Ukraine, Febr. 1917 - Febr. 1918.) Redkol.: Ju. V. BABKO i dr. 1: Bol'ševiki vo glave trudjaščikhsaja Ukrainy v period bor'by za pobedu Velikogo Oktjabrja. (The Bolsheviks at the head of the working Ukraine during the struggle for the victory of the Great October.) 2: Bol'ševiki vo glave trudjaščikhsaja Ukrainy v period bor'by za ustanovlenie Sovetoskoi vlasti na Ukraine, okt. 1917 g. - fevr. 1918 g. (The Bolsheviks at the head of the working Ukraine during the struggle for the establishment of the Soviet power, Oct. 1917 - Febr. 1918.) Kiev, Politizdat Ukrainy, 82, 2 vol., 712, 959 p. (In-t istorii partii pri CK Kompartii Ukrainy - fil. In-ta marksizma-leninizma pri CK KPSS)

4312. Velikij Oktjabr' i peredovaja Rossija v istoričeskikh sud'bakh narodov Severnogo Kavkaza (XVI - 70-e gody XX veka). (The Great October and progressive Russia in the historical destinies of the peoples of the Northern Caucasus, 16th cent. - 1970s.) (Materialy Vseros. nauč. konf., 2-3 okt. 1979 g., g. Groznyj.) Redkol.: A. L. NAROČNICKIJ (otv. red.) i dr. Groznyj, Čečeno-Inguš. kn. izd-vo, 82, 367 p. (M-vo vysš. i sred. spec. obrazovanija RSFSR, In-t istorii SSSR AN SSSR i dr.)

4313. Vremja, sobytija, ljudi. Primor'e, 1917-1980. (Time, events, people. The Far Eastern seashore area, 1917-1980.) Sbornik. Nauč. red.: A. I. KRUŠANOV. Vladivostok, Dal'nevost. kn. izd-vo, 82, 399 p.

4314. WESTWOOD (John N.). Endurance and endeavour: Russian history, 1812-1980. London, Oxford U. P., 82, in-8, 464 p. (maps). (Short Oxford Hist. of the Modern World)

4315. WHELAN (Heide W.). Alexander III and the state council: bureaucracy and counter-reform in late imperial Russia. New Brunswick, N. J., Rutgers U. P., 82, in-8, 258 p.

4316. YANEY (George). The urge to mobilize: agrarian reform in Russia, 1861-1930. Urbana, Univ. of Illinois Press, 82, in-8, VIII-599 p.

4317. Zaščita Velikogo Oktjabrja. (Defence of the Great October.) Sbornik. Otv. red.: Ju. I. KORABLEV. Moskva, Nauka, 82, 384 p. (AN SSSR. Nauč. sovet po kompleks. probl. Istorija Velik. Okt. soc. revoljucii)

4318. ZELENIN (I. E.). Sovkhozy SSSR v gody dovoennykh pjatiletok: 1928-1941. (Sovkhozes of the USSR in the years of the pre-war five-year plans, 1928-1941.) Moskva, Nauka, 82, 239 p. (AN SSSR. In-t istorii SSSR)

Venezuela.

4319. ALEXANDER (Robert J.). Rómulo Betancourt and the transformation of Venezuela. New Brunswick, N. J., Transaction Books, 82, in-8, VIII-737 p.

4319a. LOMBARDI (John V.). Venezuela: the search of order, the dream of progress. London a. New York, Oxford U. P., 82, in-8, XV-348 p. (Latin Am. Hist.)

Yougoslavie.

4320. KARDELJ (Edvard). Reminiscences: the struggle for recognition and independence, the new Yugoslavia, 1944-1957. Tr. from Serbo-Croat. London, Blond a. Briggs, 82, in-8, 256 p. (ill.).

4321. MacKENSIE (David). Serbian nationalist and military organizations and the Piedmont idea, 1844-1914. East european Quar., 82, vol. 16, n° 3, p. 323-344.

4322. SUNDHAUSSEN (Holm). Geschichte Jugoslawiens 1918-1980. Stuttgart, Kohlhammer, 82, in-8, 224 p.

4323. VUCINICH (Wayne S.) a. others. The first Serbian uprising: 1804-1813. Brooklyn, N. Y., Brooklyn College Press, 82, in-8, XI-389 p. (Brooklyn Coll. Stud. on Soc. in Change, 17)

Zaïre.

4324. VINOKUROV (Ju. N.), ORLOVA (A. S.), SUBBOTIN (V. A.). Istorija Zaira v novoe i novejšee vremja. (History of Zaire in modern and contemporary times.) Moskva, Nauka, 82, 304 p. (ill.). (Istorija stran Afriki. AN SSSR. In-t Afriki)

Zimbabwe.

4325. STONEMAN (Colin). Zimbabwe's inheritance. London, Macmillan, 82, in-8, 248 p.

4326. WISEMAN (Herbert Victor), TAYLOR (A. M.). From Rhodesia to Zimbabwe, the politics of transition. Oxford, Pergamon Press, 82, in-8, 192 p.

§ 3. Découvertes géographiques.

** 4327. FISHER (Raymond H.). The voyage of Semen Dezhnev in 1648: Bering's precursor, with selected documents. London, Hakluyt Soc., 81, in-8, XIII-326 p. (ill., maps). (Works issued by the Hakluyt Soc., 2nd ser., 15)

** 4328. Giovanni et Girolamo Verrazano, navigateurs de François Ier: dossiers de voyages. Etablis et commentés par Michel MOLLAT DU JOURDIN et Jaques HABERT. Paris, Imprimerie nationale, 82, in-4, 242 p. (ill.). (Voyages et découvertes, 2)

** 4329. SURVILLE (Jean-François-Marie de), LABE (Guillaume). The expedition of the "St. Jean-Baptiste" to the Pacific, 1769-1770. Tr. from the Fr. London, Hakluyt Soc., 82, in-8, X-310 p.

** 4330. KEELER (Mary Frear). Sir Francis Drake's West Indian voyage, 1585-1586. London, Hakluyt Soc., 82, in-8, XIV-358 p. (maps).

** 4331. WALKER (Alexander). An account of a voyage to the north west coast of America in 1785 and 1786. Ed. by Robin FISHER a. J. M. BUMSTED. Vancouver, Douglas a. McIntyre, 82, in-8, 319 p.

4332. BOSCOLO (Alberto), GIUNTA (Francesco). Saggi sull'età colombiana. Milano, Cisalpino-goliardica, 82, in-8, IX-116 p. (Letter. e Cult. dell'America latina, 4)

4333. BRANDER (Michael). The perfect Victorian hero: the life and times of Sir Samuel White Baker. Edinburgh, Mainstream, 82, in-8, 208 p. (ill.).

4334. HERVÉ (Roger). Découverte fortuite de l'Australie et de la Nouvelle-Zélande par des navigateurs portugais et espagnols entre 1521 et 1528. Paris, Bibliothèque nationale, 82, in-8, 136 p.

4335. Importance (L') de l'exploration maritime au Siècle des Lumières (à propos du voyage de Bougainville). Table ronde organisée par Michel MOLLAT et Etienne TAILLEMITE, Paris, 8 et 9 déc. 1978. Paris, Ed. du C. N. R. S., 82, in-8, 190 p. (ill.).

4336. KELLENBENZ (Hermann). Die Finanzierung der spanischen Entdeckungen. Vjschr. f. Soz.- u. Wirtschaftsgesch., 82, Bd 69, p. 153-181.

4337. MAŁOWIST (Marian). Portugal on the eve of geographic discoveries. Quaestiones Medii Aevi, 81, t. 2, p. 113-126.

4338. VAN DÜLMEN (Richard). Entdeckung neuer Erdteile. Die europ. Expansion in d. frühen Neuzeit. Francia [München], 81 [82], Bd 9, p. 215-235.

L

HISTOIRE RELIGIEUSE DE L'EPOQUE MODERNE

§ 1. Généralités. 4339-4366. - § 2. Catholicisme (a. Généralités; b. Le Saint-Siège; c. Etudes spéciales; d. Ordres religieux; e. Missions). 5367-4535. - § 3. Eglise orthodoxe. 4536-4546. - § 4. Protestantisme. 4547-4672. - § 5. Religions et sectes non chrétiennes. 4673-4699.

§ 1. Généralités.

* 4339. HOGAN (Brian). A current bibliography of Canadian church history. [Cf. Bibl. 81, n° 3908.] Canad. cath. hist. Assoc. Stud. sess., 82, vol. 49, p. 135-167.

* 4340. JAMES (Marie-France). Esotérisme, occultisme, franc-maçonnerie et christianisme aux XIXe et XXe siècles. Explorations bio-bibliographiques. Paris, Nouv. Ed. latines, 81, in-8, 270 p. [Cf. n° 4356]

** 4341. DUVAL (André), O. P., HORNUS (Jean-Michel). Madame de Vivens, Lacordaire, l'Ecole de Sorèze et les protestants (documents inédits, 1854-1857). B. Soc. Hist. Prot. franç., 82, t. 128, p. 207-250.

** 4342. Schlesische Religions-Akten 1517 bis 1675. Gottfried Ferdinand BUCKISCH. Bearb. v. Joseph GOTTSCHALK [u. a.]. T. 1: Einführung. Köln u. Wien, Böhlau, 82, in-8, VIII-145 p. (Forsch. u. Quellen z. Kirchen- u. Kulturgesch. Ostdeutschlands, 17)

4343. Actes du Colloque "Eglises et chrétiens dans la seconde guerre mondiale: la France", Lyon, 1978. Lyon, Presses univ. de Lyon, 82, in-8, 637 p.

4344. ALTMANN (Hugo). Die konfessionspolitischen Auseinandersetzungen in der Reichsstadt Aachen in den Jahren 1612-1617 im Lichte neuer Quellen. Z. d. Aachener Gesch.-Ver., 81/82, Bd 88/89, p. 153-181.

4345. ARNSTEIN (Walter L.). Protestant versus Catholic in mid-Victorian England: Mr. Newdegate and the nuns. Columbia, Univ. of Missouri Press, 82, in-8, VIII-271 p.

4346. BOLES (John B.). Religion in the South: a tradition recovered. Maryland hist. Mag., 82, vol. 77, n° 4, p. 388-401.

4347. BONOMI (Patricia U.), EISENSTADT (Peter R.). Church adherence in the eigtheenth-century British American colonies. William a. Mary Quar., 82, vol. 39, n° 2, p. 245-286.

4348. BOTTYÁN (János). A magyar Biblia évszázadai. (Les siècles de la Bible en langue hongroise.) Budapest, Református Zsinati Iroda Sajtóosztálya, 82, in-8, 206 p. (67 pl.).

4349. CARMEL (Alex). Christen als Pioniere im Heiligen Land. Ein Beitrag z. Gesch. d. Pilgermission u. d. Wiederaufbaus Palästinas im 19. Jh. Basel, F. Reinhardt, 81, in-8, 204 p. (ill.). (Theol. Z., Sonderbd 10)

4350. CHRISMAN (Miriam Usher). From polemic to propaganda: the development of mass persuasion the late sixteenth century. Arch. f. Reformationsgesch., 82, Jg 73, p. 175-196.

4351. DRABBLE (John E.). Mary's Protestant martyrs and Elizabeth's Catholic traitors in the age of Catholic emancipation. Church Hist., 82, vol. 51, n° 2, p. 172-185.

4352. GALLAGHER (Eric), WORRALL (Stanley). Christians in Ulster, 1968-1980. London, Oxford U. P., 82, in-8, 252 p.

4353. HATCH (Nathan O.), NOLL (Mark A.) a. others. The Bible in America: essays in cultural history. New York, Oxford U. P., 82, in-8, X-191 p.

4354. HOLLERBACH (Maria). Das Religionsgespräch als Mittel der konfessionellen und politischen Auseinandersetzungen in Deutschland des 16. Jahrhunderts. Frankfurt (Main) u. Bern, Lang, 82, in-8, X-301 p. (Europ. Hochschulschr., Reihe 3: Gesch. u. ihre Hilfswiss., 165)

4355. JACOBS (Sylvia M.) a. others. Black Americans and the missionary movement in Africa. Westport, Conn., Greenwood Press, 82, in-8, XII-255 p. (Contrib. in Afro-Am. a. African Stud., 66)

4356. JAMES (Marie-France). Esotérisme et christianism autour de René Guénon. Esotérisme, occultisme, franc-maçonnerie et christianisme aux XIXe et XXe siècles. Paris, Nouv. Ed. latines, 81, in-8, 379 p.

4357. LANGMORE (D.). A neglected force: white women missionaries in Papua 1874-1914. J. pacific Hist., 82, t. 16, p. 138-157.

4358. LINDER (Robert D.). Militarism in nazi thought and in the American new religious right. J. Church a. State, 82, vol. 24, n° 2, p. 263-280.

4359. NGONGO (Louis). Histoire des forces religieuses au Cameroun, de la Première Guerre mondiale à l'indépendance. Paris, Maspero, 82, in-8, 300 p.

4360. NISCHAN (Bodo). John Bergius: Irenicism and the beginning of official religious toleration in Brandenburg-Prussia. Church Hist., 82, vol. 51, n° 4, p. 389-404.

4361. Reformationszeit (Die). Martin GRESCHAT (Hrsg.). 1, 2. Stuttgart, Berlin, Köln u. Mainz, Kohlhammer, 81, 2 vol. in-8, 355, 335 p. (ill.). (Gestalten d. Kirchengesch., 5, 6)

4362. SCHLICHT (Alfred). Die Rolle der europäischen Missionare im Rahmen der orientalischen Frage am Beispiel Syriens. Nouv. R. Sci. missionnaires, 82, t. 38, p. 187-201.

4363. Secular mind (The). Transformations of faith in modern Europe. Ed. by W. Warren WAGAR. New York, Holmes a. Maier, 82, in-8, XIII-273 p.

3464. SIIKALA (Jukka). Cult and conflict in tropical Polynesia. A study of traditional religion, Christianity and nativistic movements. Helsinki, Academia Scientiarum Fennica, 82, in-8, 308 p. (FF Communications, 233)

4365. TRACY (James D.). Heresy law and centralization under Mary of Hungary: conflict between the council of Holland and the central government over the enforcement of Charles V's placards. Arch. f. Reformationsgesch., 82, Jg. 73, p. 284-307.

4366. 200 [Zweihundert] Jahre Toleranzpatent [Kaiser Josephs II.] Carinthia I, 81-82, Jg. 171-172, 379, 302 p.

Cf. n° 7163.

§ 2. Catholicisme.

a. Généralités.

* 4367. TRISCO (Robert), ELLIS (John Tracy). Guide to American Catholic history. Oxford, Clio, 82, in-8, 250 p.

4368. Dizionario storico del movimento cattolico in Italia, 1860-1980. Francesco TRANIELLO, Giorgio CAMPANINI, direttori. I, 1, 2: I fatti e le idee. II: I protagonisti. Torino, Marietti, 81-82, 3 vol. in-8.

4369. Droit (Le) et les institutions de l'Eglise catholique latine, de la fin du XVIIIe siècle à 1978. 2: Organismes collegiaux et moyens de gouvernement. Par Laurent CHEVAILLER, Charles LEFEBVRE, René METZ et al. Paris, Cujas, 82, in-4, 478 p.

4370. FOUILLOUX (Etienne). Les catholiques et l'unité chrétienne du XIXe au XXe siècle. Itinéraires européens d'expression française. Paris, Centurion, 82, in-8, 1007 p.

4371. HENNESEY (James). American Catholics, the history of the Roman Catholic community in the United States. New York a. London, Oxford U. P., 82, in-8, 414 p.

4372. ROONEY (John). Khabar Gembira: the history of the Catholic church in East Malaysia and Brunei, 1880-1976. London, Burns a. Oates, 82, in-8, 324 p.

4373. WALDERSEE (James). Catholic society in New South Wales, 1788-1860. Sydney, Univ. Press; London, Europsan, 82, in-8, 328 p.

4374. WRIGHT (A. D.). The Counter-Reformation: Catholic Europe and the non-Christian world. New York, St. Martin's Press, 82, in-8, 344 p.

b. Le Saint-Siège.

** 4375. Correspondance du nonce en France Fabrizio Spada (1674-1765). Publ. par Ségolène de DAINVILLE-BARBICHE. Rome, Ecole franç. de Rome / Univ. Pontificale Grégorienne, 82, in-8, XXXIV-893 p. (Acta Nuntiaturae Gallicae, 15)

** 4376. Enchiridion Vaticanum. Testo ufficiale e versione italiana. 7: Documenti ufficiali della Santa Sede, 1980-1981. A cura di Erminio LORA. Bologna, EDB, 82, in-8, 1791 p.

** 4377. Nuntiaturberichte aus Deutschland. Nebst erg. Aktenstücken. Hrsg. durch d. Deutsche Hist. Inst. in Rom. [Cf. Bibl. 81, n° 3953.] Abt. 3: 1572-1585. Bd 6: Nuntiatur Giovanni Delfinos (1572-1573). Bearb. v. Helmut GOETZ. Tübingen, Niemeyer, 81, in-4, XXI-552 p.

4378. DE LEONARDIS (Massimo). Motivazioni religiose e sociali nella difesa del Potere temporale dei Papi (1850-1870). Ras. stor. Risorg., 82, a. 69, p. 182-200.

4379. DRESCHNER (Karlheinz). Ein Jahrhundert Heilsgeschichte. Die Politik d. Päpste im Zeitalter d. Weltkriege. 1: Von Leo XIII 1878 bis zu Pius XI. 1939. Köln, Kiepenheuer u. Witsch., 82, in-8, 658 p.

4380. HASLER (August Bernhard). How the Pope became infallible: Pius IX and the politics of persuasion. London, Sheldon Press, 82, in-8, 404 p. (ill.).

4381. HORST (Ulrich). Unfehlbarkeit und Geschichte. Studien zur Unfehlbarkeitsdiskussion von Melchior Cano bis zum I. Vatikanischen Konzil. Mainz, Matthias

2. CATHOLICISME

Grünewald Verl., 82, in-8, XXXIV-262 p. (Walberger Studien, Theol. R., 12)

4382. Jan Paweł II w Polsce, 2-10 czerwca 1979. Przemówienia, reportaże, sprawozdania. (Jean Paul II en Pologne, 2-10 juin 1979. Discours, reportages, relations.) Ouvrage collectif réd. par Michal MACIOLKA. Poznán, Księg. św. Wojciecha, 82, in-8, 280 p.

4383. Lavoro (Il). Le encicliche sociali dalla Rerum novarum alla Laborem exercens. A cura di Giuseppe MATTAI. Padova, EMP, 82, in-8, 349 p. (I grandi insegnamenti)

4384. LONGFORD (Earl of). Pope John Paul II, authorised biography. London, M. Joseph, 82, in-4, 224 p. (ill., pl.).

4385. OTT (Hugo). Rerum Novarum [Leos XIII.] – die erste Arbeiterenzyklika und ihr gesellschaftliches Umfeld. Freiburg. Diöz.-Arch., 82, Bd 102, p. 118-133.

4386. PRODI (Paolo). Il sovrano pontefice. Un corpo e due anime: la monarchia papale nella prima età moderna. Bologna, Il mulino, 82, in-8, 422 p. (Saggi, 228)

4387. STOW (Kenneth R.). Taxation, community and state. The Jews and the fiscal foundations of the early modern papal state. Stuttgart, Hiersemann, 82, in-8, VIII 187 p. (Päpste u. Papsttum, 19)

4388. SZYMAŃSKI (Józef). Stosunek Watykanu do spraw polskich za czasów II Rzeczypospoliej (1918-1939). (L'attitude du Vatican vis-à-vis des questions polonaises aux temps de la II République, 1918-1939.) Radom, Wyższa Szkoła Inżynierska, 82, in-8, 201 p.

Cf. n° 4041.

c. Etudes spéciales.

* 4389. MAYEUR (Jean-Marie), ZIMMERMANN (Marie). Lettres du carême des évêques de France. Répertoire 1861-1959. Strasbourg, CERDIC, 81, in-8, 378 p. (RIC, suppl. 61-64)

* 4390. OLIVIER (Paul). Travaux récents sur les modernistes et les modernismes [CR de 11 ouvrages]. Rech. Sci. relig., 82, t. 70, p. 237-268.

** 4391. CANFIELD (Benoît de). La règle de perfection. The rule of perfection. Ed. critique publ. et annotée par Jean ORCIBLA. Paris, Presses univ. France, 82, in-8, 512 p. (Biblioth. de l'Ecole pratique des Hautes Etudes, Section: Sci. religieuses, 83)

** 4392. Condamnation (La) de Lamennais. Dossier inédit, prés. par M.-J. LE GUILLOU, Louis LE GUILLOU. Paris, Beauchesne, 82, in-8, 754 p. (Textes, dossiers, doc., 5)

** 4393. DYKMANS (Marc). Le cinquième Concile du Latran d'après le Diaire de Paris de Grassi. Annu. Hist. Concil., 82, Jg. 14, p. 271-369. [Cf. n° 4472]

** 4394. GEUSER (Marie-Antoinette de). Lettres à ses frères [1911-1918]. Introd. du P. André RAVIER, en collab. avec les P. Louis de GEUSER et Paul DUCLOS. Paris, Ed. du Cerf, 82, in-8, 229 p. (ill.).

** 4395. LAMENNAIS (Félicité de). Correspondance générale. T. 8: 1841-1854. T. 9: Suppléments inédits. Textes réunis, classés et annotés par Louis LE GUILLOU. Paris, A. Colin, 82, 2 vol. in-8, 1151, 634 p.

** 4396. PFLUG (Julius). Correspondance. Recueillie et éd. avec introd. et notes par J. V. POLLET. T. 5/1, 2: Suppléments. Leiden, Brill, 82, 2 vol. in-8, 315, 518 p. (pl.). [T. 1. Cf. Bibl. 70-71, n° 5506]

** 4397. Proces beatyfikacyjny i kanonizacyjny arcybiskupa Bogumiła w XVII wieku. Wedlug rękopisu Ossolineum 220 II wyd. Bogdan BOLZ. (Le procès de béatification et canonisation de l'archevêque Bogumił au XVIIe siècle. D'après le ms. 220 II de l'Ossolineum [à Wrocław], éd. par Bogdan BOLZ.) Annotations et index par Marian ALEKSANDROWICZ. Poznań, Księg. św. Wojciecha, 82, in-8, 263 p.

** 4398. Statuty kapituły Katedralnej w Płocku z 1784 roku. (Les status du chapitre Cathédral à Płock de 1784.) Ed. Wojciecj GÓRALSKI. Lublin, 82, in-8, 89 p. (Kat. Uniw. Lub. Wydział Prawa Kanonicznego)

** 4399. Terrier de la censive de l'archevêché dans Paris [1772]. T. 2: Notes. 1: N°s 1 à 2783. Publ. par Jean de LA MONNERAYE. Paris, Imprimerie nationale, 81, in-fol., XIX-577 p. [T. 1: 1906]

** Cf. n° 3979.

4400. ADLER (Gilbert), VOGELEISEN (Gérard). Un siècle de catéchèse en France, 1893-1980. Histoire, déplacements, enjeux. Paris, Beauchesne, 81, in-8, 602 p.

4401. BARTON (Marcella Biro). Saint Teresa of Avila: did she have epilepsy? Cath. hist. R., 82, vol. 68, n° 4, p. 581-598.

4402. BECHU (Philippe). Un gentilhomme dévot au XVIIIe siècle: Henri-François de Racappé. A. Bretagne, 82, t. 89, p. 39-59.

4403. BERGERON (Henri-Paul). Saint Joseph dans la prédication française au XVIIe siècle [suite de Bibl. 80, n° 3975.]. Cah. Joséphologie, 82, vol. 30, p. 23-59, 209-251.

4404. BERGIN (J. A.). The decline and fall of the house of Guise as an ecclesiastical dynasty. Hist. J., 82, vol. 25, p. 781-803.

4405. BERTI (Silvia). Sull'edizione di Port-Royal delle Pensées di Pascal: per un'interpretazione. Cultura, 82, a. 20, p. 78-109.

4406. BIANCHI (Serge). Sur les "curés rouges" dans la Révolution française. A. hist. Révol. franç., 82, a. 54, p. 349-392.

4407. BIELER (André). Chrétiens et socialistes avant Marx. Les origines du grand malentendu entre les Eglises chrétiennes et le monde du travail: les efforts des chrétiens français pour le dissiper et transformer la société industrielle avant 1848. Paris, Labor et Fides, 82, in-8, 349 p.

4408. BLANTZ (Thomas E.). A priest in public service: Francis J. Haas and the New Deal. Notre Dame, Ind., Univ. of Notre Dame Press, 82, in-8, XI-380 p. (Notre Dame Stud. in Am. Catholicism, 5)

4409. BORDET (Gaston). Fête contre-révolutionnaire, néo-baroque ou ordinaire? La grande Mission de Besançon, janvier-février 1825. In: La fête [Cf. n° 902], p. 183-341.

4410. BOULARD (Fernand). Matériaux pour l'histoire religieuse du peuple français, XIXe-XXe siècles. T. 1: Région de Paris, Haute-Normandie, Pays de Loire, Centre. Paris, Ed. du C. N. R. S., 82, in-4, 640 p. (220 tabl., 57 p. de cartes et graph.).

4411. BRONDER (Saul E.). Social justice and church authority: the public life of archbishop Robert E. Lucey. Philadelphia, Penn., Temple U. P., 82, in-8, 215 p.

4412. BRUNEAU (Thomas C.). The church of Brazil: the politics of religion. Austin, Univ. of Texas Press, 82, in-8, XVI-237 p.

4413. CABANIS (José). Lacordaire et quelques autres: politique et religion. Paris, Gallimard, 82, in-8, 442 p.

4414. CAMPOS (F. J.). Vida y organización religiosa castellana en tiempos de Felipe II. Est. augustiniano, 82, t. 17, p. 95-134, 211-258.

4415. CANTERLA Y MARTÍN DE TOVAR (Fancisco). La iglesia de Oaxaca en el siglo XVIII. Sevilla, Escuela de Estudios hispano-americanos, 82, in-8, XXII-273 p. (Publ. de la Esc. de Est. hisp.-am., 281)

4416. CAVAZZA (Silvano). Platonismo e riforma religiosa: la Theologia vivificans di Jacques Lefèvre d'Etaples. Rinascimento, 82, ser. 2, t. 22, p. 99-149.

4417. CHATELLIER (Louis). Tradition chrétienne et renouveau catholique, dans le cadre de l'ancien diocèse de Strasbourg (1650-1770). Paris, Ophrys, 81, in-8, 530 p.

4418. CLENDINNEN (Inga). Reading the inquisitorial record in Yucatan: fact or fantasy? Americas, 82, vol. 38, n° 3, p. 327-346.

4419. CONNOLLY (S. J.). Priests and people in pre-famine Ireland, 1780-1845. Dublin, Gill a. Macmillan; New York, St. Martin's Press, 82, in-8, 338 p. (ill.).

4420. CONTRERAS (Jaime). El Santo Oficio de la Inquisición de Galicia, 1560-1700. Poder, sociedad y cultura. Madrid, Akal, 82, in-8, 710 p.

4421. COUSIN (Bernard). Ex-voto de Provence: images de la religion populaire et de la vie d'autrefois. Paris, Desclée de Brouwer, 81, in-4, 181 p. (ill.).

4422. COUSINEAU (Jacques). L'Eglise d'ici et le social, 1940-1960. Vol. 1: La Commission sacerdotale d'études sociales. Montréal, Bellarmin, 82, in-8, 287 p.

4423. DARRICAU (Raymond). L'évêque dans la pensée de saint Vincent de Paul. Divus Thomas, 82, a. 84, p. 161-188.

4424. DECKER (Rainer). Die Hexenverfolgungen im Herzogtum Westfalen. Westfäl. Z., 81/82, Bd 131/132, p. 339-386.

4425. DIAZ (Gonzalo). Presencia de santa Teresa en el Escorial. Ciudad de Dios, 82, t. 195, p. 471-488.

4426. DIPBOYE (Carolyn Cook). The Roman Catholic Church and the political struggle for human rights in Latin America, 1968-1980. J. Church a. State, 82, vol. 24, n° 3, p. 497-524.

4427. DROULERS (Paul). Cattolicesimo sociale nei secoli XIX e XX. Saggi di storia e sociologia. Roma, Storia e Letteratura, 82, in-8, XIV-540 p.

4428. DUFOUR (Gérard). Juan Antonio Llorente en France 1813-1822. Contribution à l'étude du libéralisme chrétien en France et en Espagne au début du XIXe siècle. Genève, Droz, 82, in-8, XIII-375 p. (Travaux d'hist. éthico-politique, 38)

4429. DUPUY (Michel). Se laisser à l'Esprit. Itinéraire spirituel de Jean-Jacques Olier. Paris, Ed. du Cerf, 82, in-8, 416 p.

4430. EGIDO (Teófanes). El tratamiento historiográfico de santa Teresa. Inercias y revisiones. R. Espiritualidad, 81, t. 40, p. 171-189.

4431. Emmanuel d'Alzon dans la société et l'Eglise du XIXe siècle. (Colloque d'histoire - déc. 1980 - sous la dir. de René REMOND et Emile POULAT.) Paris, Le Centurion, 82, in-8, 334 p.

4432. FAUGERAS (Marius). Vocations sacerdotales seculières au XIXe siècle (1803-1914) dans le diocèse de Nantes. B. Soc. archéol. hist. Nantes, 81, t. 117, p. 101-132.

4433. FIRPO (Massimo), SIMONCELLI (Paolo). I processi inquisitoriali contro Savonarola (1558) e Carnesecchi (1566-1567): una proposta d'interpretazione. R. Stor. Letter. relig., 82, a. 18, p. 200-252.

4434. FONDA (Jean). Lumières et pénombres sur l'épiscopat agenais au XIXe siècle. R. Agenais, 82, a. 109, p. 239-251.

4435. FOURREY (René). Jean-Baptiste-Marie Vianney, curé d'Ars: vie authentique. Paris, Desclée de Brouwer; Lyon, Mappus, 81, in-8, 317 p. (pl.).

4436. FROSTIN (Charles). Discours ultramontain et vocation religieuse du Canada français (XVIIe-XXe siècles). A. Bretagne, 81 [82], t. 433-456.

4437. GABER (Stéphane). Les paroisses à la veille de la Révolution de 1789. R. hist. ardennaise, 82, n° 17, p. 105-131.

4438. GERBER (David A.). Modernity in the service of tradition: Catholic lay trustees at Buffalo's St. Louis church and the transformation of European communal traditions, 1829-1855. J. soc. Hist., 82, vol. 15, n° 4, p. 655-684.

4439. GOGAN (Brian). The common corps of Christendom: ecclesiological themes in the writing of Sir Thomas More. Leiden, Brill, 82, in-8, XII-404 p. (Stud. in the Hist. of Christian thought, 26)

4440. GOLDEN (Richard M.). Jean Rousse [curé de St. Roche], religious frondeur. French hist. Stud., 82, vol. 12, n° 4, p. 461-485.

4441. GONDRAND (François). Au pas de Dieu. La vie de Monseigneur Escrivá de Balaguer, fondateur de l'Opus Dei. Paris, France-Empire, 82, in-8, 352 p. (pl.). (Coll. catholique)

4442. GOUJARD (Philippe). Les fonds de fabriques paroissiales: une source d'histoire religieuse méconnue. R. Hist. Eglise France, 82, t. 68, p. 99-111.

4443. GRAHAM (Ruth). The challenge of secularization to the sacraments under the first French republic. Cath. hist. R., 82, vol. 68, n° 1, p. 13-27.

4444. GUILLON (Clément). En tout la volonté de Dieu: saint Jean Eudes à travers ses lettres. Paris, Ed. du Cerf, 81, in-8, 170 p.

4445. GUTIÉRREZ (Constancio). Trento: un concilio para la unión (1550-1552). Vol. 1-3. Madrid. C. S. I. C., 81, 3 vol. in-8, XL-692, XVIII-631, XXXII-440 p. (Corpus tridentinum hispanicum, 2-4)

4446. HAMM (Berndt). Frömmigkeitstheologie am Anfang des 16. Jahrhunderts: Studien zu Johannes von Paltz und seinem Umkreis. Tübingen, Mohr, 82, in-8, XV-378 p. (Beitr. z. hist. Theol., 65)

4447. HAYMAN (Robert W.). Catholicism in Rhode Island and the diocese of Providence, 1780-1886. Providence, R. I., The Diocese, 82, in-8, XI-353 p.

4448. HOLMES (Peter). Resistance and compromise: the political thought of the Elizabethan Catholics. London a. New York, Cambridge U. P., 82, in-8, VIII-279 p. (Cambridge Stud. in the Hist. a. Theory of Politics)

4449. HORDES (Stanley M.). The inquisition as economic and political agent: the campaign of the Mexican holy office against the crypto-Jews in the mid-seventeenth century. Americas, 82, vol. 39, n° 1, p. 23-38.

4450. HORVATH-PETERSON (Sandra). Abbé Georges Darboy's Statistique religieuse du diocèse de Paris (1856). Cath. hist. R., 82, vol. 68, n° 3, p. 401-450.

4451. HOURDIN (Georges). Lamennais, prophète et combattant de la liberté. Paris, Perrin, 82, in-8, 417 p.

4452. IMMENKÖTTER (Herbert). Hieronymus Vehus, Jurist und Humanist der Reformationszeit. Münster, Aschendorff, 82, in-8, 70 p. (Kathol. Leben u. Kirchenreform im Zeitalter d. Glaubensspaltung, 42)

4453. JANICK (Herbert). Catholicism and culture: the American experience of Thomas Lawrason Riggs, 1888-1943. Cath. hist. R., 82, vol. 68, n° 3, p. 451-468.

4454. Jansénius et le jansénisme dans les Pays-Bas. Mélanges Lucien Ceyssens. Publ. sous la dir. de J. VAN BAVEL et M. SCHRAMA. Louvain, Univ. Pers, 82, in-8, 247 p. (Biblioth. ephemeridum theologicarum lovanensium, 56)

4455. JULIA (Dominique), McKEE (Denis). Le clergé paroissial dans le diocèse de Reims sous l'épiscopat de Charles-Maurice Le Tellier (1671-1710): origine et carrières. R. Hist. mod., 82, t. 29, p. 529-583.

4456. KALINER (Walter). Katechese und Vermittlungstheologie im Reformationszeitalter. Johann VIII., Bischof v. Meißen u. seine "Christliche Lehre". Leipzig, St.-Benno-Verl., 82, in-8, XXII-189 p. (Abb.). (Erfurter theolog. Studien, 46)

4457. KAMMERER (Louis). Documents concernant le clergé du Haut-Rhin pendant la Révolution. La correspondance et les cahiers du provicaire général Didner, conservés aux Archives de l'évêché de Bâle à Soleure. Arch. Eglise Alsace, 82, t. 41, sér. 3, t. 2, p. 95-136.

4458. KAUFFMAN (Christopher J.). Faith and fraternalism: the history of the Knights of Columbus, 1882-1982. New York, Harper a. Row, 82, in-8, XV-512 p.

4459. KAUFMAN (Peter Iver). John Colet's Opus de sacramentis and clerical anticlericalism: the limitations of "ordinary wayes". J. brit. Stud., 82, vol. 22, n° 1, p. 1-22.

4460. KELLER (Erwin). Bischöflich-Konstanzische Erlasse und Hirtenbriefe. Ein Beitr. z. Seelsorgegesch. im Bistum Konstanz. Freiburger Diöz.-Arch., 82, Bd 102, p. 16-59.

4461. KENEC'HDU (Tanguy). Lamennais, un prêtre en recherche. Paris, Téqui, 82, in-8, 260 p.

4462. KRACIK (Jan). Vix venerabiles. Z dziejów społecznych niższego kleru parafialnego w archidiakonacie krakowskim w XVII-XVIII wieku. (De l'histoire sociale du clergé inférieur paroissial dans l'archidiaconat de Cracovie aux XVIIe-XVIIIe s.)

Kraków, Soc. Theologorum Pol., 82, in-8, XVII-255 p. (Pontificia Acad. Theologica Crac. Facultas Hist., Studia, 2)

4463. KUBIAK (Hieronim). The Polish National Catholic church in the United States of America from 1897 to 1980. Its social conditioning and social functions. Kraków, Państw. Wydawn. Nauk., 82, in-8, 214 p. (Zesz. Nauk. Uniw. Jagiell., 654. Prace Polonijne, 6)

4464. LAUNAY (Marcel). Le diocèse de Nantes sous le Second Empire. Nantes, CID, 82, 2 vol. in-8, 980 p.

4465. LAURENT (Marcel). Jean Soanen, 1647-1740, ou la vie religieuse à Riom. Roanne, Horvath, 82, in-8, 169 p. (pl.).

4466. LITTLE (J. I.). The Catholic church and French-Canadian colonization of the Eastern townships, 1821-51. Univ. Ottawa Quar., 82, vol. 52, p. 142-165.

4467. MARTENSEN (Katherine). Region, religion, and social action: the Catholic committee of the South, 1939-1956. Cath. hist. R., 82, vol. 68, n° 2, p. 249-267.

4468. MARTIN (Brian W.). John Henry Newman, his life and work. London, Chatto, 82, in-8, 160 p.

4469. MARTY (Martin E.). The Catholic ghetto and all other ghettos. Cath. hist. R., 82, vol. 68, n° 2, p. 185-205.

4470. MEYER (Jean-Claude). La vie religieuse en Haute-Garonne sous la Révolution (1789-1801). Toulouse, Assoc. des Publications de l'Univ. de Toulouse-Le Mirail, 82, in-8, XI-621 p.

4471. MICHAUD (Claude). Redistribution foncière et rentière en 1569: les aliénations du temporel ecclésiastique dans quatre diocèses du centre de la France. R. hist., 82, a. 106, t. 267, p. 305-356.

4472. MINNICH (Nelson H.). Paride de Grassi's Diary of the fifth Lateran council. Annu. Hist. Concil., 82, Jg. 14, p. 370-460. [Cf. n° 4393]

4473. MUS (Michel). L'imagerie populaire avignonnaise. Un témoin de la sensibilité religieuse des couches populaires à l'époque moderne et au XIXe siècle. A. Midi, 82, t. 94, p. 41-60.

4474. O'DONOGHUE (Frances). Bishop of Botany Bay: the life of John Bede Polding, Australia's first Catholic Archbishop. Sydney a. London, Angus a. Robertson, 82, in-8, 193 p.

4475. OVIEDO CAVADA (C.). La defensa del indio en el sínodo del obispo Azúa de 1744. Historia [Santiago de Chile], 82, n° 17, p. 281-354.

4476. PAPASOGLI (Giorgio). Come piace a Dio: Francesco di Sales e la sua "grande figlia". Roma, Città nuova, 81, in-8, 574 p.

4477. PETLJAKOV (P. A.). Uniatskaja cerkov' - orudie antikommunizma i antisovetizma. (The Uniate church as an instrument of anticommunism a. antisovietism.) L'vov, Višča škola, 82, 168 p.

4478. PLOMET (Charles), C. J. M. La dévotion à saint Joseph dans la vie et l'oeuvre de saint Jean Eudes. Cah. Joséphologie, 82, vol. 30, p. 61-85, 253-279.

4479. PLONGERON (Bernard). Cyrus ou les lectures d'une figure biblique dans la rhétorique religieuse, de l'Ancien Régime à Napoléon. R. Hist. Eglise France, 82, t. 68, p. 31-67.

4480. REINHARD (Wolfgang). Kardinalseinkünfte und Kirchenreform. Röm. Qsch. f. christl. Altertumskde, 82, Bd 77, p. 157-194.

4481. REY-MERMET (Théodule). Le saint du siècle des Lumières: Alfonso de Liguori. Préf. de Jean DELUMEAU. Paris, Nouv. Cité, 82, in-8, 692 p.

4482. RODRÍGUEZ (Pedro), LANZETTI (Raúl). El Catecismo romano: fuentes e historia del texto y de la redacción. Bases críticas para el estudio teológico del catecismo del Concilio de Trento. Pamplona, Ed. Univ. de Navarra, 82, in-8, 498 p.

4483. Saint Joseph au XVIIe siècle. 3e Symposium internat. [sur saint Joseph]. Cah. Joséphologie, 81, vol. 29, 1086 p.

4484. SALLABERGER (Johann). Johann von Staupitz, die Stiftsprediger und die Mendikanten-Termineien in Salzburg. Stud. u. Mitt. z. Gesch. d. Benediktinerordens, 82, Bd 93, p. 218-269.

4485. SAVIGNANO (Armando). Henri Bremond. Preghiere, poesia e filosofia della religione. Perugia, Benucci, 81, in-8, 508 p. - IDEM. L'influenza di John Henry Newman sul pensiero religioso di Henri Bremond. R. Filos. neo-scolastica, 82, a. 74, p. 321-342.

4486. SCHIWY (Günther). Teilhard de Chardin. Sein Leben u. seine Zeit. Bd [1. Cf. Bibl. 81, n° 4022.] 2: 1923-1955. München, Kösel, 81, in-8, 317 p.

4487. SCHMITZ DU MOULIN (Henri). Blaise Pascal, une biographie spirituelle. Assen, Van Gorcum, 82, in-8, 146 p.

4488. SCHOELEN (Georg). Bibliographisch-historisches Handbuch des Volksvereins für das Katholische Deutschland. Mit e. Einl. v. Horstwalter HEITZER u. e. Quellenkunde v. Wolfgang LÖHR. Mainz, Matthias-Grünewald-Verl., 82, in-4, 624 p. (Veröff. d. Komm. f. Zeitgesch., Reihe B: Forsch., 36)

4489. SCHOENL (William J.). The intellectual crisis in English catholicism: liberal catholics, modernists, and the Vatican in the late nineteenth and early twentieth centuries. New York, Garland, 82, in-8, XII-341 p.

4490. SIX (Jean-François). Guy-Marie Riobé, évêque et prophète. Paris, Ed. du Seuil, 82, in-8, 573 p.

2. CATHOLICISME

4491. SMITH (Brian H.). The church and politics in Chile: challenges to modern catholicism. Princeton, N. J., Princeton U. P., 82, in-8, XIII-383 p.

4492. STANELLE (Udo). Die Hildesheimer Stiftsfehde in Berichten und Chroniken des 16. Jahrhunderts. Ein Beitr. zur niedersächs. Geschichtsschreibung. Hildesheim, Lax, 82, in-8, X-194 p. (Veröff. d. Univ. Göttingen, 15)

4493. STORTZ (Gerald J.). Archbishop Lynch and New Ireland: an unfulfilled dream for Canada's northwest. Cath. hist. R., 82, vol. 68, n° 4, p. 612-624.

4494. STRZELECKA (Kinga). Maksymilian Maria Kolbe. Kraków, Wydawn. Apostolstwa Modlitwy, 82, in-8, 268 p. [en polonais]

4495. TAZBIR (Janusz). Obraz heretyka i diabła w katolickiej propagandzie wyznaniowej XVI-XVII w. (L'image de l'hérétique et du diable dans la propagande religieuse catholique aux XVIe-XVIIe s.) Kwart. hist., 81 [82], a. 88, n° 4, p. 939-953.

4496. THERIAULT (Serge A.). Dominique-Marie Varlet – de l'Eglise de Québec à la réforme d'Utrecht. R. Hist. Amérique franç., 82, vol. 36, p. 195-212.

4497. THIROUIN (Jean). Raison des effets, assai d'explication d'un concept pascalien. XVIIe Siècle, 82, a. 34, n° 134, p. 31-50.

4498. TOSCANI (Xenio). Ecclesiastici e società civile nel '700: un problema di storia sociale e religiosa. Soc. e Stor., 82, a. 5, p. 683-715.

4499. VAN DE WIELE (Johan). De inquisitierechtbank van Pieter Titelmans in de 16de eeuw in Vlaanderen. (Le tribunal de l'inquisiteur P. Titelmans au XVIe s. en Flandre.) Bijdr. Meded. Gesch. Nederland, 82, vol. .97, p. 19-63.

4500. VENARD (Marc). Une réforme gallicane? Le projet de concile national de 1551. R. Hist. Eglise France, 81, t. 67, p. 201-225.

4501. VIEILLARD – BARON (Jean-Louis). Phénoménologie de la conscience religieuse [en France, sous la Révolution]. XVIIIe Siècle, 82, n° 14, p. 167-190.

4502. VIVIAN (James F.). The pan-American mass, 1909-1914: a rejected contribution to thanksgiving day. Church Hist., 82, vol. 51, n° 3, p. 321-333.

4503. WOLGAST (Eike). Das Konzil in den Erörterungen der Kursächsischen Theologen und Politiker, 1533-1537. Arch. f. Reformationsgesch., 82, Jg. 73, p. 122-152.

4504. ŻABA (Kazimierz Maciej). Życie religijne polskiej imigracji politycznej we Francji w XIX w. (La vie religieuse des immigrés politiques polonais en France au XIXe s. [1831-1864].) Przegl. polon., 82, a. 8, fasc. 1, p. 17-38.

4505. ZINNHOBLER (Rudolf). Josephinismus am Beispiel der Gründung des Bistums Linz. Z. f. Kirchengesch., 82, Bd 93, p. 295-311.

Cf. n°s 3040, 3359, 3629, 3632, 3650, 3970, 4048, 4112, 5588.

d. Ordres religieux.

* 4506. POLGÁR (László). Bibliographia de historia Societatis Iesu. [Cf. Bibl. 81, n° 4040.] Arch. hist. Soc. Iesu, 82, a. 51, p. 342-419. – IDEM. Bibliographie sur l'histoire de la Compagnie de Jésus, 1901-1980. Vol. 1: Toute la Compagnie. Roma, Inst. historicum Soc. Iesu, 81, in-8, 560 p.

** 4507. Stato delle rendite e pesi degli aboliti collegi della capitale e Regno [di Napoli] dell'espulsa Compagnia detta di Gesù. A cura di Carolina BELLI. Napoli, Guida, 82, in-8, 1135 p. (Fonti e Doc. per la Stor. del Mezzogiorno d'Italia, 8)

** 4508. VALVEKENS (Jean-Baptiste). Acta et decreta capitulorum ordinis Praemonstratensis. T. 4: 1588-1660 [suite de Bibl. 81, n° 4038.] Analecta praemonstratensia, 81, t. 57, p. 145-176; 82, t. 58, p. 177-208.

4509. BERGIN (J. A.). The crown, the papacy and the reform of the old orders in early seventeenth-century France. J. eccles. Hist., 82, vol. 33, p. 234-255.

4510. DELAUNAY (Jean-Marc). De nouveau au sud des Pyrénées: congrégations françaises et refuge espagnol, 1901-1914. Mél. Casa Velázquez, 82, t. 18, p. 259-287.

4511. CUSHNER (Nicholas P.). Farm and factory: the Jesuits and the development of agrarian capitalism in colonial Quito, 1600-1767. Albany, State Univ. of New York Press, 82, in-8, IX-231 p.

4512. FEJÉR (Josephus), S. J. Defuncti primi saeculi Societatis Iesu, 1540-1640. Pars 1: Assistentia Italiae et Germaniae (cum Gallia usque ad 1607). Pars 2: Assistentia Hispaniae, Lusitaniae et – ab anno 1608 – Galliae. Roma, Institutum hist. Societatis Iesu, 82, 2 vol. in-8, 282, 256 p.

4513. FRANKIEWICZ (Edward). Maria Merkert, założycielka i pierwsza przełożona generalna Zgromadzenia Sióstr św. Elżbiety 1817-1872. (Marie Merkert, fondatrice et première supérieure générale de la Congrégation des Soeurs de Sainte Elisabeth, 1817-1872.) Avant-propos de WincentyURBAN. Wrocław, Zgrom. Sióstr św. Elżbiety, 82, in-8, 547 p.

4514. LAPERRIERE (Guy). "Persécution et exil": la vue au Québec des congrégations françaises, 1900-1914. R. Hist. Amérique franç., 82, vol. 36, p. 389-411.

4515. LEBRUN (François). Les missions des Lazaristes en Haute-Bretagne au XVIIe siècle. A. Bretagne, 82, t. 89, p. 15-38.

4516. MARTIN (A. Lynn). Jesuits and

their families, the experience in sixteenth-century France. Sixteenth Cent. J., 82, vol. 13, p. 3-23.

4517. MAYA (Carlos). Estructura y funcionamento de una hacienda jesuita [en México]: San José Acolman (1740-1840). Ibero-am. Arch., 82, N. F., Jg. 8, p. 329-359.

4518. SCHWAGER (Alois). Die Klosterpolitik des Kantons Thurgau 1798-1848. Thurgau. Beitr. z. vaterländ. Gesch., 81, vol. 118, p. 5-153; 82, vol. 119, p. 65-248.

4519. SCHWARTZ (Stuart B.). The plantations of St. Benedict: the Benedictine sugar mills of colonial Brazil. Americas, 82, vol. 39, n° 1, p. 1-22.

4520. TIBESAR (Antonine S.). The suppression of the religious orders in Peru, 1826-1830 or the king versus the Peruvian friars: the king won. Americas, 82, vol. 39, n° 2, p. 205-240.

4521. VANYÓ (Tihamér). A szerzetesi életforma válsága hazánkban a 18. század második felében. (La crise du mode de vie monastique dans la deuxième moitié du XVIIIe s.) Tört. Szle, 82, vol. 25, n° 2, p. 211-228.

4522. WEBER (Ernst). Einsiedeln und Engelberg, zwei Aspekte helvetischer Klosterpolitik, 1789-1803. Zürich, 81, in-8, 188 p. (Thèse lettres)

4523. ŻYDUCH (Immakulata). Zakon Franciszkanek Najświętszego Sakramentu w Polsce w latach 1871-1939. (L'ordre des Franciscaines du Saint Sacrement en Pologne dans les années 1871-1939.) Lublin, Wydawn. Kat. Uniw. Lub., 82, in-8, 191 p. (Prace Inst. Hist. Kościoła Kat. Uniw. Lub., T. 1, cz. 1)

Cf. n° 4484.

e. Missions.

4524. BELROSE-HUYGUES (Vincent). L'oeuvre de la première imprimerie catholique à Madagascar (1848-1883). Euntes docete, 82, a. 35, p. 327-349.

4525. CASTILLON DU PERRON (Marguerite). Charles de Foucauld. Paris, Grasset, 82, in-8, 521 p.

4526. CODIGNOLA (Luca). Terre d'America e burocrazia romana. Simon Stock, Propaganda Fide e la colonia di Lord Baltimore a Terranova, 1621-1649. Venezia, Marsilio, 82, in-8, 233 p.

4527. DARRICAU (Bernard). L'Afrique occidentale dans l'oeuvre du dominicain Godefroy Loyer, missionnaire au royaume d'Issinie (1667-1715), et les luttes doctrinales du XVIIIe siècle. Arch. Fr. Praedicatorum, 82, a. 52, p. 325-343.

4528. DEHERGNE (Joseph), S. J. Lettres annuelles et sources complémentaires des missions jésuites de Chine [suite de Bibl. 81, n° 6984.]. Arch. hist. Soc. Iesu, 82, a. 51, p. 246-284.

4529. HEZEL (Francis X.). From conversion to conquest: the early Spanish mission in the Marianas. J. pacific Hist., 82, t. 16, p. 115-137.

4530. OSIECKI (Czesław). Misjonarz na wyspie Flores. (Un missionnaire sur l'île de Flores [Indonésie].) Warszawa, Akad. Teologii Kat., 82, in-8, 559 p. (Studia i Mater. Księży Werbistów Pieniężno, 18)

4531. PEREZ (Eugene). Kalumburu, the Benedictine mission and the aborigines, 1908-1975. Kalumburu, Australia, Benedictine Mission; Cambridge, P. Moore, 82, in-8, XIV-173 p.

4532. PLONGERON (Bernard). Les éveils de la conscience missionnaire en France aux XVIIe-XXe siècles. B. Sect. Hist. mod. contemp., 82, n° 13, p. 159-186.

4533. SIX (Jean-François). Charles de Foucauld. Paris, Centurion, 82, in-8, 96 p. (ill.).

4534. THOMAZ DE BOISSIERE (Isabelle). François Xavier Dentrecolles (Yin Hong-Siu Ki-Tson) et l'apport de la Chine à l'Europe du XVIIIe siècle. Avant-propos du P. Joseph DEHERGNE. Paris, Belles Lettres, 82, in-8, XVII-192 p. (ill.). (La Chine au temps des Lumières, 5)

4535. WITEK (J. W.). Controversial ideas in China and in Europe: a biography of Jean-François Foucquet, S. J., 1665-1741. Roma, Institutum hist. Soc. Iesu, 82, in-8, 494 p.

Cf. n° 7649.

§ 3. Eglise orthodoxe.

** Cf. n°s 2112, 2113.

4536. BENDZA (Marian). Prawosławna diecezja przemyska w latach 1596-1681. Studium historyczno-kanoniczne. (Le Diocèse orthodoxe russe de Przemyśl dans les années 1596-1681. Etude historico-canonique.) Avant-propos de Jarema MACISZEWSKI. Warszawa, Chrześcijańska Akad. Teolog., 82, in-8, 267 p.

4537. BRYNER (Erich). Der geistliche Stand in Rußland. Sozialgeschichtl. Untersuchungen zu Episkopat u. Gemeindegeistlichkeit d. russ.-orthodoxen Kirche im 18. Jh. Göttingen, Vandenhoeck u. Ruprecht, 82, in-8, 268 p. (Kirche im Osten, Monographienreihe, 16)

4538. KELLER (Józef). Prawosławie. (La religion orthodoxe russe.) Warszawa, Iskry, 82, in-8, 265 p.

4539. KLIBANOV (A. I.). History of religious sectarianism in Russia, 1860-1917. Ed. by S. P. DUNN. Tr. from the Russ. Oxford, Pergamon Press, 82, in-4, 380 p.

4540. KRASNIKOV (I. P.). Social'no-političeskaja pozicija pravoslavnoj cerkvi v 1905-1916 godakh. (The socio-political position of the Orthodox church in 1905-1916.) Vopr. Ist., 82, n° 9, p. 30-41.

4541. MAMONĒ (Kyriakē). Agōnes tou Oikoumenikou Patrarcheiou kata tōn Missionariōn. (Les luttes du Patriarcat oecuménique contre les missionnaires.) Mnēmosynē, 80-81 [81], t. 8, p. 179-212.

4542. MANOUSSAKAS (M.). Aperçu d'une histoire de la colonie grecque orthodoxe de Venise. Thesaurismata, 82, t. 19, p. 7-30.

4543. POSPIELOVSKY (D.). The Renovationist schism in the Russian Orthodox Church. Russian Hist., 82, vol. 9, p. 285-307.

4544. SUTTNER (Ernst Christoph). Die rumänische Orthodoxie des 16. und 17. Jahrhunderts in Auseinandersetzung mit der Reformation. Kirche im Osten, 82, Bd 25, p. 64-120.

4545. URSUL (George R.). From political freedom to religious independence: the Romanian orthodox church, 1877 to 1925. In: Romania between east and west [Cf. n° 510], p. 217-244.

4546. VÖLKER (W.). Die Unabhängigkeit der Bulgarisch-Orthodoxen Kirche und ihr Verhältnis zum Staat bis 1877. Kirche im Osten, 81, Bd 24, p. 56-82.

Cf. n°s 277, 1039, 1408.

§ 4. Protestantisme.

* 4547. Bibliographie de la Réforme, 1450-1648. [Publ. sur la recommandation du Conseil Internat. de la Philos. et des Sci. Humaines, par la] Commission internat. d'hist. ecclés. comparée au sein du Comité internat. des Sci. hist. Fasc. [7. Cf. Bibl. 70-71, n° 5238.] 8: Benelux. Ouvrages parus de 1956 à 1975. Leiden, Brill, in-8, 151 p.

* 4548. DECAVELE (Johan). Historiografie van het 16de eeuws protestantisme in België. (Historiographie du protestantisme en Belgique au XVIe s.) Nederlands Arch. Kerkgesch., 82, vol. 62, p. 1-27.

* 4549. Literaturbericht. Arch. f. Reformationsgesch., 82, Jg. 11, Beiheft, 198 p.

* 4550. Lutherbibliographie [1981. Cf. Bibl. 81, n° 4083.] 1982. Luther-Jb., 82, Jg. 49, p. 150-198.

* 4551. Reformation Europe: a guide to research. Ed. by Steven OZMENT. St. Louis, Mo., Center for Reformation Research, 82, in-8, 390 p.

* Cf. n° 486.

** 4552. BIENERT (Walther). Martin Luther und die Juden. Ein Quellenbuch mit zeitgenöss. Illsutrationen, mit Einführung u. Erläuterungen. Frankfurt a. M., Ev. Verl.-Werk, 82, in-8, 240 p. (40 Abb.).

** 4553. BOTS (Hans), LEROY (Pierre). Correspondance intégrale d'André Rivet et de Claude Sarraut, 1641-1650. III: Orthodoxie et hétérodoxie au sein de la Réforme vers le milieu du XVIIe siècle. Amsterdam, APA-Holland U. P., 82, in-8, 556 p.

** 4554. FAREL (Guillaume). Le Pater noster et le Credo en françoys, publ. d'après l'exemplaire unique nouvellement retrouvé par Francis HIGMAN. Genève, Droz, 82, in-8, 72 p.

** 4555. WEIJENBORG (Reinhold). Die "Scolia in Lactancium" des Erfurter Reformators Johannes Lang. Erstausgabe, Übers. u. Komm. Arch. f. Reformationsgesch., 82, Jg. 73, p. 35-68.

** 4556. WESLEY (John). Letters. [1. Cf. Bibl. 80, n° 4089.] 2: 1740-1750. Ed. by Frank BAKER. London, Oxford U. P., 82, in-8, XX-684 p. (John Wesley Works, 26)

** Cf. n° 4341.

4557. ADAIR (John). The Founding Fathers: the Puritans in England and America. London, Dent, 82, in-8, 320 p. (ill.).

4558. ALTHOLZ (Josef L.). The mind of Victorian orthodoxy: Anglican responses to Essays and Reviews, 1860-1864. Church Hist., 82, vol. 51, n° 2, p. 186-197.

4559. ASH (James L.) Jr. Protestantism and the American university: an intellectual biography of William Warren Sweet. Foreword by Martin E. MARTY. Dallas, Texas, SMU Press, 82, in-8, XVI-163 p.

4560. BÄCHTOLD (Hans Ulrich). Heinrich Bullinger vor dem Rat. Zur Gestaltung u. Verwaltung d. Zürcher Staatswesens in d. Jahren 1531 bis 1575. Bern, Lang, 82, in-8, 372 p. (Zürcher Beitr. z. Reformationsgesch., 12)

4561. BEBBINGTON (D. W.). The nonconformist conscience: chapel and politics, 1870-1914. Boston, Allen a. Unwin, 82, in-8, X-193 p.

4562. BECKER (Laura L.). Ministers vs. laymen: the singing controversy in Puritan New England, 1720-1740. New England Quar., 82, vol. 55, n° 1, p. 79-98.

4563. BEHNK (Wolfgang). Contra liberum arbitrium pro gratia Dei: Willenslehre u. Christuszeugnis bei Luther u. ihre Interpretation durch die neuere Lutherforschung. Eine systematisch-theologiegeschichtl. Untersuchung. Frankfurt (Main) u. Bern, Lang, 82, in-8, 509 p. (Europ. Hochschulschriften, R. 23: 18)

4564. BLASCHKE (Karlheinz). Luthers reformatorische Leistung in ihrer Umwelt von Zeit und Raum. Herbergen d. Christenheit, 81-82, p. 7-25.

4565. BLICKLE (Peter). Die Reformation im Reich. Stuttgart, Ulmer, 82, in-8, 174 p. (Uni-Taschenbücher, 1181)

4566. BOLLE (Pierre). Les Protestants et leurs Eglises devant la persécution des Juifs en France. Et. théol. relig., 82, a. 57, p. 185-208.

4567. BOLTON (S. Charles). Southern Anglicanism: the Church of England in colonial South Carolina. Westport, Conn., Greenwood Press, 82, in-8, XIV-220 p. (Contrib. to the Study of Religion, 5)

4568. BRIDGEN (S.). Youth and English Reformation. Past a. Present, 82, vol. 95, p. 37-67.

4569. BRUCK (Regina von). Die Beurteilung der preußischen Union im lutherischen Sachsen in den Jahren 1817-1840. Berlin, Evangel. Verl.-Anst., 81, in-8, 287 p. (Theolog. Arbeiten, 41)

4570. BURIAN (Ilja). Philipp Melanchthon, die Confessio Augustana und die tschechischen Länder. Arch. f. Reformationsgesch., 82, Jg. 73, p. 255-284.

4571. BUTLER (Perry). Gladstone: church, state, and tractarianism: a study of his religious ideas and attitudes, 1809-1959. London a. New York, Oxford U. P., 82, in-8, 245 p. (Oxford Hist. Monogr.)

4572. CARBONNIER (Jean). Coligny ou les sermons imaginaires. Paris, Presses univ. France, 82, in-8, 247 p.

4573. CHEYNE (A. C.). The transforming of the kirk. Victorian Scotland's religious revolution. Edinburgh, Saint Andrew Press, 82, in-8, 232 p.

4574. CHRISTENSEN (T.). Missionstankens vaekst og udvikling i Danmark fra 1821 til ca. 1920. Linjer og problemer. (Croissance et développement de l'idée de la mission au Danemark de 1821 à ca. 1920. Lignes directrices et problèmes.) Dansk teol. T., 82, vol. 42, p. 126-144.

4575. COWAN (Ian B.). Scottish Reformation: church and society in sixteenth-century Scotland. London, Weidenfeld a. Nicolson; New York, St. Martin's Press, 82, in-8, X-244 p.

4576. COX (Jeffrey). The English churches in a secular society: Lambeth, 1870-1930. London a. New York, Oxford U. P., 82, in-8, XII-322 p. (tab., map).

4577. CUMING (Geoffrey). History of the Anglican liturgy. London, Macmillan, 82, in-8, 400 p.

4578. CZEGLE (Imre). A cseh-magyar református egyházi kapcsolat egy évtizede, 1782-1792. Adalékok a cseh-magyar református kapcsolatok történetéhez. (Une décennie de relations entre les Eglises protestantes tchèque et hongroise, 1782-1792. Contribution à l'hist. des relations protestantes tchéco-hongroises.) Budapest, Református Zsinati Iroda, 81, in-8, 116 p. (Theológiai tanulmániok, 14)

4579. DÁN (Róbert). Matthias Vehe-Glirius. Life and work of a radical antitrinitarian with his collected writings. Budapest, Akadémiai Kiadó; Leiden, Brill, 82, in-8, 403 p. (Studia humanitatis, 4)

4580. DAVIS (J. F.). Lollardy and the Reformation in England. Arch. f. Reformationsgesch., 82, Jg. 73, p. 217-237.

4581. DUECK (Abe J.). Religion and temporal authority in the Reformation: the controversy among the Protestants prior to the peace of Nuremberg 1532. Sixteenth Cent. J., 82, vol. 13, n° 2, p. 55-74.

4582. EKLUND (Emmet E.). The Scottish Free Church and its relation to nineteenth-century Swedish and Swedish-American Lutheranism. Church Hist., 82, vol. 51, n° 4, p. 405-418.

4583. ENGEMAN (Thomas S.). Religion and political reform: Wesleyan Methodism in nineteenth-century Britain. J. Church a. State, 82, vol. 24, n° 2, p. 321-336.

4584. EPP (Frank H.). Mennonites in Canada, 1920-1940: a people's struggle for survival. Scottdale, Pa., Herald, 82, in-8, XVI-640 p.

4585. ESSIG (James D.). The bonds of wickedness: American evangelicals against slavery, 1770-1808. Philadelphia, Penn., Temple U. P., 82, in-8, XIV-208 p.

4586. ESTES (James Martin). Christian magistrate and state church: the reforming career of Johannes Brenz. Buffalo, N. Y., Univ. of Toronto Press, 82, in-8, XII-190 p.

4587. GANOCZY (Alexander), SCHELD (S.). Herrschaft, Tugend, Vorsehung, Hermeneutische Deutung u. Veröff. handschriftl. Annotationen Calvins zu sieben Senecatragödien u. d. Pharsalia Lucans. Wiesbaden, Steiner, 82, in-8, 152 p.

4588. GEORGE (Timothy). John Robinson and the English separatist tradition. Macon, Ga., Mercer U. P., 82, in-8, IX-263 p.

4589. GISMAN-FIEL (Hildegard). Das Täufertum in Vorarlberg. Dornbirn, Vorarlberger Verl.-Anst., 82, in-8, 211 p.

4590. GOLDINGER (John). Luther and the Bible. Scottish J. Theol., 82, vol. 35, p. 33-58.

4591. GONNET (G.). Les débuts de la Réforme en Italie. R. Hist. Relig., 82, t. 199, p. 37-65.

4592. GREBNER (Christian). Kaspar Gropper (1514 bis 1594) und Nikolaus Elgard (ca. 1538 bis 1587): Biographie u. Reformtätigkeit; ein Beitr. z. Kirchenreform in Franken u. im Rheinland in d. Jahren 1573-1576. Münster, Aschendorff, 82, in-8, XLI-855 p. (Reformationsgesch. Stud. u. Texte, 121)

4593. GROH (John E.). Nineteenth-century German Protestantism: the church as social model. Washington, D. C., Univ. Press of America, 82, in-8, XXII-614 p.

4594. HAIGH (Christopher). The recent

historiography of the English Reformation. Hist. J., 82, vol. 25, p. 995-1007.

4595. HAMBRICK-STOWE (Charles E.). The practice of piety: puritan devotional disciplines in seventeenth-century New England. Chapel Hill, Univ. of North Carolina Press, 82, in-8, XVI-298 p. (ill.).

4596. HARVEY (Charles E.). John D. Rockefeller, Jr., and the interchurch world movement of 1919-1920: a different angle on the ecumenical movement. Church Hist., 82, vol. 51, n° 2, p. 198-209.

4597. HEININGER (Janet E.). Private positions versus public policy: Chinese dvolution and the American experience in East Asia. Dipl. Hist., 82, vol. 6, n° 3, p. 287-302. [Protestant missions in China]

4598. HENDRIX (Scott H.). Martin Luther und Albrecht von Mainz. Luther-Jb., 82, Jg. 49, p. 50-95.

4599. HÖPFL (Harro). The Christian polity of John Calvin. London a. New York, Cambridge U. P., 82, in-8, X-303 p. (Cambridge Stud. in the Hist. a. Theory of Politics)

4600. HOPKINS (James K.). A woman to deliver her people: Joanna Southcott and English millenarianism in an era of revolution. Austin, Univ. of Texas Press, 82, in-8, XXII-304 p.

4601. HOYT (Frederick B.). "When a field was found too difficult for a man, a woman should be sent": Adele M. Fielde in Asia, 1865-1890. Historian, 82, vol. 44, n° 3, p. 314-334. [Protestant missionary]

4602. JOHNSON (Dale A.). Methodist quest for an educated ministry. Church Hist., 82, vol. 51, n° 3, p. 304-320.

4603. JONAS (Hans). Is faith still possible? Memories of Rudolf Bultmann and reflections on the philosophical aspects of his work. Harvard theol. R., 82, vol. 75, n° 1, p. 1-24.

4604. JORDAN (Philip D.). The evangelical alliance for the United States of America, 1847-1900: ecumenism, identity and the religion of the republic. New York, Edwin Mellon, 82, in-8, IX-277 p. (Stud. in Am. Religion, 7)

4605. JOXE (Roger). Les Protestants du comté de Nantes au XVIe et au début du XVIIe siècle. Marseille, Lafitte, 82, in-8, 328 p. (ill.).

4606. KAUFMAN (Peter Iver). Luther's "scholastic phase" revisited: grace, works, and merit in the earliest extant sermons. Church Hist., 82, vol. 51, n° 3, p. 280-289.

4607. KIBBEY (Ann). Mutations of the supernatural: witchcraft, remarkable providences, and the power of Puritan men. Am. Quar., 82, vol. 34, n° 2, p. 125-148.

4608. KING (William McGuire). Prelude to the German church struggle: Otto Dibelius and The Century of the Church. J. Church a. State, 82, vol. 24, n° 1, p. 53-72.

4609. KIRCHHOFF (Karl-Heinz). Berichte über das münsterische Täuferreich 1534/35 in einer Hamburger Chronik. Westfäl. Z., 81-82, Bd 131/132, p. 191-195.

4610. KITTELSON (James M.). Successes and failures in the German Reformation: the report from Strasbourg. Arch. f. Reformationsgesch., 82, Jg. 73, p. 153-175.

4611. KOWALIK (Janina). Stanisław Lubieniecki: företrädare för socinianerna och svensk korrespondent. (S. Lubieniecki, representative of the Socinians a. Swedish correspondent.) Karolinska Förb. Årsb., 81-82, vol. 70-71, p. 148-173.

4612. LACOSTE (Auguste). Henri Arnaud und die Waldenser. Der Kampf um d. Rückkehr in d. heimatl. Täler. Frankfurt (Main) u. Bern, Lang, 82, in-8, 216 p.

4613. LAKE (Peter). Moderate Puritans and the Elizabethan church. London a. New York, Cambridge U. P., 82, in-8, VIII-357 p.

4614. LANDSMAN (Ned). Revivalism and nativism in the middle colonies: the Great Awakening and the Scots community in east New Jersey. Am. Quar., 82, vol. 34, n° 2, p. 149-164.

4615. LEHMANN (Hartmut). Pietism and nationalism: the relationship of Protestant revivalism and national renewal in nineteenth-century Germany. Church Hist., 82, vol. 51, n° 1, p. 39-53.

4616. LOCHER (Gottfried Wilhelm). Zwingli und die schweizerische Reformation. Göttingen, Vandenhoeck u. Ruprecht, 82, in-8, 100 p. (Die Kirche in ihrer Gesch., Bd 3, Lfg. J 1) - IDEM. Zwingli's thought: new perspectives. Leiden, Brill, 81, in-8, XVI-394 p. (Stud. in the Hist. of Christian Thought, 25)

4617. McDOWELL (John Patrick). The social gospel in the south: the women's home mission movement in the Methodist Episcopal Church, South, 1886-1939. Baton Rouge, Louisiana State U. P., 82, in-8, X-167 p.

4618. McNAIR (William), RUMLEY (Hilary). Pioneer aboriginal mission: work of Wesleyan missionary John Smithies in the Swan River colony, 1840-1855. Perth, U. West. Austral. Press; Cambridge, P. Moore, 82, in-8, XXIV-167 p. (ill., fig.).

4619. MADDEN (Edward H.), HAMILTON (James E.). Freedom and grace: the life of Asa Mahan. Metuchen, N. J., Scarecrow Press, 82, in-8, XII-273 p. (Stud. in Evangelism, 3)

4620. MALCHOW (Howard L.). The church and emigration in late Victorian England. J. Church a. State, 82, vol. 24, n° 1, p. 119-138.

4621. MARINI (Stephen A.). Radical sects

of revolutionary New England. Cambridge, Mass., Harvard U. P., 82, in-8, 213 p.

4622. MARON (Gottfried). Luther 1917. Beobachtungen zur Literatur des 400. Reformationsjubiläums. Z. f. Kirchengesch., 82, Bd 93, p. 177-221.

4623. MARTIN (Robert F.). A prophet's pilgrimage: the religious radicalism of Howard Anderson Kester, 1921-1941. J. south. Hist., 82, vol. 48, n° 4, p. 511-530.

4624. MEDING (Wichmann von). Jubel ohne Glauben? Das Reformationsjubiläum 1817 in Württemberg. Z. f. Kirchengesch., 82, Bd 93, p. 119-160.

4625. MEHL (Roger). Le protestantisme français dans la société actuelle, 1945-1980. Genève, Labor et Fides; Paris, Librairie protestante, 82, in-8, 253 p.

4626. MICHEL (Marc). La théologie aux prises avec la culture. De Schleiermacher à Tillich. Paris, Ed. du Cerf, 82, in-8, 352 p. (Théol. et Sci. religieuses / Cogitatio fiedei, 113)

4627. MILNER (Clyde A.) II. With good intentions: Quaker work among the Pawnees, Otos, and Omahas in the 1870s. Lincoln, Univ. of Nebraska Press, 82, in-8, XIII-238 p.

4628. MOODY (Michael E.). Trials and travels of a nonconformist layman: the spiritual odyssey of Stephen Offwood, 1564 - ca. 1635. Church Hist., 82, vol. 51, n° 2, p. 157-171.

4629. MORAN (Gerald F.), VINOVSKIS (Maris A.). The Puritan family and religion: a critical reappraisal. William a. Mary Quar., 82, vol. 39, n° 1, p. 29-63.

4630. MORE (Ellen). John Goodwin and the origins of the new Arminianism. J. brit. Stud., 82, vol. 22, n° 1, p. 50-70.

4631. MULLER (Richard A.). The federal motif in 17th century Arminian theology. Nederlands Arch. Kerkgesch., 82, vol. 62, p. 102-122.

4632. NIJENHUIS (W.). Resolutions of Dutch Church Assemblies concerning English ministers in the Hague, 1633-1651. Nederlands Arch. Kerkgesch., 82, vol. 62, p. 77-101.

4633. NÖTHIGER (Christine). Der deutschschweizerische Protestantismus und der Landesstreik von 1918. Die Auseinandersetzung d. Kirche mit d. soz. Frage zu Beginn d. 20. Jh. Bern, Lang, 81, in-8, 310 p. (Basler u. Berner Stud. z. hist. u. systemat. Theol., 44)

4634. NYBAKKEN (Elizabeth I.). New light on the old side: Irish influences on colonial Presbyterianism. J. am. Hist., 82, vol. 68, n° 4, p. 813-832.

4634a. OBERMAN (Heiko A.). Luther. Mensch zwischen Gott u. Teufel. Berlin, Severin u. Siedler, 82, in-8, 380 p.

4635. O'HIGGINS (James). Yves de Vallone: the making of an esprit-fort. The Hague, Boston a. London, Nijhoff, 82, in-8, VI-248 p.

4636. OLSSON (Karl A.). Kontinuitet och förändring inom svenska immigrantsamtfund i USA. (Continuity a. transformation in Swedish denominations in USA.) Kyrkohist. Årsskr., 82, vol. 82, p. 12-25. [Eng. summary]

4637. PIERARD (Richard V.). Protestant support for the political right in Weimar Germany and post-Watergate America: some comparative observations. J. Church a. State, 82, vol. 24, n° 2, p. 245-262.

4638. PIRINEN (Kauko). Yleinen kirkkohistoria Suomessa. Allmän kyrkohistoria i Finland. (L'histoire générale de l'église en Finlande.) Suomen kirkkohist. Seur. Vuosik., 82, t. 72, p. 71-82. [Rés. suédois]

4639. RAITTILA (Pekka). Lestadiolaisuus Pohjois-Amerikassa vuoteen 1885. (Laestadianism in North-America until 1885.) Helsinki, 82, in-8, 244 p. (Suomen Kirkkohist. Seur. Toim., 121) [Eng. summary]

4640. Repertorium der Kirchenvisitationsakten aus dem 16. und 17. Jahrhundert in Archiven der Bundesrepublik Deutschland. Hrsg. v. Ernst Walter ZEEDEN in Verb. mit Peter Thaddäus LANG [u. a.]. Bd 1: Hessen. Stuttgart, Klett-Cotta, 82, in-8, 357 p.

4641. RICHARD (Michel), VATINEL (Denis). Le consistoire de l'Eglise réformée du Havre au XVIIe siècle: les laïcs (étude sociale). B. Soc. Hist. Prot. franç., 82, t. 128, p. 283-362.

4642. ROSENBERG (Aubrey). Nicholas Gueudeville and his work (1652-1722). The Hague, Boston a. London, Nijhoff, 82, in-8, 285 p.

4643. ROTH (Randolph A.). The first radical abolitionists: the Reverend James Millman and the reformed Presbyterians of Vermont. New England Quar., 82, vol. 55, n° 4, p. 540-563.

4644. RUBLACK (Hans-Christoph). Eine bürgerliche Reformation: Nördlingen. Gütersloh, Mohn, 82, in-8, 288 p. (Quellen u. Forsch. z. Reformationsgesch., 51)

4645. SCHÖNSTÄDT (Hans-Jürgen). Das Reformationsjubiläum 1617. Geschichtl. Herkunft u. geistige Prägung. Z. f. Kirchengesch., 82, Bd 93, p. 5-57. - IDEM. Das Reformationsjubiläum 1717. Beiträge z. Gesch. seiner Entstehung im Spiegel landesherrlicher Verordnungen. Ibid., p. 58-118.

4646. Vacat.

4647. SHENK (Wilbert R.). The missionary and politics: Henry Venn's guidelines. J. Church a. State, 82, vol. 24, n° 3, p. 525-534. [Secretary, Church Missionary Society, 1841-1872]

4648. SPRUNGER (Keith L.). English and Dutch Sabbatarianism and the development of Puritan social theology, 1600-1660. Church Hist., 82, vol. 51, n° 1, p. 24-38.

4649. STOCK (Ursula). Die Bedeutung der Sakramente in Luthers Sermonen von 1519. Leiden, Brill, in-8, VI-383 p. (Stud. in the Hist. of Christian Thought, 27)

4650. STUDDERT-KENNEDY (Gerald). Dog-collar democracy: the Industrial Christian Fellowship, 1919-1929. London, Macmillan, 82, in-8, 243 p.

4651. SULLIVAN (Robert E.). John Toland and the deist controversy: a study in adaptations. Cambridge, Mass., Harvard U. P., 82, in-8, VIII-355 p. (Harvard Hist. Stud., 101)

4652. SUNDBERG (Karl Josef). Fädernas kyrka: en idéhistorisk studie i folkkyrkotanken hos J. A. Eklund met bakgrund av sekelskiftets kulturdebatt. (Der Väter Kirche: eine ideengeschichtl. Untersuchung d. Volkskirchengedankens bei J. A. Eklund, auf d. Hintergrund d. Kulturdiskussion um die Jahrhundertwende.) Stockholm, Almqvist o. Wiksell internat., 82, in-8, 187 p. (Studia doctrinae Christianae Upsaliensia, 23) [Mit deutsch. Zsfassung. - Eng. summary]

4653. SZASZ (Ferenc Morton). The divided mind of protestant America, 1880-1930. University, Univ. of Alabama Press, 82, in-8, XIII-196 p.

4654. SZÁSZ (János). Dávid Ferenc. (F. Dávid [1520-1579].) Budapest, Magyarországi Unitárius Egyház, 82, in-8, 61 p.

4655. TEGBORG (Lennart). "För ett protestantiskt Amerika": skola, religion och samhällsutveckling i USA kring sekelskiftet 1900. ("For a Protestant America": school, religion a. social development in USA at the turn of the 20th cent.) Kyrkohist. Årsskr., 82, vol. 82, p. 26-52. [Eng. summary]

4656. TENNAT (R. C.). The Anglican response to Locke's theory of personal identity. J. Hist. Ideas, 82, vol. 43, n° 1, p. 73-90.

4657. THOMPSON (James J.) Jr. Tried as by fire: southern Baptists and the religious controversies of the 1920s. Macon, Ga., Mercer U. P., 82, in-8, XV-224 p.

4658. TODD (John M.). Luther, a life. London, H. Hamilton, 82, in-8, 432 p.

4659. VAN DER LINDE (S.). Jean Taffin, Hofprediker en Raadsheer van Willem van Oranje. (J. Taffin, Hofprediker u. Ratsherr Wilhelms v. Oranien.) Amsterdam, Ton Bolland, 82, in-8, 199 p. (Klassieken van het Gereformeerd Protestantisme)

4660. VAN DE WETERING (Maxine). Moralizing in Puritan natural science: mysteriousness in earthquake sermons. J. Hist. Ideas, 82, vol. 43, n° 3, p. 417-438.

4661. VAN KALVEEN (C. A.). "Een vast gelove, ende Christus' vrede sij med ons ende allen onsen vianden mede". De definitieve vestiging van de Reformatie te Amersfoort, 1570-1581. (L'établissement définitif du protestantisme à Amersfoort.) Nederlands Arch. Kerkgesch., 82, vol. 62, p. 28-54.

4662. Vers l'unité pour quel témoignage? La restauration de l'unité réformée (1933-1938). Colloque d'hist. et de sociol. du protestantisme, tenu à Montpellier du 4 au 6 nov. 1977. Paris, Inst. protestant de Théol., 82, in-8, 379 p.

4663. VIAUX (Dominique). Dijon et la Réforme protestante, 1520-1561. A. Bourgogne, 81, t. 53, p. 5-30.

4664. VIDAL (Daniel). Matériaux pour une théorie des sectes: les "multipliants" contre les inspirés languedociens (1719-1723). B. Soc. Hist. Prot. franç., 82, t. 128, p. 143-171. - IDEM. La secte contre le prophétisme: les Multipliants de Montpellier (1719-1723). A. Ec., Soc., Civ., 82, a. 37, p. 801-825.

4665. WAGNER (Hans-Peter). Puritan attitudes towards recreation in early 17th century New England. Frankfurt (Main) u. Bern, Lang, 82, in-8, 267 p. (Mainzer Stud. z. Amerikanistik, 17)

4666. WALKER (Clarence E.). A rock in a weary land: the African Methodist Episcopal Church during the civil war and reconstruction. Baton Rouge, Louisiana State U. P., 82, in-8, 157 p.

4667. WALLACE (Dewey D.) Jr. Puritans and predestination: grace in English Protestant theology, 1525-1695. Chapel Hill, Univ. of North Carolina Press, 82, in-8, XIII-289 p.

4668. WISNER (Henryk). Rozróżnieni w wierze. Szkice z dziejów Rzeczypospolitej schyłku XVI i połowy XVII wieku. (Séparés par la foi. Essais sur l'histoire de la République [polonaise] de la fin du XVIe au milieu du XVIIe s.) Warszawa, Książka i Wiedza, 82, in-8, 216 p.

4669. WOLTER (Hans). Das Reformations-Jubiläum von 1817 in der Freien Stadt Frankfurt am Main. Z. f. Kirchengesch., 82, Bd 93, p. 161-176.

4670. YARBROUGH (Slayden). The influence of Plymouth colony separatism on Salem: an interpretation of John Cotton's letter of 1630 to Samuel Skelton. Church Hist., 82, vol. 51, n° 3, p. 290-303.

4671. ZUCK (Lowell H.). Heinrich Heppe: a Melanchthonian liberal in the nineteenth-century German reformed church. Church Hist., 82, vol. 51, n° 4, p. 419-433.

4672. Zur Lage der Lutherforschung heute. Hrsg. v. Peter MANNS. Wiesbaden, Steiner, 82, in-8, 128 p.

Cf. n°s 3329, 3807, 4503, 4838, 5238, 6310, 6464.

§ 5. Religions et sectes non chrétiennes.

* Cf. n° 721.

4673. AHMED (Rafiuddin). Bengal Muslims, 1871-1906. Kuala Lumpur, Oxford U. P., 82, in-8, 292 p. (maps).

4674. ANGEL (Marc D.). La America: the sephardic experience in the United States. Philadelphia, Pa., Jewish Pub. Soc. of Am., 82, in-8, X-220 p.

4675. ASH (Stephen V.). Civil war exodus: the Jews and Grant's general orders n° 11. Historian, 82, vol. 44, n° 4, p. 505-523.

4676. AVNI (Haim). Spain, the Jews, and Franco. Transl. by Emanual SHIMONI. Philadelphia, Pa., Jewish Pub. Soc. of Am., 82, in-8, XI-268 p.

4677. BERROL (Selma C.). In their image: German Jews and the americanization of the Ost Juden in New York city. New York Hist., 82, vol. 63, n° 4, p. 417-434.

4678. COHEN (Stuart A.). English Zionists and British Jews: the communal politics of Anglo-Jewry, 1895-1920. Princeton, N. J., Princeton U. P., 82, in-8, XV-349 p.

4679. ENAYAT (Hamid). Modern Islamic political thought. Austin, Univ. of Texas Press, 82, in-8, XII-225 p. (Modern Middle East Ser.)

4680. FAES (Urs). Heidentum und Aberglauben der Schwarzafrikaner in der Beurteilung durch deutsche Reisende des 17. Jahrhunderts. Zürich, 81, in-8, 172 p. (ill.). (Thèse lettres)

4681. FEINGOLD (Henry L.). American Jewish history and American Jewish survival. Am. jewish Hist., 82, vol. 71, n° 4, p. 421-431.

4682. FINE (Lawrence). Recitation of Mishnah as a vehicle for mystical inspiration: a contemplative technique tought by Hayyim Vital [1543-1650]. R. Et. juives, 82, t. 141, p. 183-199.

4683. FINLAY (Robert). The foundation of the ghetto: Venice, the Jews, and the war of the league of Cambrai. Proc. am. philos. Soc., 82, vol. 126, n° 2, p. 140-154.

4684. FOARD (James H.). The boundaries of compassion: Buddhism and national tradition in Japanese pilgrimage. J. asian Stud., 82, vol. 41, n° 2, p. 231-252.

4685. GOTHÓNI (René). Modes of life of Theravāda monks. A case study of Buddhist monasticism in Sri Lanka. Helsinki, Finnish Oriental Society, 82, in-4, 267 p. (ill.). (Studia orientalia, 52)

4686. HULTKRANTZ (Åke). Accommodation and persistence: ecological analysis of the religion of the Sheepeater Indians in Wyoming, USA. Temenos, 81 [82], t. 17, p. 35-44.

4687. KAPLAN 5Yosef). The Curaçao and Amsterdam Jewish communities in the 17th and 18th centuries. Am. jewish Hist., 82, vol. 72, n° 2, p. 193-211.

4688. KATZ (David S.). Philo-semitism and the readmission of the Jews to England, 1603-1655. London a. New York, Oxford U. P., 82, in-8, VIII-286 p. (Oxford Hist. Monogr.)

4689. LOT (Heinz-Jürgen). Torah und Chassidus: Jiddischheit aus der Sicht von Lubavitch-Chabad. Z. f. Religions- u. Geistesgesch., 82, Bd 34, p. 324-346.

4690. MANUEL (Frank Edward). Israel and the Enlightenment. Daedalus, 82, vol. 111, p. 33-52.

4691. MENDELSOHN (Ezra). Zionism in Poland. The formative years, 1915-1926. London a. New York, Yale U. P., 82, in-8, XIII-373 p.

4692. MOMEN (Moojan). Babi and Baha'i religions [in Iran], 1844-1944, some contemporary Western accounts. Kidlington, Oxford, G. Ronald, 82, in-8, 608 p. (ill.).

4693. NASCIMENTO RAPOSO (José do). Social characteristics of those accused before the Coimbra Inquisition 1541-1820. R. Et. juives, 82, t. 141, p. 201-217 (8 fig.).

4694. TARASOFF (Koozma J.). Plakun trava: the Doukhobors. Grand Forks, B. C., MIR Publication Soc., 82, in-8, 271 p.

4695. UROFSKY (Melvin I.). A voice that spoke for justice: the life and times of Stephen S. Wise. Albany, N. Y., State Univ. of New York Press, 82, in-8, XI-439 p.

4696. VITAL (David). Zionism: the formative years. London a. New York, Oxford U. P., 82, in-8, XVIII-514 p.

4697. VOLL (John Obert). Islam: continuity and change in the modern world. Boulder, Colo., Westview Press, 82, in-8, XII-397 p.

4698. WERBLOWSKY (R. J. Zwi). What's in a name? The Sephardim: the origin of their name and their liturgical customs. Am. jewish Hist., 82, vol. 72, n° 2, p. 165-171.

4699. YERUSHALMI (Yosef Hayim). Between Amsterdam and New Amsterdam: the place of Curaçao and the Caribbean in early modern Jewish history. Am. jewish Hist., 82, vol. 72, n° 2, p. 172-192.

Cf. n°s 369, 4764.

M

HISTOIRE DE LA CULTURE INTELLECTUELLE A l'EPOQUE MODERNE

§ 1. Généralités. 4700-4764. - § 2. Académies et organisations intellectuelles. 4765-4784. - § 3. Pédagogie et enseignement. 4785-4882. - § 4. Presse. 4883-4933. - § 5. Philosophie et conceptions du monde. 4934-5060. - § 6. Sciences exactes, technique, sciences naturelles, médecine. 5061-5203. - § 7. Littérature (a. Généralités; b. La Renaissance; c. Le classicisme; d. Romantisme et époque contemporaine). 5204-5394. - § 8. Art et art industriel (a. Généralités; b. Architecture; c. Sculpture, peinture, dessin et gravure; d. Arts décoratifs, art populaire, art industriel). 5395-5508. - § 9. Musique, théâtre et cinéma. 5509-5592.

§ 1. Généralités.

** 4700. BREDBERG (Sven). Greifswald - Wittenberg - Leiden - London: Västgötamagistern Sven Bredbergs resedagbok 1708-1710. Med inled. utg. av Henrik SANDBLAD. (The Swede Sven Bredberg's itinerary, 1708-1710. Ed. with an introd. by Henrik SANDBLAD.) Skara, Stifts- o. landsbibl., 82, in-4, 135 p. (Acta Bibl. Scarensis, 3. Gothenburg stud. in the hist. of science a. ideas, 4) [Eng. summary]

** 4701. FORSTER (Georg). Georg Forsters Werke. Sämtliche Schriften, Tagebücher, Briefe. Hrsg. v. d. Akad. d. Wiss. d. DDR, Zentralinst. f. Literaturgesch. [Bd 15. Cf. Bibl. 81, n° 4200.] Bd 18: Briefe an Forster. Bearb. v. Brigitte LEUSCHNER. Berlin, Akad.-Verl., 82, in-8, 876 p.

4702. ALTER (Peter). Wissenschaft, Staat, Mäzene. Anfänge moderner Wissenschaftspolitik in Großbritannien 1850-1920. Stuttgart, Klett-Cotta, 82, in-8 327 p. (Veröff. d. Deutsch. Hist. Inst. London, 12)

4703. BARANOWSKI (Bohdan). Polskie zainteresowania z XVIII i XIX wieku kulturą Grzji. (L'intérêt des Polonais des XVIIIe et XIXe siècles à la culture de la Géorgie.) Wrocław, Zakł. Narod. im. Ossolińskich, 82, in-8, 78 p. (Łódzkie Tow. Nauk. Prace Wydz. 2 Nauk Hist. i Społ., 89)

4704. Barokko v slavjanskikh kul'turakh. (The Baroque in Slavic cultures.) Redkol.: A. V. LIPATOV, A. I. EGOROV, L. A. SOFRONOVA. Moskva, Nauka, 82, 351 p. (ill.). (AN SSSR, In-t slavjanovedenija i balkanistiki)

4705. BERDNIKOV (A. F.), SERDJUK (E. A.). Sovremennoe iskusstvo arabskogo naroda Palestiny. (Contemporary art of the Arab people of Palestine.) Moskva, Iskusstvo, 82, 208 p. (ill.). (Očerki istorii i teorii izobrazit. iskusstv)

4706. BIANCHI (Serge). La révolution culturelle de l'an II [en France]. Elites et peuple (1789-1799). Paris, Aubier, 82, in-8, 303 p. (ill.).

4707. "Bildung (Die) des Bürgers". Die Formierung d. bürgerl. Gesellschaft u. d. Gebildeten im 18. Jh. Hrsg. v. Ulrich HERRMANN. Weinheim u. Basel, Beltz, 82, in-8, 358 p. (Gesch. d. Erziehungs- u. Bildungswesens in Deutschland, 2)

4708. BROWN (Cl. M.). Isabella d'Este and Lorenzo da Pavia. Documents for the history of art and culture in Renaissance Mantua. Genève, Droz, 82, in-8, 264 p. (4 pl.). (Travaux d'Humanisme et Renaissance, 189)

4709. BUCK (August). Überlegungen zum gegenwärtigen Stand der Renaissanceforschung. Bibl. Humanisme Renaissance, 81, vol. 43, p. 7-38.

4710. BUTLER (Jon). Enthusiasm described and decried: the great awakening as interpretive fiction. J. am. Hist., 82, vol. 69, n° 2, p. 305-325.

4711. CHRISMAN (Miriam Usher). Lay culture, learned culture: books and social change in Strasbourg, 1480-1599. New Haven, Conn., Yale U. P., 82, in-8, XXX-401 p. [Cf. n° 28]

4712. CLEMENS (Petra). Zur Kulturauffassung des französischen utopischen Kommunismus. Jb. f. Volkskde u. Kulturgesch., 81 [82], N. F., Bd 9, p. 30-52.

4713. Cultura e nazione negli anni Ottanta. Nono incontro romano, 1981. Roma, Volpe, 82, in-8, 168 p. (Fondaz. G. Volpe)

4714. Cultura (La) spagnola durante e dopo il franchismo. Atti del Convegno internazionale di Palermo, 4-6 maggio 1979. A cura di Otello LOTTINI e Maria Caterina RUTA. Roma, Cadmo, 82, in-8, 385 p.

4715. Culture (La) roumaine à l'époque des Lumières. Coordination: Romul MUNTEANU. T. 1: Bucarest, Univers, 82, in-8, 404 p.

4716. CZITROM (Daniel J.). Media and the American mind: from Morse to McLuhan. Chapel Hill, Univ. of North Carolina Press, 82, in-8, XIV-254 p.

4717. DASCĂLU (Nicolae). A survey of the cultural relations between Romania and Poland in the interwar period (1919-1939). R. roumaine Hist., 82, t. 21, p. 101-117.

4718. DEMOS (John Putnam). Entertaining satan: witchcraft and the culture of early New England. London a. New York, Oxford U. P., 82, in-8, XIV-543 p.

4719. Deutsche auswärtige Kulturpolitik seit 1871. Geschichte u. Struktur. Referate u. Diskussionen e. interdisziplinären Symposions. Mit Beitr. v. Wolfgang DEXHEIMER [u. a.]. Hrsg. v. Kurt DÜWELL u. Werner LINK. Köln u. Wien, Böhlau, 81, in-8, VIII-368 p. (Beitr. z. Gesch. d. Kulturpolitik, 1)

4720. Développement de la conscience nationale en Europe Centrale du XVIe au XXe siècle. Actes du Colloque polono-français Poznań, les 6-7 avril 1981. Réd. des actes: Janusz PAJEWSKI et Maciej SERWAŃSKI. Poznań, Wydawn. Nauk. Uniw. im. A. Mickiewicza, 82, in-8, 118 p. (Historia, 110)

4721. Dictionnaire général du surréalisme et de ses environs. Sous la dir. d'Adam BIRO et de René PASSERIN. Paris, Presses univ. France; Genève, Office du Livre, 82, in-8, 464 p. (ill.).

4722. EGOROV (B. F.). Bor'ba ėstetičeskikh idej v Rossii serediny XIX veka. (The struggle of aesthetic ideas in Russia in the middle of the 19th cent.) Leningrad, Iskusstvo, 82, 269 p.

4723. GOLLWITZER (Heinz). Geschichte des weltpolitischen Denkens. [Bd 1. Cf. Bibl. 72, n° 3913.] Bd 2: Zeitalter des Imperialismus und der Weltkriege. Göttingen, Vandenhoeck u. Ruprecht, 82, in-8, 643 p.

4724. HALL (Peter Dobkin). The organization of American culture, 1700-1900: private institutions, elites, and the origins of American nationality. New York, New York U. P., 82, in-8, VIII-325 p.

4725. HANSEN (Eric C.). Disaffection and decadence: a crisis in French intellectual thought, 1848-1898. Washington, D. C., U. P. of America, 82, in-8, XVIII-285 p.

4726. HELTAI (János). Egy müvelődéspártoló polgári kör a XVII. század elején. (Un cercle bourgeois, ami de la culture au commencement du XVIIe s.) Magy. Köonyvszle, 82, vol. 98, n° 2, 113-126. [Nagyszombat = Trnava, Tchécoslovaquie]

4727. HEYCK (Thomas William). The transformation of intellectual life in Victorian England. London, Croom Helm; New York, St. Martin's Press, 82, in-8, 262 p.

4728. HOLL (Béla). Szerző, nyomdász, olvasó a XVII. század első felében. (Auteur, imprimeur et lecteur pendant la première moitié du XVIIe siècle.) Budapest, Magyar Tud. Akad. Irodalomtud. Intézete, 80 [81], in-8, p. 639-650. (Reneszánsz füzetek, 48)

4729. IL'INA (G. I.). Kul'turnoe stroitel'stvo v Petrograde. Okt. 1917-1920 gg. (Cultural reconstruction in Petrograd, Oct. 1917-1920.) Leningrad, Nauka, 82, 240 p. (AN SSSR. In-t istorii SSSR. Leningr. otd-nie)

4730. KOMASARA (Irena). Jan III Sobieski - miłośnik ksiąg. (Jean III Sobieski, bibliophile.) Wrocław, Zakł. Narod. im. Ossolińskich, 82, in-8, 205 p. (Książki o Książce)

4731. KORSHIN (Paul J.). Typologies in England, 1650-1820. Princeton, N. J., Princeton U. P., 82, in-8, XVII-437 p.

4732. KOSÁRY (Domokos). Intellectuels et élite culturelle en Hongrie au XVIIIe siècle. In: Objet et méthodes de l'hist. de la culture [Cf. n° 607], p. 143-154.

4733. KRAMER (Hilton). The modern movement on the eve of the second world war. Am. Scholar, 82, vol. 51, n° 2, p. 219-228.

4734. KRASIC (Stjepan). Stjepan Gradic and cultural conditions in seventeeth century Dubrovnik. East european Quar., 82, vol. 16, n° 1, p. 17-31.

4735. Kulturbeziehungen in Mittel- und Osteuropa im 18. und 19. Jahrhundert. Festschrift f. Heinz Ischreyt zum 65. Geburtstag. Hrsg. v. Wolfgang KESSLER [u. a.]. Berlin, Camen, 82, in-8, 319 p. (Stud. z. Gesch. d. Kulturbeziehungen in Mittel- u. Osteuropa, 9)

4736. LACKÓ (Miklós). Új kulturális törekvések Magyarországon a Monarchia felbomlása után. (Nouvelles tendances culturelles en Hongrie après la désintégration de la Monarchie.) Magy. tudom. Akad. Filoz. Törttudom. Oszt. Közl., 80, vol. 29, n° 3, p. 281-290.

4737. MAGNUSON (Torgil). Rome in the age of Bernini. Vol. 1: From the election of Sixtus V to the death of Urban VIII. Stockholm, Almqvist o. Wiksell internat.; Atlantic Highlands, N. J., Humanities Press, 82, in-4, IX-388 p. (ill., maps). (Kungl. Vitterhets-, hist. o. antikvitetsakad. handl., Antikvariska ser., 34)

4738. MAKKAI (László). Gábor Bethlen et la culture européenne. Acta hist. Acad. Sci. hungaricae, 82, vol. 28, p. 37-71.

4739. MARAVALL (José Antonio). La diversificación de modelos en el Renacimiento: Renacimiento francés y Renacimiento español. Cuad. hisp.-am., 82, n° 390, p. 551-614.

4740. MARSHALL (P. J.), WILLIAMS (Glyndwyr). The great map of mankind: perceptions of new worlds in the age of the Enlightenment. Cambridge, Mass., Harvard U. P., 82, in-8, 314 p.

4741. MASTELLONE (Salvo). Storia ideologica d'Europa da Stuart Mill a Lenin. Firenze, Sansoni, 82, in-8, 362 p. (Sansoni studio)

4742. Modern European intellectual history, reappraisals and new perspectives. Ed. by Dominick LACAPRA a. Steven L. KAPLAN. Ithaca, N. Y., Cornell U. P., 82, in-8, 318 p.

4743. NYMAN (Magnus). Lars *Skytte, diplomat, franciskan, humanist. (L. Skytte, diplomat, franciscan, humanist.) Kyrkohist. Årsskr., 82, vol. 82, p. 117-131. [Eng. summary]

4744. O'NEILL (William L.). A better world: the great schism, Stalinism and the American intellectuals. New York, Simon a. Schuster, 82, in-8, 447 p.

4745. PAGDEN (Anthony). The fall of natural man: the American Indian and the origins of comparative ethnology. New York, Cambridge U. P., 82, in-8, XII-256 p.

4746. PARENT-LARDEUR (Françoise). Lire à Paris au temps de Balzac: les cabinet de lecture à Paris, 1815-1830. Paris, Ecole des Hautes Etudes en Sci. soc., 81, in-8, 222 p.

4747. PETROV (O. A.). Russkaja baletnaja kritika konca XVIII - pervoj poloviny XIX veka. (Russian ballet criticism, end of the 18th - first half of the 19th cent.) Moskva, Iskusstvo, 82, 319 p. (ill.). (Rus. mysl' o balete)

4748. PIKE (David). German writers in Soviet exile, 1933-1945. Chapel Hill, Univ. of North Carolina Press, 82, in-8, XV-448 p.

4749. REINHARDT (Hans). Erasmus und Holbein. Basler Z. f. Gesch. u. Altertumskde, 81, vol. 81, p. 41-70.

4750. RIVIERE (Daniel). De l'avertissement à l'anathème: le proverbe français et la culture savante (XVIe-XVIIe siècle). R. hist., 82, a. 106, t. 268, p. 93-130.

4751. SINGAL (Daniel Joseph). The war within: from Victorian to modernist thought in the South, 1919-1945. Chapel Hill, Univ. of North Carolina Press, 82, in-8, XVI-453 p. (Fred W. Morrison Ser. in Southern Stud.)

4752. Slawische Kultur in der Geschichte der europäischen Kulturen vom 18. bis zum 20. Jahrhundert. Internat. Studienband. Akad. d. Wiss. d. DDR, Zentralinst. f. Literaturgesch. Hrsg. v. Gerhard ZIEGENGEIST. Red.: Ernst-Ulrich KLOOCK. Berlin, Akad.-Verl., 82, in-8, 598 p.

4753. STARK (Gary D.), LACKNER (Bede Karl) a. others. Essays on culture and society in modern Germany. Foreword by Leonard KRIEGER. College Station, Texas A. a. M. U. P., 82, in-8, XI-200 p. (W. P. Webb Memorial Lectures, 15)

4754. STROMBERG (Roland N.). Redemption by war: the intellectuals and 1914. Lawrence, Regents Press of Kansas, 82, in-8, VII-250 p.

4755. Studia Italo-Polonica. T. 1. (Etudes italo-polonaises. T. 1.) Réd.: Stanisław CYNARSKI, Ryszard Kazimierz LEWAŃSKI. Auteurs: Henryk BARYCZ et autres. Zesz. nauk. Uniw. Jagiell., 82, n° 638 (Prace hist., fasc. 71), p. 3-162.

4756. Surrealismus. Hrsg. v. Peter BÜRGER. Darmstadt, Wiss. Buchges., 82, in-8, VI-369 p. (Ill.). (Wege d. Forsch., 473)

4757. SVERKER (Sörlin). Natur och kultur: om skogen och fosterlandet i det industriella genombrottets Sverige. (Nature and culture: forest and patriotism in Sweden in the early industrial era.) Lychnos, 81-82, vol. 47-48, p. 87-114.

4758. SZŐNYI (György Endre). Irodalmi elemzés - kulturtörténet. (Literaturinterpretation - Kulturgeschichte.) Helikon, 82, vol. 28, n° 1, p. 96-103.

4759. TARGOSZ (Karolina). La cour savante de Louise-Marie de Gonzague et ses liens scientifiques avec la France 1646-1667. Trad. du pol. par Violetta DIMOV. Wrocław, Zakł. Narod. im. Ossolińskich, 82, in-8, 206 p. (Pol. Akad. Nauk, Komitet Hist. Nauki i Techn.)

4760. THELANDER (Dorothy R.). Mother Goose and her goslings: the France of Louis XIV as seen through the fairy tale. J. mod. Hist., 82, vol. 54, n° 3, p. 467-496.

4761. Vzaimosvjaz' iskusstv v khudožestvennom razvitii Rossii vtoroj poloviny XIX veka. Idejn. principy. Struktur. osobennosti. (Intercommunication of arts in Russia's art development of the second half of the 19th cent.) Otv. red.: G. Ju. STERNIN. Moskva, Nauka, 82, 352 p. (AN SSSR. VNII iskusstvoznanija M-va kul'tury SSSR)

4762. WILLIAMS (Robert C.). The nationalization of early Soviet culture. Russian Hist., 82, vol. 9, p. 157-172.

4763. ZACHARA (Maria). Silva rerum, document de la culture nobiliaire en Pologne. Acta Poloniae hist., 81 [82], vol. 43, p. 33-54.

4764. ZIPPERSTEIN (Steve J.). Jewish enlightenment in Odessa: cultural characteristics, 1794-1871. Jewish soc. Stud., 82, vol. 44, p. 19-36.

Cf. n°s 3671, 4224.

§ 2. Académies et organisations intellectuelles.

4765. Academia Gissensis. Beiträge z. älteren Gießener Universitätsgeschichte. Hrsg. v. Peter MORAW u. Volker PRESS. Marburg, Elwert, 82, in-8, 437 p. (Veröff. d. hist. Komm. f. Hessen, 45)

4766. ÁCS (Tibor). Az elfelejtett első katona akadémikus - Kiss Károly, 1793-1866. (Der erste Soldat als Mitglied der [ungarischen] Akademie, K. Kiss.) Hadtört. Közl., 82, vol. 29, n° 1, p. 26-58.

4767. AXELROD (Paul Douglas). Scholars and dollars: politics, economics and the universities of Ontario, 1945-1980. Toronto, Univ. Press, 82, in-8, 270 p. (The State and economic life, 4) - CR: B. Trotter, Canad. J. pol. Sci., 83, vol. 16, p. 380-381.

4768. Československá akademie věd 1952-1982. (Die Tschechoslowak. Akademie d. Wissenschaften 1952-1982.) Praha, Ústav československ. a svět. dějin ČSAV, 82, in-8, 116 p. (Práce z dějin přírodních věd, 16)

4769. CONRADS (Norbert). Ritterakademien der frühen Neuzeit. Bildung als Standesprivileg im 16. u. 17. Jh. Göttingen, Vandenhoeck u. Ruprecht, 82, 414 p. (Abb.). (Schriftenreihe d. hist. Komm. bei d. Bayer. Akad. d. Wiss., 21)

4770. CURTICĂPEANU (V.). Institutions culturelles des Roumains de l'empire austrohongrois. R. roumaine Hist., 82, t. 21, p. 69-88.

4771. DICKERHOF (Harald). Gelehrte Gesellschaften, Akademien, Ordensstudien und Universitäten. Zur sogenannten "Akademiebewegung" vornehmlich im bayerischen Raum. Z. f. bayer. Landesgesch., 82, Bd 45, p. 37-66.

4772. FOURNIER (Marcel). Edouard Montpetit et l'université moderne, ou l'échec d'une génération. R. Hist. Amérique franç., 82-83, vol. 36, p. 3-29.

4773. Gießener Gelehrte in der ersten Hälfte des 20. Jahrhunderts. Hrsg. v. Hans Georg GUNDEL [u. a.]. T. 1, 2. Marburg, Elwert, 82, 2 vol. in-8, 512 p., p. 514-1093. (Lebensbilder aus Hessen, 2) (Veröff. d. Hist. Komm. f. Hessen, 53, 2)

4774. GRAU (Conrad). Die Petersburger Akademie der Wissenschaften in den interakademischen Beziehungen 1899 bis 1915. Jb. f. Gesch. d. sozialist. Länder Europas, 82, Bd 25, H. 2, p. 51-68.

4775. JULIA (Dominique). La constitution du réseau des collèges en France du XVIe au XVIIIe siècle. In: Objet et méthodes de l'histoire de la culture [Cf. n° 607], p. 73-94.

4776. KOL'COV (A. V.). Razvitie Akademii nauk kak vysšego naučnogo učreždenija SSSR (1926-1932). (Development of the Academy of sciences as the highest scientific institution of the USSR, 1926-1932.) Leningrad, Nauka, 82, 279 p. (AN SSSR. In-t istorii estestvoznanija i tekhniki)

4777. LEJEUNE (Dominique). La Société de géographie de Paris: un aspect de l'histoire sociale française. R. Hist. mod., 82, t. 29, p. 141-163.

4778. LUPPOV (Sergej Pavlovič). Die Nachfrage nach Büchern der Akademie der Wissenschaften und nach ausländischen Veröffentlichungen in Petersburg und Moskau in der Mitte des XVIII. Jahrhunderts.

Arch. f. Gesch. d. Buchwesens, 81, Bd 22, Sp. 257-300.

4779. McDOWELL (R. B.), WEBB (D. A.). Trinity College, Dublin, 1592-1952: an academic history. Foreword by F. S. L. LYONS. London a. New York, Cambridge U. P., 82, in-8, XXIII-580 p. (ill.).

4780. ODELBERG (Wilhelm). "En fond som aldrig kan åldras": Stiftelsen Lars Hiertas Minne: en återblick 1878-1978. ("A fund that never can grow old": the Lars Hierta Memorial Foundation: a retrospect, 1878-1978.) Stockholm, Tekn. högskolas bibl., 81, in-8, 211 p. (ill.). (Stockholm papers in hist. a philos. of technol.)

4781. REDEROWA (Danuta), JACZEWSKI (Bohdan), ROLBIECKI (Waldemar). Polska Stacja Naukowa w Paryżu w latach 1893-1978. (La Station Scientifique Polonaise à Paris dans les années 1893-1978.) Avant-propos d'Andrzej Feliks GRABSKI. Wrocław, Zakł. Narod. im. Ossolińskich, 82, in-8, 335 p. (Pol. Akad. Nauk, Inst. Hist. Nauki, Oświaty i Techn. Monografie z Dziejów Nauki i Techn., 126)

4782. Słownik polskich towarzystw naukowych. (Dictionnaire des sociétés scientifiques polonaises.) Réd. scientifique: Leon ŁOS. Ed. par Barbara KRAJEWSKA-TARŁAKOWSKA et autres. [T. 1. Cf. Bibl. 78-79, n° 4960.] T. 3. Wrocław, Zakł. Narod. im. Ossolińskich, 82, in-8, 605 p. (Pol. Akad. Nauk., Bibl. PAN w Warszawie)

4783. STOCKING (George W.) Jr. The Santa Fe style in American anthropology: regional interest, academic initiative, and philanthropic policy in the first two decades of the Laboratory of Anthropology, Inc. J. Hist. behavioral Sci., 82, vol. 18, n° 1, p. 3-19.

4784. Veritate et scientia. Księga pamiątkowa a 125-lecie Poznańskiego Towarzystwa Przyjaciół Nauk. (Livre commémoratif pour le 125e anniversaire de la société des Amis des Sciences de Poznań.) Réd. par Antoni GASIOROWSKI. Warszawa, Państw. Wydawn. Nauk., 82, in-8, 272 p. (Pozn. Tow. Przyj. Nauk, Wydz. Hist. i Nauk Spol. Prace Komisji Hist., 35)

Cf. n°s 963, 3249.

§ 3. Pédagogie et enseignement.

* 4785. PANTELIDIS (Veronica S.). Arab education, 1956-1978, a bibliography. London, Mansell, 82, in-8, 576 p.

** 4786. Dokumente zur Bildungspolitik und Pädagogik der deutschen Arbeiterbewegung. Folge 1: Von den Anfängen bis zur Pariser Kommune. Ausgew., eingel. u. erl. v. Johannes SCHENK, Klaus PECHER u. Manfred WERLER. Berlin, Volk u. Wissen, 82, in-8, 448 p. (Monumenta paedagogica, 21)

** 4787. Education (Une) pour la démocratie. Textes et projets de l'époque révolutionnaire. Prés. par B. LACZKO.

3. PEDAGOGIE ET ENSEIGNEMENT

Paris, Garnier, 82, in-8, 526 p.

4788. ALBISETTI (James C.). Could separate be equal? Helene Lange and women's education in imperial Germany. Hist. Educat. Quar., 82, vol. 22, n° 3, p. 301-318.

4789. ALLEN (Ann Taylor). Spiritual motherhood: German feminists and the kindergarten movement, 1848-1911. Hist. Educat. Quar., 82, vol. 22, n° 3, p. 319-340.

4790. ALLEN (Edward A.). Public school elites in early-Victorian England: the boys at Harrow and Merchant Taylors' schools from 1825 to 1850. J. brit. Stud., 82, vol. 21, n° 2, p. 87-117.

4791. ANDERSON (R. D.). New light on French secondary education in the nineteenth century. Soc. Hist., 82, vol. 7, p. 147-165.

4792. ANDREI (Nicolae), PĂRNUȚĂ (Gheorghe). Istoria învățămîntului din Oltenia. (Histoire de l'enseignement en Olténie.) Vol. 2: 1848-1918. Craiova, Scrisul Românesc, 81, in-8, 602 p.

4793. BAILEY (Charles R.). Municipal collèges: small town secondary schools in France prior to the Revolution. French hist. Stud., 82, vol. 12, n° 3, p. 351-376.

4794. BELLS (Robin). The politics of West German school reform, 1948-1973. London, Univ., Inst. of Educ., 82, in-8, 29 p.

4795. BERGEN (Barry H.). Only a schoolmaster: gender, class, and the effort to professionalize elementary teaching in England, 1870-1910. Hist. Educat. Quar., 82, vol. 22, n° 1, p. 1-22.

4796. BIEBEL (Charles D.). American efforts for educational reform in occupied Germany, 1945-1955 - a reassessment. Hist. Educat. Quar., 82, vol. 22, n° 3, p. 277-288.

4797. BUCHANAN (Frederick S.). Education among the Mormons: Brigham Young and the schools of Utah. Hist. Educat. Quar., 82, vol. 22, n° 4, p. 435-460.

4798. BURNEY (John). La faculté des Lettres de Toulouse de 1830 à 1875. A. Midi, 82, t. 94, p. 277-299.

4799. CASTAÑEDA DELGADO (Paulino). El colegio de San Juan de Letrán de México (apuntes para su historia). Anu. Est. am., 80 [82], t. 37, p. 69-126.

4800. CHÊNE (Christian). L'enseignement de droit français en pays de droit écrit (1679-1793). Genève, Droz, 82, in-8, 376 p. (Travaux d'hist. éthico-politique, 39)

4801. CLARK (Linda L.). The socialization of girls in the primary schools of the Third Republic. J. soc. Hist., 82, vol. 15, n° 4, p. 685-698.

4802. CLEMENS (Jacques). Armand Fallières, ministre de l'Instruction publique, et la "surcharge" de l'enseignement secondaire en France (1883-1885). R. Agenais, 82, a. 109, p. 253-266.

4803. COHEN (Louis) a. others. Educational research and development in Britain, 1970-1980. London, Nelson Publ. Co., 82, in-8, 580 p.

4804. COHEN (Miriam). Changing education strategies among immigrant generations: New York Italians in comparative perspective. J. soc. Hist., 82, vol. 15, n° 3, p. 443-466.

4805. Contribution au centenaire des lois scolaires de la IIIe République: l'enseignement élémentaire en Champagne. Trav. Acad. nat. Reims, 82, vol. 161, p. 5-234.

4806. DACHS (Herbert). Schule und Politik. Die polit. Erziehung an d. österr. Schulen 1918 bis 1938. Wien u. München, Jugend u. Volk, 82, in-8, 464 p.

4807. DAHLSTRAND (Frederick C.). Amos Bronson Alcott: an intellectual biography. East Brunswick, N. F., Fairleigh Dickinson U. P., 82, in-8, 397 p.

4808. DEVEREUX (William A.). Adult education in Inner London, 1870-1980. London, Shepheard-Walwyn, 82, in-8, 400 p.

4809. DIERE (Horst). Das Reichsministerium für Wissenschaft, Erziehung und Volksbildung. Zur Entstehung, Struktur u. Rolle d. zentralen schulpolit. Institution im faschist. Deutschland. Jb. f. Erziehung- u. Schulgesch., 82, Jg. 22, p. 107-120.

4810. Dzieje szkolnictwa i oświaty na wsi polskiej. (Histoire de l'éducation et de l'instruction publique à la campagne polonaise.) Ouvrage collectif réd. par Stanisław MICHAŁSKI. T. 1: Do 1918. (T. 1: Avant 1918.) Auteurs: Feliks W. ARASZKIEWICZ et autres. Warszawa, Lud. Spółdz. Wydawn., 82, in-8, 515 p.

4811. EDWARDS (David W.). Nicholas I and Jewish education. Hist. Educat. Quar., 82, vol. 22, n° 1, p. 45-54.

4812. ELWITT (Sanford). Education and the social questions: the universités populaires in late nineteenth century France. Hist. Educat. Quar., 82, vol. 22, n° 1, p. 55-72.

4813. ENGS (Robert F.). Red, black, and white: a study in intellectual inequality. In: Region, race, and reconstruction [Cf. n° 537], p. 241-265.

4814. FAGERLUND (Rainer). Universitet i Dorpat 350 år. (L'Université de Tartu [Estonie] 350 ans.) Finskt T., 82, t. 211-212, p. 394-401.

4815. FERRARI (Bernardino). La politica scolastica di Cavour. Dalle esperienze prequarantottesche alle responsabilità di governo. Milano, Vita e Pens., 82, in-8, 256 p. (Sci. stor., 29)

4816. FEUER (Lewis S.). The stages in the social history of Jewish professors in American colleges and universities. Am. jewish Hist., 82, vol. 71, n° 4, p. 432-465.

4817. FULLER (Wayne E.). The old country school: the story of rural education in the Middle West. Chicago, Univ. of Chicago Press, 82, in-8, IX-302 p.

4818. GATZ (Erwin). Die Vorverhandlungen zur Gründung der katholisch-theologischen Fakultät an der Universität Straßburg (1898-1920). Röm. Qschr. f. christl. Altertumskde, 82, Bd 77, p. 86-129.

4819. GOODHEART (Lawrence B.). Abolitionists as academics: the controversy at Western Reserve College, 1832-1833. Hist. Educat. Quar., 82, vol. 22, n° 4, p. 421-434.

4820. Vacat.

4821. HÄRKÖNEN (Mirja). Kouluylihallituksen ensimmäisen päällikön Casimir von Kothenin koulupolitiikka. Taustaa - tavoitteita - tuloksia. (The school policy of Casimir von Kothen, the first director of the board of education. Background, objectives, results.) Helsinki, Societas Historica Finlandiae, 82, in-8, 345 p. (Hist. Tutkimuksia, 119) [Eng. summary]

4822. HERBST (Jurgen). From crisis to crisis: American college government, 1636-1819. Cambridge, Mass., Harvard U. P., 82, in-8, XVI-301 p.

4823. HEYDECK (Klaus). Friedrich Maximilian Klinger - der Dichter des "Sturm und Drang" als Militärerzieher und Hochschulpädagoge in Rußland an der Wende vom 18. zum 19. Jahrhundert. Jb. f. Erziehungs- u. Schulgesch., 82, Jg. 22, p. 51-62.

4824. Histoire de la pédagogie, du XVIIe siècle à nos jours. Sous la dir. de Guy AVANZANI. Toulouse, Privat, 81, in-8, 395 p.

4825. HOFFMANNOVÁ (Eva). Karel Slavoj Amerling. Praha, Melantrich, 82, in-8, 284 p. (32 fig.). (Odkazy pokrokových osobností naší minulosti, 66)

4826. HOWSON (A. G.). History of mathematics education in England. London, Cambridge U. P., 82, in-8, 294 p. (dr.).

4827. KAESTLE (Carl F.). Ideology and American educational history. Hist. Educat. Quar., 82, vol. 22, n° 2, p. 123-138.

4828. KENEZ (Peter). Liquidating illiteracy in revolutionary Russia. Russian Hist., 82, vol. 9, p. 173-186.

4829. KESSEL (Elizabeth A.). "A mighty fortress is our God": educational organizations on the Maryland frontier, 1734-1800. Maryland hist. Mag., 82, vol. 77, n° 4, p. 370-387.

4830. Kierunki działalności pedagogicznej na Śląsku w latach 1922-1939. (Les courants de l'activité pédagogique en Silésie dans les années 1922-1939.) Réd.: Wanda BOBROWSKA-NOWAK. Katowice, 82, in-8, 147 p. (Prace Nauk. Uniw. Śląskiego w Katowicach, 520)

4831. LETOURNEAU (Jeannette). Les écoles normales de filles au Québec. Montréal, Fides, 81, in-8, 239 p. (Coll. Histoire et documents)

4832. LOMIČ (Václav). Vznik, vývoj a současnost Českého vysokého učení technického v Praze. (The origin, development a. present state of the Czech Technical University.) Praha, České vysoké učení technické, 82, in-8, 184 p. (4 fig.).

4833. LUC (Jean-Noël), BARBE (A.). Des normaliens. Histoire de l'Ecole Normale Supérieure de Saint-Cloud. Paris, Presses de la Fondation nat. des Sci. pol., 82, in-8, 326 p.

4834. Lunds universitets historia: utgiven av universitetet till dess 300-årsjubileum. (History of the Lund University: ed. by the Univ. to celebrate its 300th anniversary.) [Vol. 1, 3, 4. Cf. Bibl. 72, n° 3990.] 2: 1710-1789. Av Gösta JOHANNESSON. Lund, LiberFörlag, 82, in-4, 456 p. (ill.).

4835. MADDEN (A. Frederick), FIELDHOUSE (David K.). Oxford and the idea of Commonwealth. London, Croom Helm, 82, in-8, 256 p.

4836. MATTHEWS (Mervyn). Education in the Soviet Union: politics and institutions since Stalin. London, Boston a. Sydney, Allen a. Unwin, 82, in-8, XIV-225 p.

4837. MEINERS (Fredericka). A history of Rice University: the institute years, 1907-1963. Houston, Tex., Rice Univ. Stud., 82, in-8, XV-249 p.

4838. MENK (Gerhard). Die hohe Schule Herborn in ihrer Frühzeit (1584-1660). Ein Beitr. z. Hochschulwesen d. deutschen Kalvinismus im Zeitalter d. Gegenreformation. Wiesbaden, Hist. Kommission f. Nassau, 81, in-8, 364 p.

4839. MICHALEWSKA (Krzysztofa). Uniwersytet Jagielloński a wychodztwo w latach 1889-1939. (L'Université Jagellonne [à Cracovie] et l'émigration dans les années 1889-1939.) Studia hist. [Kraków], 82, a. 25, fasc. 2, p. 215-241.

4840. MIREL (Jeffrey). From student control to institutional control of high school athletics: three Michigan cities, 1883-1905. J. soc. Hist., 82, vol. 16, n° 2, p. 83-100.

4841. MOLIK (Witold). Polacy na Uniwersytecie we Frankfurcie nad Odrą na przełomie XVIII i XIX w. (1796-1806). (Les Polonais à l'Université de Frankfort-sur-l'Oder à la fin du XVIIIe et au début du XIXe s.) Przegl. hist.-oświat., 82, a. 25, n° 1-2, p. 7-21. - IDEM. Polacy na Uniwersytecie w Heidelbergu 1803-1870. (Les Polonais à l'Université de Heidelberg en 1803-1870.) Kwart. Hist. Nauki Techn., 82,

82, a. 27, n° 2, p. 313-335.

4842. NILSSON (Lennart). Yrkesutbildning i nutidshistoriskt perspektiv: yrkesutbildningens utveckling från skråväsendets upphörande 1846 till 1980-talet samt tankar om framtida inriktning. (Vocational education: an historical analysis: the development on the vocational school system and vocational education in Sweden from the ending of the Guild system in 1846 to the 1980s and some reflections on likely future trends.) Göteborg, Univ., 81, in-8, 442 p. (Göteborg Stud. in educational Science, 39) [Eng. summary]

4843. Očerki istorii školy i pedagogiki za rubežom (1917-1939). (Essays on the history of school and pedagogics in foreign countries, 1917-1939.) Pod. red. K. I. SALIMOVOJ, B. M. BIM-BADA. Moskva, Pedagogika, 82, 161 p. (APN SSSR. NII obšč. pedagogiki)

4844. O'DAY (Rosemary). Education and society, 1500-1800: the social foundations of education in early modern Britain. London, Longman, 82, in-8, 344 p. (Themes in Soc. Hist.)

4845. Otázky současné komeniologie. (Probleme der gegenwärtigen Komenský-Forschung. Von Stanislav KRÁLÍK u. a. Praha, Academia, 81, in-8, 197 p.

4846. PAPANIKOLAS (Zeese). Buried unsung: Louis Tikas and the Ludlow massacre. Foreword by Wallace STEGNER. Salt Lake City, Univ. of Utah Press, 82, in-8, XIX-331 p.

4847. POLLEY (Rainer). Freundliche Ermahnungen Landgraf Wilhelms IV. von Hessen-Kassel an Herzog Friedrich II. von Schleswig-Holstein-Gottorf. Ein Beitr. z. Fürstenerziehung im 16. Jh. Z. d. Ges. f. schleswig-holstein. Gesch., 82, Bd 107, p. 37-52.

4848. RAICICH (Marino). Scuola, cultura e politica da De Sanctis a Gentile. In appendice: G. I. ASCOLI: Relazione al IX Congresso pedagogico italiano, Bologna, 1875. Pisa, Nostri-Lischi, 82, in-8, 475 p. (Saggi di varia umanità, nuova ser., 24)

4849. REES (D. Ben). The preparation for crisis: adult education in Britain, 1945-1980. London, Hesketh, 82, in-8, X-360 p.

4850. RIEDL (Miroslav). Zavádění povinné školní docházky na území současného Jihomoravského kraje. Díl 1. (Die Einführung d. Grundschulpflicht im Gebiet d. gegenwärtigen südmähr. Kreises. Teil 1.) Brno, Pedagogická fakulta Univ. J. E. Purkyně, 81, in-8, 173 p.

4851. RIKKINEN (Hannele). Developments in the status and content of geography teaching in the scondary schools of Finland. Helsinki, Helsingin yliopisto, 82, in-8, 142 p.

4852. ROSSITER (Margaret W.). Doctorates for American women, 1868-1907. Hist. Educat. Quar., 82, vol. 22, n° 2, p. 159-184.

4853. ROTHSCHILD (Mary Aickin). The volunteers and the freedom schools: education for social change in Mississippi. Hist. Educat. Quar., 82, vol. 22, n° 4, p. 401-420.

4854. SANDELL (Liza). The English language in the Sudan, a history of its teaching and politics. London, Ithaca Press, 82, in-8, 160 p.

4855. SASS (Steven A.). The pragmatic imagination: a history of the Wharton School, 1881-1981. Philadelphia, Univ. of Pennsylvania Press, 82, in-8, XXIII-351 p.

4856. SCHULTZE (Quentin J.). "An honorable place": the quest for professional advertising education, 1900-1917. Business Hist. R., 82, vol. 56, n° 1, p. 16-32.

4857. Scuola e società nel socialismo riformista, 1891-1926. Battaglie per l'istruzione popolare e dibattito sulla questione femminile. Firenze, Sansoni, 82, in-8, 242 p. (Contributi)

4858. SELLECK (R. J. W.). Frank Tate, a biography. Melbourne, U. P., 82, in-8, 365 p. (ill., maps).

4859. SHANNON (Samuel H.). Land-grant college legislation and black Tennesseans: a case study in the politics of education. Hist. Educat. Quar., 82, vol. 22, n° 2, p. 139-158.

4860. SHARPE (Kevin). The foundation of the chairs of history at Oxford [1622] and Cambridge [1627]: an episode in Jacobean politics. Hist. of Univ., 82, vol. 2, p. 127-152.

4861. SHELLER (Tina H.). The origins of public education in Baltimore, 1825-1829. Hist. Educat. Quar., 82, vol. 22, n° 1, p. 23-44.

4862. SHERINGTON (Geoffrey E.). English education, social change and war, 1911-1920. Manchester, Univ. Press, 82, in-8, 202 p.

4863. SHILS (Edward). The university: a backward glance. Am. Scholar, 82, vol. 51, n° 2, p. 163-179.

4864. SKOPP (Douglas). The elementary school teachers in "revolt": reform proposals for Germany's Volksschulen in 1848 and 1849. Hist. Educat. Quar., 82, vol. 22, n° 3, p. 341-362.

4865. SMITH (Robert J.). The Ecole normale supérieure and the Third Republic. Albany, State Univ. of New York Press, 82, in-8, VII-201 p.

4866. SOFFER (Reba N.). Why do disciplines fail? The strange case of British sociology. Eng. hist. R., 82, vol. 97, p. 767-802.

4867. SPAULL (Andrew D.). Australian education in the Second World War. Brisbane, U. Queensland Press, 82, in-8, 312 p.

4868. STAMP (Robert M.). The schools of

Ontario, 1876-1976. Toronto, Univ. Press, 82, in-8, 293 p. (Ontario hist. Stud. Ser.) - CR: J. Abbott, Canad. hist. R., 83, vol. 64, p. 229-230.

4869. Storia della scuola e storia d'Italia dall'unità ad oggi. Bari, De Donato, 82, in-8, 270 p. (Riforme e potere, 45)

4870. SWIANIEWICZ (Stanislaw). The university of Wilno in historical perspective. Polish R., 82, vol. 27, n° 1-2, p. 29-46.

4871. SYNNOTT (Marcia G.). The half-opened door: researching admissions discrimination at Harvard, Yale and Princeton. Am. Archivist, 82, vol. 45, n° 2, p. 175-188.

4872. SZIKLAY (László). Unterricht der slowakischen Literatur an der Universität von Debrecen in den Jahren 1939-1944. In: Gedenkschrift E. Arató [Cf. n° 497], p. 355-365.

4873. TENT (James F.). Mission on the Rhine: American educational policy in postwar Germany, 1945-1949. Hist. Educat. Quar., 82, vol. 22, n° 3, p. 255-276.

4874. THIMON (Gösta). Stockholms nationa studenter i Uppsala 1649-1800: Vinculum Stockholmense. (Stockholm nation students in Uppsala, 1649-1800.) 1:1649-1700. Stockholm, Liber distr., 82, in-4, XXXIII-279 p. (ill.).

4875. TRENARD (Louis). Les Ecoles centrales. XVIIIe Siècle, 82, n° 14, p. 57-74.

4876. TYACK (David), HANSOT (Elisabeth). Managers of virtue: public school leadership in America, 1820-1980. New York, Basic Books, 82, in-8, VII-312 p.

4877. VENDROVSKAJA (R. B.). Očerki istorii sovetskoj didaktiki. (Essays on the history of Soviet didactics.) Moskva, Pedagogika, 82, 129 p.

4878. VOROB'EVA (Ju. S.). Russkaja vysšaja škola obščestvennykh nauk v Pariže. (The Russian high school of social sciences in Paris.) Ist. Zap., 82, n° 107, p. 332-343.

4879. WARTBURG (Marie-Louise von). Alphabetisierung und Lektüre. Untersuchung am Beispiel einer ländl. Region im 17. u. 18. Jh. Bern, P. Lang, 81, in-8, 331 p. (Europ. Hochschulschriften, Reihe 1: Deutsche Sprache u. Lit., 459)

4880. WEISS (Bernard J.) a. others. American education and the European immigrant, 1840-1940. Urbana, Univ. of Illinois Press, 82, in-8, XXVIII-217 p.

4881. WEISS (John Hubbel). The making of technological man: the social origins of French engineering education. Foreword by David S. LANDES. Cambridge, Mass., MIT Press, 82, in-8, XVIII-377 p.

4882. WOSH (Peter J.). Sound minds and unsound bodies: Massachusetts schools and mandatory physical training. New England Quar., 82, vol. 55, n° 1, p. 39-60.

Cf. n°s 255, 4825, 5165.

§ 4. Presse.

* 4883. Bibliographie de la presse française politique et d'information générale, des origines à 1944. [T. 47. Cf. Bibl. 81, n° 4376.] T. 82: Tarn-et-Garonne. Par Patrice CAILLOT. Paris, Bibliothèque nationale, 82, in-4, 50 p.

4884. ALIFANO (Emilia), VALENTINO (Cecilia). La stampa politica irpina dal 1860 al 1925. Napoli, Guida, 82, in-8, 327 p. (fig.). (Centro di Ric. Guido Dorso)

4885. ALATORCEVA (A. I.), UDAL'COVA (M. I.). Žurnal "Katorga i ssylka" i ego rol' v izučenii istorii revoljucionnoge dviženija v Rossii. (The magazine "Penal servitude and exile" and its role in studying the history of the Russian revolutionary movement.) Ist. SSSR, 82, n° 4, p. 100-115.

4886. AVRAMESCU (Tiberiu). "Adevărul", mişcarea democratică şi socialistă (1895-1920). (Le journal "Adevărul" [La Vérité], le mouvement démocratique et socialiste.) Bucureşti, Ed. politică, 82, in-8, 428 p.

4887. BEAULIEU (André), HAMELIN (Jean). La presse québécoise, des origines à nos jours. [T. 2. Cf. Bibl. 76-77, n° 5495.] T. 3: 1880-1895. T. 4: 1896-1910. T. 5: 1911-1919. Avec la collab. de Jocelyn SAINT-PIERRE et Jean BOUCHER. Québec, Presses Univ. Laval, 77-82, 3 vol. in-8, 421, 417, 348 p.

4888. BUCCELLATO (Pier Fausto), IACCIO (Marina). Gli anarchici nell'Italia meridionale. La stampa, 1869-1893. Pref. di Enzo SANTARELLI. Roma, Bulzoni, 82, in-8, 350 p. (Stor. e Doc., 8)

4889. CAWLEY (Art). The Canadian Catholic English-language press and the Spanish Civil War. Canad. cath. hist. Assoc. Stud. Sess., 82, vol. 49, p. 25-51.

4890. CAZOTTES (Gisèle). La presse périodique madrilène entre 1871 et 1885. Montpellier, Centre de Recherche sur les littératures ibériques et ibéro-amér. modernes, 82, in-8, 335 p.

4891. CROWL (James William). Angels in Stalin's paradise: western reporters in Soviet Russia, 1917-1937. A case study of Louis Fischer a. Walter Duranty. Washington, D. C., Univ. Press of America, 82, in-8, VIII-224 p.

4892. DASCĂLU (Nicolae). Press co-operation of the Little Entente and Balkan Alliance states (1922-1939). R. Et. sud-est europ., 82, t. 20, p. 25-42.

4893. DEL SAPIO (Maria), VITALE (Marina). Stampa e cultura popolare in Inghilterra nel primo Ottocento. Roma, Officina, 82, in-8, 318 p. (fig.). (Cult. & Soc., 8)

4894. Deutsche Kommunikationskontrolle des 15. bis 20. Jahrhunderts. Hrsg. v. Heinz-Dietrich FISCHER. München, New York, London u. Paris, K. G. Saur, 82, in-8, 360 p. (Publizistik - historische Beiträge, 5)

4895. Dictionnaire des journalistes (1600-1789). Supplément II. Préparé par A.-M. CHOUILLET et F. MOUREAU. Grenoble, Centre d'Etude des Sensibilités, 82, in-8, 161 p.

4896. ECONOMIDES (Stephen). Der Nationalsozialismus und die deutschsprachige Presse in New York 1933-1941. Frankfurt (Main) u. Bern, Lang, 82, in-8, 316 p. (Europ. Hochschulschriften, Reihe 31: Politikwiss., 33)

4897. ERÉNYI (Tibor). Politika - hirközlés - agitáció. Magyarországi munkássajtó a 20. század első éveiben, 1900-1905. (Politique - information - agitation. La presse ouvrière hongroise, 1900-1905.) Századok, 82, vol. 116, n° 2, p. 199-246.

4898. FERENCZI (Caspar). Funktion und Bedeutung der Presse in Rußland vor 1914. Jb. f. Gesch. Osteuropas, 82, Bd 30, p. 362-399.

4899. FEYEL (Gilles). La Gazette en province à travers ses réimpressions, 1631-1752. Amsterdam, APA-Holland U. P., 82, in-8, 703 p.

4900. FISHBEIN (Leslie). Rebels in Bohemia: the radicals of The Masses [New York], 1911-1917. Chapel Hill, Univ. of North Carolina Press, 82, in-8, XV-270 p.

4901. FUKS (Marian). Prasa żydowska w Polsce lat 1918-1939. Jej rola i miejsce w życiu politycznym, społecznym, gospodarczym i kuturalnym kraju. (La presse juive en Pologne dans les années 1918-1939. Son rôle et sa place dans la vie politique, sociale, économique et culturelle du pays.) Kwart. Hist. Prasy pol., 82, a. 21, n° 3-4, p. 175-185.

4901a. GUIOL-BENASSAYA (Elyette). La presse face au surréalisme, de 1925 à 1938. Paris, Ed. du C. N. R. S., 82, in-8, 269 p. (ill.).

4902. HANKINSON (Alan). Man of wars: William Howard Rissell of "The Times", 1820-1907. London, Heinemann Educ., 82, in-4, 304 p.

4903. HÜRLING (Hans). Das Deutschlandbild der Pariser Tagespresse vom Münchner Abkommen bis zum Ausbruch des Zweiten Weltkrieges: quantitative Analyse. In: Deutschland u. Frankreich 1936-1939 [Cf. n° 235], p. 71-102.

4904. HØYER (Svennik). Recent research on the press in Norway. Scand. J. Hist., 82, vol. 7, p. 15-30.

4905. Institut français de presse. Section d'histoire. Tables du journal "Le Temps". [Vol. 8, 9. Cf. Bibl. 81, n° 4399.] Vol. 10: 1898-1900. Introd. de Pierre ALBERT. Paris, Ed. du C. N. R. S., 82, in-8, XIV-1279 p.

4906. Journalisme (Le) d'Ancien Régime. Questions et propositions. Table ronde du C. N. R. S., Lyon, 12 et 13 juin 1981. Lyon, Presses univ. Lyon, 82, in-8, 415 p.

4907. JUERGENS (George). Theodore Roosevelt and the press. Daedalus, 82, vol. 111, n° 4, p. 113-134.

4908. KUBÍČEK (Jaromír). Český politický tisk na Moravě a ve Slezsku v letech 1918-1938. (Die tschechische polit. Presse in Mähren u. Schlesien in d. J. 1918-1938.) Brno, Blok, 82, in-8, 320 p.

4909. KULAK (Teresa). Rola i miejsce polskiej prasy w Niemczech w politycznych koncepcjach obozu narodowego na przełomie XIX i XX wieku. (Le rôle et la place de la presse polonaise en Allemagne dans les conceptions politiques du camp national au tournat des XIXe et XXe s.) Komunikaty maz.-warm., 82, a. 31, n° 3, p. 217-235.

4910. LEWANDOWSKA (Stanisława). Polska konspiracyjna prasa informacyjno-polityczna 1939-1945. (La presse clandestine polonaise d'information politique 1939-1945.) Warszawa, Czytelnik, 82, in-8, 445 p.

4911. LOJEK (Jerzy). Prasa w życiu społeczeństwa polskiego w epoce rozbiorów. (La presse dans la vie de la société polonaise à l'époque des partages [1772-1795].) Kwart. Hist. Prasy pol., 82, a. 21, n° 3-4, p. 133-144.

4912. LÓPEZ-OCÓN CABRERA (Leoncio). "La América, Crónica hispano-americana". Génesis y significación de una impresa americanista del liberalismo democrático español. Quinto Centenario, 82, t. 4, p. 137-173.

4913. McEWEN (J. M.). Lloyd George's acquisition of the Daily Chronicle [London] in 1918. J. brit. Stud., 82, vol. 22, n°1, p. 127-144.

4914. MYŚLINSKI (Jerzy). Polska prasa socjalistyczna w okresie zaborów. (La presse polonaise socialiste à l'époque des partages.) Warszawa, Książka i Wiedza, 82, in-8, 333 p.

4915. NOTKOWSKI (Andrzej). Polska prasa prowincjonalna Drugiej Rzeczypospolitej (1918-1939). (La presse provinciale polonaise de la Seconde République, 1918-1939.) Warszawa, Państw. Wydawn. Nauk., 82, in-8, 638 p. (Pol. Akad. Nauk., Inst. Badań Liter. Pracownia Hist. Czasopiśmiennictwa Pol. XIX i XX wieku. Mater. i Studia do Hist. Prasy i Czasopiśmiennictwa Pol., 22)

4916. PAOLUCCI (Vittorio). La stampa periodica della Repubblica Sociale. Urbino, Argalia, 82, in-8, 243 p.

4917. POMOGÁTS (Béla). Az "erdélyi gondolat" reviziója. Az Erdélyi Helikon ideológiája a harmincas években. (La révision de la "pensée transylvaine". L'idéologie de la revue Erdélyi Helikon [Helicon Transylvain] dans les années trente.) Irodtört. Közl., 82, vol. 86, n° 3, p. 290-301.

4918. RUSI (Alpo). Lehdistösensuuri jatkosodassa. Sanan valvonta sodankäynnin välineenä 1941-1944. (Censorship of the mass media during the Continuation War in Finland 1941-1944.) Helsinki, Suomen historiallinen seura, 82, in-8, 394 p. (Hist. Tutkimuksia, 118) [Eng. summary]

4919. RUTHERFORD (Paul). A Victorian authority: the daily press in late nineteenth-century Canada. Toronto, Univ. Press, 82, in-8, 292 p.

4920. SALOKANGAS (Raimo), TOMMILA (Päiviö). Press history studies in Finland: past and present. Scand. J. Hist., 82, vol. 7, p. 49-73.

4921. SANDLUND GÄFVERT (Elisabeth), TORBACKE (Jarl). Hundred years of Swedish press history. Scand. J. Hist., 82, vol. 7, p. 31-48.

4922. SARTORI (Rosalinde). Pressefotografie und Industrialisierung in der Sowjetunion. Die Pravda [Moskau] 1925-1933. Berlin, Osteuropa-Inst. an d. Freien Univ. Berlin; Wiesbaden, Harrassowitz in Komm., 81, in-8, XIII-339 p.

4923. SHOWALTER (Dennis E.). Little man, what now? Der Stürmer in the Weimar Republic. Hamden, Conn., Shoe String Press, 82, in-8, XVI-285 p.

4924. Simeon Polockij i ego knigoizdatel'eskaja dejatel'nost'. (Simeon Polotsky and his publishing activities.) Redkol.: O. A. DERŽAVINA, A. S. DEMIN, A. N. ROBINSON (otv. red.). Moskva, Nauka, 82, 352 p. (Rus. staropeč. lit. XVI - pervaja četvert' XVIII v. AN SSSR. In-t. mirovoj lit.)

4925. SOŁOMA (Antoni). Z badań nad funkcją i językiem politycznym prasy niemieckiej w Prusach Wschodnich w okresie międzywojennym. (Recherches concernant la fonction et le langage politique de la presse allemande en Prusse Orientale à l'époque de l'entre-deux-guerres.) Komunikaty maz.-warm., 82, a. 31, n° 3, p. 237-261.

4926. SURMANN (Rolf). Die Münzenberg-Legende. Zur Publizistik d. revolutionären deutschen Arbeiterbewegung 1921-1933. Köln, Prometh, 82, in-8, 307 p.

4927. SZAJN (Izrael). Prasa Bundu w Polsce (1918-1939). (La presse du "Bund" en Pologne, 1918-1939.) Kwart. Hist. Prasy pol., 82, a. 21, n° 2, p. 91-100.

4928. Szocializmus. Szociáldemokrata folyóirat, 1906-1918. Repertórium. Összeáll. PÁLMAI Magda. (Szocializmus [Socialisme]. Un périodique social-démocrate 1906-1918. Répertoire. Réd. par .) Budapest, Fővárosi Szabó Ervin Könyvtár - MSzMP Párttörténeti Intézete, 81, in-8, 152 p.

4929. THOMSEN (Niels). Why study press history? A reexamination of its purpose and of Danish contributions. Scand. J. Hist., 82, vol. 7, p. 1-13.

4930. VOSS (Ingrid), VOSS (Jürgen). Die Revue rhénane als Instrument der französischen Kulturpolitik am Rhein (1920-1930). Arch. f. Kulturgesch., 82, Bd 64, p. 403-451.

4931. WALKER (R. B.). Yesterday's news: the history of the newspaper press in New South Wales from 1920-1945. Sydney, U. P.; London, Eurospan, 82, in-8, 156 p.

4932. WHITFIELD (Stephen J.). From publick occurrences to pseudo-events: journalists and their critics. Am. jewish Hist., 82, vol. 72, n° 1, p. 52-81.

4933. WIRÉN (Karl-Hugo). Lust och dygd: samhällsvarsideologier i svensk radio och TV. (Desire and virtue: the evolution of public service broadcasting ideology in Sweden.) [Svensk] Hist. T., 82, vol. 102, p. 319-339. [Eng. summary]

Cf. n°s 3629, 6467, 6821.

§ 5. Philosophie et conception du monde.

* 4934. CONLON (Pierre M.). Ouvrages relatifs à Jean-Jacques Rousseau, 1751-1799. Bibliographie chronologique. Genève, Droz, 81, in-8, XV-220 p.

* 4935. MacCARTHY (Joseph M.). Pierre Teilhard de Chardin: a comprehensive bibliography. New York a. London, Garland, 81, in-8, IX-439 p.

* 4936. MARTI (Hanspeter). Philosophische Dissertationen deutscher Universitäten 1660-1750. Eine Auswahlbibliographie. Unter Mitarb. v. Karin MARTI. München, New York, London u. Paris, K. G. Saur, 82, in-4, 705 p.

** 4937. COMTE (Auguste). Correspondance générale et confessions. [T. 4. Cf. Bibl. 81, n° 4429.] T. 5: 1849-1850. Textes établis et prés. par Paulo E. de BERREDO CARNEIRO et Paul ARBOUSSE-BASTIDE. Paris, Vrin, 82, in-8, C-352 p. (ill.). (Archives positivistes, 10)

** 4938. HELVETIUS (Claude Adrien). Correspondance générale. Introd., établissement des textes et appareil critique sous la dir. de David SMITH. T. 1: 1737-1756, lettres 1-249. Toronto, Univ. of Toronto Press; Oxford, Voltaire Foundation, 81, in-8, XXIX-361 p. (ill.).

** 4939. HERDER (Johann Gottfried). Briefe. Gesamtausgabe 1763-1803. Unter Leitung v. Karl-Heinz HAHN hrsg. v. d. Nationalen Forsch.- u. Gedenkstätten d. Klass. Deutsch. Literatur in Weimar (Goethe- u. Schiller-Archiv). [Bd 3-5. Cf. Bibl. 78-79, n° 5185.] Bd 6: August 1788 - Dezember 1792. Bd 7: Januar 1793 - Dezember 1798. Bearb. v. Wilhelm DOBBEK u. Günther ARNOLD. Weimar, Böhlau, 81-82, 2 vol. in-4, 366, 596 p.

** 4940. LEIBNIZ (Gottfried Wilhelm). Sämtliche Schriften und Briefe. Hrsg. v. d. Akad. d. Wiss. d. DDR. R. 6: Philosophische Schriften. Hrsg. v. d. Leibniz-Forschungsstelle d. Univ. Münster. [Bd 2. Cf. Bibl. 66, n° 5252.] Bd 3: 1672-1676. Berlin, Akad.-Verl., 82, in-4, XXXI-750 p.

** 4941. LOCKE (John). Correspondence. [Vol. 6. Cf. Bibl. 81, n° 4432.] Vol. 7: Letters 2665-3286. Ed. by E. S. De BEER. London, Oxford U. P., 82, in-8, 900 p.

** 4942. MALATESTA (Errico). Rivoluzione e lotta quotidiana. Scritti a cura di Gino CERRITO. Milano, Antistato, 82, in-8, 300 p. (Classici del Pens. anarchico, 4)

** 4943. MILL (John Stuart). Autobiography and literary essays. Ed. by John M. ROBSON a. Jack STILLINGER. Vol. 1. London, Routledge, 82, in-8, 820 p.

** 4944. POMEAU (René). Montesquieu et ses correspondants. Principes de l'édition. Une correspondance inédite: lettres datées, lettres sans date, table des lettres. R. Hist. litt. France, 82, a. 81, p. 179-262.

** 4945. ROUSSEAU (Jean-Jacques). Correspondance complète. Edition critique établie et annotée par Ralph A. LEIGH. [T. 34-36. Cf. Bibl. 80, n° 4478.] T. 37: Janvier 1769 - avril 1770. T. 38: Avril 1770 - déc. 1771. T. 40: Janv. 1775 - juillet 1778. Oxford, Voltaire Foundation, 80-82, 3 vol. in-8, XXIV-399, XXIV-389, XXIV-412 p. (pl.).

** 4946. VOSS (Jürgen). Die Straßburger "Société des Philanthropes" und ihre Mitglieder im Jahre 1777. R. Alsace, 82, n° 108, p. 65-80.

** 4947. WAISMANN (Friedrich). Lectures on the philosophy of mathematics. Ed. a. with and introd. by Wolfgang GRASSL. Amsterdam, Rodopi, 82, in-8, 170 p. (Studien z. österr. Philos., 4)

4948. ADAM (Michel). L'amitié selon Malebrache. R. Métaphysique Morale, 82, a. 87, p. 31-49.

4949. ANDRE (Sylvie). "L'arianité": paradis perdu de Gobineau. Romantisme, 82, n° 37, p. 65-80.

4950. ARABI (Oussama). Wittgenstein. Langage et ontologie. Paris, Vrin, 82, in-8, 192 p. (Biblioth. d'hist. de la philos.)

4951. ARNESON (Richard J.). Democracy and liberty in Mill's theory of government. J. Hist. Philos., 82, vol. 20, n° 1, p. 43-64.

4952. AUDENINO (Patrizia). Etica laica e rappresentazione del futuro nella cultura socialista dei primi del Novecento. Soc. e Stor., 82, a. 5, p. 877-919.

4953. AYER (Alfred Jules). Philosophy in the 20th century. London, Weidenfeld a. Niclson, 82, in-8, 283 p.

4954. BALL (Terence). Platonism and penology: James Mills's attempted synthesis. J. Hist. behavioral Sci., 82, vol. 18, n° 3, p. 222-229.

4955. BEAME (Edmond M.). The use and abuse of Machiavelli: the sixteenth-century French adaptation. J. Hist. Ideas, 82, vol. 43, n° 1, p. 33-54.

4956. Bernard Bolzano. Zur 200. Wiederkehr seines Geburtstages am 5. Okt. 1981; dem Wirken Eduard Winters gewidmet. Berlin, Akad.-Verl., 82, in-8, 32 p. (S.-B. d. Akad. d. Wiss. d. DDR; G; Jg. 1982, 6)

4957. BEYER (Charles-Jacques). Nature et valeur dans la philosophie de Montesquieu. Paris, Klincksieck, 82, in-8, 392 p. (Bibliothèque franç. et romane, sér. C: Etudes littéraires, 78)

4958. BRAJOVIČ (S. M.). Karl Kautskij - èvoljucija ego vozzrenij. (Karl Kautsky - evolution of his ideas.) Moskva, Nauka, 82, 230 p. (AN SSSR. In-t filosofii)

4959. BUNZL (Martin). Humean counterfactuals. J. Hist. Philos., 82, vol. 20, n° 2, p. 171-178.

4960. CHAI (Leon). Remarks on the development of theoretical structure in nineteenth-century thought. Hist. a. Theory, 82, vol. 21, n° 1, p. 75-82.

4961. CHEDIN (Olivier). Sur l'esthétique de Kant et la théorie critique de la représentation. Paris, Vrin, 82, in-8, 288 p. (2 pl.). (Biblioth. d'hist. de la philos.)

4962. CHISHOLM (Roderich Milton). Brentano and Meinong studies. Amsterdam, Rodopi, 82, in-8, 124 p. (Studien z. österr. Philos., 3)

4963. CLAUS (Philippe). Un centre de diffusion des Lumières à Strasbourg: la Librairie académique (1783-1799). R. Alsace, 82, n° 108, p. 81-103.

4964. CLAUSS (Sidonie). John Wilkins' essay toward a real character: its place in the seventeenth-century episteme. J. Hist. Ideas, 82, vol. 43, n° 4, p. 531-554.

4965. CONNIFF (James). Reason and history in early Whig thought: the case of Algernon Sidney. J. Hist. Ideas, 82, vol. 43, n° 3, p. 397-416.

4966. CORMAN (Louis). Nietzsche, psychologue des profondeurs. Paris, Presses univ. France, 82, in-8, 416 p. (2 pl.).

4967. DARNTON (Robert). L'aventure de l'Encyclopédie, un best-seller au siècle des Lumières. Paris, Perrin, 82, in-8, 440 p.

4968. D'AURIA (Elio). Opinione pubblica, gruppi di pressione e consenso nel pensiero liberale classico. Clio [Roma], 82, a. 18, p. 561-586.

4969. DE MATTEI (Rodolfo). Il pensiero politico italiano nell'età della Controriforma. I. Milano e Napoli, Ricciardi, 82, in-8, 255 p.

4970. DIAZ (Furio). Note sul dibattito politico-istituzionale nella prima metà del '700 in Francia. R. stor. ital., 82, a. 94, p. 609-634.

4971. DOERING (Bernard). Jacques Maritain and the Spanish civil war. R. Politics, 82, vol. 44, n° 4, p. 489-522.

4972. DOMERGUE (Lucienne). Censure et Lumières dans l'Espagne de Charles III. Paris, Ed. du C. N. R. S., 82, in-8, 228 p. (Amérique latine, pays ibériques)

4973. DONNELLAN (Brendan). Friedrich Nietzsche and Paul Rée: cooperation and conflit. J. Hist. Ideas, 82, vol. 43, n° 4, p. 595-612.

4974. ENGEMANN (Thomas S.). Hythloday's Utopia and More's England: an interpretation of Thomas More's Utopia. J. Politics, 82, vol. 44, n° 1, p. 131-151.

4975. FACTOR (Regis A.), TURNER (Stephen P.). Weber's influence in Weimar Germany. J. Hist. behavioral Sci., 82, vol. 18, n° 2, p. 147-156.

4976. FATICA (Michele). Il De subventione pauperum di J. L. Vives: suggestioni luterane o mutamenti di una mentalità collettiva? Soc. e Stor., 82, a. 5, p. 1-30.

4977. FAVRE (Pierre). L'absence de la sociologie politique dans les classifications durkheimiennes des sciences sociales. R. franç. Sci. pol., 82, vol. 32, p. 5-31.

4978. FORCE (James E.). The changing nature of Nietzsche's gods and the architect's conquest of gravity. J. Hist. Philos., 82, vol. 20, n° 2, p. 179-196.

4979. FORCE (James E.). Hume and Johnson on prophecy and miracles: historical context. J. Hist. Ideas, 82, vol. 43, n° 3, p. 463-476.

4980. FORSYTH (Murray). The place of Richard Cumberland in the history of natural law doctrine. J. Hist. Philos., 82, vol. 20, n° 1, p. 23-42.

4981. FOX (Christpher). Locke and the Scriblerians: the discussion of identity in early eighteenth century England. Eighteenth-Cent. Stud., 82, vol. 16, n° 1, p. 1-25.

4982. FRIEDMAN (Maurice). Martin Buber's life and work, the early years, 1878-1923. London, Search Press, 82, in-8, 400 p.

4983. GADŽIEV (K. S.). Èvoljucija osnovnykh tečenij amerikanskoj buržuaznoj ideologii. 50-70-e gody. (Evolution of the basic trends in American bourgeois ideology, 1950s-70s.) Moskva, Nauka, 82, 333 p. (AN SSSR. In-t mirovoj ekonomiki i meždunar. otnošenij)

4984. GAROSCI (Aldo). Balbo e Ticknor. R. stor. ital., 82, a. 94, p. 135-190.

4985. GERARD (Gilbert). Critique et dialectique. L'itinéraire de Hegel à Iéna, 1801-1805. Bruxelles, Facultés univ. Saint-Louis, 82, in-8, VIII-456 p. (Publ. des Fac. univ. Saint-Louis, 25)

4986. GOBEL (Gundula) et al. Audience et pragmatisme du rousseauisme. In: Objet et méthodes de l'hist. de la culture [Cf. n° 607], p. 97-121.

4987. GREIl (Arthur L.). Georges Sorel and the sociology of virtue. Washington, D. C., Univ. Press of America, 82, in-8, 262 p.

4988. GUNTER (Peter A. Y.). Bergson and Jung. J. Hist. Ideas, 82, vol. 43, n° 4, p. 635-652.

4989. HASS (Ludwik). Wolnomularstwo w Europie Środkowo-Wschodniej w XVIII i XIX wieku. (La franc-maçonnerie en Europe Centre-Orientale aux XVIIIe et XIXe s.) Wrocław, Zakł. Narod. im. Ossolińskich, 82, in-8, 572 p.

4990. Hegel et la religion. Publ. sous la dir. de Guy PLANTY-BONJOUR. Paris, Presses univ. France, 82, in-8, 211 p.

4991. Héritage (L') de Kant. Mélanges philosophiques offerts au P. Marcel Régnier. Paris, Beauchesne, 82, in-8, 512 p. (Biblioth. des Archives de Philos., 34)

4992. HINCHMAN (Lewis P.). Hegel's theory of crime and punishment. R. Politics, 82, vol. 44, n° 4, p. 523-545.

4993. HOBART (Michael E.). Science and religion in the thought of Nicolas Malebranche. Chapel Hill, Univ. of North Carolina Press, 82, in-8, X-195 p.

4994. Italiani (Gli) e Bentham. Dalla felicità pubblica all'economia del benessere. A cura di Riccardo FAUCCI. Milano, Angeli, 82, 2 vol. in-8. (Econ., Sez. 3, 12)

4995. JAECK (Hans-Peter). Marx' "Kreuznacher Exzerpte". Jb. f. Gesch., 82, Bd 25, p. 73-110.

4996. KIJASOV (S. E.). Sil'ven Marešal' posle poraženija "zagovora ravnykh" (1796 g.). (Sylvain Maréchal after the defeat of the "Conspiration des Egaux", 1796.) Nov. novejš. Ist., 82? n° 5, p. 73-87.

4997. KLOPFLEISCH (Reinhard). Freiheit und Herrschaft bei Claude-Henri de Saint-Simon: eine wissenschaftsgeschichtl. Studie über die Entwicklung d. sozialen Freiheitsbegriffs v. Rousseau über Saint-Simon zu Marx. Frankfurt (Main) u. Bern, Lang, 82, in-8, 436 p. (Europ. Hochschulschriften, Reihe 20: Philos., 81)

4998. KRACHT (Günter). Probleme der Kulturgeschichte in Hegels Philosophie und Gesellschaftsauffassung. Jb. f. Volkskde u. Kulturgesch., 82, 81 [82], N. F., Bd 9, p. 9-29.

4999. KRAMNICK (Isaac). Republican revisionism revisited. Am. hist. R., 82, vol. 87, n° 3, p. 629-664.

5000. KREMER-MARIETTI (Angèle). Entre le signe et l'histoire. L'anthropologie positiviste d'Auguste Comte. Paris, Klincksieck, 82, in-8, 264 p. (Coll. Philosophia)

5. PHILOSOPHIE ET CONCEPTION DU MONDE

5001. KROUSE (Richard W.). Two concepts of democratic representation: James and John Stuart Mill. J. Politics, 82, vol. 44, n° 2, p. 509-537.

5002. LACOMBE (Michèle). Theosophy and the Canadian idealist tradition: a preliminary exploration. J. canad. Stud., 82, vol. 17, n° 2, p. 100-118.

5003. LEDBETTER (Bill). Charles Sumner: political activist for the New England transcendentalists. Historian, 82, vol. 44, n° 3, p. 347-363.

5004. LEPENIES (Wolf). Linnaeus's Nemesis divina and the concept of divine retaliation. Isis, 82, vol. 73, n° 266, p. 11-27.

5005. LEY (Hermann). Geschichte der Aufklärung und des Atheismus. Bd [3, Halbbd 2. Cf. Bibl. 80, n° 4550.] 4, Halbbd 1. Berlin, Deutsch. Verl. d. Wiss., 82, in-8, 518 p.

5006. LOUGH (John). The philosophes and postrevolutionary France. Oxford, Clarendon Press, 82, in-8, 284 p.

5007. LUFT (Sandra Rudnick). A genetic interpretation of divine providence in Vico's New Sciene. J. Hist. Philos., 82, vol. 20, n° 2, p. 151-170.

5008. LYNES (John W.). Descartes' theory of elements: from Le Monde to the Principes. J. Hist. Ideas, 82, vol. 43, n° 1, p. 55-72.

5009. McGUINNESS (Brian). Wittgenstein and his times. Oxford, Blackwell, 82, in-8, 128 p.

5010. Machiavelli attuale. Machiavel actuel. A cura di Georges BARTHOUIL. [Atti del Congresso tenuto ad Avignone nel 1977.] Ravenna, Longo, 82, in-8, 214 p. (Speculum artium, 9)

5011. MARA (Gerald M.). Liberal politics and moral excellence in Spinoza's political philosophy. J. Hist. Philos., 82, vol. 20, n° 2, p. 129-150.

5012. MENDELSOHN (Richard L.). Frege's Begriffsschrift theory of identity. J. Hist. Philos., 82, vol. 20, n° 3, p. 279-300.

5013. MIGLIORATO (Giuseppe). Vicende e influssi culturali di Giacomo Castelvetro (1546-1616) in Danimarca. Critica stor., 82, a. 19, p. 243-296.

5014. MONSAINGEON (Guillaume). La Nouvelle Science vichienne. Mél. Ec. franç. Rome, Moyen Age, Temps mod., 82, t. 94, p. 819-846.

5015. MOSES (Claire G.). Saint-Simonian men/Saint-Simonian women: the transformation of feminist thought in 1830's France. J. mod. Hist., 82, vol. 54, n° 2, p. 240-267.

5016. N. G. Černyševskij v vospominanijakh sovremennikov. (N. G. Chernyshevski in memoirs of contemporaries.) Pod obšč. red. V. E. VACURO. Moskva, Khudoz. lit., 82, 591 p. (ill.). (Serija lit. memuarov)

5017. Phénoménologie hégélienne et husserlienne. Les classes sociales selon Marx. Sous la resp. de G. PLANTY-BONJOUR. Paris, Ed. du C. N. R. S., 82, in-4, 136 p.

5018. PHILONENKO (Alexis). Etudes kantiennes. Paris, Vrin, 82, in-8, 216 p. (Biblioth. d'hist. de la philos.)

5019. Problems of Cartesianism. Kingston, McGill-Queen's Univ. Press, 82, in-8, 253 p. (McGill-Queen's Stud. in the hist. of Ideas, 1)

5020. PUŠKAREV (L. N.). Obščestvenno-političeskaja mysl' Rossii. Vtoraja polovina XVII veka. Očerki istorii. (Socio-political thought in Russia, second half of the 17th century. Historical essays.) Moskva, Nauka, 82, 288 p. (AN SSSR. In-t istorii SSSR)

5021. QUOY-BODIN (Jean-Luc). Ethique de la guerre et mystique de la paix dans les loges militaires (XVIIIe-XXe siècles). R. hist., 82, a. 106, t. 268, p. 167-183.

5022. Rationality and science. A memorial volume for Moritz Schlick in celebration of the centennial of his birth. Ed. by Eugene T. GADOL. Wien u. New York, Springer, 82, in-8, VI-228 p. (portr.).

5023. Référence (La) hobbienne du XVIIe siècle à nos jours. Colloque de Strasbourg, 13-15 oct. 1981. Genève, Droz, 82, in-8, 430 p. (Cah. Vifredo Pareto, t. 20, n° 61)

5024. REICHARDT (Rolf). Zur Geschichte politisch-sozialer Begriffe in Frankreich zwischen Absolutismus und Restauration. Z. f. Lit.-wiss. u. Linguistik, 82, Jg. 12, p. 49-74.

5025. Religion und Zeitgeist im 19. Jahrhundert. Hrsg. v. Julius H. SCHOEPS. Mit Beitr. v. F. W. KANTZENBACH [u. a.]. Stuttgart u. Bonn, Burg-Verl., 82, in-8, 190 p. (Stud. z. Geistesgesch., 1)

5026. Religion und Zeitgeist im 20. Jahrhundert. Hrsg. v. E. Horst SCHALLENBERGER. Mit Beitr. v. Hugo STAUDINGER [u. a.]. Stuttgart u. Bonn, Burg-Verl., 82, in-8, 246 p. (14 Ill.). (Stud. z. Geistesgesch., 2)

5027. RIZVI (S. N. A.). The sociology of the literature of politics: Edmund Burke. Vol. 1, 2. Salzburg, Inst. f. Anglistik u. Amerikanistik, Univ. Salzburg, 82, in-8, V-432 p. (Romantic reassessment, 107) (Salzburg Stud. in Eng. Literature)

5028. ROSICKA (Janina). Własność - kategoria moralna czy ekonomiczna? Mably przeciw fizjokratom. (La propriété - catégorie morale ou économique? Mably contre les physiocrates.) Kwart. Hist. Nauki Techn., 82, a. 27, n° 3-4, p. 657-671.

5029. ROTHER (Wolfgang). Zur Geschichte der Basler Universitätsphilosophie im 17. Jahrhundert. Hist. of Univ., 82, vol. 2, p. 153-191.

5030. Rousseau after hundred years. Proceedings of the Cambridge Bicentennial Colloquium. Ed. by R. A. LEIGH. Cambridge, Cambridge U. P., 82, in-8, XVI-299 p.

5031. RUBANOWICE (Robert J.). Crisis in consciousness: the thought of Ernst Troeltsch. Foreword by James Luther ADAMS. Tallahassee, U. P. of Florida, 82, in-8, XXIII-177 p.

5032. SAKELLARIADIS (Spyros). Descartes's use of empirical data to test hypotheses. Isis, 82, vol. 73, n° 266, p. 68-76.

5033. SARASOHN (L. T.). The ethical and political philosophy of Pierre Gassendi. J. Hist. Philos., 82, vol. 20, n° 3, p. 239-260.

5034. SATRIS (Stephen A.). The theory of value and the rise of ethical emotivism. J. Hist. Ideas, 82, vol. 43, n° 1, p. 109-128.

5035. SAUER (Werner). Österreichische Philosophie zwischen Aufklärung und Romantismus. Beiträge z. Gesch. d. Frühkantianismus in d. Donaumonarchie. Würzburg, Köningshausen u. Neumann; Amsterdam, Rodopi, 82, in-8, 395 p. (Stud. z. österr. Philos., 2)

5036. SCHMAUS (Warren). A reappraisal of Comte's three-state law. Hist. a. Theory, 82, vol. 21, n° 2, p. 248-266.

5037. SEDLAR (Jean W.). India in the mind of Germany: Schelling, Schopenhauer, and their times. Washington, D. C., U. P. of America, 82, in-8, IX-259 p.

5038. SHAPIRO (Gary). Nietzsche contra Renan. Hist. a. Theory, 82, vol. 21, n° 2, p. 193-222.

5039. SHINER (Larry). Reading Foucault: anti-method and the genealogy of power-knowledge. Hist. a. Theory, 82, vol. 21, n° 3, p. 382-398.

5040. SILBER (Gordon R.). In search of Helvetius' early career as a freemason. Eighteenth-Cent. Stud., 82, vol. 15, n° 4, p. 421-441.

5041. STACK (George J.). Nietzsche's influence on pragmatic humanism. J. Hist. Philos., 82, vol. 20, n° 4, p. 369-406.

5042. STADLER (Friedrich). Vom Positivismus zur "wissenschaftlichen Weltauffassung". Am Beispiel d. Wirkungsgesch. v. Ernst Mach in Österreich v. 1895 bis 1934. Wien u. München, Löcker, 82, in-8, 349 p. (Veröff. d. Ludwig-Boltzmann-Inst. f. Gesch. d. Gesellschaftswiss., 8/9)

5043. STEINBERG (Michael). The twelve tables and their origin: an eighteenth-century debate. J. Hist. Ideas, 82, vol. 43, n° 3, p. 379-396.

5044. STEWART (Robert M.). John Clarke and Francis Hutcheson on self-love and moral motivation. J. Hist. Philos., 82, vol. 20, n° 3, p. 261-278.

5045. SULLIVAN (Robert R.), DiMAIO (Alfred J.). Jacques Ellul: toward understanding his political thinking. J. Church a. State, 82, vol. 24, n° 1, p. 13-28.

5046. SUSILUOTO (Ilmari). The origins and development of systems thinking in the Soviet Union: political a. philosophical controversies from Bogdanov a. Bukharin to present-day re-evaluations. Helsinki, Suomalainen Tiede Akatemia, 82, in-8, 211 p. (A. Acad. Sci. Fennicae, Dissertationes humanarum litterarum, 30)

5047. SZIKLAI (László). A történelem szelleme. Adalékok Lukács György politikai filozófiájához. (Le génie de l'histoire. Contributions à la philosophie politique de György Lukács.) Világosság, 82, vol. 23, n° 10, p. 599-606.

5048. TALMUD (É. D.). Obščestvenno-politič̌eskaja mysl' Šri Lanka v novoe vremja. (Socio-political thought in Sri Lanka in modern times.) Moskva, Nauka, 82, 231 p. (AN SSSR. In-t vostokovedenija)

5049. THEIS (Robert). Le silence de Kant. Etude sur l'évolution de la pensée kantienne entre 1770 et 1781. R. Métaphysique Morale, 82, n° 2, p. 209-239.

5050. TOURNADRE (Géraud). L'orientation de la science cartésienne. Paris, Vrin, 82, in-8, 320 p. (Biblioth. d'hist. de la philos.)

5051. Tournant (Au) des Lumières: 1780-1820. XVIIIe Siècle, 82, n° 14 [spécial], p. 5-218.

5052. Utopieforschung. Interdisziplinäre Studien zur neuzeitl. Utopie. Bd 1-3. Hrsg. v. Wilhelm VOSSKAMP. Stuttgart, Metzler, 82, 3 vol. in-8, VI-430, V-386, V-470 p.

5053. VOGT (W. Paul). Identifying scholarly and intellectual communities: a note on French philosophy, 1900-1939. Hist. a. Theory, 82, vol. 21, n° 2, p. 267-278.

5054. Voltaire et Rousseau en France et en Pologne. Actes du Colloque organisé par l'Institut de Romanistique, l'Institut de Polonistique et le Centre de Civilisation Française de l'Université de Varsovie avec le concours de l'Université de Wrocław et de l'Institut de Recherches Littéraires de l'Académie Polonaise des Sciences(Nieborów, 3-6 oct. 1978). Réd.: Ewa RZADKOWSKA, Elżbieta PRZYBYLSKA. Varsovie, Ed. de l'Univ., 82, in-8, 310 p. (Les Cahiers de Varsovie. Publ. du centre de Civilisation franç. de l'Univ. de Varsovie, 10)

5055. WAGAR (W. Warren). Terminal visions: the literature of last things. Bloomington, Indiana U. P., 82, in-8, XIII-241 p.

5056. WHITE (Thomas I.). Pride and the public good: Thomas More's use of Plato in Utopia. J. Hist. Philos., 82, vol. 20, n° 4, p. 329-354.

5057. WINDSTRUP (George). Freedom and authority: the ancient faith of Locke's Letter on Toleration. R. Politics, 82, vol. 44, n° 2, p. 242-265.

5058. WOLLGAST (Siegfried). Zur Philosophie in Deutschland von der Reformation bis zur Aufklärung. Berlin, Akad.-Verl., 82, in-8, 59 p. (S.-B. d. Sächs. Akad. d. Wiss. zu Leipzig, Philol.-hist. Kl., Bd 122, 6)

5059. WOOD (Douglas Kellogg). Men against time: Nicolas Berdyaev, T. S. Eliot, Aldous Huxley, and C. G. Jung. Lawrence, U. P. of Kansas, 82, in-8, X-245 p.

5060. YOUNG-BRUEHL (Elisabeth). Hannah Arendt: for love of the world. New Haven, Conn., Yale U. P., 82, in-8, XXV-563 p.

Cf. n°s 413, 4807.

§ 6. Sciences exactes, technique, sciences naturelles, médecine.

* 5061. Biologie-Dokumentation. Bibliographie der deutschen biolog. Zeitschriftenliteratur 1796-1965. Hrsg. v. Martin SCHELLE, Gerhard NATALIS. [Bd 1-16. Cf. Bibl. 81, n° 4553.] Bd 17: Sha-Thi. Bd 18: Thi-Weh. Bd 19: Weh-Zym. München, New York, London u. Paris, 82, 3 vol. in-4.

* 5062. BIRD (D. T.). Catalogue of 16th century medical books in Edinburgh libraries. Edinburgh, Roy. College of Physicians, 82, in-4, XXXII-298 p. (ill.).

* 5063. Czechoslovak history of science. Selected bibliography 1970-1980. Authors: Hana BARVÍKOVÁ, Mária HROCHOVÁ. Praha, Ústav československých a světových dějin ČSAV, 81, in-8, XXXVII-214 p. (Acta hist. rer. nat., spec. issue, 15)

* 5064. KONOPKA (Stanisław). Polska bibliografia lekarska dziewietnastego wieku (1801-1900). (Bibliographie médicale polonaise du XIXe siècle, 1801-1900.) T. 11: Talko-Warschauer. Warszawa, Państw. Zakł. Wydawn. Lek., 82, in-8, 455 p. [Cf. Bibl. 80, n° 4607]

** 5065. BOOLE (George), DE MORGAN (Augustus). Correspondence, 1842-1864. Ed. by G. C. SMITH. London, Oxford U. P., 82, in-8, 156 p.

** 5066. CALDANI (Leopoldo Marcantonio), SPALLANZANI (Lazzaro). Carteggio, 1768-1798. A cura di Giuseppe ONGARO. Milano, Cisalpino-La goliardica, 82, in-8, 419 p. (ritr.). (Fonti e Stud. per la Stor. dell'Univ. di Pavia, 4)

** 5067. HUMBOLDT (Alexander). Briefwechsel zwischen Alexander von Humboldt und Peter Gustav Lejeune Dirichlet. Hrsg. v. Kurt-R. BIERMANN. Berlin, Akad.-Verl., 82, in-8, 174 p. (Abb.). (Beitr. z. Alexander-von-Humboldt-Forschung, 7)

** 5068. Prameny k dějinám přírodních věd a techniky. (Quellen z. Gesch. d. Naturwissenschaften u. Technik.) Vol. 1, 2. Edit. Oldřich SLÁDEK, Pavel RAFAJ, Jiří BERAN u. a. Praha, Ústav československých a světových dějin ČSAV, 76-78, 2 vol. in-8, 223, 109 p. (Práce z dějin přírodních věd, 8, 9)

** 5069. THROWER (Norman J. W.). Three voyages of Edmond Halley in the "Paramore", 1698-1701. London, Hakluyt Soc., 82, 2 vol. in-8, 392 p. (with portfolio of maps).

5070. ALBISETTI (James C.). The fight for female physicians in imperial Germany. Central european Hist., 82, vol. 15, n° 2, p. 99-123.

5071. BERKELEY (Edmund), BERKELEY (Dorothy Smith). The life and travels of John Bartram: from Lake Ontario to the River St. John. Tallahassee, U. P. of Florida, 82, in-8, XV-376 p.

5072. BEYERCHEN (Alan). German scientists and research institutions in allied occupation policy. Hist. Educ. Quar., 82, vol. 22, n° 3, p. 289-300.

5073. BLANCO (Richard L.). Military medicine in northern New York, 1776-1777. New York Hist., 82, vol. 63, n° 1, p. 39-58.

5074. BLASIUS (Dirk). Psychiatrische Versorgung in Preußen, 1880-1910. Sudhoffs Arch., 82, Bd 66, p. 105-128.

5075. BLISS (Michael). The discovery of insulin. Chicago, Univ. of Chicago Press; Toronto, McClelland a. Stewart, 82, in-8, 304 p. - CR: M. Vipond, Canad. hist. R., 83, vol. 64, p. 218-219.

5076. BOISSONNADE (Euloge). Conrad Killian, explorateur souverain. Paris, France-Empire, 83, in-8, 325 p. (16 p. de pl., cartes).

5077. BOLLENOT (Gilles). Les fous à Lyon au XIXe siècle: enfermement et thérapeutique. Cah. Hist., 81, t. 26, p. 231-258.

5078. BRAUN (Hans-Joachim). Nachlässe von Ingenieuren als technikgeschichtliche Quelle. Technikgesch., 82, Bd 49, p. 306-317.

5079. BUCKLEY (Kerry W.). The selling of a psychologist: John Broadus Watson and the application of behavioral techniques to advertising. J. Hist. behavioral Sci., 82, vol. 18, n° 3, p. 207-221.

5080. BURG (R. R.). The sick and the dead: the development of psychological theory on necrophilia from Krafft-Ebing to the present. J. Hist. behavioral Sci., 82, vol. 18, n° 3, p. 242-254.

5081. CAPDEVIELLE (Pierre). La médecine navale, son historique, ses écoles, quelques grands hommes artisans de sa renommée. Bordeaux, Univ. de Bordeaux II, 82, in-8, 104 p.

5082. Century (A) of Canada's Arctic islands, 1880-1980 = Un siècle des îles arctiques du Canada, 1880-1980. Morris ZASLOW, editor. Ottawa, Roy. Soc. of Canada = Soc. roy. du Canada, 81, in-8, 358 p. - CR: G. Dacks, Canad. hist. R., 83, vol. 64, p. 243-244.

5083. CHANNELL (David F.). The harmony of theory and practice: the engineering science of W. J. M. Rankine. Technol. a. Cult., 82, vol. 23; n° 1, p. 39-52.

5084. CHAUBON (Jean-Pierre). Découvertes scientifiques et pensée politique au XIXe siècle. Paris, Presses univ. France, 81, in-8, 95 p.

5085. CHRISTIE (John R. R.), GOLINSKI (Jan V.). The spreading of the word: new directions in the historiography of chemistry 1600-1800. Hist. Sci., 82, vol. 20, p. 235-266.

5086. CIPOLLA (Carlo M.), DORIA (Giorgio). Tifo esantematico e politica sanitaria a Genova nel Seicento. At. Soc. ligure Stor. pa., 82, n. s., vol. 22, p. 163-193.

5087. CLERO (Jean-Pierre), LE REST (Evelyne). La naissance du calcul infinitésimal au XVIIe siècle. Paris, Centre de Doc. Sci. humaines - Soc. franç. d'Hist. des Sci. et Techniques, 81, in-8, 194 p. (ill.).

5088. COHEN (Patricia Cline). A calculating people: the spread of numeracy in early America. Chicago, Univ. of Chicago Press, 82, in-8, X-271 p.

5089. COHEN (Seymour S.). Two refugee chemists in the United States, 1794: how we see them. Proc. am. philos. Soc., 82, vol. 126, n° 4, p. 301-315.

5090. COLEMAN (William). Death is a social disease: public health and political economy in early industrial France. Madison, Univ. of Wisconsin Press, 82, in-8, XXI-322 p. (Wisconsin Pub. in the Hist. of Sci. a. Medicine, 1)

5091. COSMA-MULLER (Pascale). Entre science et commerce: les eaux minérales en France à la fin de l'Ancien Régime. Hist. Reflections, 82, vol. 9, p. 249-262.

5092. DANNENFELDT (Karl H.). Ambergris: the search for its origin. Isis, 82, vol. 73, n° 268, p. 382-397.

5093. DARMON (Pierre). L'odyssée pionnière des premiers vaccinateurs français au XIXe siècle. Hist., Econ., Soc., 82, n° 1, p. 105-144.

5094. DEMIDOV (Serghei S.). Création et développement de la théorie des équations différentielles aux dérivées partielles dans les travaux de J. d'Alembert. R. Hist. Sci., 82, t. 35, p. 3-42.

5095. Deutsch-niederländische Beziehungen in der Medizin des 17. Jahrhunderts. Vorträge d. Deutsch-Niederländ. Medizinhistorikertreffens 1981. Hrsg. v. M. J. VAN LIEBURG u. R. TOELLNER. Amsterdam, Rodopi, 82, in-8, 108 p. (Ill.). (Nieuwe Nederlandse bijdr. tot de gesch. d. geneeskunde en d. naturwetenschappen, 7) (Münstersche Beitr. z. Gesch. u. Theorie d. Medizin, 17)

5096. DIAMOND (Sigmund). Sigmund Freud, his jewishness, and scientific method: the seen and the unseen as evidence. J. Hist. Ideas, 82, vol. 43, n° 4, p. 613-634.

5097. DOBBS (B. J. T.). Newton's alchemy and his theory of matter. Isis, 82, vol. 73, n° 269, p. 511-528.

5098. DOLDI (Sandro). Scoperte e invenzioni nell'era moderna. Genova, SAGEP, 82, in-8, 362 p. (fig.).

5099. DOWLING (Harry F.). City hospitals: the undercare of the underprivileged. Cambridge, Mass., Harvard U. P., 82, in-8, VII-245 p.

5100. DRACHMAN (Virginia G.). Female solidarity and professional success: the dilemma of women doctors in late nineteenth-century America. J. soc. Hist., 82, vol. 15, n° 4, p. 607-620.

5101. EASTWOOD (Bruce S.). Kepler as historian of science: precursors of Copernican heliocentrism according to De Revolutionibus, I, 10. Proc. am. philos. Soc., 82, vol. 126, n° 5, p. 367-394.

5102. ECCLES (Audrey). Obstetrics and gynaecology in Tudor and Stuart England. Kent, Ohio Kent State U. P.; London, Croom Helm, 82, in-8, 145 p.

5103. ELLENBERGER (François), GOHAU (Gabriel). A l'aurore de la stratigraphie paléontologique: Jean-André De Luc, son influence sur Cuvier. R. Hist. Sci., 81, t. 34, p. 217-257.

5104. ENGLAND (J. Merton). A patron for pure science: the National Science Foundation's formative years, 1945-1957. Washington, D. C., National Science Foundation, 82, in-8, X-443 p.

5105. Epistemological and social problems of the sciences in the early 19th century. Dordrecht, Reidel, 81, in-8, XLII-430 p.

5106. ERIKSSON (Gunnar). Vetenskapens makt och vanmakt: en historisk betraktelse. (Science: its power and its lack of power.) Lychnos, 81-82, vol. 47-48, p. 196-202.

5107. Follia, psichiatria e società. Istituzioni manicomiali, scienza psichiatrica e classi sociali nell'Italia moderna e contemporanea. A cura di Albert DE BERNARDI. [Atti del Convegno tenuto a Milano nel 1980.] Milano, Angeli, 82, in-8, 462 p. (fig.). (Stor., 13)

5108. FOLTA (Jaroslav). Česká geometrická škola. Historická analýza. (The Czech geometric school. Historical analysis.) Praha, Academia, 82, in-8, 92 p. (3 fig.). (Studie ČSAV 1982, 9)

5109. FOSSARD (Jacques). Histoire polymorphe de l'internat en médecine et chirurgie des hôpitaux et hospices civils de Paris [1802-1931]. Grenoble, Ed. du Cercle des Professeurs bibliophiles de France, 81, 2 vol. in-8, 156, 169 p. (ill.).

5110. FRIEDMAN (Robert Marc). Constituting the polar front, 1919-1920. Isis, 82, vol. 73, n° 268, p. 343-362.

5111. FÜSTI MOLNÁR (Sándor). Egészségünk múltja. A hazai egészségkultúra alakulása a XVI-XVIII. században. (Le passé de notre santé. La formation de la culture sanitaire aux XVIe-XVIIIe siècles.) Budapest, Medicina, 81, in-8, 224 p. (Az egészségnevelés szakkönyvtára, 11)

5112. FULLER (Robert C.). Mesmerism and the American cure of souls. Philadelphia, Univ. of Pennsylvania Press, 82, in-8, XVI-227 p.

5113. GARDIES (Jean-Louis). L'interprétation d'Euclide chez Pascal et Arnauld. Et. philos., 81, a. 106, p. 425-440.

5114. GÉCZY (Barnabás). Lamarck és Darwin. (Lamarck et Darwin.) Budapest, Magvető, 82, in-8, 170 p. (Gyorsuló idő)

5115. GELIS (Jacques). Miracle et médecine aux siècles classiques: le corps médical et le retour temporaire à la vie des mort-nés. Hist. Reflexions, 82, vol. 9, p. 85-101.

5116. GIERYN (Thomas F.). Durkheim's sociology of scientific knowledge. J. Hist. behavioral Sci., 82, vol. 18, n° 2, p. 107-129.

5117. GOODING (David). Empiricism in practice: teleology, economy, and observation in Faraday's physics. Isis, 82, vol. 73, n° 255, p. 46-67.

5118. GOUBERT (Jean-Pierre), LEPETIT (Bernard). Les niveaux de médicalisation des villes françaises à la fin de l'Ancien Régime. Hist. Reflections, 82, vol. 9, p. 45-67.

5119. GREENE (Mott T.). Geology in the nineteenth century: changing views of a changing world. Ithaca, N. Y., Cornell U. P., 82, in-8, 324 p. (Cornell Hist. of Science Ser.)

5120. GREY-TURNER (Elston), SUTHERLAND (F.). History of the British Medical Association. London, The Assoc., 82, 2 vol. in-8, 342, 375 p.

5121. HALLEUX (Robert). La littérature géologique française de 1500 à 1650 dans son contexte européen. R. Hist. Sci., 82, t. 35, p. 111-130.

5122. HILTS (Victor L.). Obeying the laws of hereditary descent: phrenological views on inheritance and eugenics. J. Hist. behavioral Sci., 82, vol. 18, n° 1, p. 62-77.

5123. Historical Manuscripts Commission, London. Manuscript papers of British scientists, 1600-1940. London, H. M. Stationery Office, 82, in-8, 124 p.

5124. HOFFMAN (Louise E.). From instinct to identity: implications of changing psychoanalytic concepts of social life from Freud to Erikson. J. Hist. behavioral Sci., 82, vol. 18, n° 2, p. 130-146.

5125. HOFFMANN (Paul). Modèle mécaniste et modèle animiste. De quelques aspects de la représentation du vivant chez Descartes, Borelli et Stahl. R. Sci. humaines, 82, n° 186-187, p. 199-211.

5126. HOLTON (Gerald), EKLANA (Yehuda) a. others. Albert Einstein: historical and cultural perspectives. Princeton, N. J., Princeton U. P., 82, in-8, XXXII-439 p.

5127. HOMET (Jean-Marie). Astronomie et astronomes en Provence, 1680-1730. Aix-en-Provence, Edisud, 82, in-8, 298 p.

5128. HUTCHINSON (Keith). What happened to occult qualities in the scientific revolution? Isis, 82, vol. 73, n° 267, p. 233-253.

5129. Huygens et la France. Table ronde du C. N. R. S., Paris, 27-29 mars 1979. Avant-propos de René TATON. Paris, Vrin, 82, in-8, IX-268 p. (ill.). (L'hist. des sciences. Textes et études)

5130. JANKO (Jan). Vznik experimentální biologie v Čechách (1882-1918). (The origins of experimental biology in Bohemia.) Praha, Academia, 82, in-8, 132 p. (Studie ČSAV 1982, 8)

5131. JONES (Howard). Pierre Gassendi, 1592-1655: an intellectual biography. Nieuwkoop, de Graaf, 81, in-8, 320 p.

5132. KAPLAN (Barbara). Greatrakes the stroker: the interpretations of his contemporaries. Isis, 82, vol. 73, n° 267, p. 178-185. [Valentine Greatrakes: 17th cent. healer]

5133. KARGON (Robert H.). The rise of Robert Millikan: portrait of a life in American science. Ithaca, N. Y., Cornell U. P., 82, in-8, 205 p.

5134. KATAFIASZ (Tomasz). Zagadnienie badań nad polskimi osiągnięciami w dziedzinie techniki rakietowej w XIX a. (Recherches sur les réalisations polonaises dans le domaine de la technique des fusées militaires au XIXe s.) Kwart. Hist. Nauki Techn., 82, a. 27, n° 2, p. 379-395.

5135. KEEL (Othmar). Les conditions de la décomposition "analytique" de l'organisme: Haller, Hunter, Bichat. Et. philos., 82, p. 37-62.

5136. KING (Lester S.). Medical thinking: a historical preface. Princeton, N. J., Princeton U. P., 82, in-8, VII-336 p.

5137. KRANAKIS (Eda Fowlks). The French connection: [Henri] Giffard's injector and the nature of heat. Technol. a. Cult., 82, vol. 23, n° 1, p. 3-38.

5138. KUZNECOV (B. G.). N'juton. (Newton.) Moskva, Mysl', 82, 175 p. (Mysliteli prošlogo)

5139. KUŹNICKA (Barbara). Kierunki rozwoju farmacji w Polsce epoki Oświecenia. (Les tendances du développement de la pharmacie en Pologne à l'époque des Lumières.) Wrocław, Zakł. Narod. im Ossolińskich, 82, in-8, 172 p. (Pol. Akad. Nauk., Inst. Hist. Nauki, Oświaty i Techn.)

5140. LAGET (Mireille). Naissances: l'accouchement avant l'âge de la clinique. Préf. de Philippe ARIES. Paris, Ed. du Seuil, 82, in-8, 349 p.

5141. Lamarck et son temps. Lamarck et notre temps. Colloque internat. dans le cadre du Centre d'études et de recherches interdisciplinaires de Chantilly. Paris, Vrin, 82, in-8, 252 p. (L'hist. des sciences)

5142. LEAVITT (Judith Walzer). The healtiest city: Milwaukee and the politics of health reform. Princeton, N. J., Princeton U. P., 82, in-8, XVII-294 p.

5143. LEDERMANN (François). La psychiatrie française et les médicaments: Pomme, Pinel, Esquirol, Morel. R. Hist. Pharmacie, 82, a. 70, t. 29, n° 254, p. 189-206.

5144. LOOMES (Brian). Early clockmakers of Great Britain. London, N. A. G. Press, 82, in-8, 624 p. (ill.).

5145. McDOUGALL (Walter A.). Technocracy and statescraft in the space age - toward the history of a saltation. Am. hist. R., 82, vol. 87, n° 4, p. 1010-1040.

5146. MARK (Joan). Francis La Flesche: the American Indian as anthropologist. Isis, 82, vol. 73, n° 269, p. 497-510.

5147. Matière et lumière au XVIIe siècle. Actes d'une Journée de communications et d'échanges, Paris, 28 mars 1981. XVIIe Siècle, 82, a. 34, n° 136, p. 247-339.

5148. MILLER (Robert Ryal). James Orton: a Yankee naturalist in South America, 1867-1877. Proc. am. philos. Soc., 82, vol. 126, n° 1, p. 11-25.

5149. MILLS (Eugene S.) a. others. A symposium on Robert I. Watson and the development of the history of psychology. J. Hist. behavioral Sci., 82, vol. 18, n° 4, p. 307-331.

5150. MITCHINSON (Wendy). Gynecological operations on insane women: London, Ontario, 1895-1901. J. soc. Hist., 82, vol. 15, n° 3, p. 467-484.

5151. MOČALOV (I. I.). Vladimir Ivanovič Vernadskij. 1863-1945. (Vladimir Ivanovich Vernadsky, 1863-1945.) Moskva, Nauka, 82, 488 p. (ill.). (Nauč.-biogr. serija. AN SSSR)

5152. MURRAY (Stephen O.). The dissolution of "classical ethnoscience". J. Hist. behavioral Sci., 82, vol. 18, n° 2, p. 163-175.

5153. NONCLERCQ (Marie). Antoine Béchamp, 1816-1908, l'homme et le savant, originalité et fécondité de son oeuvre. Paris, Maloine, 82, in-8, 249 p. (ill.).

5154. NOWAK (Tadeusz Marian). Stan badań nad historia techniki w Polsce. (Etat des recherches sur l'histoire de la technique en Pologne.) Kwart. Hist. Nauki Techn., 82, a. 27, n° 1, p. 91-106.

5155. NUMBERS (Ronald L.), NUMBERS (Janet S.). Science in the old South: a reappraisal. J. south. Hist., 82, vol. 48, n° 2, p. 163-184.

5156. Očerki po istorii razvitija jadernoj fiziki v SSSR (K 50-letiju rasščeplenija atomnogo jadra). (Essays on the history of nuclear physics in the USSR.) Redkol.: E. V. INOPIN (otv. red.) i dr. Kiev, Nauk. dumka, 82, 332 p. (ill.). (AN SSSR. Khar'k. fiz.-tekhn. in-t)

5157. OPPENHEIMER (Jane M.). Ernst Heinrich Haeckel as an intermediary in the transmutation of an idea. Proc. am. philos. Soc., 82, vol. 126, n° 5, p. 347-355.

5158. OSTROWSKA (Teresa). Przedstawiciele nauk medycznych i ich działalność naukowa w Towarzystwie Warszawskim Przyjaciół Nauk (1800-1832). (Les représentants des sciences médicales et leur activité scientifique dans la Société des Amis des Sciences de Varsovie, 1800-1832.) Wrocław, Zakł. Narod. im. Ossolińskich, 82, in-8, 229 p. (Pol. Akad. Nauk, Inst. Hist. Nauki, Oświaty i Techn. Monografie z Dzijów Nauki i Techn., 127)

5159. OVER (Ray). The durability of scientific reputation. J. Hist. behavioral Sci., 82, vol. 18, n° 1, p. 53-61.

5160. PAGEL (Walter). John Baptista Van Helmont, reformer of science and medicine. London, Cambridge U. P., 82, in-8, 219 p. (Monogr. on the Hist. of Med.)

5161. PAIS (Abraham). Subtle is the Lord: the science and life of Albert Einstein. London, Oxford U. P., 82, in-8, 568 p. (ill.).

5162. 50 [Pjat'desjat] let sovremennoj jadernoj fizike. (50 years of modern nuclear physics.) Sbornik statej. Redkol.: B. M. KEDROV (otv. red.) i dr. Moskva, Ènergoatomizdat, 82, 256 p. (ill.).

5163. POGGENDORFF (Johann Christian). Biographisch-literarisches Handwörterbuch der exakten Naturwissenschaften. Hrsg. v. d. Sächs. Akad. d. Wiss. zu Leipzig. Bd 7 b. Leitung d. Red.: Lebrecht WEICHSEL. T. 6, [Lfg. 2. Cf. Bibl. 78-79, n° 5363.] Lfg. 3-5: Othmer, Donald Frederick (Forts.) - Qvist, Walter Gunnar Theodor [Schluß v. T. 6]. T. 7, Lfg. 1-2: Van Raalte, Albert - Routala, Frans Oskari (Anfang). Berlin, Akad.-Verl., 79-82, in-8, p. 3793-4520.

5164. POIS (Robert). Emil Nolde. Washington, D. C., Univ. Press of America, 82, in-8, XXX-263 p.

5165. PORTER (Roy). The natural sciences tripos and the "Cambridge school of geology", 1850-1914. Hist. of Univ., 82, vol. 2, p. 193-216.

5166. QUINN (Kevin F.). Banting and his biographers: maker of miracles, makers of myth. Queen's Quar., 82, vol. 89, p. 243-259.

5167. QUIST (G.). John Hunter, 1728-1793. London, Heinemann Medical, 82, in-8, 232 p.

5168. RAMSEY (Matthew). Traditional medicine and medical Englightenment: the regulation of secret remedies in the Ancien Regime. Hist. Reflections, 82, vol. 9, p. 215-232.

5169. RODIONOV (V. M.). Russkaja tekhnika pervoj poloviny XIX veka. (Russian technology of the first half of the 19th cent.) Vopr. Ist., 82, n° 7, p. 89-102.

5170. ROSNER (David). A once charitable enterprise: hospitals and health care in Brooklyn and New York, 1885-1915. London a. New York, Cambridge U. P., 82, in-8, 234 p. (dr., tab.).

5171. ROSSITER (Margaret W.). Women scientists in America: struggles and strategies to 1940. Baltimore, Md., Johns Hopkins U. P., 82, in-8, XVIII-439 p.

5172. RUDWICK (Martin J. S.). Charles Darwin in London: the integration of public and private science. Isis, 82, vol. 73, n° 267, p. 186-206.

5173. RYAN (T. A.). Psychology at Cornell after Titchener: Madison Bentley to Robert MacLeod, 1928-1948. J. Hist. behavioral Sci., 82, vol. 18, n° 4, p. 347-369.

5174. SAUNDERS (Paul). Edward Jenner: the Cheltenham years, 1795-1823; being a chronicle of the vaccination campaign. Preface by William LE FANU. Hanover, N. H., U. P. of New England, 82, in-8, XVII-469 p.

5175. SAVITT (Todd L.). The use of blacks for medical experimentation and demonstration in the old South. J. south. Hist., 82, vol. 48, n° 3, p. 331-348.

5176. SCHAUWECKER (Detlef). Aspekte der Medizingeschichte Japans im 16.-19. Jahrhundert und der Deutschlandaufenthalt des japanischen Schriftstellers und Mediziners Ōgai Mori in den Jahren 1884-1888. Sudhoffs Arch., 82, Bd 66, p. 350-389.

5177. SCHNEIDER (William). Toward the improvement of the human race: the history of eugenics in France. J. mod. Hist., 82, vol. 54, n° 2, p. 268-291.

5178. SERVOS (John). A disciplinary program that failed: Wilder D. Bancroft and the Journal of Physical Chemistry, 1896-1933. Isis, 82, vol. 73, n° 267, p. 207-232.

5179. SHORTT (S. E. D.). Banting, insulin and the question of simultaneous discovery. Quenn's Quar., 82, vol. 89, p. 260-273.

5180. SIMON (Gérard). Les machines au XVIIe siècle: usage, typologie, résonances symboliques. R. Sci. humaines, 82, n° 186-187, p. 9-35.

5181. SIRKIN (Mark), FLEMIN (Michael). Freud's "project" and its relationship to psychoanalytic theory. J. Hist. behavioral Sci., 82, vol. 18, n° 3, p. 230-241.

5182. SMITH (F. B.). Florence Nightingale: reputation and power. London, Croom Helm; New York, St. Martin's Press, 82, in-8, XII-216 p.

5183. ŚREDNIAWA (Bronisław). Fizyka teoretyczna na Uniwersytecie Jagiellońskim w latach 1815-1890. (La physique théorique à l'Université Jagellonne [Cracovie] dans les années 1815-1890.) Kwart. Hist. Nauki Techn., 82, a. 27, n° 2, p. 621-655.

5184. STARR (Paul). The social transformation of American medicine. New York, Basic Books, 82, in-8, XIV-514 p.

5185. STENECK (Nicholas). Greatrakes the stroker: the interpretations of historians. Isis, 82, vol. 73, n° 267, p. 161 177. [Valentine Greatrakes: 17th cent. healer]

5186. STEPHENS (Lester D.). Joseph Le Conte: gentle prophet of evolution. Baton Rouge, Louisiana State U. P., 82, in-8, XIX-340 p. (Southern Biography Ser.)

5187. STRANGES (Anthony N.). Electrons and valence: development of the theory, 1900-1925. College Station, Texas A & M U. P., 82, in-8, XII-291 p.

5188. ŠTRBÁŇOVÁ (Soňa). K problematice hraničnich přírodovědeckých disciplin. Vznik a místo biochemie. (On the problems of interdisciplinary sciences. Origin a. position of biochemistry.) In: Historiografie čelem k budoucnosti [Cf. n° 525], p. 603-619.

5189. SZABÓNÉ NAGY (Teréz). A bűnügyi tudományok fejlődése az egyes szocialista országokban 1950-1980. (Le développement des sciences criminalistiques dans les pays socialistes.) Jogtudom. Közl., 82, vol. 37, n° 8, p. 574-585.

5190. SZYFMAN (Léon). Jean-Baptiste Lamarck et son époque. Préf. de Pierre-Paul GRASSÉ. Paris, New York et Barcelona, Masson, 82, in-8, XXII-447 p. (16 fig.).

5191. Tangl emlékülés. Dr. Tangl Harald [1900-1972] halálának 10. évfordulója alkalmából, 1981. december 15. (In memoriam Tangl. A l'occasion du 10e anniversaire de la mort de Harald Tangl. Scéance commémorative, 15 déc. 1981.) Herceghalom, Allattenyésztési és Takarmányozási Kut. Közp., 81, in-8, 110 p. [Zoophysiologiste]

5192. TEYSSEIRE (Daniel). Pédiatrie des Lumières. Maladies et soins des enfants dans l'Encyclopédie et le Dictionnaire de Trévoux. Paris, Vrin, 82, in-8, 256 p. (L'hist. des sciences)

5193. Tekhnika v ee istoričeskom razvitii, 70-e gody XIX - načalo XX v. (Technique in its historical development, from the 1870s to the beginning of the 20th cent.) Otv. red.: S. V. ŠUKHARDIN i dr. Moskva, Nauka, 82, 510 p. (AN SSSR. In-t istorii estestvoznanija i tekhniki)

5194. TERRISSE (Arnaud). L'évolution des thèses de médecine psychiatrique en France, du début du XVIIe siècle à 1934. T. 1, 2. Paris, Publications de la Sorbonne, 82, 2 vol. in-8, 351, 323 p.

5195. THUEN (Harald). "Ad denne rent mekaniske vej ..." Da tanken om hospitalisering av de sinnssvake kom til Norge. (The first reform proposal for the hospitalization of the mentally ill in Norway in the 1820s.) [Norsk] Hist. T., 82, vol. 61, p. 313-332 (ill.). [Eng. summary]

5196. TOURNADRE (Géraux). L'orientation de la science cartésienne. Paris, Vrin, 82, in-8, 320 p. (ill.). (Biblioth. d'hist. de la philos.)

5197. ULVIONI (P.). Astrologia, astronomia e medicina nella Repubblica veneta tra Cinque e Seicento. Studi trentini Sci. stor., 82, a. 61, p. 1-69.

5198. URBANEK (Adam). Powstawanie "Powstawania [gatunków]", rodowód intelectualny darwinizmu. (L'origine de "De l'origine [des espèces]", généalogie intellectuelle du darwinisme.) Nauka polska, 82, a. 30, n° 1-2, p. 5-36.

5199. VIPOND (Mary). A Canadian hero of the 1920s: Dr Frederick G. Banting. Canad. hist. R., 82, vol. 63, p. 461-486.

5200. WHORTON (James C.). Crusaders for fitness: the history of American health reformers. Princeton, N. J., Princeton U. P., 82, in-8, 359 p.

5201. WILLIAMS (Trevor I.). A short history of twentieth century technology, c. 1900 - c. 1950. London a. New York, Oxford U. P., 82, in-8, XIX-411 p. (ill.).

5202. WOLFE (Robert J.). Alaska's great sickness, 1900: an epidemic of measles and influenza in a virgin soil population. Proc. am. philos. Soc., 82, vol. 126, n° 2, p. 91-121.

5203. Zeit (Die) der industriellen Revolution. Hrsg. im Auftrag d. Arbeitskreises Wissenschaftsgesch. beim Ministerium f. Hoch- u. Fachschulwesen d. DDR v. Günter WENDEL. Berlin, Deutsch. Verl. d. Wiss., 82, in-8, 201 p. (Tab.).

Cf. n°s 4832, 5417, 5507, 5837, 5928.

§ 7. Littérature.

a. Généralités.

* 5204. KUNZE (Erich). Finnische Literatur in deutscher Übersetzung 1675-1975. Eine Bibliographie. Helsinki, 82, in-8, 184 p. (Publ. Univ. Libr. Helsinki, 46)

5205. ADAMS (Robert M.). Literary studies: the last fifty years. Am. Scholar, 82, vol. 51, n° 2, p. 205-217.

5206. BRAHIMI (Denise). Arabes des Lumières et Bédouins romantiques: un siècle de "voyages en Orient", 1735-1835. Paris, Sycomore, 82, in-8, 229 p.

5207. DIMA (Alexandru). Viziunea cosmică în poezia românească. (La vision cosmique dans la poésie roumaine.) Iași, Junimea, 82, in-8, 176 p.

5208. DUFFY (Dennis). Gardens, covenants, exiles: loyalism in the literature of Upper Canada/Ontario. Toronto, Univ. Press, 82, in-8, 160 p. - CR: C. T. Bissell, Dalhousie R., 82-83, vol. 62, p. 322-324.

5209. DUȚU (Alexandru). Literatura comparată și istoria mentalităților. (La littérature comparée et l'histoire des mentalités.) București, Univers, 82, in-8, 267 p.

5210. ELLIOTT (Emory). Revolutionary writers: literature and authority in the New Republic, 1725-1810. London a. New York, Oxford U. P., 82, in-8, 334 p.

5211. Istorija literatury GDR. (History of the literature of the GDR.) Redkol.: A. L. DYMŠIC (otv. red.) i dr. Moskva, Nauka, 82, 543 p. (AN SSSR, In-t mirovoj lit.)

5212. KOZ'MIN (B. P.). Literatura i istorija. (Literature and history.) 2-e izd. Moskva, Khudož. lit., 82, 512 p. (ill.).

5213. Literatura èpokhi formirovanija nacij v Central'noj i Jugo-Vostočnoj Evrope. Prosveščenie. Nacional'noe vozroždenie. (Literature in the age of nationalism in Central and South Eastern Europe. Education. National revival.) Redkol.: J. A. BOGDANOVA i dr. Moskva, Nauka, 82, 311 p. (AN SSSR. In-t slavjanovedenija i balkanistiki. Nauč. sovet po kompleks. probl. slavjanovedenija i balkanistiki)

5214. Literaturnoe nasledstvo. (Literary heritage.) Glav. red.: V. R. ŠČERBINA. T. 91: Russko-anglijskie literaturnye svjazi XVIII v. - pervaja polovina XIX v. (Russo-English literary ties in the 18th - first half of the 19th cent.) Moskva, Nauka, 82, 863 p. (ill.). (AN SSSR, In-t mirovoj lit.)

5215. MACLULICH (T. D.). Our place on the map: the Canadian tradition in fiction. Univ. Toronto Quar., 82-83, vol. 52, p. 191-208.

5216. Očerki russkoj literatury Sibiri. (Essays on the Russian literature in Siberia.) Glav. redkol.: A. P. OKLADNIKOV (otv. red.) i dr. V 2-kh t. T. 1: Dorevoljucionnyj period. (The pre-revolutionary period.) T. 2: Sovetskij period. (The Soviet period.) Novosibirsk, Nauka, 82, 2 vol., 606, 630 p. (ill.). (AN SSSR. Sib. otd-nie. In-t istorii, filol. i filos.)

5217. REYNOLDS (James A.). Repentance and retribution in early English drama. Salzburg, Inst. f. Anglistik u. Amerikanistik, Univ. Salzburg, 82, in-8, VII-116 p. (Jacobean Drama Stud., 96) (Salzburg Stud. in Eng. literature)

5218. ROSSO (Corrado). Pagine al vento. Letteratura francese - pensiero europeo. Roma, Bulzoni, 82, in-8, 284 p. (Biblioteca di cultura, 222)

5219. Rukověť humanistického básnictví v Čechách a na Moravě. (Manuel de la poésie humaniste en Bohême et en Moravie.) Enchiridion renatae poesis Latinae in Bohemia et Moravia cultae. Opus ob Antonio TRUHLÁŘ et Carolo HRDINA inchoatum, Josef HEJNIC et Jan MARTÍNEK continuaverunt. [Vol. 4. Cf. Bibl. 73, n° 3926.] Vol. 5: S - Ž. Praha, Academia, 82, in-8, 603 p. (16 fig.).

5220. Russkaja nauka o literature v konce XIX - načale XX v. (Russian literary scholarship at the end of the 19th - beginning of the 20th cent.) Redkol.: P. A. NIKOLAEV (otv. red.) i dr. Moskva, Nauka, 82, 390 p. (AN SSSR, In-t mirovoj lit.)

5221. SIROIS (Antoine). L'étranger de race et d'ethnie dans le roman québécois. Rech. sociogr., 82, vol. 23, p. 187-201.

5222. TELLIER (Sylvie). Chronologie littéraire du Québec, 1760 à 1960. Québec, Inst. québécois de recherche sur la culture, 82, in-8, 347 p. (Instruments de travail, 6)

b. Renaissance.

* 5223. Shakespeare-Bibliographie für [1979. Cf. Bibl. 81, n° 4706.] 1980. Mit Nachträgen aus früheren Jahren. Bearb. v. Karl-Heinz MAGISTER. Shakespeare-Jb., 82, Bd 118, p. 209-291.

** 5224. DOLET (Etienne). Correspondance. Répertoire analytique et chronologique suivi du texte de ses lettres latines. Ed. par Claude LONGEON. Genève, Droz, 82, in-8, 251 p. (Travaux d'Humanisme et Renaissance, 188)

** 5225. RAPIN (Nicolas). Oeuvres. T. 1: Vers publiés du vivant de l'auteur. Ed. critique par Jean BRUNEL, à partir des travaux d'Emile BRETHE. En franç. et latin. Genève, Droz, 82, in-8, 1024 p. (Textes littéraires franç., 299)

** 5226. WESTNEY (Lizette Islyn). Erasmus' Parabolae sive similia. Its relationship to sixteenth century English literature. An Eng. trans. with a critical introd. Salzburg, Inst. f. Anglistik u. Amerikanistik, Univ. Salzburg, 81, in-8, V-222 p. (Elizabethan & Renaissance Stud., 100) (Salzburg Stud. in Eng. literature)

5227. BLACK (Robert). Ancients and moderns in the Renaissance: rhetoric and history in Accolti's Dialogue on the preeminence of men of his own time. J. Hist. Ideas, 82, vol. 43, n° 1, p. 3-32.

5228. BRANN (Noel L.). The abbot Trithemius (1462-1516): the renaissance of monastic humanism. Leiden, Brill, 81, in-8, XVIII-400 p. (Stud. in the Hist. of Christian Thought, 24)

5229. Damião de Góis, humaniste européen. Publ. par José V. de Pina MARTINS. Braga, Barbosa & Xavier, 82, in-8, XLIII-357 p. (Ecole Prat. des Hautes Etudes, IVe Section, Centre de Rech. sur le Portugal de la Renaissance, Etudes, 1)

5230. 1660-as [Ezerhatszázhatvanas] évek (Az) költészete. 1661-1671. Sajtó alá rend. VARGA Imre. (La poésie des années 1660: 1661-1671. Publ. par - .) Budapest, Akadémiai Kiadó, 81, in-8, 827 p. (18 pl.). (Régi magyar költők tára. XVII. század., 10)

5231. GODIN (André). Erasme lecteur d'Origène. Genève, Droz, 82, in-8, 736 p. (Travaux d'Humanisme et Renaissance, 190)

5232. JOUKOVSKY (Françoise). Le regard intérieur. Thèmes plotiniens chez quelques écrivains de la Renaissance française. Paris, A.-G. Nizet, 82, in-8, 256 p.

5233. KRISTELLER (Paul Oskar). Handschriftenforschung und Geistesgeschichte der italienischen Renaissance. Wiesbaden, Steiner, 82, in-8, 31 p. (Abh. d. Geistesu. Sozialwiss. Kl., Akad. d. Wiss. u. d. Lit., Jg. 82, 7)

5234. NAKAM (Géralde). Montaigne et son temps: les événements et les "Essais". Paris, A.-G. Nizet, 82, in-8, 254 p. (carte).

5235. NOWAK (Zbigniew). Jan Dantyszek. Portret renesansowego humanisty. (J. Dantyszek. Portrait d'un humaniste de la Renaissance.) Wrocław, Zakł. Narod. im. Ossolińskich, 82, in-8, 312 p. (Bibl. Tow. Przyjaciół Gdańska)

5236. PONTANI (Filippo Maria). Il greco di Gianfrancesco Mussato peritoso umanista. R. Studi bizant. e slavi, 81, a. 1, p. 131-163.

5237. Pouvoir (Le) et la plume. Incitation, contrôle et répression dans l'Italie du XVIe siècle. Actes du Colloque internat. organisé par le Centre interuniv. de Recherche sur la Renaissance italienne et l'Institut culturel italien de Marseille (Aix-en-Provence, Marseille, 14-16 mai 1981). Paris, Centre internat. de Recherche sur la Renaissance ital., Univ. de la Sorbonne Nouvelle, 82, in-8, 338 p.

5238. SENGER (Matthias Wilhelm). Leonhard Culman. A literary biography and an edition of five plays as a contribution to the study of drama in the age of Reformation. Nieuwkoop, de Graaf, 82, in-8, 798 p. (Biblioth. humanistica et reformatorica, 35)

5239. VASOLI (Cesare). Un umanista tra le lettere e le armi: Giovanni Manzini della Motta di Fivizzano. Nuova R. stor., 82, a. 66, p. 491-510.

c. Classicisme.

* 5240. COURTNEY (C. P.). Isabelle de Charrière (Belle de Zuylen): a secondary bibliography. Oxford, Voltaire Foundation; Paris, Touzot, 82, in-8, 50 p.

* 5241. HENNING (Hans) Goethe-Bibliographie [1979. Cf. Bibl. 81, n° 4722.] 1980. Goethe-Jb., 82, Bd 99, p. 362-394.

** 5242. Quellen und Zeugnisse zur Druckgeschichte von Goethes Werken. Hrsg. v. Zentralinst. f. Literaturgesch. d. Akad. d. Wiss. d. DDR. T. 1: Gesamtausgabe bis 1822. Bearb. v. Waltraud HAGEN unter Mitarb. v. Edith NAHLER. T. 2: Die Ausgabe letzter Hand. Bearb. v. Waltraud HAGEN. Berlin, Akad.-Verl., 66-82, 2 vol. in-8, XXIII-668, 783 p.

5243. ABDEL-RAHIM (Said). Goethes Hinwendung zum Orient eine innere Emigration. Z. d. deutsch. morgenländ. Ges., 82, Bd 132, p. 269-288.

5244. BAUMGART (Wolfgang). Helena. Spuren des Pantomimus in Goethes Faust. Antike u. Abendland, 82, Bd 28, p. 1-31.

5245. BENKŐ (Loránd). Kazinczy Ferenc és kora a magyar nyelvtudomány történetében. (Ferenc Kazinczy et son temps dans l'histoire de la linguistique hongroise.) Budapest, Akadémiai Kiadó, 82, in-8, 82 p. (Nyelvtudományi Értekezések, 113)

5246. DUCHÊNE (Roger). Madame de Sévigné ou la chance d'être une femme. Paris, Fayard, 82, in-8, 480 p.

5247. Ecrivains (Les) normands de l'âge classique et le goût de leur temps. Actes du Colloque organisé par le Groupe de recherches sur la littérature franç. des XVIe et XVIIe siècles, tenu à l'Univ. de Caen en oct. 1980. Caen, Annales de Normandie, 82, in-8, 229 p. (ill.). (Cah. des A. Normandie, 14)

5248. FUNKE (Hans-Günther). Studien zur Reiseutopie der Frühaufklärung: Fontenelles "Histoire des Ajaoiens". T. 1. Heidelberg, Winter, 82, in-8, 686 p. (Reihe Siegen. Beitr. z. Lit.- u. Sprachwiss., 24)

5249. GARDINER (Margaret). Barbara Hepworth: memoir. Edinburgh, Salamander Press, 82, in-8, 64 p. (ill.).

5250. HESBERT (René-Jean). Bossuet, écho de Tertullien. Paris, Nouv. éd. latines, 82, in-8, 192 p. (Le Monde cathol., sér. Spiritualité) - IDEM. Saint Augustin, maître de Bossuet. Paris, Nouv. éd. latines, 82, in-8, 208 p. (Le Monde cathol., sér. Spiritualité)

5251. Im Bannkreis des klassischen Weimar. Festgabe f. Hans Tümmler zum 75. Geburtstag. Hrsg. v. Herbert HÖMIG u. Dietrich PFAEHLER. Bad Neustadt (Saale), Pfaehler, 82, in-8, 162 p. (Kultur u. Gesch. Thüringens, Beih. 1)

5252. JUSZCZAKOWSKA (Halina). La fortune de "La Nouvelle Héloïse" de Jean-Jacques Rousseau dans la Pologne du XVIIIe siècle. Wrocław, Zakł. Narod. im. Ossolińskich, 82, in-8, 152 p. (Pol. Akad. Nauk., Komitet Neofilologiczny)

5253. KEEBLE (N. H.). Richard Baxter, Puritan man of letters. London, Oxford U. P., 82, in-8, 216 p. (Oxford Engl. Monogr.)

5254. KÜHLMANN (Wilhelm). Gelehrtenrepublik und Fürstenstaat. Entwicklung u. Kritik d. deutsch. Späthumanismus in d. Lit. d. Barockzeitalters. Tübingen, Niemeyer, 82, in-8, X-533 p. (Stud. u. Texte z. Sozialgesch. d. Lit., 3)

5255. LALARGA (Francisco). Voltaire en España (1734-1835). Prólogo de Christopher TODD. Barcelona, Ed. de la Univ., 82, in-8, 224 p.

5256. LANGE (Victor). The classical age of German literature, 1740-1815. London, E. Arnold, 82, in-8, 288 p.

5257. ŁOJEK (Jerzy). Wiek markiza de Sade. Szkice z historii obyczajów i literatury we Francji XVIII wieku. (Le siècle du marquis de Sade. Essai sur l'histoire des moeurs et de la littérature en France au XVIIIe s.) Lublin, Wydawn. Lub., 82, in-8, 381 p.

5258. MASON (Haydon T.). French writers and their society, 1715-1800. London, Macmillan, 82, in-8, 272 p.

5259. Miroir (Le) et l'Image. Recherches sur le genre narratif au XVIIe siècle [en France]. Genova, Istituto di Lingua e Letteratura francese, 82, in-8, 250 p.

5260. MONNIER (André). Un publiciste frondeur sous Catherine II: Nicolas Novikov. Paris, Institut d'Etudes slaves, 81, in-8, 388 p. (Biblioth. russe de l'Inst. d'Et. slaves, 59)

5261. POTTLE (Frederick A.). Pride and negligence: the history of the Boswell papers. London, McGraw, 82, in-8, 290 p.

5262. ROBERT (Raymonde). Le conte de fées littéraire en France de la fin du XVIIe à la fin du XVIIIe siècle. Nancy, Presses univ. de Nancy, 82, in-8, 600 p.

5263. Russkij i zapadnoevropejskij klassicizm. Proza. (Russian and West European classicism. Prose.) Redkol.: A. S. KURILOV (otv. red.) i dr. Moskva, Nauka, 82, 391 p. (AN SSSR, In-t mirovoj lit.)

5264. Stanisław Herakliusz Lubomirski. Pisarz - polityk - mecenas. (St. H. Lubomirski. Ecrivain - homme politique - mécène.) Ouvrage collectif. Réd. scientifique de Wanda ROSZKOWSKA. Wrocław, Zakł. Narod. im. Ossolińskich, 82, in-8, 239 p.

5265. SZIKLAY (László). La réforme et la création de la langue littéraire des peuples de l'Europe centrale et orientale à l'époque des Lumières. In: Objet et méthodes de l'hist. des cultures [Cf. n° 607], p. 133-142.

5266. VAN DELFT (Louis). Le moraliste classique. Essai de définition et de typologie. Genève, Droz, 82, in-8, 412 p. (Hist. des idées et critique litt., 202)

5267. WÉBER (Antal). Az írói és politikai magatartás néhány kérdése az 1790-es években. (Quelques problèmes de l'attitude littéraire et politique dans les années 1790.) Irodtört. Közl., 82, n° 4, p. 404-413.

5268. WÖHRER (Franz Karl). Thomas Traherne: the growth of a mystic mind. A study of the evolution a. the phenomenology of Traherne's mystical consciousness. Salzburg, Inst. f. Anglistik u. Amerikanistik, Univ. Salzburg, 82, in-8, VII-207 p. (Elizabethan & Renaissance Stud., 92/6) (Salzburg Stud. in Eng. literature)

c. Romantisme et époque contemporaine.

* 5269. CHERCHARI (Amar). Réception de la littérature africaine d'expression française jusqu'en 1970. Essai de bibliographie. Av.-propos d'Albert GERARD. Paris, Agence de coopération culturelle et technique/Silex, 82, in-8, 116 p.

* 5270. DIENES (Laszlo). Bibliographie des oeuvres de Gaïto Gazdanov. Paris, Institut d'Etudes slaves, 82, in-8, 64 p. (Biblioth. russe de l'Inst. d'Et. slaves, 62. Sér.: Ecrivains russes en France)

* 5271. DUGAS (G.). Bibliographie de la littérature tunisienne des Français (1881-1980). Paris, Ed. du C. N. R. S., 82, in-8, 96 p. (Cah. du CRMS, 13)

* 5272. GLADKOVA (Tatiana), MNUKHIN (Lev). Bibliographie des oeuvres de Marina Tsvetaeva. Introd. de Véroniqie LOSSKY. Paris, Institut d'Etudes slaves, 82, in-8, 360 p. (Biblioth. russe de l'Inst. d'Et. slaves, 61. Sér. Ecrivains russes en France)

* 5273. GUERRA (René). Bibliographie des oeuvres de Boris Zaïtsev. Introd. de Wladimir WEIDLÉ. Paris, Institut d'Etudes slaves, 82, in-8, 168 p. (7 pl.). (Biblioth. russe de l'Inst. d'Et. slaves, 62. Sér.: Ecrivains russes en France)

* 5274. Letters in Canada: [1976. Cf. Bibl. 76-77, n° 3678.] 1981. Ed. by W. J. KEITH. Univ. Toronto Quar., 81-82, vol. 51, p. 315-541.

* 5275. SENELIER (Jean). Bibliographie nervalienne, 1968-1980 et compléments antérieurs. Paris, A.-G. Nizet, 82, in-8, 158 p.

** 5276. AUBIGNE (Agrippa d'). Histoire universelle. Ed. critique par André THIERRY. Vol. 1, 2. Genève, Droz, 81-82, 1 vol. in-8, XLIV-416, 400 p. (Textes littéraires franç., 293, 311)

** 5277. BARBEY D'AUREVILLY (Jules-Amédée). Correspondance générale. T. 1: 1824-1844. T. 2: 1845-1850. Paris, Belles Lettres, 80-82, 2 vol. in-8, 254, 231 p. (A. litt. Univ. Besançon, 247, 268)

** 5278. BURNEY (Fanny). Journals and letters, ed. by W. DERRY. [Vol. 8. Cf. Bibl. 80, n° 4751.] Vol. 9: Bath, 1815-1817. Vol. 10: Bath, 1817-1818. London, Oxford U. P., 82, 2 vol. in-8, 508, 604 p.

** 5279. BYRON (Lord George Gordon). Letters and journals, ed. by Leslie A. MARCHAND. [Vol. 11. Cf. Bibl. 81, n° 4749.] Vol. 12: The trouble of an index. London, J. Murray, 82, in-8, 176 p.

** 5280. CARROLL (Lewis). Selected letters, ed. by Morton M. COHEN. London, Papermac, 82, in-8, 320 p.

** 5281. CHATEAUBRIAND (François René de). Correspondance générale. Textes établis et annotés par Béatrice d'ANDLAU, Pierre CHRISTOPHOROV et Pierre RIBERETTE. [T. 1, 2. Cf. Bibl. 80, n° 4753.] T. 3: 1815-1820. Paris, Galliamrd, 82, in-8, 562 p.

** 5282. COWPER (William). Letters and prose writings, ed. by James KING a. Charles RYSKAMP. [Vol. 2. Cf. Bibl. 81, n° 4752.] Vol. 3: Letters, 1787-1791. London, Oxford U. P., 82, in-8, 694 p.

** 5283. GOBINEAU (Arthur de). Oeuvres. T. 1: Scaramouche, Mademoiselle Irnois, Essai sur l'inégalité des races humaines. Textes présentés, établis et annotés par Jean BOISSEl. Paris, Gallimard, 82, in-8, XC-1514 p. (Bibliothèque de la Pléiade, 306)

** 5284. GRAVES (Robert). In broken images: selected letters of Robert Graves, 1914-1946, ed. by Paul O'PREY. London, Hutchinson, 82, in-8, 372 p.

** 5285. GRIERSON (William). Apostle to Burns: diaries, ed. by John DAVIES. Edinburgh, Blackwood, 82, in-8, 327 p. (ill.).

** 5286. HARDY (Thomas). Collected letters, ed. by Richard Little PURDY a. Michael MILLGATE. [Vol. 2. Cf. Bibl. 80, n° 4754.] Vol. 3: 1902-1908. London, Oxford U. P., 82, in-8, 384 p.

** 5287. HEINE (Heinrich). Werke, Briefwechsel, Lebenszeugnisse. Hrsg. v. d. Nationalen Forsch.- u. Gedenkstätten d. Klass. Dt. Lit. in Weimar u. d. Centre National de la Recherche Scientifique in Paris. Säkularausg. [Bd 4. Cf. Bibl. 81, n° 4756.] Bd 1: Gedichte 1812-1827. Kommentar, Teilbd 1, 2. Berlin, Akad.-Verl.; Paris, Ed. du C. N. R. S., 82, 2 vol. in-8, 284 p., p. 286-586.

** 5288. KRASZEWSKI (Józef Ignacy). Listy do rodziny 1820-1863. Cz. 1: W kraju. Oprac. Wincenty DANEK. (Lettres à la famille, 1820-1863. P. 1: Dans le pays.) Ed. par Wincenty DANEK. Avant-propos de Stanisław BURKOT. Kraków, Wydawn. Liter., 82, in-8, 533 p.

** 5289. LAWRENCE (David Herbert). Letters. Vol. 1: September 1901 - May 1913. Ed. by James T. BOULTON. Vol. 2: June 1913 - October 1916. Ed. by George J. ZYTARUK a. James T. BOULTON. London, Cambridge U. P., 79-82, 2 vol. in-8, XXIX-579, XXV-691 p. (ill., maps).

** 5290. Paris 1935. Reden u. Dokumente. Mit Materialien d. Londoner Schriftstellerkonferenz 1936. 1. Internat. Schriftstellerkongreß z. Verteidigung d. Kultur. Hrsg. v. d. Akad. d. Wiss. d. DDR, Zentralinst. f. Literaturgesch. Einl. u. Anh. v. Wolfgang KLEIN. Berlin, Akad.-Verl., 82, in-8, 524 p. (Abb.).

** 5291. PASTERNAK (Boris), FREIDENBERG (Olga). Correspondence, 1910-1954. Ed. by Elliott MOSSMAN. Tr. from the Russ. by E. MOSSMAN a. M. WETTLIN. London, Secker a. Warburg, 82, in-8, 448 p.

** 5292. PROUST (Marcel). Correspondance. [T. 7. Cf. Bibl. 81, n° 4761.] T. 8: 1908. T. 9: 1909. Texte établi, prés. et annoté par Philip KOLB. Paris, Plon, 81-82, 2 vol. in-8, XXVIII-271, XXIV-310 p.

** 5293. SAND (George). Correspondance. [T. 14, 15. Cf. Bibl. 81, n° 4762.] T. 16: Juillet 1860 - Mars 1862. Textes réunis, classés et annotés par Georges LUBIN. Paris, Garnier, 82, in-8, XXI-972 p. (16 p. de pl.).

** 5294. SHAW (George Bernard), DOUGLAS (Lord Alfred Bruce). Bernard Shaw and Alfred Douglas, a correspondence. Ed. by Mary HYDE. London, J. Murray, 82, in-8, 320 p. (ill.).

** 5295. TENNYSON (Alfred, Lord). Letters. Ed. by Cecil Y. LANG a. Edgar F. SHANNON. Vol. 1: 1821-1850. London, Oxford U. P., 82, in-8, 406 p.

** 5296. WARNER (Sylvia Townsend). Letters. Ed. by William MAXWELL. London, Chatto, 82, in-8, 336 p.

** 5297. WOOLF (Virginia). Diary. Ed. by Anne Olivier BELL. [Vol. 3. Cf. Bibl. 80, n° 4766.] Vol. 4: 1931-1935. London, Hogarth Press, 82, in-8, 416 p.

** 5298. ZOLA (Emile). Correspondance. Préparée par Colette BECKER, Alain PAGÈS et Albert SALVAN, avec la collab. de plusieurs autres chercheurs. Introd. biographiques et historiques, notes bibliographiques et indices. [T. 2. Cf. Bibl. 80, n° 4767.] T. 3: 13 juin 1877 - 31 mai 1880. Paris, Ed. du C. N. R. S.; Montréal, Presses de l'Univ., 82, in-8, 548 p.

5299. ADEL (Kurt). Aufbruch und Tradition. Einführung in die österr. Literatur seit 1945. Wien, Braumüller, 82, in-8, VIII-271 p. (Untersuchungen z. österr. Lit. d. 20. Jh., 8)

5300. AMIOT (Anne-Marie). Baudelaire et l'Illuminisme. Paris, A.-G. Nizet, 82, in-4, 448 p.

5301. ANDREW (Joe). Russian writers and society in the second half of the 19th century. London, Macmillan, 82, in-8, 256 p.

5302. ARTHURS (Peter). With Brendan Behan, a personal memoir. London, Routledge, 82, in-8, 300 p.

5303. AUTIN (Jean). Prosper Mérimée, écrivain, archéologue, homme politique. Paris, Perrin, 82, in-8, 350 p. (pl.).

5304. Autour du Journal de voyage de Montaigne, 1580-1980. Actes des Journées Montaigne, Mulhouse-Bâle, Oct. 1980. Avec une copie inédite du Journal de voyage, prés. et ann. par F. MOUREAU et R. BERNOULLI. Paris et Genève, Slatkine, 82, in-8, 188 p.

5305. AVĂDANEI (Ştefan). Eminescu şi literatura engleză. (Eminescu and the English literature.) Iaşi, Junimea, 82, in-8, 184 p. (Eminesciana, 29)

5306. BÄCKVALL (Hans). Relations de Dumas père et fils avec la Suède. Stockholm, Vitterhets-, historie- och antikvitetsakad., Almqvist o. Wiksell internat., 82, in-8, 39 p. (Filol. arkiv, 28)

5307. BALAŠOVA (T. V.). Francuzskaja poèzija XX veka. (French poetry of the 20th century.) Moskva, Nauka, 82, 392 p. (ill.). (AN SSSR, In-t mirovoj lit.)

5308. Balzac, l'invention du roman. Actes du Colloque Balzac, juillet 1980, Cerisy-la-Salle. Avec la participation de Lucienne FRAPIER-MAZURE, Pierre BARBERIS, François GAILLARD et al. Paris, Belfond, 82, in-8, 288 p.

5309. BATCHELOR (John). Edwardian novelists. London, Duckworth, 82, in-8, 251 p.

5310. Baudelaire, Mallarmé, Valéry. New essays in honour of Lloyd Austin. Cambridge, London a. New York, Cambridge U. P., 82, in-8, XXVI-456 p.

5311. BEIDLER (Philip D.). American literature and the experience of Vietnam. Athens, Ga., Univ. of Georgia Press, 82, in-8, 220 p.

5312. Benjamin Constant, Mme de Staël et le Groupe de Coppet. Oxford, Voltaire Foundation; Lausanne, Inst. Benjamin Constant, 82, in-8, 574 p.

5313. BIERMANN (Karlheinrich). Literarisch-politische Avantgarde in Frankreich 1830-1870: Hugo, Sand, Baudelaire. Stuttgart, Kohlhammer, 82, in-8, 256 p.

5314. BONNET (Jean-Marie). La critique littéraire aux Etats-Unis, 1783-1837. Lyon, Presses univ. de Lyon, 82, in-8, 452 p.

5315. BOTSTEIN (Leon). Stefan Zweig and the illusion of the Jewish European. Jewish soc. Stud., 82, vol. 44, n° 1, p. 63-84.

5316. BRIDGMAN (Richard). Dark Thoreau. Lincoln, Univ. of Nebraska Press, 82, in-8, 300 p.

7. LITTERATURE

5317. BUCHAN (William). John Buchan, a memoir. London, Muller, 82, in-8, 288 p. (ill.).

5318. Cahier Heine. 2: Ecriture et genèse. Réd.: Michaël WERNER. Centre d'hist. et d'analyse des manuscrits modernes. Paris, Ed. du C. N. R. S., 81, in-8, 122 p. (4 pl.). [Contient entre autre: PORCELL (Claude). Les textes français de Heine. Idées reçues et réalités, p. 13-35. - WERNER (Michaël). Les "Mémoires" de Heine. L'histoire d'un manuscrit et le manuscrit d'une Histoire, p. 39-59. - ESPAGNE (Michel). Vers une étude génétique de l'"Histoire de la Religion et de la Philosophie en Allemagne", p. 63-99. - LEFEBVRE (Jean-Pierre). Les lectures hégéliennes d'Henri Heine, p. 99-111.] [Mit dt. Zsfassungen]

5319. CAMARIANO (Nestor). Athanasios Christopoulos (sa vie, son oeuvre littéraire et ses rapports avec la culture roumaine). Thessaloniki, Inst. for Balkan Studies, 81, in-8, 340 p.

5320. Chamisso. Actes des Journées franco-allemandes des 30 et 31 mai 1981, organisées à Sainte-Menehould par le Centre d'Etudes argonnais. Sainte-Menehould, Centre d'Et. argonnais, 82, in-8, 167 p. (ill.). [Cf. n° 72]

5321. Charles Nodier. Colloque du 2e centenaire, Besançon, mai 1980. Paris, Belles Lettres, 81, in-8, 274 p. (A. litt. Univ. Besançon, 253)

5322. CHEVREL (Yves). Le naturalisme. Paris, Presses univ. Frnce, 82, in-8, 240 p. (Littératures modernes)

5323. COLLIE (Michael). Georges Borrow, eccentric. London, Cambridge U. P., 82, in-8, 275 p.

5324. COLLINS (Philip). Dickens: interviews and recollections. Vol. 1. London, Macmillan, 82, in-8, 216 p.

5325. COURTNEY (Winifred F.). Young Charles Lamb, 1775-1802. London, Macmillan, 82, in-8, 352 p.

5326. CUBLEŞAN (Constantin). Opera literară a lui Delavrancea. (L'oeuvre littéraire de Delavrancea.) Bucureşti, Minerva, 82, in-8, 248 p. (Universitas)

5327. DE FELICE (Renzo). Prezzolini, la guerra e il fascismo. Stor. contemp., 82, a. 13, p. 361-426.

5328. DEZON-JONES (Elyane). Proust et l'Amérique. La fiction américaine à la recherche du temps perdu: Fitzgerald, Faulkner, T. Wolfe et Kerouac. Paris, A.-G. Nizet, 82, in-8, 248 p.

5329. DOMOKOS (Sámuel). Goga problémák. I: A publicista Goga közéleti szereplése Magyarországon. (Problèmes Goga. I: Le rôle dans la vie publique du publiciste [Octavian] Goga en Hongrie.) Filol. Közl., 82, vol. 28, n° 2-3, p. 296-304.

5330. DONALDSON (Frances). P. G. Wodehouse, the authorized biography. London, Weidenfeld a. Nicolson, 82, in-8, 399 p.

5331. Épokha realizma. Iz istorii meždunarodnykh svjazej russkoj literatury. (The epoch of realism. From the history of international ties of Russian literature.) Otv. red.: M. P. ALEKSEEV. Leningrad, Nauka, 82, 328 p. (AN SSSR, In-t rus. lit. - Pušk. dom)

5332. ERMOLAEV (H.). Mikhail Sholokov and his art. Princeton, N. J., a. Guilford, Princeton U. P., 82, in-8, XVI-375 p.

5333. FYVEL (T. R.). George Orwell, a personal memoir. London, Weidenfeld a. Nicolson, 82, in-8, 224 p.

5334. GANZEL (Dewey). Fortune and men's eyes: the career of John Payne Collier. London, Oxford U. P., 82, in-8, 466 p. (ill.).

5335. GÖMÖRI (György). Mickiewicz és a magyarok. (Mickiewicz et les Hongrois.) Filol. Közl., 82, vol. 28, n° 1, p. 127-131.

5336. GOOD (Jane E.). "I'd rather live in Siberia": V. G. Korolenko's critique of America, 1893. Historian, 82, vol. 44, n° 2, p. 190-207.

5337. GRESSET (Michel). Faulkner ou la fascination poétique du regard. Paris, Klincksieck, 82, in-8, 291 p.

5338. GRIDLEY (R. E.). The Brownings, a chronicle with commentary. London, Athlone Press, 82, in-8, XIV-331 p.

5339. HALPERIN (John). Gissing, a life in books. London, Oxford U. P., 82, in-8, 448 p.

5340. HEMMINGS (Frederick William J.). Baudelaire the damned. London, H. Hamilton, 82, in-8, 248 p.

5341. HUREZEANU (Damian). Mihai Eminescu - un pasionat al istoriei. I, II. (M. Eminescu - un passionné de l'histoire.) R. Ist., 82, t. 35, p. 115-137, 313-338. [Rés. franç.]

5342. Istorija russkoj literatury. (History of Russian literature.) Redkol.: N. I. PRUCKOV (gl. red.) i dr. V 4-kh t. [T. 2. Cf. Bibl. 81, n° 948.] T. 3: Rascvet realizma. (The flowering of realism.) Leningrad, Nauka, 82, 876 p. (AN SSSR, In-t rus. lit. - Pušk. dom)

5343. JEFFERSON (George). Edward Garnett, a life in literature. London, Cape, 82, in-8, 368 p.

5344. KOMISSAROV (D. S.). Puti razvitija novoj i novejšej persidskoj literatury. Očerki. (Ways of development of modern and contemporary Persian literature. Essays.) Moskva, Nauka, 82, 264 p. (AN SSSR, In-t vostokovedenija)

5345. KOSSEK (Wolfgang). Begriff und Bild der Revolution bei Heinrich Heine. Frankfurt (Main) u. Bern, Lang, 82, in-8, 330 p. (Europ. Hochschulschr., Reihe 1:

Deutsche Sprache u. Lit., 552)

5346. KREUTZER (Winfried). Grundzüge der spanischen Literatur des 19. und 20. Jahrhunderts. Darmstadt, Wiss. Buchges., 82, in-8, VI-194 p. (Grundzüge, 47)

5347. LACAPRA (Dominick). [Flaubert's] Madame Bovary on trial. Ithaca, N. Y., Cornell U. P., 82, in-8, 219 p.

5348. LEASE (Benjamin). Anglo-American encounters: England and the rise of American literature. London, Cambridge U. P., 82, in-8, 299 p.

5349. LEHTONEN (Maija). Essai sur La Confession d'un enfant du siècle. Helsinki, Suomalainen tiedeakatemia, 82, in-8, 88 p. (A. Acad. sci. fennicae, Ser. B, 218)

5350. LEONOVA (T. G.). Russkaja literaturnaja skazka XIX veka v ee otnošenii k narodnoj skazke (poèt. sistema žanra v ist. razvitii. (The Russian literary tale of the 19th cent. in its relationship to the popular tale.) Tomsk, Izd-vo Tomsk. un-ta, 82, 197 p.

5351. LE TELLIER (Robert Ignatius). Kindred spirits: interrelations and affinities between the romantic novels of England and Germany (1790-1820). With special reference to the work of Carl Grosse 1768-1847), forgotten Gothic novellist a. theorist of the sublime. Salzburg, Inst. f. Anglistik u. Amerikanistik, Univ. Salzburg, 82, in-8, VI-423 p. (Romantic reassessment, 33, 3) (Salzburg Stud. in Eng. literature)

5352. LÖFFLER (Arno). "The Rebel Muse": Studien zu Swifts kritischer Dichtung. Tübingen, Niemeyer, 82, in-8, 260 p.

5353. MARRER-TISING (Carlee). The reception of Hermann Hesse by the youth of the United States: a themat. analysis. Bern u. Frankfurt (Main), Lang, 82, in-8, V-477 p. (European univ. stud., ser. 1: German language a. literature, 503)

5354. MARTIN (Philip W.). Byron, a poet before his public. London, Cambridge U. P., in-8, 253 p. (ill.).

5355. MECKIER (Jerome). Wilkie Collin's The woman in white: providence against the evils of propriety. J. brith. Stud., 82, vol. 22, n° 1, p. 104-126.

5356. MICHEL (Pierre). Les Barbares, 1789-1848: un mythe romantique. Ouvrage publ. avec le concours du C. N. R. S. Lyon, Presses univ. Lyon, 81, in-8, 656 p.

5357. MILLGATE (Michael). Thomas Hardy, a biography. London, Oxford U. P., 82, in-8, 576 p. (ill.).

5358. MIRANDA (Soledad). Religión y clero en la gran novela española del siglo XIX. Madrid, Pegaso, 82, in-8, 281 p.

5359. NEVILLE (G. H.). The betrayal: memoir of D. H. Lawrence. Ed. by Carl BARON. London, Cambridge U. P., 82, in-8, 208 p.

5360. NIEDERAUER (David J.). Pierre Louys, his life and art. Gerrards Cross, C. Smythe, 82, in-8, XVI-300 p.

5361. PAPU (Edgar). Eminescu. Trad. [du roumain] par Claude DIGNOIRE. Bucarest, Univers, 82, in-8, 275 p.

5362. PIERÓG (Stanisław). Maurycy Mochnacki. Studium romantycznej świadomości. (M. Mochnacki. Etude sur la conscience romantique.) Warszawa, Państw. Inst. Wydawn., 82, in-8, 286 p.

5363. Problemy literaturnogo razvitija Italii vtoroj poloviny XIX - načala XX veka. (Problems of Italian literary development in the 2nd half of the 19th - beginning of the 20th cent.) Otv. red.: Z. M. POTAPOVA. Moskva, Nauka, 82, 300 p. (ill.). (AN SSSR. In-t mirovoj lit.)

5364. PRZYBYLSKI (Ryszard). Podróż Juliusza Słowackiego na Wschód. (Le voyage de J. Słowacki en Orient.) Kraków, Wydawn. Liter., 82, in-8, 599 p. (Bibl. Romantyczna)

5365. Puškin. Issledovanija i materialy. (Pushkin. Research and materials.) T. 10. Redkol.: Ja. L. LEVKOVIČ (otv. red.) i dr. Leningrad, Nauka, 82, 391 p. (AN SSSR. In-t rus. lit. - Pušk. dom)

5366. RAPHAEL (Frederic). Byron. London, Thames a. Hudson, 82, in-8, 224 p. (ill.).

5367. RIVERS (Isabel). Books and their readers in 18th century England. Leicester, U. P., 82, in-8, 272 p.

5368. Romantičeskie tradicii amerikanskoj literatury XIX veka i sovremennost'. (Romantic traditions of American literature of the 19th century and the present.) Sbornik. Redkol.: Ja. N. ZASURSKIJ (otv. red.) i dr. Moskva, Nauka, 82, 351 p. (AN SSSR. In-t mirovoj lit.)

5369. ROSE (Willie Lee). Race and region in American historical fiction: four episodes in popular culture. In: Region, race, and reconstruction [Cf. n° 537], p. 113-139.

5370. ROUBEROL (Jean). L'esprit du Sud dans l'oeuvre de Faulkner. Paris, Didier-Erudition, 82, in-8, 416 p. (Etudes anglaises, 82)

5371. ROUSSEAU (George Sebastian). Tobias Smollet: essays of two decades. Edinburgh, T. a. T. Clark, 82, in-8, 220 p.

5372. Russkaja i bolgarskaja literatura XX veka (tipologija i svjazi). (Russian and Bulgarian literature of the 20th century. Typology and ties.) Otv. red.: Z. I. KARCEVA. Moskva, Izd-vo MGU, 82, 223 p. (MGU; Sof. un-t)

5373. Russkaja literatura i fol'klor. (Vtoraja polovina XIX v.). (Russian literature and folklore, 2nd half of the 19th cent.) Otv. red.: A. A. GORELOV. Leningrad, Nauka, 82, 444 p. (AN SSSR. In-t rus. lit. - Pušk. dom)

5374. SAGAR (Keith). The life of D. H. Lawrence. London, Methuen, 82, in-4, 256 p.

5375. SCHNABL (Gerlinde). Historische Stoffe im neueren politischen Drama Großbritanniens. Heidelberg, Winter, 82, in-8, VIII-266 p. (Reihe Siegen. Beitr. z. Lit.-u. Sprachwiss., 43)

5376. SEIDLER (Herbert). Österreichischer Vormärz und Goethezeit. Gesch. einer literar. Auseinandersetzung. Wien, Verl. d. Österr. Akad. d. Wiss., 82, in-8, 454 p. (Veröff. d. Komm. f. Literaturwiss., 6) (Österr. Akad. d. Wiss., Philos.-hist. Kl., S.-B., 394)

5377. SELBMANN (Rolf). Dichterberuf im bürgerlichen Zeitalter. Joseph Viktor von Scheffel u. seine Literatur. Heidelberg, Winter, 82, in-8, 266 p. (32 Taf.). (Beitr. z. neueren Literaturgesch., Folge 3, 58)

5378. SEMANOV (S. N.). "Tikhij Don" - literatura i istorija. ("The Silent Don" [of M. A. Sholokhov] - literature and history.) 2-e izd., ispr. i dop. Moskva, Sovremennik, 82, 239 p.

5379. SEYMOUR-SMITH (Martin). Robert Graves, his life and works. London, Hutchinson, 82, in-8, 607 p.

5380. STEVENSON (Warren). The myth of the Golden Age in English romantic poetry. Salzburg, Inst. f. Anglistik u. Amerikanistik, Univ. Salzburg, 82, in-8, IV-109 p. (Romantic reassessment, 109) (Salzburg Stud. in Eng. literature)

5381. STOREY (Edward). The right to song, the life of John Clare. London, Methuen, 82, in-8, 368 p.

5382. SWAT (Tadeusz). Polska pieśń patriotyczna na Warmii w latach 1772-1939. (Le chant patriotique polonais en Warmie dans les années 1772-1939.) Olsztyn, Pojezierze, 82, in-8, 191 p. (Rozprawy i Mater. Ośrodka Badań Nauk. im. W. Kętrzyńskiego w Olsztynie, 91)

5383. THOMAS (Donald). Robert Browning, a life within life. London, Weidenfeld a. Nicolson, 82, in-8, 334 p.

5384. TOMALIN (Ruth). W. H. Hudson, a biography. London Faber, 82, in-8, 314 p. (ill.).

5385. Velikaja Otečestvennaja vojna v sovremennoj literature. (The Great Patriotic war in modern literature.) Sbornik. Otv. red.: V. I. BORŠČUKOV, L. V. IVANOVA. Moskva, Nauka, 82, 333 p. (AN SSSR. In-t mirovoj lit.)

5386. WALKER (Arthur D.). Correspondence of the Brontë family, a guide. Manchester, E. J. Morten, 82, in-8, 288 p.

5387. WALSH (Jeffrey). American war literature, 1914 to Vietnam. London, Macmillan, 82, in-8, 218 p.

5388. WEINTRAUB (Wiktor). Poeta i prorok. Rzecz o profetyźmie Mickiewicza. (Poète et prophète. Sur la prophétie de Mickiewicz.) Warszawa, Państw. Inst. Wydawn., 82, in-8, 453 p.

5389. WERNER (Michael). Heine und die französischen Frühsozialisten. Int. Arch. f. Sozialgesch. d. deutsch. Lit., 82, Bd 7, p. 88-107.

5390. WILLIAMS (David). The world of his own: the double life of George Borrow. London, Oxford U. P., 82, in-8, 192 p.

5391. WINSTON (Richard). Thomas Mann, the making of an artist, 1875-1911. London, Constable, 82, in-8, 328 p.

5392. WITTMANN (Reinhard). Buchmarkt und Lektüre im 18. und 19. Jahrhundert. Beitr. zum literar. Leben 1750-1880. Tübingen, Niemeyer, 82, in-8, XII-252 p. (graph. Darst.). (Stud. u. Texte z. Sozialgesch. d. Lit., 6)

5393. ZEGHIDOUR (Slimane). La poésie arabe moderne entre l'Islam et l'Occident. Paris, Karthala, 82, in-8, 360 p.

5394. ZIMMERMANN (Michael). Träumerei eines französischen Dichters: Stéphane Mallarmé und Richard Wagner. München u. Salzburg, Katzbichler, 81, in-8, 171 p. (Berliner musikwissenschaftl. Arbeiten, 20)

Cf. n°s 558, 3922.

§ 8. Art et art industriel.

a. Généralités.

* Cf. n° II.

5395. ARTNER (Tivadar). Le cheval et le chevalier dans l'art. Budapest, Corvina, 82, in-8, 47 p. (96 pl.).

5396. BIAŁOSTOCKI (Jan). Symbole i obrazy w świecie sztuki. T. 1-2. (Les symboles et les images dans le monde de l'art. T. 1-2.) Warszawa, Państw. Wydwn. Nauk., 82, 2 vol. in-8, 596, 254 p. (Studia i Rozprawy z Dziejów Sztuki i Myśli o Sztuce)

5397. BLUNT (Anthony). Guide to Baroque Rome. London, Granada, 82, in-8, 336 p. (ill.).

5398. CHASTEL (André). French Renaissance in a European context. Sixteenth Cent. J., 81, vol. 12, n° 4, p. 77-103.

5399. Historické vědomí v českém umění 19. století. (Das historische Bewußtsein in d. tschech. Kunst d. 19. Jh.) Praha, Ústav teorie a dějin umění ČSAV, 81, in-8, 269 p. (11 fig.). (Uměnovědné studie, 3)

5400. HOBSON (Marian). The object of art: the theory of illusion in 18th century France. London, Cambridge U. P., 82, in-8, 397 p. (Cambr. Stud.)

5401. HUNT (John Dixon). The wider sea: the life of John Ruskin. London, Dent, 82, in-8, 528 p.

5402. Kunst und Reformation. Hrsg. v. Ernst ULLMANN. Leipzig, E. A. Seeman, 82, in-8, 171 p. (Abb.).

5403. LAURENT (Jeanne). Arts et pouvoirs en France de 1793 à 1981: histoire d'une démission artistique. Saint-Etienne, Centre interdisciplinaire d'Etudes et de Rech. sur l'Expression contemp., 82, in-8, 188 p.

5404. LEVÁRDY (Ferenc). Magyar templomok müvészete. (L'art des églises hongroises.) Budapest, Szent István Társulat, 82, in-8, 301 p. (64 pl.).

5405. MEZEI (Ottó). Ecoles d'art libres en Hongrie entre 1896 et 1944. Acta Hist. Artium Acad. Sci. hungaricae, 82, vol. 28, n° 1-2, p. 175-209.

5406. ROJAS MIX (Miguel), BAREIRO SEGUIR (Rubén). Arte popular, folclore, arte culto: la expresión estética de las culturas latinoamericanas. Nova Americana, 81 [82], n° 4, p. 335-361.

5407. Russkaja êstetika i kritika 40-50-kh gg. XX veka. (Russian aesthetics and criticism in the 40s-50s of the 19th cent.) Redkol.: M. F. OVSJANNIKOV (predsedatel') i dr. Moskva, Iskusstvo, 82, 544 p. (Istorija êstetiki v pamjatnikakh i dokumentakh)

5408. Sovremennoe zapadnoe iskusstvo, XX vek. Problemy i tendencii. (Contemporary Western art: the 20th century.) Otv. red.: B. I. ZINGERMAN. Moskva, Nauka, 82, 317 p. (AN SSSR, VNII iskusstvoznanija M-va kul'tury SSSR)

5409. STEIN (Meir). Idé og form i fransk kunst, fra barock til impressionisme. (Idée et forme dans l'art français, du baroque à l'impressionisme.) København, Krohn, 81, 263 p. (ill.).

5410. SZABADI (Judit). An outline history of Hungarian Art Nouveau ideas. Acta Hist. Artium Acad. Sci. hungaricae, 82, vol. 28, n° 1-2, p. 117-130.

5411. Sztuka dwudziestolecia międzywojennego. Materiały Sesji Stowarzyszenia Historyków Sztuki, Warszawa, październik 1980. (L'art des vingt années entre les deux guerres. Matériaux du Colloque de l'Association des Historiens de l'Art, Varsovie, oct. 1980.) Warszawa, Państw. Wydawn. Nauk, 82, in-8, 345 p.

5412. WEISBERG (Gabriel P.) a. others. The European realist tradition. Bloomington, Indiana U. P., 82, in-8, IX-324 p.

Cf. n°s 4708, 4901a, 6513.

b. Architecture.

** 5413. LE CORBUSIER. Carnets de Le Corbusier. Introd. de Maurice BESSET; commentaires de François de FRANCLIEU. T. 1: 1914-1948. T. 2: 1950-1954. T. 3: 1954-1957. T. 4: 1957-1964. Paris, Herscher, Dessain et Tolra, 81-82, 4 vol., pagination multiple.

5414. ARNEVILLE (Marie-Blanche d'). Parcs et jardins sous le Premier Empire: reflets d'une société. Paris, Tallandier, 81, 254 p. (ill.).

5415. BALOGH (Jolán). Varadinum. - Várad vára. Vol. 1, 2. Budapest, Akadémiai Kiadó, 82, 2 vol. in-8, 109 p. (114 pl.); 395 p. (Müvészettörténeti füzetek, 13/1-2)

5416. CURTIS (William). Modern architecture, 1900-1975. London, Phaidon Press, 82, in-4, 400 p. (ill., pl.).

5417. Eléments d'une connaissance historique et technique des bâtiments en fer et fonte du XIXe siècle. Paris, Centre d'Etudes et de Documentation sur l'Architecture métallique, 82, in-4, 350 p. (ill.).

5418. EVANS (Robin). The fabrication of virtue: English prison architecture, 1750-1840. London, Cambridge U. P., in-4, 464 p. (ill., dr.).

5419. FOUCART (Jacques). Viollet-le-Duc et la cathédrale d'Amiens. B. Soc. Antiq. Picardie, 82, p. 172-238.

5420. Fra Christianias bygrunn: arkeologiske utgravninger i Revierstreded 5-7, Oslo. (Archaeological excavations in 5-7 Revierstr., Oslo) Ed. by Erik SCHIA. Publ. by Riksantikvaren in collab. with the Bank of Norway. Oslo, Akademisk forl., 82, in-4, 292 p. (ill.). (Riksantikvarens skrifter, 4)

5421. GERŐ (Győző). Die türkischen architektonischen Überreste der Wohnhäuser in der Burg von Buda. Acta archaeol. Acad. Sci. hungaricae, 81, vol. 33, p. 257-271.

5422. IKONNIKOV (A. V.). Zarubežnaja arkhitektura: Ot "novoj arkhitektury" do postmodernizma. (Foreign architecture: from "new architecture" to post-modernism.) Moskva, Strojizdat, 82, 256 p. (ill.).

5423. JOHNSON (Donald L.). Australian architecture, 1901-1951. Sydney, U. P.; London, Eurospan, 82, in-8, 246 p.

5424. KIRIČENKO (E. I.). Russkaja arkhitektura 1830-1910-kh godov. (Russian architecture, 1830-1910.) 2-e izd., ispr. i dop. Moskva, Iskusstvo, 82, 399 p. (ill.).

5425. KLEIN (Jürgen). Die neugotische Burg als symbolische Form des romantischen Denkens. Z. f. Religions- u. Geistesgesch., 82, Bd 34, p. 28-45.

5426. KUBLER (George). Building the Escorial. Princeton, N. J., Princeton U. P., 82, XVI-185 p.

5427. LIBSON (V. Ja), KUZNECOVA (A. I.). Bol'šoj teatr SSSR. Istorija sooruženija i rekonstrukcii zdanija. (The Bolshoi Theatre of the USSR. History of the construction and reconstruction of the building.) Moskva, Strojizdat, 82, 147 p. (ill.).

5428. MASSU (Claude). L'architecture de l'école de Chicago. Architecture fonctionnaliste et idéologie américaine, 1875-1910. Paris, Dunod, 82, in-8, 176 p. (Espace et architecture)

4529. MEIRION-JONES (Gwyn I.). Some aspects of the vernacular architecture of Brittany. R. roumaine Hist. Art, Sér. Beaux-Arts, 82, t. 19, p. 57-73 (20 fig.).

5430. MIDDLETON (Robin). Beaux arts and 19th century French architecture. London, Thames a. Hudson, 82, in-8, 284 p. (ill., pl.).

5431. MISLIN (Miron). Die überbaute Brücke: Pont Notre-Dame [in Paris]. Baugestalt u. Sozialstruktur. Frankfurt a. M., Haag u. Herchen, 82, in-8, 124 p. (40 p. Ill.).

5432. MÖSENEDER (Karl). Aedificata poesis. Devisen in der französischen und österreichischen Barockarchitektur. Wiener Z. f. Kunstgesch., 82, Bd 35, p. 139-175.

5433. MONNIER (Gérard). L'architecte Henri Pacon (1882-1946). Vol. 1, 2. Aix-en-Provence, Univ. de Provence; diff. Marseille, Laffitte, 82, 2 vol. in-8, 542 p. (107 p. de pl.). (Travaux et colloques de l'Inst. d'art - Univ. de Provence)

5434. MONTEQUIN (François-Auguste de). El proceso de urbanización en San Agustin de la Florida, 1565-1821: arquitectura civil y militar. Anu. Est. am., 80 [82], t. 37, p. 583-647.

5435. MUTHESIUS (Stefan). The English terraced house. New Haven, Conn., Yale U. P., 82, X-278 p.

5436. NOHLEN (Klaus). Baupolitik im Reichsland Elsaß-Lothringen 1871-1918. Die repräsentativen Staatsbauten um d. ehem. Kaiserplatz in Straßburg. Berlin, Mann, 82, in-8, 372 p. (195 Ill., graph. Darst. u. Kt.). (Kunst, Kultur u. Politik im deutsch. Kaiserreich, 5)

5437. NORRIS (Darrell A.). Vetting, the vernacular: local varieties in Ontario's housing. Ontario Hist., 82, vol. 74, p. 66-94.

5438. O'DEA (Shane). Simplicity and survival: vernacular response in Newfoundland architecture. Newfoundland Quar., 82-83, vol. 88, n° 3, p. 19-31.

5439. Oeuvre (L') de Soufflot à Lyon: études et documents. Lyon, Presses univ. Lyon, 82, in-8, 432 p. (ill.).

5440. PEROUSE DE MONTCLOS (Jean-Marie). L'architecture à la française, XVIe, XVIIe, XVIIIe siècles. Paris, Picard, 82, in-4, 350 p. (165 ill.).

5441. PETZET (Michael). Das Triumphbogenmonument für Ludwig XIV. auf der Place du Trône [in Paris]. Z. f. Kunstgesch., 82, Bd 45, p. 145-194.

5442. RASMUSSEN (William M. S.). Designers, builders, and architectural tradition in colonial Virginia. Virginia Mag. Hist. a. Biogr., 82, vol. 90, n° 2, p. 198-212.

5443. SISA (József). Alois Pichl in Ungarn. Die Tätigkeit eines Wiener Architekten in Ungarn während d. ersten Hälfte d. 19. Jh. Acta Hist. Artium Acad. Sci. hungaricae, 82, vol. 28, n° 1-2, p. 67-116.

5444. STILGOE (John R.). Common landscape of America, 1580-1845. New Haven, Conn., Yale U. P., 82, XI-429 p.

5445 WILSON (Granville). Building a city: 100 years of Melbourne architecture. Melbourne, Oxford U. P., 82, in-8, 216 p. (ill.).

Cf. n°s 6131, 6156.

c. Sculpture, peinture, dessin et gravure.

** 5446. DELACROIX (Eugène). Journal, 1822-1863. Introd. et notes par André JOUBAIN. Ed. revue par Régis LABOURDETTE. Paris, Plon, 81, in-8, XXVI-944 p.

5447. ÅBERG (Alf). Adlig prakt och folklig möda. (Noblemen's splendour and people's labour [Erik Dalberg's drawings in Suecia antiqua et hodierna].) Karolinska Förb. Arsb., 81-82, vol. 70-71, p. 7-14.

5448. BEAULIEU (Michèle). Robert Le Lorrain (1666-1743). Paris, Arthena, 82, 166 p. (pl.).

5449. BECQ (Annie). Expositions, peintres et critiques: vers l'image moderne de l'artiste [1780-1820]. XVIIIe Siècle, 82, n° 14, p. 131-149.

5450. BERTHOUD (Roger). Graham Sutherland, a biography. London, Faber, 82, in-8, 352 p. (ill.).

5451. BIDON (Colette), BIDON (Etienne). Eugène Baudin, 1843-1907. Approche de l'école moderne de peinture lyonnaise, 1863-1925. Paris, Ed. du C. N. R. S.; Lyon, Presses univ. Lyon, 82, in-8, 267 p. (ill.).

5452. BOGDANOV (A. A.). Sovremennoe izobrazitel'noe iskusstvo Iraka (1900-e - 1970-e gg.). (Contemporary fine art of Iraq, 1900s - 1970s.) Leningrad, Iskusstvo, 82, 184 p. (ill.).

5453. BOURET (Blandine). L'ambassade persane à Paris en 1715 et son image. Gaz. Beaux-Arts, 82, a. 124, pér. 6, t. 100, p. 109-130.

5454. BRYSON (Norman). Word and image: French painting of the Ancien Regime. London, Cambridge U. P., 82, in-8, 281 p. (ill.).

5455. CALVERT (Karin). Children in American family portraiture, 1670-1810. William a. Mary Quar., 82, vol. 39, n° 1, p. 87-113.

5456. CALVI (Gerolamo), MARINONI (Augusto). I manoscritti di Leonardo da Vinci. Dal punto di vista cronologico, storico e biografico. Busto Arsizio, Bramante, 82, in-8, 271 p. (fig.). (La spirale 1)

5457. CHONÉ (Paulette). François Nicolas, de Bar à Rome (1652-1695): fragment biographique d'un peintre. A. Est, 82, sér. 5, a. 34, p. 289-303.

5458. CONSTANTINESCU (R.). Dionisie din Pietrari, miniaturist și caligraf. (Dionisie de Pietrari, miniaturiste et calligraphe.) București, Meridiane, 82, 67 p. (40 fig.). [Rés. franç.]

5459. DAVIDSON (Abraham). Early American modernist painting, 1910-1935. London, Harper a. Row, 82, in-8, 320 p. (ill., pl.).

5460. FAUCHEREAU (Serge). La révolution cubiste. Paris, Denoël, 82, in-8, 223 p. (ill.).

5461. FINLEY (Gerald). Turner and George the Fourth in Edinburgh, 1822. Edinburgh, U. P., 82, in-8, 250 p. (ill.).

5462. GATEAU (J. Ch.). Paul Eluard et la peinture surréaliste (1910-1939). Genève, Droz, 82, in-8, 396 p. (85 ill.). (Hist. des idées et critique litt., 204)

5463. GELLÉR (Katalin). Eléments symbolistes dans l'oeuvre des artistes de la colonie de Gödöllő. Acta Hist. Artium Acad. Sci. hungaricae, 82, vol. 28, n° 1-2, p. 131-174.

5464. GIRY (Marcel). Le Fauvisme: ses origines, son évolution. Neuchâtel, Ides et Calendes; Paris, diff. Bibliothèque des Arts, 81, in-4, 271 p. (ill.).

5465. GOULD (Cecil). Bernini in France, an episode in 17th century history. London, Weidenfeld a. Nicolson; Princeton, N. J., Princeton U. P., 82, in-8, XIII-158 p. (pl.).

5466. GUILLON-LAFFAILLE (Fanny). Raoul Dufy: catalogue raisonné des aquarelles, gouaches et pastels. [T. 1. Cf. Bibl. 81, n° 4891.] T. 2. Paris, L. Carré, 82, LX-439 p. (ill.).

5467. HAMMACHER (Abraham Marie), HAMMACHER (Renilde). Van Gogh: a documentary biography. London, Thames a. Hudson, 82, in-4, 240 p. (ill., pl.).

5468. HANOTELLE (M.). Paris-Bruxelles: Rodin et Meunier, relations des sculpteurs français et belges à la fin du XIXe siècle. Paris, Ed. du Temps, 82, 250 p.

5469. HERBERT (Robert L.). Industry in the changing landscape from Daubigny to Monet. In: French cities in the 19th century [Cf. n° 3667], p. 139-164.

5470. KALLIGAS (M.). To xekinēma tēs kosmikēs charaktikēs sta Eptanēsa. (Les débuts de la gravure laïque dans l'Heptanèse.) Kerkyraïka Chron., 82, t. 26, p. 386-394.

5471. LAPUNOVA (N. F.). Mitrofan Borisovič Grekov. (M. B. Grekov.) Monografija. Moskva, Izobrazit. iskusstvo, 82, 246 p. (ill.).

5472. LENMAN (Robin). A community in transition: painters in Munich, 1886-1924. Central european Hist., 82, vol. 15, n° 1, p. 3-33.

5473. LISOVSKIJ (V. G.). Akademija khudožestv. (The Academy of arts.) Ist.-iskusstvoved. očerk. 2-e izd., pererab. i dop. Leningrad, Lenizdat, 82, 224 p. (ill.).

5474. MARLING (Karal Ann). Wall-to-wall America: a cultural history of post-office murals in the great depression. Minneapolis, Univ. of Minnesota Press, 82, in-8, XIV-348 p.

5475. Mihály Munkácsy [1844-1900]. Introd. et choix d'oeuvres du peintre par András SÉKELY. Intr. and selection of paintings by - . Einleitung und Bildauswahl von - . Budapest, Corvina, 81, in-8, 20 p. (70 pl.).

5476. MORKA (Mieczyslaw). Portret konny cesarza Leopolda I w zbiorach polskich. (Le portrait équestre de Léopold Ier dans une collection polonaise.) B. Hist. Sztuki, 81 [82], a. 43, n° 1, p. 13-24.

5477. Pál Szinyei Merse [1845-1920]. Intr. et choix des illustrations par Mária BERNÁTH. Intr. a. selection of illustrations Einleitung und Bildauswahl von -.) Budapest, Corvina, 81, in-4, 22 p. (66 pl.).

5478. PENNINGTON (Richard). Descriptive catalogue of the etched work of Wenceslaus Hollar, 1607-1677. London, Cambridge U. P., 82, in-4, 452 p.

5479. RIEU (Alain-Marc). La machine, un tableau et la nature: Claude Lorrain et la rationalité des Lumières. R. Sci. humaines, 82, n° 186-187, p. 279-292.

5480. ROZANOVA (N. N.). Moskovskaja knižnaja ksilografija 1920-30-kh godov. (Moskow book xylography, 1920-1930.) Moskva, Kniga, 82, 287 p. (ill.).

5481. RÓZSA (Gyula). Chodowiecki, Oeser und Ferenc Kazinczy. Acta Hist. Artium Acad. Sci. hungaricae, 82, vol. 28, n° 1-2, p. 61-66.

5482. SARKANTYÚ (Mihály). Mednyánszky László 1852-1919. (L. Mednyánszky.) Budapest, Képzőmüvészeti Alap, 81, in-4, 115 p.

5483. Sovetskoe monumental'noe iskusstvo. Vyp. 4. (Soviet monumental art. Vol. 4.) Sbornik. Redkol.: V. K. VASIL'EV, M. V. VORONOV, E. G. KAZAR'JANC i dr. Moskva, Sov. khudožnik, 82, 239 p. (ill.).

5484. SZMODIS-ESZLÁRY (Eva). Un bronzetto sconosciuto di Giovanni Battista Foggini. Acta Hist. Artium Acad. Sci. hungaricae, 82, vol. 28, n° 1-2, p. 39-48.

5485. VALLIER (Dora). Braque: l'oeuvre gravé. Catalogue raisonné. Paris, Flammarion, 82, in-4, 319 p. (ill.).

5486. VALLIER (Dora). Tout l'oeuvre peint de Henri Rousseau. Nouv. éd., revue et mise à jour. Paris, Flammarion, 82, in-8, 128 p. (ill.). (Les classiques de l'art)

5487. VASILIU (Anca). Pictura murală brîncovenească. Contextul cultural şi trăsături stilistice. (La peinture murale au temps de Constantin Brîncoveanu [prince de Valachie, 1688-1714]. Coordonnées culturelles de l'époque et traits de style.) Studii Cercet. Ist. Artei, Ser. Arta plastică, 82, t. 29, p. 19-35 (12 fig.). [Rés. franç.]

5488. VÉGH (János). Deutsche Tafelbilder des 16. Jahrhunderts. 2. neubearb. Aufl. Budapest, Corvina, 81, in-8, 39 p. (48 pl.).

5489. VLASIU (Ioana). La peinture roumaine des années 20 et les débats autour de la tradition. R. roumaine Hist. Art, Sér. Beaux-Arts, 82, t. 19, p. 21-33 (7 fig.).

5490. WHITFIELD (Clovis), MARTINEAU (Jane). Painting in Naples, 1606-1705, from Caravaggio to Giordano. London, Weidenfeld a. Nicolson, 82, in-4, 302 p. (ill., pl.).

5491. WITTLICH (Petr). Česká secese. (Die tschechische Sezession.) Praha, Odeon, 82, in-4, 379 p. (35 fig.). (České dějiny, 52)

5492. YBL (Ervin). Lotz Károly [1833-1904] élete és müvészete. Utószó: ZÁDOR Anna. (La vie et l'art de Károly Lotz. Postface de -.) Budapest, Képzőmüvészeti Alap, 81, in-4, 106 p.

5493. ZHADOVA (Larissa). Malevich: suprematism and revolution in Russian art, 1910-1930. London, Thames a. Hudson, 82, in-4, 372 p. (ill., pl.).

d. Arts décoratifs, art populaire, art industriel.

5494. BÁRDOSI (János). Őrségi népi müemlékegyüttes Szalafő Pityerszerén. - Volksbaudenkmalensemble in der Wart, Szalafő, Pityer-Winkl. Szombathely, Vas m. Múz. Ig., 82, in-8, 35 p. (Vas megyei múzeumok katalógusai, 82)

5495. BATKIN (Maureen). Wedgwood ceramics, 1846-1959, a new appraisal. London, R. Dennis, 82, in-8, 244 p. (ill., pl.).

5496. COYSH (A. W.), HENRYWOOD (R. K.). Dictionary of blue and white printed pottery, 1780-1880. London, Antique Collectors' Club, 82, in-8, 422 p. (ill., pl.).

5497. FAIRBANKS (Jonathan L.), BATES (Elizabeth Bidwell). American furniture, 1620 to the present. London, Orbis Publ., 82, in-4, 600 p. (ill., pl.).

5498. GODDEN (Geoffrey A.). Chamberlain-Worcester porcelain, 1788-1852. London, Barrie a. Jenkins, 82, in-4, 375 p.

5499. KANTOR (Ryszard). Ubiór, strój, kostium. Funkcje odzienia w tradycyjnej społeczności wiejskiej w XIX i w początkach XX wieku na obszarze Polski. (Habillement, habit, costume. Fonctions du vêtement dans la société compagnarde traditionelle sur le territoire de la Pologne au XIXe et au début du XXe s.) Kraków, 82, in-8, 179 p. (Rozpr. Habilitacyjne. Uniw. Jagiell., 67)

5500. LERCH (Dominique). Imagerie et société. L'imagerie Wentzel de Wissembourg au XIX siècle. Strasbourg, Istra, 82, in-8, 334 p. (Grandes publications de la Soc. savante d'Alsace et des pays de l'Est, 21)

5501. SIKOTA (Győző). Herend Manufaktur der ungarischen Porzellankunst. Vorwort v. Dezső KERESZTURY. Budapest, Corvina; Lüdenscheid, Büro für moderne Absatzförderung, 82, in-8, 196 p.

5502. SOPRONI (Olivér). A magyar művészi kerámia születése. A török hódoltság kerámiája. (La naissance de la poterie d'art hongroise. La poterie de l'époque de l'occupation turque.) Budapest, Népművelési Propaganda Iroda, 81, in-8, 241 p. (Mesterségek)

5503. Sovetskoe dekorativnoe iskusstvo. Vyp. 5. (Soviet decorative art. Vol. 5) Redkol.: K. I. ROŽDESTVENSKIJ, L. V. ANDREEVA, N. S. NIKOLAEVA i dr. Moskva, Sov. khudožnik, 82, 311 p. (ill.).

5504. SOWIŃSKI (Janusz). Sztuka typograficzna Młodej Polski. (L'art typographique de la Jeune Pologne.) Wrocław, Zakł. Narod. im. Ossolińskich, 82, in-8, 214 p. (Książki o Książce)

5505. STÜRMER (Michael). Handwerk und höfische Kultur. Europäische Möbelkunst im 18. Jh. München, Beck, 82, in-8, 325 p.

5506. VERLET (Pierre). Les meubles français du XVIIIe siècle. 2e éd. refondue. Paris, Presses univ. France, 82, in-8, 291 p. (ill., 89 p. de pl.).

5507. WEISS (Leonard). Watchmaking in England, 1760-1820. London, Hale, 82, in-8, 224 p. (ill.).

5508. WEISSBACH (Lee Shai). Artisanal responses to artistic decline: the cabinet-makers of Paris in the era of industrialization. J. soc. Hist., 82, vol. 16, n° 2, p. 67-82.

§ 9. Musique, théâtre et cinéma.

* 5509. HANSEN (Mathias). Literaturbericht. Musikgeschichtsdarstellungen d. 20. Jh. Beitr. z. Musikwiss., 82, Jg. 24, p. 43-76.

** 5510. KODÁLY (Zoltán) levelei. 1. köt. Szerk. LEGÁNY Dezső. (La correspondance de Zoltán Kodály. Vol. 1. Réd. par -.) Budapest, Zeneműkiadó, 82, in-8, 461 p. - Cf. Igy láttuk Kodályt. Ötvennégy emlékezés. Szerk. BŐNIS Ferenc. Centenáriumi, bőv. kiad. (C'est ainsi que nous avons vu Kodály. 54 mémoires. Réd. par - . Ed. augmentée à l'occasion du centenaire [de la naissance de Z. Kodály].) Budapest, Zeneműkiadó, 82, in-8, 494 p. [Cf. n° 5549]

** 5511. Korespondencja. Pełna edycja zachowanych listów od i do kompozytora. Correspondence. A complete edition of extant letters from and to the composer Karol Szymanowski. T. 1: 1903-1919. Recueilli et éd. par Teresa CHYLIŃSKA. Kraków, Pol. Wydawn. Muzyczne, 82, in-8, 669 p.

** 5512. SADDLEMEYER (Ann). Theatre business: correspondence of the first Abbey Theatre Directors, William Butler Yeats, Lady Gregory and J. M. Synge. Gerrards Cross, C. Smythe, 82, in-8, 332 p. (ill.).

** 5513. STRAVINSKY (Igor). Selected correspondence. Ed. by Robert CRAFT. Vol. 1. London, Faber, 82, in-8, 109 p.

** 5514. TANEEV (S. I.). Dnevniki 1894-1909). (Diaries, 1894-1909.) Tekstologičeskaja redakcija i kommentarij L. Z. KORABEL'NIKOVOJ. V 3-kh Kn. Kn 2: 1899-1902. Moskva, 82, 430 p. (Gos. dom-muzej P. I. Čajkovskogo; Centr. gos. muzej muz. kul'tury)

** 5515. W. A. Mozarts musikalische Umwelt in Paris (1778). Eine Dokumentation. [Hrsg. v.] Rudolph ANGERMÜLLER. München u. Salzburg, Katzbichler, 82, in-8, LXXIII-351 p. (Musikwissenschaftl. Schriften, 17)

5516. BARENBOJM (L. A.). Nikolaj Grigor'evič Rubinštejn. Istorija žizni i dejatel'nosti. (N. G. Rubinstein. History of his life and activities.) Moskva, Muzyka, 82, 277 p. (ill.).

5517. BARTHOLOMEUSZ (Dennis). The "Winter's Tale" [Shakespeare's] in performance in England and America, 1611-1976. London, Cambridge U. P., 82, in-8, 279 p.

5518. BAUER (Oswald Georg). Richard Wagner. Die Bühnenwerke von d. Uraufführung bis heute. Vorwort v. Wolfgang WAGNER. Frankfurt a. M., Berlin u. Wien, Propyläen, 82, in-8, 288 p. (ill.).

5519. BEAUMAN (Sally). The Royal Shakespeare Company, a history of ten decades. London, Oxford U. P., 82, in-8, 388 p.

5520. BÉLZA (I. F.). Aleksandr Nikolaevič Skrjabin. (A. N. Scriabin.) Moskva, Muzyka, 82, 176 p. (ill.). (Russkie i sovetskie kompozitory)

5521. BENOIT (M.). Les musiciens du roi de France (1661-1733). Paris, Presses univ. France, 82, in-8, 128 p.

5522. BIGSBY (Christopher W. E.). Critical introduction to 20th century American drama. Vol. 1: 1900-1940. London, Cambridge U. P., 82, in-8, 342 p. (ill.).

5523. BOBÉTH (Marek). Borodin und seine Oper "Fürst Igor". Gesch., Analyse, Konsequenzen. München u. Salzburg, Katzbichler, 82, in-8, 223 p. (5 Bl. Abb.). (Berliner musikwissenschaftl. Arbeiten, 18)

5524. BROWN (David). Tchaikovsky, a biographical and critical study. [Vol. 1. Cf. Bibl. 78-79, n° 5635.] Vol. 2: The crisis years, 1874-1878. London, Gollancz, 82, in-8, 352 p.

5525. CARRUTHERS (Neil). Theatrical censorship in Paris from 1850 to 1905. New Zealand J. french Stud., 82, vol. 3., p. 21-41.

5526. Centenario Belae Bartók Sacrum. Von József UJFALUSSY et al. Budapest, Akadémiai Kiadó, 81, in-8, 499 p. (Studia musicol. Acad. Sci. hungaricae, vol. 23)

5527. CERNAT (Manuela). A concise history of the Romanian film. Bucureşti, Ed. ştiint. şi enciclop., 82, in-8, 120 p.

5528. DAVISON (Peter). Popular appeal in English drama to 1850. London, Macmillan, 82, in-8, 240 p.

5529. DE GRANDIS (Lucia). Famiglie di musicisti nel '500. I Piccinini: vita col liuto. Nuova R. music. ital., 82, a. 16, p. 226-232.

5530. DORÁTI (Antal). Egy élet muzsikája. (Notes of seven decades.) Budapest, Zeneműkiadó, 81, in-8, 355 p.

5531. DRUSKIN (M. S.). Iogann Sebast'jan Bakh. (J. S. Bach.) Moskva, Muzyka, 82, 383 p. (ill.). (Klassiki mirovoj muz. kul'tury)

5532. DUFOURCQ (Norbert). Le livre de l'orgue français, 1589-1789. [3/2. Cf. Bibl. 78-79, n° 5637.] 5: Miscellanea. La condition sociale et artistique des organistes d'Ancien Régime. Supplément aux t. 1, 2, 3, 4. Annexes, bibliographie, index général. Paris, Picard, 82, in-8, 436 p. (48 p. de pl.). (La vie musicale sous les rois Bourbons)

5533. EDELSTEIN (Tilden G.). [Shakespeare's] Othello in America: the drama of racial intermarriage. In: Region, race, and reconstruction [Cf. n° 537], p. 179-197.

5534. Essays on the music of J. S. Bach and other subjects. New York, Pendragon, 82, in-8, 334 p.

5535. FENLON (Iain). Music and patronage in 16th-century Mantua. [Vol. 1. Cf. Bibl. 81, n° 4955.] Vol. 2. London, Cambridge U. P., 82, in-8, 151 p.

5536. FOMIN (F. S.). Starejšij russkij simfoničeskij orkestr. 1882-1982. (The oldest Russian symphonic orchestra, 1882-1982.) Leningrad, Muzyka, 82, 191 p. (ill.).

5537. FURNAS (J. C.). Fanny Kemble: leading lady of the nineteenth-century stage. New York, Dial Press, 82, in-8, XIV-494 p.

9. MUSIQUE, THEATRE ET CINEMA

5538. GENTY (Christian). Histoire du Théâtre national de l'Odéon [Paris]: journal de bord, 1782-1982. Paris, Fischbacher, 82, in-4, 320 p. (pl.).

5539. HORVATH (Emmerich Karl). Franz Liszt. Eine Studie im Lichte der Quellen, Biographie u. zeitgenöss. Darstellungen. Bd 2: Jugend. Eisenstadt, Nentwich, 82, in-8, 262 p. (Ill.).

5540. IKONNIKOV (A. A.). Khudožnik našikh dnej N. Ja. Mjaskovskij. (Master of our time: N. Ja. Miaskovski.) 2-e izd., dop. i pererab. Moskva, Sov. kompozitor, 82, 416 p. (ill.).

5541. Istorija russkogo dramatičeskogo teatra. (History of Russian dramatic theatre.) Redkol.: E. G. KHOLODOV (otv. red.) i dr. V 7-mi t. T. 6: 1882-1897. Moskva, Iskusstvo, 82, 575 p. (M-vo kul'tury SSSR. VNII iskusstvozanija)

5542. Istorija russkoj dramaturgii XVII - pervaja polovina XIX veka. (History of Russian drama, 17th - first half of the 19th cent.) Redkol.: L. M. LOTMAN (otv. red.) i dr. Leningrad, Nauka, 82, 532 p. (AN SSSR, In-t rus. lit. - Pušk. dom)

5543. Iz prošlogo sovetskoj muzykal'noj kul'tury. (From the past of Soviet music culture.) Sost. i red. T. N. LIVANOVA. Vyp. 3. Moskva, Sov. kompozitor, 82, 280 p.

5544. JADOUX (Henri). Sacha Guitry. Paris, Perrin, 82, in-4, 318 p. (pl.).

5545. JAMBOU (Louis). Les origines du tiento. Paris, Ed. du C. N. R. S., 82, in-4, 236 p. (fig., tabl., 13 partitions). (Coll. de la Maison des pays ibériques, 10)

5546. JARUSTOVSKIJ (B. M.). Igor' Stravinskij. (I. Stravinski.) 3-e izd., dop. Leningrad, Muzyka, 82, 262 p. (ill.).

5547. KENDALL (Alan). Paganini, a biography. London, H. Hamilton, 82, in-8, 160 p.

5548. KHENTOVA (S. M.). Šostakovič. Tridcatiletie. 1945-1975. (Shostakovich. Thiertieth anniversary, 1945-1975.) (K 75-letiju so dnja roždenija D. D. Šostakoviča). Monografija. Leningrad, Sov. kompozitor, 82, 413 p. (ill.).

5549. [Kodály (Zoltán):] Kodály-mérleg, 1982. Tanulmányok. Vál. és szerk. BREUER János. Irta BARTÓK Béla et al. (Le bilan de l'activité de Kodály, 1982. Etudes. Choisies et réd. par -.) Budapest, Gondolat Kiadó, 82, in-8, 445 p. - MÉSZÁROS (István). Kodály és a neveléstudomány. (Kodály et la pédagogie.) Pedag. Szle, 82, vol. 32, n° 11, p. 963-980. - SZÖLLÖSY (András). Emlékeztető Kodály Zoltán századik születésnapján. (Aide-mémoire à l'occasion du 100e anniversaire de Z. Kodály.) Irodtört., 82, vol. 14, n° 4, p. 753-760. [Cf. n° 5510]

5550. KORNWEIBEL (A. H.). Apollo and the pioneers: a study of music making in colonial Western Australia. Cambridge, P. Moore, 82, in-8, XIII-102 p. (Music Council of W. Austral.)

5551. KOVÁCS (Sándor). Über die Vorbereitung der Publikation von [Béla] Bartóks großer ungarischer Volksliedausgabe. Studia musicol. Acad. Sci. hungaricae, 82, vol. 24, n° 1-2, p. 133-155.

5552. KOZŁOWSKI (Józef). Życie teatralne proletariatu polskiego 1878-1914. (La vie théâtrale du prolétariat polonais 1878-1914.) Kraków, Wydawn. Liter., 82, in-8, 360 p.

5553. LAMONDE (Yvan). Le cinéma au Québec. essai de statictique historique, 1896 à nos jours. Québec, Inst. québécois de recherche sur la culture, 81, in-8, 478 p. (Instruments de travail, 2)

5554. LARSEN (Jens Peter), FEDEN (Georg). Haydn. London, Papermac, 82, in-8, 256 p. (New Grove Composer Biogr.)

5555. LEACH (James). Second images: reflections on the Canadian cinema(s) in the seventies. Dalhousie R., 82-83, vol. 62, p. 181-195.

5556. LeMAHIEU (D. L.). The Gramophone: recorded music and the cultivated mind in Britain between the wars. Technol. a. Cult., 82, vol. 23, n° 3, p. 372-391.

5557. LISTOVA (N. A.). V. Ja. Šebalin. (V. Ja. Shebalin.) Moskva, Sov. kompozitor, 82, 296 p. (ill.). (VNII iskusstvoznanija M-va kul'tury SSSR)

5558. MARGGRAF (Wolfgang). Giuseppe Verdi. Leben u. Werk. Leipzig, Deutsch. Verl. f. Musik, 82, in-8, 424 p.

5559. MARSH (Patrick). Le théâtre à Paris sous l'occupation allemande. R. Hist. Théâtre, 81, a. 33, p. 197-369.

5560. MARTINET (Marie-Madeleine). Le miroir de l'esprit dans le théâtre élisabethain. Variations dramatiques sur une idée philos., littéraire et artistique. Paris, Didier Erudition, 82, in-8, 501 p. (Et. anglaises, 79)

5561. MAY (Lary L.), MAY (Elaine Tyler). Why Jewish movie moguls: an exploration in American culture. Am. jewish Hist., 82, vol. 72, n° 1, p. 6-25.

5562. Modernes französisches Theater. Adamov - Beckett - Ionesco. Hrsg. v. Karl Alfred BLÜHER. Darmstadt, Wiss. Buchges., 82, in-8, VII-469 p. (Wege d. Forsch., 532)

5563. MOLNÁR (Antál). Eszmények, értékek, emlékek. Sajtó alá rend. BÓNIS Ferenc. (Evénements, valeurs et souvenirs. Publ. par -.) Budapest, Zeneműkiadó, 81, in-8, 192 p.

5564. MORA (Carl J.). Mexican cinema - reflections of a society 1896-1980. Berkeley a. London, Univ. of Calif. Press, 82, in-8, XV-287 p.

5565. MOUREAU (François). Les Comédiens-Italiens et la cour de France (1664-1607).

XVIIe Siècle, 81, a. 33, n° 130, p. 63-81.

5566. MÜLLER (Werner). Gottfried Silbermann. Persönlichkeit u. Werk. Eine Dokumentation. Leipzig, Deutsch. Verl. f. Musik, 82, in-8, 658 p. (Abb.).

5567. Muzykal'naja èstetika Germanii XIX veka. (Musical aesthetics of Germany in the 19th cent.) V 2-kh t. T. 1. Red. N. G. ŠAKHNAZAROVA. Moskva, Muzyka, 82, 432 p. (Pamjatniki muz.-èstet. mysli)

5568. NÁDOR (Tamás). Fryderyk Chopin életének krónikája. (Chronique de la vie de F. Chopin.) Budapest, Zeneműkiadó, 82, in-8, 173 p. (Napról napra, 17)

5569. NELSON (Bonnie A.). Serious drama and the London stage, 1729-1739. Salzburg, Inst. f. Anglistik u. Amerikanistik, Univ. Salzburg, 81, in-8, XV-278 p. (Poetic drama & poetic theory, 66) (Salzburg Stud. in Eng. literature)

5570. NEMES (Károly), PAPP (Sándor). A magyar film 1945-1956 között. (Le film hongrois 1945-1956.) Budapest, Magyar Filmtudom. Int. és Filmarchivum, 80 [81], in-8, 250 p. (Filmművészeti könyvtár, 65)

5571. New (The) Oxford History of Music. Vol. 8: The age of Beethoven 1790-1830. Ed. by Gerald ABRAHAM. London, Oxford U. P., 82, in-8, 752 p.

5572. ORD-HUME (Arthur W. J. G.). Joseph Haydn and the mechanical organ. Cardiff, U. P., 82, in-8, 186 p. (ill.).

5573. PAGANO (Sergio M.). Una visita apostolica alla Cappella dei cantori pontifici al tempo di Urbano VIII (1630). Nuova R. music. ital., 82, a. 16, p. 40-72.

5574. PASK (Edward H.). Ballet in Australia, the Second Act, 1940-1980. Melbourne, Oxford U. P., 82, in-8, 318 p. (ill., pl.).

5575. PIBER (Andrzej). Droga do sławy. Ignacy Paderewski w latach 1860-1902. (Le chemin de la gloire. I. Paderewski dans les années 1860-1902.) Warszawa, Państw. Inst. Wydawn., 82, in-8, 677 p.

5576. PROWAY (Nicholas). Propaganda, politics and film, 1918-1945. London, Macmillan, 82, in-8, IX-312 p.

5577. REILLY (Edward R.). Gustav Mahler and Guido Adler: records of a friendship. London, Cambridge U. P., 82, in-8, 163 p.

5578. ROSENSTIEL (Leonie). Nadia Boulanger, a life in music. London, W. W. Norton, 82, in-8, 438 p.

5579. SADIE (Stanley). Mozart. London, Papermac, 82, in-8, 256 p. (New Grove Composer Biogr.)

5580. SHORTT (Mary). Touring theatrical families in Canada West: the Hills and the Herons. Ontario Hist., 82, vol. 74, p. 3-25.

5581. SKELTON (Geoffrey). Richard and Cosima Wagner: biography of a marriage. London, Gollancz, 82, in-8, 320 p.

5582. SMITH (Mary Elizabeth). Too soon the curtain fell: a history of theatre in Saint John, 1789-1900. Fredericton, N. B., Brunswick Press, 81, in-8, 244 p. - CR: D. Gardner, Univ. Toronto Quar., 81-82, vol. 51, p. 442-443.

5583. TAYLOR (Ronald L.). Robert Schumann, his life and work. London, Granada, 82, in-8, 352 p.

5584. TOMESCU (Vasile). Musica Dacoromana. București, Ed. muzicală, 78-82, 2 vol. in-4, 472, 746 p. [Texte en franç.]

5585. TULARD (Jean). Dictionnaire du cinéma. 1: Les réalisateurs. Paris, R. Laffont, 82, in-8, 752 p.

5586. VASINA-GROSSMAN (V. A.). Mikhail Ivanovič Glinka, 1804-1857. (M. I. Glinka, 1803-1857.) Moskva, Muzyka, 82, 103 p. (ill.). (Russkie i sovetskie kompozitory)

5587. Victor Louis et le théâtre. Scénographie, mise en scène et architecture théâtrale aux XVIIIe et XIXe siècles. Actes du colloque tenu les 8, 9 et 10 mai 1980 à Bordeaux à l'occasion du bicentenaire de l'inauguration du Grand Théâtre [de Bordeaux]. Paris, Ed. du C. N. R. S., 82, in-4, 268 p. (30 fig., 88 phot.).

5588. WEBER (Edith). Le Concile de Trente et la musique: de la Réforme à la Contre-Réforme. Paris, Slatkine, 82, in-8, 302 p. (Musique et musicologie)

5589. WIDER (Werner), AEPPLI (Felix). Der Schweizer Film 1929-1964. Die Schweiz als Ritual. T. 1: Darstellung. T. 2: Materialien. Zürich, Limat, 81, 2 vol. in-8, 645, 446 p.(ill.).

5590. YOUNG (B. A.). The mirror up to Nature: a review of the theatre, 1964-1982. London, Kimber, 82, in-8, 226 p.

5591. ZAMOYSKI (Adam). Paderewski. London, Collins, 82, in-8, 320 p. (ill.).

5592. ZOLOTNICKIJ (D.). Akademičeskie teatry na putjakh Oktjabrja. (Academic theatres on the ways of October.) Leningrad, Iskusstvo, 82, 343 p. (ill.). (Leningr. gos. in-t teatra, muzyki i kinematografii)

Cf. n°s 273, 2894, 5238, 5375, 5394, 5427.

N

HISTOIRE ECONOMIQUE ET SOCIALE DE L'EPOQUE MODERNE

§ 1. Economie politique. 5593-5611. - § 2. Histoire économique générale. 5612-5704. - § 3. Industrie, mines et transports. 5705-5857. - § 4. Commerce. 5858-5902. - § 5. Agriculture et problèmes agraires. 5903-6022. - § 6. Argent et finance. 6023-6086. - § 7. Démographie et urbanisme. 6087-6162. - § 8. Histoire sociale et histoire des moeurs. 6163-6443. - § 9. Mouvement ouvrier et socialisme. 6444-6636.

§ 1. Economie politique.

** 5593. NITTI (Francesco Saverio). Europa i sistema europeo in 22 articoli inediti, 10 settembre 1921 - 28 aprile 1924. [Introd. du P. ALATRI.] R. Studi pol. int., 81, a. 48, p. 375-394, 565-577; 82, a. 49, p. 37-80, 217-242.

5594. BAINART (William). The political economy of Pondoland, 1860-1930. London, Cambridge U. P., 82, in-8, 220 p. (tab., maps). (Cambr. African Stud.)

5595. BANTING (Keith G.). The welfare state and Canadian federalism. Kingston, Ont., McGill-Queen's U. P., 82, in-8, 226 p. (Queen's studies on the future of the Canadian communities) - CR: J. Struthers, Canad. hist. R., 82, vol. 63, p. 545-547. C. Rachlis, Canad. J. pol. Sci., 83, vol. 16, p. 181-182.

5596. CAMPBELL (R. H.), SKINNER (A. S.). Adam Smith. New York, St. Martin's Press, 82, in-8, 231 p.

5597. CAPUTO (Cataldo). Malthus et Ricardo. Le pessimisme démographique et économique à l'époque de la révolution industrielle. Bologna, Clueb, 82, in-8, 120 p.

5598. COLEMAN (Peter J.). New Zealand liberalism and the origins of the American welfare state. J. am. Hist., 82, vol. 69, n° 2, p. 372-391.

5599. FAUCCI (Riccardo). La scienza economica in Italia, 1850-1943. Da Francesco Ferrara a Luigi Einaudi. Napoli, Guida, 82, in-8, 165 p. (Aggiornamenti, 7)

5600. GUIGOU (J.-L.). La rente foncière, les théories et leur évolution depuis 1650. Paris, Economica, 82, in-8, 954 p.

5601. KADISH (Alon). Oxford economists in the late 19th century. London, Oxford U. P., 82, in-8, 324 p. (Oxford Hist. Monogr.)

5602. KATOUZIAN (Homa). The political economy of modern Iran: despotism and pseudo-modernism, 1926-1979. London, Macmillan, 82, in-8, 448 p.

5603. KAUFMAN (Allen). Capitalism, slavery, and republican values: antebellum political economists, 1819-1848. Foreword by Elizabeth FOX-GENOVESE, Eugene D. GENOVESE. Austin, Univ. of Texas Press, 82, in-8, XXX-189 p.

5604. LOM (František). Zur historischen Entwicklung der Theorien über die Organisation eines landwirtschaftlichen Betriebes. Ein Beitr. zu d. wissenschaftl. Beziehungen Aereboe - Lambl sowie z. Einfluß v. Thaer-Thünen-Aereboe auf d. Entwicklung d. Landwirtschaftsökonomik in Böhmen. Z. f. Agrargesch., 82, Jg. 30, H. 1, p. 48-65.

5605. LUSTIG (R. Jeffrey). Corporate liberalism: the origins of modern American political theory, 1890-1920. Berkeley a. Los Angeles, Univ. of California Press, 82, in-8, XIII-357 p.

5606. MUHLACK (Ulrich). Physiokratie und Absolutismus in Frankreich u. Deutschland. Z. f. hist. Forsch., 82, Bd 9, p. 15-46.

5607. POCOCK (J. G. A.). The political economy of Burke's analysis of the French Revolution. Hist. J., 82, vol. 25, p. 331-349.

5608. REDL (Károly). Marx és a középkori gazdasági gondolkodás a kereskedelemről. (Marx et la pensée économique médiévale sur le commerce.) Világosság, 82, vol. 23, n° 12, Suppl., p. 18-32.

5609. RIZZO (Maria Marcella). Una proposta di liberalismo moderno. L'idea liberale dal 1892 al 1906. Lecce, Milella, 82, in-8, 268 p. (Bibl. di Stor. della Soc. contemp., 8)

5610. Turgot, économiste et administrateur. Actes d'un séminaire organisé par la Fac. de droit et des sci. écon. de Limoges pour le bicentenaire de la mort de Turgot, 8, 9 et 10 oct. 1981. Sous la dir. de Christian BORDES et Jean MORANGE. Paris,

Presses univ. France, 82, in-8, XXXI-268 p. (ill.). (Publications de la Fac. de droit et des sci. écon. de l'Univ. de Limoges, 10)

5611. WHITE (Eugene Nelson). The political economy of banking regulation, 1864-1933. J. econ. Hist., 82, vol. 42, n° 1, p. 33-40.

§ 2. Histoire économique générale.

* 5612. CANO SÁNCHEZ (Beatriz). Contribución bibliográfica para la historia económica del Estado de Tlaxcala. Siglos XIX y XX. Ibero-am. Arch., 82, N. F., Jg. 8, p. 403-418.

* 5613. YONEKAWA (Shin'ichi). The development of Chinese and Japanese business in an international perspective - a bibliographical introduction. Businesss Hist. R., 82, vol. 56, n° 2, p. 155-167.

5614. ADAMSON (Rolf). Före den stora industrialiseringens tid. (Before the period of large-scale industrialism.) Fataburen, 82, vol. 77, p. 9-20 (ill.).

5615. AGRANAT (G. A.). Osvoenie Severa v SSA i Kanade. (Development of the North in the US and Canada.) SŠA - èkon., polit., ideol., 82, n° 8, p. 30-40.

5616. Annali dell'economia italiana. [Direttore dell'opera: Gaetano RASI.] 1: 1861-1870. 2: 1871-1880. 3: 1881-1890. Milano, IPSOA, 3 vol. in-8, 382, 412, 454 p.

5617. ASDRACHAS (Spyros I.). Phorologia kai ekchrēmatismos stēn oinonomia tōn balkanikōn chōrion (15os-16os ai.). (Impôt et enrichissement dans l'économie des villages balkaniques, XVe-XVIe s.) Mnēmōn, 80-82, t. 8, p. 1-8.

5618. BADE (Klaus J.). Altes Handwerk, Wanderzwang und gute Policey: Gesellenwanderung zwischen Zunftökonomie und Gewerbereform. Vjschr. f. Soz.- u. Wirtschaftsgesch., 82, Bd 69, p. 1-37.

5619. BALDERSTON (T.). The origins of economic instability in Germany 1924-1930. Market forces versus economic policy. Vjschr. f. Soz.- u. Wirtschaftsgesch., 82, Bd 69, p. 488-514.

5620. BENNASSAR (Bartolomé). Un siècle d'or espagnol (vers 1525 - vers 1648). Paris, Laffont, 82, in-8, 332 p.

5621. BEREND (T. Iván). A világgazdasági válság (1929-1933) sajátos hatásai Közép- és Kelet-Európában. (Les effets particuliers de la crise de l'économie mondiale en Europe centrale et orientale.) Tört. Szle, 82, vol. 25, n° 1, p. 44-66.

5622. BODMER (Walter). Der Zuger und Zürcher Welschlandhandel mit Vieh und die von Zürich beeinflußte Entwicklung der Zuger Textilgewerbe. Schweiz. Z. f. Gesch., 81, vol. 31, p. 403-444.

5623. BOOTH (Anne), McCAWLEY (Peter). The Indonesian economy during the Socharto era. Kuala Lumpur, Oxford U. P., 82, in-8, 354 p. (ill., fig., tab.).

5624. BORCHARDT (Knut). Wachstum, Krisen, Handlungsspielräume der Wirtschaftspolitik. Studien z. Wirtschaftsgesch. d. 19. u. 20. Jh. Göttingen, Vandenhoeck u. Ruprecht, 82, in-8, 302 p. (graph. Darst.). (Krit. Stud. d. Geschichtswiss., 50)

5625. BRIGGS (Asa). The power of steam, an illustrated history of the world of the steam age. London, M. Joseph, 82, in-4, 208 p. (ill., pl.).

5626. CARACCIOLO (Alberto). La città moderna e contemporanea. Napoli, Guida, 82, in-8, 94 p. (fig.). (Aggiornamenti, 8)

5627. CIEŚLAK (Tadeusz). La situation politique et économique de Gdańsk dans la seconde moitié du XVIIIe siècle. Acta Poloniae hist., 81 [82], vol. 43, p. 77-94.

5628. CLARKE (Sir Richard). Anglo-American economic collaboration in war and peace, 1942-1949. London, Oxford U. P., 82, in-8, 200 p.

5629. COULSON (Andrew). Tanzania [1800-1980], a political economy. London, Oxford U. P., 82, in-8, XIV-394 p. (maps).

5630. CRAFTS (N. F. R.). Regional price variations in England in 1843: an aspect of the standard-of-living debate. Explor. in econ. Hist., 82, vol. 19, n° 1, p. 51-70.

5631. CREMIEUX-BRILHAC (Jean-Louis). La France en septembre 1939: de l'économie de crise à l'économie de guerre et l'échec de la mobilisation industrielle. In: Deutschland u. Frankreich 1936-1939 [Cf. n° 235], p. 365-385.

5632. DAHLGREN (Steffan). Skattesystemet som exploateringsform under 1600- och 1700-talen. (The tax system as a form of exploition during the 17th a. 18th cent.) [Svensk] Hist. T., 82, vol. 102, p. 437-455. [Eng. summary]

5633. DAVYDOV (Ju. S.), FIGUROVSKAJA (N. K.). Agrarno-industrial'nye kombinaty v konce 20-kh - načale 30-kh godov. (Vast agrarian-industrial plants [in the USSR] at the end of the 20s - beginning of the 30s.) Ist. Zap., 82, n° 108, p. 5-32.

5634. DAY (Richard H.). Instability in the transition from manorialism: a classical analysis. Explor. in econ. Hist., 82, vol. 19, n° 4, p. 321-338.

5635. DE LUCIA (Mario). Economia e società della Svizzera nell'età preindustriale. Napoli, Ediz. scient. ital., 82, in-8, 187 p. (Econ. e Stor., 2)

5636. DE MADDALENA (Aldo). Dalla città al borgo. Avvio di una metamorfosi economica e sociale nella Lombardia spagnola. Milano, Angeli, 82, in-8, 379 p. (Stor. della Lombardia, 2)

5637. East European economies in the 1970s. Ed. by Alec NOVE, Hans-Hermann HÖHMANN, Gertraud SEIDENSTECHER. London, Butterworth, 82, in-8, XIV-353 p. (ill.).

5638. Economic history (The) of Eastern Europe 1919-1975. Ed. by M. KASER. 1: Economic structure a performance between the two wars. London, Oxford U. P., 82, in-8, 576 p.

5639. ENGERMAN (Stanley L.). Economic adjustments to emancipation in the United States and British West Indies. J. interdisc. Hist., 82, vol. 13, n° 2, p. 191-220.

5640. Explorations in the new economic history: essays in honor of Douglass C. North. Ed. by Roger L. RANSOM, Richard SUTCH, Gary M. WALTON. London a. New York, Academic Press, 82, in-8, XVI-308 p. (ill.).

5641. FERNANDEZ-ARMESTO (Felipe). The Canary Islands after the conquest, the making of a colonial society in the early 16th century. London, Oxford U. P., 82, in-8, X-244 p. (maps). (Oxford Hist. Monogr.)

5642. FORSTER (Robert), PAPENFUSE (Edward C.). Gérer un patrimoine dans les deux mondes: les Carroll d'Annapolis (Maryland) et les Depont de la Rochelle (1750-1830). Annu. Istit. stor. ital. Età mod. contemp., 81-82, vol. 33-34, p. 9-23.

5643. FRASER (W. H.). The coming of the mass market, 1850-1914. London, Macmillan, 82, in-8, 268 p.

5644. FRENCH (David). British economic and strategic planning, 1905-1915. Boston a. London, Allen a. Unwin, 82, in-8, X-191 p.

5645. HANSON (Carl A.). The economy and society in Baroque Portugal, 1668-1703. London, Macmillan, 82, in-8, 374 p.

5646. HODNE (Fritz). Norges økonomiske historie 1815-1970. (Histoire économique de la Norvège 1815-1970.) Oslo, Kappelens, 81, in-8, 618 p.

5647. HOLTFRERICH (Carl-Ludwig). Alternativen zu Brünings Wirtschaftspolitik in der Weltwirtschaftskrise? Hist. Z., 82, Bd 235, p. 605-631.

5648. HORWITCH (Mel). Clipped wings: the American SST conflict. Cambridge, Mass., MIT Press, 82, in-8, X-473 p.

5649. INVERNIZZI (Fausto). La disoccupazione nel Canton Ticino durante la crisi: 1929-1939. Evoluzione e rimedi ufficiali. Arch. stor. ticinese, 81, vol. 22, p. 411-448.

5650. ISKANIUS (Markku). Taloudelliset edellytykset puolustusvoimien materiaaliselle kehittämiselle 1920- ja 1930-luvuilla. (Economic premises of material development of the defence forces [in Finland] in the 1920s and 1930s.) Tiede ja Ase, 82, t. 40, p. 153-187.

5651. JACKSON (Marvin R.), LAMPE (Johan R.). The evidence of industrial growth in southeastern Europe before the second world war. East european Quar., 82, vol. 16, n° 4, p. 385-415.

5652. JANSSON (Per). Kalmar under 1600-talet: omland, handel och krediter. (The town of Kalmar during the 17th century: environs, commerce, credits.) Stockholm, Almqvist o. Wiksell internat., 82, in-8, 22 p. (Studia hist. Upsaliensia, 125) [Eng. summary]

5653. JONES (Joseph). Vichy France and postwar economic modernization: the case of the shopkeepers. French hist. Stud., 82, vol. 12, n° 4, p. 541-563.

5654. KATZ (Michael B.) a. others. The social organization of early industrial capitalism. Cambridge, Mass., Harvard U. P., 82, in-8, XIII-444 p.

5655. KATZENELLENBOGEN (Simon E.). South Africa and Southern Mozambique: railways, labour and trade in the making of a relationship. Manchester, U. P., 82, in-8, 188 p. (tab., maps).

5656. KAUFHOLD (Karl Heinrich). Gewerbefreiheit und gewerbliche Entwicklung in Deutschland im 19. Jahrhundert. Günther Franz zum 80. Geburtstag. Bl. f. deutsche Landesgesch., 82, Jg. 118, p. 73-114.

5657. KÖVÉR (György). Iparosodás agrárországban. Magyarország gazdaságtörténete 1848-1914. (Industrialisation dans un pays agraire. Histoire économique de la Hongrie.) Budapest, Gondolat Kiadó, 82, in-8, 256 p. (Magyar história)

5658. LAMPE (John R.), JACKSON (Marvin R.). Balkan economic history, 1550-1950: from imperial borderlands to developing nations. Bloomington, Indiana U. P., 82, in-8, XVIII-728 p.

5659. LANDAU (Zbigniew), TOMASZEWSKI (Jerzy). Gospodarka Polski międzywojennej 1918-1939. T. 3: Wielki kryzis 1930-1935. (L'économie de la Pologne entre les deux guerres 1918-1939. T. 3: La grande crise 1930-1935.) Warszawa, Książka i Wiedza, 82, in-8, 450 p.

5660. LAVERYČEV (V. Ja.). Gosudarstvennyj kapitalizm v poreformennoj Rossii. (State capitalism in post-reform Russia.) Ist. SSSR, 82, n° 1, p. 20-38.

5661. LEFF (N. H.). Underdevelopment and development in Brazil. Vol. 1: Economic structure and change 1822-1947. Vol. 2: Reassessing the obstacles to economic development. London, Allen a. Unwin, 82, 2 vol. in-8, XVI-256, XV-144 p.

5662. LIEBERMAN (Sima). The contemporary Spanish economy: a historical perspective. London, Allen a. Unwin, 82, in-8, 365 p.

5663. LOVELOCK (Andrea). Il problema del pane, carestia e crisi di approvvigionamenti a Roma nel biennio 1647-1648. Stor. Pol., 82, a. 21, p. 410-437.

N. HISTOIRE ECONOMIQUE ET SOCIALE DE L'EPOQUE MODERNE

5664. LUNDMARK (Lennart). Kronans lappskatt och fångssamhällets upplösning. (The Crown's taxation of the Saami [Lapps] and the dissolution of hunter-gatherer society.) [Svensk] Hist. T., 82, vol. 102, p. 456-472. [Eng. summary]

5665. McGOWAN (Bruce). Economic life in Ottoman Europe: taxation, trade and the struggle for land, 1600-1800. London, Cambridge U. P., 82, in-8, 226 p. (dr., tab., maps).

5666. McKENDRICK (Neil) a. others. The birth of a consumer society: the commercialization of eighteenth-century England. Bloomington, Indiana U. P., 82, in-8, VIII-345 p.

5667. MAGER (Wolfgang). Protoindustrialisierung und agrarisch-heimgewerbliche Verflechtung in Ravensberg während der Frühen Neuzeit. Stud. zu e. Gesellschaftsformation im Übergang. Gesch. u. Ges., 82, Jg. 8, p. 435-474.

5668. MATTHEWS (R. C. O.) a. others. British economic growth, 1856-1973. London, Oxford U. P.; Stanford, Calif., Stanford U. P., 82, in-8, XXIV-712 p. (tab.). (Stud. of econ. Growth in industrialized Countries)

5669. MEERE (J. M. M. de). Economische ontwikkeling en levensstandaard in Nederland gedurende de eerste helft van de negentiende eeuw. Aspecten en trends. (Développement économique et niveau de vie aux Pays-Bas dans la première moitié du XIXe s. Aspects et tendances.) 's-Gravenhage, Nijhoff, 82, in-8, V-144 p.

5670. NAKAMURA (Takafusa). The postwar Japanese economy: its development and structure. Trans. by Jacqueline KAMINSKI. Tokyo, Univ. of Tokyo Press, 81, in-8, XIV-277 p.

5671. Nástin hospodářských dějin vo období kapitalismu a socialismu. (Abriß der Wirtschaftsgeschichte in d. Epoche d. Kapitalismus u. d. Sozialismus.) Von Václav PRŮCHA u. a. Praha, Svoboda, 82, in-8, 409 p.

5672. NOUAILLHAT (Yves-Henri). Evolution économique des Etats-Unis du milieu du XIXe siècle à 1914. Préf. de Claude FOHLEN. Paris, Soc. d'Edition d'enseignement supérieur, 82, in-8, 486 p. (graph.). (Regards sur l'histoire, 42)

5673. O'BRIEN (Patrick K.). European economic development: the contribution of the periphery. Econ. Hist. R., 82, vol. 35, p. 1-18. - IDEM. Transport and economic growth in Western Europe, 1830-1914. J. european econ. Hist., 82, vol. 11, p. 335-367.

5674. OUTHWAITE (R. B.). Inflation in Tudor and early Stuart England. 2nd rev. ed. London, Macmillan, 82, in-8, 68 p. (Stud. in Econ. a. Soc. Hist.)

5675. PAQUET (Gilles), WALLOT (Jean-Pierre). Sur quelques discontinuités dans l'expérience socio-économique du Québec. R. Hist. Amerique franç., 81-82, vol. 35, p. 483-521.

5676. PFISTER (Christian). Die Fluktuationen der Weinmosterträge im schweizerischen Weinland vom 16. bis ins frühe 19. Jahrhundert. Klimat. Ursachen u. sozioökonom. Bedeutung. Schweiz. Z. f. Gesch., 81, vol. 31, p. 445-491.

5677. PIETRI (Nicole). Evolution économique de l'Allemagne du milieu du XIXe siècle à 1914. Paris, Soc. d'Edition d'enseignement supérieur, 82, in-8, 565 p. (Regards sur l'histoire, 43)

5678. POIDEVIN (Raymond). Vers une relance des relations économiques franco-allemandes, 1938-1939. In: Deutschland u. Frankreich 1936-1939 [Cf. n° 235], p. 351-363.

5679. POLLINS (Harold). Economic history of the Jews in England. Rutherford, N. J., Fairleigh Dickinson U. P., 82, in-8, 339 p. (Littman Libr. of Jewish Civ.)

5680. POSKONINA (L. S.). Brazil'skaja levoradikal'naja istoriografija o problemakh razvitija latinoamerikanskogo kapitalizma. (Brazilian left radical historiography on the problems of Latin American capitalist development.) Vopr. Ist., 82, n° 9, p. 74-86.

5681. PUIA (I.). Relațiile economice externe ale României în perioada interbelică. (Les relations économiques extérieures de la Roumanie dans la période de l'entre-deux-guerres.) București, Ed. Acad., 82, in-8, 194 p. (Bibl. istorică, 60)

5682. PUTH (Robert). United States economic history. London, Holt, 82, in-8, 650 p.

5683. RAYMOND (R. J. A.). A reinterpretation of Irish economic history (1730-11850). J. european econ. Hist., 82, vol. 11, p. 651-664.

5684. RIDINGS (Eugene W.). Business, nationality and dependency in late nineteenth-century Brazil. J. latin am. Stud., 82, vol. 14, p. 55-96.

5685. RIEBER (Alfred J.). Merchants and entrepreneurs in imperial Russia. Chapel Hill, Univ. of North Carolina Press, 82, in-8, XXVI-464 p. (ill., tabl.).

5686. Rolle (Die) des Staates für die wirtschaftliche Entwicklung. Von Gerold AMBROSIUS [u. a.]. Hrsg. v. Fritz BLAICH. Berlin, Duncker u. Humblot, 82, in-8, 223 p. (Ill.). (Schr. d. Ver. f. Socialpolitik, Ges. f. Wirtschafts- u. Sozialwiss., N. F., 125)

5687. ROMANI (Mario). Storia economica d'Italia nel secolo XIX, 1815-1882. A cura di Sergio ZANINELLI. Bologna, Il mulino, 82, in-8, 502 p. (Collez. di testi et Stud. Storiogr.)

5688. ROMANO (Ruggiero). Problemi della coca nel Perù del secolo XX. Nova Americana, 81 [82], n° 4, p. 67-106.

5689. ROSTWOROWSKI DE DIEZ CANSECO (María). Los pescadores del litoral peruano en el siglo XVI "Yunga Guaxme". Nova Americana, 81 [82], n° 4, p. 11-42.

5690. ROSZKOWSKI (Wojciech). Kształtowanie się podstaw polskiej gospodarki państwowej w przemyśle i bankowości w latach 1918-1924. (La formation de la base de l'économie publique polonaise dans l'industrie et les banques durant les années 1918-1924.) Warszawa, Państw. Wydawn. Nauk., 82, in-8, 266 p.

5691. ROWLEY (A.). Evolution économique de la Russie du milieu du XIXe siècle à 1914. Paris, SEDES, 82, in-8, 332 p.

5692. SCHEDVIN (C. B.). Australia and the Great Depression. Sydney, Univ. Press; London, Eurospan, 82, in-8, 436 p.

5693. SCHRÖDER (Hans-Jürgen). Deutschfranzösische Wirtschaftsbeziehungen, 1936-1939. In: Deutschland u. Frankreich 1936-1939 [Cf. n° 235], p. 387-407.

5694. SCHWARZ (Jutta). Bruttoanlageinvestitionen in der Schweiz von 1850 bis 1914. Eine empir. Untersuchung z. Kapitalbildung. Bern, P. Haupt, 81, in-8, 487 p.

5695. SEGRE (Luciano). La battaglia del grano. Milano, CLESAV, 82, in-8, 108 p. (Le radici del pane)

5696. SILVERMAN (Dan P.). Reconstructing Europe after the great war. Cambridge, Mass., Harvard U. P., 82, in-8, VII-347 p.

5697. STANG (Gudmund). Entrepreneurs and managers: the establishment and organization of British firms in Latin America in the nineteenth and twentieth centuries. [Svensk] Hist. T., 82, vol. 102, p. 40-61.

5698. STOPP (Klaus). Die Handwerkskundschaften mit Ortsansichten. Beschreibender Katalog d. Arbeitsattestate wandernder Handwerksgesellen (1731-1830). Bd 1: Allgemeiner Teil. Bd 2: Katalog Bundesrepublik Deutschland. Aalen-Eßlingen. Stuttgart, Hiersemann, 82, 2 vol. in-4, VIII-327, V-321 p. (Ill.).

5699. SZPAK (Jan). Rewolucja cen XVI wieku a funkcjonowanie gospodarki dworskiej w starostwach Prus Królewskich. (La révolution des prix au XVIe siècle et le fonctionnement de l'économie domaniale dans les starosties de la Prusse Royale.) Kraków, 82, in-8, 376 p. (Zesz. Nauk. Akad. Ekonom. Kraków, Monografie, 54)

5700. TORBACKE (Jarl). Bananen - "god, närande, nödvändig frukt" - eller dollarimperialismens verktyg? (The banana - "a good, nutricious and necessary fruit" - or the instrument of multinational business?) [Svensk] Hist. T., 82, vol. 102, p. 10-39. [Eng. summary]

5701. TREMPÉ (Rolande). La région économique de Toulouse aux lendemains de la Libération. A. Midi, 82, t. 94, p. 61-90.

5702. VÁLKA (Josef). Le grand domaine féodal en Bohême et en Moravie du 16e au 18e siècle. Un type d'économie parasitaire.

Hosp. Děj., 82, vol. 10, p. 141-179.

5703. Wachstumsschwankungen: Wirtschaftliche u. soziale Auswirkungen (Spätmittelalter bis 20. Jh.). Referate u. Diskussionsbeitr. Hrsg. v. Hermann KELLENBENZ. Stuttgart, Klett-Cotta, 81, in-8, 340 p. (graph. Darst.). (Arbeitstagung d. Ges. f. Sozial- u. Wirtschaftsgesch., 8) (Beitr. z. Wirtschaftsgesch., 13)

5704. WIRTZ (Albert). Transatlantischer Sklavenhandel, Industrielle Revolution und die Unterentwicklung Afrikas. Zur Diskussion um d. Aufstieg d. kapitalist. Weltsystems. Gesch. u. Ges., 82, Jg. 8, p. 518-537.

Cf. n°s 3179, 4224, 6304, 6744, 6828, 6927.

§ 3. Industrie, mines et transports.

** 5705. Iratok a nyírségi salétromtermelés történetéhez a Rákóczi-szabadságharc idején. [Összeáll.] KOVÁCS Ágnes. (Documents concernant l'histoire de la production de salpêtre dans la région de Nyírség [Hongrie] pendant la guerre d'Indépendance de Rákóczi. Réd. par -.) Nyíregyháza, Szabolcs-Szatmár m. Múz. Ig.; Vaja, Vay Múz. Baráti Kör, 81, in-8, 120 p. (Folia Rákócziana, 5)

** 5706. KAMODY (Miklós). A Rákócziszabadságharc postája. Válogatott iratok. (Les courriers de la guerre d'indépendance de Rákóczi. Documents choisis.) Vaja, Szabolcs-Szatmár m. Múz. Ig. - Vay Múz. Baráti Köre, 81, in-8, 192 p. (Folia Rákócziana, 6)

5707. ÅSTRÖM (Sven-Erik). Swedish iron and the English iron industry about 1700: some neglected aspects. Scand. econ. Hist. R., 82, vol. 30, p. 129-141.

5708. ALDRICH (Mark). Determinants of mortality among New England cotton mill workers during the progressive era. J. econ. Hist., 82, vol. 42, n° 4, p. 847-864.

5709. AMJAD (Rashid). Private industrial investment in Pakistan, 1960-1970. London, Cambridge U. P., 82, in-8, 257 p. (dr., tab.).

5710. ANDERSON (Karen Tucker). Last hired, first fired: black women workers during world war II. J. am. Hist., 82, vol. 69, n° 1, p. 82-97.

5711. Anfänge (Die) der Industrialisierung Niederösterreichs. Hrsg. v. Helmuth FEIGL u. Andreas KUSTERNIG. Wien, Niederösterr. Inst. f. Landeskunde, 82, in-8, IV-469 p. (Vorträge u. Diskussionen d. 2. Symposiums d. Niederösterr. Inst. f. Landeskunde) (Studien u. Forsch. aus d. Niederösterr. Inst.f. Landeskunde, 4)

5712. ATACK (Jeremy), BRUECKNER (Jan K.). Steel rails and American railroads, 1867-1880. Explor. in econ. Hist., 82, vol. 19, n° 4, p. 339-359.

5713. BABUDIERI (Fulvio). Industrie, commerci e navigazione a Trieste e nella regione Giulia dall'inizio del Settecento ai primi anni del Novecento. Milano, Giuffrè, 82, in-8, VIII-217 p. (Univ. di Trieste. Fac. di Sci. pol., 22)

5714. BENZ (Gérard). Le percement du Simplon. 50 ans de négociations. Genève, 82, in-4, V-343 p. (Thèse sci. pol.)

5715. BEREND (Iván T.), RÁNKI (György). The European periphery and industrialization, 1780-1914. Cambridge, Cambridge U. P.; Paris, Ed. de la Maison des Sci. de l'Homme; Budapest, Akadémiai Kiadó, 82, in-8, 180 p. (Studies in modern capitalism)

5716. BLACKFORD (Mansel G.). A portrait cast in steel: Buckeye International and Columbus, Ohio, 1881-1980. Westport, Conn., Greenwood Press, 82, in-8, XVIII-225 p. (Contrib. in Econ. a. Econ. Hist., 49) [iron a. steelworks in Columbus, Ohio]

5717. BLEACKLEY (Beverley J.), LaPRAIRIE (Jean). Entering the computer age: the computer industry in Canada: the first thirty years. Agincourt, Ont., Publ. in Assoc. with DATA CROWN INC., by the Book Soc. of Canada, 82, in-8, 161 p.

5718. BÖHME (Klaus-Richard). Svenska vingar växer: flygvapnet och flygindustrin 1918-1945. (Die schwedischen Flügel wachsen: die Luftwaffe u. d. Flugindustrie 1918-45.) Stockholm, Militärhist. förl., 82, in-8, 224 p. (ill.). (Militärhist. studier, 7) [Deutsche Zsfassung]

5719. BOS (R. W. J. M.). Industrialization and economic growth in the Netherlands during the 19th century: an integration of recent studies. Low Countries Hist. Y. B., 82, vol. 15, p. 21-58.

5720. BOXER (Marilyn J.). Women in industrial homework: the flowermakers of Paris in the Belle Epoque. French hist. Stud., 82, vol. 12, n° 3, p. 401-423.

5721. BREGER (Monika). Die Haltung der industriellen Unternehmer [Deutschlands] zur staatlichen Sozialpolitik in den Jahren 1878-1891. Frankfurt (Main), Haag u. Herchen, 82, in-8, 289 p.

5722. BRUCHEY (Stuart), KURGAN VAN HENTENRYK (Ginette), VIGIER (Philippe). Petite entreprise et croissance industrielle de la fin du XVIIIe siècle à nos jours. R. int. Hist. Banque, 81, vol. 22-23, p. 23-73.

5723. BURNS (Malcolm R.). Outside intervention in monopolistic price warfare: the case of the "plug war" and the Union Tobacco Company. Business Hist. R., 82, vol. 56, n° 1, p. 33-53.

5724. BUZATU (Gheorghe). Petrolul - o dimensiune a relaţiilor externe ale României în perioada 1918-1924. Lupta împotriva penetraţiei monopolurilor străine. (Le pétrole - une dimension des relations extérieures de la Roumanie durant la période 1918-1924. La lutte contre la pénétration des monopoles étrangers.) R. Ist., 82, t. 35, p. 5-33. [Rés. franç.]

5725. BYRKIT (James W.). Forging the copper collar: Arizona's labor-management war of 1901-1921. Tucson, Univ. of Arizona Press, 82, in-8, XIV-435 p.

5726. CHURCH (Roy). Markets and marketing in the British motor industry before 1914, with some French comparisons. J. Transport Hist., 82, ser. 3, vol. 3, p. 1-20.

5727. COBB (James C.). The selling of the South: the southern crusade for industrial development, 1936-1980. Baton Rouge, Louisiana State U. P., 82, in-8, XII-293 p.

5728. COCHRAN (Thomas C.). Philadelphia: the American industrial center, 1750-1850. Pennsylvania Mag. Hist., 82, vol. 106, n° 3, p. 323-340.

5729. COPPEJANS-DESMEDT (Hilda). Wirtschaftliche und soziale Aspekte der Industrialisierung der belgischen Baumwollverarbeitung (1780-1850). Z. f. Unternehmensgesch., 82, Jg. 27, p. 147-167.

5730. CORNELL (Lasse). Sundsvalldistriktets sågverksarbetare, 1860-1890: arbete, levnadsförhållanden, rekrytering. (Sawmill workers of the Sundsvall district, 1860-90: labour, conditions of living, recruitment.) Göteborg, Ekon.-hist. inst., Univ., 82, in-8, 388 p. (ill.). (Meddel. fr. Ekon.-hist. inst. vid Göteborgs univ., 49) [Eng. summary]

5731. CSIFFÁRY (Gergely). Egri céhemlékek. (Souvenirs des corporations d'Eger.) Eger, Dobó István Vármúzeum, 82, in-8, 189 p. (Studia Agriensis, 1)

5732. DAVIET (Jean-Pierre). Saint-Gobain et l'industrie des glaces: entreprise et marché du produit (1921-1938). Cah. Hist., 81, t. 26, p. 313-336.

5733. DAVIS (Donald F.). The price on conspicuous production: the Detroit elite and the automobile industry, 1900-1933. J. soc. Hist., 82, vol. 16, n° 1, p. 21-46.

5734. DEVILLERS (Christian), HUET (Bernard). Le Creusot. Naissance et développement d'une ville industrielle, 1782-1914. Paris, Presses univ. France, 81, in-8, 287 p. (ill.).

5735. DEW (Charles B.). Sam Williams, forgeman: the life of an industrial slave in the old South. In: Region, race, and reconstruction [Cf. n° 537], p. 199-239.

5736. DICK (Trevor J. O.). Canadian newsprint, 1913-1930: national policies and the North American economy. J. econ. Hist., 82, vol. 42, n° 3, p. 659-687.

5737. DUDEK (František). The sugar cartel and the penetration of the agrarian capital into the sugar industry in Czechoslovakia 1918-1927. Historica, 82, vol. 21, p. 105-136.

5738. EGG (Erich). Das Handwerk der Uhr- und Büchsenmacher in Tirol. Innsbruck,

Univ.-Verl. Wagner, 82, in-8, 318 p. (Ill.). (Tiroler Wirtschaftsstudien, 36)

5739. ELLER (Ronald D.). Miners, millhands, and mountaineers: industrialization of the Appalachian south, 1880-1930. Knoxville, Univ. of Tennessee Press, 82, in-8, XXVI-272 p. (Twentieth Century Am. Ser.)

5740. EMSBACH (Karl). Die soziale Betriebsverfassung der rheinischen Baumwollindustrie im 19. Jahrhundert. Bonn, Röhrscheid, 82, in-8, 722 p. (graph. Darst.). (Rhein. Arch., 115)

5741. ESPER (Thomas). Industrial serfdom and metallurgical technology in 19th-century Russia. Technol. a. Cult., 82, vol. 23, n° 4, p. 583-608.

5742. ESPINOSA (Juan G.), ZIMBALIST (Andrew). Economic democracy: workers participation in Chilean industry, 1970-1973. 2nd rev. ed. London, Academic Press, 82, in-8, 211 p.

5743. FELDENKIRCHEN (Wilfried). Die Eisen- und Stahlindustrie des Ruhrgebiets 1879-1914. Wachstum, Finanzierung u. Struktur ihrer Großunternehmen. Wiesbaden, Steiner, 82, in-8, IX-610 p. (graph. Darst.). (Z. f. Unternehmensgesch., Beih. 20) - IDEM. Zur Kapitalbeschaffung und Kapitalverwendung bei Aktiengesellschaften des deutschen Maschinenbaus im 19. und beginnenden 20. Jahrhundert. Vjschr. f. Soz.- u. Wirtschaftsgesch., 82, Bd 69, p. 38-74.

5744. FENOALTEA (Stefano). The growth of the utilities industries in Italy, 1861-1913. J. econ. Hist., 82, vol. 42, n° 3, p. 601-628.

5745. FERRÉ (Jean-François). L'économie sucrière et rhumière martiniquaise en péril (1950-1980). Cah. Outre-Mer, 81, a. 34, p. 321-360.

5746. FERRIER (R. W.). History of the British Petroleum Company. Vol. 1: The developing years, 1901-1932. London, Cambridge U. P., 82, in-8, 801 p. (ill., dr., tab., maps).

5747. FIXOT (A.-M.). Les vicissitudes des tissus industriels bas-normands, de la fin de l'Ancien Régime à la Seconde guerre mondiale. Et. normandes, 82, n° 2, p. 5-25.

5748. FLØYSTAD (Ingeborg). Jernproduksjonen på 1700-tallet [i Norge], noen data og problemer. (Iron production in the 18th century [in Norway], new data and problems.) [Norsk] Hist. T., 82, vol. 61, p. 360-386. [Eng. summary]

5749. FORBERGER (Rudolf). Die industrielle Revolution in Sachsen 1800-1861. Akad. d. Wiss. d. DDR, Inst. f. Wirtschaftsgesch.; Sächs. Akad. d. Wiss. Bd 1: Die Revolution der Produktivkräfte in Sachsen 1800-1830. Halbbd 1, 2. Übersichten zur Fabrikentwicklung. Zusammengestellt v. Ursula FORBERGER. Berlin, Akad.-Verl., 82, 2 vol. in-8, XI-613 p. (Kt.), VIII-234 p.

5750. FOREMAN-PECK (James). The American challenge of the twenties: multinationals and the European motor industry. J. econ. Hist., 82, vol. 42, n° 4, p. 865-882.

5751. FRICKE (Ernest B.). The New Deal and the modernization of small business: the McCreary Tire and Rubber Company, 1930-1940. Business Hist. R., 82, vol. 56, n° 4, p. 559-576.

5752. FRIEDRICH-FREKSA (Martin). Preußen und der Demiurg des Weltmarktes. Studie z. industriellen Revolution in Westeuropa u. zu ihrer Wirkung auf d. Agrarverhältnisse im östl. Deutschland. Freiburg (Breisgau), Hochschulverl., 82, in-8, III-429 p. (Hochschulsammlung Philosophie: Gesch., 4)

5753. FRUIN (W. Mark). From philanthropy to paternalism in the Noda soy sauce industry: pre-corporate and corporate charity in Japan. Business Hist. R., 82, vol. 56, n° 2, p. 168-191.

5754. GAUDEMAR (Jean-Paul de). L'ordre et la production: naissance et formation de la discipline d'usine. Paris, Dunod, 82, in-8, 167 p.

5755. GERGELY (András). Egy gazdaságpolitikai alternativa a reformkorban. A fiúmei vasut. (Une alternative de politique économique à l'époque des Réformes. Le chemin de fer de Fiume [Rijeka].) Budapest, Akadémiai Kiadó, 82, in-8, 166 p. ((Értekezések a történeti tudományok köréből, 98)

5756. GILLINGHAM (John). Ruhr coal miners and Hitler's war. J. soc. Hist., 82, vol. 15, n° 4, p. 637-654.

5757. GOLDFARB (Stephen J.). A note on limits to the growth of the cotton-textile industry in the Old South. J. south. Hist., 82, vol. 48, n° 4, p. 545-558.

5758. GOLDIN (Claudia), SOKOLOFF (Kenneth). Women, children, and industrialization in the early republic: evidence from the manufacturing censuses. J. econ. Hist., 82, vol. 42, n° 4, p. 741-774.

5759. GORDON (David M.) a. others. Segmented work, divided workers: historical transformation of labour in the United States. London, Cambridge U. P., 82, in-8, 288 p. (ill.).

5760. GORMAN (Mel). Financial and technological entrepreneurs in the Black Hills: the San Francisco-De Smet connection. Huntington Libr. Quar., 82, vol. 45, n° 2, p. 137-154.

5761. GREASLEY (David). The diffusion of machine cutting in the British coal industry, 1902-1938. Explor. in econ. Hist., 82, vol. 19, n° 3, p. 246-268.

5762. GREEN (Edwin), MOSS (Michael S.). Business of national importance: Royal Mail Shipping Group, 1902-1937. London, Methuen, 82, in-8, 288 p.

5763. GREENBERG (Dolores). Reassessing the power patterns of the industrial revolution: an Anglo-American comparison. Am. hist. R., 82, vol. 87, n° 5, p. 1237-1261.

5764. HANNON (Joan Underhill). City size and ethnic discrimination: Michigan agricultural implements and iron working industries, 1890. J. econ. Hist., 82, vol. 42, n° 4, p. 825-846. - EADEM. Ethnic discrimination in a 19th-century mining district: Michigan copper mines, 1888. Explor. in econ. Hist., 82, vol. 19, n° 1, p. 28-50.

5765. HARLEY (C. Knick). British industrialization before 1841: evidence of slower growth during the industrial revolution. J. econ. Hist., 82, vol. 42, n° 2, p. 267-290.

5766. HARLEY (C. Nick). Oligopoly strategy and the timing of American railroad construction. J. econ. Hist., 82, vol. 42, n° 4, p. 797-824.

5767. HARRIS (Howell John). The right to manage: industrial relations policies of American business in the 1940s. Madison, Univ. of Wisconsin Press, 82, in-8, IX-296 p.

5768. HATRY (Gilbert). Louis Renault, patron absolu. Paris, Lafourcade, 82, in-8, 463 p. (pl.).

5769. HORNA (Hernán). Transportation modernization and entrepreneurship in nineteenth-century Colombia. J. latin am. Stud., 82, vol. 14, p. 33-54.

5770. HUFBAUER (Karl). The formation of the German chemical community, 1720-1795. Berkeley a. Los Angeles, Univ. of California Press, 82, in-8, VIII-312 p.

5771. Industrialisation (L') de l'U.R.S.S. dans les années trente. Actes de la Table ronde organisée par le Centre d'études des modes d'industrialisation de l'Ecole des Hautes Etudes en Sci. soc., 10 et 11 déc. 1981. Publ. sous la dir. de Charles BETTELHEIM. Paris, Ecole des Hautes Etudes en Sci. soc., 82, in-8, 187 p. (ill.).

5772. Industrial'noe razvitie Sibiri v gody poslevoennykh pjatiletok (1946-1960). (Industrial development of Siberia during the post-war five-year plans, 1946-1960). Redkol.: V. V. ALEKSEEV (otv. red.) i dr. Novosibirsk, Nauka, 82, 224 p. (AN SSSR. Sib. otd-nie, In-t istorii, filol. i filos.)

5773. KAPLAN (Steven L.). The luxury guilds in Paris in the eighteenth century. Francia [München], 81 [82], Bd 9, p. 257-298.

5774. KIRCHNER (Walther). One hundred years Krupp and Russia 1818-1918. Vjschr. f. Soz.- u. Wirtschaftsgesch., 82, Bd 69, p. 75-108.

5775. KISS (László), KISZELY (Gyula), VAJDA (Pál). Magyarország ipari műemlékei. - Industrial monuments in Hungary. Budapest, Országos Műszaki Múzeum, 81 [82], in-8, 237 p.

5776. KOIVISTOINEN (Eino). Gustaf Erikson, segelfartygens konung. (Gustaf Erikson, le roi des bateaux à voile.) Helsingfors, Söderström, 82, in-8, 190 p. (ill.).

5777. KOPAČKA (Ludvík). Elektroenergetika ve vývoji československého hospodářství po roce 1945. (Die elektrische Energie in d. Entwicklung d. tschechoslowak. Wirtschaft nach 1945.) Hist. Geogr., 82, vol. 20, p. 203-247.

5778. KOSTET (Juhani). Ilmasilta Torniojoen yli - Tornion ja Haaparannan välisen posti-ilmaradan baiheet. (An aerial runway over the Tornio river - the history of the aerial postal route betwenn Tornio [Finland] and Haparanda [Sweden].) Faravid, 81 [82], t. 5, p. 215-238 (ill.). [Eng. summary]

5779. LAČAEVA (M. Ju.). Anglijskii kapital v mednorudnoj promyšlennosti Urala i Sibiri v načale XX v. (English capital in the copper industry of the Urals and Siberia at the beginning of the 20th cent.) Ist. Zap., 82, n° 108, p. 60-108.

5780. LACKNER (Helmut). Erzherzog Johann und die technische Entwicklung in seiner Zeit. Z. d. hist. Ver. f. Steiermark, 82, Jg. 73, p. 5-43.

5781. LAEL (Richard L.), KILLEN (Linda). The pressure of shortage: platinum policy and the Wilson administration during world war I. Business Hist. R., 82, vol. 56, n° 4, p. 545-558.

5782. Läpi harmaan kiven. Kaivosperinnettä - kuvia ja kuvauksia. (Through the grey rock. Mining traditions in words and pictures.) Toim. - (Ed. par) Pekka LAAKSONEN. Helsinki, Suomalaisen kirjallisuuden seura, 82, in-4, XIII-145 p. (ill., carte). (Kansanelämän kuvauksia, 18) [Eng. summary]

5783. LA STELLA (Mario). Antichi mestieri di Roma. Un viaggio affascinante nel cuore della città tra artigiani, botteghe e venditori ambulanti alla riscoperta di curiosità, segreti e ambienti caratteristici di una vita urbana in gran parte scomparsa. Ricerca iconografica di Giulio FEFE'. Roma, Newton Compton, 82, in-8, 430 p. (Quest-Italia, 27)

5784. LAUREYSSENS (Julienne M.). Growth of the multidivisional corporation: the Genstar case. Business Hist. R., 82, vol. 56, n° 4, p. 519-544.

5785. LEMENOREL (Alain). La crise houillère en France, 1870-1875. Crise des structures ou crise conjoncturelle? R. hist., 81, a. 105, t. 266, p. 401-444.

5786. LEWANDOWSKI (Stefan). Poligrafia warszawska 1870-1914. (La polygraphie de Varsovie, 1870-1914.) Warszawa, Książka i Wiedza, 82, in-8, 308 p.

5787. LUNDBÄCK (Britt-Marie). En industri kommer till stan: Hudiksvall och trävaruindustrin 1855-1876. (An industry comes to town: Hudiksvall and the timber and lumber industry, 1855-1876.) Stockholm,

3.INDUSTRIE, MINES ET TRANSPORTS

Almqvist o. Wiksell internat., 82, in-8, 194 p. (ill., maps). (Studia hist. Upsaliensia, 123) [Eng. summary]

5788. MAGNUSSON (Lars) ISACSON (Maths). Proto-industrialisation in Sweden: smithcraft in Eskilstuna and southern Dalecarlia. Scand. econ. Hist. R., 82, vol. 30, p. 73-99.

5789. MALANIMA (Paolo). La decadenza di un'economia cittadina nei secoli XVI-XVIII. Bologna, Il mulino, 82, in-8, 358 p. - IDEM. Industrie cittadine e industrie rurali nell'età moderna. R. stor. ital., 82, a. 94, p. 247-281.

5790. MARES (Valéria). A Diósgyőri Papirgyár kétszáz éve. (Les 200 ans de la papeterie de Diósgyőr.) Budapest, Közgazdasági és Jogi Könyvkiadó, 82, in-8, 191 p. (2 pl.).

5791. MARSHALL (Dorothy). Industrial England, 1776-1851. London, Routledge, 82, in-8, 256 p. (ill.). (Develop. of Engl. Society)

5792. MASSA (Paola). La Repubblica di Genova e la crisi dell'ordinamento corporativo: due redazioni settecentesche degli statuti dell'arte della seta. At. Soc. ligure Stor. pa., 82, n. s., vol. 22, p. 247-267.

5793. MATTHAEI (Julie A.). Economic history of women in America: women's work, the sexual division of labour and the development of capitalism. Brighton, Harvester Press; New York, Schocken Books, 82, in-8, XIV-381 p.

5794. MAYER (Marcel). Die Leinwandindustrie der Stadt St. Gallen von 1721 bis 1760. St. Galler Kultur u. Gesch., 81, vol. 11, p. 1-130.

5795. MAZUZAN (George T.). Atomic power safety: the case of the power reactor development company fast breeder, 1955-1956. Techn. a. Cult., 82, vol. 23, n° 3, p. 341-371.

5796. MEGERLE (Klaus). Württemberg im Industrialisierungsprozeß Deutschlands. Ein Beitr. z. regionalen Differenzierung d. Industrialisierung. Stuttgart, Klett-Cotta, 81, in-8, 274 p. (Gesch. u. Theorie d. Politik, Unterreihe A: Gesch., 7)

5797. MEYER-THUROW (George). The industrialization of invention: a case study from the German chemical industry. Isis, 82, vol. 73, n° 268, p. 363-381.

5798. MHONE (Guy C. Z.). The political economy of dual labour market: the copper industry and dependency in Zambia, 1929-1969. London, Dent, 82, in-8, 240 p.

5799. MILLER (Rory). Small business in the Peruvian oil industry: Lobitos Oilfields Limited before 1934. Business Hist. R., 82, vol. 56, n° 3, p. 400-423.

5800. MILTON (David). The politics of United States labour, from the Great Depression to the New Deal. London, Monthly Rev., 82, in-8, 352 p.

5801. MINAMI (Ryōshin). Mechanical power and printing technology in pre-world war II Japan. Technol. a. Cult., 82, vol. 23, n° 4, p. 609-624.

5802. MORLEY (I. W.). Black sands: the history of the mineral sand mining industry in Eastern Australia. Brisbane, Queensland U. P., 82, in-8, 252 p.

5803. MULHOLLAND (James A.). A history of metals in colonial America. University, Univ. of Alabama Press, 81, in-8, XIV-215 p.

5804. NAGY (Zoltán). A magyar betűöntés a 19. században. (La fonte de caractères [typographiques] en Hongrie au XIXe s.) Budapest, Miniatűrkönyv-gyüjtők Klubja, 82, in-32, 137 p. - IDEM. A magyar betűöntés a 20. században. (La fonte de caractères [typographiques] en Hongrie au XXe s.) Budapest, Miniatűrkönyv-gyüjtők Klubja, 81, in-32, 177 p.

5805. NELSON (Daniel). The company union movement, 1900-1937: a reexamination. Business Hist. R., 82, vol. 56, n° 3, p. 335-357.

5806. NYSTRÖM (Maurits). Norrlands ekonomi i stöpsleven: ekonomisk expansion, stapelvaruproduktion och maritima näringar 1760-1812. (Norrland's economy in the melting pot: economic expansion, staple production and maritime activites, 1760-1812.) Stockholm, Almqvist o. Wiksell internat., 82, in-8, 392 p. (Umeå stud. in econ. hist., 4) [Eng. summary]

5807. O'BANNON (Patrick W.). Technological change in the Pacific coast canned salmon industry, 1900-1923: a case study. Agric. Hist., 82, vol. 56, n° 1, p. 151-166.

5808. OPPENHEIMER (Robert). National capital and national development: financing Chile's central valley railroads. Business Hist. R., 82, vol. 56, n° 1, p. 54-75.

5809. ORTEGA (Luis). The first four decades of the Chilean coal mining industry, 1840-1879. J. latin am. Stud., 82, vol. 14, p. 1-32.

5810. OTAIBA (Mana Saaed). Petroleum concession agreements of the United Arab Emirates: Abu Dhabi, 1939-1980. London, Croom Helm, 82, 2 vol. in-8.

5811. OTTER (A. A. den). Civilizing the West: the Galts and the development of western Canada. Edmonton, Univ. of Alberta Press, 81, in-8, 395 p. - CR: A. Johnston, Alberta Hist., 82, vol. 30, n° 3, p. 39.

5812. OVERTON (Richard C.). Perkins/ Budd: railway statesmen of the Burlington. Westport, Conn., Greenwood Press, 82, in-8, XXIV-271 p. (Contrib. in Econ. a. Econ. Hist., 45) [Charles E. Perkins, Ralph Budd, as presidents of Chicago, Burlington a. Quincy railroad.]

5813. PACOVSKÝ (Jaroslav). Lidé, vlaky,

koleje. (Menschen, Züge, Eisenbahngleise.) Praha, Panorama, 82, in-8, 216 p.

5814. Petőházi Cukorgyár (A) száz éve. Szerk. HADARITS Géza, LOVAS Gyula. (Les 100 ans de la sucrerie de Petőház. Réd. par -.) Petőháza, Petőházi Cukorgyár, 81, in-8, 146 p.

5815. PEYRONNARD (Lucien). Le charbon de Blanzy, la famille Chagot et Montceaules-Mines: histoire économique, politique et sociale du pays montcellien, de 1769 à 1927. T. 1: 1769-1877. T. 2: 1877-1927. Le Creusot, Ecomusée de la Communauté Le Creusot-Montceau-les-Mines, 81, 2 vol. in-4, 316, 266 p.

5816. PHILIP (George). Oil and politics in Latin America: nationalist movements and state companies. New York, Cambridge U. P., 82, in-8, XVIII-577 p. (Cambridge Latin Am. Stud., 40)

5817. PHILLIPS (William H.). Induced innovation and economic performance in late Victorian British industry. J. econ. Hist., 82, vol. 42, n° 1, p. 97-103.

5818. PLUMPE (Gottfried). Die württembergische Eisenindustrie im 19. Jahrhundert. Eine Fallstudie z. Gesch. d. industriellen Revolution in Deutschland. Wiesbaden, Steiner, 82, in-8, XIV-473 p. (graph. Darst.). (Z. f. Unternehmensgesch., Beih. 26) - IDEM. Standortproblem und technische Entwicklung. Die württembergische Eisenindustrie 1800-1900. Technikgesch., 82, Bd 49, p. 132-158.

5819. POPE (Daniel), TOLL (William). We tried harder: Jews in American advertising. Am. jewish Hist., 82, vol. 72, n° 1, p. 26-51.

5820. PUISEUX (Louis). Les bifurcations de la politique énergétique française depuis la guerre. A. Ec., Soc., Civ., 82, a. 37, p. 609-620.

5821. PUMAIN (Denise). Chemin de fer et croissance urbaine en France au XIXe siècle. A. Géogr., 82, a. 91, p. 529-550.

5822. RADOGNA (Lamberto). Storia della marina mercantile delle Due Sicilie, 1734-1860. In appendice: L'armamento velico e a vapore della regione campana, 1860-1940. Milano, Mursia, 82, in-8, 286 p. (fig.). (Bibl. del mare, 237. Uomini e navi di tutti i tempi, 22)

5823. RÁNKI (György). Az angol ipari forradalom kérdéséhez. (Sur le problème de la révolution industrielle en Angleterre.) Századok, 82, vol. 116, n° 3, p. 539-561.

5824. RUPIEPER (Hermann-Josef). Arbeiter und Angestellte im Zeitalter der Industrialisierung. Eine sozialgeschichtl. Studie am Beisp. d. Maschinenfabriken Augsburg u. Nürnberg (MAN) 1837-1914. Frankfurt am Main u. New York, Campus-Verl., 82, in-8, 311 p. (Ill., graph. Darst.).

5825. SALSBURY (Stephen). No way to run a railroad: the untold story of the Penn Central crisis. New York, McGraw-Hill, 82, in-8, XVII-363 p.

5826. SCHNAKENBOURG (Christian). Recherches sur l'histoire de l'industrie sucrière à Marie-Galante, 1664-1964. B. Soc. Hist. Guadeloupe, 81, n° 48-50, 144 p.

5827. SCHÖN (Lennart). Proto-industrialisation and factories: textiles in Sweden in the mid-nineteenth century. Scand. econ. Hist. R., 82, vol. 30, p. 57-71.

5828. SCHWEITZER-VAN DE CASTEELE (Sylvie). Des engrenages à la chaîne: les usines Citroën, 1915-1935. Lyon, Presses univ. Lyon, 82, in-8, 205 p. (ill.).

5829. SCRANTON (Philip). An immigrant family and industrial enterprise: Sevill Schofield and the Philadelphia textile manufacture, 1845-1900. Pennsylvania Mag. Hist., 82, vol. 106, p. 365-392.

5830. SEAVOY (Ronald E.). The origins of the American business corporation, 1784-1855: broadening the concept of public service during industrialization. Westport, Conn., Greenwood Press, 82, in-8, XII-314 p. (Contrib. in Legal Stud., 19)

5831. ŠEDIVEC (Vlastimil). Vznik a rozvoj měšťanského pivovaru v Plzni v období průmyslové revoluce. (Origin and development of the Civic Brewery in Pilsen at the time of the industrial revolution.) Hosp. Děj., 82, vol 9, p. 199-245.

5832. SENDALL (Bernard). History of Independent Television in Britain. Vol. 1: Origin and foundation, 1946-1962. London, Macmillan, 82, in-8, 438 p.

5833. SHARRER (G. Terry). The merchant millers: Baltimore's flour milling industry, 1783-1860. Agric. Hist., 82, vol. 56, n° 1, p. 138-150.

5834. SJÖBERG (Gunnar). Socherindustrins historia i Sverige intill frihetstiden: ett utkast. (History of the sugar industry in Sweden until 1719.) Karolinska Förb. Årsb., 81-82, vol. 70-71, p. 90-147.

5835. SLADE (Joseph W.). Thomas Pynchon, postindustrial humanist. Technol. a. Cult., 82, vol. 23, n° 1, p. 53-72. [20th-cent. engineer a. writer]

5836. SOLBERG (Carl E.). Entrepreneurship in public enterprise: general Enrique Mosconi and the Argentine petroleum industry. Business Hist. R., 82, vol. 56, n° 3, p. 380-399.

5837. Studien zur Geschichte des Bergbaus und der Montanwissenschaften vom 16. bis zum 20. Jahrhundert. Hrsg. v. Rektor d. Bergakad. Freiberg. Leipzig, Deutsch. Verl. f. Grundstoffindustrie, 82, 96 p. (Beitr. z. Gesch. d. Produktivkräfte, 17) (Freiberger Forschungshefte: D, 147)

5838. SZŰCS (Ernő). A gyárjellegű magyar malomipar negyedszázados válsága 1920-1944. (Die vierteljahrhundertlange Krise der ungarischen Mühlenindustrie von fabrikmäßigem Charakter.) Acta Univ. debreceniensis, Ser. hist., 81, vol. 32, Magy tört. Tanulm., 14, p. 155-191.

5839. TANDETER (Enrique). La producción

como actividad popular: "ladrones de minas" en Potosí [siglo XVIII]. Nova Americana, 81 [82], n° 4, p. 11-42.

5840. TANNER (Albert). Spulen, Weben, Sticken. Die Industrialisierung in Appenzell Außerrhoden. Zürich, 82, in-8, VII-460 p. (Thèse lettres)

5841. TAYLOR (Graham D.). Charles F. Sise, Bell Canada, and the Americans: a study of managerial autonomy, 1880-1905. Canad. hist. Assoc. Pap., 82, p. 11-30.

5842. THOMSON (J. K. J.). Clermont-de-Lodève, 1633-1789: fluctuations in the prosperity of a Languedocian cloth-making town. London a. New York, Cambridge U. P., 82, in-8, XII-502 p. (ill., tab., maps).

5843. TREBILCOCK (C.). The industrialization of the continental powers, 1780-1914. London, Longman, 82, in-8, XX-496 p.

5844. TURK (Eleanor L.). The great Berlin beer boycott of 1894. Central european Hist., 82, vol. 15, n° 4, p. 377-397.

5845. UDELSON (Joseph H.). The great television race: a history of the American television industry, 1925-1941. University, Univ. of Alabama Press, 82, in-8, XI-197 p.

5846. VALENTINITSCH (Helfried). Das landesherrliche Quecksilberbergwerk Idria 1575-1659. Produktion - Technik - rechtl. u. soziale Verhältnisse - Betriebsbedarf - Quecksilberhandel. Graz, Hist. Landeskomm. f. Steiermark, 81, in-8, XXVIII-439 p. (Forsch. z. geschichtl. Landeskunde d. Steiermark, 32)

5847. VEYRASSAT (Béatrice). Négociants et fabricants dans l'industrie cotonnière suisse, 1760-1840. Aux origines financières de l'industrialisation. Lausanne, Payot, 82, in-8, 385 p.

5848. VILKOV (O. N.). K voprosu o formirovanii naemnykh rabočikh kadrov sibirskoj promyšlennosti v XVII - perjoj četverti XVIII v. (Formation of the wage worker's cadres of Siberian industry in the 17th - first quarter of the 18th cent.) Ist. Zap., 82, n° 108, p. 273-293.

5849. VOLLE (Michel). Histoire de la statistique industrielle. Paris, Economica, 82, in-8, 302 p.

5850. WALSH (Margaret). The rise of the midwestern meat packing industry. Lexington, U. P. of Kentucky, 82, in-8, X-182 p. - EADEM. From pork merchant to meat packer: the mid-western meat industry in the mid-nineteenth century. Agric. Hist., 82, vol. 56, n° 1, p. 127-137.

5851. WEAVER (Frederick Stirton). Class, state, and industrial structure: the historical process of South American industrial growth. Westport, Conn., Greenwood Press, 80, in-8, XIV-247 p. (Contrib. in Econ. a. Econ. Hist., 32)

5852. WEISS (John J.). The lost baton: the politics of intraprofessional conflict in nineteenth-century French engineering. J. soc. Hist., 82, vol. 16, n° 1, p. 3-20.

5853. WILLIAMSON (Jeffrey G.). Was the industrial revolution worth it? Disamenities and death in 19th century British towns. Explor.in econ. Hist., 82, vol. 19, n° 3, p. 221-245.

5854. WISOTZKY (Klaus). Der Ruhrbergbau am Vorabend des Zweiten Weltkriegs. Vorgesch., Entstehung u. Auswirkung d. "Verordnung zur Erhöhung d. Förderleistung u. d. Leistungslohnes im Bergbau" vom 2. März 1939. Vjhefte f. Zeitgesch., 82, Jg. 30, p. 418-461.

5855. WOHLAUF (Gabriele). Die Spiegelglasmanufaktur Grünenplan im 18. Jahrhundert. Eine Studie zu ihrer Betriebstechnologie u. Arbeiterschaft. Hamburg, Heitmann, 81, in-8, XVI-626 p.

5856. WRIGLEY (Christopher J.). The history of British industrial relations, 1875-1914. Brighton, Harvester Press, 82, in-8, 250 p.

5857. YOUNG (Otis E.) Jr. The southern gold rush, 1828-1836. J. south. Hist., 82, vol. 48, n° 3, p. 373-392.

Cf. n°s 4036, 4054, 5201, 5861, 5875, 5923, 7357, 7584.

§ 4. Commerce.

** 5858. Europäische Commerzreisen um die Mitte des 18. Jahrhunderts. Reisebeschreibungen v. Ludwig Ferdinand Prokopp, Aloisius Graf Podstatzky u. Karl Graf Haugwitz. Hrsg. v. Gustav OTRUBA. Linz, Trauner, 82, in-8, XIII-446 p. (Ill.). (Linzer Schr. zur Soz.- u. Wirtschaftsgesch., 5)

** 5859. VISSIERE (Isabelle, VISSIERE (Jean-Louis). La traite des noirs au siècle des Lumières. Témoignages de négriers. Paris, Métailiè, 82, in-8, 177 p. (ill.).

5860. ALBERT (Bill). Sugar and Anglo-Peruvian trade negociations in the 1930s. J. latin am. Stud., 82, vol. 14, p. 121-142.

5861. ANGELI (Stefano). Proprietari, commercianti e filandieri a Milano nel primo Ottocento. Il mercato delle sete. Milano, Angeli, 82, in-8, 168 p. (Stor., 17)

5862. ARLETTAZ (Gérard). Libre-échange et protectionnisme. Questions aux archives de la République helvétique. Et. et Sources, 81, vol. 7, p. 7-76.

5863. BANERJI (A. K.). Aspects of Indo-British economic relations, 1858-1898. New Delhi, Oxford U. P., 82, in-8, 272 p. (tab.).

5864. BARAK (Michel). L'armement marseillais dans la seconde moitié du XIXe siècle. R. Hist. mod., 82, t. 29, p. 471-488.

5865. BERNIER (Gérald), SALÉE (Daniel). Appropriation foncière et bourgeoisie marchande: éléments pour une analyse de l'économie marchande du Bas-Canada avant 1846. R. Hist. Amérique franç., 82, vol. 36, p. 163-194.

5866. BESSET (Giliane). Les relations commerciales entre Bordeaux et la Russie au XVIIIe siècle. Cah. Monde russe soviét., 82, vol. 23, p. 197-219.

5867. BONDAREVA (E. A.). Istočniki "Istoričeskogo opisanija rossijskoj kommercii" M. D. Čulkova. (Sources of M. D. Chulkov's "Historical account of Russian commerce".) Ist. SSSR, 82, n° 2, p. 94-103.

5868. BRIÈRE (Jean-François). L'Etat et le commerce de la morue de Terre-Neuve en France au XVIIIe siècle. R. Hist. Amérique franç., 82, vol. 36, p. 323-338.

5869. CARLOS (Ann). The birth and death of predatory competition in the North American fur trade: 1810-1821. Explor. in econ. Hist., 82, vol. 19, n° 2, p. 156-183.

5870. CARREIRA (António). Cabo Verde. Movimento marítimo e comercial nas ilhas de Boa Vista, Fogo e Maio (séculos XVIII/XIX). (Cap-Vert. Le mouvement maritime et commercial dans les îles de Boa Vista, Fogo et Maio aux XVIIIe et XIXe s.) R. Hist. econ. soc. [Lisboa], 82, n° 10, p. 71-85.

5871. COHN (Raymond L.), JENSEN (Richard A.). The determinants of slave mortality rates on the middle passage. Explor. in econ. Hist., 82, vol. 19, n° 3, p. 269-282.

5872. CYBUL'SKIJ (V. A.). Iz istorii sovetskoj birževoj torgovli. 1921-1930 gody. (From the history of Soviet exchange trade, 1921-1930.) Ist. SSSR, 82, n° 2, p. 118-126.

5873. DEUTSCH (Sarah). The elusive guineamen: Newport slavers, 1735-1774. New England Quar., 82, vol. 55, n° 2, p. 229-253.

5874. ERICSSON (Tom). Mellan kapital och arbete: butiksägare i Sverige 1870-1915. (Between capital and labour: shopkeepers in Sweden, 1870-1915.) Scandia, 82, vol. 48, p. 249-273, 353. [Eng. summary]

5875. FIRKINS (Peter). History of commerce and industry in Western Australia. Perth, U. West. Austral.; Cambridge, P. Moore, 82, in-8, XII-211 p.

5876. GALENSON (David W.). The Atlantic slave trade and the Barbados market, 1673-1723. J. econ. Hist., 82, vol. 42, n° 3, p. 491-512.

5877. GARAVAGLIA (Juan Carlos). El mercado interno colonial y la yerba mate (siglos XVI-XIX). Nova Americana, 81 [82], n° 4, p. 163-210.

5878. GERBER (David A.). Cutting out Shyllock: elite anti-Semitism and the quest for moral order in the mid-nineteenth-century American market place. J. am. Hist., 82, vol. 69, n° 3, p. 615-637.

5879. GERN (Philippe). Approche statistique du commerce franco-suisse de l'An V à 1821. Et. et Sources, 81, vol. 7, p. 77-118.

5880. GLEZER (L.). Tariff politics: Australian policy-making, 1960-1980. Melbourn, Univ. Press, 82, in-8, 368 p.

5881. HAINSWORTH (D. R.). Sydney traders: Simeon Lord and his contemporaries, 1788-1821. Melbourne, Univ. Press, 82, in-8, 264 p. (ill., maps).

5882. HELLER (Klaus). Der russisch-chinesische Handel in Kjachta. Eine Besonderheit in d. außenwirtschaftl. Beziehungen Rußlands im 18. u. 19. Jh. Jb. f. Gesch. Osteuropas, 81, Bd 29, p. 515-536.

5883. INIKORI (J. E.). Forced migration: the impact of the export slave trade on African societies. London, Hutchinson Educ., 82, in-8, 336 p. (tab., maps).

5884. LESPAGNOL (André). Cargaisons et profits du commerce indien au début du XVIIIe siècle: les opérations commerciales des compagnies malouines, 1707-1720. A. Bretagne, 82, t. 89, p. 313-350.

5885. LI (Lillian M.). Silks by sea: trade, technology, and enterprise in China and Japan. Business Hist. R., 82, vol. 56, n° 2, p. 192-217.

5886. LISS (Peggy K.). The network of trade and revolution, 1713-1826. Baltimore, Md., Johns Hopkins U. P., 82, in-8, XIII-348 p. (Johns Hopkins Stud. in Atlantic Hist. a. Cult.)

5887. LOVEJOY (Paul E.). The volume of the Atlantic slave trade, a synthesis. J. afr. Hist., 82, vol. 23, p. 473-501.

5888. MEYER (Jean). La France et l'Asie: essai de statistiques (1730-1785). Etat de la question. Hist., Econ., Soc., 82, n° 2, p. 297-312. - IDEM. Marchands et négociants allemands dans la France de l'Ouest aux XVIIe et XVIIIe siècles. Et. germaniques, 82, a. 37, p. 187-210.

5889. MICHAĒLARĒS (Panagiōtēs). Hē emporikē etairikē synergasia tou venetikou oikou Tarōnitē-Theotokē kai tōn adelphōn G. kai Th. Geōrgibalōn, 1732-1787 (Ho rolos kai hē drassē tou emporikou praktora Dēm. Hamodraka). (L'association commerciale de la maison vénitienne Tārōnitē-Theotokē et des frères G. et Th. Geōrgibalōn, 1732-1787. Le rôle et l'action de l'agent commercial Dēm. Hamodraka.) Mnēmōn, 80-82 [82], t. 8, p. 226-302.

5890. NAASTAD (Nils E.). Sildesalgslagene - primaernaeringenes første markedsreguleringsorganisasjoner. (The herring fishermen's cooperative marketing organization-the primary trades' first market regulation organizations.) [Norsk] Hist. T., 82, vol. 61, p. 387-408. [Eng. summary]

5891. PACH (Zsigmond Pál). Közép-Kelet-Európa és a világkereskedelem az ujkor hajnalán. (L'Europe centrale-orientale et le commerce mondial à l'aube de l'époque moderne.) Századok, 82, vol. 116, n° 3, p. 427-459.

5892. PACH (Zsigmond Pál). Üzleti szellem és magyar nemzeti jellem. (Esprit mercantile et caractère national hongrois.) Tört. Szle, 82, vol. 25, n° 3, p. 373-403.

5893. PELUS (Marie-Louise). Marchands et échevins d'Amiens dans la seconde moitié du XVIe siècle: crise de subsistances, commerce et profits en 15861587. R. Nord, 82, t. 64, p. 51-71.

5894. PHILLIPS (Carla Rain). The Spanish wool trade, 1500-1780. J. econ. Hist., 82, vol. 42, n° 4, p. 775-796.

5895. RADTKE (Wolfgang). Die preußische Seehandlung zwischen Staat und Wirtschaft in der Frühphase der Industrialisierung. Mit e. Einf. v. Otto BÜSCH. Berlin, Colloquium-Verl., 81, in-8, XI-432 p. (Einzelveröff. d. Hist. Komm. zu Berlin, 30. Publ. z. Gesch. de Industrialisierung)

5896. RENAULT (François). La traite des esclaves noirs en Libye au XVIIIe siècle. J. afr. Hist., 82, vol. 23, p. 163-181.

5897. ROBBINS (William G.). Voluntary cooperation vs. regulatory paternalism: the lumber trade in the 1920s. Business Hist. R., 82, vol. 56, n° 3, p. 358-379.

5898. ROESCH (Gerhard). Venedig und das Reich. Handels- u. verkehrspolit. Beziehungen in d. deutsch. Kaiserzeit. Tübingen, Niemeyer, 82, in-8, X-233 p. (1 Kt.). (Bibl. d. Deutsch. Hist. Inst. in Rom, 53)

5899. RYBAČENOK (I. S.). Russko-francuzskaja torgovlja v 1891-1905 godakh. (Russian-French trade in 1891-1905.) Ist. SSSR, 82, n° 1, p. 120-132.

5900. SALVADORINI (Vittorio). Traffici e schiavi fra Livorno e Algeria nella prima decade del '600. B. stor. pisano, 82, vol. 51, p. 67-104.

5901. SMITH (David C.), BRIDGES (Anne E.). The Brighton market: feeding nineteenth-century Boston. Agric. Hist., 82, vol. 56, n° 1, p. 3-21.

5902. ZERBE (Richard O.) Jr. The origin and effect of grain trade regulation in the late nineteenth century. Agric. Hist., 82, vol. 56, n° 1, p. 172-193.

Cf. n°s 5685, 5762.

§ 5. Agriculture
et problèmes agraires.

* 5903. ROGERS (Earl M.), ROGERS (Susan H.). Significant books on agricultural history published in [1979. Cf. Bibl. 81, n° 5351.] 1980. Agric. Hist., 82, vol. 56, n° 4, p. 702-708.

** 5904. COLLOMB (Gérard), DEVOS (Roger). Mémoire sur l'ancienne agriculture au pays du Léman. Réponses de Joseph-François Quisard à l'enquête du préfet de Barante (1806). Monde alpin et rhodanien, 81, a. 9, n° 4, p. 5-73.

** 5905. Lánové rejstříky Brněnského kraje z let 1673-1675. (Die Lehensregister d. Brünner Kreises aus d. J. 1673-1675.) (Edit.:) František MATĚJEK. Mikulov a Brno, Okresní archív - Muzeijní a vlastivědná společnost, 81, in-8, 144 p.

5906. AKALU (Aster). The process of land nationalization in Ethiopia: land nationalization and peasants. Lund, Liber-Läromedel/Gleerup, 82, in-8, 224-XVI p. (Acta Regiae Soc. hum. lit. Lundensis, 76)

5907. ALBERTI (Giorio). El trabajo y los días de los macheteros de Valle de Chancay. Nova Americana, 81 [82], n° 4, p. 107-161.

5908. ALSTON (Lee J.), HIGGS (Robert). Contractual mix in southern agriculture since the civil war: facts, hypotheses, and tests. J. econ. Hist., 82, vol. 42, n° 2, p. 327-354.

5909. ANRUP (Roland). Analys av andinska agrara arbetssystem. (Analysis of Andean agrarian labour systems.) [Svensk] Hist. T., 82, vol. 102, p. 146-176. [Eng. summary]

5910. APPELBY (Joyce). Commercial farming and the "agrarian myth" in the early republic. J. am. Hist., 82, vol. 68, n° 4, p. 833-849.

5911. Auswirkungen (Die) der theresianisch-josephinischen Reformen auf die Landwirtschaft und die ländliche Sozialstruktur Niederösterreichs. Hrsg. v. Helmuth FEIGL. Wien, Niederösterr. Inst. f. Landeskunde, 82, in-8, II-267 p. (Vorträge u. Diskussionen d. 1. Symposiums d. Niederösterr. Inst. f. Landeskunde. Stud. u. Forsch. aus d. Niederösterr. Inst. für Landeskunde, 3)

5912. Bäuerliche Wirtschaft und landwirtschaftliche Produktion in Deutschland und Estland (16. bis 19. Jahrhundert). Berlin, Akad.-Verl., 82, in-8, 360 p. (Jb. f. Wirtschaftsgesch., Sonderbd 1981)

5913. BARBACCI (Aldo). La distribuzione della proprietà fondiaria nel rione Monti tra il 1868 e il 1871. Stor. Pol., 82, a. 21, p. 565-613.

5914. BARTA (János) Jr. A felvilágosult abszolútizmus agrárpolitikája a Habsburg- és a Hohenzollern-monarchiában. (La politique agraire de l'absolutisme éclairé dans la monarchie des Habsbourg et des Hohenzollern.) Budapest, Akadémiai Kiadó, 82, in-8, 264 p. - IDEM. A magyar mezőgazdasági irodalom forrásértéke a 17.-18. században. (La valeur de la littérature agraire hongroise des XVIIe-XVIIIe s. comme source historique.) Acta Univ. debreceniensis, Ser. hist., 81, vol. 33:

Egyet tört. Tanulm., 15, p. 15-23.

5915. BEUTLER (Corinne). Le rôle du blé à Montréal sous le régime seigneurial. R. Hist. Amérique franç., 82, vol. 36, p. 241-262.

5916. BJØRKELO (Anders). Partnerskap i jordbruk og handel i Sudan på 1800-talet. (Partnership in agriculture and trade in the Sudan in the 19th cent. [Norsk] Hist. T., 82, vol. 61, p. 228-246. [Eng. summary]

5917. BLUM (Jerome). Agricultural history and nineteenth-century European ideologies. Agric. Hist., 82, vol. 56, n° 4, p. 621-631. - IDEM. Fiction and the European peasantry: the realist novel as a historical source. Proc. am. philos. Soc., 82, vol. 126, n° 2, p. 122-139.

5918. BOIA (Lucian). Problema agrară în istoriografia românească la începutul secolului al XX-lea. (Le problème agraire dans l'historiographie roumaine au début du XXe s.) R. Ist., 82, t. 35, p. 257-271. [Rés. franç.]

5919. BOWERS (Douglas E.). The research and marketing act of 1946 and its effects on agricultural marketing research. Agric. Hist., 82, vol. 56, n° 1, p. 249-263.

5920. CALICE (Nino). Ernesto e Giustino Fortunato. L'azienda di Gaudiano e il collegio di Melfi. Bari, De Donato, 82, in-8, 289 p.

5921. CLÈRE (Jean-Jacques). La vaine pâture au XIXe siècle: un anachronisme? A. hist. Révol. franç., 82, a. 54, n° 247, p. 113-128.

5922. COCLANIS (Peter A.). Rice prices in the 1720s and the evolution of the South Carolina economy. J. south. Hist., 82, vol. 48, n° 4, p. 531-544.

5923. COELHO (Philip R. P.), DAIGLE (Katherine H.). The effects of development in transportation on the settlement of the inland empire [Pacific north-west, 1850-1910]. Agric. Hist., 82, vol. 56, n° 1, p. 22-36.

5924. COLAPIETRA (Raffaele). Problemi di storia delle campagne meridionali nell'età moderna e contemporanea: osservazioni e postille. Stor. Pol., 82, a. 21, p. 276-293.

5925. CRISTEA (Gheorghe). Idei asociaţioniste în România. Forme de asociere ale ţărănimii. Obştea sătească de arendare a pămîntului (1864-1907). (Idées associationnistes en Roumanie. Formes d'association de la paysannerie. La communauté paysanne d'affermage de la terre.) R. Ist., 82, t. 35, p. 229-256. [Rés. franç.]

5926. CULLITY (Maurice). History of dairying in Western Australia. Perth, Univ. West. Austral. Press; Cambridge, P. Moore, 82, in-8, XXIV-488 p. (ill.).

5927. DALLAS (Gregor). Imperfect peasant economy: the Loire country, 1800-1914.

London, Cambridge U. P., 82, in-8, 352 p. (ill., dr., tab.).

5928. DANNENFELDT (Karl H.). The control of vertebrate pests in Renaissance agriculture. Agric. Hist., 82, vol. 56, n° 3, p. 542-559.

5929. DAVIS (Ronald L. F.). Good and faithful labor: from slavery to sharecropping in the Natchez District, 1860-1890. Westport, Conn., Greenwood Press, 82, in-8, XV-225 p. (Contrib. in Am. Hist., 100)

5930. DAVYDOV (M. I.). Gosudarstvennyj tovaroobmen meždu gorodom i derevnej v 1918-1921 gg. (State commodity circulation between town and village in 1918-1921.) Ist. Zap., 82, n° 108, p. 33-59.

5931. DETHLOFF (Henry C.), MAY (Irvin M.) Jr. a. others. South-western agriculture: pre-Columbian to modern. College Station, Texas A a. M U. P., 82, in-8, VIII-307 p.

5932. DEVÈZE (Michel). La forêt et les communautés rurales, XVIe-XVIIIe siècles. Paris, Publications de la Sorbonne, 82, in-8, XXVIII-500 p.

5933. DIBBERN (John). Who were the populists? A study of grass roots alliancemen in Dakota. Agric. Hist., 82, vol. 56, n° 4, p. 677-691.

5934. DÓKA (Klára). Gazdálkodás a Tisza árterein a XIX. század első felében. (Economy and some flood area of the river Tisza in the early 19th cent.) Agrártört. Szle, 82, vol. 24, n° 3-4, p. 277-303.

5935. DUDEK (František). Utváření základů zemědělsko- průmyslového komplexu v procesu kapitalistické industrializace českých zemí. (Forming of the foundations of the industrial agricultural complex in the process of capitalist industrialization of the Czech lands.) Hosp. Děj., 82, vol. 9, p. 7-63.

5936. DYSON (Lowell K.). Red harvest: the communist party and American farmers. Lincoln, Univ. of Nebraska Press, 82, in-8, XII-259 p.

5937. EGLI (Walter). San Pedro Amuzgos. Ein mexikanisches Dorf kämpft um sein Land. Agrargeschichte d. Costa Oaxaca v. d. Kolonialzeit bis z. Gegenwart. Zürich, Limmat, 82, in-4, 406 p. (Reihe W.)

5938. ELLIS (William E.). Robert Worth Bingham and the crisis of cooperative marketing in the twenties. Agric. Hist., 82, vol. 56, n° 1, p. 99-116.

5939. Europäische Bauernrevolten der frühen Neuzeit. Hrsg. v. Winfried SCHULZE. Frankfurt (Main), Suhrkamp, 82, in-8, 374 p. (Suhrkamp-Taschenbuch Wiss., 393)

5940. FALNIOWSKA-GRADOWSKA (Alicja). Studia nad społeczeństwem województwa krakowskiego w XVIII wieku. Struktura własności ziemskiej i użytkowanie gruntów w świetle katastru józefińskiego. (Etudes

5. AGRICULTURE ET PROBLEMES AGRAIRES

sur la société de la voïvodie cracovienne au XVIIIe siècle. Structure de la propriété foncière et exploitation du sol à la lumière du cadastre de Joseph II.) Warszawa, Państw. Wydawn. Nauk, 82, in-8, 304 p.

5941. FIETTE (Suzanne). Propriétaires et exploitants dans un grand domaine du Lauragais à la fin de l'Ancien Régime et au début de la Révolution. R. Hist. mod., 82, t. 29, p. 177-213.

5942. FÖLDES (László). "A vándorló Erdély". Történeti-néprajzi vizsgálatok az Erdély-Havasalföld közötti transhumanceról. (La Transylvanie ambulante. Analyses d'ethnologie historique de la transhumance entre la Transylvanie et la Valachie.) Budapest, Magyar Néprajzi Társagág, 82, in-8, p. 354-389. (Miscellanea ethnologica Carpatho-Balcanica, 15)

5943. GÅRESTAD (Peter). Jordskatteförändringar under industrialiseringsperioden 1861-1914. (Changes in land tax during the period of industrialization, 1861-1914.) [Svensk] Hist. T., 82, vol. 102, p. 516-539. [Eng. summary]

5944. GARNIER (Bernard). Comptabilité agricole et système de production: l'embouche bas-normande au début du XIXe siècle. A. Ec., Soc., Civ., 82, a. 37, p. 320-343.

5945. GINDIN (Claude). La rente foncière en France de l'Ancien Régime à l'Empire. A. hist. Révol. franç., 82, a. 54, n° 247, p. 1-34.

5946. GRAJVORONKSIJ (V. V.). Kooperirovannoe aratstvo MNR: izmenenija v urovne žizni. 1960-1980. (Co-operated cattle-breeders of the Mongolian People's Republic: changes in living standard, 1960-1980.) Moskva, Nauk, 82, 215 p. (AN SSSR. In-t vostokovedenija)

5947. GROSS (Robert A.). Culture and cultivation: agriculture and society in Thoreau's Concord. J. am. Hist., 82, vol. 69, n° 1, p. 42-61.

5948. GUNST (Péter). Mezőgazdaság és élelmezés Magyarországon a II. világháboru folyamán. (Agriculture and food supply in Hungary during World War II.) Agrártört. Szle, 82, vol. 24, n° 3-4, p. 359-378.

5949. GUTH (James L.). Farmer monopolies, cooperatives, and the intent of Congress: origins of the Capper-Volstead Act. Agric. Hist., 82, vol. 56, n° 1, p. 67-82.

5950. HAINES (Michael R.). Agriculture and development in Prussian Upper Silesia, 1846-1913. J. econ. Hist., 82, vol. 42, n° 2, p. 355-384.

5951. HAMILTON (David E.). Herbert Hoover and the great drought of 1930. J. am. Hist., 82, vol. 68, n° 4, p. 850-875.

5952. HARNISCH (Hartmut). Rechnungen und Taxationen. Quellenkundl. Betrachtungen zu e. Untersuchung d. Feudalrente - vornehmlich vom 16. bis 18. Jh. Jb. f. Gesch. d. Feudalismus, 82, Bd 6, p. 337-370.

5953. HENNING (Friedrich-Wilhelm). Phasen der landwirtschaftlichen Entwicklung unter besonderer Berücksichtigung der Ertragsverhältnisse. Z. f. Agrargesch., 82, Jg. 30, p. 2-27.

5954. HERNDON (G. Melvin). Elliott L. Story: a small farmer's struggle for economic survival in antebellum Virginia. Agric. Hist., 82, vol. 56, n° 3, p. 516-527.

5955. HORVÁTH (Tamás). A mezőgazdasági munkásság mozgalmai Heves megyében 1850-1920. (Les mouvements des ouvriers agricoles dans le comitat de Heves.) Eger, MSzMP Heves megyei Biz., 80, in-8, 92 p.

5956. HYLAND (Richard P.). A fragile prosperity: credit and agrarian structure in the Cauca valley, Colombia, 1851-1857. Hisp. am. hist. R., 82, vol. 62, n° 3, p. 369-406.

5957. IKNI (Guy). Sur les biens communaux pendant la Révolution française. A. hist. Révol. franç., 82, a. 54, n° 247, p. 71-94.

5958. IOSA (Mircea). Relaţiile agrare din România în deceniul premergător primului război mondial. (Les relations agraires en Roumanie dans la décennie précédant la première guerre mondiale.) R. Ist., 82, t. 35, p. 205-227. [Rés. franç.]

5959. ISMAIL-ZADE (D.). Russkoe krest'janstvo v Zakavkaz'e. (30-e gg. XIX - načalo XX v.). (Russian peasantry in the Trans-Caucasus region, 30s of the 19th - beginning of the 20th cent.) Moskva, Nauka, 82, 311 p. (ill.). (AN SSSR. In-t istorii SSSR)

5960. JELEČEK (Leoš). Forestry and forests in Bohemia 1850-1900. Hosp. Děj., 82, vol. 10, p. 75-110 (2 maps). - IDEM. Zemědělská revoluce a technicko-vědecká revoluce v zemědělství. (The agricultural revolution and the technicla-scientific revolution in agriculture.) In: Historiografie čelem k budoucnosti [Cf. n° 525], p. 161-184.

5961. KIENIEWICZ (Stefan). L'indépendance et la question agraire. Esquisses polonaises du XIXe siècle. Wrocław, Zakł. Narod. im. Ossolińskich, 82, in-8, 361 p. (Pol. Hist. Library. Opera minora, 3)

5962. KING (J. Crawford) Jr. The closing of the southern range: an exploratory study. J. south. Hist., 82, vol. 48, n° 1, p. 53-70. [fencing of agricultural lands, after civil war]

5963. KIRÁLY (István). Az állattenyésztés termelékenysége 1848-1914. (Productivity in Hungarian animal husbandry.) Agrártört. Szle, 82, vol. 24, n° 1-2, p. 61-70.

5964. KOCHANOWICZ (Jacek). Changements dans le mécanisme du fonctionnement des exploitations paysannes en Pologne à l'époque napoléonienne. Annu. Istit. stor. ital. Età mod. contemp., 81-82, vol. 33-34, p. 75-92.

5965. KOVAL'ČENKO (I. D.), SELUNSKAJA

(N. B.), LITVAKOV (B. M.). Social'no-èkonomičeskij stroj pomeščič'ego khozjajastva Evropejskoj Rossii v epokhu kapitalizma. Istočniki i metody izučenija. (The socioeconomic system of landlord economy of European Russia in the age of capitalism. Sources and methods of study.) Moskva, Nauka, 264 p. (AN SSSR. Otd-nie istorii. Komis. po primeneniju mat. metodov i ÈVM v ist. issled)

5966. KOVALEV (E. V.). Genezis, èvoljucija i nekotorye kharakternye čerty agrarnykh otnošenij v Latinskoj Amerike. (Genesis, evolution and some typical features of agrarian relations in Latin America.) Vopr. Ist., 82, n° 1, p. 35-56. - IDEM. Latinskaja Amerika: agrarnye reformy i èkonomičeskoe razvitie. (Latin Amerika: agrarian reforms and economic development.) Moskva, Nauka, 82, 269 p. (AN SSSR. In-t mirovoj ekonomiki i meždunar. otnošenij)

5967. KŘIVKA (Josef). Sklizeň, spotřeba a tržní přebytky zemědělských plodin poddanských hospodářství na panství Dolní Beřkovice v 1. pol. 18. stol. (Ertrag, Verbrauch u. Marktübertschüsse landwirtschaftl. Güter in d. Untertanenwirtschaften d. Herrschaft Dolní Beřkovice in d. 1. Hälfte d. 18. Jh.) Sborn. hist., 82, vol. 28, p. 101-157.

5968. KUSIAK (Franciszek). Osadnictwo wiejskie w środkowych i północnych powiatach Dolnego Śląska w latach 1945-1949. (La colonisation des campagnes dans les districts centraux et du nord de la Basse Silésie dans les années 1945-1949.) Wrocław, Zakł. Narod. im. Ossolińskich, 82, in-8, 303 p. (Travaux de la Soc. des Sciences et des Lettres de Wrocław, Ser. A, 228)

5969. LENCSÉS (Ferenc). Mezőgazdasági idénymunkások a negyvenes években. (Ouvriers agricoles saisonniers pendant les années 1940 [en Hongrie].) Budapest, Akadémiai Kiadó, 82, in-8, 177 p. (Agrártörténeti tanulmányok, 10)

5970. LENGYEL (Zsuzsa). Mezőgazdaság, sövetkezetek, parasztság a hetvenes években. (Agriculture, coopératives et paysannerie [en Hongrie] pendant les années 70.) Budapest, Kossuth Kiadó, 82, in-8, 186 p.

5971. LIBECAP (Gary D.), ALTER (George). Agricultural productivity, partible inheritance, and the demographic response to rural poverty: an examination of the Spanish southwest. Explor. in econ. Hist., 82, vol. 19, n° 2, p. 184-200.

5972. LINNARD (William). Welsh moods and forests: history und utilization. Cardiff, Nat. Mus. of Wales, 82, in-8, 203 p.

5973. LUCENA SALMORAL (Manuel). Las dificultades de la agricultura comercializable caraquena a fines del régimen español y la necesidad de una reforma. Quinto Centenario, 82, t. 4, p. 15-48.

5974. McGREGOR (Alexander Cambell). Counting sheep: from open range to agribusiness on the Columbia plateau. Seattle, Univ. of Washington Press, 82, in-8, XII-483 p.

5975. MARTI (Donald B). Women's work in the Grange: Mary Ann Mayo of Michigan, 1882-1903. Agric. Hist., 82, vol. 56, n° 2, p. 439-452.

5976. MARTIN (David). John Stuart Mill and the land question. Hull, Univ. Press, 82, in-8, 61 p.

5977. Mezőgazdaság (A) szocialista átalakulása Magyarországon. Tudományos ülésszak. Túrkeve, 1981. április 6-7. Szerk. VASS Henrik. (La transformation socialiste de l'agriculture en Hongrie. Séance scientifique. Túrkeve, 6-7 avril 1981. Réd. par -.) Szolnok, Szolnok m. Lapk. Váll., 81, in-8, 183 p.

5978. MILLER (Joseph C.). The significance of drought, disease and famine in the agriculturally marginal zones of West-Central Africa. J. afr. Hist., 82, vol. 23, p. 17-61.

5979. Műemlék értékű agrártörténeti emlékek. Összeáll. a Magyar Mezőgazdasági Múzeum Barátainak Köre. (Monuments d'histoire agraire de valeur artistique. Réd. par le Cercle des amis du Musée d'Agriculture Hongrois.) Budapest, Magyar Mezőgazdasági Muzeum, 82, in-8, 33 fol.

5980. MULLER (Eckhard). "Sozialismus und Landwirtschaft". Eduard David u. d. Agrarrevisionismus. Jb. f. Gesch., 82, Bd 25, p. 181-214.

5981. MUSOKE (Moses S.), OLMSTEAD (Alan L.). The rise of the cotton industry in California: a comparative perspective. J. econ. Hist., 82, vol. 42, n° 2, p. 385-412.

5982. NIEDERHAUSER (Emil). A jobbágyfelszabadítás Kelet-Európában. (L'affranchissement des serfs en Europe orientale.) Századok, 82, vol. 116, n° 3, p. 562-576.

5983. ÖSTERBERG (Eva). "Den gamla goda tiden": bilder och motbilder i ett modernt forskningsläge om det äldre agrarsamhället. ("The good old days" - contrasting models of the traditional peasant society in modern historical research.) Scandia, 82, vol. 48, p. 31-60, 205-206. [Eng. summary]

5984. OROSZ (István). A 17-19. századi állami adóösszeirások mint agrártörténeti források. (Les recensements nationaux aux XVIIe-XIXe siècles comme source de l'histoire agraire [de la Hongrie].) Acta Univ. debreceniensis. Ser. hist., 81, vol. 33: Egyet. tört. Tanulm., 15, p. 31-38.

5985. PAPP (Klára). A magánföldesúri birtokok jobbágynépessége a XVIII. századi Bihar megyében. (Die Leibeigenen der grundherrlichen Güter im Komitat Bihar.) Acta Univ. debreceniensis. Ser. hist., 81, vol. 32: Magy. tört. tanulm., 14, p. 93-154.

5986. PARKER (William N.), DeCANIO (Stephen J.). Two hidden sources of productivity growth in American agriculture, 1860-1930. Agric. Hist., 82, vol. 56, n° 4, p. 648-662.

5. AGRICULTURE ET PROBLEMES AGRAIRES

5987. PIETKIEWICZ (Krzysztof). Kieżgajłowie i ich latyfundium do połowy XVI wieku. Ze studiów nad rozwojem własności ziemskiej w Wielkim Księstwie Litewskim w średniowieczu. (Les Kieżgajło et leurs latifundia jusqu'au milieu du XVIe s. Etude sur le développement de la propriété foncière dans le Grande Duché de Lituanie au moyen âge.) Poznań, Wydawn. Nauk. Uniw. im. A. Mickiewicz, 82, in-8, 163 p. (Historia, 99)

5988. PLANA (Manuel). El algodón y el riego en La Laguna: la formación de la propriedad agraria en una región económica del Norte de México durante el Porfiriato, 1877-1910. Nova Americana, 81 [82], n° 4, p. 211-262.

5989. PODOLÁK (Ján). Tradičné ovčiarstvo na Slovensku. (Die traditionelle Schafzucht in der Slowakei.) Bratislava, Veda, 82, in-4, 232 p. (80 fig.).

5990. Probleme der Klassifizierung agrarischer Produktion in Afrika, Asien und Amerika. Ethnograph.-archäol. Z., 82, Jg 23, p. 561-738.

5991. PYNE (Stephen J.). Fire in America: a cultural history of wildland and rural fire. Princeton, N. J., Princeton U. P., 82, in-8, XVI-654 p.

5992. RÁCZ (Lajos). Parasztsors 1945-1947. Sajtó alá rend. és jegyz. VIDA István. (Destin de paysan, 1945-1947. Publ., introd. et annoté par -.) Tört. Szle, 82, vol. 25, n° 2, p. 320-343.

5993. RAGGIO (Osvaldo). Produzione olivicola, prelievo fiscale e circuiti di scambio in una comunità ligure del XVII secolo. At. Soc. ligure Stor. pa., 82, n. s., vol. 22, p. 123-162.

5994. RINAUDO (Yves). Les vendanges de la République. Une modernité provençale: les paysans du Var à la fin du XIXe siècle. Lyon, Presses univ. Lyon, 82, in-8, 322 p.

5995. ROME (Adam Ward). American farmers as entrepreneurs, 1870-1900. Agric. Hist., 82, vol. 56, n° 1, p. 37-49.

5996. SÁRY (István). Gazdálkodási viszonyok Győr megye néhány nagy- és középbirtokán az 1860-as évek elején. (Farming conditions on some large and medium-sized estates in Győr County during the early 1860s.) Agrártört. Szle, 82, vol. 24, n° 1-2, p. 112-148.

5997. SCHAPIRO (Morton Owen). A land availability model of fertility changes in the rural northern United States. J. econ. Hist., 82, vol. 42, n° 3, p. 577-600.

5998. SHAFFER (John W.). Family and farm: agrarian change and household organization in the Loire Valley, 1500-1900. Albany, State Univ. of New York Press, 82, in-8, 258 p. (SUNY Ser. on European Soc. Hist.)

5999. SHAMMAS (Carole). How self-sufficient was early America? J. interdisc. Hist., 82, vol. 13, n° 2, p. 247-272.

6000. SHIFLETT (Crandall A.). Patronage and poverty in tobacco south: Louisa county, Virginia, 1860-1900. Knoxville, Univ. of Tennessee Press, 82, in-8, XVII-159 p.

6001. SIMMS (James Y.) Jr. The crop failure of 1891: soil exhaustion, technological backwardness, and Russia's "agrarian crisis". Slavic R., 82, vol. 41, n° 2, p. 236-250.

6002. SIUTS (Hinrich). Bäuerliche und handwerkliche Arbeitsgeräte in Westfalen. Die alten Geräte d. Landwirtschaft u. d. Landhandwerks 1890-1930. Münster, Aschendorff, 82, in-4, VI-442 p. (202 Taf., 2 Kt.). (Schr. d. volkskundl. Komm. f. Westfalen, 26)

6003. SOLBERG (Carl E.). Peopling the prairies and the pampas: the impact of immigration on Argentine and Canadian agrarian development, 1870-1930. J. interam. Stud. a. World Affairs, 82, vol. 24, n° 2, p. 131-162.

6004. SPEAR (Donald P.). California besieged: the foot-and-mouth epidemic of 1924. Agric. Hist., 82, vol. 56, n° 3, p. 528-541.

6005. SPERBER (Helmut). Die Pflüge in Altbayern. Die Entwicklung d. Pflugformen in Altbayern vom 16. Jh. bis z. Mitte d. 19. Jh. München, Bayer. Nationalmuseum, 82, 271 p. (562 Abb. auf 39 Taf., 31 Tab., 9 Kt.). (Veröff. z. Volkskunde u. Kulturgesch., 7)

6006. STEIGER (Thomas). Die Produktion von Milch und Fleisch in der schweizerischen Landwirtschaft des 19. Jahrhunderts als Gegenstand bäuerlicher Entscheidungen. Das statist. Bild d. Entwicklung d. Rindviehhaltung u. ihre ökonom. Interpretation. Bern, Lang, 82, in-8, 215 p. (Europ. Hochschulschriften, Reihe 5: Volks- u. Betriebswirtschaft, 394)

6007. SURÁNYI (Béla). A lapály szarvasmarkha tenyésztése Magyarországon az I. világháboruig. (Breeding of lowland cattle in Hungary up to World War I.) Agrártört. Szle, 82, vol. 24, n° 3-4, p. 388-427.

6008. SZEMZŐ (Béla). A magyar cukorrépa-termelés ujjászervezése 1945-1948. (The reorganization of sugar beet growing in Hungary, 1945-1948.) [Part I-II. Cf. Bibl. 81, n° 5442.] Part III. Agrártört. Szle, 82, vol. 24, n° 1-2, p. 184-238.

6009. SZUHAY (Péter). A Sendrő környéki falvak paraszti gazdálkodása a kapitalizmus időszakában. (Economie paysanne des villages des environs de Szendrő [Comitat de Borsod, Hongrie] à l'époque du capitalisme.) Miskolc, 82, in-8, 159 p. (Borsodi kismonográfiák, 14)

6010. TAKAKI (Ronald). "An entering wedge": the origins of the sugar plantation and a multiethnic working class in Hawaii. Labor Hist., 82, vol. 23, n° 1, p. 32-46.

6011. THOMAS (Brinley). Feeding England during the industrial revolution: a view from the Celtic fringe. Agric. Hist., 82, vol. 56, n° 1, p. 328-342.

6012. TJURINA (A. P.). Social'no-ěkonomičeskoe razvitie sovetskoj derevni, 1965-1980. (Socio-economic development of the Soviet village, 1965-1980.) Moskva, Mysl', 82, 208 p.

6013. TÓTH (Tibor). Föld és termelés. (Terre et production.) Tört. Szle, 82, vol. 25, n° 1, p. 114-120. - IDEM. A mezögazdasági jövedelmezöség és vállalati tipusok kérdéséhez az 1930-as években. (The problem of profitability and efficiency in Hungarian agriculture during the 1930s.) Agrártört. Szle, 82, vol. 24, n° 1-2, p. 71-86.

6014. ULBRICH (Claudia). Agrarferfassung und bäuerlicher Widerstand im Oberrheingebiet. Z. f. Agrargesch., 82, Jg. 30, p. 149-167.

6015. ULEN (Thomas S.). The regulation of grain warehousing and its economic effects: the competitive position of Chicago in the 1870s and 1880s. Agric. Hist., 82, vol. 56, n° 1, p. 194-210.

6016. VILLARES (Ramon). La propiedad de la tierra en Galicia, 1500-1936. Madrid, Siglo XXI, 82, in-8, 453 p.

6017. VÖRÖS (Vince). Magyar parastszövetség 1941-1944. A jegyzeteket készitette Vida István. (L'Association des Paysans Hongrois en 1941-1944. Annoté par -.) Tört. Szle, 82, vol. 25, n° 2, p. 245-275.

6018. WEBB (Steven B.). Agricultural production in Wilhelmian Germany: forging an empire with pork and rye. J. econ. Hist., 82, vol. 42, n° 2, p. 309-326.

6019. WINSBERG (Morton D.) Agricultural specialisation in the United States since world war II. Agric. Hist., 82, vol. 56, n° 4, p. 692-701.

6020. WITSCHI (Peter) Zürcherische Forstpolitik und Landesverwaltung im Ancien Régime. Zürich, 81, in-8, 209 p. (Thèse lettres)

6021. WOODMAN (Harold D.). Postbellum social change and its effects on marketing the South's cotton crop. Agric. Hist., 82, vol. 56, n° 1, p. 215-230.

6022. WORSTER (Donald). Hydraulic society in California: an ecological interpretation. Agric. Hist., 82, n° 3, p. 503-515.

Cf. n°s 3990, 4187, 4517, 5604, 5676, 5699, 5702, 5752, 5902, 6040, 6428, 7568.

§ 6. Argent et finance.

6023. ALSOP (J. D.). The theory and practice of Tudor taxation. Eng. hist. R., 82, vol. 97, p. 1-30.

6024. ANISIMOV (E. V.). Podatnaja reforma Petra I. Vvedenie podušnoj podati v Rossii 1719-1728 gg. (The tax reform of Peter I. Introduction of poll-tax in Russia in 1719-1728.) Leningrad, Nauka, 82, 296 p. (AN SSSR. In-t istorii SSSR. Leningr. otd-nie)

6025. ARTOLA (M.). La hacienda del Antiguo Régimen. Madrid, Alianza Editorial, 82, in-8, 512 p.

6026. BECKERMAN (Wilfred), CLARK (Stephen). Poverty and social security in Britain since 1961. London, Oxford U. P., 82, in-8, 108 p. (Inst. for Fiscal Stud.)

6027. BEHR (Hans-Joachim). Exemtionsprozesse des Reichsfiskus gegen westfälische Städte im 16. Jahrhundert. Westfäl. Z., 81-82, Bd 131-132, p. 267-337.

6028. BUCKLEY (Peter J.), ROBERTS (Brian R.). European direct investment in the U.S.A. before World War I. London, Macmillan; New York, St. Martin's Press, 82, in-8, XIV-157 p.

6029. DAVIS (Clarence B.). Financing imperialism: British and American bankers as vectors of imperial expansion in China, 1908-1920. Business Hist. R., 82, vol. 56, p. 236-264.

6030. DEAS (Malcolm). The fiscal problems of nineteenth-century Colombia. J. latin am. Stud., 82, vol. 14, p. 287-328.

6031. Deutsche Bankengeschichte. Hrsg. im Auftrag d. Inst. f. Bankhist. Forsch. v. seinem wissenschaftl. Beirat Günter ASHAUER u. a. Bd 1: Von den Anfängen bis zum Ende des alten Reiches (1806). Von Ernst KLEIN. Bd 2: Das deutsche Bankwesen (1806-1848). Die Entwicklung d. deutschen Bankwesens zwischen 1848 u. 1870. Von Manfred POHL u. a. Frankfurt (Main), Knapp, 82, 2 vol. in-8, 360, 371 p.

6932. DOTZAUER (Winfried). Die Liste der Meistbesteuerten des Jahres 1807 im Saar-Departement. Zum Problem d. fiskal. Erfassung v. Kapital u. Wirtschaft im napoleon. Rheinland. Jb. f. westdeutsche Landesgesch., 82, Jg. 8, p. 57-85.

6033. DRECIN (Miahi D.). Banca "Albina" din Sibiu - instituția națională a românilor transilvăneni (1871-1918). (La banque "Albina" [Abeille] de Sibiu - l'institution nationale des Roumains de Transylvanie.) Cluj-Napoca, Dacia, 82, in-8, 234 p. (14 fig.).

6034. EDELSTEIN (Michael). Overseas investment in the age of high imperialism: the United Kingdom, 1850-1914. London, Methuen, 82, in-8, 388 p.

6035. EICHENGREEN (Barry J.). The proximate determinants of domestic investment in Victorian Britain. J. econ. Hist., 82, vol. 42, n° 1, p. 87-96.

6036. EICHENGREEN (Barry J.). Did speculation destabilize the French franc in the 1920s? Explor. in econ. Hist., 82, vol. 19, n° 1, p. 71-100.

6037. EMBER (Györö). Einnahmen und

Ausgaben der Ungarischen Königlichen Kammer in den Jahren 1555-1562. Acta hist. Acad. Sci. hungaricae, 82, vol. 28, p. 1-36.

6038. Financial crises: theory, history, and policy. [Colloquium Financial Crises and the Lender of Last Resort, Bad Homburg, May 21-23, 1979.] Ed. by Charles P. KINDLEBERGER a. Jean-Pierre LAFFARGUE. Cambridge, New York a. Melbourne, Cambridge U. P.; Paris, Maison des Sciences de l'Homme, 82, in-8, IX-301 p.

6039. GUÈS (André). Les finances de la Révolution [suite et fin de Bibl. 81, n° 3263.] Itinéraires, 82, n° 259, p. 29-37.

6040. HEGARDT (Astrid). Formellt och reellt skattetryck: variationer i uppbörd och agrar produktion i Mälarområdet 1665-1725: två gårdar som exempel. (Nominal and factual tax: variations in tax collection and agricultural production in the Mälar district, 1665-1725: examples from two farms.) [Svensk] Hist. T., 82, vol. 102, p. 473-487. [Eng. summary]

6041. HUNTER (Helen Manning). The role of business liquidity during the great depression and afterwards: differences between large and small firms. J. econ. Hist., 82, vol. 42, n° 4, p. 883-902.

6042. KÖRNER (Martin). Luzerner Staatsfinanzen, 1415-1798. Strukturen, Wachstum, Konjunkturen. Luzern, Rex, 81, in-8, 503 p. (Ill.). (Luzerner hist. Veröff., 13)

6043. KREINECKER (Günther). Die Anfänge der Raiffeisenkasse in Oberösterreich (1889-1914). Die wirtschaftl. Entwicklung u. ihre sozioökonomische Bedeutung f. Gesellschaft u. Wirtschaft. Linz, Trauner, 82, in-8, XVI-276 p. (Tab.). (Linzer Schr. z. Sozial- u. Wi.-Gesch., 6)

6044. KRÜGER (Kersten). Entstehung und Ausbau des hessischen Steuerstaates vom 16. bis zum 18. Jahrhundert. Akten d. Finanzverwaltung als frühneuzeitl. Gesellschaftsspiegel. Hess. Jb. f. Landesgesch., 82, Bd 32, p. 103-125.

6045. KURGAN-VAN HENTENRYK (G.). Rail, finance et politique: les entreprises Philippart (1865-1890). Bruxelles, Ed. de l'Univ., 82, in-8, 392 p.

6046. LEBEDEVA (L. F.). Inostrannyj kapital v ěkonomike SŠA. (Foreign capital in USA economics.) Moskva, Nauka, 82, 176 p. (AN SSSR. In-t SŠA i Kanady)

6047. LECLERCQ (Yves). Les transferts financiers Etat-comagnies privées de chemin de fer d'intérêt général (1833-1908). R. écon., 82, 33, p. 896-924.

6048. LEESCH (Wolfgang). Geschichte der Steuerverfassung und -verwaltung in Westfalen seit 1815 (Erster Teil). Westfäl. Z., 81-82, Bd 131-132, p. 413-493.

6049. LESCURE (Michel). Les banques, l'Etat et le marché immobilier en France à l'époque contemporaine, 1820-1940. Paris, Ecole des Hautes Etudes en Sci. soc., 82, in-8, 621 p.

6050. LINDGREN (Hakan). Historisk skatteforskning. (Swedish historical research into public finance and taxation.) [Svensk] Hist. T., 82, vol. 102, p. 417-422. [Eng. summary]

6051. LOVETT (Albert). The general settlement of 1577: an aspect of Spanish finance in the early modern period. Hist. J., 82, vol. 25, p. 1-22.

6052. MAIELLO (Carmine). La crisi dei banchi pubblici napoletani, 1794-1806. R. int. Hist. Banque, 80, vol. 20-21, p. 1-123.

6053. MAŁECKA (Teresa). Kredyty i pożyczki Stanów Zjednoczonych Ameryki dla rządu polskiego w latach 1919-1939. (Les crédits et les prêts des Etats Unis d'Amérique pour le gouvernement polonais dans les années 1919-1939.) Warszawa, Państ. Wydawn. Nauk., 82, in-8, 208 p.

6054. MANZENREITER (Johann). Die Bagdadbahn. Als Beispiel f. d. Entstehung d. Finanzimperialismus in Europa (1872-1903). Bochum, Brockmeyer, 82, in-8, IX-224 p. (Bochumer hist. Stud., Neuere Gesch., 2)

6055. MARCONI (Mauro). La politica monetaria del fascismo. Bologna, Il mulino, 82, in-8, 202 p. (Stud. e Ric., 146)

6056. MATA (Eugénia), VALÉRIO (Nuno). O Banco de Portugal, único banco emissor (1891-1931). (La Banco de Portugal, seule banque d'émission.) R. Hist. econ. soc. [Lisboa], 82, n° 10, p. 49-69.

6057. MATTSSON (Nils). Hur bör en inkomstskatt utformas? En undersökning av motiven till de första moderna inkomstskatteförfattningarna. (How should income tax be constructed?) [Svensk] Hist. T., 81, vol. 102, p. 557-573. [Eng. summary]

6058. PARENTE (Luigi). Un gruppo di pressione borghese dell'Ottocento borbonico: i Monti frumentari e i Monti pecuniari. Critica stor., 82, a. 19, p. 163-200.

6059. PLACANICA (Augusto) Moneta, prestiti, usure nel Mezzogiorno moderno. Napoli, Soc. editr. napoletana, 82, in-8, 338 p. (Coll. di Ric. e analisi stor., 6)

6060. PLATT (D. C.). Finanzas británicas en México (1821-1867). Hist. mexic., 82, vol. 32, n° 2, p. 226-261.

6061. PLESSIS (Alain). La Banque de France et ses deux cents actionnaires sous le Second Empire. Genève, Droz, 82, in-8, 308 p. (Trav. d'hist. ethico-politique, 40)

6062. PUGACH (Noel H.). Keeping an idea alive: the establishment of a Sino-American bank, 1910-1920. Business Hist. R., 82, vol. 56, n° 2, p. 265-293.

6063. PURŠ (Jaroslav). Banks and the industrialization of the Czech lands: evolution of the structure of the financial system and the function of banks until 1880. Hosp. Děj., 82, vol. 10, p. 7-51.

6064. RADÓCZY (Gyula). Mária Terézia

magyar pénzverése. (La frappe de monnaie hongroise de Marie-Thérèse.) Budapest, Magyar Éremgyüjtők Egyesülete, 82, in-8, 143 p.

6065. RÁNKI (György). A Magyar Általános Hitelbank a 20-as években. (La Banque Générale hongroise dans les années 1920.) Tört. Szle, 82, vol. 25, n° 1, p. 67-81.

6066. REID (Margaret). The secondary banking crisis, 1973-1975, its causes and course. London, Macmillan, 82, in-8, 232 p.

6067. RODRIGEZ (Enrique). Den progressiva inkomstbeskattningens historia. (The history of progressive income tax) [Svensk] Hist. T., 82, vol. 102, p. 540-556. [Eng. summary]

6068. RYDER (Michael). The Bank of Ireland, 1721: land, credit and dependency. Hist. J., 82, vol. 25, p. 557-582.

6069. SAVINA (N. V.). Južnonemeckij kapital v stranakh Evropy i ispanskikh kolonijakh v XVI v. (South German capital in European countries and Spanish colonies, 16th cent.) Moskva, Nauka, 82, 340 p. (AN SSSR, In-t vseobšč. istorii)

6070. SCHISSLER (Hanna). Preußische Finanzpolitik nach 1907. Die Bedeutung d. Staatsverschuldung als Faktor d. Modernisierung d. preußischen Finanzsystems. Gesch. u. Ges., 82, Jg. 8, p. 367-385.

6071. SCHULL (Joseph), GIBSON (J. Douglas). The Scotiabank story: a history of the Bank of Nova Scotia, 1832-1982. Toronto, Macmillan, 82, in-8, 421 p.

6072. SOLOMON (Robert). The international monetary system, 1945-1981. London, Harper a. Row, 82, in-8, 452 p.

6073. STADIN (Kekke). Skattepolitiken och de kapitalistiska företagen, 1719-1812. (Taxation policy and capitalist enterprise, 1719-1812.) [Svensk] Hist. T., 82, vol. 102, p. 488-515. [Eng. summary]

6074. STRAUSS (André). Trésor public et marché financier: les emprunts de l'Etat par souscription publique (1878-1901). R. hist., 82, a. 106, t. 267, p. 65-112.

6075. SVOBODOVÁ (Dana). K otázce struktury oběživa v českých zemích v devadesátých letech 18. století. Nález mincí v Travčicích, okres Litoměřice. (Zur Frage d. Struktur d. Umlaufgeldes in d. böhm. Ländern in d. neunziger Jahren d. 18. Jh. Der Münzfund aus Travčice, Bezirk Litoměřice.) Sborn. nár. Mus. v Praze, Rad A.-Hist., 82, vol. 36, p. 40-120.

6076. TEW (Brian). The evolution of the international monetary system, 1945-1981. London, Hutchinson, 82, in-8, 248 p. (Univ. Libr.)

6077. THOBIE (Jacques). Economie, mouvements de capitaux, impérialisme: le cas français jusqu'à la Première guerre mondiale. Relations int., 82, n° 29, p. 25-52.

5078. TILLY (Richard). Mergers, external growth, and finance in the development of large-scale enterprise in Germany, 1880-1913. J. econ. Hist., 82, vol. 42, n° 3, p. 629-658.

6079. TRESCOTT (Paul B.). Federal reserve policy in the great contraction: a counterfactual assessment. Explor. in econ. Hist., 82, vol. 19, n° 3, p. 211-220.

6080. VAN-HELTEN (Jean Jacques). Empire and high finance: South Africa and the international gold standard, 1890-1914. J. afr. Hist., 82, vol. 23, p. 529-548.

6081. WALTER (François). Finance et politique à la Belle Epoque: la France et les emprunts de la Confédération helvétique (1890-1914). Schweiz. Z. f. Gesch., 82, Bd 32, p. 421-450.

6082. WHITE (Eugene Nelson). The membership problem of the national banking system. Explor. in econ. Hist., 82, vol. 18, n° 2, p. 110-127.

6083. WICKER (Elmus). Interest rate and expenditure effects of the banking panic of 1930. Explor. in econ. Hist., 82, vol. 19, n° 4, p. 435-445.

6084. WILKINS (Mira). American-Japanese direct foreign investment relationships, 1930-1952. Business Hist. R., 82, vol. 56, n° 4, p. 497-518.

6085. WINTON (J. R.). Lloyds Bank, 1918-1969. London, Oxford U. P., 82, in-8, 240 p.

6086. WITT (Peter-Christian). Finanzpolitik als Verfassungs- und Gesellschaftspolitik. Überlegungen zur Finanzpolitik d. Deutschen Reiches in d. J. 1930 bis 1932. Gesch. u. Ges., 82, Jg. 8, p. 386-414.

Cf. n°s 4036, 5694, 6711, 6993.

§ 7. Démographie et urbanisme.

* 6087. LaROSE (André). Bibliographie courante sur l'histoire de la population canadienne et la démographie historique au Canada, 1981 = A current bibliography on the history of Canadian population and historical demography in Canada, 1981. [Cf. Bibl. 81, n° 5496.] Hist. soc., 82, vol. 15, p. 489-494.

6088. ADAMS (Willi Paul). Die Assimilationsfrage in der amerikanischen Einwanderungsdiskussion 1890-1930. Amerikastudien, 82, Jg. 27, p. 275-291.

6089. BANIK-SCHWEITZER (Renate). Zur sozialräumlichen Gliederung Wiens 1869-1934. Wien, Inst. f. Stadtforschung, 82, in-8, 142 p. (Tab.). (Inst. für Stadtforschung, 63)

6090. BARKER (Theo), DRAKE (Michael). Population and society in Britain, 1850-1980. London, Batsford, 82, in-8, 208 p.

6091. BEAUJOT (Roderic P.), McQUILLAN (Kevin). Growth and dualism: the demographic development of Canadian society. Toronto, Gage, 82, in-8, 249 p.

6092. BENDA (Kálmán). La Hongrie à la charnière des XVIIIe-XIXe siècles. Situation démographique et sociale. Acta hist. Acad. Sci. hungaricae, 82, vol. 28, p. 73-88.

6093. BLANC (Olivier). La natalité vaudoise: deux cents ans d'histoire. Schweiz. Z. f. Gesch., 81, Bd 31, p. 144-173.

6094. BORINS (Sandford F.). Western Canadian homesteading in time and space. Canad. J. Econ., 82, vol. 15, p. 18-27.

6095. BOURBEAU (Robert), LEGARE (Jacques). Evolution de la mortalité au Canada et au Québec, 1831-1931: essai de mesure par génération. Montréal, Presses de l'Univ., 82, in-8, 140 p. (Coll. Démographie canadienne, 6)

6096. BREEN (David H.), COATES (Kenneth). Vancouver's fair: an administrative and political history of the Pacific National Exhibition. Vancouver, Univ. British Columbia Press, 82? in-8, 192 p. - CR: J. H. Taylor, Canad. hist. R., 82, vol. 64, p. 224-226.

6097. BRICE (Catherine). Lecture politique d'un espace urbain: Florence capitale (1865-1870). Mél. Ec. franç. Rome, Moyen Age, Temps mod., 82, t. 94, p. 847-889.

6098. BUBNYS (Edward). Nativity and the distribution of wealth: Chicago 1870. Explor. in econ. Hist., 82, vol. 19, n° 2, p. 101-109.

6099. BUMSTED (J. M.). The people's clearance: Highland emigration to British North America, 1770-1815. Edinburgh, Univ. Press, 82, in-8, 200 p.

6100. BYERS (Edward). Fertility transition in a New England commercial center: Nantucket, Massachusetts, 1680-1840. J. interdisc. Hist., 82, vol. 13, n° 1, p. 17-40.

6101. CHARBONNEAU (André), DESLOGES (Yvon), LAFRANCE (Marc). Quebec, the fortified city: from the 17th to the 19th century. Ottawa, Parks Canada, 82, in-8, 491 p.

6102. CINEL (Dino). From Italy to San Francisco: the immigrant experience. Stanford, Calif., Stanford U. P., 82, in-8, VIII-347 p.

6103. COOK (Noble David). The people of the Colca Valley: a population study. Boulder, Colo., Westview Press, 82, in-8, XIX-101 p. (Dellplain Latin Am. Stud., 9)

6104. COOK (Noble David). Demographic collapse: Indian Peru, 1520-1620. London, Cambridge U. P., 82, in-8, X-310 p. (dr., tab., maps).

6105. CORBIN (Alain). L'hygiène publique et les "excreta" de la ville préhaussmanienne [Paris]. Ethnol. franç., 82, n. sér., t. 12, p. 127-190.

6106. CRANZ (Galen). The politics of park design: a history of urban parks in America. Cambridge, Mass., MIT Press, 82, XIII-347 p.

6107. CROUCH (Dora P.) a. others. Spanish city planning in North America. Cambridge, Mass., MIT Press, 82, in-8, XXII-298 p.

6108. DORRIES (Reinhard R.). Soziale Eingliederungsprozesse von Iren und Deutschen in den Vereinigten Staaten - ein Vergleich. Amerikastudien, 82, Jg. 27, p. 259-273.

6109. ELMROTH (Ingvar). För kung och fosterland: studier i den svenska adelns demografi och offentliga funktioner. (For King and country: a study of the demography and state functions of the Swedish aristocracy, 1600-1900.) Lund, Liber Läromedel/Gleerup, 81, in-8, 282 p. (Bibl. hist. Lundensis, 50) [Eng. summary]

6110. Flannel (A) shirt and liberty: British emigrant gentlewomen in the Canadian West, 1880-1914, ed. by Susan JACKEL. Vancouver, Univ. of British Columbia Press, 82, in-8, 229 p. - CR: S. S. Jameson, Alberta Hist., 83, vol. 31, n° 1, p. 38.

6111. FLIGSTEIN (Neil). Going North: the migration of blacks and whites from the South, 1900-1950. London, Academic Press, 82, in-8, 230 p.

6112. FOVILLE (Alfred de), FLACH (J.). Enquête sur les conditions d'habitation en France [1855]. Les maisons types. Brionne, Gérard de Montfort, 81, 2 vol. in-8, 382, 338 p. (ill.).

6113. GOLDFIELD (David R.). Cotton fields and skyscrapers: southern city and region, 1607-1980. Baton Rouge, Louisiana State U. P., 82, in-8, XIV-232 p.

6114. GUEST (Avery M.), TOLNAY (Stewart). Urban industrial structure and fertility: the case of large American cities. J. interdisc. Hist., 82, vol. 13, n° 3, p. 387-410.

6115. HANAGAN (Michael P.). Urbanization, worker settlement patterns and social protest in nineteenth century France. In: French cities in the 19th century [Cf. n° 3667], p. 208-229.

6116. HAUG (C. James). Leisure and urbanism in nineteenth-century Nice. Lawrence, Regents Press of Kansas, 82, in-8, XVIII-167 p.

6117. HOCH (Steven L.). Serfs in imperial Russia: demographic insights. J. interdisc. Hist., 82, vol. 13, n° 2, p. 221-246. [Cf. n° 6268]

6118. KABUZAN (V. M.). Krepostnoe krest'janstvo Rossii v XVIII - 50-kh godakh XIX veka. Čislennost' sostav i razmeščenie. (Enserfed Russian peasantry in 1700-1850s. Number, composition, and distribution.) Ist. SSSR, 82, n° 3, p. 67-85.

6119. KELLOGG (John). The evolution of

black residential areas in Lexington, Kentucky, 1865-1887. J. south. Hist., 82, vol. 48, n° 1, p. 21-52.

6120. KERR (Don), HANSON (Stan). Saskatoon, the first half century. Afterword by Alan F. J. ARTIBISE. Edmonton, NeWest Press, 82, in-8, 342 p. - CR: J. W. Brennan, Sask. Hist., 82, vol. 35, p. 117-119.

6121. KLEPP (Susan). Five early Pennsylvania censuses. Pennsylvania Mag. Hist., 82, vol. 106, n° 4, p. 483-514.

6122. LACHAPELLE (Réjean), HENRIPIN (Jacques). The demolinguistic situation in Canada: past trends and future prospects. Montreal, Inst. for Research on Public Policy, 82, in-8, 387 p. - CR: N. Tomes, Canad. J. Econ., 83, vol. 16, p. 376-379.

6123. LAVEDAN (Pierre) HUGUENEY (Jean), HENRAT (Philippe). L'urbanisme à l'époque moderne, XVIe-XVIIe siècles. Genève, Droz; Paris, Arts et Métiers graph., 82, in-4, 310 p. (282 p. de pl.). (Bibl. de la Soc. franç. d'Archéol., 13)

6124. LUTZ (Wolfgang) Demographic transition and socio-economic development in Finland 1871-1978 - a multivariable analysis. Helsinki, 82, in-4, 81 p. (Central Statistical Office of Finland. Studies, 81)

6125. McMULLIN (Thomas A.). Lost alternative: the urban industrial Utopia of William D. Howland. New England Quar., 82, vol. 55, n° 1, p. 25-38.

6126. MINER (H. Craig). Wichita: the early years, 1865-1880. Lincoln, Univ. of Nebraska Press, 82, in-8, XIV-201 p.

6127. MOKYR (Joel), GRADA (Cormac O.). Emigration and poverty in prefamine Ireland. Explor. in econ. Hist., 82, vol. 19, n° 4, p. 360-384.

6128. NILSSON (Sven A.). Krig och folkbokföring under svenskt 1600-tal. (War and the national registration system in seventeenth-century Sweden.) Scandia, 82, vol. 48, p. 5-29, 201-209. [Eng. summary]

6129. ORTIZ DE LA TABLE DUCASSE (Javier). La población ecuatoriana en la época colonial: cuestiones y cálculos. Anu. Est. am., 80 [82], t. 37, p. 235-277.

6130. PALMER (Howard). Canadian immigration and ethnic history in the 1970s and 1980s. J. canad. Stud., 82, vol. 17, n° 1, p. 35-50.

6131. PARENT (Jean-François). Grenoble, deux siècles d'urbanisation. Projets d'urbanisme et réalisations architecturales, 1815-1965. Introd. de Vital CHOMEL. Postface de Jean VERLHAC. Grenoble, Presses univ. Grenoble, 82, in-4, 187 p. (ill.).

6132. PATRINELĒS (H. G.). Katanomē hellēnikon plēthysmōn se phyla kai homades hēlikiōn. (Répartition des populations grecques par sexe et groupe d'âge.) Hellenika, 82-83, t. 34/2, p. 369-411.

6133. PAUL (Rodman W.). After the gold rush: San Francisco and Portland. Pacific hist. R., 82, vol. 51, n° 1, p. 1-22.

6134. PÉREZ PICASO (María), LEMEUNIER (Guy). Nota sobre la evolución de la publación murciana a través de los censos nacionales (1530-1970). Cuad. Invest. hist., 82, t. 6, p. 5-37 (cuadros, mapas).

6135. PODZIMEK (Jaroslav). Prameny demografického vývoje ČSSR. (Quellen der demograph. Entwicklung der ČSSR.) Praha, Státní knihovna CSR, 81, in-8, 258 p.

6136. PRINGLE (James K.), SABA (Steven J.). Langage médical et politique locale: l'urbanisme et la santé à Marseille à la fin de l'Ancien Régime. A. Midi, 81, t. 93, p. 397-417.

6137. PUSKÁS (Julianna). From Hungary to the United States, 1880-1914. Budapest, Akadémiai Kiadó, 82, in-8, 225 p. (Studia hist. Acad. Sci. hungaricae, 184)

6138. RANSEL (David L.). Problems in measuring illegitimacy in prerevolutionary Russia. J. soc. Hist., 82, vol. 16, n° 2, p. 111-128.

6139. REIF (Heinz). Städtebildung im Ruhrgebiet - die Emscherstadt Oberhausen 1850-1914. Vjschr. f. Soz.- u. Wirtschaftsgesch., 82, Bd 69, p. 457-487.

6140. REZUN (D. Ja.). Očerki istorii izučenija sibirskogo goroda konca XVI - pervoj poloviny XVIII veka. (Essays on the history of Siberian town study, end of the 16th - first half of the 18th cent.) Novosibirks, Nauka, 82, 220 p. (AN SSSR, Sib. otd-nie. In-t istorii, filol. i filos.)

6141. ROBERT (Jean-Claude). Urbanisation et population: le cas de Montréal en 1861. R. Hist. amérique franç., 81-82, vol. 35, p. 523-535.

6142. RUDENSKIJ (N. E.). Čislennost' i rasselenie vengerskikh grupp v Evrope za predelami Vengrii. (The size and geographical distribution of Hungarian groups in Europe outside Hungary.) Sov. Ètnogr., 82, n° 3, p. 27-39.

6143. Russkij gorod (issledovanija i materialy). (The Russian town: researches and materials. [Vyp. 4. Cf. Bibl. 81, n° 5543.] Vyp. 5. Pod red. V. L. JANINA. Moskva, Izd-vo MGU, 82, 224 p. (ill.).

6144. SANDBERG (Robert). Nyare forskning om den europeiska staden under 15- och 1600-talen. (New research on the European town during the 15th and 16th centuries.) [Svensk] Hist. T., vol. 102, p. 217-242.

6145. SCHÄFER (Hermann). Italienische "Gastarbeiter" im deutschen Kaiserreich (1890-1914). Z. f. Unternehmensgesch., 82, Jg. 27, p. 192-214.

6146. SCHAFFER (Daniel). Garden cities for America: the Radburn experience. Philadelphia, Temple U. P., 82, in-8, XIV-276 p.

6147. SCHIESL (Michael J.). The politics of contracting: Los Angeles county and the Lakewood Plan, 1954-1962. Huntington Libr. Quar., 82, vol. 45, n° 3, p. 227-243.

6148. ŠELESTOV (D. K.). O sovremennoj buržuaznoj istoričeskoj demografii. (On the contemporary bourgeois historical demography.) Vopr. Ist., 82, n° 6, p. 62-73.

6149. SEUNIG (Georg W.). Die städtebauliche Entwicklung der Stadt Salzburg unter Fürsterzbischof Wolf Dietrich von Raitenau 1587-1612. Zürich, 81, in-8, 378 f. [Thèse n° 6867 Ecole polytechnique fédérale]

6150. SNYDACKER (Daniel). Kinship and community in rural Pennsylvania, 1749-1820. J. interdisc. Hist., 82, vol. 13, n° 1, p. 41-62.

6151. SOLOWAY (Richard Allen). Birth control and the population question in England, 1877-1930. Chapel Hill, Univ. of North Carolina Press, 82, in-8, XIX-418 p.

6152. STEMPLOWSKI (Ryszard). Los eslavos en Misiones. Consideraciones en torno al número y la distribución geográfica de los campesinos polacos y ucranianos (1897-1938). Jb. f. Gesch. v. Staat, Wirtschaft u. Ges. Lateinamerikas, 82, Bd 19, p. 320-390.

6153. THIRRING (Lajos). Az 1941. évi népszámlálás. A népszámlálás története és jellemzése. (Le recensement [hongrois] de 1941. Histoire et analyse du recensement.) Budapest, Központi Statisztikai Hivatal - Magyar Országos Levéltár, 81, in-8, 142 p. (14 pl.). (Történeti statisztikai kötetek)

6154. THOMPSON (F. M. L.) a. others. The rise of suburbia. New York, St. Martin's Press, 82, in-8, XII-274 p. (Themes in Urban Hist.)

6155. TOBRINER (Stephen). The genesis of Noto: an eighteenth-century Sicilian city. Berkeley a. Los Angeles, Univ. of California Press, 82, in-8, 252 p.

6156. Urbanisme et architecture en Lorraine (1830-1930). Metz, Serpenoise, 82, in-8, 295 p. (ill.).

6157. VIDAURRETA (Alicia). Spanish immigration to Argentina, 1870-1930. Jb. f. Gesch. v. Staat, Wirtschaft u. Ges. Lateinamerikas, 82, Bd 19, p. 285-319.

6158. Vieillissement (Le). Implications et conséquences de l'allongement de la vie humaine depuis le XVIIIe siècle. Actes de la Table ronde, Paris, Ecole des hautes Etudes en Sci. soc., 24-26 oct. 1979. Lyon, Presses univ. Lyon, 82, in-8, 240 p.

6159. WANATOWICZ (Maria). Ludność napływowa na Górnym Śląsku w latach 1922-1939. (La population immigrée en Haute-Silésie dans les années 1922-1939.) Katowice, Śląski Inst. Nauk., 82, in-8, 369 p.

6160. WELLS (Robert V.). Revolutions in Americans' lives: a demographic perspective on the history of Americans, their families, and their society. Westport, Conn., Greenwood Press, 82, in-8, XVI-311 p. (Contrib. in Family Stud., 6)

6161. WRIGLEY (E. A.), SCHOFIELD (R. S.). The population history of England, 1541-1871: a reconstruction. Cambridge, Mass., Harvard U. P., 82, in-8, XV-779 p. (Stud. in Social a. Demographic Hist.)

6162. ZURFLUH (Anselm). Urseren 1640-1830, les populations des hautes vallées alpines: contribution à leur histoire démographique. Schweiz. Z. f. Gesch., 82, vol. 32, p. 293-323.

Cf. n°s 619, 934, 5708, 5883, 5971, 6250, 6292, 6931, 6972.

§ 8. Histoire sociale et histoire des moeurs.

* 6163. Frauenfrage (Die) in Deutschland. Bibliographie. Bd 10: 1931-1980. Bearb. v. Ilse DELVENDAHL unter Mitarb. v. Doris MASER. München, New York, London u. Paris, K. G. Saur, 82, in-8, XV-957 p.

* 6164. GILBERT (Victor Francis). Labour and social history theses: American, British and Irish University theses and dissertations in the field of British and Irish labour history, presented between 1900 and 1978. London, Mansell, 82, in-4, 200 p.

** 6165. AVELING (Marian). Westralian voices: documents in Western Australian social history. Perth, U. West. Austral. Press; Cambridge, P. Moore, 82, in-4, XXVIII-384 p.

** 6166. Jüdisches Leben in Deutschland. Hrsg. u. eingel. v. Monika RICHARZ. [Bd 1. Cf. Bibl. 76-77, n° 7021.] Bd 2: Selbstzeugnisse zur Sozialgeschichte im Kaiserreich. Bd 3: Selbstzeugnisse zur Sozialgeschichte 1918-1945. Stuttgart, Deutsche Verl.-Anst., 82, 2 vol. in-8, 494, 494 p. (Ill.). (Veröff. d. Leo-Baeck-Inst.)

** 6167. MÉNÉTRA (Jacques-Louis). Journal de ma vie, de Jacques-Louis Ménétra, compagnon vitrier au XVIIIe siècle. Prés. par Daniel ROCHE. Paris, Montalba, 82, in-8, 431 p. (ill.).

**6168. Sozialpolitik (Die) in den letzten Friedensjahren des Kaiserreichs (1905-1914). Bd 1: Das Jahr 1905. Bearb. v. Hansjoachim HENNING. Wiesbaden, Steiner, 82, in-8, XVI-696 p. (Quellensammlung z. Gesch. d. deutsch. Sozialpolitik, Abt. 4)

6169. ACCAMPO (Elinor). Entre la classe sociale et la cité: identité et intégration chez les ouvriers de Saint-Chamond, 1815-1880. Mouvement soc., 82, n° 118, p. 39-59.

6170. ADANIR (Fikret). Heiduckentum und

osmanische Herrschaft. Sozialgeschichtl. Aspekte d. Diskussion um das frühneuzeitl. Räuberwesen in Südosteuropa. Südost-Forsch., 82, Bd 41, p. 43-116.

6171. ANDERSON (Nancy F.). The "marriage with a deceased wife's sister bill" controversy: incest anxiety and the defense of family purity in Victorian England. J. brit. Stud., 82, vol. 21, n° 2, p. 67-86.

6172. APTHEKER (Bettina). Woman's legacy: essays on race, sex, and class in American history. Amherst, Univ. of Massachusetts Press, 82, in-8, XII-177 p.

6173. Arbeiterexistenz im 19. Jahrhundert. Lebensstandard u. Lebensgestaltung deutscher Arbeiter u. Handwerker. Hrsg. v. Werner CONZE u. Ulrich ENGELHARDT. Stuttgart, Klett-Cotta, 81, in-8, 539 p. (graph. Darst.). (Industrielle Welt, 33)

6174. Arbeiterfamilien im Kaiserreich. Materialien zur Sozialgeschichte in Deutschland 1871-1914. Klaus SAUL u. a. (Hrsg.). Königstein (Taunus) u. Düsseldorf, Droste, 82, in-8, XV-297 p. (Anthenäum-Droste-Taschenbücher Gesch., 7244)

6175. ARGERSINGER (Jo Ann E.). Assisting the "loafers": transient relief in Baltimore, 1933-1937. Labor Hist., 82, vol. 23, n° 2, p. 226-245.

6176. ARUNDEL DE CONDÉ (Gérard d'). Anobilissements, maintenues et réhabilitations en Normandie (1598-1790). Paris, Sedopols, 81, in-8, 208 p.

6177. ASHER 5Robert). Union nativism and the immigrant response. Labor Hist., 82, vol. 23, n° 3, p. 323-348.

6178. ASSION (Peter). Das Arzneibuch der Landgräfin Eleonore von Hessen-Darmstadt. Ein Beitr. zum Phänomen medizinischer caritas nach der Reformation. Medizinhist. J., 82, Bd 17, p. 317-341.

6179. AUGUSTINS (Georges), BONNAIN (Rolande). Les Baronnies des Pyrénées. T. 1: Maisons, modes de vie, sociétés. Paris, Ecole des hautes Etudes en Sci. soc., 82, in-8, 220 p.

6180. BAROLI (Marc). La vie quotidienne en Berry au temps de George Sand. Paris, Hachette, 82, in-8, 254 p.

6181. BÁTORI (Ingrid), WEYRAUCH (Erdmann). Die bürgerliche Elite der Stadt Kitzingen. Studien z. Sozial- u. Wirtschaftsgesch. e. landesherrl. Stadt im 16. Jh. Mit 2 Beitr. v. Ernst KEMMETER u. Rainer METZ. Stuttgart, Klett-Cotta, 82, in-8, 953 p. (Ill.). (Spätmittelalter u. frühe Neuzeit, 11)

6182. BEHLMER (George K.). Child abuse and moral reform in England, 1870-1908. Stanford, Calif., Stanford U. P., 82, in-8, VIII-320 p.

6183. BERGLUD (Bengt). Industriarbetarklassens formering: arbete och teknisk utveckling vid tre svenska fabriker under 1800-talet. (Formation of an industrial working class: labour and technical development in three Swedish factories during the 19th century.) Göteborg, Ekon.-hist. inst., Univ., 82, in-8, 347 p. (ill.). (Meddel. fr. Ekon.-hist. inst. vid Göteborgs univ., 51) [Eng. summary]

6184. BLOM (Ida). Barselkvinnen mellom befolkningspolitikk, sosialpolitikk og kvinnepolitikk fra 1880-årene til 1940. (The woman in confinement between population policy, social policy and feminist politics from the 1880s until 1940.) [Norsk] Hist. T., 82, vol. 61, p. 141-161.

6185. BODNER (John) a. others. Lives of their own: blacks, Italians, and Poles in Pittsburgh, 1900-1960. Urbana, Univ. of Illinois Press, 82, in-8, 286 p. (Working Class in Am. Hist.)

6186. BOIS (Jean-Pierre). Les soldats invalides au XVIIIe siècle: perspectives nouvelles. Hist., Econ., Soc., 82, p. 237-258.

6187. BORSCHEID (Peter). Lebensstandard und Familie. Partnerwahl u. Ehezyklus in einer württemberg. Industriestadt im 19. Jh. [Nürtingen]. Arch. f. Sozialgesch., 82, Bd 22, p. 227-262 (11 Abb.).

6188. BORZACCHINI (Marco). Un tipo di assistenza ai poveri nel '500: l'Arciconfraternita delle SS. Trinità dei pellegrini e dei convalescenti. Stor. Pol., 82, a. 21, p. 363-409.

6189. BOUCE (Paul-Gabriel). Sexuality in 18th-century Britain. Manchester, Univ. Press, 82, in-8, 274 p.

6190. BRAY (A.). Homosexuality in Renaissance England. London, Gay Men's Press, 82, in-8, 150 p.

6191. BRETTING (Agnes). Die Konfrontation der deutschen Einwanderer mit der amerikanischen Wirklichkeit in New York City im 19. und 20. Jahrhundert. Amerikastudien, 82, Jg. 27, p. 247-257.

6192. BRISTOW (Edward J.). Prostitution and prejudice: the Jewish fight against white slavery, 1870-1931. London, Oxford U. O., 82, in-8, 356 p.

6193. BROZZI (M.). Peste, fede e sanità in una cronaca cividalese del 1598. Milano, Giuffrè, 82, in-8, 110 p. (pl.).

6194. BRUMBERG (Joan Jacobs). Zenanas and girlless villages: the ethnolgy of American evangelical women, 1870-1910. J. am. Hist., 82, vol. 69, n° 2, p. 347-371.

6195. BRUNNER (Hansruedi). Luzerns Gesellschaft im Wandel. Die soziale u. polit. Struktur d. Stadtbevölkerung, die Lage in d. Fremdenverkehrsberufen u. d. Armenwesen, 1850-1914. Luzern, Rex, 81, in-8, 261 p. (Luzerner hist. Veröff., 12)

6196. BRUNOLD (Ursula). Die religiösen Volkskalender der Schweiz im 19. Jahrhundert. Basel, G. Krebs, 81, in-8, 240 p. (Ill.). (Beitr. z. Volkskunde, 2)

8. HISTOIRE SOCIALE ET HISTOIRE DES MOEURS

6197. BRUSNIAK (Friedhelm). Nürnberger Schülerlisten des 16. Jahrhunderts als musik-, schul- und sozialgeschichtliche Quellen. Mitt. d. Ver. f. Gesch. d. Stadt Nürnberg, 82, Bd 69, p. 1-109.

6198. CAMPBELL (Randolph B). Population persistence and social change in nineteenth-century Texas: Harrison county, 1850-1880. J. south. Hist., 82, vol. 48, n° 2, p. 185-204.

6199. CASSAGNES-BROUQUET (Sophie). La violence des étudiants à Toulouse à la fin du XVe et au XVIe siècle (1460-1610). A. Midi, 82, t. 94, p. 245-262.

6200. CASTELL RÜDENHAUSEN (Adelheid Gräfin zu). Die Überwindung der Armenschule. Schülerhygiene an d. Hamburger öffentl. Volksschulen im Zweiten Kaiserreich. Arch. f. Sozialgesch., 82, Bd 22, p. 201-226 (6 Tab.).

6201. CHACÓN JIMÉNEZ (Francisco). El problema de la convivencia: Granadinos, mudéjares y cristianos-viejos en el reino de Murcia, 1609-1614. Mél. Casa de Velazquéz, 82, t. 18, p. 103-133.

6202. CHALINE (Jean-Pierre). Les bourgeois de Rouen. Une élite urbaine au XIXe siècle. Paris, Presses de la Fondation nat. des Sci. pol., 82, in-8, 510 p. (ill.).

6203. Childhood and family in Canadian history. Ed. by Joy PARR. Toronto, McClelland a. Stewart, 82, in-8, 221 p. (ill.).

6204. CLAVERIE (Elisabeth), LAMAISON (Pierre). L'impossible mariage. Violence et parenté en Gévaudan, XVIIe, XVIII et XIX siècles. Paris, Hachette, 82, in-8, 362 p.

6205. CLINTON (Catherine). The plantation mistress: woman's world in the old south. New York, Pantheon, 82, in-8, XIX-331 p.

6206. COHEN (David), JOHNSON (Eric A.). French criminality: urban-rural differences in the nineteenth century. J. interdiscipl. Hist., 82, vol. 12, p. 477-501.

6207. COMBES-MONIER (Janine). Le choix du conjoint à Versailles (1774-1836). A. Démogr. hist., 81, p. 169-187.

6208. CONSTANT (Jean-Marie). Nobles et paysans en Beauce aux XVIe et XVIIe siècles. Lille, Service de Reprod. des Thèses, 81, 597 p.

6209. CORFIELD (P. J.). The impact of English towns, 1700-1800. New York, Oxford U. P., 82, in-8, VI-206 p.

6210. COURTWRIGHT (David T.). Dark paradise: opiate addiction in America before 1940. Cambridge, Mass., Harvard U. P., 82, in-8, 270 p.

6211. COX (Thomas C.). Blacks in Topeka, Kansas, 1865-1915: a social history. Baton Rouge, Louisiana State U. P., 82, in-8, X-236 p.

6212. CRÉTÉ (Liliane). La vie quotidienne en Californie au temps de la ruée vers l'or. Paris, Hachette, 82, in-8, 320 p. (La vie quotidienne)

6213. CUBELLS (Monique). La politique d'anoblissement de la monarchie en Provence de 1715 à 1789. A. Midi, 82, t. 94, p. 173-196.

6214. CUÉNIN (Micheline). Le duel sous l'Ancien Régime. Paris, Presses de la Renaissance, 82, in-8, 347 p.

6215. DAVIES (Edward J.) II. Regional networks and social change: the evolution of urban leadership in the northern anthracite coal region, 1840-1880. J. soc. Hist., 82, vol. 16, n° 1, p. 47-74.

6216. DAVIES (Margery W.). Woman's place is at the typewriter: office work and office workers, 1870-1930. Philadelphia, Temple U. P., 82, in-8, X-217 p. (Class a. Culture)

6217. DAVIS (Susan G.). "Making night hideous": Christmas revelry and public disorder in nineteenth-century Philadelphia. Am. Quar., 82, vol. 34, n° 2, p. 185-199.

6218. DE BELDER (J.). Changes in the socio-economic status of the Belgian nobility in the nineteenth century. Low Countries Hist. Y. B., 82, vol. 15, p. 1-20.

6219. DELAY (Nelly). Enfance protégée, familles encadrées. Matériaux pour une histoire des services officiels de protection de l'enfance à Genève. Genève, Service de la recherche sociol., 82, in-8, IX-192 p. (Cah. du Serv. de la rech. sociol., 16)

6220. DEMONET (Michel), GRANASZTOI (György). Une ville de Hongrie au milieu du XVIe siècle (analyse factorielle et modèle social). A. Ec., Soc., Civ., 82, a. 37, p. 523-551.

6221. DESLOGES (Yvon). La corvée militaire à Québec au XVIIIe siècle. Hist. soc., 82, vol. 15, p. 333-356.

6222. DESPLAT (Christian). Charivaris en Gascogne. La "morale des peuples" du XVIe au XXe siècle. Paris, Berger-Levrault, 82, in-8, 287 p. (ill.). (Territoires)

6223. DUDA (Detlev). Die Hamburger Armenfürsorge im 18. und 19. Jahrhundert. Eine soziologisch-hist. Untersuchung. Weinheim u. Basel, Beltz, 82, in-8, 222 p.

6224. DUDGEON (Ruth A.). The forgotten minority: women students in imperial Russia. Russian Hist., 82, vol. 9, p. 1-26 (5 tables).

6225. DUREY (Michael). The survival of Irish culture in Britain, 1800-1845. Hist. Stud. Australia N. Z., 82, vol. 20, p. 14-35.

6226. EISENER (Werner). Solidarität und deutsche Misere. Erfahrungsmomente d. frühen sozialen Bewegungen bis 1848. Mit e. Vorw. v. Michael VESTER. Frankfurt (Main), Materialis-Verl., 82, in-8, 570 p.

(Materialis-Thesen, 10. Kollektion Gesch. sozialer Bewegungen)

6227. ELSHTAIN (Jean Bethke) a. others. The family in political thought. Amherst, Univ. of Massachusetts Press, 82, in-8, VIII-354 p.

6228. ENGRAND (Charles). Les abandons d'enfants à Amiens vers la fin de l'Ancien régime. R. Nord, 82, t. 64, p. 73-92. - IDEM. Paupérisme et condition ouvrière dans la seconde moitié du XVIIIe siècle: l'exemple amiénois. R. Hist. mod., 82, t. 29, p. 376-410.

6229. Entstehung (Die) des Wohlfahrtsstaates in Großbritannien und Deutschland 1850-1950. Hrsg. v. Wolfgang J. MOMMSEN in Zsarbeit mit Wolfgang MOCK. Stuttgart, Klett-Cotta, 82, in-8, 454 p. (graph. Darst.). (Veröff. d. Deutsch. Hist. Inst. London, 11)

6230. EÖTVÖS (József). A zsidók emancipációja. Előszó, jegyz. SZIGETHY Gábor. (L'émancimation des Juifs. Introd., notes par -.) Budapest, Magvető, 81, in-8, 79 p. (Gondolkodó magyarok)

6231. EVANS (Richard). The German working class, 1890-1933. London, Croom Helm, 82, in-8, 256 p.

6232. FABÓ (Kinga). Értékváltozások a 19. század második felében. Kísérlet a kor társadalmi értéktudatának rekonstruálására erkölcs- és illemkódexek alapján. (Changements de valeur pendant la deuxième moitié du XIXe siècle. Un essai de recontruction de l'idée de valeur sociale d'après les traités de bonnes moeurs et de politesse de l'époque.) Budapest, Művelődéskutató Intézet, 80, in-8, 72 p. (Életmód, életminőség)

6233. Familie (Die) in der Geschichte. Mit Beitr. v. Gerhard DOHRN VAN ROSSUM u. a. Hrsg. v. Heinz REIF. Göttingen, Vandenhoeck u. Ruprecht, 82, in-8, 190 p. (Kleine Vandenhoeck-Reihe, 1474)

6234. FAVRE (Robert). La mort au siècle des Lumières. Lyon, Presses univ. Lyon, 82, in-8, 640 p.

6235. FEINER (Susan). Factors, bankers, and masters: class relations in the antebellum South. J. econ. Hist., 82, vol. 42, n) 1, p. 61-68.

6236. FINGARD (Judith). Jack in port: sailortowns of eastern Canada. Buffalo, N. Y., Univ. of Toronto Press, 82, in-8, 292 p. (Soc. Hist. of Canada, 36)

6237. FISCHER (Wolfram). Armut in der Geschichte. Erscheinungsformen u. Lösungsversuche d. "Sozialen Frage" in Europa seit d. Mittelalter. Göttingen, Vandenhoeck u. Ruprecht, 82, in-8, 143 p. (Kleine Vandenhoeck-Reihe, 1476)

6238. FLIEGELMAN (Jay). Prodigals and pilgrims: the American revolution against patriarchal authority, 1750-1800. London a. New York, Cambridge U. P., 82, in-8, VII-328 p.

6239. FOURCAUT (Annie). Femmes à l'usine: ouvrières et surintendantes dans les entreprises françaises de l'entre-deuxguerres. Paris, Maspero, 82, in-8, 268 p.

6240. FRANÇOIS (Etienne). Koblenz im 18. Jahrhundert. Zur Sozial- u. Bevölkerungsstruktur e. deutsch. Residenzstadt. Göttingen, Vandenhoeck u. Ruprecht, 82, in-8, 218 p. (9 graph. Darst., 11 Kt.). (Veröff. d. Max-Planck-Inst. f. Gesch., 72)

6241. FRIEDMAN (Reena Sigman). "Send me my husband who is in New York City": husband desertion in the American Jewish immigrant community, 1900-1926. Jewish soc. Stud., 82, vol. 44, n° 1, p. 1-18.

6242. FRITZ (Paul S.). The trade in death: the royal funerals in England, 1685-1830. Eighteenth-Cent. Stud., 82, vol. 15, n° 3, p. 291-316.

6243. FÜGLISTER (Hans). Handwerksregiment. Untersuchungen u. Materialien z. soz. u. polit. Struktur d. Stadt Basel in d. ersten Hälfte d. 16. Jh. Basel, Helbing & Lichtenhahn, 81, in-8, VIII-416 p. (Balser Beitr. z. Geschichtswiss., 143)

6244. GABACCIA (Donna R.). Sicilians in space: environmental change and family geography. J. soc. Hist., 82, vol. 16, n° 2, p. 53-66.

6245. GALARNEAU (Claude). La légende napoléonienne au Québec. Rech. sociogr., 82, vol. 23, p. 163-174.

6246. GASNAULT (François). Bal, délinquance et mélodrame dans le Paris romantique: l'affaire de la Tour de Nesle (1844). R. Hist. mod., 82, t. 29, p. 36-69.

6247. GITTINS (Diana). Fair sex: family size and structure in Britain, 1900-1939. New York, St. Martin's Press, 82, in-8, 240 p.

6248. GOLDMANN (Philippe). Pour une étude des notables du Cher au début du XIXe siècle: une approche économique. Cah. Archéol. Hist. Berry, 82, n° 68, p. 16-36.

6249. GOUBERT (Pierre). Beauvais et le Beauvaisis de 1600 à 1730. Contribution à l'histoire sociale de la France du XIIe siècle. Paris, Ed. de l'Ecole des Hautes Etudes en Sci. soc., 82, in-8, LXXII-653, 119 p. (ill.). - IDEM. La vie quotidienne des paysans au XVIIe siècle. Paris Hachette, 82, in-8, 320 p. (La vie quotidienne)

6250. GOY (Joseph). Contribution à l'histoire de la coutume: maison, système d'alliance et système successoral en Béarn et en Bigorre au XIXe siècle. In: Objet et méthodes de l'histoire de la culture [Cf. n° 607], p. 229-241.

6251. GRANASZTÓI (György). Városok és tömegek. Új utak a társadalomtörténetben. (Villes et masses. Nouvelles voies dans l'histoire sociale.) Tört. Szle, 82, vol. 25, n° 2, p. 344-356.

6252. GRAY (Robert). The aristocracy of

8. HISTOIRE SOCIALE ET HISTOIRE DES MOEURS

labour in 19th century Britain, 1850-1914. London, Macmillan, 82, in-8. (Stud. in Econ. a. Soc. Hist.)

6253. GRISWOLD (Robert L.). Family and divorce in California, 1850-1890: Victorian illusions and everyday realities. Albany, State Univ. of New York Press, 82, in-8, XII-254 p. (SUNY Ser. in Am. Soc. Hist.)

6254. GUIRAL (Pierre), THUILLIER (Guy). La vie quotidienne des professeurs de 1870 à 1940. Paris, Hachette, 82, in-8, 320 p. (La vie quotidienne)

6255. GVOZDIKOVA (I. M.). Salavat Julaev. (S. Yulaev.) Issledovanie dokum. istočnikov. Ufa, Bašk. kn. izd-vo, 82, 222 p. (ill.). (AN SSSR, Bašk. fil. In-t istorii, jaz. i lit. Arkheogr. komis. AN SSSR. Juž-Ural. otd-nie)

6256. HAMPEL (Robert L.). Temperance and prohibition in Massachusetts, 1813-1852. Ann Arbor, UMI Research Press, 82, in-8, XVI-237 . (Stud. in Am. Hist. a. Culture, 32)

6257. HAREVEN (Tamara K.). Family time and industrial time: the relationship between the family and work in a New England industrial community. New York, Cambridge U. P., 82, in-8, XVIII-474 p. (Interdisc. Perspectives on Modern Hist.)

6258. HARRIS (Barbara J.). Marriage sixteenth-century style: Elizabeth Stafford and the third Duke of Norfolk. J. soc. Hist., 82, vol. 15, n° 3, p. 371-382.

6259. HARRIS (William H.). The harder we run: black workers since the civil war. London a. New York, Oxford U. P., 82, in-8, IX-259 p.

6260. HAUPT (Heinz-Gerhard). Kleinhändler und Arbeiter in Bremen zwischen 1890 und 1914. Arch. f. Sozialgesch., 82, Bd 22, p. 95-132.

6261. Hauswesen und Tagewerk im alten Lippe. Ländliches Leben in vorindustrieller Zeit. Wilhelm HANSEN. Münster, Aschendorff, 82, in-4, 512 p. (1361 Ill., graph. Darst., Kt.). (Schr. d. Volkskundl. Komm. f. Westfalen, 27)

6262. HÁZI (Jenő). Soproni polgárcsaládok, 1535-1848. 1-2. köt. (Familles bourgeoises à Sopron 1535-1848. Vol. 1, 2.) Budapest, Akadémiai Kiadó, 82, 2 vol. in-8, 586 p., p. 596-1081.

6263. HELLIE (Richard). Slavery in Russia, 1450-1725. Chicago, Univ. of Chicago Press, 82, in-8, XIX-776 p.

6264. HERLAN (Ronald W.). Relief of the poor in Bristol from late Elizabethan time until the restoration era. Proc. am. philos. Soc., 82, vol. 126, n° 3, p. 212-228.

6265. HEYERMAN (Christine Leigh). The fashion among more superior people: charity and social change in provincial New England, 1700-1740. Am. Quar., 82, vol. 34, n° 2, p. 107-124.

6266. Histoire (L') des femmes au Québec depuis quatre siècles / le Collectif Clio; Micheline DUMONT et al. Montréal, Quinze, 82, in-8, 521 p. (Coll. Idéelles)

6267. Historische Arbeitsmarktforschung. Entstehung, Entwicklung u. Probleme d. Vermarktung v. Arbeitskraft. Hrsg. v. Toni PIERENKEMPER u. Richard TILLY. Göttingen, Vandenhoeck u. Ruprecht, 82, in-8, 291 p.

6268. HOCH (Steven L.). Serf diet in nineteenth-century Russia. Agric. Hist., 82, vol. 56, n° 2, p. 391-414. [Cf. n° 6117]

6269. HOLLANDER (Russell). Life at the Washington asylum for the insane, 1871-1880. Historian, 82, vol. 44, n° 2, p. 229-241.

6270. HOLT (Thomas C.). "An empire over the mind": emancipation, race, and ideology in the British West Indies and the American South. In: Region, race, and reconstruction [Cf. n° 537], p. 283-313.

6271. HOLTZMAN (Ellen M.). The pursuit of married love: women's attitudes toward sexuality and marriage in Great Britain, 1918-1939. J. soc. Hist., 82, vol. 16, n° 2, p. 39-52.

6272. IMREH (István). Viaţa cotidiană la secui (1750-1850). (La vie quotidienne chez les Szeklers.) Bucureşti, Kriterio, 82, in-8, 471 p.

6273. ISAAC (Rhys). The transformation of Virginia, 1740-1790. Chapel Hill, Univ. of North Carolina Press, 82, in-8, XXXII-451 p.

6274. Izmenenie social'noj struktury narodov SSSR. Voprosy istorii i istoriografii social'nykh preobrazovanij 20-30-kh godov. (Change of social structure of the peoples of the USSR. Problems of history and historiography of social transformations in the 20s-30s.) Sbornik. Otv. red. V. M. SELUNSKAJA. Moskva, Izd-vo MGU, 82, 128 p.

6275. JACOWAY (Elizabeth), COLBURN (David R.) a. others. Southern businesmen and desegregation. Baton Rouge, Louisiana State U. P., 82, in-8, X-324 p.

6276. JAHER (Frederic Cople). The urban establishment: upper strata in Boston, New York, Charleston, Chicago, and Los Angeles. Urbana, Univ. of Illinois Press, 82, in-8, XI-777 p.

6277. JANSSON (Torkel). Samhällsförändring och sammanslutningsformer: det frivilla föreningsväsendets uppkomst och spridning i Husby-Rekarne från omkring 1850 till 1930. (Transformation of society and forms of organization: the rise and diffusion of voluntary associations in a rural district, 1850-1930.) Stockholm, Almqvist o. Wiksell internat., 82, in-8, 317 p. (Studia hist. Upsaliensia, 124) [Eng. summary]

6278. JENNER (Harald). Organisation des Gesundheitswesens in Schleswig-Holstein in der ersten Hälfte des 19. Jahrhunderts. Z. d. Ges. f. schleswig-holstein. Gesch., 82, Bd 107, p. 67-112.

6279. JOHN (Michael). Hausherrenmacht und Mieterelend. Wohnverhältnisse u. Wohnerfahrung d. Unterschichten in Wien 1890-1923. Wien, Verl. f. Gesellschaftskritik, 82, in-8, V-181 p. (Ill.). (Österr. Texte z. Gesellschaftskritik, 14)

6280. JOHNSON (David R.). The origins and structure of intercity criminal activity 1840-1920: an interpretation. J. soc. Hist., 82, vol. 15, n° 4, p. 593-606.

6281. JOHNSON (Eric A.). The roots of crime in imperial Germany. Central european Hist., 82, vol. 15, n° 4, p. 351-376.

6282. JOLIBERT (Bernard). L'enfance au XVIIe siècle. Paris, Vrin, 81, in-8, 163 p.

6283. JONES (David). Crime, protest, community, and police in nineteenth century Britain. Boston a. London, Routledge a. Kegan Paul, 82, in-8, XI-247 p.

6284. KACZYŃSKA (Elżbieta). Człowiek przed sądem, Społeczne aspekty przestępczości w Królestwie Polskim 1815-1914. (L'homme devant le tribunal. Les aspects sociaux de la criminalité dans le Royaume de Pologne 1815-1914.) Warszawa, Państw. Wydawn. Nauk., 82, in-8, 496 p. (Polska XIX i XX wieku. Dzieje Spol.)

6285. KAPISZEWSKI (Andrzej). Ideologie i teorie procesów asymilacji w USA. Cz. 3. (Les idéologies et théories des processus de l'assimilation aux Etats-Unis. [P. 1, 2. Cf. Bibl. 81, n° 5679.] P. 3.) Przegl. polon., 81 [82], a. 7, fasc. 4, p. 5-15.

6286. KESSLER-HARRIS (Alice). Out of work: history of America's wage earning women. London a. New York, Oxford U. P., 82, in-8, 416 p.

6287. KEWLEY (T. H.). Australian social security today: major developments from 1900-1978. Sydney, Univ. Press; London, Eurospan, 82, in-8, 248 p.

6288. KHENKIN (S. M.). Kangasejros. (Cangaceiros.) Lat. Amerika, 82, n° 5, p. 198-119.

6289. KICZA (John E.). The great families of Mexico: elite maintenance and business practices in late colonial Mexico City. Hisp. am. hist. R., 82, vol. 62, n° 3, p. 429-457.

6290. KLÖHN (Sabine). Helene Simon (1862-1947). Deutsche u. britische Sozialreform u. Sozialgesetzgebung im Spiegel ihrer Schriften u. ihr Wirken als Sozialpolitikerin im Kaiserreich u. in d. Weimarer Republik. Frankfurt (Main) u. Bern, Lang, 82, in-8, XV-646 p. (Europ. Hochschulschr., Reihe 3: Gesch. u. ihre Hilfswiss., 171)

6291. KODEDOVÁ (Oldřiška). K sociální skladbě české vesnice v letech 1880-1914. (Zur sozialen Struktur d. tschech. Dorfes in d. Jahren 1880-1914.) Sborn. hist., 82, vol. 28, p. 205-247.

6292. KOŁODZIEJ (Edward). Wychodźstwo zarobkowe z Polski 1918-1939. Studia nad polityką emigracyjną II Rzeczypospolitej. (L'émigration de travail de la Pologne 1918-1939. Etudes concernant la politique d'émigration de la IIe République.) Warszawa, Książka i Wiedza, 82, in-8, 291 p.

6293. Konstituierung (Die) der deutschen Arbeiterklasse von den dreißiger bis zu den siebziger Jahren des 19. Jahrhunderts. Hrsg. v. Hartmut ZWAHR. Berlin, Akad.-Verl., 81, in-8, 503 p. (Studienbibliothek DDR-Geschichtswissenschaft, 1)

6294. Konsumpcija w epoce proindustrialnej. (La consommation à l'époque préindustrielle.) Auteurs: Maria BOGUCKA et autres. Kwart. Hist. Kult. mater., 82, a. 30, n° 1, p. 3-65.

6295. KOWALSKA-GLIKMAN (Stefania) Drobnomieszczaństwo w okresie rozwoju kapitalizmu (Problemy metodologiczne i trudności badawcze). (La petite bourgeoisie à l'époque du développement du capitalisme. Problèmes méthodologiques et difficultés de recherche.) Historyka, 81 [82, vol. 11, p. 73-82.

6296. KRAMM (Heinrich). Studien über die Oberschichten der mitteldeutschen Städte im 16. Jahrhundert: Sachsen, Thüringen, Anhalt. Teilbd 1, 2. Köln u. Wien, Böhlau, 81, 2 vol. in-8, XXIV-575 p., p. 578-948. (Mitteldeutsche Forsch., 87)

6297. KRAWCHENKO (Bohdan). The social structure of Ukraine at the turn of the twentieth century. East european Quar., 82, vol. 16, n° 2, p. 171-181.

6298. KUCHOWICZ (Zbigniew). Miłość staropolska. Wzory - uczuciowość - obyczaje erotyczne XVI - XVIII wieku. (L'amour polonais ancien. Modèles - sensibilité - moeurs érotiques des XVIe-XVIIIe s.) Łódź, Wydawn. Łódzkie, 82, in-8, 595 p.

6299. KUCZYŃSKI (Jürgen). Geschichte des Alltags des deutschen Volkes 1600 bis 1945. Studien. [3. Cf. Bibl. 81, n° 5694.] 4: 1871-1918. 5: 1918-1945. Berlin, Akad.-Verl., 82, 2 vol. in-8, 396, 471 p.

6300. KUNZ (Andreas). Stand versus Klasse. Beamtenschaft u. Gewerkschaften im Konflikt um den Personalabbau 1923/24. Gesch. u. Ges., 82, Jg. 8, p. 55-86.

6301. LACELLE (Claudette). Les domestiques dans les villes canadiennes au XIXe siècle: effectifs et conditions de vie. Hist. soc., 82, vol. 15, p. 181-207.

6302. LAJDINEN (A. P.). Social'no-ékonomičeskie reformy 50-70-kh godov XIX veka v Finljandii. (Socio-economic reforms in the 50s-70s of the 19th cent. in Finland.) Leningrad, Nauka, 82, 110 p. (AN SSSR, Karel'skij filial. In-t jazyka, literatury i istorii)

6303. LAMONDE (Yvan), FERRETTI (Lucia), LeBLANC (Daniel). La culture ouvrière à Montréal (1880-1920): bilan historiographique. Québec, Inst. québécois de recherche sur la culture, 82, in-8, 176 p.

(Culture populaire, 1) - CR: J. Burgess, R. Hist. Amérique franç., 83-84, vol. 37, p. 103-104.

6304. LANDAUER (Carl). Sozial- und Wirtschaftsgeschichte der Vereinigten Staaten von Amerika. Stuttgart, Metzler, 81, in-8, XIII-339 p.

6305. LANDIER (Patrick). 1643: étude quantitative d'une année de violence, en France, pendant la guerre de Trente Ans. Hist., Econ., Soc., 82, n° 2, p. 187-212.

6306. LANTZ (Herman R.). Romantic love in the pre-modern period: a social commentary. J. soc. Hist., 82, vol. 15, n° 3, p. 349-370.

6307. LARKIN (Jack). The view from New England: notes on everyday life in America to 1850. Am. Quar., 82, vol. 34, n° 3, p. 244-261.

6308. LARTIGAUT (Jean). L'image du baron au début du XVIe siècle: François de Caumont contre Guillaume de Thémines. A. Midi, 82, t. 94, p. 151-171.

6309. LEE (Charles R.). Public poor relief and the Massachusetts community, 1620-1715. New England Quar., 82, vol. 55, n° 4, p. 564-585.

6310. LEITES (Edmund). The duty to desire: love, friendship, and sexuality in some Puritan theories of marriage. J. soc. Hist., 82, vol. 15, n° 3, p. 383-408.

6311. LEVY (F. J.). How information spread among the gentry, 1550-1640. J. brit. Stud., 82, vol. 21, n° 2, p. 11-34.

6312. LINDERT (Peter), WILLIAMSON (Jeffrey G.). Revising England's social tables 1688-1812. Explor. in econ. Hist., 82, vol. 19, n° 4, p. 385-408.

6313. LOBO (Eulalia Maria Lahmeyer). Condições de vida dos artisãos e do operariado no Rio de Janeiro da década de 1888 a 1920. Nova Americana, 81 [82], n° 4, p. 299-333.

6314. LOBO CABRERA (Manuel). La población esclava de Telde en el siglo XVI. Hispania [Madrid], 82, t. 42, p. 47-89.

6315. LOSMAN (Beata). Förtryck eller jämställdhet? Kvinnorna och äktenskapet i Västsverige omkring 1840. (Opression or equality? Women and marriage in the diocese of Göteborg around 1840.) [Svensk] Hist. T., 82, vol. 102, p. 291-318. [Eng. summary]

6316. LUCENA SALMORAL (Manuel). La sociedad de la provincia de Caracas a comienzos del siglo XIX. Anu. Est. am., 80 [82], t. 37, p. 157-189.

6317. LUNDQUIST (Tommie). Den disciplinerade dubbelmoralen: studier i den reglementerade prostitutionens historii i Sverige 1859-1918. (Disciplined double morale: studies in the history of regulated prostitution in Sweden, 1856-1918.) Göteborg, Hist. inst., Univ., 82, in-8, 463 p. (Meddel. f. Hist. inst. i Göteborg, 23) [Eng. summary]

6318. McCARTHY (Kathleen D.). Noblesse oblige: charity and cultural philanthropy in Chicago, 1849-1929. Chicago, Univ. of Chicago Press, 82, in-8, XIII-230 p.

6319. MacLEOD (David I.). Act your age: boyhood, adolescence and the rise of the Boy Scouts of America. J. soc. Hist., 82, vol. 16, n° 2, p. 3-20.

6320. MAISO GONZÁLEZ (Jesús). La peste aragonesa de 1648 a 1654. Zaragoza, Univ. de Zaragoza, 82, in-8, 212 p. (Estudios, 82)

6321. MANN (Ralph). After the gold rush: society in Grass valley and Nevada city, Calif., 1849-1870. Stanford, Calif., Stanford U. P., 82, in-8, XV-302 p.

6322. MARTEL (Marie-Thérèse de). Etude sur le recrutement des matelots et soldats des vaisseaux du Roi dans le ressort de l'intendance du port de Rochefort-sur-Mer, 1691-1697: aspects de la vie des gens de mer. Vincennes, Service hist. de la Marine, 82, in-8, XXXVI-406 p. (ill.).

6323. MARTIN (Roger). Les instituteurs de l'entre-deux-guerres: idéologie et action syndicale. Lyon, Presses univ. Lyon, 82, in-8, 448 p. (ill.).

6324. MARWICK (Arthur). British society since 1945. London, A. Lane, 82, in-8, 304 p.

6325. MATHEWS (Glenna). An immigrant community in Indian territory. Labor Hist., 82, vol. 23, n° 3, p. 374-394.

6326. MAURIN (Jules). Armée - guerre - société: soldats languedociens, 1889-1919. Paris, Publications de la Sorbonne, 82, in-8, 750 p. (ill.).

6327. MEHNKE (Bernhard). Armut und Elend in Hamburg. Eine Untersuchung über d. öffentl. Armenwesen in d. 1. Hälfte d. 19. Jh. Hamburg, Ergebnisse-Verl., 82, in-8, XVI-170 p. (Ergebnisse, 17)

6328. MICHALSKI (Stanisław). Geneza i teoretyczne przesłanki kultury robotniczej. (La genèse et les prémisses théoriques de la culture ouvrière.) Z Pola Walki, 81 [82], a. 24, n° 2, p. 3-22.

6329. MONTIAS (John Michael). Artists and artisans in Delft: a socio-economic study of the seventeenth century. Princeton, N. J., Princeton U. P., 82, in-8, XVI-424 p.

6330. MORAWSKA (Ewa). The internal status hierarchy in the East European communities in Johnstown, Pa., 1890-1930's. J. soc. Hist., 82, vol. 16, n° 1, p. 75-108.

6331. MORGAN (Philip D.). Work and culture: the task system and the world of lowcountry blacks, 1700-1880. William a. Mary Quar., 82, vol. 39, n° 4, p. 563-599.

6332. MORN (Frank). "The eye that never sleeps": a history of the Pinkerton national detective agency. Bloomington, Indiana U. P., 82, in-8, XI-244 p.

6333. MUGGLIN (Beat). Olten im Ancien Régime. Sozialer Wandel in einer Kleinstadt. Olten, Einwohnergemeinde Olten, 82, in-8, 339 p. (Publ. aus d. Stadtarchiv Olten, 7)

6334. MURDOCK (Eugene C.). Ban Johnson: czar of baseball. Westport, Conn., Greenwood Press, 82, in-8, XII-294 p. (Contrib. to the Study of Popular Culture, 3) [Byron Bancroft Johnson, president American Baseball League, 1900-1927]

6335. MYRSIADES (Linda Duny). Non-theatrical entertainments in Greece through the eyes of foreign travellers, 1750-1850. East european Quar., 82, vol. 16, n° 1, p. 45-58.

6336. NADELHAFT (Jerome). The Englishwoman's sexual civil war: feminist attitudes toward men, women, and marriage, 1650-1740. J. Hist. Ideas, 82, vol. 43, n° 4, p. 555-580.

6337. NARDINELLI (Clark). Corporal punishment and children's wages in nineteenth century Britain. Explor. in econ. Hist., 82, vol. 19, n° 3, p. 283-295.

6338. NÉMETH (József). A műszaki értelmiség a felszabadulás után 1945-1948. (L'intelligentsia technique après la Libération du pays [la Hongrie].) Budapest, Akadémiai Kiadó, 82, in-8, 207 p. (Értekezések a történeti tudományok köréböl, 95)

6339. NICOD (Françoise). Le souci de l'utilité publique dans le canton de Vaud dans la première moitié du XIXe siècle. R. hist. vaud., 82, vol. 90, p. 81-147.

6340. NIEHUSS (Merith). Arbeitslosigkeit in Augsburg und Linz a. D. 1914 bis 1924. Arch. f. Sozialgesch., 82, Bd 22, p. 133-158 (8 Tab.).

6341. NILSSON (Runo B. A.). Rallareliv: arbete, familjemönster och levnadsförhållanden för järnvägsarbetare på banbyggena i Jämtland-Härjedalen 1912-1928. (The life of railway construction workers on the construction sites in Jämtland-Härjedalen, 1912-1928.) Stockholm, Almqvist o. Wiksell internat., 82, in-8, 211 p. (ill., maps). (Studia hist. Upsaliensia, 127) [Eng. summary]

6342. OAKES (James). The ruling race: a history of American slaveholders. New York, A. A. Knopf, 82, in-8, XIX-309 p.

6343. O'BRIEN (Joseph V.). "Dear, dirty Dublin": a city in distress, 1899-1916. Berkeley a. Los Angeles, Univ. of California Press, 82, in-8, XIV-338 p.

6344. OLIEN (Roger M.), OLIEN (Diana Davids). Oil booms: social change in five Texas towns. Lindoln, Univ. of Nebraska Press, 82, in-8, XIV-220 p.

6345. PANEJAKH (V. M.). Dobrovol'noe kholopstvo v pervoj polovine XVII v. (Voluntary servility in the first half of the 17th cent.) Ist. Zap., 82, n° 108, p.155-188.

6346. PARENT-LARDEUR (Françoise). Les cabinets de lecture: la lecture publique à Paris sous la Restauration. Paris, Payot, 82, in-8, 201 p. (ill.).

6347. PÉREZ-MALLAÍNA BUENA (Pablo Emilio). Profesiones y oficios en la Lima de 1850. Anu Est. am., 80 [82], t. 37, p. 191-233.

6348. PERILLON (Marie-Christine). Vie des femmes: les travaux et les jours de la femme à la Belle Epoque. Roanne, Horvath, 81, in-8, 126 p. (ill.).

6349. PEŠEK (Jiří). Pražské knihy kšaftů a inventářů. Příspěvek k jejich struktuře a vývoji v době předbělohorské. (Die Prager Testament- und Inventarbücher. Beitrag z. ihrer Struktur u. Entwicklung in d. Zeit vor d. Schlacht am Weißen Berg.) Pražský Sborn. hist., 82, vol. 15, p. 63-92.

6350. PESSEN (Edward). Social structure and politics in American history. Am. hist. R., 82, vol. 87, n° 4, p. 1290-1325.

6351. PETITFILS (Jean-Christian). La vie quotidienne des communautés utopistes au XIXe siècle. Paris, Hachette, 82, in-8, 319 p. (La vie quotidienne)

6352. PEVERI (Patrice). Les pickpocket à Paris au XVIIIe siècle. R. Hist. mod., 82, t. 29, p. 3-35.

6353. PIERENKEMPER (Toni). Allokationsbedingungen im Arbeitsmarkt. Das Beispiel d. Arbeitsmarktes f. Angestelltenberufe im Kaiserreich, 1880-1913. Opladen, Westdeutsch. Verl., 82, in-8, IX-266 p. (graph. Darst.). (Forschungsber. d. Landes Nordrhein-Westfalen, 3110. Fachgr. Wirtschaft- u. Sozialwiss.)

6354. PLAT (Wolfgang). Attentate. Eine Sozialgesch. d. polit. Mordes. Düsseldorf u. Wien, Econ, 82, in-8, 368 p. (Ill., Kt.).

6355. POISSON (Jean-Paul). Les déplacements professionnels d'un notaire parisien à la fin de la Restauration: essai de sociologie historique. R. Hist. mod., 82, t. 29, p. 125-140.

6356. PORTER (Roy). English society in the 18th century. London, A. Lane, 82, in-8, 432 p.

6357. POSADAS (Barbara M.). The hierarchy of color and psychological adjustment in an industrial environment: Filipinos, the Pullman Company, and the Brotherhood of Sleeping Car Porters. Labor Hist., 82, vol. 23, n° 3, p. 349-373.

6358. POSERN-ZIELIŃSKI (Aleksander). Tradycja a etniczność. Przemiany kultury Polonii amerykańskiej. (La tradition et l'ethnie. Les transformations de la culture de l'émigration polonaise en Amérique.) Wrocław, Zakł. Narod. im. Ossolińskich, 82, in-8, 317 p. (Pol. Akad. Nauk, Inst.

8. HISTOIRE SOCIALE ET HISTOIRE DES MOEURS

Hist. Kult. Mater.) (Bibl. Etnografii Pol., 37)

6359. Pratiques et discours alimentaires à la Renaissance. Actes du Colloque de Tours de mars 1979, Centre d'études supérieures de la Renaissance, [publ.] sous la dir. de Jean-Claude MARGOLIN et Robert SAUZET. Paris, Maisonneuve et Larose, 82, in-8, 305 p. (ill., pl.)

6360. PYLKKÄNEN (Riitta). Säätyläisnaisten pukeutuminen Suomessa 1700-luvulla. (Dress of gentlewomen in Finland in the 18th century.) Helsinki, 82, in-4, 515 p. (ill.). (Suomen Muinaism.-yhd. Aikakausk., 84) [Eng. summary]

6361. QUADAGNO (Jill S.). Ageing in early industrial society: work, family and social policy in 19th century England. London, Academic Press, 82, in-8, 231 p.

6362. RAPPAPORT (Herman). Anarchizm i anarchiści na ziemiach polskich do 1914 roku. (Anarchisme et anarchistes sur les territoires polonais jusqu'à 1914.) Z Pola Walki, 81 [82], a. 24, n° 3-4, p. 181-202.

6363. READ (Colin Frederick). The rising in western Upper Canada, 1837-8: the Duncombe revolt and after. Toronto a. Buffalo, N. Y., Univ. of Toronto Press, 82, in-8, 327 p. - CR: M. S. Cross, Canad. hist. R., 82, vol. 63, p. 540-542.

6364. REIF (Heinz). Soziale Lage und Erfahrungen des alternden Fabrikarbeiters in der Schwerindustrie des westlichen Ruhrgebietes während der Hochindustrialisierung. Arch. f. Sozialgesch., 82, Bd 22, p. 1-94.

6365. ROBERTS (Michael). Caste conflict and elite formation: the rise of a Karava elite in Sri Lanka, 1500-1931. London, Cambridge U. P., 82, in-8, 382 p.

6366. ROBERTSON (Priscilla). An experience of women: pattern and change in nineteenth-century Europe. Philadelphia, Temple U. P., 82, in-8, XII-673 p.

6367. ROCH (Gérard). Les notables du Premier Empire dans le département de la Drôme. R. drômoise, 82, t. 83, p. 130-144.

6368. ROCHE (Daniel). L'intellectuel au travail. A. Ec., Soc., Civ., 82, a; 37, p. 465-480.

6369. RODNEY (Walter). History of the Guyanese working people, 1881-1905. London, Heinemann Educ., 82, in-8, 282 p.

6370. ROGERS (Katharine M.). Feminism in 18th century England. Brighton, Harvester Press, 82, in-8, 350 p.

6371. ROLLET (Catherine). Nourriture et nourrissons dans le département de la Seine et en France de 1880 à 1940. Population, 82, a. 37, p. 573-604.

6372. ROMON (Christian). Mendiants et policiers à Paris au XVIIIe siècle. Hist., Econ., Soc., 82, n° 2, p. 259-295. - IDEM. Le monde des pauvres à Paris au XVIIIe siècle. A. Ec., Soc., Civ., 82, a. 37, p. 729-763.

6373. ROOKE (Patricia T.), SCHNELL (R. L.). Childhood and charity in nineteenth-century British North America. Soc. Hist., 82, vol. 15, p. 157-179.

6374. ROSEN (Ruth). The lost sisterhood: prostitution in America, 1900-1918. Baltimore, Md., Johns Hopkins U. P., 82, in-8, XVII-245 p.

6375. ROSENBAUM (Heidi). Formen der Familie. Unters. zum Zusammenhang v. Familienverhältnissen, Sozialstruktur u. sozialem Wandel in d. deutsch. Gesellschaft d. 19. Jh. Frankfurt (Main), Suhrkamp, 82, in-8, 633 p. (Suhrkamp-Taschenbuch Wiss., 374)

6376. ROSENBERG (Rosalind). Beyond separate spheres: intellectual roots of modern feminism. New Haven, Conn., Yale U. P., 82, in-8, XXII-288 p.

6377. ROTHMAN (Ellen K.); Sex and self-control: middle-class courtship in America, 1770-1870. J. soc. Hist., 82, vol. 15, n° 3, p. 409-426.

6378. ROYER (Jean-Pierre), MARTINAGE (Renée), LECOCQ (Pierre). Juges et notables au XIXe siècle. Paris, Presses univ. France, 82, in-8, 400 p.

6379. ROZENTAL' (I. S.). Duckovnye zaprosy rabočikh Rossii posle revoljucii 1905-1907 kk. (Spiritual needs of Russian workers after the revolution of 1905-1907.) Ist. Zap., 82, n° 107, p. 69-99.

6380. RUGGIERO (Guido). Excusable murder: insanity and reason in early Renaissance Venice. J. soc. Hist., 82, vol. 16, n° 1, p. 109-120.

6381. RYAN (Mary P.). The empire of the mother: American writing about domesticity, 1830-1860. New York, Haworth Press, 82, in-8, 170 p. (Women a. History, 2/3)

6382. SANDGRUBER (Roman). Die Anfänge der Konsumgesellschaft. Konsumgüterverbrauch, Lebensstandard u. Alltagskultur in Österreich im 18. u. 19. Jh. Wien, Verl. f. Gesch. u. Politik; München, Oldenbourg, 82, in-8, 468 p. (Sozial- u. wirtschaftshist. Stud., 15)

6383. SANDRIN (Jean). Enfants trouvés, enfants ouvriers, XVIIe-XIXe siècles. Paris, Aubier-Montaigne, 82, in-8, 255 p. (ill.).

6384. SANTARELLI (Enzo). Storia sociale del mondo contemporaneo. Dalla Comuni di Parigi ai nostri giorni. Milano, Feltrinelli, 82, in-8, 638 p. (I fatti e le idee, 509)

6385. SAUNDERS (Kay). Workers in bondage; the origins and bases of unfree labour in Queensland, 1824-1916. Brisbane a. New York, Univ. of Queensland Press, 82, in-8, XX-213 p. (Univ. of Queensland Press Scholars' Libr.)

6386. SCARAFFIA (Lucetta). Dai Tre Re al

Sacro Cuore di Gesù. Devozioni e socialità in una comunità piemontese fra XVIII e XIX secolo. B. stor. bibliogr. subalpino, 82, a. 80, p. 95-155.

6387. SCHWARZ (Philip J.). Gabriel's challenge: slaves and crime in late eighteenth-century Virginia. Virginia Mag. Hist. a. Biogr., 82, vol. 90, n° 3, p. 283-309.

6388. SEED (Patricia). Social dimensions of race: Mexico City, 1753. Hisp. am. hist. R., 82, vol. 62, n° 4, p. 560-606.

6389. SERMAN (William). Les officiers français dans la nation (1848-1914). Paris, Aubier-Montaigne, 82, in-8, 288 p.

6390. SHANKMAN (Arnold). Ambivalent friends: Afro-Americans view the immigrant. Westport, Conn., Greenwood Press, 82, in-8, XIV-198 p.

6391. SHAPIRO (Ann-Louise). Housing reform in Paris: social space and social control. French hist. Stud., 82, vol. 12, n° 4, p. 486-507.

6392. SHELLEY (Louise). Female criminality in the 1920 [in the USSR]: a consequence of inadvertent a. deliberate change. Russian Hist., 82, vol. 9, p. 265-284.

6393. SHERGOLD (Peter R.). Working-class-life: the "American standard" in comparative perspective, 1899-1913. Pittsburgh, Pa., Univ. of Pittsburgh Press, 82, in-8, XVII-306 p.

6394. SILVERMAN (Eliane Leslau). Writing Canadian women's history, 1970-82: an historiographical analysis. Canad. hist. R., 82, vol. 63, p. 513-533.

6395. SINDICO (Domenico). Ingresos y consumos de los trabajadores agrícolas en dos haciendas mexicanas a principios del siglo XIX. Nova Americana, 81 [82], n° 4, p. 281-298.

6396. SŁABEK (Henryk). Mutamenti nella stratificazione e nella posizione sociale dei contadini in Polonia (1944-1964). Rassegna critica. R. stor. ital., 82, a. 94, p. 718-783.

6397. SMITH (Dennis). Conflict and compromise: class formation in English society, 1830-1914: a comparative study of Birmingham and Sheffield. Boston a. London, Routledge a. Kegan Paul, 82, in-8, XIII-338 p.

6398. Social'naja struktura obščestva v XIX v. Strany Central'noj i Jugo-Vostočnoj Evropy. (The social structure of society in the 19th cent. Countries of Central a. South East Europe.) Redkol.: V. A. D'JAKOV (otv. red.) i dr. Moskva, Nauka, 82, 368 p. (Centr. i Jugo-Vost. Evropa v épokhy perekhoda ot feodalizma k kapitalizmy. Probl. istorii i kul'tury. AN SSSR. In-t slavjanovedenija i balkanistiki. Nauč. sovet po kompleks. probl. slavjanovedenija i balkanistiki)

6399. Social'nye dviženija i bor'ba idej.

(Social movements and struggle of ideas.) Probl. istorii i istoriografii. Redkol.: M. A. ZABOROV (otv. red.) i dr. Moskva, Nauka, 82, 277 p. (AN SSSR. In-t meždunar. rabočego dviženija)

6400. SOGRIN (V. V.). Sovremennaja amerikanskaja istoriografija o buržuaznykh revoljucijakh v SŠA. (The present-day bourgeois historiography on bourgeois revolutions in the USA.) Nov. novejš. Ist., 82, n° 1, p. 20-38.

6401. SOLOV'EV (V. M.). K voprosu ob učastii gorodskogo naselenija v krest'janskoj vojne pod predvoditel'stvom S. T. Razina. (On the problem of the participation of urban population in the peasant war headed by S. T. Razin.) ist. SSSR, 82, n° 2, p. 143-150.

6402. Sozialprotest, Gewalt, Terror. Gewaltanwendung durch politische u. gesellschaftl. Randgruppen im 19. u. 20. Jh. Hrsg. v. Wolfgang J. MOMMSEN u. Gerhard HIRSCHFELD. Stuttgart, Klett-Cotta, 82, in-8, 476 p. (Veröff. d. Deutsch. Hist. Inst. London, 10)

6403. STEVENS (Jennie A.). Children of the revolution: Soviet Russia's homeless children (Besprizorniki) in the 1920s. Russian Hist., 82, vol. 9, p. 242-264.

6404. STIER (Miklós). A magyar müszaki értelmiség és a polgárosodás kérdései a kiegyezés idején. (Hungarian technical intelligentsia and the development of bourgeois mentality.) Magy. Tudom., 82, vol. 27, n° 12, p. 904-917.

6405. STORCH (Robert D.). Popular culture and custom in 19th century England. London, Croom Helm, 82, in-8, 224 p.

6406. STRAUSS (Sylvia). "Traitors to the masculine cause": the men's campaigns for women's rights. Westport, Conn., Greenwood, 82, in-8, XIX-290 p. (Contrib. in Women's Stud., 35)

6407. Studia z dziejów poglądów na prace w Polsce do 1914 roku. (Etudes sur l'histoire des idées concernant le travail en Pologne avant 1914.) Réd. par Czesław ŁUCZAK. Poznań, Wydawn. Nauk. Uniw. im. A. Mickiewicza, 82, in-8, 200 p. (Historia, 103)

6408. STUMPF (Reinhard). Die Wehrmacht-Elite. Rang- und Herkunftsstruktur d. deutschen Generale u. Admirale 1933-1945. Boppard, Boldt, 82, in-8, XIII-399 p. (Wehrwiss. Forsch., Abt. Militärgeschichtl. Stud., 29)

6409. SUSSMAN (George D.). Selling mothers' milk: the wet-nursing business in France, 1715-1914. Urbana, Univ. of Illinois Press, 82, in-8, XI-210 p.

6410. ŠVECOVA (S. I.). Tropičeskaja Afrika. Problemy social'nogo osvoboždenija ženščin. Na primere stran socialističeskoj orientacii. (Tropical Africa. Problems of women's social emancipation.) Moskva, Nauka, 82, 175 p.

6411. SZIKLAY (László). Pest-Buda nemzetiségi képe a Vormäarz idején. (Die Nationalitäten in den Städten Buda und Pest im Vormärz.) Helikon, 82, vol. 28, n° 1, p. 62-68.

6412. TANNEN (Michael B). Women's earnings, skill, and nativity in the progressive era. Explor. in econ. Hist., 82, vol. 19, n° 2, p. 128-155.

6413. THIBAUT (Jacqueline). "To pave the way to penitence": prisoners and discipline at the Eastern State Penitentiary 1829-1835. Pennsylvania Mag. Hist., 82, vol. 106, n° 2, p. 187-222.

6414. TILLY (Charles). Charivaris, répertoires and urban politics. In: French cities in the 19th century [Cf. n° 3667], p. 73-91.

6415. TILLY (Louise A.). Three faces of capitalism: women and work in French cities. In: French cities in the 19th century [Cf. n° 3667], p. 165-192.

6416. TIMOFEEV (P. T.). Formirovanie nacional'nykh kadrov raboĉego klassa SSSR (Iz istorii stanovlenija sovetskogo raboĉego klassa). (Formation of the working class of different nationalities in the USSR.) Moskva, Mysl', 82, 239 p.

6417. TOLL (William). The making of an ethnic middle class: Portland Jewry over four generations. Albany, State Univ. of New York Press, 82, in-8, XII-242 p.

6418. TRIBUT (Micheline). La criminalité dans les Hautes-Pyrénées de 1830 à 1852. A. Midi, 81, t. 93, p. 419-437.

6419. TROFIMENKOFF (Susan Mann). The dream of nation, a social and intellectual history of Quebec. Toronto, Macmillan, 82, in-8, 344 p.

6420. TRZECIAKOWSKA (Maria), TRZECIAKOWSKI (Lech). W dziewietnastowiecznym Poznaniu. Życie codzienne miasta 1815-1914. (A Poznań du XIXe siècle. La vie quotidienne de la ville, 1815-1914.) Poznań, Wydawn. Pozn., 82, in-8, 529 p.

6421. TUOMI-NIKULA (Outi). Keskipohjalaisen kalastajan vuosi. Keski-Pohjanmaan suomenkielisen rannikon ammattimaisen kalastuksen ja hylkeenpyynnin muuttuminen 1800- ja 1900-luvulla. (Der Jahresablauf des mittelostbottnischen Fischers. Veränderungen im gewerbsmäßigen Fisch- und Robbenfang an der finnischsprachigen Küste Mittelostbottniens im 19. u. 20. Jh.) Helsinki, Suomen muinaismuistoyhdistys, 82, in-4, 392 p. (ill.). (Kansatiet. Ark., 32) [Deutsche Zsfassung]

6422. TURNER (Mary). Slaves and missionaries: the disintegration of Jamaican slave society, 1787-1834. Urbana, Univ. of Illinois Press, 82, in-8, 223 p. (Blacks in the New World)

6423. TYRRELL (Ian R.). Drink and temperance in the antebellum South: an overview and interpretation. J. south. Hist., 82, vol. 48, n° 4, p. 485-510.

6424. ULRICH (Laurel Thatcher). Good wives: images and reality in the lives of women in northern New England, 1650-1750. New York, A. A. Knopf, 82, in-8, XV-296 p.

6425. URBAN (Otto). Česká společnost 1848-1918. (Die tschechische Gesellschaft 1848-1918.) Praha, Svoboda, 82, in-8, 690 p. (64 fig.).

6426. VALENTI (Calogero). Ricchezza e povertà in Sicilia nel secondo Settecento. Palermo, EPOS, 82, in-8, III-280 p. (tav.). (Bibl. di Stor. pol. e soc. Stor. Soc., 1)

6427. VALENTINITSCH (Helfried). Armenfürsorge im Herzogtum Steiermark im 18. Jahrhundert. Z. d. hist. Ver. f. Steiermark, 82, Jg. 73, p. 93-114.

6428. VAN DEN HEUVEL (Gerd). Grundprobleme der französischen Bauernschaft 1730-1794. Soziale Differenzierung u. sozio-ökonom. Wandel vom Ancien Régime zur Revolution. Mit einem Vorwort v. Abel POITRINEAU. München u. Wien, Oldenbourg, 82, in-8, 138 p. (Ancien Régime, Aufklärung u. Revolution, 6)

6429. VAUGHAN (Alden T.). From white man to redskin: changing Anglo-American perceptions of the American Indian. Am. hist. R., 82, vol. 87, n° 4, p. 917-953.

6430. VIGIER (Philippe). La vie quotidienne en province et à Paris pendant les journées de 1848, 1847-1851. Paris, Hachette, 82, in-8, 443 p. (La vie quotidienne)

6431. Volksleben zwischen Zunft und Fabrik. Studien z. Kultur u. Lebensweise werktätiger Klassen u. Schichten während d. Übergangs vom Feudalismus z. Kapitalismus. Hrsg. v. Rudolf WEINHOLD. Berlin, Akad.-Verl., 82, in-8, 539 p. (Abb., Kt.). (Veröff. z. Volkskunde u. Kulturgesch., 69)

6432. WALLER (Altina L.). Reverend Beecher and Mrs. Tilton: sex and class in Victorian America. Amherst, Univ. of Massachusetts Press, 82, in-8, XIII-177 p.

6433. WALVIN (James) a. others. Slavery and British society, 776-1846. Baton Rouge, Louisiana State U. P., 82, in-8, 272 p.

6434. WEGS (J. Robert). Working class respectability: the Viennese experience. J. soc. Hist., 82, vol. 15, n° 4, p. 621-636.

6435. WEISSMAN (Ronald F. E.). Ritual brotherhood in Renaissance Florence. London a. New York, Academic Press, 82, in-8, XIII-254 p.

6436. WELLS (Allen). Family elites in a boom-and-bust economy: the Molinas and Peóns of Porfirian Yucatán. Hisp. am. hist. R., 82, vol. 62, n° 2, p. 224-253.

6437. WRIGHTSON (Keith). English society, 1580-1680. London, Hutchinson, 82, in-8, 272 p.

6438. ZAKRZEWSKA-DUBASOWA (Mirosława). Ormianie w dawnej Polsce. (Les Arméniens dans la Pologne ancienne.) Lublin, Wydawn. Lub., 82, in-8, 343 p.

6439. ZIMMERLI (Alice). Frauen in der Reformationszeit. Zürich, 81, in-8, II-202 p. (Thèse lettres)

6440. ZINGUER (Ilana). Misères et grandeur de la femme au XVIe siècle. Genève et Paris, Slatkine, 82, in-8, 94 p.

6441. ZORN (Wolfgang). Medizinische Volkskunde als sozialgeschichtliche Quelle. Die bayerische Bezirksärzte-Landesbeschreibung von 1860-62. Miszelle. Vjschr. f. Soz.- u. Wirtschaftsgesch., 82, Bd 69, p. 219-231.

6442. ZUCKERMAN (Michael W.) a. others. Friends and neighbors: group life in America's first plural society. Philadelphia, Pa., Temple U. P., 82, in-8, V-225 p.

6443. ZUNZ (Olivier). The changing face of inequality: urbanization, industrial development, and immigrants in Detroit, 1880-1920. Chicago, Univ. of Chicago Press, 82, in-8, XIX-481 p.

Cf. n°s 535, 2654, 3124, 3267, 3325, 4677, 4816, 4862, 5170, 5635, 5736, 5645, 5688, 5815, 5907, 5965, 5982, 6485.

§ 9. Mouvement ouvrier et socialisme.

* 6444. BRECY (Robert). Le mouvement syndical en France, 1871-1921: essai bibliographique. 2e éd. revue et corr. Gif-sur-Yvette, Ed. du Signe, 82, in-8, 218 p.

* 6445. KIRÁLY (István). Az agrárszocialista mozgalmak korabeli könyvészete. (Contemporary bibliography of the agrarian socialist movements in Hungary.) Agrártört. Szle, 82, vol. 24, n° 3-4, p. 304-358.

* 6446. WEINRICH (Peter). Social protest from the left in Canada 1870-1970: a bibliography. Toronto, Univ. Press, 82, in-8, 627 p. - CR: J. F. Conway, Canad. J. pol. Sci., 83, vol. 16, p. 440.

* Cf. n° 4210.

** 6447. Bund (Der) der Kommunisten. Dokumente u. Materialien. Inst. f. Marxismus-Leninismus bei ZK d. SED; Inst. f. Marxismus-Leninismus beim ZK d. KPdSU. [Bd 1. Cf. Bibl. 70-71, n° 7692.] Bd 2: 1849-1851. Berlin, Dietz, 82, in-8, 785 p. (Abb.).

** 6448. Din istoria mişcării muncitoreşti. Documente aradene 1821-1918. [Realizat de Eugen GLÜCK şi Alexandru ROZ, coordonat ştiinţific de Gheorghe UNC.] (De l'histoire du mouvement ouvrier. Documents d'Arad, 1821-1918.) Timişoara, Facla, 81, in-8, 281 p.

** 6449. Documente privind mişcarea muncitorească şi socialistă din Oltenia pînă la crearea Partidului Comunist Român. (Documents concernant le mouvement ouvrier et socialiste en Olténie jusqu'à la création du Parti Communiste Roumain.) Craiova, Scrisul Românesc, 81, in-8, 325 p.

** 6450. FRACHON (Benoît). Pour la C. G. T.: mémoires de lutte, 1901-1939. Paris, Ed. sociales, 81, in-8, XIII-261 p. (pl.).

** 6451. LASCHITZA (Annelies), KELLER (Elke). Karl Liebknecht. Eine Biogr. in Dokumenten. Berlin, Dietz, 82, in-8, 476 p. (Abb.).

** 6452. LUXEMBURG (Rosa). Gesammelte Briefe. Inst. f. Marxismus-Leninismus beim ZK d. SED. Bd 1, 2, 3. Berlin, Dietz, 82, 3 vol. in-8, 54-720, 3-454, 3-334 p.

** 6453. MARX (Karl), ENGELS (Friedrich). Gesamtausgabe (MEGA). Hrsg. vom Inst. f. Marxismus-Leninismus beim ZK d. KPdSU u. vom Inst. f. Marxismus-Leninismus beim ZK d. SED. Abt. 1: Werke, Artikel, Entwürfe. [Bd 22. Cf. Bibl. 78-79, n° 6576.] Bd 2: März 1843 bis August 1844. Text. Apparat. Abt. 2: "Das Kapital" und Vorarbeiten. Bd 3: Zur Kritik der Politischen Ökonomie (Ms. 1861-1863). T. 6: Text. Apparat. Berlin, Dietz, 82, 4 vol. in-8, 64-516 p.; p. 521-1018; 11 p., p. 1891-2384; p. 2389-3219.

** 6454. Perepiska V. I. Lenina i rukovodimykh im učreždenij RSDRP s partijnymi organizacijami, 1905-1907 gg. (Correspondence of V. I. Lenin and institutions of the RSDWP headed by him with party organisations, 1905-1907.) Redkol.: D. I. ANTONJUK, M. S. VOLIN, M. A. ZOTOV i dr. Sbornik dokumentov. V 5-ti t. T. 2: Aprel' - ijun' 1905 g. Kn. 1: Aprel' - maj 1905 g. Kn. 2: Ijun' 1905 g. Moskva, Mysl', 82, 2 vol., 356, 349 p. (ill.). (In-t marksizma-leninizma pri CK KPSS. Centr. gos. arkhiv Okr. revoljucii, vysš. organov gos. vlasti i organov gos. upr. SSSR. In-t istorii SSSR AN SSSR)

** 6455. Sprawa polska na V Kongresie Międzynarodówki Komunistycznej w 1924 r. (Tekst podał do druku, zoopratrzył wstępem i przypisami Aleksander KOCHAŃSKI.) (La cause polonaise au Ve Congrès de l'Internationale Communiste en 1924. Publ. par A. KOCHAŃSKI.) Kwart. hist., 82, a. 89, n° 2-3, p. 331-408.

** Cf. n°s 3770, 4786.

6456. ALBRECHT (Willy). Fachverein - Berufsgewerkschaft - Zentralverband. Organisationsprobleme der deutschen Gewerkschaften 1870-1890. Bonn, Neue Gesellschaft, 82, in-8, 614 p. (Forschungsinstitut d. Friedrich-Ebert-Stiftung, Reihe: Politik u. Ges.-Gesch., 11)

6457. ANDERLE (Ádám). Munkásmozgalom Latin-Amerikában 1870-1959. (Le mouvement ouvrier en Amérique latine.) Budapest, Kossuth Kiadó, 82, in-8, 498 p. - IDEM. Az európai munkásszervezeti formák adaptációjának kérdései Latin-Amerikában. (Questions de l'adaptation des formes d'organisation ouvrière européennes en Amérique latine.) Párttört. Közl., 82, vol. 28, n° 1, p. 178-187.

9. MOUVEMENT OUVRIER ET SOCIALISME

6458. ANDERSSON (Bo). Relationer och omvärldar: studier kring organiserade arbetar- och nykterhetsintressen i 1880-talets folkrörelsesamhälle - särskilt Stockholm. (Relations and surroundings: studies on organized worker and temperance interests in popular movement society of the 1880s, especially in Stockholm.) Göteborg, Hist. inst., Univ., 82, in-8, 407 p. (diagr.). (Meddel. från Hist. inst. i Göteborg, 24) [Eng. summary]

6459. Arbeiterbildung nach dem Fall des Sozialistengesetzes [in Deutschland] (1890-1914). Konzeption u. Praxis. Hrsg. v. Josef OLBRICH. Braunschweig, Westermann, 82, in-8, 410 p.

6460. Attualità del pensiero di Giuseppe Toniolo. A cura di Maria Livia FORNACIARI DAVOLI et Giuseppe RUSSO. [Atti del Congresso tenuto a Modena nel 1981.] Milano, Angeli, 82, in-8, 313 p. (Univ., 13)

6461. AUZIAS (Claire), HOUEL (Annik). La grève des ovalistes [Lyon, 1869]. Paris, Payot, 82, in-8, 182 p. [Ovalistes: ouvrières de la soie]

6462. BÁRÁNY (Ferenc). A viharsarki munkásmozgalom az ellenforradalmi rendszer első évtizedében. (Le mouvement ouvrier de la "Zone des tempêtes sociales" pendant la première décennie du régime contre-révolutionnaire.) Budapest, Akadémiai Kiadó, 82, in-8, 317 p. - CR: L. Geczényi, Párttört. Közl., 82, vol. 28, n° 4, p. 242-243.

6463. BARNES (Denis), REID (Eileen). Governments and trade unions, the British experience, 1964-1979. London, Heinemann Educ., 82, in-8, 242 p.

6464. BARTH (Robert). Protestantismus, soziale Frage und Sozialismus im Kanton Zürich 1830-1914. Zürich, Theolog. Verl., 81, in-8, 315 p. (Veröff. d. Inst. f. Sozialethik an d. Univ. Zürich, 8)

6465. BENNETT (Sari), EARLE (Carville). The geography of strikes in the Unites States, 1881-1894. J. interdisc. Hist., 82, vol. 13, p. 63-82.

6466. BLANCHARD (Peter). The origins of the Peruvian labor movement, 1883-1939. Pittsburgh, Pa., Univ. of Pittsburgh Press, 82, in-8, XX-214 p.

6467. BOBRUS (Antoni). "Robotnik" wobec stosunków polsko-litewskich 1920-1939. (Le "Robotnik" ["Ouvrier"] face aux relations polono-lituaniennes 1920-1939.) Studia hist. [Kraków], 82, a. 25, fasc. 1, p. 65-77. ["Robotnik": organe du Parti Socialiste Polonais]

6468. BORSÁNYI (György), KENDE (János). Magyarországi munkásmozgalom 1867-1980. (Le mouvement ouvrier en Hongrie.) Budapest, Kossuth Kiadó, 82, in-8, 313 p.

6469. BOUVIER (Beatrix W.). Französische Revolution und deutsche Arbeiterbewegung. Die Rezeption d. revolutionären Frankreich in d. deutsch. sozialist. Arbeiterbewegung v. d. 1830er Jahren bis 1905. Bonn, Verl. Neue Ges., 82, in-8, 419 p.

(Veröff. d. Inst. f. Sozialgesch. Braunschweig, Bonn)

6470. BRANCIARD (Michel). Syndicats et partis: autonomie ou dépendance. T. 1: 1879-1947. T. 2: 1947-1981. Paris, Syros, 82, 2 vol. in-8, 244, 337 p.

6471. BRITAIN (Ian). Fabianism and culture, a study in British socialism and the arts, 1884-1918. London, Cambridge U. P., 82, in-8, 344 p. (tab.).

6472. BROWER (Daniel R.). Labor violence in Russia in the late nineteenth century. Slavic R., 82, vol. 41, n° 3, p. 417-431.

6473. BROWN (Kenneth D.). The English labour movement, 1700-1951. New York, St. Martin's Press, 82, in-8, 322 p.

6474. BUCHER (Erwin). Ein sozio-ökonomisches und ein politisches Kapitel aus der Regeneration. 1: Der Brand von Uster aus dem Jahre 1832. Unter Verwertung d. gleichnamigen vom ehem. Handweber Jakob Stutz verfaßten Theaterstücks. Schweiz. Z. f. Gesch., 82, vol. 32, p. 5-124.

6475. BUKHARIN (N. I.), JAŽBOROVSKAJA (I. S.). Ljudvig Varyn'skij - osnovatel' i rukovoditel' pervoj partii pol'skogo proletariata. K 100-letiju pol'skogo rabočego dviženija. (Ludwik Waryński - the founder and leader of the first party of the Polish proletariat.) Nov. novejš. Ist., 82, n° 4, p. 74-100.

6476. CALHOUN (Craig). The question of class struggle: social foundations of popular radicalism during the industrial revolution. Chicago, Univ. of Chicago Press; Oxford, Blackwell, 82, in-8, XIV-321 p.

6477. CALKINS (Kenneth R.). The uses of utopianism: the millenarian dream in central European social democracy before 1914. Central european Hist., 82, vol. 15, n° 2, p. 124-148.

6478. CARASSUS (Emilien). Les grèves imaginaires. Paris, Ed. du C. N. R. S., 82, in-8, 272 p.

6479. DAKHINA (E. M.). V. I. Lenin o rabočem predstavitel'stve i šop-stjuardy v Velikobritanii. (V. I. Lenin on the representation of workers and the shop-stewards in Great Britain.) Vopr. Ist. KPSS, 82, n° 8, p. 75-85.

6480. Dictionnaire biographique du mouvement ouvrier français. 4e partie: 1914-1939, de la Première à la Seconde guerre mondiale. T. 17: A. T. 18: Ba à Bern. Par Jean MAITRON et Claude PENNETIER. Paris, Ed. ouvrières, 82, 2 vol. in-8, 382, 430 p. [T. 14, 15. Cf. Bibl. 76-77, n° 7148.]

6481. DOMINICK (Raymond H.) III. Wilhelm Liebknecht and the founding of the German social democratic party. Chapel Hill, Univ. of North Carolina Press, 82, in-8, XIV-551 p.

6482. Bibl. 81, n° 5835. DUNAEVSKIJ (V. A.), KUČERENKO (G. S.). Zapadnoevropejskij utopičeskij socializm v rabotakh sovetskikh istorikov. (West-European utopian socialism in works of Soviet historians.) - CR: V. F. Smirnov, B. Ja. Tabačnikov, Nov. novejš. Ist., 82, n° 4, p. 171-173.

6483. DUNAYEVSKAYA (Raya). Rosa Luxembourg. Brighton, Harvester Press, 82, in-8, 262 p.

6484. EMMRICH (Volker). Friedrich Engels, die deutsche Sozialdemokratie und der Kongreß der II. Internationale 1893 in Zürich. Marx-Engels-Jb., 82, [T.] 5, p. 119-155.

6485. ENGLISCH (Norbert). Braunkohlenbergbau und Arbeiterbewegung. Ein Beitrag z. Bergarbeitervolkskunde im norwestböhmischen Braunkohlenrevier bis z. Ende d. Österr.-Ungar. Monarchie. München u. Wien, Oldenbourg, 82, in-8, 336 p. (Ill.). (Veröff. d. Collegium Carolinum, 41)

6486. EPSTEIN (James). The lion of freedom: Feargus O'Connor and the Chartist Movement, 1832-1842. London, Croom Helm, 82, in-8, 336 p.

6487. EPSTEIN (James), THOMPSON (Dorothy). Chartist experience, studies in working class radicalism and culture, 1830-1860. London, Macmillan, 82, in-8, 400 p.

6488. ERMOLAEV (V. I.). Iz istorii raboĉego i kommunističeskogo dviženija v Latinskoj Amerike. (From the history of the labour and communist movement in Latin America.) Moskva, Mysl', 82, 254 p. (Akad. obščestven. nauk pri CK KPSS, In-t Lat. Ameriki AN SSSR)

6489. FARKAS (József). A szocialista szervezkedés és agitáció módszerei a Viharsarokban az 1890-es évek első felében. (Les méthodes de l'organisation et de l'agitation socialistes dans la "Zone des tempêtes sociales" durant la première moitié des années 1890.) Párttört. Közl., 82, vol. 28, n° 4, p. 106-140.

6490. FELIX (David). Heute Deutschland: Marx as provincial politician. Central european Hist., 82, vol. 15, n° 4, p. 332-350.

6491. FICHTER (Michael). Besatzungsmacht und Gewerkschaften. Zur Entwicklung u. Anwendung d. US-Gewerkschaftspolitik in Deutschland 1944-1948. Opladen, Westdeutsch. Verl., 82, in-8, 306 p. (10 graph. Darst.). (Schr. d. Zentralinst. f. Sozialwiss. Forsch. d. Freien Univ. Berlin, 40)

6492. FILIPOWICZ (Stanisław). Socjalizm utopijny i spory o naturę władzy w środowisku Wielkiej Emigracji. (Socialisme utopique et controverses sur la nature du pouvoir dans le milieu de la Grande Emigration [polonaise].) Czas. prawnohist., 81 [82], vol. 33, fasc. 2, p. 101-127.

6493. FIRSOV (F. I.). Georgij Dimitrov - vydajuščijsja revoljucioner - leninec (K 100-letiju so dnja roždenija G. Dimitrova).

(G. Dimitrov: an outstanding revolutionaryleninist.) Nov. novejš. Ist., 82, n° 1, p. 75-92.

6494. FLORIAN (Radu). Antonio Gramsci un marxist contemporan. (A. Gramsci, un marxiste contemporain.) București, Ed. politică, 82, in-8, 255 p.

6495. FONES-WOLF (Kenneth). Revivalism and craft unionism in the progressive era: the Syracuse and Auburn labor forward movements of 1913. New York Hist., 82, vol. 63, n° 4, p. 389-416.

6496. FORSEY (Eugene A.). Trade unions in Canada 1812-1902. Toronto, Univ. Press, 82, in-8, 600 p. - CR: A. Seager, Canad. J. pol. Sci., 83, vol. 16, p. 364-366.

6497. FOSTER (James C.) a. others. American labor in the southwest: the first one hundred years. Tucson, Univ. of Arizona Press, 82, in-8, XII-236 p.

6498. FUCHS (Konrad). Der Ruhrbergarbeiterstreik von 1889 im Spiegel britischer Konsularberichte. Jb. f. westdeutsche Landesgesch., 82, Jg 8, p. 137-158.

6499. GARBE (Bernd). Das Ringen der KPD um die Mobilisierung aller antifaschistischen Kräfte für die Rettung Georgi Dimitroffs und der anderen im Reichstagsbrandprozeß angeklagten Kommunisten. Jb. f. Gesch., 82, Bd 26, p. 135-167.

6500. GECZÉNYI (Lajos), HONVÁRI (János). Győr és vidékének munkásmozgalma a gazdasági világválság idején 1929-1933. (Le mouvement ouvrier dans la ville de Győr et ses alentours pendant la crise économique mondiale, 1929-1933.) Győr, Győr m. Lapk. Váll., 81, in-8, 161 p.

6501. GELLY (Jean-François). A la recherche de l'unité organique: la démarche du parti communiste français (1934-1938). Mouvement soc., 82, n° 121, p. 97-116.

6502. GERELYES (Ede). Budapest munkásmozgalma 1919-1945. (Le mouvement ouvrier de la ville de Budapest, 1919-1945.) Budapest, Kossuth Kiadó, 82, in-8, 270 p.

6503. Geschichte der deutschen Sozialdemokratie 1917 bis 1945. Autorenkoll. unter Leitung v. Heinz NIEMANN. Berlin, Dietz, 82, in-8, 550 p.

6504. Geschichte des Freien Deutschen Gewerkschaftsbundes. Hrsg. Bundesvorstand d. FDGB. Berlin, Tribüne, 82, in-8, 831 p. (Abb.).

6505. GOLDSTEIN (Leslie F.). Early feminist themes in French utopian socialism: the St. Simonians and Fourier. J. Hist. Ideas, 82, vol. 43, n° 1, p. 91-108.

6506. GOOD (Jane E.). America and the Russian revolutionary movement, 1888-1905. Russian R., 82, vol. 41, n° 3, p. 273-287.

6507. GOODWAY (David). London chartism, 1838-1848. London a. New York, Cambridge U. P., 82, in-8, XVII-333 p.

9. MOUVEMENT OUVRIER ET SOCIALISME

6508. GRIGOR'EV (A. M.). Politika Kominterna v otnošenii kommunističeskoj partii Kitaja - proletarskij internacionalizm v dejstvii. (Comintern's policy towards the communist party of China - proletarian internationalism in action.) Nov. novejš. Ist., 82, n° 2, p. 23-44.

6509. GROSS (Jean-Pierre). L'idée de la pauvreté dans la pensée sociale des Jacobins: origines et prolongements. A. hist. Révol. franç., 82, a. 54, n° 248, p. 196-223.

6510. GRUCHAŁA (Janusz). Stosunek między PPSD a socjalistami czeskimi i niemiecko-austriackimi w końcu XIX i na początku XX w. (do 1914 r.). (Les rapports entre le Parti Social-Democrate Polonais et les socialistes tchèques et allemand-autrichiens à la fin du XIXe et au début du XXe siècles, jusqu'à 1914.) Z Pola Walki, 82, a. 25, n° 1-2, p. 27-41.

6511. GUARNERI (Carl J.). Importing Fourierism to America. J. Hist. Ideas, 82, vol. 43, n° 4, p. 581-594.

6512. GURVIČ (S. M.). Karl Marks - publicist. (K. Marx - publicist.) Moskva, Mysl', 82, 237 p.

6513. GUTTSHAN (W. L.). Bildende Kunst und Arbeiterbewegung in der Weimarer Zeit: Erbe und Tendenz. Arch. f. Sozialgesch., 82, Bd 22, p. 331-358.

6514. HASS (Ludwik). Pierwsze pokolenie aktywu socjalistycznego w Królestwie Polskim. (La première génération des activistes du Parti Socialiste dans le Royaume Polonais.) Z Pola Walki, 81 [82], a. 24, n° 3-4, p. 3-25.

6515. HAUBTMANN (Pierre). Pierre Joseph Proudhon, sa vie et sa pensée, 1809-1849. Paris, Beauchesne, 82, in-8, 1140 p.

6516. HELDMAN (Henri). Lutte politique et action syndicale: élaboration d'une stratégie. Le tournant obscur de l'IC et de sa section française (1931-1934). Communisme, 82, n° 1, p. 47-74.

6517. HEUMOS (Peter). Bruderlade und proletarischer Tabor. Soziale Bedingungen von Organisations- u. Aktionsformen tschechischer Kleingewerbe-Arbeiter in Böhmen 1850-1870. Vjschr. f. Soz.- u. Wirtschaftsgesch., 82, Bd 69, p. 339-372.

6518. HINTON (James). The British Labour movement: the history of socialism, 1870-1970. Brighton, Harvester Press, 82, in-8, 230 p.

6519. HOBSBAWM (Eric J.) a. others. The history of Marxism. Vol. 1: Marxism in Marx's day. Bloomington, Indiana U. P., 82, in-8, XXIV-349 p.

6520. HORVÁTH (Jenő). Az antifasiszta munkásegységfront kialakulása az olasz munkásmozgalomban 1934-1935. (Etablissement du front antifasciste ouvrier uni dans le mouvement ouvrier italien, 1934-1935.) Párttört. Közl., 82, vol. 28, n° 1, p. 90-118.

6521. HUMILIERE (Jean-Michel). Louis Blanc, 1811-1882. Paris, Ed. ouvrières, 82, in-8, 161 p.

6522. HUSSAIN (Athar), TRIBE (Keith). Marxism and the agrarian question. Vol. 1: German social democracy and the peasantry, 1890-1907. Vol. 2: Russian Marxism and the peasantry, 1861-1930. London, Macmillan, 82, 2 vol. in-8, 200, 200 p.

6523. Internationale Stellung und internationale Beziehungen der deutschen Sozialdemokratie 1871-1895-95. Berlin, Dietz, 82, in-8, 316 p.

6524. ISSERMAN (Maurice). Which side were you on? The American communist party during the second world war. Middletown, Conn., Wesleyan U. P., 82, in-8, XX-305 p.

6525. Istoriografija istorii KPSS v period vosstanovlenija i razvitija narodnogo khozjajstva 1921-1925 gg. (Historiograpy of the history of the CPSU during the restoration and development of the national economy 1921-1925.) Otv. red. G. G. MOREKHINA. Moskva, Izd-vo MGU, 82, 216 p.

6526. IVONE (Diomede). Le società operaie di mutuo soccorso nella città meridionale della seconda metà dell'Ottocento. Clio [Roma], 82, a. 18, p. 227-246.

6527. Iz istorii marksizma-leninizma i meždunarodnogo rabočego dviženija. (From the history of Marxism-Leninism and the international working class movement.) Redkol.: M. P. MČEDLOV (otv. red.) i dr. Moskva, Politizdat, 82, 495 p. (In-t marksizma-leninizma pri CK KPSS)

6528. JEMNITZ (János). A II. antant-szocialista konferencia, 1917. augusztus 28-29. (La IIe Conférence d'entente socialiste, 28-29 août 1917.) Párttört. Közl., 82, vol. 28, n° 1, p. 146-177.

6529. JOHANNSON (Ingemar). Strejken som vapen: fackföreningar och strejker i Norrköping 1870-1910. (The strike as a weapon: trade unions and strikes in Norrköping, 1870-1910.) Stockholm, Tiden, 82, in-8, 451 p. [Eng. summary]

6530. JONES (Adrian). The French railway strikes of January-May 1920: new syndicalist ideas and emergent communism. French hist. Stud., 82, vol. 12, n° 4, p. 508-540.

6531. JÓZSA (Antal). Zur Geschichte des proletarischen Internationalismus auf dem Territorium der Ungarischen Räterepublik. Jb. f. Gesch. d. sozialist. Länder Europas, 82, Bd 26, H. 1, p. 89-104.

6532. JUDT (Tony). Une historiographie pas comme les autres: the French communists and their history. European Stud. R., 82, vol. 12, p. 445-477.

6533. KAISER (Jochen-Christoph). Sozialdemokratie und "praktische" Religionskritik. Das Beispiel d. Kirchenaustrittsbewegung [in Deutschland] 1878-1914. Arch. f. Sozialgesch., 82, Bd 22, p. 263-298.

6534. KANCEWICZ (Jan). Polska Partia Socjalistyczna w pierwszym okresie jej rozwoju. (Le Parti Socialiste Polonais dans la première période de son développement.) Białystok, Dział Wydawn. Filii Uniw. Warsz., 82, in-8, 427 p. (Rozprawy Univ. Warsz. Dissertationes Univ. Vars., 236)

6535. KANDEL' (E. P.). Vil'gel'm Libknekht - soldat revoljucii. (Wilhelm Liebknecht - soldier of the revolution.) Nov. novejš. Ist., 82, n° 5, p. 88-108; n° 6, p. 92-112.

6536. KELLY (M.). Modern French Marxism. Oxford, Blackwell, 82, in-8, 240 p.

6537. KHALIPOV (A. S.). Bor'ba V. I. Lenina protiv likvidatorstva. 1908-1914. (The struggle of V. I. Lenin against liquidationism, 1908-1914.) Minsk, Izd-vo BGU, 82, 208 p.

6538. KOBERDOWA (Irena). Le parti social-révolutionnaire Prolétariat 1882-1886. Acta Poloniae hist., 81 [82], vol. 43, p. 95-117.

6539. KOENKER (Diane). Collective action and collective violence in the Russian labor movement. Slavic R., 82, vol. 41, n° 3, p. 443-448.

6540. KOESSLER (Reinhart). Dritte Internationale und Bauernrevolution. Die Herausbildung d. sowjet. Marxismus in d. Debatte um d. "asiat." Produktionsweise. Frankfurt (Main) u. New York, Campus-Verl., 82, in-8, 395 p. (Quellen u. Stud. z. Sozialgesch., 3)

6541. KOŽOKIN (E. M.). K probleme stanovlenija klassovogo soznanija francuzskogo proletariata. (On the consolidation of class consciousness of the French proletariat.) Vopr. Ist., 82, n° 1, p. 57-66.

6542. KRIVÁ (Anna). Zápas o novú orientáciu. Prínos KSČ k formovaniu stratégie a taktiky Komunistickej internacionály v tridsiatych rokoch. (Der Kampf um die Neuorientierung. Der Beitrag d. Kommunist. Partei d. Tschechoslowakei zur Formierung v. Strategie u. Taktik d. Kommunist. Internationale in d. 30er Jahren.) Bratislava, Pravda, 82, in-8, 248 p.

6543. KUN (Miklós). Útban az anarchizmus felé. Mihail Bakunyin politikai pályaképe és eszmei fejlődése az 1860-as évek közepén. (En chemin vers l'anarchisme. La carrière politique et le développement théorique de Mikhail Bakounine au milieu des années 1860.) Budapest, Akadémiai Kiadó, 82, in-8, 326 p. (24 pl.)

6544. LACROIX-RIZ (Annie). Majorité et minorité de la C. G. T., de la Libération au 26e Congrès confédéral (sept. 1944 - avril 1946). R. hist., 81, a. 105, t. 266, p. 461-485.

6545. LANGE (Peter), ROSS (George), VANNICELLI (Maurizio). Unions, change, and crisis: French and Italian union strategy and the political economy 1945-1980. London, Boston a. Sydney, Allen a. Unwin, 82, in-8, XIII-295 p. (Harvard Center for European Studies, Project on European Trade Union Responses to econ. Crisis, 1)

6546. LANGEWIESCHE (Dieter). Politik - Gesellschaft - Kultur. Zur Problematik v. Arbeiterkultur u. kulturellen Arbeiterorganisationen in Deutschland nach d. 1. Weltkrieg. Arch. f. Sozialgesch., 82, Bd 22, p. 359-402.

6547. LEFRANC (Georges). Visages du mouvement ouvrier français. Paris, Presses univ. France, 82, in-8, 232 p.

6548. LERNER (Warren). History of socialism and communism in modern times: theorists, activists and humanists. London, Prentice-Hall, 82, in-8, 256 p.

6549. LIPOW (Arthur). Authoritarian socialism in America: Edward Bellamy and the nationalist movement. Berkeley a. Los Angeles, Univ. of California Press, 82, in-8, XII-315 p.

6550. LOGINOV (V. T.), KURAŠOVA (N. A.). Leninskaja "Pravda" i edinstvo rabočikh Rossii (Novye dannye o gruppovykh rabočikh sborakh 1912-1914 gg.). (Lenin's "Pravda" and the unity of Russian workers. New data about group working takings in 1912-1914.) Ist. SSSR, 82, n° 3, p. 51-66.

6551. ŁUCZAK (Czesław). Polska klasa robotnicza w latach wojny i okupacji. (La classe ouvrière polonaise aux temps de la guerre et de l'occupation.) Z Pola Walki, 82, a. 25, n° 1-2, p. 43-61.

6552. LUNDH (Christer). Vägar till arbetsplatsdemokrati: strategidiskussionerna inom svensk arbetarrörelse efter 1918: rapport til FA-rådet. (Roads to working place democracy: discussions on strategy within the Swedish worker's movement after 1918.) Lund, Ekon.-hist. inst., Univ., 82, in-8, 61 p. (Meddel. fr. Ekon.-hist. inst./Lunds univ., 23)

6553. LYONS (Paul). Philadelphia communists, 1936-1956. Philadelphia, Temple U. P., 82, in-8, XII-244 p.

6554. MACHEFER (Philippe). Les syndicats professionnels français (1936-1939). Mouvement soc., 82, n° 119, p. 91-112.

6555. MALLMANN (Klaus-Michael). Die Anfänge der Bergarbeiterbewegung an der Saar (1848-1904). Saarbrücken, Minerva, 81, in-8, 370 p. (Veröff. d. Komm. f. Saarländ. Landesgesch. u. Volksforsch., 12)

6556. MARSH (Margaret S.). Anarchist women, 1870-1920. Philadelphia, Pa., Temple U. P., 81, in-8, VI-214 p. (Am. Civ.)

6557. Massovye istočniki po istorii sovetskogo rabočego klassa perioda razvitogo socializma. (Mass sources on the history of the Soviet working class in the period of developed socialism.) Redkol.: I. D. KOVAL'ČENKO (otv. red.) i dr. Moskva, Izd-vo MGU, 82, 208 p.

6558. MEIER (August), RUDWICK (Elliott).

Communist unions and the black community: the case of the Transport Workers Union, 1934-1944. Labor Hist., 82, vol. 23, n° 2, p. 165-197.

6559. MERKEL (Renate). Zur Entstehung, Bedeutung und Wirkung von Friedrich Engels' Schrift "Die Entwicklung des Sozialismus von der Utopie zur Wissenschaft". Marx-Engels-Jb., 82, [T.] 3, p. 30-62.

6560. MICHEL (Joël). L'échec de la grève générale des mineurs européens avant 1914. R. Hist. mond., 82, t. 29, p. 214-234.

6561. MIKHAJLOV (M. I.). Sojuz kommunistov v germanskoj revoljucii 1848-1849 gg. (The Communist League in the German revolution of 1848-1849.) Nov. novejš. Ist., 82, n° 6, p. 60-78.

6562. MISHKINSKY (M.). The attitude of the Southern-Russian Workers' Union toward the Jews 1880-1881). Harvard ukrainian Stud., 82, vol. 6, p. 191-216.

6563. MOSES (John A.). Trade unionism in Germany from Bismarck to Hitler, 1869-1933. London, G. Prior, 82, 2 vol. in-8, 560 p.

6564. MULAK (Jan). Ruch socjalistyczny w Łodzi w latach II wojny światowej. (Le mouvement socialiste à Łódź pendant la Seconde guerre mondiale.) Diezje najnowsze, 81 [82], a. 13, n° 4, p. 3-28.

6565. NAJDUS (Walentyna). Kwestia narodowa w ujęciu Polskiej Partii Socjalno-Demokratycznej Galicji i Śląska. (La question nationale selon la conception du Parti social-démocrate polonais de Galicie et de Silésie.) Kwart. hist., 82, a. 89, n° 2-3, p. 271-297.

6566. NAŁĘCZ (Tomasz). Etudes des historiens polonais sur l'histoire du Parti socialiste polonais jusqu'en 1939. Acta Poloniae hist., 81 [82], vol. 43, p. 161-180.

6567. NASH (Michael). Conflict and accommodation: coal miners, steel workers, and socialism, 1890-1920. Westport, Conn., Greenwood Press, 82, in-8, XIX-197 p. (Contrib. in Labor Hist., 11)

6568. NATOLI (Claudio). La Terza Internazionale e il fascismo, 1919-1923. Proletariato di fabbrica e reazione industriale nel primo dopoguerra. Roma, Editori riuniti, 82, in-8, 409 p. (Bibl. di Stor., 100)

6569. NELSON (Daniel). Origins of the sit-down era: worker militancy and innovation in the rubber industry, 1934-1938. Labor Hist., 82, vol. 23, n° 2, p. 198-225.

6570. NEMES (Dezső). A Kommunisták Magyarországi Pártjának létrejötte és kezdeti tevékenysegé. (La naissance du Parti Communiste de Hongrie et son activité à ses débuts.) Párttört. Közl., 82, vol. 28, n° 4, p. 3-62.

6571. NESEJT (František). Za právo chudých. Třídní boje východočeského prole-

tariátu v období hospodářské krize první poloviny třicátých let. (Für das Recht der Armen. Die Klassenkämpfe d. ostböhmischen Proletariats in d. Zeit d. Wirtschaftskrise in d. ersten Hälfte d. dreißiger Jahre.) Hradec Králové, Kruh, 82, in-8, 130 p.

6572. OFFERMANN (Toni). Allgemeine deutsche Arbeiterverbrüderung. Norddeutsche Arbeitervereinigung u. Bund d. Kommunisten. Zu neueren DDR-Publikationen z. elementaren Arbeiterbewegung 1848-1851. Arch. f. Sozialgesch., 82, Bd 22, p. 523-543.

6573. OKHLOPKOV (V. E.). Istorija političeskoj ssylki v Jakutii. (History of the political exile in Yakutia.) Kn. 1: 1825-1895 gg. Jakutsk, Kn. izd-vo, 82, 447 p.

6574. Ot Marksa do našikh dnej. (From Marx till our time.) Ist. tradicii proletarskogo internacionalizma. Pod. obšč. red. Ja. G. TEMKINA. V 2-kh t. T. 1, 2. Moskva, Mysl', 82, 2 vol., 292, 284 p. (ill.).

6575. PAGE (Stanely W.). The geopolitics of Leninism. Boulder, Colo., East European Monographs, 82, in-8, 238 p. (East European Monographs, 97)

6576. PÉCSI (Anna). Magyarok a franciaországi forradalmi munkasmozgalomban 1920-1945. (Les Hongrois dans le mouvement ouvrier révolutionnaire en France, 1920-1945.) Budapest, Kossuth Kiadó, 82, in-8, 321 p.

6577. PERRY (Elizabeth Israels). Industrial reform in New York city: Belle Moskowitz and the protocol of peace, 1913-1916. Labor Hist., 82, vol. 23, n° 1, p. 5-31.

6578. PETERSON (Larry). Labor and the end of Weimar: the case of the KPD in the November 1928 lockout in the Rhenish-Westphalian iron and steel industry. Central european Hist., 82, vol. 15, n° 1, p. 57-95.

6579. PFABIGAN (Alfred). Max Adler. Eine polit. Biographie. Frankfurt (Main) u. New York, Campus-Verl., 82, in-8, 343 p.

6580. PROCHASKA (Alice). History of the General Federation of Trade Unions, 1899-1980. London, Allen a. Unwin, 82, in-8, 288 p.

6581. Rabočee dviženie Velikobritanii: nacional'nye i rasovaja problemy. (The British labour movement: national and racial problems.) Otv. red. M. A. ZABOROV. Moskva, Nauka, 82, 327 p. (AN SSSR, In-t meždunar. rabočego dviženija)

6582. Rabočij klass Rossii 1907 - fevral' 1917 g. (The working class of Russia in 1907 - February 1917.) Redkol.: V. Ja. LAVERYČEV (otv. red.) i dr. Moskva, Nauka, 82, 464 p. (ill.) (Istorija rabočego klassa SSSR. AN SSSR, In-t istorii SSSR, VCSPS, Vysš. škola profdviženija)

6583. Rabočij klass v mirovom revoljucionnom processe. (The working class in the world revolutionary process.) Redkol.: A. A. GALKIN (otv. red.) i dr. Ežegodnik. Moskva, Nauka, 82. (Probl. komis. mnogostoron. sotrudničestva akad. nauk soc. stran Rabočij klass v mirovom rev. processe. In-t meždunar. rabočego dviženija AN SSSR)

6584. Rabočij klass V'etnama v nacional'no-osvoboditel'noj i socialističeskoj revoljucijakh. (The working class of Vietnam in national liberation and socialist revolutions.) Sbornik statej. Redkol.: G. K. ŠIROKOV, I. S. KAZAKEVIČ, S. A. MKHITARJAN i dr. Moskva, Nauka, 82, 213 p. (AN SSSR, In-t vostokovedenija)

6585. RACINE (Nicole), BODIN (Louis). Le parti communiste français pendant l'entre-deux-guerres. Paris, Presses de la Fondation nat. des Sci. pol., 82, in-8, 314 p.

6586. RAMDIN (Ron). From chattel-slave to wage-earner: history of trade unionism in Trinidad and Tobago. London, Martin, Biran a. O'Keeffe, 82, in-8, 320 p.

6587. REGOURD (Florence). La Vendée ouvrière: grèves et ouvriers vendéens, 1840-1940. Les Sables-d'Olonne, Cercle d'Or, 81, in-8, 353 p.

6588. REULECKE (Jürgen). Bürgerliche Sozialreformer und Arbeiterjugend im Kaiserreich [Deutschland]. Arch. f. Sozialgesch., 82, Bd 22, p. 299-329.

6589. Revolucionnyj process na Vostoke. Istorija i sovremennost'. (The revolutionary process in the East. Past and present.) Otv. red. R. A. UL'JANOVSKIJ. Moskva, Nauka, 82, 389 p. (AN SSSR. In-t meždunar. rabočego dviženija)

6590. ROLFES (Helmut). Jesus und das Proletariat. Die Jesustradition u. Arbeiterbewegung u. d. Marxismus u. ihre Funktion für d. Bestimmung d. Subjekts d. Emanzipation. Düsseldorf, Patmos, 82, in-8, 328 p.

6591. RUDE (Fernand). Les révoltes des canuts [Lyon], nov. 1831-avril 1834. Paris, Maspero, 82, in-8, 206 p.

6592. SADOVA (Elena). Georgi Dimitrov. Sofija, Izd. Bălg. Akad. na Naukite, 82, in-8, 1060 p. (ill., fac-sim.).

6593. SALVATORE (Nick). Eugene V. Debs: citizen and socialist. Urbana, Univ. of Illinois Press, 82, in-8, XIV-437 p.

6594. ŠARONOV (M. S.). Položenie i bor'ba rabočego klassa Italii. 60-70e gody. (The state and struggle of the Italian working class in the 60s-70s.) Moskva, Nauka, 82, 383 p. (AN SSSR, In-t meždunar. rabočego dviženija)

6595. SCHLECHTE (Horst). Der Assoziationsgedanke bei Karl Marx und in den Anfängen der elementaren Arbeiterbewegung. Jb. f. Gescch., 82, Bd 25, p. 111-138.

6596. SCHNEER (Jonathan). Ben Tillett: portrait of a labour leader. London, Croom Helm; Urbana, Univ. of Illinois Press, 82, in-8, 241 p. (The Working Class in European History)

6597. SCHNEIDER (Linda). The citizen striker: workers' ideology in the Homestead strike of 1892. Labor Hist., 82, vol. 23, n° 1, p. 47-66.

6598. SCHNEIDER (Michael). Die christlichen Gewerkschaften 1894-1933 [in Deutschland]. Bonn, Neue Ges., 82, in-8, XII-815 p. (Forschungsinstitut d. Friedrich-Ebert-Stiftung, Reihe: Politik u. Ges.-Gesch., 1)

6599. SEFTIUC (Ilie). Aspecte privind lupta clasei muncitoare din țările Americii latine în etapa actuală. (Aspects concernant la lutte de la classe ouvrière des pays de l'Amérique latine à l'étape actuelle.) R. Ist., 82, t. 35, p. 79-103. [Rés. franç.]

6600. SEIDEL (Jutta). Deutsche Sozialdemokratie und Parti Ouvrier 1876-1889. Polit. Beziehungen u. theoret. Zusammenarbeit. Berlin, Akad.-Verl., 82, in-8, IV-204 p.

6001. SENN (Alfred Erich). M. K. Elpedin: revolutionary publisher. Russian R., 82, vol. 41, n° 1, p. 11-23.

6602. SEVJAN (D. A.). Iz istorii Sojuza kommunistov Jugoslavii, 1919-1945. (From the history of the communist Leage of Yugoslavia, 1919-1945.) Moskva, Mysl', 82, 213 p.

6603. Sindacalismo (Il) bianco tra guerra, dopoguerra e fascismo, 1914-1926. A cura di Sergio ZANINELLI. Milano, Angeli, 82, in-8, 641 p. (Fondaz. G. Pastore. Sez. Stor. del lavoro e del sindacato, 1)

6604. ŚLIWA (Michał). Kryzys parlamentaryzmu w Polsce w teorii i publicystyce socjalistycznej w latach 1926-1930. (La crise du parlementarisme en Pologne dans la théorie et dans la littérature socialiste des années 1926-1930.) Czas. prawno-hist., 82, vol. 34, fasc. 1, p. 69-88. - IDEM. Spory polskich socjalistów wokół kwestii agrarnej w latach 1899-1904. (Les controverses des socialistes polonais au sujet de la question agraire dans les années 1899-1904.) Przegl. hist., 82, vol. 73, p. 69-92.

6605. SMIRNOVA (Valentina). Der Genfer Kongreß der Internationalen Arbeiterassoziation. Marx-Engels-Jb., 82, [T.] 5, p. 85-118.

6606. SOWERWINE (Charles). Sisters or citizens? Women and socialism in France since 1876. London a. New York, Cambridge U. P., 82, in-8, XX-248 p.

6607. SPIRA (György). Die Arbeiterbewegung der Monate der Revolution von 1848 in den Schwesterstädten Pest, Ofen u. Altofen. In: Gedenkschrift E. Arató [Cf. n° 497], p. 82-92.

6608. STEPANOV (V. N.). V. I. Lenin i sozdanie obščerossijskoj iskrovskoj organizacii. (V. I. Lenin and the creation of the All-Russien Iskra organization.) Vopr. Ist. KPSS, 82, n° 2, p. 44-55.

6609. Storia del sindacato. A cura della Fondaz. G. Brodolini. 1: Dalle origini al corporativismo fascista. Venezia, Marsilio, 82, in-8, VIII-233 p. (Materialimarsilio, 35)

6610. Studia z dziejów polskiego ruchu robotniczego. (Etudes sur l'histoire du mouvement ouvrier polonais.) Réd.: Żanna KORMANOWA. Warszawa, 82, in-8, 228 p. (Prace Inst. Hist. Uniw. Warsz., 11)

6611. SUNILA (A. A.). Vosstanie 1 dekabrja 1924 goda. Opyt kommunističeskoj partii Êstonii v podgotovke i provedenii vooružennogo vosstanija êstonskogo proletariata 1924 goda i ego istoričeskoe značenie. (The revolt of December 1, 1924. Experience of the Estonian communist party in the preparation and carrying out of the armed revolt of the Estonian proletariat in 1924 and its historical importance.) Tallin, Êesti raamat, 82, 224 p. (ill.).

6612. SUNY (Ronald Grigor). Violence and class consciousness in the Russian working class. Slavic R., 82, vol. 41, n° 3, p. 436-442.

6613. TARTAKOWSKY (Danielle). Une histoire du PCF. Paris, Presses univ. France, 82, in-8, 130 p.

6614. TOMICKI (Jan). Lewica socjalistyczna w Polsce 1918-1939. (La Gauche socialiste en Pologne, 1918-1939.) Warszawa, Książka i Wiedza, 82, in-8, 611 p.

6615. TUMMINELLI (Roberto). Etienne Cabet. Critica della società e alternativa di Icaria. Presentazione di Arturo Colombo DOTT. Milano, Giuffrè, 81, in-8, XIII-264 p.

6616. TYCH (Feliks). Druga Międzynarodówka 1889-1914) wobec kwestii narodowej. (La Deuxième Internationale - 1889-1914 - face à la question nationale.) Kwart. hist., 82, a. 89, n° 2-3, p. 251-270.

6617. TYCH (Feliks). Socjalistyczna irredenta. Szkice z dziejów polskiego ruchu robotniczego pod zaborami. (L'irrédentisme socialiste. Essais sur l'histoire du mouvement ouvrier polonais sous l'occupation). Kraków, Wydawn. Liter., 82, in-8, 396 p.

6618. TYMIENIECKA (Aleksandra). Warszawska organizacja PPS 1918-1939. (L'organisation du Parti Socialiste Polonais de Varsovie, 1918-1939.) Warszawa, Państw. Wydawn. Nauk., 82, in-8, 261 p.

6619. Utopie et socialisme au Portugal au XIX siècle. Actes du Colloque Paris, 10-13 janv. 1979. Paris, Fondation Calouste Gulbenkian, Centre Culturel Portugais, 82, in-8, VI-625 p.

6620. V. I. Lenin i piterskie rabočie, 1893-1924. (V. I. Lenin and the Petrograd workers, 1893-1924.) Nauč. red.: T. P. BONDAREVSKAJA, Z. S. MIRONČENKOVA. Leningrad, Lenizdat, 82, 351 p. (ill.). (In-t istorii partii Leningr. obkoma KPSS - fil. In-ta marksizma-leninizma pri CK KPSS)

6621. VADÁSZ (Sándor). A francia anarchoszindikalizmus ideológiája. (L'idéologie de l'anarcho-syndicalisme français.) Párttört. Közl., 82, vol. 28, n° 1, p. 59-89.

6622. VANDALKOVSKAJA (M. G.). Istorija izučenija russkogo revoljucionnogo dviženija serediny XIX veka. 1890-1917 gg. (History of the study of the revolutionary movement in the middle of the 19th century, 1890-1917.) Moskva, Nauka, 82, 208 p. (AN SSSR. In-t istorii SSSR)

6622a. VIARD (Pierre). Pierre Leroux et les romantismes. Romantisme, 82, a. 12, p. 27-50. - IDEM. Pierre Leroux, Proudhon, Marx et Jaurès. R. Hist. mod., 82, t. 29, p. 305-323.

6623. VIRÁGH (Ferenc). Slowaken in der agrarsozialistischen Bewegung im Komitat Békés [Ungarn]. In: Gedenkschrift E. Arató [Cf. n° 497], p. 147-165.

6624. VOLOBUEV (O. V.), MURAV'EV (V. A.). Leninskaja koncepcija revoljucii 1905-1907 godov v Rossii i sovetskaja istoriografija. (Lenin's conception of the revolution of 1905-1907 in Russia and Soviet historiography.) Moskva, Mysl', 82, 240 p.

6625. WALDENBERG (Marek). Włoski rewolucyjny syndykalizm. (Le syndicalisme révolutionnaire en Italie [1901-1907].) Z Pola Walki, 81 [82], a. 24, n° 3-4, p. 93-118.

6626. WEIEN (Manfred). Bürgerlicher Parlamentarismus und Arbeiterbewegung. Zur Entwicklung d. Parlaments- u. Wahlkampftaktik d. internationalen Arbeiterbewegung v. d. Herausbildung d. II. Internationale bis zu ihrem Züricher Kongreß. Jb. f. Gesch., 82, Bd 25, p. 139-179.

6627. WIC (Władysław). Stanowisko polskiego ruchu robotniczego w kwestii narodowej w okresie zaborów. (La question nationale dans le mouvement ouvrier polonais jusqu'à 1918.) Z Pola Walki, 81 [82], a. 24, n° 2, p. 23-45.

6628. WIGHAM (Eric). Strikes and the Government, 1893-1981. London, Macmillan, 82, in-8, 256 p.

6629. WIRTH (Franz). Johann Jakob Treichler und die soziale Bewegung im Kanton Zürich 1845/1846. Basel, Helbing & Lichtenhahn, 81, in-8, XIV-292 p. (Basler Beitr. z. Geschichtswiss., 144)

6630. WITTIG (Peter). Der englische Weg zum Sozialismus. Die Fabier u. ihre Bedeutung für d. Labour Party u. die engl. Politik. Berlin, Duncker u. Humblot, 82, in-8, 378 p. (Beiträge z. polit. Wissenschaft)

6631. WITTMANN (Erich). Zwischen Faschismus und Krieg. Die Sozialist. Jugendinternationale 1932-1937. Mit einem Vorwort v. Raimund LÖW. Wien, Europaverl., 82, in-8, XII-207 p.

6632. WÜST (Wolfgang). Die soziale Frage in der Fabrikarbeiterschaft und die betrieblich patriarchalischen Lösungsmodelle in Augsburg zur Zeit der Industrialisierung. Z. f. bayer. Landesgesch., 82, Bd 45, p. 67-86.

6633. ZERKER (Sally F.). The rise and fall of the Toronto Typographical Union 1832-1972: a case study of foreign domination. Toronto, Univ. Press, 82, in-8, 397 p. - CR: D. Frank, Canad. hist. R., 82, vol. 63, p. 547-548. B. D. Palmer, Ontario Hist., 82, vol. 74, p. 118-121.

6634. ZIEGER (Robert H.). The union comes to Covington: Virginia paperworkers organize, 1933-1952. Proc. am. philos. Soc., 82, vol; 126, n° 2, p. 51-89.

6635. ZIELIŃSKI (Władysław). Polska Partia Socjalistyczna zaboru pruskiego 1890/1893-1914. (Le Parti Socialiste Polonais sur les terres annexées par la Prusse, 1890/1893-1914.) Katowice, Śląski Inst. Nauk., 82, in-8, 425 p.

6636. ZOLLITSCH (Wolfgang). Einzelgewerkschaften und Arbeitsbeschaffung: Zum Handlungsspielraum der Arbeiterbewegung in der Spätphase der Weimarer Republik. Gesch. u. Ges., 82, Jg. 8, p. 87-115.

Cf. n°s 3330, 3395, 3420, 3726, 3809, 4244, 4897, 4952, 4959, 6115.

O

HISTOIRE DU DROIT ET HISTOIRE CONSTITUTIONNELLE DE L'EPOQUE MODERNE

§ 1. Histoire générale du droit. 6637-6658. - § 2. Histoire du droit constitutionnel. 6659-6679. - § 3. Droit publique et institutions. 6680-6718. - § 4. Droit civil et droit pénal. 6719-6744. - § 5. Droit international. 6745-6749.

§ 1. Histoire générale du droit.

** 6637. LILLA (Vincenzo). Scritti di filosofia, storia e diritto. A cura di Gabriella SAVA. 2, 1. Milano, Giuffrè, 82, in-8, VIII-293 p. (Giuristi e Pol. pugliesi dell'Ottocento, 3)

6638. Aspekte europäischer Rechtsgeschichte. Festgabe für Helmut Coing zum 70. Geburtstag. Frankfurt (Main), Klostermann, 82, in-8, VIII-474 p. (graph. Darst.). (Ius commune: Sonderh., Texte u. Monographien, 17)

6639. CAREY (J. A.). Judicial reform in France before the Revolution of 1789. Cambridge, Mass., Harvard U. P., 82, in-8, 162 p. (ill.).

6640. CHASE (William C.). The American law school and the rise of administrative government. Madison, Univ. of Wisconsin Press, 82, in-8, X-182 p.

6641. COING (Helmut). Gesammelte Aufsätze zu Rechtsgeschichte, Rechtsphilosophie und Zivilrecht, 1947-1975. Hrsg. v. Dieter SIMON. Bd 1, 2. Frankfurt (Main), Klostermann, 82, 2 vol. in-8, IX-316, VI-327 p.

6642. Europäisches Rechtsdenken in Geschichte und Gegenwart. Festschrift für Helmut Coing zum 70. Geburtstag. Hrsg. v. Norbert HORN in Verb. mit Klaus LUIG u. Alfred SÖLLNER. Bd 1, 2. München, Beck, 82, 2 vol. in-8, XXI-717, XIII-634 p.

6643. Findbuch zu den Reichskammergerichtsakten, 1524-1806. Bearb. v. Albrecht ECKHARDT. Göttingen, Vandenhoeck u. Ruprecht, 81, in-8, XIX-418 p. (Veröff. d. Niedersächs. Archivverwaltung. Inventare u. kleinere Schr. d. Staatsarch. in Oldenburg, 15) (Inventar d. Akten d. Reichskammergerichts, 5)

6644. GEORGESCU (Valentin Al.), SACHELARIE (Ovid). Judecata domnească în Ţara Românească şi Moldova (1611-1831). Partea a IIa: Procedura de judecată. (La justice princière en Valachie et Moldavie. [1e partie, vol. 2. Cf. Bibl. 81, n° 5970.] 2e partie: La procédure judiciaire.) Bucureşti, Ed. Acad., 82, in-8, 243 p.

6645. HAY (Margaret Jean), WRIGHT (Marcia) a. others. African women and the law: historical perspectives. Boston, African Stud. Center of Boston Univ., 82, in-8, XIV-173 p.

6646. JEMOLO (Arturo Carlo). Tra diritto e storia. 1960-1980. Milano, Giuffrè, 82, in-8, XII-560 p. (Pubbl. della Fac. di Giurispr. dell'Univ. di Roma, 50)

6647. KERN (B.-R.). Georg Beseler, Leben und Werk. Berlin, Duncker u. Humblot, 82, in-8, X-559 p. (Schr. z. Rechtsgesch.)

6648. LAURENT (Pierre). Pufendorf et la Loi naturelle. Paris, Vrin, 82, in-8, 264 p. (Biblioth. d'hist. de la philos.)

6649. MOSSIG (Christian). Findbuch zum Bestand Preußische Regierung in Ostfriesland, 1744-1806 (bis 1815). T. 1: Verwaltung u. Justiz mit Ausnahme der Zivilprozesse. T. 2: Zivilprozesse. T. 3: Indices. Göttingen, Vandenhoeck u. Ruprecht, 81, 3 vol. in-8, XIX-174, 196, 90 p. (Veröff. d. Niedersächs. Archivverwaltung. Inventare u. kleinere Schr. d. Staatsarch. in Aurich, 2-4)

6650. PARRISH (Michael E.). Felix Frankfurter and his times: the reform years. New York, Free Press, 82, in-8, VI-330 p.

6651. PUNTER (David). Fictional representation of the law in the eighteenth century. Eighteenth-Cent. Stud., 82, vol. 16, n° 1, p. 47-74.

6652. RAGETH (Sigis). Die Rechtsgeschichte der Herrschaft Rhäzüns von der Übernahme durch Österreich 1497 bis zur kantonalen Verfassung von 1854. Zürich, 81, in-8, XIX-185 p. (Thèse droit)

6653. RIDDERIKHOFF (Cornelia M.). Jean-Pyrrhus d'Angleberme. Rechtswetenschap en humanism aan de universiteit van Orléans in het begin van de XVIe eeuw. (Droit et humanisme à l'université d'Orléans au début du XVIe s.) Leiden, Universitaire Pers, 81, in-8, 428 p.

6654. ROVITO (Pier Luigi). Respublica dei togati. Giuristi e società nella Napoli del Seicento. 1: Le garanzie giuridiche. Napoli, Jovene, 82, in-8, XX-486 p. (Stor. e Dir., 8)

6655. RUSSELL (Enid). History of the law in Western Australia and its development from 1829 to 1979. Perth, Univ. West. Austral. Press; Cambridge, P. Moore, 82, in-8, XXII-413 p.

6656. RUSSOCKI (Stanislaw). Kultura polityczna i prawna (Refleksje historyka ustroju). (La culture politique et juridique. Réflexions d'un historien des régimes politiques.) Hystoryka, 81 [82], vol. 11, p. 17-33.

6657. SCHULZE (Reiner). Policey und Gesetzgebungslehre im 18. Jahrhundert. Berlin, Duncker u. Humblot, 82, in-8, 242 p. (Schr. z. Rechtsgesch., 25)

6658. SUMMERS (Robert Samuel). Instrumentalism and American legal theory. Ithaca, N. Y., Cornell U. P., 82, in-8, 295 p.

Cf. n° 4800.

§ 2. Histoire du droit constitutionnel.

** 6659. Constitutional documents of Sweden: the instrument of government, the Riksdag act, the act of succession, the freedom of the press act. With an introd. by Erik HOLMBERG a. Nils STJERNQVIST. Stockholm, The Swedish Riksdag, 81, in-8, 164 p.

6660. AJNENKIEL (Andrzej). Polskie konstytucje. (Les constitutions polonaises.) Warszawa, Wiedza Powsz., 82, in-8, 382 p. (Omega. Bibl. Wiedzy Powsz., 370)

6661. ARMINJON (Henri). Chronique des dernières années du Souverain Sénat de Savoie, 1814-1848. Annecy, Gardet, 82, in-8, 219 p. (ill.).

6662. BAIER (Dietmar). Sprache und Recht im alten Österreich. Artikel 19 des Staatsgrundgesetzes v. 21. Dez. 1867, seine Stellung im System d. Grundrechte u. seine Ausgestaltung durch d. oberstgerichtl. Rechtsprechung. München u. Wien, Oldenbourg, 83, in-8, 247 p. (Veröff. d. Collegium Carolinum, 45)

6663. CAPITANT (René). Ecrits constitutionnel. Préf. de Marcel WALINE. Choix de textes, bibliographie et index établis par Jean-Pierre MORELOU. Paris, Ed. du C. N. R. S., 82, in-8, 486 p.

6664. GRUPP (Peter), JARDIN (Pierre). Das Auswärtige Amt und die Entstehung der Weimarer Verfassung. Francia [München], 81 [82], Bd 9, p. 473-493.

6665. HYMAN (Harold M.), WIECEK (William M.). Equal justice under law: constitutional development, 1835-1875. New York, Harper a. Row, 82, in-8, XV-571 p.

6666. IRONS (Peter H.). The New Deal lawyers. Princeton, N. J., Princeton U. P., 82, in-8, XIV-351 p.

6667. JENSON (Carol E.). The network of control: state supreme courts and state security statutes, 1920-1970. Westport, Conn., Greenwood Press, 82, in-8, XIV-205 p. (Contrib. in Legal Stud., 22)

6668. KERR (James E.). The insular cases: the role of the judiciary in American expansionism. Port Washington, N. Y., Kennikat Press, 82, in-8, VII-131 p.

6669. KEYNES (Edward). Undeclared war: twilight zone of constitutional power. University Park, Pennsylvania State U. P., 82, in-8, IX-236 p.

6670. KONGSRUD (Helge). Teorien om det opprinnelige erverike. En studie i politisk legitimering. (The theory of the original order of succession to the throne. A study in political justification.) In: Hamarspor. Oslo, Univ.forl., 82, p. 145-161.

6671. McWHINNEY (Edward). Canàda and the Constitution 1979-1982: patriation and charter of rights. Toronto, Univ. Press, 82, in-8, 227 p. - CR: W. F. Dawson, Canad. J. pol. Sci., 83, vol. 16, p. 371-372.

6672. MADDEN (Sarah Hanley). L'idéologie constitutionnelle en France: le lit de justice. A. Ec., Soc., Civ., 82, a. 37, p. 32-63.

6673. MALEC (Jerzy). Problem stosunku Polski do Litwy w dobie Sejmu Wielkiego (1788-1792). (Le rapport entre la Pologne et la Lituanie dans les années de la Grande Diète, 1788-1792.) Czas. prawnohist., 82, vol. 34, fasc. 1, p. 31-50.

6674. MERLIN (Pierpaolo). Giustizia, amministrazione e politica nel Piemonte di Emanuele Filiberto. La riorganizzazione del Senato di Torino. B. stor. bibliogr. subalpino, 82, a. 80, p. 35-94.

6675. MILLER (Arthur Selwyn). Toward increased judicial activism: the political role of the Supreme Court. Westport, Conn., Greenwood Press, 82, in-8, XII-355 p. (Contrib. in Am. Stud., 59)

6676. NWABUEZE (B. O.). The constitutional history of Nigeria. London, C. Hurst, 82, in-8, XIV-272 p.

6677. PAUKKALA (Juha). Grönlannin itsehallintoalaista ja siihen johtaneesta kehityksestä. (Über das Selbstverwaltungsgesetz Grönlands und seinen Entwicklunsprozeß.) Lakimies, 82, t. 80, p. 33-65.

6678. SHALHOPE (Robert E.). The ideological origins of the second amendment. J. am. Hist., 82, vol. 69, p. 599-614.

6679. TOWNSHEND (Charles). Martial law: legal and administrative problems of civil emergency in Britain and the Empire, 1800-1940. Hist. J., 82, vol. 25, p. 167-195.

§ 3. Droit publique et institutions.

6680. ADAMCZAK (Wojciech). Instytucja ratownictwa morskiego przed zastosowaniem w żegludze napędu parowego. (L'institution du sauvetage maritime avant l'application de la propulsion par vapeur dans la navigation.) Czas. prawno-hist., 81 [82], vol. 33, fasc. 2, p. 67-82.

6681. ALEJANDRO (Juan Antonio). La justicia popular en España [la institución del Jurado]. Madrid, Ed. de la Univ. Complutense, 81, in-8, 268 p.

6682. BRAUN (Michael). Die luxemburgische Sozialversicherung bis zum Zweiten Weltkrieg. Entwicklung, Probleme u. Bedeutung. Stuttgart, Klett-Cotta, 82, in-8, 666 p. (Beitr. z. Wirtschaftsgesch., 15)

6683. BRUNOT (A.), COQUAND (R.). Le corps des Ponts et Chaussées. Paris, Ed. du C. N. R. S., 82, in-8, 940 p. (16 pl.). (Hist. de l'administration franç.)

6684. BÜTIKOFER (Kurt). Die Initiative im Kanton Zürich 1869-1969. Entstehung, Funktion u. Wirkung. Bern, Lang, 82, in-8, X-277 p. (Europ. Hochschulschr., Reihe 3: Gesch. u. ihre Hilfswiss., 188)

6685. Celnictví v Československu. Minulost a přítomnost. (Gesch. d. Zollwesens auf d. Gebiete d. Tschechoslowakei. Vergangenheit u. Gegenwart.) [Autoren:] Slavomír BRODESSER, Vladimír HORVÁTH, Jan JANÁK, František MAINUŠ, Milena POSPÍŠILOVÁ, Jozef WATZKA. Praha, Naše vojsko, 82, in-8, 360 p. (32 fig.).

6686. CHARLE (Christophe). Naissance d'un grand corps: l'Inspection des Finances à la fin du XIXe siècle. Actes Rech. Sci. soc., 82, n° 42, p. 3-17.

6687. 400- [Czerysta-] lecie utworzenia Trybunału Koronnego w Lublinie. Materiały sesji naukowej z dnia 20 XI 1978 r. [Lublin]. (Le quatrième centenaire de la fondation du Tribunal de la Couronne à Lublin. Matériaux du Colloque scientifique du 20 nov. 1978 [Lublin].) Réd. Henryk GROSZYK. Lublin, 82, in-8, 118 p. (Uniw. M. Curie-Skłodowskiej, Inst. Hist. i Teorii Państwa i Prawa Wydz. Prawa i Administracji)

6688. DEGROS (Maurice). L'administration des consulats sous la Révolution (1789-1799). R. Hist. dipl., 82, a. 96, p. 68-111.

6689. DEMIDOVA (N. F.). Gosudarstvennyj apparat Rossii v XVII veke. (The state machinery of Russian in the 17th cent.) Ist. Zap., 82, n° 108, p. 109-154.

6690. DIGBY (Anne). The poor law in 19th-century England and Wales. London, Hist. Assoc., 82, in-8, 40 p. (ill.).

6691. Dynastische Fürstenstaat (Der). Zur Bedeutung von Sukzessionsordnungen für d. Entstehung d. frühmodernen Staates. In Zsarb. mit Helmut NEUHAUS hrsg. v. Johannes KUNISCH. Berlin, Duncker u. Humblot, 82, in-8, XV-424 p. (Hist. Forsch., 21)

6692. ESCOUBE (Pierre) Sénac de Meilhan, grand administrateur de l'Ancien Régime et juge de ses institutions. R. administrative, 82, a. 35, p. 129-142.

6693. FONTVIEILLE (Louis). Evolution et croissance de l'administration départementale française, 1815-1974. Econ. et Soc., 82, t. 16, p. 3-191.

6694. History of Parliament, 1509-1558. Ed. by Stanley Thomas BINDOFF. London, Secker a. Warburg, 82, 3 vol. in-4.

6695. KAISER (Colin). Les cours souveraines au XVIe siècle: morale et Contre-Réforme. A. Ec., Soc., Civ., 82, a. 37, p. 15-31.

6696. KAMENSKIJ (A. V.). Izučenie istorii gosudarstvennych učreždenij Moskovskoj Rusi vo vtoroj polovine XVIII v. (The study of the history of state institutions in Moskow Russia in the second half of the 18th cent. Ist. Zap., 82, n° 108, p. 259-272.

6697. KOHLER (Peter A.), ZACHER (Hans F.). The evolution of social insurance, 1801-1981. Studies of Germany, France, Great Britain, Austria and Switzerland. New York, St. Martin's Press; London, Pinter, 82, in-8, 472 p.

6698. KOZLOV (O. F.). Prikaz tajnykh gosudarstvennykh del. (The Prikaz of secret state affairs.) Vopr. Ist., 82, n° 8, p. 106-112.

6699. LARCOMBE (F. A.). The stabilization of local government in New South Wales, 1858-1906. Sydney, U. P.; London, Eurospan, 82, in-8, 352 p.

6700. LÖFFLER (Erzsébet). Eger város jogi helyzete a török kiűzésétől 1854-ig. (La situation juridique de la ville d'Eger de la fin de l'occupation par les Turcs jusqu'à 1854.) Egri Múz. évk., 80-81, vol. 18, p. 85-97.

6701. LOGETTE (Aline). La Régie générale au temps de Necker et de ses successeurs (1777-1786). R. hist. Droit franç. étr., 82, a. 60, p. 415-445.

6702. MARKLUND (Staffan). Klass, stat och socialpolitik: en jämförande studie av socialförsäkringarnas utveckling i några västliga kapitalistiska länder 1930-75. (Class, state and social policy: a comparative study in the development of social insurance in some western capitalist countries, 1930-75.) Lund, Arkiv, 82, in-8, 227 p. (diagr.).

6703. MINAEVA (N. V.). Pravitel'stvennyj konstitucionalizm i peredovoe obščestvennoe mnenie Rossii v načale XIX veka. (Government constitutionalism and Russia's progressive public opinion at the beginning of th 19th cent.) Saratov, Izd-vo Sarat. un-ta, 82, 290 p.

6704. MÖLLER (Horst). Die preußischen

Oberpräsidenten der Weimarer Republik als Verwaltungselite. Vjhefte f. Zeitgesch., 82, Jg. 30, p. 1-26.

6705. NEUHAUS (Helmut). Reichsständische Repräsentationsformen im 16. Jahrhundert. Reichstag, Reichskreistag, Reichsdeputationstag. Berlin, Duncker u. Humblot, 82, in-8, 625 p. (Schr. z. Verfassungsgesch., 33)

6706. OBENAUS (Herbert). Die Reichsstände des Königreichs Westfalen. Francia [München], 81 [82], Bd 9, p. 299-329 (Taf.).

6707. PONZO (Giovanni). Stampa, parlamenti e censo elettorale in Italia nel 1848. Stor. Pol., 82, a. 21, p. 644-702.

6708. Pouvoir municipal et communauté rurale à l'époque révolutionnaire en Côte-d'Or (1789-an IV). Par Françoise FORTUNET, Marcel FOSSIER, Nathalie KOZLOWSKI, Suzanne VIENNE. Dijon, Fac. de Droit et de Sci. pol., 81, in-8, 169 p. (ill.).

6709. RÁCZ (Lajos). A főhatalom és az államszerkezet alakulása az erdélyi fejedelemségben. (Le pouvoir suprême et la formation de la structure étatique dans la principauté de Transylvanie.) Állam- és Jogtud., 82, vol. 25, n° 1, p. 41-94.

6710. RÉAMONN (Seán). History of the Revenue Commissioners [of Ireland]. Dublin, Inst. of Public Admin., 81, in-8, XII-385 p. (ill.).

6711. SCHULTZ (Patrick). La décentralisation administrative dans le département du Nord, 1790-1793. Lille, Presses univ. Lille, 82, in-8, 155 p.

6712. SCHULZ (Hermann). Das System und die Prinzipien der Einkünfte im werdenden Staat der Neuzeit. Dargest. anhand d. kameralwiss. Literatur (1600-1835). Berlin, Duncker u. Humblot, 82, in-8, 430 p. (graph. Darst.). (Schriften z. öffentl. Recht, 42)

6713. SKRIPILEV (E. A.). Vserossijskoe učreditel'noe sobranie. (The All-Russian Constituent Assembly.) Ist.-pravovoe issled. Moskva, Nauka, 82, 216 p. (AN SSSR, In-t gosudarstva i prava)

6714. Siècle (Un) de Sécurité Sociale, 1881-1981. L'évolution en Allemagne, France, Grande-Bretagne, Autriche et Suisse. Nantes, Centre de Rech. en Hist. écon. et soc. de l'Univ., 82, in-8, 644 p.

6715. ŠMILAUEROVÁ (Eva). Správní vývoj a diplomatika písemností okresních národních výborů v letech 1945-1960. (Verwaltungsentwicklung und Diplomatie der Bezirksnationalausschüsse [in d. Tschechoslowakei] in d. Jahren 1945-1960.) Sborn. arch. Prací, 82, vol. 32, p. 43-169.

6716. SOBCZAK (Jacek). Sąd Konfederacji Generalnej (1773-1775). (Le Tribunal de la Confédération Générale 1773-1775.) Studia Mater. Dziej. Wielkop. Pomorza, 81 [82], vol. 28, fasc. 2, p. 65-72.

6717. SUEUR (Philippe). Le Conseil provincial d'Artois: une cour provinciale à la recherche de sa souveraineté, 1640-1790. [T. 1. Cf. Bibl. 78-79, n° 6864.] T. 2: L'activité du Conseil. Arras, Commission départementale des Monuments hist. du Pas-de-Calais, 82, in-4, p. 375-876. (Mém. de la Comm. départementale des Mon. hist. du Pas-de-Calais, 28)

6718. ZYRJANOV (P. N.). Social'naja struktura mestnogo upravlenija kapitalističeskoj Rossii (1861-1914 gg.). (Social structure of local government of capitalist Russia, 1861-1914.) Ist. Zap., 82, n° 107, p. 226-303.

Cf. n°s 256, 3244, 4233.

§ 4. Droit civil et droit pénal.

* Cf. n° 878.

** 6719. Calendar of assize records. Ed. by James Swanton COCKBURN. Essex indictments, James I. Surrey indictments, James I. London, H. M. Stationery Office, 81, 2 vol. in-4, VII-370, VII-407 p. [Cf. Bibl. 80, n° 6074]

** 6720. MARTEILHE (Jean). Mémoire d'un galérien du Roi-Soleil. Ed. établie, annotée et préfacée par André ZYSBERG. Paris, Mercure de France, 82, in-8, 363 p. (Le temps retrouvé, 33)

** 6721. Public Record Office, London. Calendar of patent rolls. Elizabeth I, vol. 7: 1575-1578. London, H. M. Stationery Office, 82, in-8, 806 p.

6722. ARASSE (Daniel). La guillotine ou l'inimaginable: effet d'une simple mécanique. R. Sci. humaines, 82, n° 186-187, p. 123-144.

6723. BASCH (Norma). In the eyes of the law: women, marriage, and property in nineteenth century New York. Ithaca, N. Y., Cornell U. P., 82, in-8, 255 p.

6724. FORTUNET (Françoise). Le Code rural ou l'impossible codification. A. hist. Révol. franç., 82, a. 54, n° 247, p. 95-112.

6725. FULLER (William C.) Jr. Civilians in Russian military courts, 1881-1904. Russian R., 82, vol. 41, n° 3, p. 288-305.

6726. FUMASOLI (Georg). Ursprünge und Anfänge der Schellenwerke. Ein Beitr. z. Frühgesch. d. Zuchthauswesens. Zürich, Schulthess, 81, in-8, XXV-201 p. (Zürcher Stud. z. Rechtsgesch., 5)

6727. GUY (J. A.). The origins of the Petition of Right reconsidered. Hist. J., 82, vol. 25, p. 289-312.

6728. GUZMÁN (Alejandro). Andrés Bello, codificador [del derecho civil de Chile]. Vol. 1, 2. Santiago de Chile, Universidad, 82, 2 vol. in-8, 469, 436 p.

6729. JUDD (Denis). Lord Reading: Rufus Isaacs, First Marquess of Reading, Lord Chief Justice and Viceroy of India, 1860-1935. London, Weidenfeld a. Nicolson, 82, in-8, 316 p.

6730. LORENZ (Sönke). Aktenversendung und Hexenprozeß. Dargest. am Beisp. d. Juristenfakultät Rostock und Greifswald (1570/82-1630). 1. Frankfurt (Main) u. Bern, Lang, 82, in-8, 634 p. (graph. Darst.). (Studia philos. et hist., 1)

6731. MARTIN (Xavier). L'insensibilité des rédacteurs du Code civil [français] à l'altruisme. R. hist. Droit franç. étr., 82, a. 60, p. 589-618.

6732. MICHELOT (Jean-Claude). La guillotine sèche: histoire des bagnes de Guyane. Paris, Fayard, 81, in-8, 358 p.

6733. MIECK (Ilja). Die Anfänge der Umweltschutzgesetzgebung in Frankreich. Francia [München], 81 [82], Bd 9, p. 331-367.

6734. NAESS (Hans Eyvind). "Intet got oc roligt ectescab at forvente". Vår første skilsmisselov, eketskapsordinansen av 1582 og dens praktiske følger. (The first separation act, the marriage ordinance of 1582 and its practical consequences.) [Norks] Hist. T., 82 vol. 61, p. 52-61.

6735. O'Brien (Patricia). The promise of punishment: prisons in nineteenth century France. Princeton, N. J., Princeton U. P., 82, in-8, XIII-330 p.

PASTORE (Alessandro). Testamenti in tempo di peste: la pratica notarile a Bologna nel 1630. Soc. e Stor., 82, a. 5, p. 263-298.

6737. PAULI (Lesław). Poenae propriae. Das Problem der Sonderstrafen in der europäischen Gesetzgebung aus den Jahren 1751-1903. Warszawa, Państw. Wydawn. Nauk., 82, in-8, 139 p. (Zesz. Nauk. Uniw. Jagiell., 604. Prace Prawn., 95)

6738. PIERRE (Michel). La terre de la grande punition: histoire des bagnes de Guyane. Paris, Ramsey, 82, in-8, 322 p.

6739. SCHNAPPER (Bernard). Le coût des procès civils au milieu du XIXe siècle. R. hist. Droit franç. étr., 81, a. 59, p. 621-633.

6740. SCIUME' (Alberto). I tentativi per la codificazione del diritto commerciale nel Regno italico, 1806-1808. Milano, Giuffrè, 82, in-8, 194 p. (Pubbl. dell'Istit. di Stor. del Dir. ital., Univ. degli Stud. di Milano, Fac. di Giurispr., 8)

6741. SHANLEY (Mary Lyndon). "One must ride behind": married women's rights and the divorce act of 1857. Victorian Stud., 82, vol. 25, n° 3, p. 355-376.

6742. SHEPARD (E. Lee). Breaking into the profession: establishing a law practice in antebellum Virginia. J. south. Hist., 82, vol. 48, n° 3, p. 393-410.

6743. Słownik biograficzny adwokatów polskich. (Dictionnaire biographique des avocats polonais [morts avant 1918].) Com. réd.: Zdzisław CZESZEJKO-SOCHACKI et autres. [G-Ł. Cf. Bibl. 81, n° 6090.] M-R. Warszawa, Wydawn. Prawnicze, 82, in-8, p. 237-372.

6744. Vom Gewerbe zum Unternehmen. Studien zum Recht d. gewerblichen Wirtschaft im 18. u. 19. Jh. Hrsg. v. Karl Otto SCHERNER u. Dietmar WILLOWEIT unter Mitarb. v. Günther BERNERT [u. a.]. Darmstadt, Wiss. Buchges., 82, in-8, IX-304 p.

Cf. n°s 3727, 4954, 5189, 6283, 6284, 6413.

§ 5. Droit international.

* 6745. Bibliografie Nederlandse rechtsgeschiedenis: keuze uit het kaartsysteem van het Nederlands Centrum voor Rechtshistorische Documentatie. Dl. IX: Internationaal recht: literatuurgegevens en trefwoorden. Dl. X: Internationaal recht: registers. (Bibliographie de l'histoire du droit néerlandais: selection du Centre néerlandais de documentation pour l'histoire du droit. T. 9: Droit international: références bibliographiques et mots-clé. T. 10: Index.) Amsterdam, N. C. R. D., 82, 2 vol. in-8, 169, 62 p.

6746. CÂNDEA (Virgil). L'Etat ottoman et le "monde de l'alliance". Remarques sur le statut international des principautés danubiennes du XVe au XIX siècle. In: L'historien et les relations internat. [Cf. n° 508], p. 237-249.

6747. HAHN (Hans Henning). Der polnische Novemberaufstand von 1830 angesichts des zeitgenössischen Völkerrechts. Hist. Z., 82, Bd 235, p. 85-119.

6748. JONSSON (Hannes). Friends in conflict: the Anglo-Icelandic cod wars [1952-1976] and the law of the sea. Hamden, Conn., Archon, 82, in-8, XI-240 p.

6749. SCHWENGLER (Walter). Völkerrecht, Versailler Vertrag und Auslieferungsfrage. Die Strafverfolgung wegen Kriegsverbrechen als Problem d. Friedensschlusses 1919/20. Stuttgart, Deutsche Verl.-Anst., 82, in-8, 402 p. (Beiträge z. Militär- u. Kriegsgesch., 24)

Cf. n° 4196.

P

HISTOIRE DES RELATIONS ENTRE LES ETATS MODERNES

§ 1. Généralités. 6750-6804. - § 2. Histoire de la colonisation (a. Généralités; b. Asie; c. Afrique; d. Amérique; e. Océanie). 6805-7006. - § 3. De 1500 à 1789 (a. Généralités; b. 1500-1648; c. 1648-1789). 7007-7053. - § 4. De 1789 à 1815. 7054-7082. - § 5. De 1815 à 1910. 7083-7148. - § 6. De 1910 à 1935. La Première Guerre mondiale. 7149-7250. - § 7. De 1935 à 1045. La Deuxième Guerre mondiale. 7251-7435. - § 8. Depuis 1945. 7436-7537.

§ 1. Généralités.

** 6750. Dokumenty i materiały do historii stosunków polsko-bułgarskich. (Documents et matériaux pour l'histoire des relations polono-bulgares.) Réd. par Wiesław BALCERAK, Angeł NAKOW et autres. T. 1: 1918-1944. Ed. par W. BALCERAK, Todor DOBRIJANOW. Wrocław, Zakł. Narod. im. Ossolińskich, 82, in-8, XVI-746 p.

** 6751. GROMYKO (Andrei Andreevich), PONOMAREV (Boris N.). Soviet foreign policy. Vol. 1: 1917-1945. Tr. from the Russ. by D. SKRIRSKY. London, Central Books, 82, in-8, 501 p.

** 6752. Vnešnjaja politika Sovetskogo Sojuza i meždunarodnye otnošenija. 1981 god. (Foreign policy of the Soviet Union and international relations, 1981.) Sbornik dokumentov. Sost. I. A. KIRILIN, N. F. POTAPOVA. Moskva, Meždunar. otnošenija, 82, 240 p.

6753. Anglo-Japanese alienation, 1919-1952: papers of the Anglo-Japanese Conference on the history of the Second world war. Ed. by Ian H. NISH. London, Cambridge U. P., 82, in-8, X-305 p.

6754. APPADORAI (Arjun). The domestic roots of India's foreign policy, 1847-1972. Delhi, Oxford U. P., 82, in-8, 254 p.

6755. ASHTON (Stephen Richard). British policy towards the Indian States, 1905-1939. London, Curzon Press, 82, in-8, 244 p. (maps).

6756. Aspects des rapports entre la France et la Suisse de 1843 à 1939. Actes du Colloque de Neuchâtel. Sous la dir. de Raymond POIDEVIN et Louis-Edouard ROULET. Neuchâtel, La Baconnière, 82, in-8, 215 p. (Le passé présent)

6757. BAYLIS (John). Anglo-American defence relations, 1939-1980, the special relationship. London, Macmillan, 82, in-8, 200 p.

6758. CIOCÎLTAN (Virgil). Competiția pentru controlul Dunării inferioare (1412-1920). (La compétition pour le contrôle du Bas Danube.) R. Ist., 82, t. 35, p. 1090-1100, 1191-1203. [Rés. franç.]

6759. Dokumenty oprovergajut. Protiv fal'sifikacii istorii russko-kitajskikh otnošenij. (Documents refute. Against the falsification of the history of Russian-Chinese relations.) Sbornik statej. Otv. red. S. L. TIKHVINSKIJ. Moskva, Mysl', 82, 511 p.

6760. FOX (John P.). Germany and the Far Eastern crisis, 1931-1938: a study in diplomacy and ideology. London a. New York, Oxford U. P., 82, in-8, IX-445 p.

6761. GALANDAUER (Jan), HONZÍK (Miroslav). Osud trůnu habsburského. (Das Schicksal des Habsburgerthrons.) Praha, Panorama, 82, in-8, 272 p. (32 fig.).

6762. GLINKIN (A. N.), MARTYNOV B. F.), JAKOVLEV (P. P.). Èvolucija latinoamerikanskoj politiki SŠA. (Evolution of US policy towards Latin America.) Moskva, Nauka, 82, 256 p. (AN SSSR, In-t Lat. Ameriki)

6763. GOROŠKO (G. B.). Iz istorii ustanovlenija sovetsko-indijskikh diplomatičeskikh otnošenij. (From the history of Soviet-Indian diplomatic relations.) Nar. Azii Afr., 82, n° 3, p. 31-40.

6764. GRAS (Solange), GRAS (Christian). La révolte des régions d'Europe occidentale de 1916 à nos jours. Paris, Presses univ. France, 82, in-8, 264 p.

6765. GROMYKO (A. A.). Vnešnaja ekspansija kapitala: istorija i sovremennost'. (Foreign expansion of capital: past and present.) Moskva, Mysl', 82, 494 p.

6766. HOLCOMB (Michael). Sir John Simon's war with Henry L. Stimson: a footnote to Anglo-American relations in the 1930's. In: Essays in twentieth-century American diplomatic history [Cf. n° 529], p. 90-110.

6767. Italia e Algeria. Aspetti storici di un'amicizia mediterranea. A cura di Romain

H. RAINERO. Milano, Marzorati, 82, in-8, 598 p. (Clio)

6768. JÁSZAY (Magda). Párhuzamok és kereszteződések. A magyar-olasz kapcsolatok történetéből. (Parallèles et croisées. De l'histoire des relations hungaro-italiennes.) Budapest, Gondolat, 82, in-8, 429 p. (72 pl.).

6769. JOSEPH (G. M.). Revolution from without: Yucatan, Mexico, and the United States, 1880-1924. London a. New York, Cambridge U. P., 82, in-8, XVIII-407 p. (Cambridge Latin Am. Stud., 42)

6770. KAPLAN (Lawrence S.). Western Europe in "the American century": a retrospective view. Dipl. Hist., 82, vol. 6, n° 2, p. 111-124.

6771. KOMISSAROV (B. H.). Stanovlenije russko-brazil'skikh otnošenij. (The formation of Russo-Brazilian relations.) Nov. novejš. Ist., 82, n° 1, p. 39-55.

6772. KRUPJANKO (M. I.). Sovetsko-japonskie ekonomičeskie otnošenija. (Soviet-Japanese economic relations.) Moskva, Nauka, 82, 253 p. (AN SSSR. In-t vostokovedenija)

6773. LEBEDEV (N. I.). SSSR v mirovoj politike, 1917-1982. (The USSR in world policy, 1917-1982.) 2-e izd., dop. i ispr. Moskva, Meždunar. otnošenija, 82, 366 p.

6774. MARTIN (Lawrence). The presidents and the prime ministers: Washington and Ottawa face to face: the myth of bilateral bliss, 1867-1982. Toronto, Doubleday, 82, in-8, 300 p. - CR: R. Bothwell, Canad. hist. R., 83, vol. 64, p. 227-228.

6775. MILIN (Miodrag). Interferenţe politice româno-sîrbe la confluenţa dintre tradiţie şi modernitate 1790-1848). (Interférences politiques roumaines-serbes au point de jonction entre la tradition et la modernité.) R. Ist., 82, t. 35, p. 1288-1312. [Rés. franç.]

6776. NINKOVICH (Frank). Ideology, the open door, and foreign policy. Dipl. Hist., 82, vol. 6, n° 2, p. 185-208.

6777. Opinion publique et politique extérieure. Colloque organisé par l'Ecole franç. de Rome et le Centro per gli studi di politica estera e opinione pubblica de l'Université de Milan, Rome, 13-16 février 1981. T. 1: 1870-1915. Milano, Università; Roma, Ecole franç. de Rome, 81, in-8, 691 p. (Colle. de l'Ecole franç. de Rome, 54)

6778. PADFIELD (Peter). The tide of empires: decisive naval campaigns in the rise of the West. Vol. 1: 1481-1654. Vol. 2: 1654-1763. London, Routledge, 79-82, 2 vol. in-8, 266, 280 p. (ill., dr., maps).

6779. Państwa bałkańskie w polityce imperializmu niemieckiego w latach 1871-1945. Referaty i komunikaty wygłoszone w czasie sympozjum zorganizowanego przez Zakład Historii Powszechnej Nowożytnej i Najnowszej Instytutu Historii Uniwersytetu im. Adama Mickiewicza w Poznaniu w dniach 24-25 listopada 1980 r. (Les Etats balkaniques dans la politique de l'impérialisme allemand dans les années 1871-1945. Conférences et communiqués du Colloque organisé par l'Inst. d'Hist. Universelle Moderne et Contemporaine de la Fac. d'hist. de l'Univ. Adam Mickiewicz à Poznań les 24 et 25 nov. 1980.) Réd. par Antoni CZUBIŃSKI. Poznań, Wydawn. Nauk, Uniw. im. A. Mickiewicz, 82, in-8, 373 p. (Historia, 107)

6780. PAPACHRISTOU (Judith). Soviet-American relations and the East Asian imbroglio, 1933-1941. In: Essays in twentieth-century American diplomatic history [Cf. n° 529], p. 111-136.

6781. PÉREZ (Louis A.) Jr. Intervention, hegemony, and dependency: the United States in the circum-Carribean, 1898-1980. Pacific hist. R., 82, vol. 51, n° 2, p. 165-194.

6782. Polen und die polnische Frage in der Geschichte der Hohenzollernmonarchie, 1701-1871. Referate e. Deutsch-Polnischen Historiker-Tagung vom 7.-10. Nov. 1979 in Berlin-Nikolassee. Hrsg. v. Klaus ZERNACK. Mit Beitr. v. Klaus ZERNACK [u. a.] Mit e. Geleitw. v. Otto BÜSCH. Berlin, Colloquium-Verl., 82, in-8, VIII-176 p. (graph. Darst.). (Einzelveröff. d. Hist. Komm. zu Berlin, 33)

6783. RABE (Stephen G.). The road to OPEC: United States relations with Venezuela, 1919-1976. Austin, Univ. of Texas Press, 82, in-8, IX-262 p.

6784. RHODES (Benjamin D.). Sir Ronald Lindsay and the British view from Washington, 1930-1939. In: Essays in twentieth-century American diplomatic history [Cf. n° 529], p. 62-89.

6785. ROBBE (Martin). Scheideweg in Nahost. Der Nahostkonflikt in Vergangenheit u. Gegewart. Berlin, Militärverl. d. DDR, 82, in-8, 552 p. (Abb.).

6786. ROSENBERG (Emily S.). Spreading the American dream: American economic and cultural expansion, 1890-1945. New York, Hill a. Wang, 82, in-8, XI-258 p. (Am. Century Ser.)

6787. SCHULZ (Gerhard). Deutschland und Polen vom Ersten zum Zweiten Weltkrieg. Gesch. in Wiss. u. Unterr., 82, Jg. 33, p. 154-172.

6788. SMALL (Melvin), SINGER (J. David). The resort to arms: international and civil wars, 1816-1980. London, Sage, 82, in-8, 372 p.

6789. Sowjetische Friedenspolitik in Europa 1917 bis Ende der siebziger Jahre. Wiss. Red.: V. SIPOLS. Unter Mitarb. v. R. CZOLLEK. Berlin, Akad.-Verl., 82, in-8, 400 p.

6790. STEWART (Gordon T.). "A special contiguous country economic regime": an overview of America's Canadian policy. Dipl. Hist., 82, vol. 6, n° 4, p. 339-358.

6791. TANTY (Mieczysław). Bosfor i Dardanele w polityce mocarstw. (Le Bosphore et les Dardanelles dans la politique des grandes puissances.) Warszawa, Państw. Wydawn. Nauk., 82, in-8, 390 p.

6792. TENNYSON (Brian Douglas). Canadian relations with South Africa: a diplomatic history. Washington, D. C., U. P. of America, 82, in-8, XVI-238 p.

6793. TEPLINSKIJ (L. B.). SSSR i Afganistan, 1919-1981. (USSR and Afghanistan, 1919-1981.) Moskva, Nauka, 82, 294 p. (SSSR i strany Vostoka. AN SSSR. In-t vostokovedenija)

6794. TUMANOVIČ (N. N.). Evropejskie deržavy v Persidskom zalive v 16-19 vv. (European powers in the Persian Gulf, 16th-19th cent.) Moskva, Nauka, 82, 190 p. (AN SSSR. In-t vostokovedenija)

6795. URNOV (A. Ju.). Politika JuAR v Afrike. (The policy of the Republic of South Africa in Africa.) Moskva, Nauka, 82, 276 p.

6796. VAN EVEREN (Brooks). Franklin D. Roosevelt and the problem of nazi Germany. In: Essays in twentieth-century American diplomatic history [Cf. n° 529], p. 137-158.

6797. VANIN (A.). Sovetsko-ital'janskie otnošenija. Problemy, tendencii, perspectivy. (Soviet-Italian relations.) Moskva, Meždunar. otnošenija, 82, 182 p.

6798. Vnešnjaja politika stran Latinskoj Ameriki. (Foreign policy of Latin American countries.) Otv. red. A. N. GLINKIN, A. I. SIZONENKO. Moskva, Meždunar. otnošenija, 82, 302 p. (Vneš. politika razvivajuščikhsja stran. In-t Lat. Ameriki AN SSSR. Pol'skij in-t meždunar. vopr. In-t meždunar. otnošenij GDR. In-t vostokovedenija ČSSR)

6799. Westmächte (Die) und das Dritte Reich 1933-1939. Klassische Großmachtpolitik oder Kampf zw. Demokratie u. Diktatur? Hrsg. v. Karl ROHE. Paderborn, Schöningh, 82, in-8, 230 p.

6800. WITTNER (Lawrence S.). American intervention in Greece, 1943-1949. New York, Columbia U. P., 82, in-8, XII-445 p.

6801. WOODRUFF (William). The struggle for world power, 1500-1980. London, Macmillan, 82, in-8, 388 p.

6802. ZAHARIA (Gheorghe) BOTORAN (Constantin). Politica de apărare națională a României în contextul european interbelic 1919-1939. (La politique de défense nationale de la Roumanie dans le contexte européen de l'entre-deux-guerres.) București, Ed. militară, 81, in-8, 466 p.

6803. ZAPANTIS (Andrew L.). Greek-Soviet relations, 1917-1941. Boulder, Colo., East European Monographs, 82, in-8, X-635 p. (East European Monographs, 111)

6804. ZAUGG (Rolf). Die Schweiz im Kampf gegen den Anschluß Österreichs an das Deutsche Reich, 1918-1938. Bern u. Frankfurt (Main), Lang, 82, in-8, 425 p. (Europ. Hochschulschr., Reihe 3: Gesch. u. ihre Hilfswiss., 163)

§ 2. Histoire de la colonisation.

a. Généralités.

6805. BAUMGART (Winifried). Imperialism, the idea and reality of British and French colonial expansion, 1880-1914. London, Oxford U. P., 82, in-8, 256 p.

6806. BOUVIER (Jean), GIRAULT (René), THOBIE (Jacques). L'impérialisme à la française: la France impériale, 1880-1914. Paris, Mégrelis, 82, in-8, 326 p. (graph.).

6807. BURROUGHS (Peter). The Ordnance Department and colonial defence, 1821-1855. J. imp. commonw. Hist., 82, vol. 10, p. 125-149.

6808. CZAPLIŃSKI (Marek). Z dziejów niemieckiej propagandy kolonialnej i morskiej na Śląsku przed I wojną światową. (De l'histoire de la propagande coloniale et maritime allemande en Silésie avant la Première guerre mondiale.) Slaski Kwart. hist. Sobótka, 81 [82], a. 36, n° 4, p. 523-544.

6809. EHTERINGTON (Norman). Reconsidering theories of imperialism. Hist. a. Theory, 82, vol. 21, n° 1, p. 1-36.

6810. FIELDHOUSE (D. K.). Colonial empires, a comparative survey from the 18th century. London, Macmillan, 82, in-8, 488 p.

6811. GRÜNDER (Horst). Christliche Mission und deutscher Imperialismus. Eine polit. Gesch. ihrer Beziehungen während d. deutsch. Kolonialzeit (1884-1914) unter bes. Berücks. Afrikas u. Chinas. Paderborn, Schöningh, 82, in-8, 444 p.

6812. Imperialismus und Kolonialmission. Kaiserliches Deutschland u. koloniales Imperium. Klaus J. BADE (Hrsg.). Mit Beitr. v. Klaus J. BADE [u. a.]. Wiesbaden, Steiner, 82, in-8, XIII-333 p. (Beitr. z. Kolonial- u. Überseegesch., 22)

6813. JUDD (Denis), SLINN (Peter). The evolution of the modern Commonwealth, 1902-1980. London, Macmillan, 82, in-8, 192 p.

6814. KESNER (Richard M.). Economic control and colonial development: Crown Colony financial management in the age of Joseph Chamberlain. Oxford, Clio, 82, in-8, 320 p.

6815. KIERNAN (Victor Gordon). From conquest to collapse: European empires from 1815 to 1960. Leicester, U. P.; New York, Pantheon, 82, in-8, 285 p.

6816. LOTH (Heinrich). Das portugiesische Kolonialreich. Aufstieg u. Fall. Berlin, Deutsch. Verl. d. Wiss., 82, in-8, 241 p. (Abb., Kt.).

6817. MANSERGH (Nicholas). Commonwealth experience. 2nd rev. ed. Vol. 1: Durham Report to the Anglo-Irish treaty. Vol. 2: From British to multiracial Commonwealth. London, Macmillan, 82, 2 vol. in-8, 288, 310 p.

6818. MOCK (Wolfgang). Imperiale Herrschaft und nationales Interesse. "Constructive Imperialism" oder Freihandel in Großbritannien vor d. Ersten Weltkrieg. Stuttgart, Klett-Cotta, 82, in-8, 434 p. (Veröff. d. Deutsch. Hist. Inst. London, 13)

6819. Racism and colonialism. Essays on ideology and social structure. Ed. by Robert ROSS. The Hague, Nijhoff, 82, in-8, VI-228 p.

6820. SMITH (Tony). The pattern of imperialism: the United States, Great Britain and the late industrializing world since 1815. London, Cambridge U. P., 82, in-8, 308 p. (tab., maps).

6821. STEMBRIDGE (Stanley R.). Parliament, the press, and the colonies, 1846-1880. New York, Garland, 82, in-8, 310 p.

6822. TUPOLEV (B. M.). Kajzerovskij voenno-morskoj flot rvetsja na okeanskie prostory (Konec XIX - nač. XX v.). (The Kaiser navy's striving to plough the ocean, end of the 19th - beginning of the 20th cent.) Nov. novejš. Ist., 82, n° 3, p. 123-136; n° 4, p. 137-155.

6823. URSU (D. P.). Arkhivy kolonal'noj istorii Francii. (Archives of the colonial history of France.) Nov. novejš. Ist., 82, n° 3, p. 161-168.

b. Asie.

* Cf. n° 7563.

** 6824. Indochine (L') française. Textes rassemblés par Paul ISOART. Paris, Presses univ. France, 82, in-8, 244 p.

** 6825. Transfert (The) of power in India, 1942-1947. Ed. by Nicholas MANSERGH. [Vol. 10. Cf. Bibl. 81, n° 6154.] Vol. 11: The Mountbatten Viceroyalty announcement and reception of the 3 June plan, May 31 - July 7, 1947. London, H. M. Stationery Office, 82, in-4, 1148 p. (ill.).

6826. BENCE-JONES (Mark). Viceroys of India. London, Constable, 82, in-8, 342 p. (ill.).

6827. BOSE (Mihir K.). Lost hero: biography of Subhas Chandra Bose. London, Quartet Books, 82, in-8, 328 p.

6828. CHARLESWORTH (N.). British rule and the Indian economy, 1800-1914. London, Macmillan, 82, in-8, 96 p. (Stud. in Econ. a. Soc. Hist.)

6829. CHATTERJEE (Partha). Bengal politics and the Muslim masses, 1920-1947. J. Commonw. compar. Pol., 82, vol. 20, p. 25-41.

6830. Général (Le) de Gaulle et l'Indochine, 1940-1946. Actes du Colloque tenu par l'Institut Charles-de-Gaulle, Paris, les 20 et 21 février 1981. Paris, Plon, 82, in-8, 270 p.

6831. HARDIMAN (David). Peasant nationalists of Gujarat: Kheda District, 1917-1934. Delhi, Oxford U. P., 82, in-8, 320 p. (maps).

6832. HUNT (David). Village culture and the Vietnamese revolution. Past a. Present, 82, n° 94, p. 130-157.

6833. Indo-Portuguese history: sources and problems. Ed. by John CORREIA-AFONSO. Bombay, Oxford U. P., 81, in-8, XII-201 p.

6834. KUMAR (Chandra), PURI (Mohinder). Mahatma Gandhi, his life and influence. London, Heinemann, 82, in-4, 128 p. (ill.).

6835. LARKIN (John A.). Philippine history reconsidered: a socioeconomic perspective. Am. hist. R., 82, vol. 87, n° 3, p. 595-628.

6836. MAHAJAN (Sneh). The defence of India and the end of isolation: a study in the foreign policy of the Conservative Government, 1900-1905. J. imp. commonw. Hist., 82, vol. 10, p. 168-193.

6837. MEHTA (Ved). Mahatma Gandhi and his apostles. Harmondsworth, Penguin, 82, in-8, 260 p.

6838. MILLER (Stuart Creighton). "Benevolent assimilation": the American conquest of the Philippines, 1899-1903. New Haven, Yale U. P., 82, in-8, XII-340 p.

6839. NANDA (B. R.). Mahatma Gandhi, a biography. Delhi, Oxford U. P., 82, in-8, 544 p.

6840. REUTER (Frank). William Howard Taft and the separation of church and state in the Philippines. J. Church a. State, 82, vol. 24, n° 1, p. 105-118.

6841. SHIRER (William L.). Gandhi, a memoir. London, Sphere, 82, in-8, 256 p. (Abacus Books)

6842. TALBOT (I. A.). Deserted collaborators: the political background to the rise and fall of the Punjab Unionist Party, 1923-1947. J. imp. commonw. Hist., 82, vol. 11, p. 73-93. - IDEM. The growth of the Muslim League in the Punjab, 1937-1946. J. Commonw. compar. Pol., 82, vol. 20, p. 5-24.

6843. THORNE (Christopher). The British cause and Indian nationalism in 1940, an officer's rejection of empire. J. imp. commonw. Hist., 82, vol. 10, p. 344-359.

Cf. n° 6755.

c. Afrique.

* 6844. PELISSIER (René). Africana. Bibliographies sur l'Afrique luso-hispanophone 1800-1980. Orgeval, Pélissier, [80?], in-8, 206 p. (Ibero-Africana)

** 6845. MESSALI HADJ (Ahmed). Les mémoires de Messali Hadj, 1898-1938. Texte établi par Renaud de ROCHEBRUNE. Paris, Lattès, 82, in-8, 318 p. (pl.).

6846. AYACHE (Germain). Les origines de la guerre du Rif. Paris, Publ. de la Sorbonne, 81, in-8, 374 p.

6847. AZEVEDO (Mario). Power and slavery in central Africa: Chad (1890-1925). J. Negro Hist., 82, vol. 67, p. 198-211.

6848. BAATZ (Wolfgang). Namibias Kampf um nationale Befreiung. Deutsche Außenpol., 82, Jg. 27, p. 57-71.

6849. BEIDELMAN (T. O.). Colonial evangelism: a socio-historical study of an East African mission at the grassroots. Bloomington, Indiana U. P., 82, in-8, XIX-274 p.

6850. BENOIST (Joseph-Roger de). L'Afrique occidentale française, de la Conférence de Brazzaville, 1944, à l'indépendance, 1960. Dakar, Nouv. Ed. africaines, 82, in-8, 617 p.

6851. BRUNSCHWIG (Henri). Noirs et Blancs dans l'Afrique noire française, ou Comment le colonisé devient colonisateur, 1870-1914. Paris, Flammarion, 82, in-8, 243 p. (ill.).

6852. BURMAN (S. B.). Chiefdom politics and alien law: Basutoland under Cape rule, 1871-1884. London, Macmillan, 82, in-8, 224 p.

6853. CAROLI (Giuliano). La Romania e il conflitto italo-etiopico (1935-1936). R. Studi pol. int., 82, a. 49, p. 243-270.

6854. CHIRENJE (J. Mutero). History of Northern Botswana, 1850-1910. London, Dent, 82, in-8, 316 p.

6855. CHRISTELOW (Allan). Intellectual history in a culture under siege: Algerian thoght in the last half of the nineteenth century. Middle Eastern Stud., 82, vol. 18, p. 387-399. - IDEM. The Muslim judge and municipal politics in colonial Algeria and Senegal. Comp. Stud. in Soc. a. Hist., 82, vol. 24, p. 3-24.

6856. CORDELL (Dennis D.), GREGORY (Joel W.). Labour reservoirs and population: French colonial strategies in Koudougou, Upper Volta, 1914 to 1939. J. afr. Hist., 82, vol. 23, p. 205-224.

6857. DEL BOCA (Angelo). Gli italiani in Africa orientale. La caduta dell'impero. Roma e Bari, Laterza, 82, in-8, X1-618 p. (fig.). (Stor. e Soc.)

6858. GANN (Lewis H.), DUIGNAN (Peter). Colonialism in Africa. [Vol. 4. Cf. Bibl. 74-75, n° 7244.] Vol. 2: The history and politics of colonialism, 1914-1960. London, Cambridge U. P., 82, in-8, 563 p. (tab., maps).

6859. HARGREAVES (John Desmond). Aberdeenshire to Africa: North East Scots and British overseas expansion. Aberdeen, Univ. Press, 82, in-8, 128 p. (ill., maps).

6860. JOHNSON (Douglas H.). Tribal boundaries and border wars: Nuer-Dinka relations in the Sobat and Zaraf Valleys, c. 1860-1976. J. afr. Hist., 82, vol. 23, p. 183-203.

6861. JOHNSON (Douglas H.). The death of Gordon, a Victorian myth. J. imp. commonw. Hist., 82, vol. 10, p. 285-310.

6862. KENNEDY (Dane). Climatic theories and culture in colonial Kenya and Rhodesia. J. imp. commonw. Hist., 82, vol. 10, p. 50-66.

6863. KILLINGRAY (David). The Empire Resources Development Committee and West Africa, 1916-1920. J. imp. commonw. Hist., 82, vol.10, p. 194-210. - IDEM. Military and labour recruitment in the Gold Coast during the Second World War. J. afr. Hist., 82, vol. 23, p. 83-96.

6864. KIMBA (Idrissa). Guerres et sociétés: les populations du Niger occidental au XIXe siècle et leurs réactions face à la colonisation, 1896-1906. Niamey, Inst. de Rech. en Sci. humaines, 81, in-8, 222 p. (ill.).

6865. KIYAGA-MULINDWA (D.). Social and demographic changes in the Birim Valley, Southern Ghana, c. 1450 - c. 1800. J. afr. Hist., 82, vol. 23, p. 63-82.

6866. KOČAKOVA (N. V.). Évoljucija tradicionnykh političeskikh struktur Nigerii v kolonial'noj period. (Evolution of Nigeria's traditional political structures in the colonial period.) Nar. Azii Afr., 82, n° 2, p. 36-46.

6867. LUKIANA (Mabondo). Les grandes puissances et le Congo, 1885-1960. Permanences et changements. Genève, 82, in-4, II-613 p. ((Thèse sci. pol.)

6868. LYNN (Martin). Consul and Kings: British policy, "the man on the spot", and the seizure of Lagos, 1851. J. imp. commonw. Hist., 82, vol. 10, p. 150-167.

6869. MAHJOUBI (Ali). Les origines du mouvement national en Tunisie, 1904-1934. Tunis, Publ. de l'Univ., 82, in-8, 698 p.

6870. MANNING (Patrick). Slavery, colonialism, and economic growth in Dahomey, 1640-1960. London a. New York, Cambridge U. P., 82, in-8, XVII-446 p. (dr., tab., maps). (African Stud. Ser., 30)

6871. MARKS (S.), RATHBONE (R.). Industrialization and social change in South Africa: African class, culture and consciousness, 1870-1930. London, Longman, 82, in-8, 400 p.

6872. MBA (Nina Emma). Nigerian women mobilized: women's political activity in

Southern Nigeria, 1900-1965. Berkeley, Calif., Inst. of intern. Stud., 82, in-8, V-344 p.

6873. M'BOKOLO (Elikia). Noirs et Blancs en Afrique équatoriale: les sociétés côtières et la pénétration française vers 1820-1974. Paris, Ecole des Hautes Etudes en Sci. Soc.; Paris, New York et La Haye, Mouton, 81, in-8, 302 p. (ill., pl.).

6874. MÉGEVAND (Beatrice). La questione della Namibia. Africa di Sud ovest. Milano, Giuffrè, 82, in-8, VIII-268 p. (Fonti e Stud. di Stor.) [Segue: Appendice docum.]

6875. METEGUE N'NAH (Nicolas). Domination coloniale au Gabon: la résistance d'un peuple, 1839-1960. 1: Les combattants de la première heure, 1839-1920. Paris, Harmattan, 81, in-8, 119 p.

6876. MEYNIER (Gilbert). L'Algérie révélée. La guerre de 1914-1918 et le premier quart du XXe siècle. Genève, Droz, 81, in-8, XXI-793 p. (Travaux de droit, d'écon., de sociol. et de sci. pol., 130)

6877. MILZA (Pierre). L'impérialisme italien à l'épreuve des difficultés internes: les années de "recueillement" 1896-1900. In: L'historien et les relations internat. [Cf. n° 508], p. 347-360.

6878. NAGY (László), J. Gazdaság és társadalom a gyarmati Algériában. (Economie et société dans l'Algérie coloniale.) Századok, 82, vol. 116, n° 2, p. 301-322.

6879. NEWBURY (Colin). Out of the pit, the capital accumulation of Cecil Rhodes. J. imp. commonw. Hist., 82, vol. 10, p. 25-49.

6880. NEWITT (M. D. D.). The early history of the Maravi. J. afr. Hist., 82, vol. 23, p. 145-162.

6881. OGOT (Bethwell A.). Kenya before 1900, eight regional studies. Nairobi, E. Afr. Publ. House; London, Third World Publ., 82, in-8, 291 p.

6882. PEARCE (R. D.). The turning point in Africa: British colonial policy, 1938-1948. London, F. Cass, 82, in-8, 223 p.

6883. PHILIP (Peter). British residents at the Cape, 1795-1918, biographical records of 4800 pioneers. Cape Town, D. Philip; London, Internat. Book Distrib., 82, in-8, 484 p.

6884. PRIOUL (Christian). Entre Oubangui et Chari vers 1890. Nanterre, Univ. de Paris X, Laboratoire d'Ethnol. et de Sociol. comp., 82, in-8, 199 p. (ill.).

6885. ROBINSON (Ronald E.). Africa and the Victorians, the official mind of imperialism. 2nd rev. ed. London, Macmillan, 82, in-8, 544 p. [1st ed. Cf. Bibl. 61, n° 6927]

6886. ROONEY (David). Sir Charles Arden-Clarke. London, Collings, 82, in-8, 222 p. (ill., maps).

6887. SCHNEIDER (William Howard). An empire for the masses: the Franch popular image of Africa, 1870-1900. Westport, Conn., Greenwood Press, 82, in-8, XXI-222 p. (Contrib. in Comp. Colonial Stud., 11)

6888. SIMMONS (Adele Smith). Modern Mauritius: the politics of decolonization. Bloomington, Indiana U. P., 82, in-8, XII-242 p.

6889. SPITTLER (Gerd). Verwaltung in einem afrikanischen Bauernstaat. Das koloniale Französisch-Westafrika 1919-1939. Wiesbaden, Steiner, 82, in-8, 208 p. (Beitr. z. Kolonial- u. Überseegesch., 21)

6890. STICHTER (S.). Migrant labour in Kenya: capitalism and African response, 1895-1975. London, Longman, 82, in-8, 224 p.

6891. STORA (Benjamin). Messali Hadj, 1898-1974. Paris, Sycomore, 82, in-8, 296 p.

6892. Studies in Southern Nigerian history. Ed. by Boniface I. OBICHERE. London, F. Cass, 82, in-8, XI-265 p.

6893. STURGIS (James). Anglicisation at the Cape of Good Hope in the early 19th century. J. imp. commonw. Hist., 82, vol. 11, p. 5-32.

6894. SVANIDZE (I. A.). Agrarnaja politika kolonizatorov v Južnoj Afrike. (The agraria policy of the South African colonialists.) Vopr. Ist., 82, n° 5, p. 77-88.

6895. Transfer of power in Africa: decolonization, 1940-1960. Ed. by Prosser GIFFORD a. William Roger LOUIS. New Haven, Conn., Yale Univ. Press, 82, in-8, XI-655 p.

6896. TURRELL (Rob). Rhodes, De Beers and monopoly. J. imp. commonw. Hist., 82, vol. 10, p. 311-343.

6897. VAN ONSELEN (Charles). Studies in the social and economic history of the Witwatersrand, 1886-1914. London, Longman, 82, 2 vol. in-8, 232, 232 p.

6898. VINCENT (Joan). Teso in transformation: the political economy of peasant and class in eastern Africa. Berkeley a. Los Angeles, Univ. of California Press, 82, in-8, VIII-307 p.

6899. WESTCOTT (N. J.). Closer union and the future of East Africa, 1939-1948, a case study in the official mind of imperialism. J. imp. commonw. Hist., 82, vol. 10, p. 67-88.

Cf. n°s 740, 4324, 7716, 7717, 7732.

d. Amérique.

* 6900. Indice de la Revista de Indias 1969-1980, números 115-162 [confeccinado por Fernando Alonso CASTELLANOS]. R. Indias [Madrid], 82, vol. 42, p. 274-307.

* 6901. NAGELKERKE (Gerard A.). Nether-

lands Antilles: a bibliography 17th century - 1980. The Hague, Smits, 82, in-8, XX-422 p.

** 6902. CRÈVECOEUR (J. Hector St. John de). Letters from an American farmer, ed. by W. B. BLAKE. London, Dent, 82, in-8, 272 p. (Everyman Publ.) - IDEM. Letters from an American farmer and Sketches of 18th-century America, Ed. by Albert Edward STONE. Harmondsworth, Penguin, 82, in-8, 496 p.

** 6903. Letters of delegates to Congress, 1774-1789. [Vol. 6, 7, 8. Cf. Bibl. 81, n° 6244.] Vol. 9: February 1 - May 31, 1778. Ed. by Paul H. SMITH a. others. Washington, D. C., Libr. of Cong., 82, in-8, XXVIII-844 p.

** 6904. Libros de asientos de la gobernación de la Nueva España: Período del virrey don Luis de Velasco, 1550-1552. Publ. por Silvio ZAVALA. México, Arch. gen. de la Nación, 82, in-8, 510 p. (ill.). [Cf. n° 6910]

** 6905. MATHES (W. Michael). El gobernador Felipe de Neve recomienda en 1777 la fundación de Los Angeles. Quinto Centenario, 82, t. 2, p. 159-173.

** 6906. Newfoundland discovered: English attempts at colonisation, 1610-1630. Ed. by Gillian T. CELL. London, Hakluyt Soc., 82, in-8, XVIII-310 p. (ill., maps).

** 6907. PENN (William). The papers of William Penn. [Vol. 1. Cf. Bibl. 81, n° 6246.] Vol. 2: 1680-1684. Ed. by Richard S. DUNN, Mary Maples DUNN a. others. Philadelphia, Univ. of Pennsylvania Press, 82, in-8, XIX-710 p.

** 6908. Proceedings and debates of the British parliaments respecting North America, 1754-1783. Vol. 1: 1754-1764. Ed. by R. C. SIMMONS, B. D. G. THOMAS. Millwood, N. Y., Kraus International, 82, in-8, XI-546 p.

** 6909. Relación y documentos de gobierno del virrey del Perú Agustín de Jauregui y Aldecoa (1780-1784). Publ. por Remedios CONTRERAS. Madrid, Inst. "Gonzalo Fernández de Oviedo", 82, in-8, 320 p. (ill.).

** 6910. Trabajo (El) indígena en los libros del gobierno del virrey Luis de Velasco, 1550-1552. Publ. por Silvio ZAVALA. México, Centro de Estudios hist. del Movimiento obrero mexicano, 82, in-8, 141 p. [Cf. n° 6904]

** 6911. WILLIAMS (Eric Eustace). Forged from the love of liberty. Selected speeches, ed. by Paul K. SUTTON. London, Longman, 82, in-8, XXIV-474 p.

** 6912. Yorktown 1781: personnalities and documents. Tocqueville R., 81, vol. 3, p. 249-348.

6913. AKERS (Charles W.). The divine politician: Samuel Cooper and the American revolution in Boston. Boston, Northeastern U. P., 82, in-8, XII-445 p.

6914. ANDREWS (K. R.). Beyond the equinoctial: England and South America in the 16th century. J. imp. commonw. Hist., 82, vol. 10, p. 4-24.

6915. ANDRIEN (Kenneth J.). The sale of fiscal offices and the decline of royal authority in the viceroyalty of Peru, 1633-1700. Hisp. am. hist. R., 82, vol. 62, n° 1, p. 49-72.

6916. ANNA (Timothy E.). Institutional and political impediments to Spain's settlement of the American rebellion. Americas, 82, vol. 38, n° 4, p. 481-496. - IDEM. Spain and the breakdown of the imperial ethos: the problem of equality. Hisp. am. hist. R., 82, vol. 62, n° 2, p. 254-272.

6917. BEAUCAGE (Pierre). Echanges, inégalités, guerre: le cas des Caraïbes insulaires (XVIIe et XVIIIe siècles). Rech. amérind. Québec, 82, vol. 12, p. 179-191.

6918. BECKER (Laura L.). Prisoners of war in the American revolution : a community perspective. Milit. Affairs, 82, vol. 46, n° 4, p. 169-174.

6919. BEGOUEN DEMEAUX (M.). Mémorial d'une famille du Havre. 1: Les fondateurs, Choses et gens du XVIIIe siècle en France et à Saint-Domingue, Jacques-François Begouën, 1743-1831. 2: Stanislas Foäche, 1737-1806, négociant de Saint-Domingue. Paris, Soc. franç. d'hist. d'Outre-Mer, 82, 2 vol. in-8, 314, 350 p.

6920. BLOCH (Michael). The Duke of Windsor's war. London, Weidenfeld a. Nicolson, 82, in-8, XVII-397 p. (ill., maps). [Edward VIII, as Governor of the Bahamas]

6921. BODINIER (Gilbert). Dictionnaire des officiers de l'armée royale [française] qui ont combattu aux Etats-Unis pendant la guerre d'indépendance. Suivi d'un suppl.: LASSERAY (André). Les Français sous les treize étoiles. Vincennes, Service hist. de l'Armée de Terre, 82, in-4, 498 p.

6922. BOGIN (Ruth). Abraham Clark and the quest for equality in the revolutionary era, 1774-1794. East Brunswick, N. J., Fairleigh Dickinson U. P., 82, in-8, 219 p.

6923. BULLION (John L.). A great and necessary measure: George Grenville and the genesis of the stamp act, 1763-1765. Columbia, Univ. of Missouri Press, 82, in-8, XIV-317 p. - IDEM. Escaping Boston: Nathaniel Ware and the beginnings of colonial taxation. Huntington Libr. Quar., 82, vol. 45, n° 1, p. 36-58.

6924. BURKHOLDER (Mark A.), CHANDLER (D. S.). Biographical dictionary of Audiencia ministers in the Americas, 1687-1821. Westport, Conn., Greenwood Press, 82, in-8, XXIII-491 p. (fig., tables).

6925. BUTEL (Paul). Les Caraïbes au

2. HISTOIRE DE LA COLONISATION

temps des flibustiers, XVIe et XVIIe siècles. Paris, Aubier-Montaigne, 82, in-8, 304 p. (Histoire)

6926. CALDERHEAD (William). Prelude to Yorktown: a critical week in a major campaign. Maryland hist. Mag., 82, vol. 77, n° 2, p. 123-135.

6927. CARMAGNANI (Marcello). Los recursos y las estrategias de los recursos en la reproducción de la sociedad india de Oaxaca [siglo XVIII]. Nova Americana, 81 [82], n° 4, p. 263-280.

6928. CESAIRE (Aimé). Toussaint Louverture: la Révolution française et le problème colonial. Paris, Présence africaine, 81, in-8, 345 p. (pl.).

6929. CHANDLER (David L.). Slave over master in colonial Colombia and Ecuador. Americas, 82, vol. 38, n° 3, p. 315-326.

6930. CLENDINNEN (Inga). Yucatec Maya women and the Spanish conquest: role and ritual in historical reconstruction. J. soc. Hist., 82, vol. 15, n° 3, p. 427-442.

6931. COOK (Noble David). Population data for Indian Peru: sixteenth and seventeenth centuries. Hisp. am. hist. R., 82, vol. 62, n° 1, p. 73-120.

6932. COSTELOE (Michael P.). Barcelona merchants and the Latin American wars of independence. Americas, 82, vol. 38, n° 4, p. 431-448.

6933. CRANE (Verner W.). The Southern frontier, 1670-1732. London, W. W. Norton, 82, in-8, 392 p.

6934. CRATON (Michael). Testing the chains: resistance to slavery in the British West Indies. Ithaca, N. Y., Cornell U. P., 82, in-8, 389 p.

6935. CUBITT (David J.). The government, the Criollo elite and the revolution of 1820 in Guayaquil [Ecuador]. Ibero-am. Arch., 82, N. F., Jg. 8, p. 257-281.

6936. DANIELS (Bruce C.). Dissent and disorder: the radical impulse and early government in the founding of Rhode Island. J. Church a. State, 82, vol. 24, n° 2, p. 357-378.

6937. DEBIEN (Gabriel), LE GARDEUR (René) Jr. Les colons de Saint-Domingue réfugiés à la Louisiane (1792-1804). R. Louisiane, 80, vol. 9, p. 101-140; 81, vol. 10, p. 11-49.

6938. DELGADO MARTIN (Jaime). Vaticinios sobre la pérdida de las Indias y planes para conjurarla (siglos XVII y XVIII). Quinto Centenario, 82, t. 2, p. 101-157.

6939. DINKIN (Robert J.). Voting in revolutionary America: a study of elections in the original thirteen states, 1776-1789. Westport, Conn., Greenwood Press, 82, in-8, X-184 p. (Contrib. in Am. Hist., 99)

6940. EARLE (Peter). The sack of Panamá: Sir Henry Morgan's adventures on the Spanish main. New York, Viking Press, 82, in-8, 304 p. (ill., maps).

6941. FARIBAULT-BEAUREGARD (Marthe). La population des forts français d'Amérique au XVIIIe siècle. T. 1. Montréal, Bergeron, 82, in-8, 300 p.

6942. FOWLER (William). The business of war: Boston as a navy base, 1776-1783. Am. Neptune, 82, vol. 42, n° 1, p. 25-35.

6943. GALENSON (David). White servitude in colonial America, an economic analysis. London, Cambridge U. P., 82, in-8, 291 p. (ill., dr., tab.).

6944. GALLMAN (Robert E.). Influences on the distribution of landholdings in early colonial North Carolina. J. econ. Hist., 82, vol. 42, n° 3, p. 549-576.

6945. GEGGUS (David Patrick). Slavery, war, and revolution: the British occupation of Saint Domingue, 1793-1798. Oxford a. New York, Clarendon Press, 82, in-8, IX-492 p. (maps).

6946. GERAUD-LLORCA (Edith). La coutume de Paris Outre-Mer: l'habitation antillaise sous l'Ancien Régime. R. hist. Droit franç. étr., 82, a. 60, p. 207-259.

6947. GODBOLD (E. Stanly) Jr., WOODY (Robert H.). Christopher Gadsden and the American revolution. Knoxville, Univ. of Tenesseee Press, 82, in-8, XI-302 p.

6948. GÓMEZ PÉREZ (Carmen). Los extranjeros en la América colonial: su expulsión de Cartagena de Indias en 1750. Anu. Est. am., 80 [82], t. 37, p. 279-311.

6949. HAMNETT (Brian R.). Royalist counterinsurgency and the continuity of rebellion: Guanajuato and Michoacán, 1813-1820. Hisp. am. hist. R., 82, vol. 62, n° 1, p. 10-48.

6950. HANDLIN (Oscar), HANDLIN (Lilian). A restless people: Americans in rebellion, 1770-1787. Garden City, N. Y., Anchor Press, 82, in-8, 274 p.

6951. HAST (Adele). Loyalism in revolutionary Virginia: the Norfolk area and the eastern shore. Ann Arbor, Mich., UMI Research Press, 82, in-8, 227 p. (Stud. in Am. Hist. a. Cult., 34)

6952. HERNÁNDEZ APARICIO (Pilar). Los viajes de don Isidro de Atondo y Antillon a California, 1683-1685. Anu. Est. am., 80 [82], t. 37, p. 3-43.

6953. HILTON (Sylvia-Lyn). Ocupación espanola de Florida: algunas repercusiones en la organización sociopolítica indígena, siglos XVI y XVII. R. Indias [Madrid], 82, vol. 42, p. 41-70.

6954. Histoire des Antilles et de Guyane. Sous la dir. de Pierre PLUCHON. Toulouse, Privat, 82, in-8, 560 p. (ill., cartes). (Univers de la France et des pays francophones)

6955. HUME (Ivor Noel). Martin's Hundred. New York, A. A. Knopf, 82, in-8, XX-343 p. [Martin's Hundred: a 1616 land grant of the Virginia Company of London below Jamestown on the James River]

6956. JONES (Dorothy V.). License for empire: colonialism by treaty in early America. Chicago, Univ. of Chicago Press, 82, in-8, XIV-256 p.

6957. JORDAN (David W.). Elections and voting in early colonial Maryland. Maryland hist. Mag., 82, vol. 77, n° 3, p. 238-265.

6958. KIM (Sung Bok). Impact of class relations and warfare in the American revolution: the New York experience. J. am. Hist., 82, vol. 69, n° 2, p. 326-346.

6959. KULA (Marcin). El ocaso de la economía azucarera en el Brasil en el empalme de los siglos XVII y XVIII. Acta Poloniae hist., 81 [82], vol. 43, p. 55-76.

6960. LAROCQUE (Robert). L'introduction de maladies européennes chez les autochtones des XVIIe et XVIIIe siècles. Rech. amérind. Québec, 82, vol. 12, p. 13-24.

6961. LAVIANA CUETOS (María Luisa). Organización y foncionamento de las casas reales de Guayaquil en la segunda mitad del siglo XVIII. Anu. Est. am., 80 [82], t. 37, p. 313-349.

6962. MAHN-LOT (Marianne). Bartolomé de Las Casas et le droit des Indiens. Paris, Payot, 82, in-8, 285 p. (carte). (Regard sur l'histoire)

6963. MAIN (Gloria L.). Tobacco colony: life in early Maryland, 1650-1720. Princeton, N. J., Princeton U. P., 82, in-8, XV-326 p.

6964. MALAMUD (Carlos D.). La consolidación de una familia de la oligarquía arequipeña: los Goyeneche. Quinto Centenario, 82, t. 4, p. 49-135.

6965. MAM-LAM-FOUCK (Serge). La Guyane française de la colonisation à la départementalisation: la formation de la société créole guyanaise. Fort-de-France, Désormeaux; diff. Paris, Harmattan, 82, in-8, 188 p.

6966. MARCHENA FERNÁNDEZ (Juan). La institución militar en Cartagena de Indias en el siglo XVIII. Pról. por José Luis MORA MÉRIDA. Sevilla, Escuela de Estudios hispano-americanos, 82, in-8, XIII-506 p. (ill., pl.).

6967. MARTIN (Cheryl English). Haciendas and villages in late colonial Mexico. Hisp. am. hist. R., 82, vol. 62, n° 3, p. 407-428.

6968. MARTIN (Ged). Confederation rejected: the British debate on Canada, 1837-1840. J. imp. commonw. Hist., 82, vol. 11, p. 33-57.

6969. MENA GARCÍA (María del Carmen). Santa Marta durante la Guerra de Sucesión española. Sevilla, Escuela de Estudios hispano-americanos, 82, in-8, XIII-134 p. (Publ. de la Esc. de Est. hisp.-am., 280)

6970. MIDDLEKAUFF (Robert). The glorious cause: the American revolution, 1763-1789. New York, Oxford U. P., 82, in-8, XVI-696 p. (Oxford Hist. of the United States, 2)

6971. MULVEY (Patricia A.). Slave confraternities in Brazil: their role in colonial society. Americas, 82, vol. 39, n° 1, p. 39-68.

6972. NEWSON (Linda). The depopulation of Nicaragua in the sixteenth century. J. latin am. Stud., 82, vol. 14, p. 253-286.

6973. NEWSON (Linda). Labour in the colonial mining industry of Honduras. Americas, 82, vol. 39, n° 2, p. 185-204.

6974. NORDHOLDT (Jan Willem Schulte). The Dutch republic and American independence. Transl. by Herbert H. ROWEN. Chapel Hill, Univ. of North Carolina Press, 82, in-8, XII-351 p.

6975. OLSON (Alison G.). The London mercantile lobby and the coming of the American revolution. J. am. Hist., 82, vol. 69, n° 1, p. 21-41.

6976. PENCAK (William). America's Burke: the mind of Thomas Hutchinson. Washington, D. C., U. P. of America, 82, in-8, XIII-243 p.

6977. PÉROTIN-DUMONT (Anne). Course et piraterie dans le golfe du Mexique et la mer des Antilles. L'ultime épisode ou la contribution des "corsarios insurgentes" à l'indépendance de l'Amérique (1810-1830). B. Soc. Hist. Guadeloupe, 82, n° 53-54, p. 49-71.

6978. PORRAS MUÑOZ (Guillermo). El gobierno de la ciudad de México en el siglo XVI. México, Univ. nacional autón., 82, in-8, 515 p.

6979. QUINN (David B.) a. others. Early Maryland in a wider world. Detroit, Mich., Wayne State U. P., 82, in-8, 329 p.

6980. RASHID (Salim). "He startled as if he saw a spectre": Tucker's proposal for American independence. J. Hist. Ideas, 82, vol. 43, n° 3, p. 439-462.

6981. RUSSELL-WOOD (A. J. R.). The black man in slavery and freedom in colonial Brazil. London, Macmillan; New York, St. Martin's Press, 82, in-8, XIII-295 p.

6982. SAIGNES (Thierry). Métis et sauvages: les enjeux du métissage sur la frontière Chiriguano (1570-1620). Mél. Casa de Velázquez, 82, t. 18, p. 79-101.

6983. SAINT-LU (André). Las Casas indigéniste. Etudes sur la vie et l'oeuvre du défenseur des Indiens. Paris, Harmattan, 82, in-8, 178 p. (Séminaire interuniv. sur l'Amérique espagnole coloniale, Travaux personnels, 1)

6984. SALISBURY (Neal). Manitou and providence: Indians, Europeans, and the making of New England, 1500-1643. New York, Oxford U. P., 82, in-8, XII-316 p.

6985. SCHRÖDER (Hans-Christoph). Die Amerikanische Revolution. Eine Einführung. München, Beck, 82, in-8, 246 p.

6986. SCHWARTZ (Stuart B.). Patterns of slaveholding in the Americas: new evidence from Brazil. Am. hist. R., 82, vol. 87, n° 1, p. 55-86.

6987. SOSIN (J. M.). English America and the revolution of 1688: royal administration and the structure of provincial government. Lincoln, Univ. of Nebraska Press, 82, in-8, 321 p.

6988. STENGER (W. Jackson) Jr. Tench Tilghman - George Washington's aide. Maryland hist. Mag., 82, vol. 77, n° 2, p. 136-153.

6989. STERN (Steve J.). Peru's Indian peoples and the challenge of Spanish conquest: Huamanga to 1640. Madison, Univ. of Wis. Press, 82, in-8, XIX-295 p.

6990. SWANN (Michael M.). Tierra adrento: settlement and society in colonial Durango. Boulder, Colo., Westview Press, 82, in-8, XXXIV-444 p. (Dellplain Latin Am. Stud., 10)

6991. SWANSON (Carl E.). The profitability of privateering: reflections on British colonial privateers during the war of 1739-1748. Am. Neptune, 82, vol. 42, n° 1, p. 36-56.

6992. SWETSCHINSKI (Daniel M.). Conflict and opportunity in "Europe's other sea": the adventure of Caribbean Jewish settlement. Am. jewish Hist., 82, vol. 72, n° 2, p. 212-240.

6993. TePASKE (John J.), KLEIN (Herbert S.). The royal treasuries of the Spanish empire in America. With the collab. of Kendall W. BROWN. Vol. 1: Peru. Vol. 2: Upper Peru (Bolivia). Vol. 3: Chile and the Rio de la Plata. Durham, N. C., Duke U. P., 82, 3 vol. in-8, XXVI-563, XXIV-422, XXVI-407 p.

6994. TROUILLOT (Michel-Rolph). Motion in the system: coffee, color and slavery in eighteenth-century Saint-Domingue. Review. J. F. Braudel Center, 82, vol. 5., p. 331-388.

6995. TUCKER (Robert W.), HENDRICKSON (David C.). The fall of the first British empire: origins of the war of American independence. Baltimore, Md., Johns Hopkins U. P., 82, in-8, VIII-450 p.

6996. YACOU (Alain). L'expulsion des Français de Saint-Domingue réfugiés dans la région orientale de l'île de Cuba (1808-1810). Cah. Monde hispanique et luso-brésilien, 82, n° 39, p. 49-64.

6997. ZUBKOV (A. Ju.). Anglija i ee severoamerikanskie kolonii v preddverii vojny za nezavisimost'. (Britain and its North American colonies on the eve of the War of independence.) Nov. novejš. Ist., 82, n° 2, p. 58-73.

Cf. n°s 200, 3424, 4475, 4526, 5071, 5803, 5839, 5877, 5973, 6238.

e. Océanie.

6998. APPLEYARD (R. T.). The beginning: European discovery and early settlement of the Swan River. Perth, U. West. Austral. Press; Cambridge, P. Moore, 82, in-4, XIV-239 p.

6999. BARRATT (G.). Russophobia in New Zealand, 1838-1908. Wellington, Dunmore Press; Tonbridge, J. Truscott, 82, in-8, 180 p. (ill.).

7000. BATTYE (J. S.). Western Australia, a history from its discovery to the inauguration of the Commonwealth. Facs. of 1924 ed. Perth, U. West. Austral. Press; Cambridge, P. Moore, 82, in-8, 480 p.

7001. CAMERON (J. M. R.). Ambition's fire: the agricultural colonization of pre-convict Western Australia. Perth, U. West. Austral. Press; Cambridge, P. Moore, 81, in-8, XVIII-238 p. (ill., maps);

7002. Dictionary of Western Australians, 1829-1914. Ed. by Rica ERICKSON. Vol. 1: Early settlers, 1829-1850. Ed. by Pamela STATHAM. Vol. 1: Early settlers, 1829-1850: supplement. Ed. by Pamela STATHAM. Vol. 2: 1850-1868. Vol. 3: Free, 1850-1868. Perth, U. West. Austral. Press, 79-82, 4 vol. in-8, 383, 132, 619, X-933 p.

7003. FITZGERALD (R.). From the dreaming to 1915: the history of Queensland. Brisbane, Queensland U. P., 82, in-8, 372 p.

7004. GILLEN (Mollie). The Botany Bay decision, 1786: convicts not empire. Eng. hist. R., 82, vol. 97, p. 740-766.

7005. PANOFF (Michel). "Farani Taioro". La première génération de colons français à Tahiti. J. Soc. Océanistes, 81 [82], t. 37, n° 70-71, p. 3-26.

7006. SCARR (Deryck). The majesty of colour: the life of Sir John Bates Thurston. Vol. 1: I, the very bayonet. Vol. 2: Viceroy of the Pacific. Canberra, Nat. Univ., Develp. Stud. Centre; London, Eurospan, 78-82, 2 vol. in-8, XXX-370, XVIII-334 p.

Cf. n° 4529.

§ 3. De 1500 à 1789.

a. Généralités.

7007. BERENGER (Jean). Les Français à Vienne au XVIIe siècle. Et. germaniques, 82, a. 37, p. 305-328.

7008. Bibl. 81, n° 6344. DETHAN (Georges). Mazarin, un diplomate de l'âge baroque. - CR: P. Grillon, R. Hist. dipl., 82, a. 96, p. 138-157.

7009. ISRAEL (Jonathan I.). The Dutch Republic and the Hispanic world, 1606-1661. London a. New York, Oxford U. P., 82, in-8, XVI-478 p.

7010. WÓJCICK (Zbigniew). Russian endeavors for the Polish crown in the seventeenth century. Slavic R., 82, vol. 41, n° 1, p. 59-72.

b. 1500-1648.

** 7011. Briefe und Akten zur Geschichte des Dreißigjähringen Krieges. Neue Folge: Die Politik Maximilians I. von Bayern und seiner Verbündeten 1618-1651. [1. Teil, Bd 2. Cf. Bibl. 70-71, n° 8344.] 2. Teil, Bd 8: Jan. 1633 - Mai 1634. Bearb. v. Kathrin BIERTHER. München u. Wien, Oldenbourg, 82, in-8, XXVI-977 p.

** 7012. Documenta ex Archivo Regiomontano ad Poloniam spectantia. 51: XXI pars. Ostpr. Fol., vol. 42 et 48, 1525-1528. 52: XXII pars. Ostpr. Fol., vol. 42, 43, 48, 49, 1529-1931. 53: XXII pars. Ostpr. Fol., vol. 42, 49, 1532-1534. 54: XXIV pars. Ostpr. Fol., vol. 42, 49, 50, 1535-1536. 55: XXV pars. Ostpr. Fol., vol. 42, 50, 1537-1538. Edidit Carolina LANCKOROŃSKA. Romae, Instit. hist. Polonicum, 80-82, 5 vol. in-8, IX-191, IX-283, VII-272, VIII-241, VIII-190 p. (tav.). (Elementa ad fontium editiones, 51-55) [Cf. Bibl. 74-75, n° 7380]

** 7013. Papiers (Les) de Richelieu. Section politique extérieure: correspondance et papiers d'Etat. T. 1: Empire allemand. 1: 1616-1629. Par Adolf WILD. Paris, Pedone, 82, in-4, XXXVIII-597 p. (Monumenta Europae historica) [Cf. n° 3620]

** 7014. Polska dyplomata na papieskim dworze. Wybór listów Jerzego z Tyczyna do Marcina Kromera (1554-1585). (Un diplomate polonais à la cour du pape. Lettres choisies de Jerzy de Tyczyn à Marcin Kromer, 1554-1585.) Trad. du latin, avant-propos et commentaires par Jerzy AXER. Warszawa, Państw. Inst. Wydawn., 82, in-8, 268 p.

7015. ANTOINE (Michel). Institutions françaises en Italie sous le règne de Henri II: gouveneurs et intendants (1547-1559). Mél. Ec. franç. Rome, Moyen Age, Temps mod., 82, t. 94, p. 759-818.

7016. BEZACHEVICI (Constantin). Începutul epocii lui Matei Basarab şi Vasile Lupu în lumina relaţiilor cu imperiul otoman şi cu Transilvania. (Les débuts de l'époque de Matei Basarab et de Vasile Lupu à la lumière des relations avec l'Empire ottoman et avec la Transylvanie.) R. Ist., 82, t. 35, p. 1003-1012. [Rés. franç.]

7017. BOLZERN (Rudolf). Spanien, Mailand und die katholische Eidgenossenschaft. Militärische, wirtschaftl. u. polit. Beziehungen zur Zeit d. Gesandten Alfonso Casati (1594-1621). Luzern u. Stuttgart, Rex, 82, in-8, 381 p. (Luzerner hist. Veröff., 16)

7018. GAUSS (Julia). Basels politisches Dilemma in der Reformationszeit. Zwinglia-na, 82, vol. 15, p. 509-548.

7019. IVONIN (Ju. E.). Zapadnaja Evropa i Osmanskaja imperija vo vtoroj polovine XV-XVI v. (Western Europe and the Ottoman Empire, second half of the 15th - 16th cent.) Vopr. Ist., 82, n° 4, p. 68-84.

7020. JENSEN (Frede P.). Danmarks konflikt med Sverige, 1563-1570. (Le conflit du Danemark avec la Suède.) København, Danske Hist. Forening, 82, in-8, 372 p. (Skr. udg. af det hist. Inst. ved Københavns Univ., 12)

7021. KOURI (E. I.). Six unprinted letters from Elizabeth I of England to German and Scandinavian princes. Arch. f. Reformationsgesch., 82, Jg. 73, p. 237-254.

7022. MAGEN (Ferdinand). Die Reichskrise in der Epoche des Dreißigjährigen Krieges. Ein Überblick. Z. f. hist. Forsch., 82, Bd 9, p. 409-460.

7023. PÁNEK (Jaroslav). Stavovská opozice a její zápas s Habsburky 1547-1577. K politické krizi feudální třídy předbělohorském českém státě. (Böhmische u. mährische Ständeopposition im Kampf mit d. Habsburgern 1547-1577. Zur polit. Krise d. Feudalklasse im böhm. Staat vor d. J. 1620.) Praha, Academia, 82, in-8, 160 p. (Studie ČSAV 1982, 2)

7024. PETERSEN (E. Ladewig). Defence, war and finance: Christian IV and the Council of the Realm 1596-1629. Scand. J. Hist., 82, vol. 7, p. 277-313.

7025. POTTER (David). The Treaty of Boulogne and European diplomacy, 1549-1550. B. Inst. hist. Research, 82, vol. 55, p. 50-65.

7026. ROBERTS (Michael). [Axel] Oxenstierna in Germany, 1633-1636. Scandia, 82, vol. 48, p. 61-105.

7027. Römisch-deutsche Reich (Das) im politischen System Karls V. Hrsg. v. Heinrich LUTZ unter Mitarb. v. Elisabeth MÜLLER-LUCKNER. München u. Wien, Oldenbourg, 82, in-8, XI-288 p. (Schr. d. Hist. Kollegs, 1)

7028. SPIES (Hans-Bernd). Lübeck, die Hanse und der Westfälische Frieden. Hans. Gesch.-Bl., 82, Jg. 100, p. 110-124.

7029. WELLENS (Robert). Un épisode des relations entre l'Angleterre et les Pays-Bas au début du XVIe siècle: le projet de mariage entre Marguerite d'Autriche et Henri VII. R. Hist. mod., 82, vol. 29, p. 267-290.

7030. ZIELIŃSKI (Ryszard), ŻELEWSKI (Roman). Olbracht Łaski. Od Kieżmarku do Londynu. (Olbracht Łaski. De Kežmarok à Londres.) Warszawa, Czytelnik, 82, in-8, 234 p.

7031. ZOFFMANN (Zsuzsanna), K. Az 1526-os mohácsi csata 1976-ban feltárt tömegsirjainak embertani vizsgálata. - Anthropologische Untersuchung der Skelettreste aus den im J. 1976 freigelegten Massengräbern der Schlacht bei Mohács. Budapest, Akadémiai Kiadó, 82, in-8, 82 p. (16 pl.). (Biológiai tanulmányok, 9)

c. 1648-1789.

** Cf. n° 3612.

7032. BAŽOVA (A. P.). Russko-jugoslavjanskie otnošenija vo vtoroj polovine XVIII v. (Russian-Yugoslavian relations in the second half of the 18th cent.) Moskva, Nauka, 82, 288 p. (ill.). (AN SSSR, In-t istorii SSSR)

7033. BLASSĒ (Despoina Er.). Hē symmetochē tōn Eptanēsiōn sta Orlōphika (1770) kai hē antidrasē tēs Benetias. (La participation de l'Heptanèse aux combats de 1770 et la réaction de Venise.) Mnēmōn, 80-82 [82], t. 8, p. 64-84.

7034. BÓKA (Eva). Charles de Ferriol márki portai követsége 1699-1703. (La mission du marquis Charles de Ferriol à la Sublime-Porte, 1699-1703.) Tört. Szle, 82, vol. 25, n° 3, p. 519-536.

7035. BRAUN (Patrick). Joseph Wilhelm Rinck von Baldenstein, 1704-1762. Das Wirken eines Basler Fürstbischofs in d. Zeit d. Aufklärung. Freiburg/Schweiz, Univ.-Verl., 81, in-8, 286 p. (Hist. Schr. d. Univ. Freiburg/Schweiz, 9)

7036. BROWN (Peter B.). Muscovy, Poland, and the seventeenth-century crisis. Polish R., 82, vol. 27, n° 3-4, p. 55-69.

7037. CAPRA (Carlo). Luigi Giusti e il Dipartimento d'Italia a Vienna (1757-1766). Soc. e Stor., 82, a. 5, p. 61-86.

7038. CERNOVODEANU (Paul). Imre Tököly et ses liens avec les pays roumains. R. roumaine Hist., 82, t. 21, p. 59-68.

7039. CERNOVODEANU (Paul), CARATAŞU (Mihail). Correspondance diplomatique d'Alexandre Mavrocordato l'Exaporite, 1676-1703. R. Et. sud-est europ., 82, t. 20, p. 93-128, 327-348. [Mavrocordato: grand drogman de la Sublime- Porte et conseiller privé]

7040. DULL (Jonathan R.). Franklin the diplomat: the French mission. Philadelphia, Amer. philos. Soc., 82, in-8, 76 p.

7041. KACZMARCZYK (Janusz). Nie tylko "krwawe swaty". Stosunki ukraińsko-mołdawskie w okresie powstania Bohdana Chmielnickiego. (Non seulement de "sanglantes entremises pour le mariage". Relations ukraīno-moldaves au temps de l'insurrection de Bogdan Khmelnitski.) Studia hist. [Kraków], 82, a. 25, fasc. 2, p. 199-214.

7042. KÖPECZI (Béla). Rákóczi követe Rómában. (L'émissaire de [François II] Rákóczi à Rome.) Tört. Szle, 82, vol. 25, n° 3, p. 404-415. [Domokos Brenner, 1707-1708]

7043. KOMASZYŃSKI (Michał). Teresa Kunegunda Sobieska (Thérèse Cunégonde Sobieska.) Warszawa, Państw. Inst. Wydawn., 82, in-8, 226 p. [Sobieska, 1676-1730: femme de l'électeur Maximilien II de Bavière]

7044. MAILLOUX (Luc). La princesse Daschkoff et la France (1770-1781). R. Hist. dipl., 81, a. 95, p. 5-25.

7045. MURPHY (Orville T.). Charles Gravier, comte de Vergennes: French diplomacy in the age of Revolution, 1719-1787. Albany, State Univ. of New York Press, 82, in-8, XI-607 p.

7046. OZANAM (Didier). La diplomacia de los primeros Borbones (1714-1759). Cuad. Invest. hist., 82, t. 6, p. 169-193.

7047. PÉREZ-MALLAÍNA BUENO (Pablo Emilio). Política naval española en el Atlántico 1700-1715. Sevilla, Escuela de Estudios hispano-americanos, 82, in-8, XX-486 p. (8 ill.). (Publ. de la Esc. de Est. hisp.-am., 279)

7048. ROIDER (Karl A.) Jr. Austria's eastern question, 1700-1790. Princeton, N. J., Princeton U. P., 82, in-8, 256 p.

7049. SCHIAPPACASSE (Patrizia). Genova e Marsiglia nella seconda metà del XVII secolo. At. Soc. ligure Stor. pa., 82, n. s., vol. 22, p. 197-224.

7050. SEBAG (Paul). Voyages en Tunisie au XVIIe siècle: la négociation de Laurent d'Arvieux (12 juin 1666 - 15 août 1666). Ibla, 81, a. 44, p. 253-286.

7051. SERCZYK (Władysław Andrzej). Połtawa 1709. ([La bataille de] Poltava, 1709) Warszawa, Wydawn. Min. Obrony Narod., 82, in-8, 203 p. (Historyczne Bitwy)

7052. STANIMIROV (Svilen). Peter Parchevich und sein politisches Wirken 1656-1657. Bulg. hist. R., 82, a. 10, n° 4, p. 48-66.

7053. STIFFONI (Giovanni). Diplomazia ed opinione pubblica veneziane di fronte ad una crisi dell'assolutismo riformatore: le rivolte di Madrid e province del 1766. Nuova R. stor., 82, a. 66, p. 511-546.

Cf. n° 6940.

§ 4. De 1789 à 1815.

** 7054. LA HARPE (Frédéric-César de). Correspondance de Frédéric-César de La Harpe sous la République helvétique. T. 1: Le révolutionnaire, 16 mai 1796 - 4 mars 1798. Publ. par Jean Charles BIAUDET et Marie-Claude JEQUIER. Neuchâtel, la Baconnière, 82, in-8, 581 p.

** 7055. SARLI (Pasquale). La politica del Direttorio e la Repubblica napoletana in un Mémoire del generale Lacroix. Ras. stor. Risorg., 82, a. 69, fasc. 2, p. 131-155.

** 7056. STAES (Jacques). Lettres de

béarnais de la Révolution et de l'Empire [suite de Bibl. 80, n° 6368]. R. Pau et Béarn, 82, 81, n° 9, p. 135-159; 82, n° 10, p. 185-199.

7057. BEZOTOSNYI (V. M.). Razvedka Napoleona v Rossii pered 1812 g. (Napoleon's intelligence in Russia on the eve of 1812.) Vopr. Ist., 82, n° 10, p. 86-96.

7058. BROULLLET-ROHMER (Emmanuelle). L'administration française à Trèves sous la Révolution (1794-1797). Cah. lorrains, 82, p. 221-240.

7059. COLLETTA (Pietro). La campagna d'Italia di Gioacchino Murat. A cura di Carlo ZAGHI. Torino, Unione tip.-editr. torinese, 82, in-8, LXIII-105 p. (fig., tav.).

7060. DUFRAISSE (Roger). "Elites" anciennes et "élites" nouvelles dans les pays de la rive gauche du Rhin à l'époque napoléonienne. A. hist. Révol. franç., 82, a. 52, p. 244-283.

7061. ELLIOTT (Marianne). Partners in revolution: the united Irishmen and France. New Haven, Conn., Yale U. P., 82, in-8, XX-411 p.

7062. Epoque (L') napoléonienne et les Slaves. Colloque organisé à Jabłonna les 3-4 septembre 1980. Sous la réd. de Stefan KOZAK et Hanna POPOWSKA-TABORSKA. Wrocław, Zakł. Narod. im. Ossolińskich, 82, in-8, 162 p. (Acad. Pol. des Sciences. Inst. d'études slaves. Prace slawist., 24)

7063. FELDBAEK (Ole). The foreign policy of tsar Paul I, 1800-1801: an interpretation. Jb. f. Gesch. Osteuropas, 82, Bd 30, p. 16-36.

7064. FRANKEL (Jeffrey A.). The 1807-1809 embargo against Great Britain. J. econ. Hist., 82, vol. 42, n° 2, p. 291-308.

7065. INGRAM (Edward). A scare of seaborne invasion: the royal navy at the strait of Hormuz, 1807-1808. Milit. Affairs, 82, vol. 46, n° 2, p. 64-69.

7066. JORIO (Marco). Der Untergang des Fürstbistums Basel 1792-1815. Der Kampf d. letzten Fürstbischöfe Joseph Sigismund von Roggenbach u. Franz Xaver von Neveu gegen die Säkularisation. Z. f. schweiz. Kirchengesch., 81, vol. 75, p. 1-230; 82, vol. 76, p. 115-172.

7067. KIRISITS (Thomas). Die Rolle des Montafons in den Franzosenkriegen [1792-1801]. Feldkirch, Rheticus-Ges., 82, in-8, 104 p. (Schriftenreihe d. Rheticus-Ges., 13)

7068. KOLIOU (Bas.). Mia prospatheia stratologias kata to Rossotourkiko polemo tou 1787-1792. (Un effort de recrutement pendant la guerre russo-turque de 1787-1792.) Thesaurismata, 82, t. 19, p. 231-246.

7069. KRASNOV (N. A.). Amerikano-francuzskie otnošenija v period francuzskoj buržuaznoj revoljucii konca XVIII v. (American-French diplomatic relations in the period of the French bourgeois revolution, end of the 18th cent.) Nov. novejš. Ist., 82, n° 4, p. 59-73.

7070. LERECOUVREUX (Marcel). 1812, Napoléon et la campagne de Russie. 1813, batailles pour Berlin. Paris, Pensée universelle, 82, in-8, 160 p.

7071. MAYHEW (Dean R.). Jeffersonian gunboats in the war of 1812. Am. Neptune, 82, vol. 42, n° 2, p. 101-118.

7072. OLIVERI (Leonello). La battaglia napoleonica di Cosseria (Savon) nelle testimonianze locali contemporanee. B. stor. bibliogr. subalpino, 82, a. 80, p. 165-175.

7073. PEDÌO (Tommaso). L'insurrezione antifrancese in Basilicata [1806]. Arch. stor. ital., 82, a. 140, p. 603-660.

7074. PLUME (Christian). Les rois de l'Empire. T. 1: Ney, Davout, Brune, Marmont, Lannes. T. 2: Lefebvre, Gouvion-Saint-Cyr, Macdonald, Murat. Lyon, Laffont, 81-82, 2 vol. in-8, 408, 405 p. (ill.).

7075. ROTHENBERG (Gunther E.). Napoleon's great adversaries: the archduke Charles and the Austrian army, 1792-1814. Bloomington, Indiana U. P.; London, Batsford, 82, in-8, 219 p.

7076. SIBORNE (H. T.). Waterloo letters. London, Arms a. Armour Press, 82, in-8, 448 p.

7077. STUART (Reginald C.). James Madison and the militants: republican disunity and replacing the embargo. Dipl. Hist., 82, vol. 6, n° 2, p. 145-168.

7078. TAŹBIERSKI (Zdzisław). Sprawa Gdańska i Torunia w manewrze dyplomatycznym Williama Pitta z ligą państw europejskich przeciw Rosji (1789-1791). (La question de Gdańsk et de Toruń dans les manoeuvres diplomatiques de William Pitt avec la ligue des Etats européens contre la Russie, 1789-1791.) Roczn. Gdański, 82, vol. 42, fasc. 1, p. 189-223.

7079. TRANIÉ (Jean), CARMIGNAGNI (Juan Carlos). Les Polonais de Napoléon Ier: l'épopée du 1er régiment de lanciers de la Garde Imperiale. Paris, Copernic, 82, in-8, 179 p. (ill.).

7080. TRANIÉ (Jean), CARMIGNANI (Juan Carlos), BEAUFORT (Louis de). La campagne de Russie: Napoléon 1812. Paris, Lavauzelle, 81, in-8, 301 p. (ill.).

7081. ZAHORSKI (Andrzej). Napoleon. Warszawa, Państw. Inst. Wydawn., 82, in-8, 521 p. (Biografie Sławnych Ludzi) [en polonais]

7082. ZEEDEN (Ernst Walter). Europa im Umbruch. Von 1776 bis zum Wiener Kongreß. Stuttgart, Klett-Cotta, 82, in-8, 200 p. (Studienbuch Gesch., 7)

Cf. n° 3723.

§ 5. De 1815 à 1910.

* 7083. ZOLOTUKHIN (M. Ju.). Russkobolgarskie otnošenija v 80-th godakh XIX veka (Obzor literatury). (Russo-Bulgarian relations in the 1880s. Survey of literature.) Ist. SSSR, 82, n° 5, p. 109-115.

** 7084. Dokumente zur Geschichte der deutsch-polnischen Freundschaft 1830-1832. Zentralinst. f. Gesch. d. Akad. d. Wiss. d. DDR; Inst. Historii Polskiej Akad. Nauk. Hrsg. u. eingel. v. Helmut BLEIBER u. Jan KOSIM. Berlin, Akad.-Verl., 82, in-8, LXXVI-514 p. (Abb.).

** 7085. SANTOS (Richard G.). Santa Anna's campaign against Texas, 1835-1836. Featuring the field commands issued to major general Vicente Filisola. Salisbury, N. C., Documentary Publ., 82, in-8, XV-171 p. (maps).

** 7086. Vnešnjaja politika Rossii XIX i načala XX veka. Dokumenty Ros. m-va inostr. del. (Foreign policy of Russia in the 19th and beginning of the 20th century. Documents of the Russian ministry of foreign affaires.) Predsedatel' komissii po izdaniju diplomatičeskikh dokumentov pri MID SSSR A. A. GROMYKO. Serija 2: 1815-1830 gg. [T. 4 (12). Cf. Bibl. 80, n° 6398.] T. 5 (13): Janvar' 1823 g. - dekabr' 1824. Moskva, Nauka, M-vo inostr. del SSSR, 82, in-4, 832 p.

7087. ALLAIN (Jean-Claude). La paix dans les relations internationales, du traité de Francfort à la Grande guerre (1871-1914). R. Hist. dipl., 81, a. 95, p. 26-42.

7088. BECK (Roland). Roulez tambours. Politisch-militär. Aspekte d. Neuenburger Konfliktes zw. Preußen u. d. Schweiz 1856/57. Frauenfeld, Huber, 82, in-4, 167 p. (5 pl.). (Schriftenr. ASMZ, Allg. Schweiz. Militärschr.)

7089. BECKER (Josef). Bismarck, Prim, die Sigmaringer Hohenzollern und die spanische Thronfrage. Zum Fund von "Bismarcks Instruktionsbrief für Bucher" vom 25. Juni 1870 in der "Real Academia de la Historia" Madrid. Francia [München], 81 [82], Bd 9, p. 435-472.

7090. Berliner Kongreß (Der) von 1878. Die Politik d. Großmächte u. d. Probleme d. Modernisierung in Südosteuropa in d. 2. Hälfte d. 19. Jh. Hrsg. v. Ralph MELVILLE u. Hans-Jürgen SCHRÖDER. Wiesbaden, Steiner, 82, in-8, XVII-539 p. (Kt.). (Veröff. d. Inst. f. Europ. Gesch. Mainz, Abt. Universalgesch., Beih. 7)

7091. BLAKE (Robert). Disraeli's Grand Tour: Benjamin Disraeli and the Holy Land, 1830-1831. London, Weidenfeld a. Nicolson, 82, in-8, XVI-141 p. (ill., pl., map).

7092. BOURGEOIS (Daniel). La neutralité de la Savoie du Nord et la question des zones franches. Rappel historique, présentation des sources, indications de recherches. Et. et Sources, 82, vol. 8, p. 7-48.

7093. BRUNON (Jean). Camerone. Paris, Ed. France-Empire, 81, in-8, 220 p. (pl.).

7094. CERVO (Amado Luiz). O parlamento brasileiro e as relações exteriores (1826-1889). Brasilia, Univ. de Brasilia, 81, in-8, 254 p.

7095. CHICCO (Gianni). Crispi and the question of the Tripolitanian borders 1887-1888. East european Quar., 82, vol. 16, n° 2, p. 137-149.

7096. CIACHIR (Nicolae). Rusia și mișcările revoluționare de la 1821 din sud-estul Europei. (La Russie face aux mouvements révolutionnaires du sud-est de l'Europe en 1821.) R. Ist., 82, t. 35, p. 1013-1032. [Rés. franç.]

7097. COOLEY (James C.). T. F. Wade in China: pioneer in global diplomacy, 1842-1882. Leiden, Brill, 81, in-4, 160 p. (T'oung pao, Monogr., 11)

7098. CORKERY (Maire). Ireland and the Franco-Prussian war. Et. irlandaises, 82, n. sér., n° 7, p. 127-144.

7099. DERNDARSKY (Michael). Das Klischee von "ces messieurs de Vienne ...". Der österreichisch-französische Geheimvertrag vom 12. Juni 1866 - Symptom für die Unfähigkeit der österr. Außenpolitik? Hist. Z., 82, Bd 235, p. 289-353.

7100. DÜLFFER (Jost). Der britisch-amerikanische Schiedsvertrag von 1897 - ein Modell z. Neugestaltung d. internationalen Beziehungen? Amerikastudien, 82? Jg. 27, p. 177-202.

7101. DUMITRIU-SNAGOV (Ionel). Le Saint-Siège et la Roumanie moderne, 1850-1866. Roma, Univ. gregoriana, 82, in-8, XXIII-658 p. (Misc. Hist. pontif., 48)

7102. FADEEVA (I. L.). Osmanskaja imperija i anglo-tureckie otnošenija v seredine XIX v. (The Ottoman empire and Anglo-Turkish relations in the middle of the 19th cent.) Moskva, Nauka, 82, 168 p. (AN SSSR, In-t vostokovedenija)

7103. FORNOS PEÑALBA (José Alfredo). Draft dodgers, war resisters and turbulent gauchos: the war of the triple alliance against Paraguay. Americas, 82, vol. 38, n° 4, p. 463-480. [Triple alliance: Argentina, Brazil, Uruguay, 1864-1870]

7104. FUNDERBURY (David B.). A brief survey of nineteenth century Anglo-Romanian relations. R. roumaine Hist., 82, t. 21, p. 423-434.

7105. GALL (Lothar). Bismarcks Preußen, das Reich und Europa. Hist. Z., 82, Bd 234, p. 317-336.

7106. GIZA (Antoni). Słowianofile rosyjscy wobec krzyzysu bałkańskiego w latach 1875-1878. (Les slavophiles russes face à la crise balkanique dans les années 1875-1878.) Wrocław, Zakł. Narod. im. Ossolińskich, 82, in-8, 110 p.

7107. GRUCHAŁA (Janusz). Koło Polskie w austriackiej Radzie Państwa wobec kwestii czeskiej i Śląska Cieszyńskiego (1879-1889). (Le Cercle Polonais au Conseil d'Etat d'Autriche face à la question tchèque et celle de la Silésie de Cieszyn, 1878-1889.) Wrocław, Zakł. Narod. im. Ossolińskich, 82, in-8, 138 p. (Pol. Akad. Nauk, Oddz. w Katowicach. Komisja Hist.)

7108. GRUNER (Erich). Die Schweiz als Zentrum der sozialdemokratischen polnischen Emigration und die Beziehungen zwischen der polnischen Exilfront in der Schweiz und der polnischen Heimatfront 1880-1900. Schweiz. Z. f. Gesch., 81, vol. 31, p. 5-31.

7109. GRUNER (Wolf D.). Großbritannien und die Julirevolution von 1830: zwischen Legitimitätsprinzip und nationalem Interesse. Francia [München], 81 [82], Bd 9, p. 369-410.

7110. GUICHONNET (Paul). Histoire de l'annexion de la Savoie à la France. Roanne, Horvath, 82, in-8, 354 p. (ill.).

7111. GUILLERMIN (René). La guerre de Crimée (le tsar de toutes les Russies face à l'Europe). Paris, Ed. France-Empire, 81, in-8, 326 p.

7112. GUYON (Edouard-Félix). Louis de Saint-Aulaire, ambassadeur de France à Vienne (1822-1841). R. Hist. dipl., 81, a. 95, p. 149-170.

7113. HARLOW (Neal). California conquered: war and peace on the Pacific, 1846-1850. Berkeley a. Los Angeles, Univ. of California Press, 82, in-8, XVII-499 p.

7114. HENSON (Curtis T.) Jr. Commissioners and commodores: the East India squadron and American diplomacy in China. University, Univ. of Alabama Press, 82, in-8, VI-231 p.

7115. HERDE (Peter). Der Heilige Stuhl und Bayern zwischen Zollparlament und Reichsgründung (1867/68-1871). Z. f. bayer. Landesgesch., 82, Bd 45, p. 589-662.

7116. JAŚKIEWICZ (Leszek). Absolutyzm rosyjski w dobie rewolucji 1905-1907. Reformy ustrojowe. (L'absolutisme russe au temps de la révolution. Les réformes du régime.) Warszawa, Państw. Wydawn. Nauk., 82, in-8, 237 p.

7117. JAWORKSI (Rudolf). Nationalismus und Ökonomie als Problem der Geschichte Ostmitteleuropas im 19. und zu Beginn des 20. Jahrhunderts. Gesch. u. Ges., 82, Jg. 8, p. 184-204.

7118. JELAVICH (Barbara). The abdication crisis of 1870-71 [in Romania]: the international aspects. R. roumaine Hist., 82, t. 21, p. 89-99.

7119. KOWALSKA (Aniela). Echa ciągle żywe. O kulturze i sprawie polskiej w Anglii przed i po powstaniu listopadowym. (Les échos toujours vifs. Sur la culture et la question polonaise en Angleterre avant et après l'insurrection de novembre [1830].) Warszawa, Czytelnik, 82, in-8, 127 p.

7120. KOWALSKA-POSTÉN (Leokadia). Dania a powstanie listopadowe 1830-1831 roku. (Le Danemark et l'insurrection de novembre 1830-1831.) Zap. hist., 82, vol. 47, n° 1, p. 39-54.

7121. LENSEN (George Alexander). Balance of intrigue: international rivalry in Korea and Manchuria, 1884-1899. Vol. 1, 2. Foreword by John J. STEPHAN. Tallahassee, Univ. Presses of Florida, 82, 2 vol. in-8, XVIII-476 p.; VI p., p. 477-984.

7122. ŁOJEK (Jerzy). Opinia publiczna a geneza Powstania Listopadowego. (L'opinion publique et la genèse de l'Insurrection de Novembre [1830/31].) Warszawa, Czytelnik, 82, in-8, 241 p.

7123. LUKÁCZ (Lajos). Frigyesy és Garibaldi 1866-67-ben. ([Gusztáv] Frigyesy [1835-1878] et Garibaldi en 1866/67.) Századok, 82, vol. 116, n° 4, p. 689-717.

7124. MAJEWSKI (Wiesław). Grochów 1831. ([La bataille de] Grochów 1831.) Warszawa, Wydawn. Min. Obrony Narod., 82, in-8, 207 p. (Historyczne Bitwy)

7125. MEANEY (Neville). The search for security in the Pacific, 1901-1914. Sydney, Univ. Press; London, Eurospan, 82, in-8, 320 p.

7126. MILZA (Pierre). Français et Italiens à la fin du XIXe siècle. Aux origines du rapprochement franco-italien de 1900-1902. Roma, Ecole franç. de Rome, 81, 2 vol. in-8, XIX-1114 p. (Coll. de l'Ecole franç. de Rome, 53)

7127. MISKOLCZY (Ambrus). Romanian-Hungarian attempts at reconciliation in the spring of 1849 in Transylvania: Ioan Dragoş mission. In: Gedenkschrift E. Arató [Cf. n° 497], p. 61-81.

7128. MONTELEONE (Giulio). Questione veneta e crisi polacca nel 1863. Arch. veneto, 81, a. 112, s. 5, n° 152, p. 111-154; 82, a. 113, s. 5, n° 153, p. 57-94.

7129. MORGAN (William Michael). The anti-Japanese origins of the Hawaiian annexation treaty of 1897. Dipl. Hist., 82, vol. 6, n° 1, p. 23-44.

7130. ORR (William J.) Jr. Louis-Napoléon et la question allemande (1849-1850). R. Hist. dipl., 81, a. 95, p. 171-212.

7131. PAASIVIRTA (Juhoni). Finland and Europe: international crises during the period of autonomy, 1808-1914. London, C. Hurst, 82, in-8, 250 p.

7132. PALOTÁS (Emil). As Osztrák-Magyar Monarchia balkáni politikája a berlini kongresszus után, 1878-1881. (La politique balkanique de la Monarchie austro-hongroise après le Congrès de Berlin, 1878-1881.) Budapest, Akadémiai Kiadó, 82, in-8, 280 p. - IDEM. Heeresleitung und Balkanpläne in Österreich-Ungarn in den Krisenjahren 1875-1878. In: Gedenkschrift A. Arató [Cf. n° 497], p. 187-204.

7133. PASKOV (S. S.). Sovremennaja

japonskaja buržuaznaja istoriografija. (Probl. politiki Japonii v Kitae v konce XIX - pervoj četverti XX v.). (Contemporary Japanese bourgeois historiography. Problems of Japanese policy in China at the end of the 19th - first quarter of the 20th century). Moskva, Nauka, 82, 168 p.

7134. PAVEL (Teodor). Mişcarea românilor pentru unitate naţională şi diplomaţia Puterilor Centrale (1894-1914). (Le mouvement des Roumains pour l'unité nationale et la diplomatie des puissances centrales, 1894-1914.) Timişoara, Facla, 82, in-8, 306 p.

7135. Pologne: l'insurrection de 1830-1831, sa réception en Europe. Actes du Colloque organisé les 14 et 15 mai 1981 par le Centre d'étude de la culture polonaise de l'Univ. de Lille III. Lille, Univ. de Lille III, 82, in-8, 297 p. (ill.).

7136. Preußen und das Ausland. Beiträge zum europ. u. amerikan. Preußenbild am Beispiel v. England, d. Vereinigten Staaten v. Amerika, Frankreich, Österreich, Polen u. Rußland. Entwurf e. Vortragsreihe: Otto BÜSCH, Manfred SCHLENKE. Hrsg. v. Otto BÜSCH. Mit Beitr. v. Francis L. CARSTEN [u. a.]. Begrüßungsansprache v. Richard v. WEIZSÄCKER. Berlin, Colloquium-Verl., 82, in-8, VI-125 p. (Einzelveröff. d. Hist. Komm. zu Berlin, 35. Forsch. z. preuß. Gesch.) [Contient: CARSTEN (Francis L.). Preußen und England, p. 26-46. - CRAIG (Gordon A.). Preußen und die Vereinigten Staaten von Amerika, p. 47-61. - SAGAVE (Pierre-Paul). Preußen und Frankreich, p. 62-86. - TREUE (Wilhelm). Preußen und Österreich, p. 87-105. - ZERNACK (Klaus). Preußen - Polen - Rußland. Betrachtungen am Ende des "Preußen-Jahres", p. 106-125.] - Veröff. auch in Jb. f. d. Gesch. Mittel- u. Ostdeutschl., 82, Bd 31, p. 1-125.

7137. PYRVEV (Georgi). Wojna rosyjsko-turecka 1877-1878 i wyzwolenie Bułgarii w świetle polskiej prasy. (La guerre russo-turque de 1877-1878 et la libération de la Bulgarie à la lumière de la presse polonaise.) Studia hist. [Kraków], 81 [82], a. 24, n° 4, p. 565-585.

7138. RĂDULESCU-ZONER (Şerban). Dunărea, Marea Neagra şi Puterile Centrale (1878-1898). (Le Danube, la mer Noire et les puissances centrales.) Cluj-Napoca, Dacia, 82, in-8, 175 p.

7139. RADZIK (Ryszard). Instytucjonalny rozwój ruskiego ruchu narodowego w Galicji Wschodniej w latach 1848-1863. (Le développement institutionnel du mouvement national ruthène en Galicie orientale dans les années 1848-1863.) Kwart. hist., 81 [82], n° 4, p. 955-972.

7140. RISALITI (Renato). Russia e Toscana nel Risorgimento. Pistoia, Tellini, 82, in-8, 221 p.

7141. ROSSI (John). Catholic opinion in the eastern question, 1876-1878. Church Hist., 82, vol. 51, n° 1, p. 54-70.

7142. Rossija i osvoboždenie Bolgarii. (Russia and the liberation of Bulgaria.) Avt.: V. GJUZELEV, S. DOJNOV, N. I. CIMBAEV i dr. Pod red. I. A. FEDOSOVA. Moskva, Izd-vo MGU, 82, 191 p. (ill.).

7143. SHORROCK (William I.). Prelude to empire: French Balkan policy, 1878-1881. East european Quar., 82, vol. 16, n° 3, p. 345-362.

7144. SINCLAIR (Andrew). The other Victoria: Princess Royal and the great game of Europe. London, Weidenfeld a. Nicolson, 81, in-8, 282 p. (ill., 2 geneal. tables, 24 pl.).

7145. SUNI (L. V.). Samoderžavie i obščestvenno-političeskoe razvitie Finljandii v 80-90-e gody XIX v. (Autocracy and the socio-political development of Finland in the 1880s and 1890s.) Leningrad, Nauka, 82, 158 p. (AN SSSR, Karel. fil. In-t jaz., lit. i istorii)

7146. VENERUSO (Danilo). Garibaldi e l'Europa. Un progetto di unificazione europea. Ras. stor. Risorg., 82, a. 69, p. 156-181.

7147. YU (Wen-tang). Die deutsch-chinesischen Beziehungen von 1860-1880. Bochum, Studienverl. Brockmeyer, 81, in-8, XII-327 p. (Chinathemen, 3)

7148. ŻALIŃSKI (Henryk). Stracone szanse. Wielka Emigracja o powstaniu listopadowym. (Les chances perdues. La Grande Emigration sur l'insurrection de novembre [1830/31, en Pologne].) Warszawa, Wydawn. Min. Obrony Narod., 82, in-8, 298 p.

Cf. n°s 3373, 6836.

§ 6. De 1910 à 1935.

La Première Guerre mondiale.

* 7149. TORREY (Glenn E.). Romanian historiography on the first world war. Milit. Affairs, 82, vol. 46, n° 1, p. 25-29.

** 7150. Akten zur deutschen auswärtigen Politik, 1918-1945. Aus d. Arch. d. Auswärtigen Amts. Ser. B: 1925-1933. [Bd 16. Cf. Bibl. 81, n° 6483.] Bd 17: 1. März bis 30. Juni 1931. Auswahl d. Dokumente: Christian BAECHLER [u. a.]. Ed. Bearb.: Peter GRUPP [u. a.]. Göttingen, Vandenhoeck u. Ruprecht, 82, in-8, XLIII-563 p.

** 7151. ARDAY (Lajos). Dokumentumok a jugoszláv-magyar határ kialakulásáról 1918-1919. (Documents sur l'établissement de la frontière yougoslavo-hongroise.) Századok, 82, vol; 116, n° 2, p. 323-339.

** 7152. ASTIER (Joseph). Printemps aux tranchées: notes de campagne, 6 mars - 1er juillet 1916. Lyon, Bellier, 82, in-8, 150 p. (ill.).

** 7153. CLAUDEL (Paul). Claudel aux Etats-Unis, 1927-1933. Textes prés. et annotés par Lucile GARBAGNATI. Paris, Gallimard, 82, in-8, 317 p.

** 7154. Documents diplomatiques suisses, 1848-1945. Vol. [7. Cf. Bibl. 78-79, n° 7384.] Vol. 6: 1914-1918. 29 juin 1914 - 11 nov. 1918. Préparé par Jacques FREYMOND, Isabelle GRAF-JUNOD et Alison BROWNING. Vol. 10: 1930-1933. 1er janv. 1930 - 31 déc. 1933. Préparé par Mauro CERUTTI, Jean-Claude FAVEZ, Michèle SEEMULLER avec la collab. de Youssef CASSIS, Yves GAILLARD, Ladislas MYSYROWICZ. Bern, Benteli, 81-82, in-4, LXXIV-902, LXXIX-966 p.

** 7155. Foreign and Commonwealth Office, London. Documents on British foreign policy, 1919-1939. Ser. 1, vol. [22. Cf. Bibl. 81, n° 6488.] 23: Poland and the Baltic States, March 1921 - December 1923. London, H. M. Stationery Office, 82, in-8, 1200 p.

** 7156. Prokoły obrad konferencji w Locarno (Zapis delegacji francuskiej). (Les procès-verbaux des débats à la Conférence de Locarno. L'enregistrement de la délégation française.) Trad. du franç. et éd. par Józef ŁAPTOS. Kraków, 82, in-8, 173 p. (Wyższa Szkoła Pedagog. im. Komisji Edukacji Narod. w Krakowie)

7157. ÁDÁM (Magda). A két királypuccs es a Kisantant. (Les deux coups d'Etat royaux [en Hongrie] et la Petite Entente.) Tört. Szle, 82, vol. 25, n° 4, p. 665-713.

7158. AHMEDOV (Ahmed S.). Les accords franco-turcs de 1921. Et. balkaniques, 82, a. 18, p. 66-84.

7159. ALBONICO (Aldo). L'Italia e il mondo iberico nel primo dopoguerra: velleità coloniali ed economiche (1919-1923). Nuova R. stor., 82, a. 66, p. 82-132.

7160. ALEXANDRIS (Alexis). Turkish policy towards Greece during Second World war and its impact on Greek-Turkish detente. Balkan Stud., 82, vol; 23, p. 157-197.

7161. BALDERRAMA (Francisco E.). In defense of La Raza: the Los Angeles Mexican consulate and the Mexican community, 1929 to 1936. Tucson, Univ. of Arizona Press, 82, in-8, XII-137 p.

7162. BEESLY (Patrick). Room 40: British Naval Intelligence, 1914-1918. London, H. Hamilton, 82, in-8, 352 p.

7163. BESIER (Gerhard). Krieg - Frieden - Abrüstung. Die Haltung d. europ. u. amerikan. Kirchen z. Frage d. deutsch. Kriegsschuld 1914-1933. Ein kirchenhist. Beitr. z. Friedensforsch. u. Friedenserziehung. Göttingen, Vandenhoeck u. Ruprecht, 82, in-8, 393 p. (Ill.).

7164. BIHL (Wolfdieter). Die Beziehungen zwischen Österreich-Ungarn und dem Osmanischen Reich im Ersten Weltkrieg. Österr. Osthefte, 82, Jg. 24, p. 33-52.

7165. Biographical dictionary of World War I. Ed. by Holger H. HERWIG, Neil M. HYMAN. Westport, Conn., Greenwood Press, 82, in-8, XIV-424 p.

7166. BUZATU (Gheorghe). N. Titulescu et les Etats-Unis d'Amérique. R. roumaine Hist., 82, t. 21, p. 339-350.

7167. BUZATU (Gheorghe), DOBRINESCU (Valeriu Florin). Nicolae Titulescu and the principles of sovereignty and territorial integrity. R. Et. sud-est europ., 82, t. 20, p. 383-396.

7168. CAMPUS (Eliza). Planul Briand de uniune europeană (1929-1930). (Le plan Briand d'union européenne.) R. Ist., 82, t. 35, p. 924-945. [Rés. franç.]

7169. ČAPKEVIČ (E. I.). Revoljucionnnye svjazi Rossii i Kitaja nakanune i v period Sin'khajskoj revoljucii. (Revolutionary ties between Russia and China on the eve and during the 1911-1913 revolution.) Vopr. Ist., 82, n° 10, p. 31-46.

7170. CARSTEN (F. L.). War against war: British and German radical movements in the first World War. Berkeley a. Los Angeles, Univ. of California Press; London, Batsford, 82, in-8, 285 p.

7171. CERUTTI (Mauro). Politique ou commerce? Le Conseil fédéral [de la Suisse] et les relations avec l'Union Soviétique au début des années trente. Et. et Sources, 81, vol. 7, p. 119-147.

7172. CORNEBISE (Alfred E.). Den Rhein entlang: the American occupation forces in Germany, 1919-1923, a photo essay. Milit. Affairs, 82, vol. 46, n° 4, p. 183-190. - IDEM. Poland, Germany and France during the Ruhr occupation: a note on the view from Berlin. East european Quar., 82, vo. 16, n° 3, p. 363-372.

7173. CORNEBISE (Alfred E.). Typhus and doughboys: the American Polish typhus relief expedition, 1919-1921. Newark, Univ. of Delaware Press, 82, in-8, 188 p.

7174. DARWIN (John). Britain, Egypt and the Middle East: imperial policy in the aftermath of war, 1918-1922. London, Macmillan, 82, in-8, 400 p.

7175. DASCĂLU (Nicolae), BUŞE (Constantin). Opera scrisă a lui Nicolae Titulescu şi locul acestuia în istoriografia contemporană. (L'oeuvre écrite de N. Titulescu et la place de celui-ci dans l'historiographie contemporaine.) R. Ist., 82, t. 35, p. 483-510. [Rés. franç.]

7176. EFIMOV (G. V.). Pokhod korablja "Vorovskij" iz Arkhangel'ska vo Vladivostok v 1924 g. i ego prebyvanie v Kantone. (The voyage of the "Vorovsky" from Arkhangel'sk to Vladivostok in 1924 and its stay in Canton.) Nov. novejš. Ist., 82, n° 5, p. 109-118.

7177. Encyklopedia powstań śląskich. (Encyclopédie des insurrections en Silésie [1919-1921].) Réd.: Franciszek HAWRANEK et autres. Opole, Inst. Śląski, 82, in-4, 719 p.

7178. ESSEN (Andrzej), ŁAPTOS (Józef). Francja i Polska wobec powstania Małej Ententy (latojesień 1920 r.). (La France et la Pologne face à la formation de la Petite Entente, été - automne 1920.) Studia hist. [Kraków], 82, a. 25, fasc. 3-4, p. 415-437.

7179. FARRAR (L. L.) Jr. Reluctant warriors: public opinion on war during the July crisis 1914. East european Quar., 82, vol. 16, n° 4, p. 417-446.

7180. FLEURY (Antoine). L'enjeu du choix de Genève comme siège de la Société des Nations. In: L'historien et les relations internat. [Cf. n° 508], p. 251-278.

7181. FOGARASSY (László). A nyugat-magyarországi kérdés diplomáciai története. (Histoire diplomatique du problème de la partie occidentale de la Hongrie.) Soproni Szle, 82, vol. 36, n° 1, p. 1-19; n° 2, p. 97-115; n° 3, p. 193-211.

7182. FRASER (Peter). Lord Beaverbrook's fabrications in Politicians and the War, 1914-1916. Hist. J., 82, vol. 25, p. 147-166.

7183. FRUCHT (Richard C.). Dunărea Noastră: Romania, the great powers, and the Danube question, 1914-1921. Boulder, Colo., East European Monographs, 82, in-8, IX-216 p. (East European Monographs, 113)

7184. GALÁNTAI (József). Tisza und die südslawische Frage während des Ersten Weltkrieges. In: Gedenkschrift A. Arató [Cf. n° 497], p. 237-258.

7185. GHEORGHIU (Mihnea). Le centenaire d'un grand diplomate européen [Nicolae Titulescu]. R. roumaine Hist., 82, t. 21, p. 331-337.

7186. GIRAULT (René). La Russie soviétique et le monde extérieur entre 1918 et 1923: une guerre d'indépendance. In: L'historien et les relations internat. [Cf. n° 508], p. 279-294.

7187. GRAHAM (Domenick). The British expeditionary force in 1914 and the machine gun. Milit. Affairs, 82, vol. 46, n° 4, p. 190-194.

7188. GRECESCU (Ion). Nicolae Titulescu - concepția juridică și diplomatică. (N. Titulescu - la conception juridique et diplomatique.) Craiova, Scrisul românesc, 82, in-8, 263 p.

7189. HAYASHIMA (Akira). Die Illusion des Sonderfriedens. Deutsche Verständigungspolitik mit Japan im 1. Weltkrieg. München u. Wien, Oldenbourg, 82, in-8, 215 p. (Stud. z. Gesch. d. 19. Jh., 11)

7190. HOEGENHUIS-SELIVERSTOFF (Anne). Les relations franco-soviétiques, 1917-1924. Paris, Publications de la Sorbonne, 81, in-8, 316 p.

7191. HRONSKÝ (Marián). Vzbura slovenských vojakov v Kragujevaci. (Die Revolte d. slowak. Soldaten in Kragujevac [Jugoslawien, 1918].) Martin, Osveta, 82, in-8, 184 p.

7192. HUDSON (W. J.). Australia and the League of Nations. Sydney, Univ. Press; London, Eurospan, 82, in-8, 243 p.

7193. ILČEV (Ivan). Great Britain and Bulgaria's entry into the first world war (1914-1915). Bulg. hist. R., 82, a. 10, n° 4, p. 29-48.

7194. ILJUKHINA (R. M.). Liga nacij, 1919-1934. (The League of Nations, 1919-1934.) Moskva, Nauka, 82, 357 p. (AN SSSR. In-t vseobšč. istorii)

7195. IORDAN-SIMA (Constantin). Pétrole et diplomatie: la Turquie kémaliste, l'Angleterre impériale et le problème de Mossul. R. Et. sud-est europ., 82, t. 20, p. 67-83.

7196. JANČUK (I. I.). Politika SŠA v Latinskoj Amerike. 1918-1928. (US policy in Latin America, 1918-1928.) Moskva, Nauka, 82, 344 p. (AN SSSR. In-t vseobšč. istorii)

7197. JENSEN (Billie Barnes). The House missions: unofficial diplomacy in the neutrality period. In: Essays in twentieth-century American diplomatic history [Cf. n° 529], p. 1-41.

7198. KENT (Peter C.). The Pope and the Duce: international impacts of the Lateran agreements. London, Macmillan, 82, in-8, 264 p.

7199. KERNEK (Sterlin J.). Woodrow Wilson and national self-determination along Italy's frontier: a study of the manipulation of principles in the pursuit of political interests. Proc. am. philos. Soc., 82, vol. 126, n° 4, p. 243-300.

7200. KLEIN (Fritz). Auseinandersetzungen um die "Kriegsschuldfrage" nach 1919. Z. f. Geschichtswiss., 82, Jg. 30, p. 675-690.

7201. KNEESHAW (Stephen John). The Japanese reaction to the Kellogg-Briand pact, 1928-1929: the view from the United States. In: Essays in twentieth-century American diplomatic history [Cf. n° 529], p. 42-61.

7202. KORCZYK (Henryk). Stosunek Polski i Niemiec do Ligi Narodów w latach 1923-1926. (L'attitude de la Pologne et de l'Allemagne envers la Ligue des Nations dans les années 1923-1926.) Studia hist. [Kraków], 81 [823], a. 24, n° 4, p. 611-630.

7203. KRASUSKI (Jerzy). Stosunki polsko-niemieckie w latach 1919-1932 w naświetleniu historiografii RFN. (Les relations polono-allemandes dans les années 1919-1932 d'après l'historiographie de la République Fédérale d'Allemagne.) Przegl. zach., 81 [82], a. 37, n° 1-2, p. 85-91.

7204. KRASZEWSKI (Piotr). Polityka Wielkiej Brytanii wobec Niemiec w latach 1918-1925. (La politique de la Grande Bretagne envers l'Allemagne dans les années 1918-1925.) Poznań, 82, in-8, 342 p. (Studium Niemcoznawcze Inst. Zach., 38)

7205. KRÜGER (Peter). Deutschland, die

Reparationen und das internationale System in den 20er Jahren. Gesch. in Wiss. u. Unterr., 82, Jg. 33, p. 405-419.

7206. LINKE (Horst Günther). Das zaristische Rußland und der Erste Weltkrieg. Diplomatie u. Kriegsziele 1914-1917. München, Fink, 82, in-8, 343 p. - IDEM. Rußlands Weg in den Ersten Weltkrieg und seine Kriegsziele 1914-1917. Militärgesch. Mitt., 82, H. 32, p. 9-34.

7207. LONG (John W.). American intervention in Russia: the north Russian expedition, 1918-1919. Dipl. Hist., 82, vol. 6, n° 1, p. 45-68.

7208. LUNGU (V. N.). Ustanovlenie v Bessarabii okkupacionnogo režima korolevskoj Rumynii. (Royal Romania's occupational regime in Bessarabia.) Vorp. Ist., 82, n° 10, p. 18-30.

7209. LUNTINEN (Pertti). Suomi Pietarin suojana ja uhkana venäläisten sotasuunnitelmissa 1854-1914. (Finland, shield and threat for St. Petersburg.) Hist. Ark., 82, t. 79, p. 7-130. [Eng. summary]

7210. Mari figuri ale diplomației românești: Nicolae Titulescu. (Grandes figures de la diplomatie roumaine: N. Titulescu.) Colectiv de coord.: Aurel DUMA, Dumitru ANINOIU, Vasile ȘANDRU, Constantin I. TURCU. Studiu introductiv: Ștefan ANDREI. București, Ed. politică, 82, in-8, 307 p. (pl.).

7211. MATICHESCU (Olimpia). Nicolae Titulescu - diplomat patriot, luptător împotriva fascismului, pentru apărarea independenței și suveranității naționale (opinii externe). (N. Titulescu - diplomate patriote, combattant contre le fascisme, pour la défense de l'indépendance et la souveraineté nationale: opinions de l'étranger.) R. Ist., 82, t. 35, p. 420-432. [Rés. franç.]

7212. MÉSZÁROS (Károly). Der ungarische Friedensvertrag vor dem Obersten Rat und der Konferenz der Außenminister: das Verhalten der Nachfolgestaaten Januar-März 1920. In: Gedenkschrift E. Arató [Cf. n° 497], p. 313-334.

7213. MICHEL (Marc). L'appel à l'Afrique: contributions et réactions à l'effort de guerre en A. O. F., 1914-1919. Paris, Publications de la Sorbonne, 82, in-8, IX-533 p. (pl.). (Publ. de la Sorbonne, Sér. Afrique, 6)

7214. MITRAKOS (Alexander S.). France in Greece during world war I: a study in the politics of power. Boulder, Colo., East European Monographs, 82, in-8, XVIII-258 p. (East European Monographs, 101)

7215. MOISUC (Viorica). Un épisode de l'histoire des relations franco-roumaines dans l'entre-deux-guerres. R. Hist. 2e Guerre mond., 82, a. 32, n° 126, p. 78-93.

7216. MONTICONE (Alberto). Deutschland und die Neutralität Italiens, 1914-1915. Wiesbaden, Steiner, 82, in-8, XII-280 p. (Veröff. d. Inst. f. Europ. Gesch. Mainz, Abt. Universalgesch., Beih. 12)

7217. MORROW (John H.) Jr. German air power in world war I. Lincoln, Univ. of Nebraska Press, 82, in-8, XII-267 p.

7218. MORTON (Desmond). A peculiar kind of politics: Canada's overseas ministry in the first world war. Buffalo, N. Y., Univ. of Toronto Press, 82, in-8, XII-267 p.

7219. MOURELOS (Giannēs G.). Hē prosōrinē kybernēsē tēs Thessalonikēs kai hoi scheseis tēs me tous symmachous (Septembrios 1916 - Iounios 1917). (Le gouvernement provisoire de Thessalonique et ses relations avec les alliés, sept. 1916 - juin 1917.) Mnēmōn, 8082 [82], t. 8, p. 150-188.

7220. NASTOVICI (Ema). Relațiile românoturce în ajunul si în timpul primului război mondial. (Les relations turco-roumaines à la veille et au temps de la première guerre mondiale.) R. Ist., 82, t. 35, p. 707-734.

7221. OPREA (Ion M.). Gîndirea diplomatică a lui Nicolae Titulescu pe cele două continente americane. (La pensée diplomatique de N. Titulescu dans les deux continents américains.) R. Ist., 82, t. 35, p. 433-453. [Rés. franç.]

7222. PEASE (Neal). The United States and the Polish boundaries, 1931: an American attempt to revise the Polish corridor. Polish R., 82, vol. 27, n° 3-4, p. 122-137.

7223. PETRACCHI (Giorgio). La Russia rivoluzionaria nella politica italiana. Le relazioni italo-sovietiche, 1917-25. Pref. di Renzo DE FELICE. Roma e Bari, Laterza, 82, in-8, XXIII-359 p. (Bibl. di Cult. mod., 856)

7224. PETRIC (Gabriel). Echos de l'activité diplomatique de N. Titulescu dans la presse suisse. R. roumaine Hist., 82, t. 21, p. 51-58.

7225. POSTA (Ilona). A Horthy-korszak nemzetközi szerződései. (Les traités internationaux de l'époque Horthy.) Jogtudom. Közl., 82, vol. 37, n° 8, p. 608-612.

7226. PRITZ (Pál). Magyarország külpolitikája Gömbös Gyula miniszterelnöksége idején 1932-1936. (La politique extérieure de la Hongrie à l'époque du premier ministre Gyula Gömbös.) Budapest, Akadémiai Kiadó, 82, in-8, 309 p. (24 pl.).

7227. RABBATH (Edmond). L'insurrection syrienne de 1925-1927. R. hist., 82, a. 106, t. 267, p. 405-447.

7228. ŠEVJAKOV (A. A.). Sovetsko-rumynskie otnošenija i Nikolae Titulesku. (Soviet-romanian relations and N. Titulescu.) Vopr. Ist., 82, n° 5, p. 46-59.

7229. SHORROCK (William I.). The Jouvenel mission to Rome and the origins of the Laval-Mussolini accords, 1933-1935. Historian, 82, vol. 45, n° 1, p. 20-30.

7230. SIERPOWSKI (Stanisław). Kształtowanie się społecznego ruchu poparcia dla Ligi Narodów w latach 1919-1926. (La formation du mouvement de soutien pour la Ligue des Nations en 1919-1926.) Kwart. hist., 81 [82], a. 88, n° 4, p. 973-991.

7231. SIMONENKO (R. G.). Genuèzskaja konferencija, Sovetskaja Rossija i anglijskaja diplomatija. (The Genoa conference, Soviet Russia and British diplomacy.) Nov. novejš. Ist., 82, n° 3, p. 92-110.

7232. SOUTOU (Georges-Henri). La Pologne entre Paris et Berlin, de Locarno à Hitler (1925-1933). R. Hist. dipl., 81, a. 95, p. 236-248.

7233. STEVENSON (D.). French war aims against Germany, 1914-1919. London, Oxford U. P., 82, in-8, 320 p. (maps).

7234. STIVERS (William). Supremacy and oil: Iraq, Turkey, and the Anglo-American world order, 1918-1930. Ithaca, N. Y., Cornell U. P., 82, in-8, 207 p.

7235. SZABÓ (László). A nagy temető. Przemyśl ostroma 1914-1915. (Le grand cimetière. Le siège de Przemyśl.) Budapest, Kossuth Kiadó, 82, in-8, 163 p. (8 pl.).

7236. SZEFER (Andrzej). Pierwsza faza problemu Niemców sudeckich w Czechosłowacji w latach 1918-1920. (La première phase du problème des Allemands des Sudètes en Tchécoslovaquie dans les années 1918-1920.) Studia hist. [Kraków], 82, a. 25, fasc. 2, p. 243-256.

7237. TERRAINE (John). White heat: the new warfare, 1914-1918. London, Sidgwick a. Jackson, 82, in-8, 352 p. (ill.).

7238. THOBIE (Jacques). Relations internationales et zones d'influence: les intérêts français en Palestine à la veille de la Première Guerre mondiale. In: L'historien et les relations internat. [Cf. n° 508], p. 427-446.

7239. TOKODY (Gyula). Deutschland und die Ungarische Räterepublik. Budapest, Akadémiai Kiadó, 82, in-8, 129 p. (Studia hist. Acad. Sci. hungaricae, 183)

7240. TORREY (Glenn E.). The diplomatic career of Charles J. Votipka in Romania, 1913-1920. In: Romania between east and west [Cf. n° 510], p. 319-335. [U. S. minister to Romania]

7241. TRACHTENBERG (Marc). Poincaré eut-il, en 1923, une politique rhénane? R. Hist. dipl., 81, a. 95, p. 223-235.

7242. TRACHTENBERG (Marc). Versailles after sicty years. J. contemp. Hist., 82, vol. 17, p. 487-506.

7243. TRUKHNOV (G. M.). Rapallo v dejstvii. Iz istorii sov.-germ. otnošenij (1926-1929). (Rapallo in action. From the history of Soviet-German relations, 1926-1929.) Minsk, Izd-vo Belorus. un-ta, 82, 215 p.

7244. VADÁSZ (Sándor). La réaction des pays étrangers à la révolution hongroise de 1919. In: Gedenkschrift E. Arató [Cf. n° 497], p. 291-312.

7245. VAN DER VAT (Dan). The grand scuttle: the sinking of the German fleet at Scapa Flow in 1919. London, Hodder, 82, in-8, 240 p. (ill.).

7246. VASJUKOV (V. S.). K voprosu o separatnom mire nakanune fevral'skoj revoljucii. (On separate peace on the eve of the February revolution.) Ist. Zap., 82, n° 107, p. 100-170.

7247. VELIKOV (Stefan). Les relations bulgaro-turques (1923-1931). Bulg. hist. R., 82, a. 10, n° 4, p. 9-29.

7248. VINOGRADOV (V. N.). Ob učastii Rumynii v pervoj mirovoj vojne. (Romania in the First world war.) Vopr. Ist., 82, n° 8, p. 56-69.

7249. WANG (Chi). Endphase des britischen Kolonialismus in China. Eine Unters. z. Rolle d. öffentl. Meinung in Großbritannien als Reaktion u. Einflußgröße britischer Außenpolitik gegenüber China während d. Nationalen Revolution 1922-1928. Frankfurt (Main) u. Bern, Lang, 82, in-8, IX-542 p. (1 Kt.). (Europ. Hochschulschr., Reihe 3: Gesch. u. ihre Hilfswiss., 178)

7250. ZACHARIAS (Michał Jerzy). Polska wobec zmian w układzie sił politycznych w Europie w latach 1932-1936. (La Pologne face aux changements dans le système des forces politiques en Europe dans les années 1932-1936.) Wrocław, Zakł. Narod. im. Ossolińskich, 82, in-8, 300 p. (Pol. Akad. Nauk, Inst. Krajów Socialist.)

Cf. n°s 3127, 6749, 6757, 7134, 7265, 7273, 7351, 7354, 7422.

§ 7. De 1935 à 1945.
La Deuxième Guerre mondiale.

a. Généralités.

* 7251. Bibliographie [d'histoire de la Seconde guerre mondiale]. [Cf. Bibl. 81, n° 6579.] R. Hist. 2e Guerre mond., 82, a. 32, n°) 125, p. 133-143; n° 126, p. 115-125; n° 127, p. 115-126.

* Cf. n°s 3105, 3107.

** 7252. American (The) road to Nuremberg: the documentary record, 1944-1945. Ed. by Bradley F. SMITH. Stanford, Calif., Hoover Inst. Press, 82, in-8, X-259 p. (Hoover Press Publ., 248)

** 7253. Documents on the holocaust: selected sources on the destruction of the Jews of Germany and Austria, Poland, and the Soviet Union. Ed. by Arad YITZHAK a. others. New York, KTAV, 82, in-8, XVI-504 p.

** 7254. Doświadczenia lat wojny 1939-1945. Fakty, postawy, refleksje. (Expériences des années de la guerre 1939-1945. Faits, attitudes, réflexions.) Choix, réd., avant-propos de Władysław BARTOSZEWSKI. Kraków, Znak, 80 [82], in-8, 571 p. (Teksty z "Tygodnika Powszechnego")

7255. ABENDROTH (Hans-Henning). Deutschland, Frankreich und der spanische Bürgerkrieg, 1936-1939. In: Deutschland u. Frankreich 1936-1939 [Cf. n° 235], p. 453-474.

7256. BARIETY (Jacques). La France et le problème de l'Anschluss [de l'Autriche à l'Allemagne], mars 1936 - mars 1038. In: Deutschland u. Frankreich 1936-1939 [Cf. n° 235], p. 553-574.

7257. BLOCH (Charles). Les relations franco-allemandes et la politique des puissances pendant la guerre d'Espagne. In: Deutschland u. Frankreich 1936-1939 [Cf. n° 235], p. 429-451.

7258. CARLS-MAIRE (Alice-Catherine). La Ville Libre de Dantzig en crise ouverte, 24.10.1938 - 1.9.1939. Crise locale et crise européenne. Wrocław, Zakł. Narod. im. Ossolińskich, 82, in-8, 227 p. (Gdańskie Tow. Nauk. Wydz. 1 Nauk Społ. i Humanist., Ser. Monografii, 79)

7259. CRÉMIEUX-BRILHAC (Jean-Louis). La France devant l'Allemagne et la guerre au début de septembre 1939. In: Deutschland u. Frankreich 1936-1939 [Cf. n° 235], p. 577-616.

7260. CYTOWSKA (Ewa). Sytuacja informacyjna społeczeństwa w Generalnej Guberni o sprawie polskiej w okresie II wojny światowej. Cz. 1-2. (L'information du public dans le Gouvernement Général sur la question polonaise durant la 2e guerre mondiale. Kwart. Hist. Prasy pol., 82, a. 21, n° 1, p. 45-71; n° 2, p. 55-71.

7261. DALLIN (Alexander). German rule in Russia, 1941-1945. 2nd rev. ed. London, Macmillan, 82, in-8, 728 p.

7262. DOUGLAS (Roy). From war to cold war, 1942-1948. London, Macmillan, 82, in-8, 248 p.

7263. Dzieci i młodzież w latach drugiej wojny światowej. (Les enfants et la jeunesse dans les années de la seconde guerre mondiale.) Réd. par Czesław PILICHOWSKI. Warszawa, Państw. Wydawn. Nauk., 82, in-8, 611 p.

7264. EICHHOLTZ (Dietrich). Der "Generalplan Ost". Über e. Ausgeburt imperialist. Denkart u. Politik (mit Dok.). Jb. f. Gesch., 82, Bd 26, p. 217-274.

7265. FARYŚ (Janusz). Koncepcje polskiej polityki zagranicznej 1918-1939. (Les conceptions de la politique étrangère polonaise 1918-1939.) Warszawa, Książka i Wiedza, 82, in-8, 415 p.

7266. FOX (John P.). Der Fall Katyn und die Propaganda des NS-Regimes. Vjhefte f. Zeitgesch., 82, Jg. 30, p. 462-499.

7267. FROMM (Hermann). Deutschland in der öffentlichen Kriegszieldiskussion Groß-britanniens 1939-1945. Frankfurt (Main) u. Bern, Lang, 82, in-8, 386 p. (Europ. Hochschulschr., Reihe 3: Gesch. u. ihre Hilfswiss., 167)

7268. FUHRER (Hans Rudolf). Spionage gegen die Schweiz. Die geheimen deutschen Nachrichtendienste gegen die Schweiz im Zweiten Weltkrieg, 1939-1945. Frauenfeld, Huber, 82, in-4, 184 p. (Schriftenreihe ASMZ, Allg. Schweiz. Militärschr.)

7269. Geheimdienste und Widerstandsbewegungen im Zweiten Weltkrieg. Hrsg. v. Gerhard SCHULZ. Göttingen, Vandenhoeck u. Ruprecht, 82, in-8, 230 p.

7270. GRZYBOWSKI (Michał Marian). Martyrologium duchowieństwa diecezji Płockiej w latach drugiej wojny światowej. (Le martyre du clergé du diocèse de Płock dans les années de la Seconde Guerre mondiale.) Płock, Wydawn. Diecezjalne, 82, in-8, 251 p.

7271. GUTMAN (Yisrael). The Jews of Warsaw, 1939-1943: ghetto, underground, revolt. Transl. by Ina FRIEDMAN. Bloomington, Indiana U. P.; Brighton, Harvester Press, 82, in-8, XVIII-487 p.

7272. HARDESTY (Von). Red Phoenix, the rise of Soviet air power, 1941-1945. London, Arms a. Armour Press, 82, in-4, 300 p. (ill., maps).

7273. HAUSER (Oswald). England und das Dritte Reich: eine dokumentierte Geschichte der englisch-deutschen Beziehungen von 1933-1939 auf Grund unveröff. Akten aus d. Brit. Staatsarchiv. [Bd 1. Cf. Bibl. 72, n° 5922.] Bd 2: 1936-1938. Göttingen u. Zürich, Muster-Schmidt, 82, in-8, 415 p.

7274. HILLGRUBER (Andreas). Der Zweite Weltkrieg 1939-1945. Kriegsziele und Strategie d. großen Mächte. Stuttgart, Berlin, Köln u. Mainz, Kohlhammer, 82, in-8, 197 p.

7275. HOLUB (Ota). Zrazené pevnosti. (Die verratenen Festungen [d. Tschechoslowakei]. Praha, Naše vojsko, 82, in-8, 288 p [Cf. n° 4188]

7276. HUMPHREYS (Robert Arthur). Latin America and the Second World War. Vol. 1: 1939-1942. Vol. 2: 1942-1945. London, Athlone Press, 82, 2 vol. in-8, 232, 304 p. (Inst. of Latin Amer. Stud. Monogr.)

7277. Inter arma non silent Musae. Wojna i kultura 1939-1945. (La guerre et la culture en 1939-1945.) Réd.: Czesław MADAJCZYK. Warszawa, Państw. Inst. Wydawn., 82, in-8, 617 p. [Matériaux du colloque "Guerre et culture 1939-1945", Varsovie, 6-8 sept. 1977]

7278. Istorija vtoroj mirovoj vojny, 1939-1945. (History of the second world war.) Gl. red. komis.: D. F. USTINOV (predsedatel') i dr. V 12-ti t. [T. 11. Cf. Bibl. 80, n° 6656.] T. 12: Itogi i uroki vtoroj mirovoj vojny. (Results a. lessons of the second world war.) Moskva, Voenizdat, 82, 495 p. (ill.). (In-t voennoj istorii M-va oborony SSSR. In-t marksizma-leniniz-

7. DE 1935 A 1945. LA DEUXIEME GUERRE MONDIALE

ma pri CK KPSS. In-t vseobšč. istorii AN SSSR. In-t istorii SSSR AN SSSR)

7279. JOSEPH (Gilbert). Mission sans retour. L'affaire Wallenberg. Paris, A. Michel, 82, in-8, 446 p.

7280. KÁRNÝ (Miroslav). Die "Judenfrage" in der nazistischen Okkupationspolitik. Historica [Praha], 82, vol. 21, p. 137-192.
— IDEM. Poznámky ke genocidní politice německého fašismu. (Bemerkungen zur Politik d. Völkermords d. deutschen Faschismus.) Sborn. k Problem. Děj. Imper., 82, vol. 13, p. 177-229.

7281. LAQUEUR (Walter Z.), MOSSE (George Lachmann). The Second World War: essays in military and political history. London, Sage, 82, in-8, 416 p.

7282. LAUEL (Richard L.). The Yamashita precedent: war crimes and command responsibility. Wilmington, Del., Scholarly Resources, 82, in-8, XII-165 p.

7283. LEWIN (Isaac). Attempts at rescuing European Jews with the help of Polish diplomatic missions during world war II. [Pt. 2. Cf. Bibl. 78-79, n° 7582.] Pt 3. Polish R., 82, vol. 27, n° 1-2.

7284. LIETZ (Zygmunt). Obozy jenieckie w Prusach Wschodnich 1939-1945. (Les camps de prisonniers de guerre en Prusse Orientale 1939-1945.) Warszawa, Wydawn. Min. Obrony Narod., 82, in-8, 219 p.

7285. LIPCZEY (Ildikó). A MADOSz [Romániai Magyar Dolgozók Szövetsége] és az Ekésfront [Frontul Plugarilor] 1935-1944. (La "MADOSz" [Union des travailleurs hongrois de Roumanie] et le Front des laboureurs [Frontul Plugarilor].) Tört. Szle, 82, vol. 25, n° 3, p. 458-482.

7286. ŁOSSOWSKI (Piotr). Litwa a sprawy polskie 1939-1940. (La Lituanie et les questions polonaises 1939-1940.) Warszawa, Państw. Wydawn. Nauk., 82, in-8, 345 p.

7287. LUMANS (Valdis O.). The ethnic German minority of Slovakia and the Third Reich, 1938-1945. Central european Hist., 82, vol. 15, n° 3, p. 226-296.

7288. MADAJCZYK (Czesław). Die europäische Kultur, die Intellektuellen und ihre Herausforderung durch den Faschismus. Acta Poloniae hist., 81 [82], vol. 43, p. 135-159.

7289. MARÈS (Antoine). La France libre et l'Europe centrale et orientale (1940-1944). R. Et. slaves, 82, t. 54, p. 305-336.

7290. MARRUS (Michael R.), PAXTON (Robert O.). The nazis and the Jews in occupied western Europe, 1940-1944. J. mod. Hist., 82, vol. 54, n° 4, p. 687-714.

7291. MARWICK (Arthur). Print, pictures and sound: the second world war and the British experience. Daedalus, 82, vol. 111, n° 4, p. 135-156.

7292. MICHEL (Henri). Paris allemand. Paris, A. Michel, 81, in-8, 374 p. [Cf. n° 7429]

7293. MNICHOWSKI (Przemysław). Obóz koncentracyjny i więzienie w Sonnenburgu (Słońsku) 1933-1945. (Le camp de concentration et la prison à Sonnenburg 1933-1945.) Warszawa, Wydawn. Min. Obrony Narod., 82, in-8, 241 p.

7294. MONKIEWICZ (Waldemar). Zbrodnie hitlerowskie w Hajnówce i okolicy. (Les crimes nazis à Hajnówka et dans ses environs.) Białystok, Okręgowa Komisja Badania Zbrodni Hitlerowskich, 82, in-8, 171 p.

7295. NAGY (Zsuzsa), L. Az Anschluss és a magyar liberális ellenzék (L'Anschluss et l'opposition libérale hongroise.) Tört. Szle, 82, vol. 25, n° 4, p. 714-739.

7296. NEJEDLÝ (Miloslav). Zásadní obrat v druhé světové válce a jeho buržuazní falzifikace. (Die grundsätzliche Wendung im Zweiten Weltkrieg und ihre bürgerliche Verfälschung.) Hist. Vojen., 82, vol. 31, n° 6, p. 23-39.

7297. POLLACK (Juliusz). Jeńcy polscy w hitlerowskiej niewoli. (Les prisonniers de guerre polonais en captivité nazie.) Warszawa, Wydawn. Min. Obrony Narod., 82, in-8, 302 p.

7298. POZDEEVA (L. V.). Sozdanie OON i kanadskaja diplomatija. (The foundation of the United Nations and Canada's diplomacy.) Nov. novejš. Ist., 82, n° 3, p. 15-32.

7299. PREKEROWA (Teresa). Konspiracyjna Rada Pomocy Żydom w Warszawie 1942-1945. (Le Conseil clandestin pour l'Aide aux Juifs à Varsovie 1942-1945.) Warszawa, Państw. Inst. Wydawn., 82, in-8, 483 p. (Bibl. Wiedzy o Warszawie)

7300. Pričiny vozniknovenija vtoroj mirovoj vojny. (The origins of the second world war.) Sbornik statej. Redkol.: E. M. ŽUKOV (otv. red.) i dr. Moskva, Nauka, 82, 315 p. (AN SSSR, Otd-nie istorii. In-t vseobšč. Istorii)

7301. RINGS (Werner). Life with the enemy: collaboration and resistance in Hitler's Europe, 1939-1945. London, Weidenfeld a. Nicolson, 82, in-8, 351 p.

7302. ROTHWELL (Victor). Britain and the Cold War, 1941-1947. London, Cape, 82, in-8, 560 p.

7303. SHACHTMAN (Tom). The phony war. London, Harper a. Row, 82, in-8, 320 p.

7304. SILVA SEITENFUS (Ricardo A.). Le Brésil de Getulio Vargas et la formation des blocs, 1930-1942. Le processus de l'engagement brésilien dans la Seconde Guerre mondiale. Genève, 81, in-4, 794 p. (Thèse sci. pol.)

7305. SMIRNOV (V. P.). De Goll' i Žiro. (De Gaulle and Giraud.) Nov. novejš. Ist., 82, n° 1, p. 108-124; n° 2, p. 135-153.

7306. SOJKA (Tadeusz). Zbrodnie Wehrmachtu na jeńcach wojennych w Żaganiu 1939-1945. Studium kryminalistyczno-historyczne. (Les crimes de la Wehrmacht contre les prisonniers de guerre à Żagań 1939-1945. Etude historique du crime.) Zielona Góra, Lubuskie Tow. Nauk., 82, in-8, 271 p.

7307. SPANG (Paul). Von der Zauberflöte zum Standgericht. Naziplakate in Luxemburg 1940-1944. Die Kulissen einer Zeit mit d. Wiedergabe v. 678 Plakaten, davon 78 in Farbe, zahlreichen Dok., Bildern u. einer Schallplatte. Luxemburg, Sankt-Paulus-Druckerei, 82, in-4, 467 p. (ill.).

7308. STOLER (Mark A.). From continentalism to globalism: general Stanley D. Embick, the Joint Strategic Survey Committee, and the military view of American national policy during the second world war. Dipl. Hist., 82, vol. 6, n° 3, p. 303-321.

7309. STRZELECKI (Andrzej). Ewakuacja, likwidacja, i wyzwolenie KL Auschwitz. (Evacuation, liquidation et libération du KL Auschwitz.) Oświęcim, Państw. Muzeum, 82, in-8, 365 p.

7310. TEJCHMAN (Miroslav). Boj o Balkán. Balkánské státy v letech 1939-1941. (The struggle for the Balkans. Balkan states in the years 1939-1941.) Praha, Academia, 82, in-8, 252 p.

7311. WALENDY (Udo). Truth for Germany: how the Second World War began. Brighton, Hist. Review Press, 82, in-8, 536 p.

7312. WEINGARTEN (Ralph). Die Hilfeleistungen der westlichen Welt bei der Endlösung der deutschen Judenfrage. Das "Intergovernmental Committee on Political Refugees", IGC, 1938-1939. Frankfurt (Main) u. Bern, Lang, 81, in-8, 232 p. (Europ. Hochschulschr., Reihe 3: Gesch. u. ihre Hilfswiss., 157)

7313. WILSON (Dick). When tigers fight: the story of the Sino-Japanese war, 1937-1945. London, Hutchinson, 82, in-8, XVIII-270 p.

7314. WOJCIECHOWSKI (Marian), AJNENKIEL (Andrzej). Les relations polono-françaises entre les deux guerres mondiales. La guerre polonaise en 1939. Warszawa, Państw. Wydawn. Nauk., 82, in-8, 60 p. (Acad. Pol. des Sciences. Centre Scientif. à Paris. Conférences, 131)

7315. WYSOCKI (Wiesław Jan). Bóg na nieludzkiej ziemi. Życie religijne w hitlerowskich obozach koncentracyjnych (Oświęcim - Majdanek - Stutthof). (Dieu sur une terre inhumaine. La vie religieuse dans les camps de concentration nazis: Oświęcim [Auschwitz] - Majdanek - Stutthof.) Warszawa, Pax, 82, in-8, 234 p.

7316. ZONIK (Zygmunt). Gwałtem i przemocą. Z problematyki pracy w hitlerowskich obozach koncentracyjnych. (Par force et par violence. Problématique du travail dans les camps de concentration nazis.) Warszawa, Książka i Wiedza, 82, in-8, 217 p.

Cf. n°s 3127, 3774, 3881.

b. Diplomatie. Economie.

** 7317. Diplomáciai iratok Magyarország külpolitikájához. 1936-1945. Szerk. ZSIGMOND László. [3. Cf. Bibl. 70-71, n° 8883.] 5: JUHÁSZ (Gyula). Magyarország külpolitikája a nyugati hadjárattól a Szovjetunió megtámadásáig. 1940-1941. Sajtó alá rend. JUHÁSZ Gyula, FEJES Judit. (Documents diplomatiques concernant la politique étrangère de la Hongrie. 1936-1945. Réd. par -. 5: La politique extérieure de la Hongrie, de la campagne de l'Ouest jusqu'à l'attaque contre l'URSS, 1940-1941. Mis sous presse par -.) Budapest, Akadémiai Kiadó, 82, in-8, 1426 p.

** 7318. Dokumenty a materiály dějinám československo-sovětských vztahů. (Dokumente u. Materialien z. Gesch. d. tschechoslowak.-sowjet. Beziehungen.) [Teil 3. Cf. Bibl. 80, n° 6613.] Díl 4, Sv. 1: Březen 1939 - prosinec 1943. (Teil 4, Bd 1: März 1939 - Dez. 1943.) Edit. Č. AMORT, J. PIVOLUSKA, I. ŠŤOVÍČEK, A. Ch. KLEVANSKIJ, A. I. NEDOREZOV, J. N. ŠČERBAKOV. Praha, Academia, 82, in-8, 508 p.

** 7319. Foreign and Commonwealth Office, London. Documents on British foreign policy, 1919-1939. Ser. 2, vol. [17, 18. Cf. Bibl. 80, n° 6693.] 19: European affairs, July 1937 - August 1938. London, H. M. Stationery Office, 82, in-8, 1225 p.

7320. ARCIDIACONO (Bruno G. L.). L'invasion de l'Italie dans les relations interalliées. La répétition générale. Le Foreign Office et le problème du contrôle du territoire italien, 1943-1944. Genève, 81, in-4, XIV-736 p. (Thèse sci. pol.)

7321. BEREŽKOV (V. M.). Stranicy diplomatičeskoj istorii. (Pages of diplomatic history.) Moskva, Meždunar. otnošenija, 82, 502 p.

7322. BÖSCHENSTEIN (Hermann). Bundesrat Obrecht, 1882-1940. Solothurn, Vogt-Schild, 81, in-8, 289 p. (ill.).

7323. BONJOUR (Edgar). Türkische und schweizerische Neutralität während des Zweiten Weltkrieges. In: L'historien et les relations internat. [Cf. n° 509], p. 197-213.

7324. BOURGEOIS (Daniel). Entre l'engagement et le réalisme: William Rappard et l'association suisse pour la Société des Nations face à la crise de 1940. In: L'historien et les relations internat. [Cf. n° 508], p. 215-236.

7325. DOUGLAS (Roy). New alliances, 1940-1941. London, Macmillan; New York, St. Martin's Press, 82, in-8, 154 p.

7326. DUROSELLE (Jean-Baptiste). Une création ex nihilo: le ministère des Affaires étrangères du général de Gaulle (1940-1942). Relations int., 82, n° 31, p. 313-332.

7327. EKMAN (Stig). La politique de défense de la Suède durant la Seconde Guerre mondiale. R. Hist. 2e Guerre mond., 82, t. 32, n° 126, p. 3-36.

7328. FOSCHEPOTH (J.). Britische Deutschlandpolitik zwischen Jalta und Potsdam. Vjhefte f. Zeitgesch., 82, Jg. 30, p. 675-714.

7329. FRITZ (Martin). En fråga om praktisk politik: ekonomisk neutralitet under det andra världskriget. (A question of practical policy: economic neutrality during the Second World War.) [Svensk] Hist. T., 82, vol. 102, p. 340-366. [Eng. summary]

7330. GIRAULT (René). La politique extérieure française de l'après-Munich, septembre 1938 - avril 1939. In: Deutschland u. Frankreich 1936-1939 [Cf. n° 235], p. 507-522.

7331. GLEES (Anthony). Exile politics during the Second World War: German Social Democrats in Britain. London, Oxford U. P., 82, in-8, 270 p. (Oxford Hist. Monogr.)

7332. HILLGRUBER (Andreas). Frankreich als Faktor der deutschen Außenpolitik im Jahre 1939. In: Deutschland u. Frankreich 1936-1939 [Cf. n° 235], p. 617-628.

7333. KASTORY (Andrzej). Rozejm z Węgrami w polityce wielkich mocarstw 1944-1945. (L'armistice avec la Hongrie dans la politique des grandes puissances 1944-1945.) Studia hist. [Kraków], 82, a. 25, fasc. 3-4, p. 451-468.

7334. KERAUDY (François). De Gaulle et Churchill. Paris, Plon, 82, in-8, 415 p. (ill.).

7335. KNIPPING (Franz). Die deutschfranzösische Erklärung vom 6. Dezember 1938. In: Deutschland u. Frankreich 1936-1939 [Cf. n° 235], p. 523-551.

7336. KNOX (Macgregor). Mussolini unleashed, 1939-1941: politics and strategy in Fascist Italy's last war. London a. New York, Cambridge U. P., 82, in-8, XII-385 p.

7337. KOPPES (Clayton R.). The good neighbor policy and the nationalization of Mexican oil: a reinterpretation. J. am. Hist., 82, vol. 69, n° 1, p. 62-81.

7338. LALOY (Jean). Les avertissements de Litvinov à la fin de la guerre 1944-1946. In: L'historien et les relations internat. [Cf. n° 508], p. 325-336.

7339. LUCZAK (Czeslaw). Polityka ekonomiczna Trzeciej Rzeszy w latach drugiej wojny światowej. (La politique économique du Troisième Reich dans les années de la Seconde Guerre mondiale.) Poznań, Wydawn. Pozn., 82, in-8, 490 p.

7340. MacDONALD (C. A.). The United States, Britain and appeasement, 1936-1939. London, Macmillan, 82, in-8, 176 p.

7341. MAL'KOV (V. L.). Sekretnye donesenija voennogo attaše SSA v Moskve nakanune vtoroj mirovoj vojny. (Secret reports of the US military attaché in the USSR on the eve of the Second World War.) Nov. novejš. Ist., 82, n° 4, p. 101-117.

7342. MATERSKI (Wojciech). Konferencja Narodów Zjednoczonych w Bretton Woods in Zwiazek Radziecki. (La conférence des Nations Unies à Bretton Woods et l'Union Soviétique. Dzieje najnowsze, 81 [82], a. 13, n° 4, p. 29-42.

7343. MICHALKA (Wolfgang). Die Außenpolitik des Dritten Reiches vom österreichischen Anschluß bis zur Münchener Konferenz 1938. In: Deutschland u. Frankreich 1936-1939 [Cf. n° 235], p. 493-506.

7344. NIEDHART (Gottfried). Deutsche Außenpolitik im Entscheidungsjahr 1937. In: Deutschland u. Frankreich 1936-1939 [Cf. n° 235], p. 475-492.

7345. PARSADANOVA (V. S.). Sovetskopol'skie otnošenija v gody Velikoj Otečestvennoj vojny, 1941-1945. (Soviet-Polish relations during the Great Patriotic War, 1941-1945.) Moskva, Nauka, 82, 280 p. (AN SSSR. In-t slavjanovedenija i balkanistiki)

7346. PAVLOWITCH (K. St.). The Foreign Office, king Peter and his official visit to Washington [1940]. East european Quar., 82, vol. 16, n° 4, p. 453-466.

7347. PRASOLOV (S. I.). Sekretnye čekhoslovacko-germanskie peregovory (1936-1937 gg.). (Czechoslovak-German secret talks, 1936-1937.) Nov. novejš. Ist., 82, n° 5, p. 119-138; n° 6, p. 139-158.

7348. QUINLAN (Paul D.). The United States and the problem of Transylvania during World War II. In: Romania between east and west [Cf. n° 510], p. 369-383.

7349. RATYŃSKA (Barbara). Ludność i gospodarka Warszawy i okręgu pod okupacja hitlerowska. (La population et l'économie de Varsovie et de son district sous l'occupation nazie.) Warszawa, Książka i Wiedza, 82, in-8, 426 p.

7350. REZUM (Miron). The Iranian crisis of 1941. The actors: Britain, Germany and the Soviet Union. Köln, Böhlau, 82, in-8, VI-108 p. (Böhlau-Politica, 6)

7351. SCHRÖDER (Hans-Jürgen). Economic appeasement. Zur britischen u. amerikan. Deutschlandpolitik vor d. Zweiten Weltkrieg. Vjhefte f. Zeitgesch., 82, Jg. 30, p. 82-97.

7352. SVOLOPOULOS (C.). Anglo-Hellenic talks on Cyprus during the axis campaign against Greece. Balkan Stud., 82, vol. 23, p. 199-217.

7353. Bibl. 81, n° 6686. SEVOST'JANOV (P. P.). Pered velikim ispytaniem. Vneš. politika SSSR nakanune Velikoj Oteč. vojny. Sent. 1939 - ijun' 1941. (Before the great trial. Foreign policy of the USSR on the eve of the Great Patriotic war, Sept. 1939 - June 1941.) - CR: N. I. Lebedev, Nov. novejš. Ist., 82, n° 4, p. 165-169; V. Ja. Sipols, J. A. Čelyšev, Vopr. Ist., 82, n° 6, p. 128-130.

7354. SEYMOUR (Susan). Anglo-Danish relations and Germany 1933-1945. Odense, Odense Univ. Press, 82, in-8, 295 p.

7355. SPECTOR (Ronald). Allied intelligence and Indochina, 1943-1945. Pacific hist. R., 82, vol. 51, n° 1, p. 23-50.

7356. Spółdzielczość polska podczas II wojny światowej. (Le coopératisme polonais pendant la IIe Guerre mondiale.) Réd. Czesław SZCZEPAŃCZYK, Halina TROCKA. Gdańsk, Wydawn. Inst. Morskiego, 82, in-8, 161 p. (Muzeum Spółdz. w Pol. z siedzibą w Nałęczowie. Inst. Hist. Wyższej Szkoły Pedagog. W Kielcach)

7357. SZABÓ (Miklós). A magyar katonai repülőgépgyártás fejlődése 1938-1944. (Die Entwicklung der militärischen Flugzeugproduktion in Ungarn, 1938-1944.) Hadtört. Közl., 82, vol. 29, n° 4, p. 548-584.

7358. VAN DER ZEE (Henry A.). Hunger winter: occupied Holland, 1944-1945. London, Norman a. Hobhouse, 82, in-8, 224 p. (ill.).

7359. VEDOVATO (Giuseppe). Il non intervento in Spagna (31 luglio 1936 - 19 aprile 1937). R. Studi pol. int., 82, a. 49, p. 529-554.

7360. WIDENOR (William C.). American planning for the United Nations: have we been asking the right questions? Dipl. Hist., 82, vol. 6, n° 3, p. 245-266.

7361. ZEMSKOV (I. N.). Diplomatičeskaja istorija vtorogo fronta v Evrope. (Diplomatic history of the second front in Europe.) Moskva, Politizdat, 82, 319 p. (ill.).

Cf. n°s 6757, 6853.

c. Opérations de guerre.

* 7362. COCHRAN (Alexander S.) Jr. "Magic", "Ultra", and the Second World War: literature, sources, and outlook. Milit. Affairs, 82, vol. 46, n° 2, p. 88-93.

** 7363. BOISSEAU (général Alain de). Souvenirs. T. 1: Pour combattre avec de Gaulle, 1940-1946. Paris, Plon, 82, in-8, 360 p. (ill.).

7364. ARNEIL (Stan). One man's war: Japanese prison camp diary. Cambridge, P. Moore, 82, in-8, XVI-288 p. (ill.).

7365. BARTLETT (Merrill), LOVE (Robert William) Jr. Anglo-American naval diplomacy and the British Pacific fleet, 1942-1945. Am. Neptune, 82, vol. 42, n° 3, p. 203-216.

7366. BAUER (Piotr), POLAK (Bogusław). Armia "Poznań" w wojnie obronnej 1939. (L'armée "Poznań" pendant la guerre défensive en 1939.) Poznań, Wydawn. Pozn., 82, in-8, 527 p.

7367. BERTRAND (Michel). La marine française au combat, 1939-1945. T. 1: Des combats de l'Atlantique aux Forces navales françaises libres. Paris, Lavauzelle, 82, in-8, 233 p.

7368. BIEGAŃSKI (Witold). Polskie siły zbrojne na Bliskim i Środkowym Wschodzie. (Les forces militaires polonaises au Proche et Moyen Orient.) Wojsk. Przegl. hist., 82, a. 27, n° 1, p. 75-103.

7369. BRATZEL (John F.), ROUT (Leslie B.) Jr. Pearl Harbor, microdots, and J. Edgar Hoover. Am. hist. R., 82, vol. 87, n° 5, p. 1342-1351.

7370. BRUGE (Roger). Les combattants du 18 juin [1940&. T. 1. Le sang versé. Paris, Fayard, 82, in-8, 585 p. (pl.).

7371. CABOZ (René). La bataille de la Moselle, 25 août - 15 décembre 1944. Sarreguemines, Pierron, 81, in-8, 446 p. (pl.).

7372. CALLAHAN (Raymond). The worst disaster: the fall of Singapore. London, Dent, 82, in-8, 293 p.

7373. CEVA (L.). L'"intelligence" britannico nella seconda guerra mondiale e la sua influenza sulla strategia e sulle operazioni. Stor. contempor., 82, a. 13, p. 99-122.

7374. CIECHANOWSKI (Konrad). Armia "Pomorze" 1939. (L'armée "Pomorze" [Poméranie] en 1939.) Warszawa, Wydawn. Min. Obrony Narod., 82, in-8, 394 p. (Wojsk. Inst. Historyczny im. Wandy Wasilewskiej)

7375. DESTREM (Maja). Les commandos de France: les volontaires au béret bleu, 1944-1945. Paris, Fayard, 82, in-8, 453 p.

7376. DOLLAR (Jacques), KAYSER (Robert). Histoire de la "Luxembourg Battery". Message du Général Jacques MASSU. Ouvrage éd. sous les auspices du Ministère de la Force publique et du Conseil national de la résistance. Luxembourg, Impr. Centrale, 82, in-8, 196 p. (ill.).

7377. ELLIOTT (Mark R.). Andrei Vlasov: red army general in Hitler's service. Milit. Affairs, 82, vol. 46, n° 2, p. 84 88.

7378. EMILIANI (Angelo), GHERGO (F.), VIGNA (Achille). Aviazione italiana. La guerra in Italia. Parma, Albertelli, 82, in-8, 95 p. (fig.). (Immagini e Stor. dell'aeronautica ital., 1935-1945)

7379. FLISOWSKI (Zbigniew). Między Nową Gwineą a Archipelagiem Bismarcka. (Entre la Nouvelle-Guinée et l'Archipel Bismarck.) Poznań, Wydawn. Pozn., 82, in-8, 223 p. [Guerre maritime 1939-1945]

7380. FRASER (David). Alanbrooke. London, Collins, 82, in-8, 608 p. (maps).

7381. GROEHLER (Olaf), SCHUMANN (Wolfgang). Vom Krieg zum Nachkrieg. Probleme d. Militärstrategie u. Politik d. faschist. deutsch. Imperialismus in d. Endphase d. Zweiten Weltkrieges. Jb. f. Gesch., 82, Bd

26, p. 275-297.

7382. HAY (Doddy). War under the Red Ensign: the Merchant Navy, 1939-1945. London, Jane's Publ. Co., 82, in-8, 208 p. (ill., pl.).

7383. Italiani (Gli) sul fronte russo. [Atti del Congresso tenuto a Cuneo nel 1979.] Bari, De Donato, 82, in-8, X-569 p. (Istit. Stor. della Resist. in Cuneo e Prov.)

7384. JACOBS (W. A.). Air support for the British army, 1939-1943. Milit. Affairs, 82, vol. 46, n° 4, p. 174-183.

7385. KACZMAREK (Kazimierz). Budziszyn 1945. ([La bataille de] Bautzen, 1945). Warszawa, Wydawn. Min. Obrony Narod., 82, in-8, 226 p. (Historyczne Bitwy)

7386. KONOPCZYŃSKI (Władysław). Pod trupią główką. Sonderaktion Krakau. (A la tête de mort. Sonderaktion Krakau.) Postface: Emanuel ROSTWOROWSKI. Warszawa, Państw. Inst. Wydawn., 82, in-8, 94 p.

7387. KORNIS (Pál). A voronyezsi Front Osztrogozsszk-rosszosi támadó hadmüvelete a 2. magyar hadsereg IV. és VII. hadtestének megsemmisitésére, 1943. január 13-17. (Die Ostrogožsk-Rossoscher Angriffsoperation an der Woronescher Front vom 13.-17. Jan. 1943.) Hadtört. Közl., 82, vol. 20, n° 4, p. 585-614. – IDEM. A Voronyezsi Front támadó hadmüveletének előkészitése a német "B" hadseregcsoport déli szárnyának [2. magyar hadsereg, 8. olasz hadsereg részei] szétzúzására, 1943. január. (Die Vorbereitung der Offensive an der Woronescher Front zur Zerschlagung d. Südflügels d. Heeresgruppe "B" [2. Ungarische u. Teile d. 8. Italien. Armee], Januar 1943.) Ibid., n° 3, p. 432-463.

7388. KOSIARZ (Edmund). Na wodach Norwegii. (Dans les eaux de la Norvège.) Warszawa, Książka i Wiedza, 82, in-8, 165 p. (Bibl. Pamięci Pokoleń) [Guerre navale 1939-1945]

7389. KRAUTKRAMER (Elmar). General Giraud und Admiral Darlan in der Vorgeschichte der allierten Landung in Nordafrika. Vjhefte f. Zeitgesch., 82, Jg. 30, p. 206-255.

7390. KRÓL (Wacław). Polskie diwizjony lotnicze w Wielkiej Brytanii 1940-1945. (Les groupes d'aviation polonais en Grande Bretagne 1940-1945.) Warszawa, Wydawn. Min. Obrony Narod., 82, in-8, 374 p.

7391. KUROWSKI (Mikołaj). Akcja ewakuacyjna w ZSRR 1941-1942. (L'évacuation en Union Soviétique 1941-1942.) Wojsk. Przegl. hist., 82, a. 27, n° 1, p. 104-118.

7392. ŁASZKIEWICZ (Stefan). Od Cambrai po Coventry. (De Cambrai à Coventry). Warszawa, Wydawn. Min. Obrony Narod., 82, in-8, 329 p. [Guerre aérienne 1939-1945]

7393. LEWIN (Ronald). The American magic: codes, ciphers, and the defeat of Japan. New York, Farrar, Stras, Giroux, 82, in-8, XV-332 p.

7394. MABIRE (Jean). La Division Nordland. Paris, Fayard, 82, in-8, 480 p. (44 p. de photos et cartes).

7395. MALCEWSKI (Juliusz Jerzy). Szesnasty Kołobrzeski. Z dziejów 16 Kołobrzeskiego Pułku Piechoty 1944-1945. (Le Seizième de Kołobrzeg. Histoire du 16e Régiment d'Infanterie de Kołobrzeg 1944-1945.) Warszawa, Wydawn. Min. Obrony Narod., 82, in-8, 509 p. (Wojsk. Inst. Historyczny im. Wandy Wasilewskiej)

7396. MASSON (Philippe). La marine française et la stratégie alliée, 1938-1939. In: Deutschland u. Frankreich 1936-1939 [Cf. n° 235], p. 153-166.

7397. MATTESINI (Francesco). La battaglia d'Inghilterra, luglio – ottobre 1940: Roma, Ateneo, 82, in-8, 121 p. (fig., tav.). (Le grandi operazioni militari, 1)

7398. MINIEWICZ (Janusz). Fortyfikacje Wału Atlantyckiego. (Les fortifications du Mur de l'Atlantique.) Wojsk. Przegl. hist., 82, a. 27, n° 1, p. 119-140.

7399. MORRIS (Eric). Corregidor. London, Hutchinson, 82, in-8, 528 p.

7400. MOSLEY (Leonard) Marshall: organizer of victory. London, Methuen, 82, in-8, 608 p.

7401. MULLIGAN (Timothy P.). Reckoning the cost of people's war: the German experience in the central USSR. Russian Hist., 82, vol. 9, p. 27-48.

7402. Na Volkhovskom fronte. 1941-1944 gg. (On the Volkhov front, 1941-1944.) Otv. red. A. I. BABIN. Moskva, Nauka, 82, 398 p. (ill.). (AN SSSR, In-t voen. istorii M-va oborony SSSR)

7403. NOWAKOWKSI (Jerzy), POŁOŹYŃSKI (Antoni), KOWALSKI (Marian). Z dziejów 10. Pułku Strzelców Konnych. (De l'histoire du 10e Régiment des Chasseurs à Cheval.) Av.-propos de Franciszek SKIBIŃSKI. Warszawa, Pax, 82, in-8, 195 p.

7404. OZIMEK (Stanislaw). W pustyni i Tobruku. (Dans le désert et à Tobrouk.) Warszawa, Książka i Wiedza, 82, in-8, 168 p. (Bibl. Pamięci Pokoleń)

7405. PAWLAK (Jerzy). Polskie eskadry w wojnie obronnej 1939. (Les escadrilles de l'aviation polonaise dans la guerre défensive de 1939.) Warszawa, Wydawn. Komunikacji i Łączności, 82, in-8, 280 p. (Bibl. Skrzydlatej Polski)

7406. PERTEK (Jerzy). Bitwy konwojowe na arktycznej trasie. (Les batailles des convois sur la route arctique.) Poznań, Wydawn. Pozn., 82, in-8, 197 p.

7407. PITT (Barrie). The crucible of war. Vol. [1. Cf. Bibl. 80, n° 6780.] 2: The year of Alamein, 1942. London, Cape, 82, in-8, 504 p. (ill.).

7408. PLAN (général E.), LEVEVRE (Eric). La bataille des Alpes, 10-25 juin 1940: l'armée invaincue. Paris, Lavauzelle, 82, in-8, 176 p. (ill.).

7409. RIDE (Edwin). BAAG. Hong Kong resistance, 1942-1945. London, Oxford U. P., 81, in-8, XIV-347 p. (ill., pl., maps). [BAAG: British Army Aid Group]

7410. RODOLPHE (René). Combats dans la ligne Maginot. St-Maurice, Assoc. St-Maurice pour la recherche de doc. sur la forteresse, 81, in-8, 204 p.

7411. SANTONI (Alberto). La seconda battaglia navale della Sirte. Roma, Ateneo, 82, in-8, 87 p. (tav.). (Le grandi operazioni militari, 2)

7412. SBREGA (John J.). Anglo-American relations and the selection of Mountbatten as supreme allied commander, south east Asia. Milit. Affairs, 82, vol. 46, n° 3, p. 139-146.

7413. SIEDENTOPF (Monika). Die britischen Pläne zur Besetzung der spanischen und portugiesischen Atlantikinseln während des Zweiten Weltkriegs. Münster, Aschendorff, 82, in-8, VIII-152 p.

7414. SKIBIŃSKI (Franciszek). Wojska pancerne w II wojnie światowej. (L'armée blindée dans la IIe Guerre mondiale.) Warszawa, Wydawn. Min. Obrony Narod., 82, in-8, 150 p. (Bibl. Wiedzy Wojsk. Rodzaje Wojsk i Sił Zbrojnych)

7415. STOLFI (Russel H. S.). Barbarossa revisited: a critical reappraisal of the opening stages of the Russo-German campaign (June-December 1941). J. mod. Hist., 82, vol. 54, n° 1, p. 27-46.

7416. STRANGE (Joseph L.). The British rejection of operation Sledgehammer, an alternative motive. Milit. Affairs, 82, vol. 46, n° 1, p. 6-15.

7417. SZUBAŃSKI (Rajmund). Polska broń pancerna w 1939 roku. (L'armée blindée polonaise en 1939.) Warszawa, Wydawn. Min. Obrony Narod., 82, in-8, 311 p.

7418. THORNE (Christopher). Racial aspects of the Far Eastern war of 1941-1945. London, Brit. Acad., 82, in-8, 52 p. (Raleigh Lect.)

7419. VAN CREVELD (Martin). Fighting power: German and U.S. army performance, 1939-1945. Westport, Conn., Greenwood Press, 82, in-8, XI-198 p. (Contrib. in Milit. Hist., 32)

7420. ZINČENKO (Ju. I.). Boevoe vzaimodejstvie partizan s častjami Krasnoj Armii na Ukraine. 1941-1944. (Active co-operation of partisans with the units of the Red Army in Ukraine, 1941-1944.) Kiev, Nauk. dumka, 82, 186 p. (AN SSSR, In-t istorii)

d. Résistance.

** 7421. Vsenarodnoe partizanskoe dviženie v Belorussii v gody Velikoj Otečestvennoj vojny (ijun' 1941 - ijul' 1944). (The nation wide partisan movement in Byelorussia during the Great Patriotic war, June 1941 - July 1944.) Dokumenty i materialy. Red. komis.: A. T. KUZ'MIN (predsedatel')

i dr. V 3-kh t. T. 3: Vsenarodnoe partizanskoe dviženie v Belorussi na zaveršajuščem ėtape (janvar' - ijul' 1944). (The ... partisan movement ... during the final phase, Jan.-July 1944.) Minsk, Belarus', 82, 792 p. (In-t istorii partii pri CK KPB-fil. In-t marksizma-leninizma pri CK KPSS. In-t istorii AN/BSSR)

7422. Československý lid v boji proti imperialismu a fašismu v Evropě v letech 1933-1945. (Das tschechoslowak. Volk im Kampf gegen Imperialismus u. Faschismus in Europa in d. Jahren 1933-1945.) [Aut.:] Václav PĚSA u. a. Děj. socialist. Českosl., 82, vol. 5, 480 p.

7423. GAZSI (József). Az antifasiszta ellenállás irodalma 1979-1981. (Die Literatur des antifaschist. Widerstandes.) Hadtört. Közl., 82, vol. 29, n° 2, p. 253-263.

7424. Geheimdienste und Widerstandsbewegungen im Zweiten Weltkrieg. Mit Beitr. v. Jürgen HEIDEKING [u. a.]. Hrsg. v. Gerhard SCHULZ. Göttingen, Vandenhoeck u. Ruprecht, 82, in-8, 230 p. (Kt.). (Sammlung Vandenhoeck)

7425. HANSON (Joanna K. M.). The civilian population and the Warsaw uprising of 1944. London a. New York, Cambridge U. P., 82, in-8, XIII-345 p. (ill., tab.).

7426. KAPAŁA (Zbigniew). Powstańcy śląscy w ruchu oporu w Generalnej Guverni oraz na innych terenach okupowanej Polski. (Les insurgés silésiens dans la Résistance du "Generalgouvernement" et des autres régions de la Pologne occupée.) Zaranie śląskie, 81 [82], a. 44, n° 3-4, p. 379-402.

7427. KORAB-ŻEBRYK (Roman). Próba oceny efektywności wysiłku partyzanckiego Armii Krajowej. (Essai d'appréciation de l'efficacité de l'effort des Résistants de l'Armée de l'Intérieur AK.) Kwart. hist., 82, a. 89, n° 1, p. 49-75.

7428. MATUSAK (Piotr). Sabotaż w przemyśle wojennym okupanta na ziemiach polskich w latach 1939-1945. (Le sabotage dans l'industrie de guerre de l'occupant sur les terres polonaises dans les années 1939-1945.) Wojsk. Przegl. hist., 82, a. 27, n° 2, p. 36-48.

7429. MICHEL (Henri). Paris résistant. Paris, A. Michel, 82, in-8, 373 p. [Cf. n° 7292]

7430. NOGUERES (Henri). Histoire de la Résistance en France, 1940-1945. [T. 4. Cf. Bibl. 76-77, n° 8408.] T. 5: Au grand soleil de la Libération, 1er juin 1944 - 15 mai 1945. Paris, Laffont, 81, in-8, 923 p.

7431. SAJTI (Enikő), A. A Jugoszláv Kommunista Párt vezette ellenállás a Délvidéken és a Bárdossy-kormány megtorló politikája, 1941. április - 1942. január. (La résistance dirigée par le Parti Communiste Yougoslave dans le Sud [de la Hongrie] et la politique de répression du gouvernement Bárdossy, avril 1941 - janv. 1942.) Pártörtt. Közl., 82, vol. 28, n° 4, p. 141-175.

7432. ŠIMOVČEK (Ján). K histórii prvých partizánskych skupín na Slovensku. (Zur Geschichte der ersten Partisanengruppen in der Slowakei.) I, II. Hist. Vojen., 82, vol. 31, n° 2, p. 61-81; n° 3, p. 49-67.

7433. SKOWRON (Jan). Chłopcy z Nordu i Pas-de-Calais. (Les gars du Nord et du Pas-de-Calais.) Warszawa, Wydawn. Min. Obrony Narod., 82, in-8, 327 p.

7434. Widerstand und Verweigerung in Deutschland 1933 bis 1945. Hrsg. v. Richard LÖWENTHAL, Patrick VON ZUR MÜHLEN. Berlin u. Bonn, Dietz, 82, in-8, 319 p. (Ill.).

7435. WIECZOREK (Mieczysław). Bilans walki zbrojnej Armii Ludowej 1944-1945. (Le bilan du combat armé de l'Armée Populaire 1944-1945.) Wojsk. Przegl. hist., 82, a. 27, n° 1, p. 41-64. [Armée Populaire: organisation militaire de la Résistance du Parti Ouvrier Polonais]

Cf. n°s 3738, 4190, 7269.

§ 8. Depuis 1945.

* 7436. BARRETT (Jane R.), BEAUMONT (Jane). A bibliography of works on Canadian foreign relations 1976-1980. Toronto, Canadian Inst. of Internat. Affairs, 82, in-8, 306 p.

** 7437. DDR-UdSSR, 30 Jahre Beziehungen 1949 bis 1979. Dokumente u. Materialien. Ministerium f. Auswärtige Angelegenheiten d. DDR; Ministerium f. Auswärtige Angelegenheiten d. UdSSR. Halbbd 1, 2. Berlin, Staatsverl. d. DDR, 82, 2 vol. in-8, 430 p., p. 438-816.

** 7438. Documents on Swedish foreign policy. [1972. Cf. Bibl. 74-75, n° 4495.] 1977, 1978, 1979, 1980. Stockholm, Liber-Förl., Allmänna förl., 81-82, 4 vol. in-8, 292, 393, 214, 230 p. (Min. for foreign affairs, New ser. 1:C, 27-30)

** 7439. Dokumente zur Außenpolitik der Deutschen Demokratischen Republik. Hrsg. v. Inst. f. Internat. Beziehungen an d. Akad. f. Staats- u. Rechtswiss. d. DDR, Potsdam-Babelsberg, in Zusammenarbeit mit d. Abt. Rechts- u. Vertragswesen d. Ministeriums f. Auswärtige Angelegenheiten d. DDR. Bd [24. Cf. Bibl. 80, n° 6823.] 25: 1977. Halbbd 1, 2. Berlin, Staatsverl. d. DDR, 82, 2 vol. in-8, 745 p., p. 757-1351.

** 7440. Foreign relations of the United States, 1952-1954. [Vol. 16. Cf. Bibl. 81, n° 6802.] Vol. 13, Pt. 1, 2: Indochina. Washington, D. C., Government Printing Office, 82, 2 vol., XXVII-1409; XVIII p., p. 1410-2497. (Department of State Publ., 9210, 9211)

** 7441. House of Commons, London. The Falklands campaign, a digest of debates, 2 April to 15 June, 1982. London, H. M. Stationery Office, 82, in-8, 364 p.

** 7442. KISSINGER (Henry Alfred). Years of upheaval. Boston, Little, Brown; London, Weidenfeld a. Nicolson, 82, in-8, XXI-1283 p. (40 p. of pl., maps). [U. S. foreign relations, 1973-74]

** 7443. Przesiedlenie ludności niemieckiej z Polski po II wojnie światowej w świetle dokumentów. (Le déplacement de la population allemande de la Pologne après la IIe Guerre mondiale à la lumière des documents.) Choix et éd.: Piotr LIPÓCZY, Tadeusz WALICHNOWSKI. Warszawa, Państw. Wydawn. Nauk., 82, in-8, 347 p. (Nacz. Dyr. Archiwów Państw. Zakl. Nauk.-Badawczy Archiwistyki)

** 7444. Sovetskij sojuz - V'etnam. 30 let otnošenij. 1950-1980. Dokumenty i materialy. (The Soviet Union - Vietnam. 30 years of relations, 1950-1980. Documents and materials.) Redkol.: N. P. FIRJUBIN, KHOANG Bit' Son i dr. Moskva, Politizdat, 82, 655 p. (M-vo inostr. del SSSR, M-vo inostr. del SRV)

** 7445. Bibl. 81, n° 6810. Sovetsko-meksikanskie otnošenija. 1968-1980 gg. (Soviet-Mexican relations, 1968-1980.) Redkol.: I. N. ZEMSKOV i dr. - CR: I. A. Vasil'kova, Lat. Amerika, 82, n° 3, p. 112-114. A. A. Sokolov, ibid., n° 5, p. 140-142. V. N. Dmitriev, E. S. Pestkovskaja, Nov. novejš. Ist., 82, n° 6, p. 169-171.

** 7446. Vereinten (Die) Nationen und ihre Spezialorganisationen. Dokumente. [Bd 12. CF. Bibl. 81, n° 6813.] Bd 18: Die Weltorganisation für Geistiges Eigentum. Zusammengestellt u. eingel. von Karl BECHER. Berlin, Staatsverl. d. DDR, 82, in-8, 494 p.

7447. ABRASIMOV (P. A.). Socialističeskij internacionalizm v dejstvii (iz istorii sotrudničestva SSSR i GDR). (Socialist internationalism in action. From the history of the USSR and GDR co-operation.) Vopr. Ist., 82, n° 11, p. 53-68.

7448. AHRENS (Hanns D.). Demontage, Nachkriegspolitik der Alliierten. München, Universitas, 82, in-8, 295 p.

7449. AKEHURST (John). We won a war: the campaign in Oman, 1965-1975. Salisbury, M. Russell, 82, in-8, 224 p. (ill.).

7450. ALEKSEEV (R. F.). Sovetsko-zapadnogermanskie otnošenija na rubeže 80-kh godov. (Soviet-West German relations at the turn of th 1980s.) Nov. novejš. Ist., 82, n° 4, p. 15-30.

7451. ALEXANDER (G. M.). The prelude to the Truman doctrine: British policy in Greece, 1944-1947. London, Oxford U. P., 82, in-8, 310 p.

7452. ALEXIEV (A.). Romania and the Warsaw Pact. The defense policy of a reluctant ally. J. strategic Stud., 81, vol. 4, n° 1, p. 5-18.

7453. ATTINA' (Fulvio) La politica internazionale contemporanea, 1945-1980. Milano, Angeli, 82, in-8, 394 p. (Sci. pol. e Relaz. inter., 12)

7454. BAILEY (Sydney Dawson). How wars end: the United Nations and the termination of armed conflict, 1946-1964. London, Oxford U. P., 82, 2 vol. in-8, 426, 748 p. (tab., maps).

7455. BALOGH (Sándor). A népi demokratikus Magyarország külpolitikája 1945-1947. A fegyversünettől a békeszerződésig. (La politique extérieure de la Hongrie démocratique populaire 1945-1947. De l'armistice au traité de paix.) Budapest, Kossuth Kiadó, 82, in-8, 348 p. — IDEM. Das ungarisch-tschechoslowakische Abkommen über den Bevölkerungsaustauch vom 27. Februar 1946. In: Gedenkschrift E. Arató [Cf. n° 497], p. 367-404.

7456. BAŽANOV (E. P.). Dvižuščie sily politiki SŠA v otnošenii Kitaja. (Driving forces of US policy towards China.) Moskva, Nauka, 82, 239 p. (AN SSSR, In-t Dal. Vostoka)

7457. BECK (Peter J.). Cooperative confrontation in the Falkland islands dispute: the Anglo-Argentine search for a way forward, 1968-1981. J. inter-am. Stud. a. World Affairs, 82, vol. 24, n° 1, p. 37-58.

7458. BEGLOVA (N. S.). Bangladeš, južnaja Azija i politika SŠA. (Bangladesh, South Asia and US policy.) Moskva, Nauka, 82, 200 p. (AN SSSR, In-t SŠA i Kanady)

7459. BELYJ (È. L.). Èkonomičeskaja politika Izrailja v Latinskoj Amerike. (The economic policy of Israel in Latin America.) Lat. Amerika, 82, n° 10, p. 36-47.

7460. BIBERAJ (Elez). Albanian-Yugoslav relations and the question of Kosovo. East european Quar., 82, vol. 16, n° 4, p. 485-510.

7461. BOJKOVA (E. V.). Otnošenija MNR s kapitalističeskim i razvivajuščimisja stranami. 60-e - 70-e gg. (MPR's relations with capitalist and developing countries, 60s-70s.) Moskva, Nauka, 82, 176 p. (AN SSSR, In-t vostokovedenija) [MPR: Mongolian People's Republic]

7462. BORISOV (R. V.). SŠA: Bližnevostočnaja politika v 70-e gody. (USA: Middle East policy in the 70s.) Moskva, Nauka, 82, 216 p.

7463. BOROWSKI (Harry R.). A hollow threat: strategic air power and containment before Korea. Westport, Conn., Greenwood Press, 82, in-8, XII-242 p. (Contrib. in Military Hist., 25)

7464. BUCKLEY (Roger). Occupation diplomacy: Britain, the United States, and Japan, 1945-1952. New York, Cambridge U. P., 82, in-8, X-294 p.

7465. BYE (Vegard). Mellom-Amerika: når vulkanen våkner. (Central America, the awakening volcano.) Oslo, Univ.förl., 82, in-8, 136 p. (ill.).

7466. CARLTON (David), SCHAERF (Car The arms race in the 1980's. Lon Macmillan, 82, in-8, 360 p.

7467. CLEMENTS (Kendrick A.) a. oth James F. Burnes and the origins of Cold War. Durham, N. C., Carolina A Press, 82, in-8, XV-127 p. (Inter Relations Ser., 7)

7468. COHEN (Michael J.). Palestine the great powers, 1945-1948. Princeton J., Princeton U. P., 82, in-8, VIII-417 p.

7469. DANKERT (Jochen). Frankreichs Politik in Europa. Von de Gaulle bis Giscard d'Estaing. Berlin, Staatsverl. d. DDR, 82, in-8, 252 p.

7470. DANYLOW (Peter). Die außenpolitischen Beziehungen Albaniens zu Jugoslawien und zur UdSSR 1944-1961. München u. Wien, Oldenbourg, 82, in-8, 232 p. (Abb., Tab.). (Stud. z. mod. Gesch., 26)

7471. DOLAN (Michael B.), TOMLIN (Brian W.), VON RIEKHOFF (Harold). Integration and autonomy in Canada-United States relations, 1963-1972. Canad. J. pol. Sci., 82,vol. 15, p. 331-363.

7472. DÜWELL (Kurt). Entstehung und Entwicklung der Bundesrepublik Deutschland (1945-1961). Eine dokumentierte Einführung. Köln u. Wien, Böhlau, 81, in-8, XII-403 p.

7473. ELGSTRÖM (Ole). Aktiv utrikespolitik: en jämförelse mellan svensk och dansk parlamentarisk utrikesdebatt 1962-1978. (Active foreign policy: a comparison between Swedish and Danish parliamentary foreign policy debate, 1962-78.) Lund, Studentlitt., 82, in-8, 238 p. (Lund polit. stud., 37) [Eng. summary]

7474. ELLIOTT (Mark R.). Pawns of Yalta: Soviet refugees and America's role in their repatriation. Urbana, Univ. of Illinois Press, 82, in-8, XIII-287 p.

7475. ERDMANN (James M.). The WRINGER in postwar Germany: its impact on United States-German relations and defense policies. In: Essays in twentieth-century American diplomatic history [Cf. n° 529], p. 159-191. [WRINGER: U. S. interrogation of German prisoners of war repatriated from USSR, 1948-1953]

7476. ERIKSEN (Knut Einar). Great Britain and the problem of basis in the Nordic area, 1945-1947. Scand. J. Hist., 82, vol. 7, p. 135-163.

7477. GADDIS (John Lewis). Strategies of containment: a critical appraisal of postwar American national security policy. New York, Oxford U. P., 82, in-8, XI-432 p.

7478. GASRATJAN (S. M.). Političeskie svjazi Izrailja s JuAR. (Political relations of Israel with the Republic of South Africa.) Nar. Azii Afr., 82, n° 5, p. 32-41.

7479. GERBER (Larry G.). The Baruch plan and the origins of the Cold War. Dipl. Hist., 82, vol. 6, n° 1, p. 69-96.

7480. GHERMANI (D.). Die nationale Souveränitätspolitik der S. R. Rumänien. T. 1. München, Oldenbourg, 81, in-8, 206 p.

7481. GONČAROVA (T. V.). K idejno-političeskim voprosam dviženija neprisoedinenija. (On the ideological and political problems of the non-alignment movement.) Lat. Amerika, 82, n° 6, p. 22-34.

7482. HAMMOND (Thomas T.) a. others. Witnesses to the origins of the Cold War. Seattle, Univ. of Washington Press, 82, in-8, 318 p.

7483. HENKE (Klaus-Dietmar). Politik der Widersprüche. Zur Charakteristik d. franzòs. Militärregierung in Deutschland nach d. Zweiten Weltkrieg. Vjhefte f. Zeitgesch., 82, Jg. 30, p. 500-537.

7484. HERRING (George C.). American strategy in Vietnam: the postwar debate. Milit. Affairs, 82, vol. 46, n° 2, p. 57-64.

7485. HESTON (Thomas J.). Cuba, the United States, and the sugar act of 1948: the failure of economic coercion. Dipl. Hist., 82, vol. 6, n° 1, p. 1-22.

7486. HOGAN (Michael J.). The search for a "creative peace": the United States, European unity, and the origins of the Marshall plan. Dipl. Hist., 82, vol. 6, n° 3, p. 267-286.

7487. HOLLÓS (Ervin), LAJTAI (Vera). Hidegháboru Magyarország ellen 1956. (Guerre froide contre la Hongrie.) Budapest, Kossuth Kiadó, 82, in-8, 354 p.

7488. HOLMES (John W.). The shaping of peace: Canada and the search for world order, 1943-1957. Toronto, Univ. Press, 79-82, 2 vol. in-8, 349, 443 p. - CR: [Vol. 1:] W. C. Armstrong, Canad. hist. R., 80, vol. 61, p. 416-420. P. V. Lyon, Canad. J. pol. Sci., 80, vol. 13, p. 838-839. A. Boyd, Int. J., 79-80, vol. 35, p. 396-398. M. Doxey, J. canad. Stud., 82, vol. 17, n° 1, p. 139-140. R. Bothwell, Queen's Quar., 80, vol. 87, p. 710-711. - [Vol. 2:] K. R. Nossal, Canad. J. pol. Sci., 83, vol. 16, p. 191-192. M. Doxey, J. canad. Stud., 82, vol. 17, n° 3, p. 144-145.

7489. HŘÍBEK (Josef), PROKS (Oldřich). Internacionální společenství sovětského lidu. (Die internationale Gemeinschaft des sowjetischen Volkes.) Praha Svoboda, 82, in-8, 281 p.

7490. HYMAN (Anthony). Afghanistan under Soviet domination, 1964-1981. London, Macmillan, 82, in-8, 240 p.

7491. JAIN (Ravindra K.). China and Japan, 1949-80. London, Martin Robertosn, 82, in-8, 362 p.

7492. JAKOVLEV (A. I.). Saudovskaja Aravija i Zapad. (Saudi Arabia and the West.) Moskva, Nauka, 82, 208 p. (AN SSSR, In-t vostokovedenija)

7493. JOHNSON (Kaye Martin). Cybernetics, history, and crises: post-world war II U. S. foreign policy. Historian, 82, vol. 44, n° 4, p. 524-537.

7494. KAUFMAN (Burton I.). Trade and aid: Eisenhower's foreign economic policy, 1953-1961. Baltimore, Md., Johns Hopkins U. P., 82, in-8, XIV-279 p. (Johns Hopkins Univ. Stud. in Hist. a. Pol. Sci., 1)

7495. KEIDERLING (Gerhard). Die Berliner Krise 1948. Zur imperialist. Strategie d. kalten Krieges gegen d. Sozialismus u. d. Spaltung Deutschlands. Berlin, Akad.-Verl., 82, in-8, 424 p. (Schr. d. Zentralinst. f. Gesch., 69)

7496. KNIGHT (Jonathan). The great power peace: the United States and the Soviet Union since 1945. Dipl. Hist., 82, vol. 6, n° 2, p. 169-184.

7497. KOLKER (B. M.). Afrika i Zapadnaja Evropa. Političeskie otnošenija. (Africa and Western Europe. Political relations.) Moskva, Nauk, 82, 216 p. (AN SSSR, In-t Afriki)

7498. KOLODNIKOVA (L. P.). Iz istorii sovetsko-čekhoslovackikh otnošenij 1945-1948 gg. (From the history of Soviet-Czechoslovak relations, 1945-1948.) Ist. Zap., 82, n° 107, p. 31-68.

7499. Leninskaja politika mira i bezopasnosti narodov ot XXV k XXVI s-ezdu KPSS. (The Leninist policy of peace and people's security from the XXVth to the XXVIth congress of the CPSU.) Sbornik. Redkol.: A. L. NAROČNICKIJ (otv. red.) i dr. Moskva, Nauka, 82, 360 p. (AN SSSR, Nauč. Sovet po istorii venšnej politiki SSSR i meždunar. otnošenij. In-t istorii SSSR)

7500. LUARD (Evan). A history of the United Nations. Vol. 1: The years of western domination, 1945-1955. London, Macmillan; New York, St. Martin's Press, 82, in-8, VIII-404 p.

7501. LUKAS (Richard C.). Bitter legacy: Polish-American relations in the wake of World War II. Lexington, U. P. of Kentucky, 82, in-8, 191 p.

7502. MACLEAR (Michael). Vietnam, the 10000 day war. London, Methuen, 82, in-8, 368 p. (maps).

7503. MADDEN (A. Frederick), MORRIS-JONES (W. H.). Australia and Britain, studies in a changing relationship. London, F. Cass, 82, in-8, 209 p.

7504. MADSEN (Mark Hunter). The uses of Beijingpolitik: China in Romanian foreign policy since 1953. East european Quar., 82, vol. 16, n° 3, p. 277-309.

7505. MELANDRI (Pierre). La politique extérieure des Etats-Unis de 1045 à nos jours. Paris, Presses univ. France, 82, in-8, 256 p. (L'historien, 45)

7506. MESSER (Robert L.). The end of an alliance: James F. Byrnes, Roosevelt, Truman, and the origins of the Cold War. Chapel Hill, Univ. of North Carolina Press, 82, in-8, VIII-292 p.

7507. Mir i razoruženie. (Peace and disarmament.) Nauč. issledovanie. Glav. red. N. N. INOZEMCEV. Moskva, Nauka, 82, 399 p. (Nauč. sovet po issled. probl. mira i razoruženija. AN SSSR. Gos. kom. SSSR po nauke i tekhnike. Sov. kom. zaščity mira)

7508. MUNTJAN (M. A.). Mirnoe uregulirovanie s Rumyniej posle vtoroj mirovoj vojny. (Peaceful settlement with Romania after the Second World War.) Nov. novejš. Ist., 82, n° 5, p. 53-72.

7509. NIXON (Richard). Leaders: profiles and reminiscences about men who have shaped the modern world. London, Sidgwick a. Jackson, 82, in-8, 371 p. (ill., 32 p. of pl.).

7510. Nordeuropa in der internationalen Klassenauseinandersetzung. Autorenkollektiv unter Leitung v. Herbert JOACHIMI. Berlin, Staatsverl. d. DDR, 82, in-8, 249 p.

7511. NUREK (Mieczysław). British policy towards the Scandinavian countries at the beginning of the 1930s; Acta Poloniae hist., 81 [82], vol. 43, p. 119-134.

7512. PACH (Chester J.) Jr. The containment of U. S. military aid to Latin America, 1944-1949. Dipl. Hist., 82, vol. 6, n° 3, p. 225-244.

7513. PAKHOMOV (I. M.). Nekotorye aspekty otnošenij Ispanii so stranamu Latinskoj Ameriki. (Some aspects of Spain's relations with the countries of Latin America.) Lat. Amerika, 82, n° 4, p. 64-84.

7514. PANIEV (Ju. N.). Nekotorye aspecty ėkonomičeskikh otnošenij latinoamerikanskikh stran s EĖS. (Some aspects of the economic relations of Latin American countries with the EEC.) Lat. Amerika, 82, n° 3, p. 22-35.

7515. PURŠ (Jaroslav). Scientific and technological revolution and the fight for peace. In: Rapport. XVe Congrès Internat. des Sci. Hist., Bucarest 1980, Actes IV (2), Bucarest, 82, p. 902-909.

7516. RAUCHER (Alan). Beyond the god that failed: Louis Fischer, liberal internationalist. Historian, 82, vol. 44, n° 2, p. 174-189.

7517. ROSTOW (W. W.). The division of Europe after World War II: 1946. Aldershot, Gower, 82, in-8, 220 p.

7518. RUBINSTEIN (Alvin Z.). The last years of peaceful coexistence: Soviet-Afghan relations 1963-1978. Middle East J., 82, vol. 36, n° 2, p. 165-183.

7519. SCHALLER (Michael). Securing the great crescent: occupied Japan and the origins of containment in southeast Asia. J. am. Hist., 82, vol. 69, n° 2, p. 392-414.

7520. SCHWEIGLER (Gebhard). Von Kissinger zu Carter. Entspannung im Widerstreit v. Innen- u. Außenpolitik 1969-1981. München u. Wien, Oldenbourg, 82, in-8, 514 p. (Schr. d. Forschungsinst. d. Deutsch. Ges. f. Auswärtige Politik, Bonn, Reihe: Internat. Politik u. Wirtschaft, 47)

7521. SERGEEV (F. M.). Neob-javlennaja vojna protiv Dominkanskoj Respubliki. (Undeclared war against the Dominican Republic.) Lat. Amerika, 82, n° 8, p. 45-59; n° 9, p. 68-82.

7522. SEVOST'JANOV (I.). SŠA v meždunarodnykh otnošenijakh serediny 70-kh godov. (The U.S. in world politics in the mid-1970s.) Vopr. Ist., 82, n° 5, p. 60-76.

7523. SING (Sukhwant). India's wars since independence. Vol. [1. Cf. Bibl. 80, n° 6904.] 3: General trends. London, Vikas, 82, in-8, 100 p.

7524. SIRACUSA (Joseph M.). Paul H. Nitze, NSC 68, and the Soviet Union. In: Essays in twentieth-century American diplomatic history [Cf. n° 529], p. 192-210. [NSC 68: National Security Council Planning Paper n° 68, 1950]

7525. ŠMAROV (V. A.). Kipr v sredizemnomorskoj politike NATO. (Cyprus in the Mediterranean policy of the NATO.) Moskva, Nauka, 82, 248 p. (AN SSSR, In-t vostokovedenija)

7526. Sovremennye problemy i vnešnjaja politika Ėfiopii. (Present-day problems and foreign policy of Ethiopia.) Otv. red.: Anat. A. GROMYKO. Moskva, Meždunar. otnošenija, 82, 167 p. (AN SSSR, In-t Afriki)

7527. SSSR-NRB: sotrudničestvo i slbiženie. (USSR-PRB [People's Republic of Bulgaria]: co-operation and rapprochement.) Redkol.: S. L. TIKHVINSKIJ, N. CAREVSKI (otv. red.) i dr. Moskva, Meždunar. otnošenija; Sofija, Partizdat, 82, 184 p. (Diplomat. akad. MID SSSR, In-t meždunar. otnošenij i soc. integracii pri Prezidiume Bolg. Akad. nauk.)

7528. STEFAN (Charles G.). The emergence of the Soviet-Yugoslav break: a personal view from the Belgrade embassy. Dipl. Hist., 82, vol. 6, n° 4, p. 387-404.

7529. STEINITZ (Mark S.). The U. S. propaganda effort in Czechoslovakia, 1945-1948. Dipl. Hist., 82, vol. 6, n° 4, p. 359-386.

7530. STĘPNIAK (Władysław). Polityka mocarstw zachodnich wobec Jugosławii w latach 1948-1950. (La politique des puissances de l'Ouest envers la Yougoslavie dans les années 1948-1950.) Dzieje najnowsze, 81 [82], a. 13, n° 4, p. 95-116.

7531. TAYLOR (Alan R.). The Arab balance of power. Syracuse, N. Y., Syracuse U. P., 82, in-8, XII-165 p.

7532. TENT (James F.). Mission on the Rhine: reeducation and denazification in American-occupied Germany. Chicago, Univ. of Chicago Press, 82, in-8, XVII-369 p.

7533. VARSORI (Antonio). La Gran Bretagna e le elezioni politiche italiane del 18 aprile 1948. Stor. contemp., 82, a. 13, p. 5-72.

7534. VUCINICH (Wayne S.) a. others. At the brink of war and peace: the Tito-Stalin split in a historic perspective. Brooklyn, N. Y., Brooklyn College Press, 82, in-8, XI-341 p.

7535. WALKER (Stephen G.). Bargaining over Berlin: a re-analysis of the first and second Berlin crises. J. Politics, 82, vol. 44, n° 1, p. 152-164.

7536. WELCH (Richard E.) Jr. Lippman, Berle, and the U.S. response to the Cuban revolution. Dipl. Hist., 82, vol. 6, n° 2, p. 125-144.

7537. WOLPERT (Stanley). Roots of confrontation in south Asia: Afghanistan, Pakistan, India, and the superpowers. New York, Oxford U. P., 82, in-8, VIII-222 p.

Cf. n°s 567, 3408, 3584, 4873, 6748, 7302, 7603.

R

ASIE

§ 1. Généralités. 7538-7545. - § 2. Asie occidentale et centrale. 7546-7561. - § 3. Asie du Sud. 7562-7606. - § 4. Indochine et Insulinde. 7607-7628. - § 5. Chine. 7629-7700. - § 6. Japon (avant 1868). 7701-7705. - § 7. Corée. 7706-7712.

§ 1. Généralités.

* 7538. Doctoral dissertations on Japan and on Korea, 1969-1979: an annotated bibliography of studies in western languages. Ed. by Frank Joseph SHULMAN. Seattle, Univ. of Washington Press, 82, in-8, XVI-473 p.

7539. Asia, the winning of independence. Ed. by Robin JEFFREY. London, Macmillan, 81, in-8, XV-337 p. (ill., maps).

7540. Buddizm, gosudarstvo i obščestvo v stranakh Central'noj i Vostočnoj Azii v srednie veka. (Buddhism, state and society in the countries of Central and Eastern Asia in the Middle Ages.) Otv. red.: G. M. BONGARD-LEVIN. Moskva, Nauka, 82, 317 p. (Kul'tura narodov Vostoka: Materialy i issled. AN SSSR. Otd-nie istorii. In-t vostokovedenija)

7541. HAO (Yen-p'ing). Entrepreneurship and the West in East Asian economic and business history. Business Hist. R., 82, vol. 56, n° 2, p. 149-154.

7542. North-eastern frontier (The). A documentary study of the internecine rivalry between India, Tibet and China. Ed. by Parshotam MEHRA. Vol. 1: 1906-1914. Vol. 2: 1914-1954. London a. Delhi, Oxford U. P., 79-82, 2 vol. in-8, XLIII-226, XLVII-192 p.

7543. Pis'mennye pamjatniki i problemy istorii kul'tury narodov Vostoka. (Written monuments and problems of the history of culture of the peoples of the East.) XVI godič. nauč. sessija, febr. 1981 g. Sbornik. Redkol.: Ju. A. PETROSJAN (predsedatel') i dr. Vol. 1. Vol. 2: Doklady i soobščenija po iranistike. (Reports and communications concerning the past of Iran.) Moskva, Nauk, 82, 2 vol., 220, 153 p. (AN SSSR, In-t vostokovedenija, Lenigr. otd-nie)

7544. Pis'mennye pamjatniki Vostoka. Istoriko-filologičeskoe issledovanie. (Written monuments of the East. Historical and philological researches.) Ežegodnik. [1974. Cf. Bibl. 81, n° 6906.] 1975. Redkol.: G. F. GIRS (predsedatel') i dr. Moskva, Nauka, 82, 343 p. (AN SSSR, In-t vostokovedenija)

7545. SAMUEL (Geoffrey). Tibet as a stateless society and some Islamic parallels. J. asian Stud., 82, vol. 41, n° 2, p. 215-230.

§ 2. Asie occidentale et centrale.

* Cf. n° 1069.

* 7546. Abstracta iranica. [Revue bibliographique pour le domaine irano-aryen, publ., en Supplément à la revue Studia iranica, par l'Institut français d'Iranologie de Téhéran,] Téhéran, Inst. franç. d'Iranologie; diff. Leiden, Brill, 82, in-8, VIII-217 p. (Studia iranica, suppl. 6) [Cf. Bibl. 81, n° 6909]

** 7547. CLARK (Larry V.). The Manichean Turkic Pothi-Book [c. 1st quarter of the 10th cent.] In: Altoriental. Forschungen [Cf. n° 1260], p. 145-218.

7548. AL-ANSARY (A. R.). Qaryat Al-Fau, a portrait of pre-Islamic civilization in Saudi Arabia. London, Croom Helm, 82, in-8, 224 p.

7549. BAYAT (Mangol). Mysticism and dissent: socioreligious thought in Qajar Iran. Syracuse, N. Y., Syracuse U. P., 82, in-8, XVII-228 p.

7550. BONNENFANT (G.), BONNENFANT (P.). Les vitraux de Sanaa. Premières recherches sur leurs décors, leur symbolique et leur histoire. Paris, Ed. du C. N. R. S., 82, in-4, 100 p. (13 fig., 38 pl.).

7551. ISMAEL (Jacqueline S.). Kuwait: social change in historical perspective. Syracuse, N. Y., Syracuse U. P., 82, in-8, XII-202 p. (Contemp. Issues in the Middle East)

7552. JOHNSON (Maxwell Orme). The Arab Bureau and the Arab revolt: Yanbu' to Aqaba. Milit. Affairs, 82, vol. 46, n° 4, p. 194-202.

7553. KEDOURIE (Elie), HAIM (Sylvia G.). Palestine and Israel in the 19th and 20th century. London, F. Cass, 82, in-8, 288 p.

7554. LINDEGGER (Peter). Griechische und römische Quellen zum peripheren Tibet. [T. 1. Cf. Bibl. 78-79, n° 7875.] T. 2. Überlieferungen von Herodot bis zu den Alexanderhistorikern, die nördlichsten Grenzregionen Indiens. Rikon, Tibet-Institut, 82, in-8, XIII-192 p. (Opuscula tibetana, 14)

7555. MINORKSY (Vladimir). Mediaeval Iran and its neighbours. London, Variorum Repr., 82, in-8, 336 p.

7556. Mongolische (Die) Volksrepublik. Historischer Wandel in Zentralasien. Berlin, Dietz, 82, in-8, 291 p. (Abb., Kt.).

7557. NOVOSEL'CEV (A.P.). Nekotorye problemy istoriografii srednevekovogo Zakavkaz'ja. (Soviet historiography on the Middle Ages in Transcaucasia.) Vopr. Ist., 82, n° 3, p. 17-26.

7558. OWEN (Roger). Studies in the economic and social history of Palestine in the 19th and 20th centuries. London, Macmillan, 82, in-8, 272 p.

7559. SCHILLER (David). Palästinenser zwischen Terrorismus und Diplomatie. Die paramilitär. palästinensische Nationalbewegung von 1918-1981. München, Bernard & Graefe, 82, in-8, 479 p.

7560. SERJEANT (R. B.). Studies in Arabian history and civilization. London, Variorum Repr., 82, in-8, 350 p.

7561. VASIL'EV (A. M.). Istorija Saudovskoj Aravii (1745-1973). (The history of Saudi Arabia.) Moskva, Nauka, 82, 612 p. (AN SSSR, In-t vostokovedenija)

§ 3. Asie du Sud.

* 7562. Indische Geschichte vom Altertum bis zur Gegenwart. Literaturbericht über neuere Veröff. v. Hermann KULKE, Horst-Joachim LEUE, Jürgen LÜTT u. Dietmar ROTHERMUND. München, Oldenbourg, 82, in-8, 400 p. (Hist. Z., Sonderh. 10)

* 7563. RANA (Mohinder S.) Indian government and politics, a bibliographical study. Vol. 1: 1885-1980. London, Wiley, 82, in-4, 676 p.

7564. AGRAWAL (D. P.). The archaeology of India. London, Curzon Press, 82, in-8, 294 p. (161 fig., 10 tables). (Scandinavian Inst. of Asian Stud. Monogr., 46)

7565. ALLCHIN (Bridget), ALLCHIN (Frank Raymond). The rise of civilization in India and Pakistan. London a. New York, Cambridge U. P., 82, in-8, XIV-379 p. (fig., pl.).

7566. ALLCHIN (Frank Raymond). Antecedents of the Indus civilization. London, Brit. Acad., 82, in-8, 28 p. (maps). (Mortimer Wheeler Archaeol. Lect.)

7567. ASTHANA (Shashi). History and archaeology of India's contacts with other countries, from earlist times to 300 B. C. Delhi, B. R. Publ. Corp.; London, Books from India, 82, in-4, 275 p. (fig., ill.).

7568. BAKER (Christopher John). An Indian rural economy 1880-1955. The Tamilnad countryside. New York, Oxford U. P., 82, in-8, 720 p. (graph., maps).

7569. BANGDEL (L. S.). The early sculpture of Nepal. London, Vikas, 82, in-4, 254 p. (fig., ill.).

7570. BENISI (M.). Contribution à l'étude du stupa bouddhique indien: les stupa mineurs de Bodh-Gaya et de Ratnagiri. Vol. 1: Texte. Vol. 2: Illustration. Paris, Ecole franç. d'Extrême-Orient, 82, 2 vol. in-4, 158 p.; 11 ill., 169 reprod. (carte).

7571. BHATIA (H. S.). Rare documents on Sikhs and their rule in the Punjab. Delhi, Deep a. Deep; London, Books from India, 82, in-8, 272 p.

7572. BIARDEAU (Madeleine). Etudes de mythologie hindoue. T. 1: Cosmogonies puraniques. Paris, Ecole franç. d'Extrême-Orient; diff. Maisonneuve, 81, in-4, 239 p. (Publ. de l'Ecole franç. d'Extrême-Orient, 128)

7573. BONGARD-LEVIN (G. M.). Indijskij brakhman Čanak'ja v antičnoj tradicii. (The Indian brahman Chanakya in ancient tradition.) Vestn. drevn. Ist., 82, n° 1, p. 13-26.

7574. Cambridge (The) economic history of India. Vol. 1: c. 1200 – c. 1750. Ed. by Tapan RAYCHAUDHURI, Irfan HABIB. London a. New York, Cambridge U. P., 82, in-8, XVI-543 p.

7575. COLE (Owen). Sikhism and its Indian context, 1469-1708. London, Darton, Longman a. Todd, 82, in-8, 352 p.

7576. COLLINS (Larry), LAPIERRE (Dominique). Mountbatten and the partition of India. London, Vikas, 82, in-8, 191 p.

7577. DAS (Arvind N.). Agrarian movements in India: studies on 20th century Bihar. London, F. Cass, 82, in-8, 168 p.

7578. DIRKS (Nicholas B.). The pasts of a Palaiyakarar: the ethnohistory of a south Indian little king. J. asian Stud., 82, vol. 41, n° 4, p. 655-684.

7579. Drevnjaja Indija. Ist.-kul't. svjazi. (Ancient India. Historical and cultural ties.) Otv. red.: G. M. BONGARD-LEVIN. Moskva, Nauka, 82, 344 p. (ill.). (AN SSSR, In-t vostokovedenija)

7580. FILLIOZAT (Jean). La valeur des connaiances gréco-romaines sur l'Inde. J. Savants, 81, p. 97-135.

7581. FUSSMAN (Gérard). Pouvoir central et régions dans l'Inde ancienne: le problème de l'empire maurya. A. Ec., Soc., Civ., 82, a. 37, p. 521-547.

7582. GOUDRIAN (Teun), GUPTA (Sanjukta). Hindu Tantric and Śākta literature. Wiesbaden, Harrassowitz, 81, in-8, 245 p. (A Hist. of Indian Lit., vol. 2, fasc. 2)

7583. GREENHOUGH (Paul R.). Prosperity and misery in modern Bengal: the famine of 1943-1944. London a. New York, Oxford U. P., 82, in-8, XVII-342 p. (graph., maps).

7584. IFTIKHAR-ul-AWWAL (Azm). Industrial development of Bengal, 1900-1939. London, Vikas, 82, in-8, 256 p.

7585. Indiens Rolle in der Kulturgeschichte. Dem Wirken Walter Rubens gewidmet. Berlin, Akad.-Verl., 82, in-8, 68 p. (S.-B. d. Akad. d. Wiss. d. DDR: G; Jg. 1980, 12)

7586. Indija. Ežegodnik. 1980. (India. Yearbook.) Gl. red.: P. V. KUCOBIN. Moskva, Nauka, 82, 336 p. (AN SSSR. In-t vostokovedenija)

7587. KAMERKAR (M.). British paramountcy: British-Baroda relations, 1818-1848. Bombay, Popular Prakashan; London, Sangam Books, 82, in-8, 270 p.

7588. KHUHRO (Hamida). Sind through the centuries. London a. Delhi, Oxford U. P., 82, in-8, 318 p. (fig.). (ill.).

7589. KLIMKEIT (Hans-Joachim). Der politische Hinduismus. Indische Denker zw. relig. Reform u. polit. Erwachen. Wiesbaden, Harrassowitz, 82, in-8, 325 p. (Sammlung Harrassowitz)

7590. MEL'NIKOV (A. M.). "Fermerskie dviženija" v indijskoj derevne (70-e gody). ("Farmers' movements" in the Indian village of the 70s.) Nar. Azii Afr., 82, n° 1, p. 15-24.

7591. METCALF (Barbara Daly). Islamic revival in British India: Deoband, 1860-1900. Princeton, N. J., Princeton U. P., 82, in-8, XIV-386 p.

7592. MINAULT (Gail). The Khilafat movement: religious symbolism and political mobilization in India. New York, Columbia U. P., 82, in-8, 294 p. (Stud. in Oriental Culture, 16)

7593. MYLIUS (Klaus). Acchāvākīya und Potra. Vergleich zweier vedischer Opferpriesterämter. In: Altoriental. Forschungen [Cf. n° 1260], p. 115-131.

7594. QAISAR (Ahsan Jan). The Indian response to European technology and culture, 1498-1707. New Delhi, Oxford U. P., 82, in-8, 242 p. (ill.).

7595. ROŞU (Arion). Yoga et alchimie. Z. d. deutsch. morgenländ. Ges., 82, Bd 132, p. 363-379.

7596. SCHEUER (Jacques). Siva dans le Mahabharata. Préf. de Madeleine BIARDEAU. Paris, Presses univ. France, 82, in-8, 376 p. (Biblioth. de l'Ecole pratique des Hautes Etudes, sect.: Sci. relig., 84)

7597. SELBOURNE (David). Through the Indian looking glass, 1976-1980. London, Zed Press, 82, in-8, 272 p.

7598. SHARMA (L. P.). The ancient history of India. London, Vikas, 82, in-8, 380 p. - IDEM. The mediaeval history of India. London, Vikas, 82, in-8, 532 p.

7599. SHARMA (M. H. R.). The history of the Vijayanagar empire. Bombay, Popular Prakashan; London, Sangam Books, 82, 2 vol. in-8, 272, 614 p.

7600. SINGH (Sarva Daman). Polyandry in ancient India. London, Vikas, 82, in-8, 212 p.

7601. Städte in Südasien: Geschichte, Gesellschaft, Gestalt. Hrsg. v. Hermann KULKE, Hans Christoph RIEGER, Lothar LUTZE. Wiesbaden, Steiner, 82, in-8, XVIII-376 p. (41 Abb., 31 Tab., 41 Taf.). (Beitr. z. Südasienforschung, 68)

7602. TACHIKAWA (musachi). The structure of the world in Udayana's realism: a study of the Lakṣaṇāvalī and the Kiraṇavalī. Doordrecht, Reidel, 81, in-8, XIV-180 p. (Stud. of class. India, 4)

7603. THAROOR (Shashi). Reasons of State: the political development and India's foreign policy under Indira Gandhi, 1966-1977. London, Vikas, 82, in-8, 438 p.

7604. VARENNE (Jean). Cosmogonies védiques. Paris, Belles Lettres, 82, in-8, 324 p. (Le Monde indien)

7605. VATSAL (Tulsi). Indian political history from Marathas to modern times. Delhi, Orient Longman; London, Sangam Books, 82, in-8, 225 p.

7606. WHEATLEY (Paul). India beyond the Ganges - desultory reflections on the origins of civilization in southeast Asia. J. asian Stud., 82, vol. 42, n° 1, p. 13-28.

Cf. n°s 57, 125, 194, 4673, 7523.

§ 4. Indochine et Insulinde.

* 7607. BERNOT (Denise). Bibliographie birmane, années [1950-1960. Cf. Bibl. 68-69, n° 10.670.] 1960-1970. Partie méthodique: 1er fasc. Avec la collab. de Gilles GARACHON, Liêu MIGNOT, Jean-Pierre SRIBNAI, Laurent TCHANG. Paris, Ed. du C. N. R. S., 82, in-8, 294 p.

* 7608. Bibliography (A) of Timor. Compiled by Kevin SHERLOCK. Canberra, Australian Nat. Univ., 80, in-8, XVIII-292 p. (Research School of Pacific Studies, Aids to research ser., A/4)

** 7609. Chroniques royales du Cambodge (de 1594 à 1677). Trad. française avec comparaison des différentes versions et introd. par Mak PHOEUN. Paris, Ecole franç. d'Extrême-Orient; diff. Maisonneuve, 82, in-8, 530 p. (Coll. de textes et doc. sur l'Indochine, 13)

7610. AMPALAVANAR (Rajeswary). The Indian minority and political change in Malaya, 1945-1957. Kuala Lumpur, Oxford U. P., 82, in-8, 276 p. (ill., tab.).

7611. BERZIN (E. O.). Jugo-Vostočnaja Azija v XIII-XVI vekakh. (South-Eastern Asia in the 13th-16th cent.) Moskva, Nauka, 82, 332 p. (AN SSSR, In-t vostokovedenija)

7612. CAYRAC-BLANCHARD (Françoise). Une dictature militaire en quête de sa légitimité: le cas indonésien. In: Dictatures et légitimité [Cf. n° 236], p. 415-441.

7613. CHIN KIN WAH. The defence of Malaysia and Singapore: the transformation of a security system, 1957-1971. London, Cambridge U. P., 82, in-8, 219 p. (Internat. Stud.)

7614. DUMARCY (Jacques). Candi sewu et l'architecture bouddhique du centre de Java. Avec la collab. de Pascal LORDEREAU. Paris, Ecole franç. d'Extrême-Orient; diff. Maisonneuve, 81, in-fol., 80-XLVII p. (16 p. de pl.). (Publ. de l'Ecole franç. d'Extrême-Orient, Mém. archéol., 14) [Eng. summary]

7615. FEDOROV (V. A.). Armija i političeskij režim v Tailande. 1945-1980. (Army and political regime in Thailand, 1945-1980.) Moskva, Nauka, 82, 151 p. (AN SSSR, In-t vostokovedenija)

7616. FEENY (David). Infrastructure linkages and trade performance: Thailand, 1900-1940. Explor. in econ. Hist., 82, vol. 19, n° 1, p. 1-27.

7617. GUHU (Ranajit). Writings on South Asian history and society. Delhi, Oxford U. P., 82, in-8, 248 p.

7618. HALL (Daniel George E.). History of South East Asia. 4th rev. ed. London, Macmillan, 82, in-8, 1050 p. (ill., maps). [1st ed. Cf. Bibl. 64, n° 7689]

7619. HARRISON (James Pinckney). The endless war: fifty years of struggle in Vietnam. London, Collier Macmillan; New York, Free Press, 82, in-8, XII-372 p.

7620. HOLMGREN (Jennifer). The Chinese colonization of Northern Vietnam: administrative geography and political development in the Tongking Delta, 1st to 6th centuries A.D. Canberra, Austral. Nat. Univ., Fac. of Asian Stud.; London, Eurospan, 82, in-8, XIV-200 p.

7621. Bibl. 81, n° 6969. Istorija Kampučii. (Campuchia's history). Redkol.: Ju. Ju. MIKHEEV (otv. red.) i dr. - CR: Ju. N. Gavrilov, Vopr. Ist., 82, n° 12, p. 134-136.

7622. KHANH (Huynh Kim). Vietnamese communism, 1925-1945. Ithaca, N. Y., Cornell U. P., 82, in-8, 379 p.

7623. KULLANDA (S. V.). Nekotorye problemy social'nogo stroja rannejavanskikh gosudarstv (po dannym èpigrafiki VIII - načala X v.). (some problems of the social structures of early Java, according to epigraphic references, 8th - beginning of the 10th cent.) Nar. Azii Afr., 82, n° 5, p. 41-50.

7624. MILNER (A. C.). Kerajaan: Malay political culture on the eve of colonial rule. Tucson, Univ. of Arizona Press, 82, in-8, XXIII-178 p.

7625. REECE (R. H. W.). The name of Brooke: the end of white rajah rule in Sarawak. New York, Oxford U. P., 82, in-8, XXXI-331 p.

7626. RICKLEFS (M. C.). History of modern Indonesia. London, Macmillan, 82, in-8, 452 p.

7627. SUNDHAUSSEN (Ulf). The road to power: Indonesian military politics, 1945-1967. Kuala Lumpur a. New York, Oxford U. P., 82, in-8, XII-304 p.

7628. TJURIN (V. A.). Social'no-političeskaja struktura srednevekovikh obščestv Jugo-Vostočnoj Azii. (The socio-political structure of the medieval societies of South East Asia.) Nar. Azii Afr., 82, n° 1, p. 25-34.

Cf. n° 5623.

§ 5. Chine.

** 7629. Entwicklung (Die) der kommunistischen Streitkräfte in China 1927 bis 1949. Dokumente u. Kommentar. Hrsg. v. Hektor MEYER. Berlin u. New York, de Gruyter, 82, in-8, X-594 p. (Beitr. z. auswärt. u. internat. Politik)

** 7630. Mission Paul Pelliot. 11: Grottes de Touen-Houang: carnet de notes de Paul Pelliot, documents conservés au Musée Guimet [Paris]. 1: Inscriptions et peintures murales, grottes 1 à 30. Avant-propos de Nicole VANDIER-NICOLAS; notes préliminaires de Monique MAILLARD. Paris, Maisonneuve, 81, in-fol., XIII-129 p. (64 p. de pl.).

** 7631. Western reports on the Taiping: a selection of documents. Ed. by Prescott CLARKE, J. S. GREGORY. Honolulu, Univ. of Hawaii Press, 82, in-8, XXX-454 p.

7632. BAUCHAU (Henry). Mao Zedong. Paris, Flammarion, 82, in-8, 1040 p. (phot.). (Les grandes biographies)

7633. BIANCO (Lucien). Mao et ses successeurs. In: Dictatures et légitimité [Cf. n° 236], p. 351-379.

7634. BLOODWORTH (Dennis). The Messiah and the Mandarins, the paradox of Mao's China. London, Weidenfeld a. Nicolson, 82, in-8, 331 p.

7635. BODDE (Derk). Forensic medicine in pre-imperial China. J. am. orient. Soc., 82, vol. 102, n° 1, p. 1-16.

7636. BRADSHAW (Sue) O.S.F. Religious

women in China: an understanding of indigenization. Cath. hist. R., 82, vol. 68, n° 1, p. 28-45.

7637. CHAN (Albert). The glory and fall of the Ming dynasty. Norman, Univ. of Oklahoma Press, 82, in-8, XXX-428 p.

7638. CHAN (Wellington K. K.). The organizational structure of the traditional Chinese firm and its modern reform. Business Hist. R., 82, vol. 56, n° 2, p. 218-235.

7639. CHING CHUNG (Priscilla). Palace women in the Northern Sung, 960-1126. Leiden, Brill, 81, in-4, XX-129 p. (T'oung Pao, Monogr., 12)

7640. CHIU (Hungdah). Agreements of the People's Republic of China, a calendar of events, 1966-1980. London, Praeger, 82, in-8, 329 p.

7641. CLARK (Hugh R.). Quanzhou (Fujian) during the Tang-Son interregnum, 879-978. T'oung Pao, 82, vol. 68, p. 132-149.

7642. DOMES (Jürgen). New policies in the communes: notes on rural societal structures in China, 1976-1981. J. asian Stud., 82, vol. 41, n° 2, p. 253-268.

7643. DREYER (Edward L.). Early Ming China: a political history, 1355-1535. Stanford, Calif., Stanford U. P., 82, in-8, 315 p.

7644. ELMAN (Benjamin). From value to fact: the emergence of phonology as a precise discipline in late imperial China. J. am. orient. Soc., 82, vol. 102, n° 3, p. 493-500.

7645. FEDORENKO (N. T.). Lu Sin' (k 100-letiju so dnja roždenija). (Lu Sin. On the occasion of the 100th anniversary of his birthday.) Nar. Azii Afr., 82, n° 3, p. 70-77.

7646. FINCHER (John H.). Chinese democracy: the self-government movement in local, provincial, and national politics, 1905-1914. New York, St. Martin's Press, 82, in-8, 276 p.

7647. FREEMAN (Michael D.). From adept to worthy: the philosophical career of Shao Yung. J. am. orient. Soc., 82, vol. 102, n° 3, p. 477-492.

7648. FUNG (Edmund S. K.). The military dimensions of the Chinese revolution. Canberra, Australian Nat. Univ. Press; London, Eurospan, 82, in-8, VIII-349 p.

7649. GERNET (Jacques). Chine et christianisme: action et réaction. Paris, Gallimard, 82, in-8, 342 p. (Biblioth. des Histoires)

7650. GRONEWOLD (Sue). Beautiful merchandise: prostitution in China, 1860-1936. New York, Inst. for Research in Hist., 82, in-8, X-114 p. (Women a. Hist., 1)

7651. HALL (J. C. S.). The Yunnan provincial faction, 1927-1937. Canberra, Australian Nat. Univ., Research School of Pacific Stud., Dept. of Econ.; London, Eurospan, 82, in-8, V-208 p.

7652. HANAN (Patrick). The Chinese vernacular story. Cambridge, Mass., a. London, Harvard U.P., 81, in-8, XII-276 p. (Harvard East Asian ser., 94)

7653. HUA (Chang-ming). La condition féminine et les communistes chinois en action: Yan'an, 1935-1946. Paris, Ed. de l'Ecole des Hautes Etudes en Sci. soc., 81, in-8, 198 p. (Cah. du Centre Chine, 4)

7654. IDEMA (Wilt), WEST (Stephen H.). Chinese theatre 1100-1450: a source book. Wiesbaden, Steiner, 82, in-8, XV-523 p. (Münchener ostasiat. Stud., 27)

7655. IRICK (Robert L.). Ch'ing policy toward the coolie trade, 1847-1878. San Francisco, Chinese Materials Center, 82, in-8, XVIII-452 p. (Asian Libr. Ser., 18)

7656. JENCKS (Harlan W.). From muskets to missiles: politics and professionalism in the Chinese army, 1945-1981. Boulder, Colo., Westview, 82, in-8, XXIV-322 p.

7657. KALINOWSKI (Marc). Cosmologie et gouvernement naturel dans le Lü shi Chunquiu. B. Ec. franç. Extrême-Orient, 82, t. 71, p. 169-216.

7658. Kitaj i sosedi (v novoe i novejšee vremja). (China and its neighbours in modern and contemporary times.) Sbornik statej. Otv. red.: S. L. TIKHVINSKIJ. Moskva, Nauka, 82, 454 p. (AN SSSR, In-t vostokovedenija)

7659. Klassy i klassovaja struktura v KNR. (Classes and class structure in the People's Republic of China.) Pod. obšč. red. M. I. SLADKOVSKOGO. Moskva, Nauka, 82, 344 p. (AN SSSR. In-t Dal. Vostoka)

7660. LEE (James). Food supply and population growth in southwest China, 1250-1850. J. asian Stud., 82, vol. 41, n° 4, p. 711-746.

7661. LESLIE (D. D.), GARDINER (K. H. J.). Chinese knowledge of western Asia during the Han. T'oung Pao, 82, vol. 68, p. 254-308 (maps).

7662. LEWIN (Günter). Probleme der Stadt in der Song-Zeit Chinas (960-1278). Abh. u. Ber. d. staatl. Mus. f. Völkerkunde Dresden, 82, Bd 39, p. 222-248.

7663. LIU (Ming-wood). The three-nature doctrine and its interpretation in Hua-yen Bouddhism. T'oung Pao, 82, vol. 68, p. 181-220.

7664. LUBOT (Eugene). Liberalism in an illiberal age: new culture liberals in republican China, 1919-1937. Westport, Conn., Greenwood Press, 82, in-8, 194 p.

7665. LUI (Adam Yuen-chung). The Hanlin Academy: training ground for the ambitious. Hamden, Conn., Archon Books, 81, in-8, XVIII-286 p.

7666. MACKERRAS (Colin P.). Modern China. A chronology from 1842 to the present. With the assist. of Robert CHAN. London, Thames a. Hudson, 82, in-8, 703 p. (maps).

7667. McKNIGHT (Brian E.). Patterns of law and patterns of thought: notes on the specifications (shih) of Sung China. J. am. orient. Soc., 82, vol. 102, n° 2, p. 323-332.

7668. MENDE (Erling von). China und die Staaten auf der koreanischen Halbinsel bis zum 12. Jahrhundert. Eine Untersuchung z. Entwicklung d. Formen zwischenstaatl. Beziehungen in Ostasien. Wiesbaden, Steiner, 82, in-8, X-527 p. (Kt.). (Sinologica Coloniensia, 11)

7669. MESKILL (John). Academies in Ming China: a historical essay. Tucson, Univ. of Arizona Press, 82, in-8, XIV-203 p.

7670. MEYER (Fernand). Gso-ba rig-pa. Le système médical tibétain. Paris, Ed. du C. N. R. S., 82, in-4, 237 p. (54 ill.). (Cahiers népalais, 13)

7671. MIAO (Ronald). Early medieval Chinese poetry. The life and verse of Wang Ts'an (A.D. 177-217). Wiesbaden, Steiner, 82, in-8, XXI-320 p. (8 pl.). (Münchener ostasiat. Stud., 30)

7672. NIKIFOROV (V. N.). Kitaj v gody probuždenija Azii. (China in the years of awakening of Asia.) Moskva, Nauka, 82, 248 p. - IDEM. Idejnye predšestvenniki Sin'khajskoj revolucii. (Ideological predecessors of the 1911-1913 revolution in China.) Vopr. Ist., 82, n° 6, p. 113-125.

7673. OCKO (Jonathan K.). Bureaucratic reform in provincial China: Ting Jih-ch'ang in Restoration Kiangsu, 1867-1870. Cambridge, Mass., Council on East Asian Studies, Harvard Univ., 82, in-8, XI-299 p. (Harvard East Asian Monographs, 103)

7674. OWEN (Stephen). The great age of Chinese poetry: the high T'ang. New Haven a. London, Yale U. P., 81, in-8, XV-440 p.

7675. PERDUE (Peter C.). Official goals and local interests: water control in the Dongting Lake region during the Ming and Qing periods. J. asian Stud., 82, vol. 41, n° 4, p. 747-766.

7676. PIRAZZOLI-t'SERSTEVENS (Michèle). La Chine des Han. Histoire et civilisation. Fribourg, Office du livre; Paris, Presses univ. France, 82, in-4, 234 p. (30 ill. coul., 120 ill. en noir et blanc, 20 dessins). - Eng. tr.: The Han civilization of China. London, Phaidon Press, 82, in-4, 224 p. (ill., pl.).

7677. PORTER (Jonathan). The scientific community in early modern China. Isis, 82, vol. 73, n° 269, p. 529-544.

7678. Rabočee dviženie v Kitae. Nankinskij gomin'dan i rabočij vopros (1927-1931). Dokumenty i materialy. (Labour mouvement in China. The Nanking Kuomintang and the labour problem, 1927-1931.) Otv. red.: L. P. DELJUSIN. Moskva, Nauka, 82, 215 p. (In-t meždunar. rabočego dviženija. In-t vostokovedenija)

7679. RANKIN (Mary Backus). "Public opinion" and political power: Qingyi in late nineteenth-century China. J. asian Stud., 82, vol. 41, n° 3, p. 453-484.

7680. ROSEN (Stanley). Red guard factionalism and the cultural revolution in Guangzhou (Canton). Boulder, Colo., Westview Press, 82, in-8, XV-320 p.

7681. ROZMAN (Gilbert). Population and marketing settlements in Ch'ing China. London, Cambridge U. P., 82, in-8, 154 p (dr., tab.).

7682. SCALAPINO (Robert A.). The evolution of a young revolutionary - Mao Zedong in 1919-1921. J. asian Stud., 82, vol. 42, n° 1, p. 29-62.

7683. SCHMIDT-GLINTZER (Helwig). Die Identität der buddhistischen Schulen und die Kompilation buddhistischer Universalgeschichten in China. Ein Beitr. z. Geistesgesch. d. Sung-Zeit. Wiesbaden, Steiner, 82, in-8, VIII-109 p. (Münchener ostasiat. Stud., 26)

7684. SCHOPPA (R. Keith). Chinese elites and political change: Zhejiang province in the early twentieth century. Cambridge, Mass., Harvard U. P., 82, in-8, VIII-280 p. (Harvard East Asian Ser., 96)

7685. SHAFFER (Lynda). Mao and the workers. The Hunan labor movement, 1920-1923. Armonk, N. Y., a. London, Sharpe, 82, in-8, XVII-251 p. (maps).

7686. SPENCE (Jonathan D.). The gate of heavenly peace, the Chinese and their revolution, 1895-1980. London, Faber, 82, in-8, 492 p.

7687. STRAUGHAIR (Anna). Chang Hua, a statesman-poet of the Western Ching dynasty. Canberra, Austral. Nat. Univ., Fac. of Asian Stud.; London, Eurospan, 82, in-8, VIII-142 p.

7688. STRICKMANN (M.). Le taoisme du Mao chan. Chronique d'une révélation. Paris, Collège de France, Inst. des Hautes Etudes chinoises, 81, in-8, 279 p. (Mém. de l'Inst. des H. E. chinoises, 17)

7689. Sun Yat-sen, founder and symbol of China's revolutionary nation-building. Ed. by Gottfried-Karl KINDERMANN. München u. Wien, Olzog, 82, in-8, 332 p. (East-West-Syntheses, 1)

7690. THILO (Thomas). Erzählungen der Tang-Zeit als sozialgeschichtliche Quelle. In: Altoriental. Forschungen [Cf. n° 1260], p. 237-255.

7691. TILLMAN (Hoyt Cleveland). Utilitarian Confucianism: Ch'en Liang's challenge to Chu Hsi. Cambridge, Mass., Council on East Asian Stud., Harvard Univ., 82, in-8, XVI-304 p. (Harvard East Asian Monographs, 101)

7692. UNGER (Jonathan). Education under Mao: class and competition in Canton schools, 1960-1980. New York, Columbia U. P., 82, in-8, XII-308 p.

7693. UNSCHULD (Paul U.). Der Wind als Ursache des Krankseins. Einige Gedanken zu Yamada Keijis Analyse der Shao-shih Texte des Huang-ti nei-ching. T'oung Pao, 82, vol. 68, p. 91-131.

7694. VOGEL (Hans Ulrich). Lokale Administration und Bodenpolitik der Himmlischen Dynastie des großen Friedens (Taiping Tianguo, 1850-1864). Hamburg, Ges. f. Natur- u. Völkerkunde Ostasiens, 81, in-8, 239 p. (Mitt. d. Ges. f. Natur- u. Völkerkunde Ostasiens, 85)

7695. WALTER (Georges), HU (Chi-hsi). Ils étaient cent mille: la Longue marche, 1934-1935. Paris, Lattès, 82, in-8, 522 p. (cartes).

7696. WANG (Zhongshu). Han civilization. Transl. by K. C. CHANG. New Haven, Conn., Yale U. P., 82, in-8, XX-261 p. (Early Chinese Civilizations ser.)

7697. WONG (R. Bin). Food riots in the Qing dynasty. J. asian Stud., 82, vol. 41, n° 4, p. 767-788.

7698. ZAVADSKAJA (E. V.). Ci Bajši. Monografija. (Qi Baishi.) Moskva, Iskusstvo, 82, 287 p. (ill.).

7699. ZDUŃ (Genowefa). Matériaux pour l'étude de la culture chinoise du moyen âge. Le Lo-yang K'ie-lan Ki. Varsovie, Ed. Scientif. de Pol., 82, in-8, 159 p. (Acad. Pol. des Sciences. Comité des Etudes Orientales. Prace Orientalist., 30)

7700. ZÜRCHER (E.). "Prince Moonlight". Messianism a. eschatology in early medieval Chinese Buddhism. T'oung Pao, 82, vol. 68, p. 1-75.

Cf. n° 4528, 6754.

§ 6. Japon (avant 1868).

* Cf. n° 7538.

7701. Akima (Toshio). Songs of the dead: poetry, drama, and ancient death rituals of Japan. J. asian Stud., 82, vol. 41, n° 3, p. 485-510.

7702. BERRY (Mary Elizabeth). Hideyoshi. Cambridge, Mass., Harvard U. P., 82, in-8, XIV-293 p. (Harvard East Asian ser., 97)

7703. McLAIN (James L.). Kanazawa: a seventeenth-century Japanese castle town. New Haven, Conn., Yale U. P., 82, in-8, XII-209 p. (Yale Hist. Pub., Miscellany, 128)

7704. PIGEOT (Jacqueline). Michiyukibun. Poétique de l'itinéraire dans la littérature du Japon ancien. Paris, Maisonneuve et Larose, 82, in-8, 400 p. (Bibl. de l'Inst. des Hautes Etudes Japonaises du Collège de France)

7705. TOTMAN (Conrad). Forestry in early modern Japan, 1650-1850: a preliminary survey. Agric. Hist., 82, vol. 56, n° 2, p. 415-425.

Cf. n° 4055.

§ 7. Corée.

* Cf. n° 7538.

7706. BUTIN (Ju. M.). Drevnij Coson. (Ancient Chosen.) Ist.-arkheol. očerk. Novosibirsk, Nauka, 82, 330 p. (AN SSSR. Sib. otd-nie, In-t istorii, filol. i filos.)

7707. GLUKHAREVA (O. N.). Iskusstvo Korei. S drevenjšikh vremen do konca XIX veka. (Art of Korea. From ancient times to the end of the 19th cent.) Moskva, Iskusstvo, 82, 255 p. (ill.). (Gos. muzej iskusstva narodov Vostoka)

7708. IONOVA (Ju. V.). Obrjady, obyčai i ikh social'nye funkcii v Koree. Seredina XIX - načalo XX v. (Rites, customs and their social functions in Korea, middle of the 19th - beginning of the 20th cent.) Moskva, Nauka, 82, 232 p. (ill.). (AN SSSR, In-t ètnografii)

7709. KIM (Won-yong). Discoveries of rice in prehistoric sites in Korea. J. asian Stud., 82, vol. 41, n° 3, p. 513-518.

7710. LI OGG. Recherches sur l'antiquité coréenne. Paris, Léopard d'Or, 82, in-8, 304 p.

7711. NELSON (Sarah M.). The effects of rice agriculture on prehistoric Korea. J. asian Stud., 82, vol. 41, n° 3, p. 531-543.

7712. NIKITINA (M. I.). Drevnjaja korejskaja poèzija v svjazi s ritualom i mifom. (Ancient Korean poetry in connection with rite and myth.) Moskva, Nauka, 82, 327 p. (Issledovanija po fol'kloru i mifologii Vostoka. AN SSSR, In-t vostokovedenija)

Cf. n° 7668.

S

AFRIQUE
(des origines à la colonisation)

Nos 7713-7713.

** 7713. LA VERONNE (Chantal de). Sources françaises de l'histoire du Maroc au XVIIIe siècle [suite de Bibl. 81, n° 7060]. R. Hist. maghrébine, 82, a. 9, p. 123-164, 341-359.

** 7714. Letters from Barbary, 1576-1774: Arabic documents in the Public Record Office [London]. Tr. from the Latin by J. F. HOPKINS. Vol. 1. London, Oxford U. P., 82, in-8, 130 p.

7715. BERQUE (Jacques). Ulémas, fondateurs, insurgés du Maghreb (XVIIe siècle). Paris, Sindbad, 82, in-8, 300 p. (Biblioth. arabe)

7716. BHILA (H. H. K.). Trade and politics in a Shona kingdom: Manyika and their Portuguese and African neighbours, 1575-1902. London, Longman, 82, in-8, XVI-292 p. (Stud. in Zimbabwean Hist.)

7717. BIRMINGHAM (David). Central Africa to 1870: Zambezia, Zaire and the South Atlantic. London, Cambridge U. P., 82, in-8, 177 p. (maps).

7718. BÜTTNER (Thea). Ein Wort zur Periodisierung der Geschichte der Völker Afrikas im subsaharischen Raum. Ethnograph.-archäol. Z., 82? Jg. 23, p. 95-108.

7719. CASSANELLI (Lee V.). The shaping of Somali society: reconstructing the history of a pastoral people, 1600-1900. Philadelphia, Univ. of Pennsylvania Press, 82, in-8, XVI-311 p.

7720. ČERNECOV (S. B.). Efiopskaja feodal'naja monarkhija v XIII-XVI vv. (The Ethiopian feudal monarchy in the 13th-16th cent.) Moskva, Nauka, 82, 309 p. (AN SSSR. In-t étnografii)

7721. Contribution de la recherche ethnologique à l'histoire des civilisations du Cameroun. The contribution of ethnological research to the history of Cameroun cultures. [Colloque internat. du C. N. R. S.,] Paris, 24-28 sept. 1973. Publ. sous la dir. de Claude TARDITS. Vol. 1, 2. Paris, Ed. du C. N. R. S., 82, 2 vol. in-4, 597 p. (ill., cartes). (Colloques internat. du C. N. R. S., 551)

7722. DRAMANI-ISSIFOU (Zakari). L'Afrique noire dans les relations internationales au XVIe siècle. Analyse de la crise entre le Maroc et le Sonrhaï. Paris, Karthala / Centre de recherches africaines, 82, in-8, 260 p. (Hommes et sociétés)

7723. FADIMAN (Jeffrey A.). An oral history of tribal warfare: the Merù of Mt. Kenya. Athens, Ohio U. P., 82, in-8, 185 p.

7724. GALLAY (A.). Le Sarnyere Dogon: archéologie d'un isolat (Mali). Paris, Recherche sur les Civilisations, 81, in-4, 242 p. (pl.). (Mémoires, 4)

7725. GODINER (E. S.). Vozniknovenie i èvoljucija gosudarstva v Bugande. (Origin and evolution of the state in Buganda.) Moskva, 82, 152 p. (AN SSSR. In-t ètnografii)

7726. HALL (Martin). Settlement patterns in the Iron Age of Zululand, an ecological interpretation. London, Brit. Archaeol. Rep., 82, in-4, 191 p. (fig.).

7727. JACQUES-MEUNIÉ (Denise). Le Maroc saharien, des origines à 1670. T. 1: Le Maroc ancien, des origines au XVIe siècle. T. 2: Le Maroc saharien, du XVIe siècle à 1670. Paris, Klincksieck, 82, 2 vol. in-8, 496, 496 p. (pl.).

7728. KEA (Ray A.). Settlements, trade, and polities in the seventeenth-century Gold Coast. Baltimore, Md., Johns Hopkins U. P., 82, in-8, XVII-475 p.

7729. PERROT (Claude-Hélène). Les Anyi-Ndenye et le pouvoir au XVIIIe et XIXe siècles. Préf. de J. Lorougnon GUÉDÉ et de Georges BALANDIER. Abidjan, Publ. CEDA; Paris, Publ. de la Sorbonne, 82, in-4, 333 p. (pl., phot.). (Publ. de la Sorbonne, Sér. Recherches, 50: Afrique, 5)

7730. REDA (Maria). Organizzazione statale e organizzazione delle istituzioni economiche negli studi antropologici. La Nigeria di S. F. Nadel. Milano, Giuffrè, 82, in-8, 114 p. (Ric. di Stor. e Econ., Univ. degli Stud. della Calabria)

7731. VAN NOTEN (Francis). The archaeology of Central Africa. Graz, Akad. Druck- u. Verl.-Anstalt, 82, in-8, 100 p. (40 fig., 32 pl.).

7732. VIKØR (Knut S.). Salthandel og politisk utvikling i Sahara før 1900 – Eit døme på menneskelig tilpassing. (Salt trade and political development in the Sahara before 1900 – an example of human adjustment.) [Norsk] Hist. T., 82, vol. 61, p. 333-359 (map). [Eng. summary]

7733. WOLF (John B.). The Barbary Coast: Algeria under the Turks, 1500-1830. London, W. W. Norton, 82, in-8, 378 p. (ill.).

Cf. n°s 740, 2645, 4680, 5883.

T

AMERIQUE
(des origines à la colonisation)

N°s 7734-7759.

* 7734. ADAMS (R. E. W.), HAMMOND (Norman). Maya archaeology, 1976-1980: a review of major publications. J. Field Archaeol., 82, vol. 9, p. 487-512.

** 7735. Geschichte der Azteken. Codex Aubin u. verwandte Dokumente. Aztek. Text. Übers. u. erl. v. Walter LEHMANN u. Gerdt KUTSCHER. Abgeschl. u. eingel. v. Günter VOLLMER. Berlin, Mann, 81, in-4, XXXIII-354 p. (Ill.). (Quellenwerke z. alten Gesch. Amerikas aufgez. in d. Sprachen d. Eingeborenen, 13) (Veröff. d. Ibero-Amerikan. Inst. Preußischer Kulturbesitz)

7736. Anasazi and Navajo land use in the McKinley mine area near Gallup, New Mexico. Vol. 1: Archaeology. Ed. by Christina G. ALLEN a. Ben A. NELSON. Vol. 2: Navajo ethnohistory. By Klara B. KELLY. Albuquerque, N. M., Office of Contract. Archaeol., Univ. of New Mexico, 82, 2 vol., 1189, 391 p.

7737. Archaeology. Supplement of the Handbook of Middle American Indians. Vol. 1. Ed. by Victoria Reifler BRICKLER a. Jeremy A. SABOLFF. Austin, Univ. of Texas Press, 82, 463 p. (fig., tables).

7738. BECQUELIN (Pierre) BAUDEZ (Claude F.). Tonina, une cité Maya du Chiapas (Mexique). Vol. 1-3. Paris, Recherche sur les Civilisations, 82, 3 vol. in-4, 1456 p. (45 tabl., 206 ill., 271 fig., carte). (Etudes méso-amér., 6)

7739. BERDAN (Frances F.). The Aztecs of Central Mexico: an imperial society. New York, Holt, Reinhart a. Winston, 82, 195 p. (ill.). (Case Stud. in cultural anthropology)

7740. BLANTON (Richard E.), KOWALEWSKI (Stephen A.), FEINMANN (Gary), APPEL (Jill). Ancient Mesoamerica: a comparison of change in three regions. New York, Cambridge U. P., 82, 300 p. [Eng. ed. Cf. Bibl. 81, n° 7076]

7741. BROWN (Ian W.). The southeastern check stamped pottery tradition: a view from Louisiana. Kent, Ohio, Kent State U. P., 82, 100 p. (38 fig., 27 tables). (MCJA special paper, 4)

7742. BRUNDAGE (Burr Cartwright). The phoenix of the western world: Quetzacoatl and the sky religion. Norman, Univ. of Oklahoma Press, 82, in-8, XVI-349 p. (Civilization of the Am. Indian, 160)

7743. CAMPISI (Jack). The Iroquois and the Euro-American concept of tribe. New York Hist., 82, vol. 63, n° 2, p. 165-182.

7744. CAVIES (Nigel). The ancient kingdoms of Mexico. London, A. Lane, 82, in-8, 272 p. (42 fig., 38 pl.).

7745. GRIEDER (Terence). Origins of pre-Columbian art. Austin, Univ. of Texas Press, 82, 241 p. (90 ill.).

7746. HAMMOND (Norman). The ancient Maya civilization. London, Cambridge U. P., 82, in-8, 337 p. (ill., dr.).

7747. HENDERSON (John S.). The world of the ancient Maya. London, Orbis, 82, in-4, 272 p. (ill., maps).

7748. McGUIRE (Randall H.), SCHIFFER (Michael B.). Hohakam and Patayan: prehistory of South-Western Arizona. London, Academic Press, 82, in-8, 657 p. (ill.).

7749. Man and environment in the Great Basin. Ed. by David B. MADSEN a. James F. O'CONNELL. Washington, D. C., Soc. for American Archaeology, 82, 248 p. (ill.). (Soc. for Am. Archaeol., Papers, 2)

7750. Maya subsistence. Studies in memory of Dennis E. Puleston, ed. by Kent V. FLANNERY. New York, London a. Paris, Academic Press, 82, in-8, 393 p.

7751. Prehistoric Andean ecology. Man, settlement and environment in the Andes: the deep South. Ed. by Frédéric-André ENGEL. Vol. 2. Atlantic Highlands, N. J., Humanities Press, 82, 310 p.

7752. RAYMOND (J. S.). The maritime foundations of Andean civilization: a reconstruction of the evidence. Am. Anthrop., 81, vol. 46, n° 4, p. 806-821 (ill.). [Cf. n° 7758]

7753. RIVERO DORADO (Miguel). Los Mayas, una sociedad oriental. Madrid, Ed. de la Univ. Complutense, 82, in-8, 405 p. (ill., mapas).

7754. SCHELE (Linda). Maya glyphs: the verbs. Austin, Univ. of Texas Press, 82, 427 p. (55 fig., 133 charts).

7755. SPENCER (C. S.). The Cuicatlan Cañada and Monte Albán: a study of primary state formation. London a. New York, Academic Press, 82, in-8, 346 p. (fig.). (Stud. in Archaeol.)

7756. THOUVENOT (Marc). Chalchihuiti. Le jade chez les Aztèques. Paris, Institut d'Ethnologie, 82, in-4, 358 p. (90 pl., 3 cartes). (Mémoires)

7757. VILHENA VIALOU (A.). Etude techno-typologique des industries lithiques du site Almeida, Etat de São Paulo (Brésil). Anthropologie, 81-82, t. 85-86, n° 3, p. 373-423 (17 fig., 11 phot.).

7758. WILSON (D. J.). Of maize and men: a critique of the maritime hypothesis of state origins on the coast of Peru. Am. Anthrop., 82, vol. 47, n° 1, p. 93-120 (4 fig.). [Cf. n° 7752]

7759. ZAMORA (Elías). La tenencia de la tierra entre los Mayas de Guatemala en la época prehispánica: planteamento de la cuestión y proposición de una tipología. Anu. Est. am., 80 [82], t. 37, p. 443-464.

Cf. n°s 667, 1075, 4332.

U

OCEANIE
(des origines à la colonisation)

N°s 7760-7767.

* Cf. n°s 723, 725.

7760. BUTINOV (N. A.). Polinezijcy ostrovov Tuvalu. (Polynesians of Tuvalu Islands.) Moskva, Nauka, 82, 128 p. (ill.). (AN SSSR, In-t ètnografii)

7761. CAMPBELL (I. C.). The Tu'i Ha'atakalaua and the ancient constitution of Tonga. J. Pacific Hist., 82, vol. 16, p. 178-194.

7762. CORDY (Ross H.). Study of prehistoric social change: development of complex societies in the Hawaiian islands. London, Academic Press, 82, in-8, 274 p. (ill.).

7763. DRIESSEN (H. A. H.). Outriggerless canoes and glorious beings: pre-contact prophecies in the Society Islands. J. pacific Hist., 82, vol. 17, p. 3-28.

7764. First (The) thousand years: regional perspectives in New Zealand archaeology. Ed. by Nigel PRICKETT. Palmerstone, Dunmore, 82, in-8, 204 p. (ill.).

7765. ÖSTÖR (Ákos). Europeans and islanders in the Western Pacific 1520-1840. An essay in the history of encounter a. ideology. Wien, Inst. f. Völkerkunde d. Univ., 81, in-4, 148 p. (Wiener ethnohist. Bl., Beiheft, 7)

7766. WHITE (Peter J.), O'CONNELL (James F.). The prehistory of Australia, New Guinea and Sahul. London, Academic Press, 82, in-8, 300 p. (ill.).

7767. YOUNG (John). The response of Lau to foreign contact. J. pacific Hist., 82, t. 16, p. 29-50.

INDEX DES NOMS D'AUTEURS ET DE PERSONNES [1]

Åberg (Alf), 5447.
Aalders (G.J.D.), 1533.
Åqvist (Gösta), 2583.
Aaron (P.G.), 538.
Åström (Sven-Erik), 5707.
Abaffy (Csilla), N., 1058.
Abaffy (Erzsébet), E.,1058.
Abascal Palazón (J.M.), 1835.
Abbassides (les), dynastie, 2554.
Abbo Floriacensis, 2179.
Abdel-Rahim (Said), 5243.
Abdulatipov (R. G.), 4222.
Abel (Wilhelm), 507.
Abélard (Pierre), 227, 2392, 2728, 2903, 2911, 2915, 2920
Abendroth (Hans-Henning), 7255.
Aberg (F.A.), 3066.
Abou-Assaf (Ali), 1343.
Abraham (Gerald), 5571.
Abrahamian (Ervand),3960.
Abramowski (Luise), 2061.
Abrasimov (P.A.), 7447.
Abu Izzeddin (Nejla M.), 3402.
Accampo (Elinor), 6169.
Accius (Lucius), 1903.
Accolti (Benedetto), 5227.
Achard (G.), 1882.
Ackerl (Isabella), 521, 3349.
Ackermann (Hans Christoph), 222.
Ács (Tibor), 4766.
Acton (Sir John Francis Edward), 495.
Acuña (René), 1884.
Adair (John), 4557.
Adalhardus, Abbas Corbeiensis, Sanctus, 2975.
Adam (Anne-Marie), 1935, 1936.
Adam (Jean-Pierre), 1616.
Ádám (Magda), 7157.
Adam (Michel), 4948.
Adam (Paul), 2605.
Adam (Richard), 1937.
Adamczak (Wojciech), 6680.

Adamik (Tamás), 2742.
Adamnanus vel Adomnanus, Abbas Hiensis, Sanctus, 164.
Adamov (Arthur), 5562.
Adams (Bradley), VI.
Adams (Henry), 3430.
Adams (J.N.), 149.
Adams (James Luther), 5031.
Adams (R.E.W.), 7734.
Adams (Robert M.), 5205.
Adams (Willi Paul), 6088.
Adamson (Rolf), 5614.
Adanir (Fikret), 6170.
Adel (Kurt), 5299.
Adela von Pfalzel, 2732.
Adelman (Jonathan R.), 4223.
Adelman (Paul), 3771.
Adkins (A.W.H.), 1534.
Adler (Alfred), 648.
Adler (Gilbert), 4400.
Adler (Guido), 5577.
Adler (Max), 6579.
Adolf von der Mark, Erzbischof von Köln, 2276a.
Adomeit (K.), 1535.
Adomnan, v. Adamnan.
Aeppli (Felix), 5589.
Aereboe (F.), 5604.
Aeschines, Orator, v. Aischines, Rhetor.
Aeschylus, v. Aischylos.
Agranat (G.A.), 650, 5615.
Agrawal (D.P.), 7564.
Agrippa (Marcus Vipsanius), 1716, 1848.
Aguesseau (Henri François d'), 362, 3747.
Aguila (Yves), 3130.
Agulhon (Maurice), 791.
Aharoni (Yohanen), 1375.
Ahlström (Gösta W.), 1376.
Ahmed (Rafiuddin), 4673.
Ahmedov (Ahmed S.), 7158.
Ahrens (Hanns D.), 7448.
Ahrweiler (Hélène), 2114.
Ahuis (F.), 1377.
Aischines, Rhetor, 1567.
Aischylos, 1437, 1534.
Ajnenkiel (Andrzej), 6660, 7314.

Akalu (Aster), 5906.
Akehurst (John), 7449.
Akerman (Amos T.), 3528.
Akers (Charles W.), 6913.
Akima (Toshio), 7701.
Aksakov (Konstantin S.), 4238.
Aladžemova (Dora), V.
Alanbrooke (Alan Francis Brooke, 1st viscount), 7380.
Al-Ansary (A.R.), 7548.
Alatorceva (A.I.), 4885.
Alatri (P.), 5593.
Albert (Bat-Sheva), 2517.
Albert (Bill), 5860.
Albert (Pierre), 4905.
Albert-Samuel (Colette), VIII.
Albert-Sorel (André), 397.
Alberti (Giorio), 5907.
Albertoni (Ettore A.), 877.
Albertus Magnus, Sanctus, 2210, 2900, 2910, 2916, 2921.
Al'bina (L.L.), 3626.
Albisetti (James C.), 4788, 5070.
Albònico (Aldo), 3111, 7159.
Albrecht von Brandenburg, Erzbischof von Mainz, 4598.
Albrecht (M. von), 1885.
Albrecht (Willy), 6456.
Alcott (Amos Bronson),4807.
Alcuin, 2772, 2778.
Aldrich (Mark), 5708.
Aldrich (Richard), 947.
Alejandro (Juan Antonio), 6681.
Aleksandr Ier, empereur de Russie, 4286.
Aleksandr III, empereur de Russie, 4315.
Aleksandrowicz (Marian), 4397.
Alekseev (A.I.), 184.
Alekseev (M.P.), 5331.
Alekseev (R.F.), 7450.
Alekseev (V.V.), 5772.
Alekseeva (G.D.), 539.
Alembert (Jean Le Rond d'), 5094.

---

1. Les noms slaves et, plus particulièrement, les noms russes sont transcrits conformément à la méthode habituelle suivant l'orthographe dans le pays d'origine. - Les lettres comportant des signes diacritiques sont placées à leur rang parmi les lettres simples, sans qu'il soit tenu compte de la valeur propre de ces signes (ainsi ć, č, ś, š avec c, s). - Les voyelles infléchies des mots germaniques et scandinaves ä, ö, ø, ü doivent être lues sous leur forme développée ae, oe, ue. - Les noms avec Mac, Mc, M' sont tous considérés comme Mac. - Les noms des saints, des papes et des empereurs romains figurent sous leur forme latine.

Alexander (Bill), 3411.
Alexander (G.M.), 7451.
Alexander M.C.), 1779.
Alexander (Robert J.), 4319.
Alexandris (Alexis), 7160.
Alexandros III ho Megas [le Grand], roi de Macédoine, 1463, 1467, 1468, 1509, 2852.
Alexiev (A.), 7452.
Alföldi (András), 398.
Alföldy (Geza), 1837.
Alfonso IV el Benigne, rey de Aragón, 2531, 2578.
Ali (Abbas S. Mohammed), v. Mohammed-Ali (Abbas S.).
Aliberti (Giovanni), 3986.
Alifando (Emilia), 4884.
Aliquot (H.), 86.
Allain (Jean-Claude), 3627, 7087.
Allardyce (Gilbert), 540.
Allchin (Bridget), 7565.
Allchin (Frank Raymond), 7565, 7566.
Allemand (C.T.), 2207.
Allen (Ann Taylor), 4789.
Allen (Christina G.), 7736.
Allen (Edward A.), 4790.
Allen (Naomi), 4217.
Allende (Salvador), 3395.
Allesch (R.M.), 1071.
Allin (Craig W.), 3442.
Almagro-Gorbea (Martín), 1205.
Álmos, chef magyar, 2241.
Alonso Núñez (J.M.), 1886.
Alpatov (M.A.), 2356.
Alphonsus Maria de Ligorio Sanctus, 4481.
Alsop (J.D.), 6023.
Alsop (Joseph), 3443.
Alston (Lee J.), 5908.
Alter (George), 5971.
Alter (Peter), 4702.
Alteras (Isaac), 2518.
Althoff (Gerd), 2388.
Altholz (Josef L.), 4558.
Altmann (Alexander), 399, 496.
Altmann (Hugo), 4344.
Altomonte (Antonio), 2447.
Álvarez Álvarez (César), 2448.
Alverny (Marie-Thérèse d') 2901.
Alzati (Cesare), 4135.
Alzon (Emmanuel Daudé d') 4431.
Amalvi (Christian), 284, 319.
Amantini (Luigi Santi), 1672.
Amberg (Gottfried), 2988.
Ambrosius, Ep. Mediolanensis, Sanctus, 2011, 2105.
Ambrosius (Gerold), 5686.
Amburger (Erik), 4224.
Amelung (Peter), 25.
Amendola (Giovanni), 413.
Amerling (Karel Slavoj), 4825.
Amersfoort, v. Van Amersfoort (Hans).
Amiet (Pierre), 302.
Amiot (Anne-Marie), 5300.
Amjad (Rashid), 5709.

Ammianus Marcellinus,1912.
Amorosino (Vittorio), 894.
Amort (Čestmír), 7318.
Ampalavanar (Rajeswarg), 7610.
Amundsen (D.W.), 2062.
Anagnostou-Cañas (B.), 1500.
Anastasios Sinaites, 2122.
Anaxagoras, 1592.
Anderle (Ádám) 3112 6456.
Andermann (Kurt), 2180.
Andernach (Norbert) 2276a.
Andersen (Harald Westergård), 3400.
Andersen (O.), 1536.
Anderson (A.S.), 1938.
Anderson (Ann C.), 1938.
Anderson (Dwight G.) 3445.
Anderson (Judith Icke), 3446.
Anderson (Karen Tucker), 5710.
Anderson (Margaret Lavinia), 3199.
Anderson (Nancy F.), 6171.
Anderson (Peter D.), 3772.
Anderson (R.D.), 4791.
Anderson (W.S.), 1887.
Andersson (Bo), 6458.
Andics (Erzsébet), 3901.
Andlau (Béatrice d'), 5281.
András II, roi de Hongrie, 2401.
André (Patrick), 1738.
André (Sylvie), 4949.
Andreas, Könige von Ungarn, v. András.
Andreas von Brod, 3024.
Andreescu (Ştefan), 2449.
Andreeva (L.V.), 5503.
Andrei (Nicolae), 4792.
Andrei (Ştefan), 7210.
Andresen (Carl), 997.
Andrew (Joe), 5301.
Andrews (David), 2824.
Andrews (K.R.), 6914.
Andrews (William G.) 3628.
Andrien (Kenneth J.), 6915.
Andronikos II Palaiologos, empereur de Byzance 2170
Angel (Marc D.), 4674.
Angeli (Stefano), 5861.
Angelov (Petăr), 2357.
Angermann (Norbert), 442.
Angermeier (Heinz), 2324, 3201.
Angermüller (Rudolph) 5515
Angiolini (Franco), 4016.
Angleberme (Jean-Pyrrhus d'), 6653.
Aninoiu (Dumitru), 7210.
Anisimov (E.V.), 6024.
Anjou, dynastie, 2463, 2468 2515, 2930, 3097.
Ankum (J.A.), 1780.
Anna (Timothy E.), 6916.
Anrup (Roland), 5909.
Ans (André-Marcel d') 651.
Antigonos I Monophthalmos, général macédonien 1462.
Antigonos II Gonatas, roi de Macédoine, 1462.
Antiochos III Epiphanes, roi séléucide, 1746.
Antoine (Marie-Elisabeth), 255.
Antoine (Michel), 7015.

Anton (Hans Hubert), 2181.
Antonescu (Dinu), 1227.
Antoni (Klaus J.), 652.
Antonini empereurs romains, 133, 1793.
Antonjuk (D.I.), 6454.
Apel (H.), 1261.
Apollonius Rhodios, 1539.
Apostolopoulou (S.), 2134.
Appadorai (Arjun), 6754.
Appel (Jill), 7740.
Appleboom (Th.G.), 1068.
Appleby (Joyce), 5910.
Appleyard (R.T.), 6998.
Aptheker (Bettina), 6172.
Arabi (Oussama), 4950.
Arasse (Daniel), 6722.
Araszkiewicz (Feliks W.), 4810.
Arató (Endre), 497, 3136.
Arató (Paolo), 1005.
Arbousse-Bastide (Paul), 4937.
Arce (J.), 1696.
Archer (Christon), 3148.
Archidamos II king of Sparta, 1475.
Archidamos V king of Sparta, 1455.
Archimedes, 2750.
Arcidiacono (Bruno G.L.), 7320.
Arday (Lajos), 7151.
Ardeleanu (Ion), 4131,4147.
Arden-Clarke (Sir Charles), 6886.
Arduini (Maria Lodovica), 2989.
Ardzinba (V.G.), 1286.
Arendt (Hannah), 5060.
Arendt (Hans-Jürgen), 3202.
Aretin (Karl Otmar Freiherr von), 3987.
Arfè (G.), 4007.
Argesinger (Jo Ann E.), 6175.
Arias (Paolo Enrico), 498, 1648.
Ariès (Philippe), 400, 915, 5140.
Arimia (Vasile), 4131.
Arimo (R.), 3603.
Arioli (Angelo), 153.
Aristoteles, 1438, 1540-1542, 1544, 1550, 1556, 1571, 1580, 1585, 1598, 2902.
Arjona Castro (A.), 2535.
Arkoun (Mohammed), 2536.
Arlettaz (Gérald), 5862.
Armagnac (Georges d') cardinal, 3622.
Arminjon (Henri), 6661.
Armstrong (C.A.J.), 2207.
Armstrong (David A.) 3447.
Armstrong (John A.), 728.
Arnal (Oscar L.), 3629.
Arnaldi (A.), 1697.
Arnaldi (G.), 2977.
Arnaud (Etienne), 59.
Arnaud (Henri), 4612.
Arnauld (Antoine), 5113.
Arndt (Helmut), 3203.
Arneil (Stan), 7364.
Arneson (Richard J.), 4951.
Arneville (Marie-Blanche d'), 5414.
Arnobius Afer, 2012.
Arnold (C.J.), 3067.

Arnold (Günther), 4939.
Arnold (Klaus), 3204.
Arnold (Thurman), 3537.
Arnold (Udo), 762.
Arnstein (Walter L.), 4345.
Aron (Raymond), 3205.
Árpáds (les), dynastie 109, 2614.
Arš (G.A.), 729.
Arsinoe II. Philadelphos, Königin v. Ägypten 1308.
Artéus (Gunnar), 4162.
Arthurs (Peter), 5302.
Artner (Tivadar), 5395.
Artola (M.), 6025.
Artibise (Alan F.J.), 6120.
Arundel de Condé (Gérard d'), 6176.
Arvieux (Laurent d'), 7050.
Arvizu (Fernando de), 2561.
Asch (Jürgen), 54.
Aschoff (Diethard), 3230.
Ascoli (G.I.), 4848.
Asdrachas (Spyros I.), 5617.
Ash (James L.) Jr., 4559.
Ash (Stephen V.), 4675.
Ashauer (Günther), 6031.
Asher (Robert), 6177.
Ashton (Stephen Richard), 6755.
Askari (A.), 656.
Askwith (Betty), 3773.
Asquith (Herbert Henry), 3763.
Assier-Andrieu (Louis), 654.
Assion (Peter), 6178.
Asthana (Shashi), 7567.
Astier (Joseph), 7152.
Astin (A.E.), 1781.
Astorkia (Madeline), 3412.
Astrakhan (Kh. M.), 4218, 4225.
Atack (Jeremy), 5712.
Atalja, v. Athalia, Königin von Juda.
Atatürk, v. Kemal Atatürk (Mustafa).
Athalia, Atalja, Königin v. Juda, 1389.
Athanasius Alexandrinus, Sanctus, 2058.
Atkinson (Charles M.), 2884.
Atondo y Antillon (Isidro de), 6952.
Atsma (Hartmut), 2.
Atterbury (Paul), 975.
Attila, roi des Huns, 1705.
Attinà (Fulvio), 7453.
Attlee (Clement R. Attlee, 1st earl), 3808.
Atzeni (E.), 1143.
Aubert (Roger), 994.
Aubigné (Agrippa d'), 68, 5276.
Aubin (Paul), 3376a.
Aubreton (Robert), 1439.
Aubrun (Michel), 2990.
Audacja ou Eudoksja Piastówna, comtesse de Schwerin, 67.
Audenino (Patrizia), 541, 4952.
Audeth, famille, 2280.
Auerbach (Hellmuth), 3105.
Augustins (Georges), 6179.
Augustinus (Aurelius), Sanctus, 333, 2013, 2775, 5250.

Augustus (Gaius Julius Caesar Octavianus), empereur romain, 121, 1711, 1724, 1730, 1744.
Ault (Warren O.), 2606.
Aurenche (Olivier), 1076, 1144.
Ausmus (Harry J.), 1015.
Auspitz (Katherine), 3630.
Austin (Lloyd), 5310.
Autin (Jean), 5303.
Autrand (Françoise), 2607.
Auty (Robert), 401.
Auzias (Claire), 6461.
Avădanei (Ştefan), 5305.
Avanzani (Guy), 4824.
Aveling (Marian), 6165.
Averroes, v. Ibn Rushd.
Avesani (Rino), 2322.
Avni (Haim), 4676.
Avram (Alexandru), 1838.
Avramescu (Tiberiu), 4886.
Axboe (Morten), 2825.
Axelrod (Paul Douglas), 4767.
Axer (Jerzy), 7014.
Ayache (Germain), 6846.
Ayala, canciller, v. López de Ayala (Pedro).
Ayer (Alfred Jules), 4953.
Aymard (André), 1521.
Ayoun (Richard), 755.
Azbelev (S.N.), 655.
Azcárate (J.M.), 2826.
Azevedo (Mario), 6847.
Aznar Gil (Federico Rafael), 1016.
Azúa Iturgoyen (Pedro Felipe) arzobispo de Bogotá, 4475.

B

Baader (Gerhard), 2777.
Baarck (Gerhard), 757.
Baatz (D.), 1618.
Baatz (Wolfgang), 6848.
Babelon (Jean-Pierre) 3631.
Babin (A.I.), 7402.
Babko (Ju. V.), 4311.
Babudieri (Fulvio), 5713.
Bach (Johann Sebastian), 5531, 5534.
Bachmann (Werner), 982.
Baciocchi, v. Elisa Bonaparte Baciocchi, principessa di Lucca e Piombino.
Bacqué-Grammont (Jean-Louis), 2451.
Bade (Klaus J.) 5618 6812.
Badea (Marin), 542.
Badoer, famiglia, 66.
Baechler (Christian), 3632, 7150.
Bächtold (Hans Ulrich), 4560.
Bäckvall (Hans), 5306.
Bähr (Jürgen), 3391.
Baehr (Rudolf), 499.
Baerten (J.), 2707.
Baier (Dietmar), 6662.
Bailey (Charles R.), 4793.
Bailey (G.N.), 1083.
Bailey (Sydney Dawson), 7454.

Bailey (Thomas A.), 3448.
Baillie (M.G.L.), 1077.
Bailloud (Gérard), 1145.
Bailly (Jean Sylvain), 3687.
Bailyn (Bernard), 543.
Bain (Mary A.), 3338.
Bainart (William), 5594.
Bajazet, v. Bayezid, sultan ottoman.
Bajbakova (L.V.), 3449.
Bakchiadoi, famille, 1458.
Baker (Christopher John), 7568.
Baker (Frank), 4556.
Baker (Sir Samuel White), 4333.
Bakhrušin (S.V.), 402.
Bakker (Lothar), 3092.
Bakos (Ferenc), 151.
Bakunin (Mikhail Aleksandrovič), 6543.
Bâlă (Ion), 4128.
Balaam, propheta biblicus, 1374.
Balabkins (Nicholas V.), 4226.
Balandier (Georges), 7729.
Balard (Michel), 2135.
Balašova (T.V.), 5307.
Balázs (Eva), H., 3903.
Balbo (Cesare), 4984.
Balca (Nicolae), 1537.
Balcerak (Wiesław), 6750.
Balderrama (Francisco E.), 7161.
Balderston (T.), 5619.
Baldus (H.R.), 1699.
Baldwin (B.), 1888.
Baldwin (John W.), 2389.
Baldwin of Bewdley (Stanley Baldwin, 1st earl), 3877.
Balfour (M.), 3206.
Bálint (Csanád), 2608.
Ball (Terence), 4954.
Ball (Warwick), 1410.
Ballaira (Guglielmo), 2182.
Balland (A.), 1626.
Ballke (Jürgen), 2885.
Balogh (Edgár), 3904.
Balogh (István), 3892.
Balogh (Jolán), 5415.
Balogh (Sándor), 497, 7455.
Balş, famille, 63.
Baltimore (George Calvert, 1st baron), 4526.
Baluze (Etienne), 362.
Balz (Horst Robert), 1001.
Balzac (Honoré de), 4746, 5308.
Balzarini (M.), 1782.
Balzer (M.), 2353.
Banaszak (Marian), 1044.
Bancroft (Wilder D.), 5178.
Bandini (Bruno), 3154.
Banerji (A. K.), 5863.
Bangdel (L.S.), 7569.
Bango Torviso (Isidro), 1030.
Banik-Schweitzer (Renate), 6089.
Bantelmann (Niels), 1146.
Banting (Sir Frederick Grant), 5166, 5179, 5199.
Banting (Keith G.), 5595.
Banton (Nicholas), 2941.
Barak (Michel), 5864.
Baran (Kazimierz), 880.

Baranowski (Bohdan), 4703.
Barante (Amable-Prosper Brugière baron de),5904.
Bárány (Ferenc), 6462.
Barbacci (Aldo), 5913.
Barbadoro (Idomeneo), 826.
Barbagli Bagnoli (Vera), 920.
Barbe (A.), 4833.
Barber (John), 320.
Barber (Malcolm), 2991.
Barberis (Pierre), 5308.
Barbero (Alessandro), 2744.
Barbey d'Aurevilly (Jules-Amédée), 5277.
Barbier (Frédéric), 289.
Barciak (Antoni), 2390.
Bárcsi (Géza), 1058.
Barda (Christina), 3880.
Bardet (Jean-Pierre), 3719.
Bardong (Otto), 3188.
Bárdosi (János), 5494.
Bárdossy (László), 7431.
Bareiro Seguir (Rubén), 5406.
Barenbojm (L.A.), 5516.
Barette (Bartolomeo Baretta dit), 2453.
Barg (M.A.), 544, 800.
Barge (H.), 1147.
Bariéty (Jacques), 7256.
Barišić (Franjo), 2136.
Bariska (István), 3894.
Barker (Nancy R.), 3633.
Barker (Rachel), 3774.
Barker (Theo), 6090.
Barker (Thomas M.), 3350.
Barkin (Kenneth), 3199.
Barkóczi (László), 1942.
Barnabas, Sanctus, 2097.
Barnard (Leslie W.), 2063.
Barnard (T.C.), 3775.
Barnavi (Elie), 3654.
Barnes (Denis), 6463.
Barnes (Timothy D.), 1700.
Barnwell (John), 3450.
Baroli (Marc), 6180.
Baron (Carl), 5359.
Barratt (G.), 6999.
Barrett (J.C.), 1207.
Barrett (Jane R.), 7436.
Barrière (Claude), 1116.
Barrow (Geoffrey W. S.), 2325.
Bársony (István), 3905.
Barstow (Anne Llewellyn), 2992.
Barta (János) Jr., 5914.
Barta (Winfried), 1300.
Bartel (Horst), 761.
Barth (Robert), 6464.
Bartholin (Thomas S.) 1215.
Bartholomeusz (Dennis), 5517.
Barthouil (Georges), 5010.
Bartlett (Merrill), 7365.
Bartlett (Robert), 2993.
Bartnik (Czesław Stanisław) 2044.
Bartók (Béla), 5526, 5549, 5551.
Barton (Marcello Biro),4401
Barton (Peter F.), 2827.
Bartoš (Josef), 196, 4197.
Bartoszewski (Władysław), 7254.
Bartram (John), 5071.
Baruch (Bernard M.), 7479.

Barvíková (Hana), 5063.
Barycz (Henryk) 3634 4755.
Barzel (Bernard), 1017.
Basch (Norma), 6723.
Basilius Caesariensis, Sanctus, 2014.
Bass (George F.), 2137.
Bassegoda Nonell (Juan), 476.
Bašta (Josef), 4197.
Bastien (Pierre), 100.
Bataillon (Louis-Jacques), 2898.
Batchelor (John), 5309.
Bates (David), 2391.
Bates (Elizabeth Bidwell), 5497.
Bateson (L.D.), 976.
Batkay (William M.), 3906.
Batkin (Maureen), 5495.
Bátori (Ingrid), 6181.
Batsányi (János), 867.
Battaglia (Emanuela), 1301.
Battenberg (Friedrich), 2562
Batthyány (Lajos), 3899, 3907.
Battistrada (Franco), 859.
Battle i Gallart (Carmen), 2609.
Battmann (Martin), 2278.
Battye (J.S.), 7000.
Bauchau (Henry), 7632.
Baudelaire (Charles Pierre) 5300, 5310, 5313, 5340.
Baudez (Claude F.), 7738.
Baudi di Vesme (Carlo), 403.
Baudin (Eugène), 5451.
Baudouin IV, roi de Jérusalem, 2426.
Baudy (G.J.), 1538.
Bauer (D.), 1299.
Bauer (Hans-Jörg), 895.
Bauer (Oswald Georg),5518.
Bauer (Piotr), 7366.
Baum (Wilhelm), 2926.
Baumgart (Winfried), 3183, 6805.
Baumgart (Wolfgang), 5244.
Baurmeister (Ursula), 31.
Bautier (Robert-Henri) 237, 2392, 2393.
Baxter (Richard), 5253.
Bayat (Mangol), 7549.
Bayezid Ier, sultan ottoman 2458.
Baylis (John), 6757.
Bažanov (E.P.), 7456.
Bazin (Marcel), 656.
Bažova (A.P.), 7032.
Bazylow (Ludwik), 734.
Beaconsfield (Benjamin Disraeli, earl of), 3780, 3796, 7091.
Beame (Edmond M.), 4055.
Beames (Michael), 3966.
Beaucage (Pierre), 6917.
Beaucamp (Joëlle), 2064.
Beaufort (Louis de), 7080.
Beaujot (Roderic P.), 6091.
Beaujouan (Guy) 428 2745.
Beaulieu (André), 4887.
Beaulieu (Michèle), 5448.
Beauman (Sally), 5519.
Beaumont (Jane), 7436.
Beaussant (Chantal), 128.
Beaverbrook (William Maxwell Aitken, 1st baron), 7182.
Bebbington (D.W.), 4561.
Béchamp (Antoine), 5153.
Becher (Karl), 7446.
Bechert (T.), 1943.
Bechu (Philippe), 4402.
Beck (Ludwig), 3246.
Beck (Peter J.), 7457.
Beck (Roland), 7088.
Becker (Alfons) 2183 2563.
Becker (Colette), 5298.
Becker (Josef), 7089.
Becker (Laura L.), 4562, 6918.
Beckerman (Wilfred), 6026.
Beckett (Samuel), 5562.
Beckman (Gary), 1366.
Becq (Annie), 5449.
Becquelin (Pierre), 7738.
Beda Venerabilis, Sanctus, 2282, 2976.
Bedoni (Giuseppe), 3989.
Bedos Rezak (Brigitte), 74.
Beeby (S.), 3068.
Beecher (Henry Ward), 6432.
Beer (Barrett L.), 3776.
Beer (Klaus P.), 4136.
Beesly (Patrick), 7162.
Beeson (I.), 3405.
Beethoven (Ludwig van), 5571.
Beevor (Anthony), 3413.
Beglova (N.S.), 7458.
Begouën (Jacques-François), 6919.
Begouen Demeaux (M.), 6919
Behan (Brendan), 5302.
Behiels (Michael D.), 3380.
Behlmer (George K.), 6182.
Behnk (Wolfgang), 4563.
Behr (Hans-Joachim), 6027.
Behre (Göran), 580.
Behrends (Okko), 1783.
Behrens (Hermann), 1361.
Beidelman (T.O.), 6849.
Beidler (Philip D.), 5311.
Béla III, roi de Hongrie, 2422.
Beldiceanu (Nicoară), 2451.
Beldiceanu-Steinherr (I.), 186.
Beliavsky (D.), 1053.
Beljaev (E.A.), 545.
Beljaeva (S.A.), 3071.
Bell (Anne Olivier), 5297.
Bell (Roger), 3339.
Bell (Rudolph M.), 1004.
Bellamy (Edward), 6549.
Bellavista (J.), 2994.
Belle de Zuylen, v. Charrière (Isabelle Agnès Elisabeth de).
Bellegarde (Dantes), 3888.
Bellegarde-Smith (Patrick), 3888.
Bellen (Heinz), 1701.
Belli (Carolina), 4507.
Bellinazzi (Anna), 257.
Bello (Andrés), 6728.
Belloni (G.G.), 1702.
Bells (Robin), 4794.
Bellus (Ibolya), 3889.
Belrose-Huyghues (Vincent), 4524.
Beltrán Martínez (A.), 1117.
Belyj (È.L.), 7459.
Bělza (I.F.), 5520.

Ben Sira, v. Sirach.
Bence-Jones (Mark), 6826.
Benda (Kálmán), 657, 812, 3908, 6092.
Bendza (Marian), 4536.
Bene (Eduard), 2995.
Béné-Petitclerc (Frédérique) 3635.
Benecke (Gerhard), 722.
Benedetto (Maria Ada), 896.
Benedictus Anianensis, Sanctus, 2953.
Benedictus Nursinus, Sanctus, 2977.
Benedictus XII [Jacques Fournier], Papa, 2933.
Benichou-Safar (Hélène), 1379.
Benisi (M.), 7570.
Benjamin (Walter), 552.
Benkő (Loránd), 5245.
Bennassar (Bartolomé), 5620.
Bennett (Sari), 6465.
Benoist (Joseph-Roger de), 6850.
Benoit (M.), 5521.
Benoit (Michel), 658.
Benrath (Gustav Adolf), 997.
Benrekassa (Georges), 860.
Bensa (Alban), 659.
Bensa (Hélène), 659.
Benseddik (Nacéra), 1784.
Benson (Robert L.), 2746.
Benteli (Marianne), 3207.
Bentham (Jeremy), 4994.
Bentkowski (Feliks), 1059.
Bentley (Madison), 5173.
Benz (Gérard), 5714.
Benzoni (Gino), 382.
Beran (Jiří), 5068.
Berciu (Ion), 2009.
Berdan (Frances F.), 7739.
Berdjaev (Nikolaj Aleksandrovič), 5059.
Berdnikov (A.F.), 4705.
Berecz (János), 3909.
Berend (T. Iván), 3116, 5621, 5715.
Berenger (Jean), 7007.
Berents (Dirk Arend), 2452.
Berezanskaja (S.S.), 1180.
Berežkov (V.M.), 7321.
Berg (Harald), 546.
Bergen (Barry H.), 4795.
Berger (Michel), 211.
Bergeron (Henri-Paul), 4403.
Bergeron (Louis), 3673.
Bergeron (Paul H.), 3451.
Bergier (Jean-François), 897.
Bergin (J.A.), 4404, 4509.
Bergius (Johannes), 3278.
Bergius (John), 4360.
Berglund (Bengt), 6183.
Bergmann (Joseph), 1181.
Bergmann (Werner), 2184.
Bergson (Henri), 4988.
Berkeley (Dorothy Smith), 5071.
Berlász (Jenő), 285.
Berle (Adolph Augustus), Jr., 7536.
Berlow (Rosalind Kent), 2610.
Berman (Constance Hoffman) 2942.
Bermejo Barrera (J.C.), 1228, 1508.

Bernand (Etienne), 1297.
Bernanos (Georges), 870.
Bernard d'Auvergne, 2318.
Bernard (Gildas), 254.
Bernard (Paul P.), 3352.
Bernard (René Jean), 3719.
Bernardo (Aldo S.), 2264.
Bernardinus Senensis, Sanctus, 2971.
Bernardus, Abbas Claraevallensis, Sanctus, 2973.
Bernath (M.), 3153.
Bernáth (Mária), 5477.
Berndtson (Erkki), 547.
Berner (Ulrich), 548.
Bernert (Günther), 6744.
Bernhardt (Rainer), 1785.
Bernier (Gérald), 5865.
Bernini (Giovanni Lorenzo), 4737, 5465.
Bernini (Ughetto), 1455.
Bernot (Denise), 7607.
Bernoulli (R.), 5304.
Bernstein (Alan E.), 2996.
Berque (Jacques), 7715.
Berredo (Paulo E. de), 4937.
Berres (Thomas), 1889.
Berrol (Selma C.), 4677.
Berry (Christopher J.), 437
Berry (Mary Elizabeth), 7702.
Berry (Mary Frances), 3452
Berselli (Costante), 2039.
Berstein (Serge), 3636.
Bertemes (Franz), 1208.
Berthiaume (Guy), 1606.
Berthoff (Rowland), 3453.
Berthold (Brigitte), 2611.
Berthoud (Roger), 5450.
Berti (Giuliana), 3985.
Berti (Roberto), 2371.
Berti (Silvia), 4405.
Bertier de Sauvigny (Guillaume de), 321, 3611.
Bertinetti (Paolo), 3114.
Bertini (Ferruccio), 2322.
Bertrand (Michel), 7367.
Berz (László), 3910.
Berzin (E.O.), 7611.
Besançon (Alain), 4293.
Beschi (L.), 1648.
Beseler (Georg), 6647.
Beševliev (Bojan), 187.
Besier (Gerhard), 7163.
Besseler (Heinrich), 982.
Besset (Giliane), 5866.
Besset (Maurice), 5413.
Besson (André), 3637.
Best (Geoffrey), 3117.
Betancourt (Fernando), 1786.
Betancourt (Rómulo), 4319.
Beth (Hans Joachim), 719.
Bethlen (Gábor) prince de Transylvanie, roi de Hongrie, 3905, 4738.
Bethlen (István) 3906, 3925.
Bettelheim (Charles), 4227, 5771.
Bettencourt (Olga), 2687.
Betz (Jacques), 29.
Beutler (Corinne), 5915.
Beye (Chr. R.), 1539.
Beyer (Charles-Jacques), 4957.
Beyer (Hans), 3208.
Beyer (Klaus G.), 2838.
Beyerchen (Alan), 5072.

Beyrau (Dietrich), 4092.
Beyschlag (Karlmann) 1018.
Bezachevici (Constantin), 2185, 7016.
Bezotosnyi (V.M.), 7057.
Bhatia (H.S.), 7571.
Bhila (H.H.K.), 7716.
Bialor (Perry G.), 1090.
Bialostocki (Jan), 5396.
Bianchi (Sergio), 4406, 4706.
Bianco (Furio), 3990.
Bianco (Lucien), 7633.
Biardeau (Madeleine), 7572, 7596.
Biaudet (Jean Charles), 840, 7054.
Biberaj (Elez), 7460.
Bichat (Marie-François-Xavier), 5135.
Bichir (Gheorghe), 1229.
Bicknell (Peter J.), 1456, 1457.
Bidelman (Patrick Kay), 3638.
Bidon (Colette), 5451.
Bidon (Etienne), 5451.
Biebel (Charles D.), 4796.
Biegański (Witold), 7368.
Bieler (André), 4407.
Bienert (Walther), 4552.
Bieńkowski (Wiesław), XVI.
Bienvenu (Jean-Marc), 2943.
Biermann (Karlheinrich), 5313.
Biermann (Kurt-R.), 5067.
Biernacka-Lubańska (Małgorzata), 2138.
Bierther (Kathrin), 7011.
Bies (Werner), 210.
Bignell (Merle), 3340.
Bignon (Jean-Paul), 362.
Bigsby (Christopher W.E.), 5522.
Bihl (Wolfdieter), III, 7164.
Bileam, v. Balaam, propheta biblicus.
Biller (P.P.A.), 2612.
Billerbeck (M.), 1890.
Billington (Ray Allen), 3454.
Bilof (Edwin G.), 4228.
Bim-Bad (B.M.), 4843.
Binding (Günther), 1255.
Bindoff (Stanley Thomas), 6694.
Bingham, family, 3534.
Bingham (Madeleine), 4229.
Bingham (Robert Worth), 5938.
Binion (Rudolph), 549.
Bintz (J.), 3092.
Binz (Louis), 839.
Biraben (Jean-Noël), 61.
Birckel (Maurice), 3130.
Bird (D.T.), 5062.
Birmingham (David), 7717.
Birmingham (Stephen), 3777.
Birner (Angela), 499.
Biro (Adam), 4721.
Biró (Margit), 1230.
Birocchi (Italo), 3991.
Bischoff (Georges), 783.
Biskup (Marian), 762.
Bismarck (Otto, Fürst von), 3216, 3279, 3287, 3290, 6563, 7089, 7105.
Bisson (Thomas N.), 2564.

Bitoleanu (Ion), 4137.
Bitskey (István), 3896.
Biver (Marie-Louise), 3639.
Bjørgo (Narve), 660.
Bjørkelo (Anders), 5916.
Black (Robert), 5227.
Blackburn (M.A.S.), 101.
Blackford (Mansel G.), 5716.
Blackmann (D.J.), 1421.
Blaich (Fritz), 898, 5686.
Blaine (James G.), 3494.
Blake (Robert), 803.
Blake (Robert Blake, baron), 7091.
Blake (W.B.), 6902.
Blanc (Cécile), 2034.
Blanc (Louis), 6521.
Blanc (Olivier), 6093.
Blanchard (Peter), 4087, 6466.
Blanco (Richard L.), 5073.
Bland (Kalman P.), 496.
Blank (A.S.), 3118.
Blank (Stephen), 4230.
Blanshei (Sarah Rubin), 2565.
Blanton (Richard E.), 7740.
Blantz (Thomas E.), 4408.
Blaschke (Karlheinz), 4564.
Blasius (Dirk), 5074.
Blasse (Despoina E.), 7033.
Blassingame (John W.) 3433, 3452.
Blázquez (José María) 1949.
Bleackley (Berley J.), 5717.
Blech (Michaël), 1607.
Bleiber (Helmut), 7084.
Bleicken (Jochen), 1703.
Blessing (Elmar), 1019.
Blessing (Werner K), 3209.
Blet (Pierre), 1020.
Blickle (Peter), 507, 3321, 4565.
Blindheim (Charlotte), 1209, 2555.
Bliss (Michael), 5075.
Bloch (Charles), 7257.
Bloch (Denise), 286.
Bloch (Marc), 404.
Bloch (Michael), 6920.
Bloch (Raymond), 1811.
Blöcker (Monica), 2997.
Blok (Aleksandr Aleksandrovič), 4291.
Blom (Conny), 322.
Blom (Ida), 6184.
Blomberg (Zaiga), 1210.
Blome (P.), 1619.
Bloodworth (Dennis), 7634.
Bloqué (Philippe), 102.
Blüher (Alfred), 5562.
Blum (Georg Günther), 2140.
Blum (Jerome), 5917.
Blum (Léon), 3698, 3704, 3713, 3730.
Blumenkranz (Bernhard), 3977.
Blumenthal (Elke), 1302.
Blunt (Anthony), 5397.
Boardman (John), 222, 1264.
Bobéth (Marek), 5523.
Bobrowska-Nowak (Wanda), 4830.
Bobrus (Antoni), 6467.
Bobrzyński (Michał), 405.
Bockisch (G.), 1458.
Bocskai (István), prince de Transylvanie, 3908.

Bodde (Derk), 7635.
Bodea (Cornelia), 4138.
Bodell (James), 3764.
Bodenstedt (F.), 103.
Bodéüs (Richard), 1540.
Bodin (Louis), 6585.
Bodinier (Gilbert), 6921.
Bodmer (Walter), 5622.
Bodner (John), 6185.
Böhme (Klaus-Richard),5718.
Böhr (Elke), 1620.
Bökker-Klähn (Jutta), 1263, 1287.
Bömer (Franz), 1891.
Böör (László), 258.
Boeren (P.C.), 2065.
Böschenstein (Hermann)7322.
Boese (Johannes), 1344.
Böse (Kuno), 3746.
Boespflug (François-Dominique), 2998.
Boffa (Giuseppe), 4232.
Bogdanov (A.) [pseud. of A.A. Malinovskij], 5046.
Bogdanov (A. A.), 5452.
Bogdanova (J.A.), 5213.
Bogen (James), 1541.
Bogin (Ruth), 6922.
Bogomilus, Archiepiscopus Gnesnensis, Sanctus, 4397.
Bogoslovskij (E.S.), 1303.
Bogucka (Maria), 6294.
Boháč (Zdenĕk), 3072.
Bohmbach (Jürgen), 2273.
Boia (Lucian), 323, 324, 5918.
Boiangiu (Aneta), 16.
Bois (Jean-Pierre), 6186.
Boisgontier (Jacques), 152, 167.
Boisseau (général Alain de), 7363.
Boissel (Jean), 5283.
Boissonnade (Euloge), 5076.
Bojkova (E.V.), 7461.
Bóka (Éva), 7034.
Boldizsár (Iván), 3890.
Boldt (Hans), 3189.
Boles (John B.), 4346.
Bollack (Jean), 1437.
Bolle (Pierre), 4566.
Bollenot (Gilles), 5077.
Bolocan (Gh.), 155.
Bol'sakov (O.G.), 2549.
Bolton (S. Charles), 4567.
Bolz (Bogdan), 4397.
Bolzano (Bernard), 4956.
Bolzern (Rudolf), 7017.
Bombelles (Marc-Marie, marquis de), 3612.
Bonachela (Manuel), 861.
Bonaiuti (Niccolò di Michele), 2807.
Bonaparte (Elisa), v. Elisa Bonaparte Baciocchi,principessa di Lucca e Piombino.
Bonaparte (Joseph), roi de Naples, puis d'Espagne, 281.
Bondareva (E.A.), 5867.
Bondarevskaja (T.P.), 6620.
Bondoc (Gheorghe), 4131.
Bongard-Levin (G.M.), 7540, 7573, 7579.
Bongiovanni (Bruno), 550.
Bonini (R.), 1787.
Bónis (Ferenc), 5510, 5563.

Bonjour (Edgar), 3881, 7323.
Bonnain (Rolande), 6179.
Bonnefond (Marianne), 1704.
Bonnenfant (G.), 7550.
Bonnet (Jean-Marie), 5314.
Bono (José), 881.
Bonomi (Patricia U.), 4346.
Boockmann (Hartmut), 2341, 2999.
Boojamra (J.L.), 2066.
Boole (George), 5065.
Booms (Hans), 3185.
Boon (George C.), 104.
Booth (A.D.), 2108.
Booth (Anne), 5623.
Borchardt (Knut), 5624.
Bordes (Christian), 5610.
Bordes (Jacqueline), 1542.
Bordet (Gaston), 4409.
Bordonove (Georges), 3640.
Bordreuil (Marc), 1185.
Bordreuil (Pierre), 1343.
Borelli (Giovanni Alfonso), 5125.
Boring (M. Eugene), 2067.
Borins (Sandford F.), 6094.
Borisov (R.V.), 7462.
Born (Karl Erich), 939.
Borodin (Aleksandr Porfir'evič), 4233, 5523.
Borosy (András), 2394,2614.
Borowski (Harry R.), 7463.
Borret (Marcel), 2036.
Borrow (George Henry),5323, 5390.
Borsányi (György), 6468.
Borscheid (Peter), 6187.
Borščukov (V.I.), 5385.
Borzacchini (Marco), 6188.
Borzeix (Daniel), 784.
Bos (R.W.J.M.), 5719.
Bos (Th.S.H.), XV.
Bos-Rops (J.A.M.Y.), 2566.
Boscolo (Alberto), 4332.
Bose (Milur K.), 6827.
Bose (Subhas Chandra), 6827.
Bosl (Karl), 2615.
Bossert (Martin), 1944.
Bossuet (Jacques Bénigne), 5250.
Boswell (James), 5261.
Bosworth (Clifford Edmund), 2537.
Botoran (Constantin), 6802.
Botos (János), 3950.
Bots (Hans), 4553.
Botstein (Leon), 5315.
Bottai (Giuseppe), 3978.
Bottermann (Maria-Regina), 1021.
Bottigheimer (K. S.), 3966a.
Bottyán (János), 4348.
Boua (C.), 3139.
Boüard (Michel de), 500.
Bouce (Paul-Gabriel), 6189.
Boucher (Jacqueline), 882.
Boucher (Jean), 4887.
Boucher (Stéphanie), 1653.
Bougainville (Louis Antoine de), 4335.
Bougerol (Jacques Guy), 2978.
Boulanger (Nadia), 5578.
Boulard (Fernand), 4410.
Boulet-Sautel (Marguerite), 2567.
Boulier (Jean), 2999a.

Boulotis (Christos), 1621.
Bouloumé (Bernard), 1654.
Boulton (James T.), 5289.
Bouquin (M.L.), 1635.
Bourbeau (Robert), 6095.
Bourbon, dynastie, 882, 3650, 3708, 3722, 6058, 7046.
Bourbon (Charles III, duc de), 3992.
Bourde (Guy), 325.
Bouret (Blandine), 5453.
Bourgain (Pascale), 286, 2747.
Bourgeois (Daniel), 7092, 7324.
Bourgeois (J.), 1068.
Bournazel (Eric), 2568.
Bourne (Kenneth), 3778.
Bourriot (F.), 1459, 1460.
Boussac (F.), 75.
Boussard (Isabelle), 3730.
Boussard (Jacques), 406, 2395.
Boutet (Dominique), 2396.
Bouthillier (Denise), 3000.
Boutzoubé-Bania (Aleka), 3882.
Bouvier (Beatrix W.), 6469.
Bouvier (Jean), 910, 6806.
Bouvier-Ajam (Maurice), 1705.
Bovon (F.), 2068.
Bowder (Diana), 1497.
Bowers (Douglas E.), 5919.
Bowie (E.L.), 1543.
Bowman (John), 3967.
Boxer (Marilyn J.), 5720.
Boyce (D. George), 3968.
Boyd (Nancy), 3779.
Božič (Mileva), 32.
Bozzolo (Carla), 551.
Bracher (Daniel Cil), 3309.
Bracher (Karl-Dietrich), 862.
Bradford (Sarah), 3780.
Bradlaugh (Charles), 3791.
Bradley (John F.N.), 4185.
Bradshaw (Sue), O.S.F., 7636.
Brady (Jeremiah D.), 141.
Brady (John G.), 3505.
Braemer (Frank), 1211.
Brännman (Erik), 4159.
Brague (Rémi), 1544.
Brahimi (Denise), 5206.
Braidwood (L.S.), 1148.
Braidwood (R.J.), 1148.
Brain (Peter), 1545.
Brajovič (S.M.), 4958.
Brakelmann (Günter), 3293.
Branciard (Michel), 6470.
Brâncoveanu, v. Brîncoveanu.
Brandeis (Louis Dembitz), 3541.
Brander (Michael), 4333.
Brandes (Maarten C.), 457.
Brann (Noel J.), 3001, 5228.
Braque (Georges), 5485.
Brătianu (Gheorghe I.), 368.
Bratzel (John F.), 7369.
Braudel (Fernand), 731, 910.
Brauer (Carl M.), 3455.
Braulik (Georg), 1380.
Braun (Hans-Joachim), 5078.
Braun (Michael), 6682.
Braun (Patrick), 1028, 7035.

Braun (Rainer), 326.
Bravo (Benedetto), 1433.
Bray (A.), 6190.
Brécy (Robert), 6444.
Bredberg (Sven), 4700.
Breen (David H.), 6096.
Breger (Monika), 5721.
Bregman (Jay), 2069.
Brelot (Claude-Isabelle), 3664.
Bremner (Robert H.), 3456.
Brémond (Claude), 2186.
Bremond (Henri), 407, 4485.
Brenot (Claude), 1988.
Brentano (Franz), 4962.
Brenz (Johannes), 4586.
Breslauer (George W.), 4234.
Brethé (Emile), 5225.
Bretting (Agnes), 6191.
Breuer (János), 5549.
Breuilly (John), 3119.
Breyer (A.A.M.), 2141.
Breyer (Lucas), 44.
Brezeanu (Stelian), 836.
Brežnev (Leonid Il'ič), 4234.
Brezzi (P.), 2978.
Brhlovič (Gerhard), 4201.
Briand (Aristide), 7168, 7201.
Briant (Pierre), 1288, 1289.
Brice (Catherine), 6097.
Brickler (Victoria Reifler), 7737.
Bridbury (A.R.), 2616.
Bridgen (S.), 4568.
Bridges (Anne E.), 5901.
Bridgman (Richard), 5316.
Brier (Bob), 1304.
Brière (Jean-François), 5868.
Briggs (Asa), 5625.
Brîncoveanu (Constantin), prince de Valachie, 4143, 5487.
Brinkley (Alan), 3457.
Brinkman (J.A.), 1640.
Briquel (Dominique), 1937.
Brisson (Luc), 1447.
Bristow (Edward J.), 6192.
Britain (Ian), 6471.
Brix (Emil), 769, 3353.
Brizzi (Giovanni), 1706.
Broc (Numa), 188.
Brock (Eleanor), 3763.
Brock (Michael), 3763.
Brock (S.), 2015.
Brodbeck (Andreas), 1320.
Brodesser (Slavomŕr), 6685.
Bromberger (Ch.), 656.
Bromlej (Ju. V.), 432, 661, 662, 675, 680, 703, 711, 913.
Bronder (Saul E.), 4411.
Brondy (Réjane), 2617.
Bronfenbrenner (Martin), 287.
Brontë, family, 5386.
Brooke (Sir James), 7625.
Brooks (Colin), 3781.
Brooks (Nicholas), 2748.
Brouillet-Rohmer (Emmanuelle), 7058.
Brovkin (Vladimir), 4235.
Brower (Daniel R.), 6472.
Brown (Anthony Ernest), 3066.
Brown (Archie), 849.
Brown (Cl. M.), 4708.
Brown (Courtney), 3210.

Brown (David), 5524.
Brown (Jan W.), 7741.
Brown (John), 3567.
Brown (Judith C.), 2618.
Brown (Kendall W.), 6993.
Brown (Kenneth D.), 6473.
Brown (M.A.), 1182.
Brown (Peter), 2045.
Brown (Peter B.), 7036.
Brown (Peter Douglas), 3766.
Brown (Raymond E.), 2016.
Brown (Reginal Allen), 2429.
Brown (Victoria F.), 4139.
Browne (E.J.), 952.
Browning (Alison), 7154.
Browning (Elizabeth Barrett), 5338.
Browning (Reed), 3782.
Browning (Robert), 5338, 5383.
Brozzi (M.), 6193.
Bruce (Blanche K.), 3572.
Bruce (Dickson D.) Jr., 3458.
Bruce (Frederick Fyvie), 2017.
Bruchey (Stuart), 5722.
Bruckner (Albert), 2, 1028.
Brück (Regina von), 4569.
Brueckner (Jan K.), 5712.
Brühl (Carlrichard), 2326.
Brüning (Heinrich), 3185, 3235, 3242, 5647.
Bruge (Roger), 7370.
Bruhat (Jean), 484.
Bruk (S.I.), 663.
Brumberg (Joan Jacobs), 6194.
Brundage (Burr Cartwright), 7742.
Brune (Guillaume), maréchal, 7074.
Bruneau (Philippe), 1381.
Bruneau (Thomas C.), 4412.
Brunel (Jean), 5225.
Brunelleschi (Filippo), 2840.
Bruni (Roberto L.), 288.
Brunn (Wilhelm Albert v.), 501, 1201.
Brunner (Hansruedi), 6195.
Brunner (Otto), 568.
Brunner-Traut (E.), 2046.
Brunold (Ursula), 6196.
Brunon (Jean), 7093.
Brunot (A.), 6683.
Brunschwig (Henri), 3106, 6851.
Brusniak (Friedhelm), 6197.
Bruti Liberati (Luigi), 3988.
Bryan (William Jennings), 3463.
Bryant (Sir Arthur), 801.
Brykina (G.A.), 1411.
Bryner (Erich), 4537.
Bryson (Norman), 5454.
Buber (Martin), 4982.
Bubnys (Edward), 6098.
Buccellato (Pier Fausto), 4888.
Buchan (John), v. Tweedsmuir (John Buchan, 1st baron of).
Buchan (William), 5317.
Buchanan (Frederick S.), 4797.
Bucher (Erwin), 6474.
Bucher (Lothar), 7089.
Buck (August), 3110, 4709.

Buck (Peter), 3120.
Buckisch (Gottfried Ferdinand), 4342.
Buckler (John), 1461.
Buckley (Kerry W.), 5079.
Buckley (Peter J.), 6028.
Buckley (Roger), 7464.
Bucur (Marin), 458.
Buczek (Karol), 2619.
Budd (Ralph), 5812.
Bürger (Peter), 4756.
Büsch (Otto), 5895, 6782, 7136.
Büsing (Hermann), 1945.
Bütikofer (Kurt), 6684.
Büttner (Thea), 7718.
Büttner (Ursula), 3211.
Buffotot (Patrice), 3212.
Buganov (V.I.), 586.
Bugnard (Pierre-Philippe), 4173.
Buis (Micheline), 212.
Bukharin (Nikolaj Ivanovič), 5046, 6475.
Buldakov (V.P.), 4236.
Bulgarelli Lukas (Alessandra), 3992.
Bull (Edward), 4076.
Bullinger (Heinrich), 4560.
Bullion (John L.), 6923.
Bulté (Jeanne), 304.
Bultin (Robin A.), 189.
Bultmann (Rudolf), 4603.
Bultot (R.), 2216.
Buluță (Gh.), 51.
Bumke (Joachim), 2773.
Bumsted (J.M.), 4331, 6099.
Bundi (Martin), 2620.
Bunzl (Martin), 4959.
Buonocore (Marco), 1946.
Buora (M.), 231.
Bur (Michel), 2397.
Buraselis (Kostas), 1462.
Burchard von Ursberg,Chronist, 2813.
Burckel (Nicholas C.), 259.
Burckhardt (Jacob), 408.
Bureau (Jacques), 664.
Burg (R.R.), 5080.
Burger (Rudolf), 552.
Burgess (Colin B), 1183.
Burgess (William), 341.
Burghardt (Andrew), 180.
Burguière (André), 327,665.
Burian (Ilja), 4570.
Burke (Edmund), 3873, 5027, 5607.
Burkhardt (Adelheid), 1305.
Burkhardt (Hans), 3213.
Burkholder (Mark A.), 6924.
Burkot (Stanisław), 5288.
Burman (S.B.), 6852.
Burmeister (Karl Heinz), 899.
Burmistrova (T. Ju.), 4222.
Burney (Fanny), 5278.
Burney (John), 4798.
Burns (James MacGregor), 3459.
Burns (Malcolm R.), 5723.
Burr (Aaron), 3523.
Burroughs (Peter), 6807.
Burrow (John A.), 2749.
Burstein (S.M.), 1463.
Burt (Carry W.), 3460.
Bury (J.P.T.), 3641.
Busch (Gabriele Christiane), 213.

Buschinger (Danielle), 2796.
Buşe (Constantin), 7175.
Bush (A.C.), 1839.
Bustos Tovar (Eugenio de), 228.
Butel (Paul), 6925.
Butin (Ju. M.), 7706.
Butinov (N.A.), 7760.
Butler (Benjamin Franklin), 3585.
Butler (Jon), 4710.
Butler (Josephine), 3779.
Butler (Perry), 4571.
Butts (Francis T.), 459.
Butzer (Karl W.), 1079.
Buzatu (Gheorghe), 5724, 7166, 7167.
Bye (Vegard), 7465.
Byers (Edward), 6100.
Bynum (Caroline Walker), 3002.
Bynum (W.F.), 952.
Byrd (Harry F.), 3516.
Byrkit (James W.), 5725.
Byrne (F.J.), 816.
Byrnes (James Francis), 3704, 7467, 7506.
Byrnes (Robert F.), 411.
Byron (George Gordon Noel Byron, 6th baron), 5279, 5354, 5366.

C

Cabanis (José), 4413.
Cabet (Etienne), 6615.
Caboz (René), 7371.
Čada (Václav), 4186.
Caesar (Gaius Julius), 1692, 1736, 1757.
Caffaro, cronista genovese, 2189, 2265.
Cahen (Claude), 2538.
Cahen (Gilbert), 76.
Čaikovskij (Pëtr Il'ič), 5524.
Caillaux (Joseph), 3627.
Caillot (Patrice), 4883.
Çaka, v. Tzachas, émir de Smyrne.
Calagno (M.), 1788.
Caldani (Leopoldo Marcantonio), 5066.
Calderhead (William), 6926.
Calderini (Aristide), 1306.
Calhoun (Craig), 6476.
Calice (Nino), 5920.
Calkins (Kenneth R.), 6477.
Callahan (Raymond), 7372.
Callistus II [Guy, comte de Bourgogne], Papa, 2183.
Callu (Jean-Pierre), 1691.
Calvert (Karin), 5455.
Calvert (Peter), 862a.
Calvet (Yves), 1622.
Calvi (Gerolamo), 5456.
Calvin (Jean), 4587, 4599.
Camariano (Nestor), 5319.
Cambel (Samuel), 4187.
Cambitoglou (Alexander), 2004.
Cameron (Alan), 1707.
Cameron (J.M.R.), 7001.
Cammarosano (Paolo), 2249.
Camp (Roderic A.), 4064.

Campanini (Giorgio), 4368.
Campbell (I.C.), 7761.
Campbell (R.H.), 5596.
Campbell (Randolph B.), 6198.
Campisi (Jack), 7743.
Campos (F.J.), 4414.
Camps (Gabriel), 1080.
Camps-Fabrer (Henriette), 1093.
Campserveux (Max), 2621.
Campus (Eliza), 7168.
Camus (Albert), 870.
Camus (Marie-Thérèse) 2828.
Cândea (Virgil), 6746.
Canfield (Benedict of) [real name: William Fitch], 4391.
Çankara, v. Shankara.
Cannata (C.A.), 1789.
Canny (Nicholas), 3969.
Cano (Melchor), 4381.
Cano Sánchez (Beatriz), 5612.
Cantarel-Besson (Yveline), 303.
Cantemir (Dimitrie), prince de Moldavie, 409.
Canterla y Martín de Tovar (Francisco), 4415.
Cantù (Francesca), 462.
Čanyšev (A.N.), 1049.
Capdevielle (Pierre), 5081.
Capitant (René), 6663.
Capizzi (A.), 1546.
Čapkevič (E.I.), 7169.
Caplice (R.), 1284.
Capogrossi Colognesi (Luigi), 1836.
Capone (Alfredo), 825.
Capper (Arthur), 5949.
Capra (Carlo), 3363, 7037.
Caputo (Cataldo), 5597.
Caracalla (Marcus Aurelius Antoninus), empereur romain, 1685.
Caracciolo (Alberto), 5626.
Caramelle (Silvia), 2450.
Carandini (Andrea), 1947.
Carassus (Emilien), 6478.
Carataşu (Mihail), 7039.
Caravaggio (Michelangelo da), 5490.
Carayon (M.), 1118.
Carbonell (Charles-Olivier), 553.
Carbonnier (Jean), 4572.
Carbonnières (Philippe de), 1382.
Cárdenas (Alonso de), 3827.
Cardini (Franco), 2370.
Cardoza (Anthony L.) 3993.
Carevski (N.), 7527.
Carey (J.A.), 6639.
Cargill (J.), 1464.
Carlé (María del Carmen), 2622.
Carlo d'Angiò, re di Sicilia, 2744.
Carlos III, rey de España, 4972.
Carlos (Ann), 5869.
Carls-Maire (Alice-Catherine), 7258.
Carlsson (Ingemar), 4163.
Carlton (David), 7466.
Carlvant (Kerstin B. E.), 2829.

Carmagnani (Marcello),6927.
Carmel (Alex), 4349.
Carmignani (Juan Carlos), 7079, 7080.
Carmona (A.O.), 1893.
Carnesecchi (Pietro), 4433.
Caro (Robert A.), 3461.
Carocci (Sandro), 2623.
Caroli (Giuliano), 6853.
Caroline (Amelia Elizabeth) of Brunswick, queen consort of George IV of Great Britain a. Ireland, 3825.
Carolingiens, dynastie, 519, 2232, 2309, 2375, 2380, 2772, 2797, 2871, 3023.
Carolus-Barré (Louis), 2398, 2453.
Caroselli (M.R.), 1840.
Carosi (Carlo), 1006.
Carozzi (Pier Angelo), 226.
Carpentier (Elisabeth),2188.
Carpi (Danele), 817.
Carpintero (Francisco),2569.
Carr (David), 611.
Carr (Raymond), 3414.
Carreira (António), 5870.
Carrère (Claude), 2624.
Carrère d'Encausse(Hélène), 4237.
Carrete Parrondo (Carlos), 2214.
Carretier (Christian), 62.
Carretto (Giacomo E.), 733.
Carrier (Hubert), 3615.
Carroli (Bernardino), 3994.
Carroll, family, 5642.
Carroll (Lewis), 5280.
Carruthers (Neil), 5525.
Carson (Kit), 3590.
Carsten (Francis L.), 7136, 7170.
Carter (Jimmy), 3431, 3437, 3513, 7520.
Carton (Fernand), 156.
Carvajal (Juan de), Kardinal, 48.
Carzolio de Rossi (María Inés), 2625.
Casali (Elida), 3994.
Casanova (Wilfredo), 3130.
Casati (Alfonso), 7017.
Case (H.J.), 3073.
Casement (Roger), 3129.
Cashdollar (Stanford), 1998.
Cassagnes-Brouquet(Sophie), 6199.
Cassanelli (Lee V.), 7719.
Cassiodorus (Flavius Magnus Aurelius Cassiodorus Senator), 2086.
Cassis (Youssef), 7154.
Cassius Longinus (Gaius), 1809.
Castañeda Delgado (Paulino), 4799.
Castell Rüdenhausen (Adelheid Gräfin zu), 6200.
Castellanos (Fernando Alonso), 6900.
Castelvetro (Giacomo), 5013.
Castillon du Perron (Marguerite), 4525.
Castries (René de la Croix, duc de), 785.
Castritius (H.), 1841.
Cataldi Palau (Annaclara), 2115.

Catharina Senensis, Sancta, 2971.
Caumont (François de),6308.
Cavallie (James), 4164.
Cavazza (Silvano), 4416.
Caveing (Maurice), 1440.
Caviedes (César), 3391.
Cavour (Camillo Benso, conte di), 4815.
Cawley (Art), 4889.
Caxton (William), 39.
Cayrac-Blanchard (Françoise), 7612.
Cazacu (Matei), 2451, 2454.
Cazelles (Henri), 1383.
Cazelles (Raymond), 2455.
Cazottes (Gisèle), 4890.
Čeboksarov (N.N.), 695.
Celi (Claudia), 2886.
Cell (Gillian T.), 6906.
Cell (John W.), 3121.
Celsus (Aulus Cornelius), 1684.
Cermanović-Kuzmanović (A.), 1674.
Cernat (Manuela), 5527.
Černecov (S.B.), 7720.
Černega (V.N.), 3642.
Černjak (E.B.), 800.
Cernovodeanu (Paul), 7038.
Černý (Ervin), 3074.
Černý (J.), 271, 4184a.
Černyševskij (Nikolaj Gavrilovič), 5016.
Cerrito (Gino), 4942.
Cerutti (Mauro), 7154, 7171.
Cervelli (Innocenzo), 418.
Cervo (Amado Luiz), 7094.
Césaire (Aimé), 6928.
Cesarini (Giuliano), cardinale, 2934.
Cetwiński (Marek), 2626.
Ceva (L.), 7373.
Ceyssens (Lucien), 4454.
Chabeuf (Maurice), 1988.
Chacón Jiménez (Francisco), 6201.
Chadwick (Henry), 2047.
Chagot, famille, 5815.
Chai (Leon), 4960.
Chaline (Jean-Pierre), 6202.
Chamberlain (E.R.), 2814.
Chamberlain (Joseph), 6814.
Chamberlain (Robert), 5498.
Chamisso (Adelbert von), 72, 5320.
Chamoux (F.), 1547.
Champeaux (Jacqueline), 1920, 1921.
Chan (Albert), 7637.
Chan (Robert), 7666.
Chan (Wellington K. K.), 7638.
Chanakya, Indian brahman, 7573.
Chanal (Michel), 3643.
Chandler (D.S.), 6924.
Chandler (David L.), 6929.
Chang Hua, 7687.
Chang (K.C.), 7696.
Channell (David F.), 5083.
Channing (William Henry), 3565.
Chantraine (H.), 1708.
Charbonneau (André), 6101.
Charle (Christophe), 6686.
Charlemagne, v. Karl d. Große.

Charles II le Chauve, roi de France, v. Karl II. der Kahle, röm. Kaiser.
Charles V le Sage, roi de France, 2455.
Charles VI le Bien-Aimé, roi de France, 2847.
Charles VIII, roi de France, 2462.
Charles X, roi de France, 3708.
Charles I, king of Great Britain a. Ireland, 3833.
Charles II, king of Great Britain a. Ireland, 3830.
Charles, rois de Suède, v. Karl.
Charles [Alexandre], prince de Lorraine, gouverneur-général des Pays-Bas, 298.
Charles-Saget (Annick),1548.
Charlesworth (N.), 6828.
Charlet (Jean-Louis), 2076.
Charon-Parent (Annie), 31.
Charpentier (Georges), 1307.
Charrière (Isabelle Agnès Elisabeth de), 5240.
Chartier (Roger), 41, 3731.
Charvat (Petr.), 1345.
Chase (William C.), 6640.
Chastagnol (André), 1709.
Chastel (André), 5398.
Chateaubriand (François René, vicomte de), 5281.
Châtellier (Louis), 1022, 4417.
Châtillon (Jean), 2903, 3003.
Chatterjee (Partha), 6829.
Chaubon (Jean-Pierre),5084.
Chaucer (Geoffrey), 2755.
Chaumont (M.L.), 1412.
Chauney (Martine), 779.
Chaunu (Pierre), 554, 3644.
Chaussinand-Nogaret (Guy), 3645, 3646, 3673.
Chavaillon (Jean), 1119.
Chavane (Marie-José), 305.
Chavasse (A.), 2191.
Chedin (Olivier), 4961.
Ch'en Liang, 7691.
Chêne (Christian), 4800.
Cheney (Christopher R.), 2927, 3004.
Cherchari (Amar), 5269.
Cherry (J.F.), 1149.
Cherubini (Giovanni), 826, 2655.
Cheshire (Wendy), 1308.
Chevailler (Laurent), 4369.
Chevalier (Bernard), 2456.
Chevalier (François), 3122.
Chevalier (louis), 549.
Chevallier (Pierre), 3647.
Chevallier (Raymond), 1894, 1948.
Chevillot (Christian), 1184.
Chevrel (Yves), 5322.
Cheyne (A.C.), 4573.
Chiama (Jean), 3123.
Chiappe (Jean-François), 3648.
Chiasson (Paulette M.), 3381.
Chicco (Gianni), 7095.
Childs (Wendy), 2627.
Chin Kin Wah, 7613.
Ch'ing, v. Qing.

Ching Chung (Priscilla), 7639.
Chiranky (G.), 1710.
Chirenje (J. Mutero), 6854.
Chisholm (Roderich Milton), 4962.
Chiţescu (Maria), 105.
Chiu (Hungdah), 7640.
Chodkiewicz (Jan Karol), 4113.
Chodorow (Stanley), 2201.
Chodowiecki (Daniel Nikolaus), 5481.
Chojnacki (Wladislaw), XVI.
Chomarat (Michel), 29.
Chomel (Vital), 6131.
Choné (Paulette), 5457.
Chopin (Frédéric), 5568.
Chouillet (A.-M.), 4895.
Chouquer (G.), 1842.
Choux (Jacques), 3005.
Chrisman (Miriam Usher), 28, 4350, 4711.
Christ (Karl), 555, 1711.
Christelow (Allan), 6855.
Christensen (A.E.), 2556.
Christensen (T.), 4574.
Christian IV, roi de Danemark et de Norvège, 7024.
Christides (V.), 2142.
Christie (Ian Ralph), 3783.
Christie (John R.R.), 5085.
Christienne (Charles), 3649.
Christine de Pisan, 2490, 2740.
Christoff (Peter K.), 4238.
Christophorov (Pierre), 5281.
Christopoulos (Athanasios), 5319.
Chrysostomides (Julian), 2143.
Chu Hsi, 7691.
Church (Roy), 5726.
Churchill (Sir Winston Leonard Spencer), 3765 3767, 3853, 3861, 3866, 7334.
Chylińska (Teresa), 5511.
Ciachir (Nicolae), 7096.
Cicero (Marcus Tullius), 863, 1882, 1899, 2105.
Ciechanowski (Konrad), 7374.
Cieślak (Tadeusz), 5627.
Cimbaev (N.I.), 7142.
Cimprich (John), 3462.
Cinel (Dino), 6102.
Ciocîltan (Virgil), 6758.
Cipolla (Carlo Maria), 2628, 5086.
Ćirković (Sima), 2112, 2113.
Ciriaco d'Ancona, 2751.
Cittadini Ciprì (Anna Maria), 3996.
Ciucă (Marcel-Dumitru), 260.
Cizek (Eugen), 1712.
Clagett (Marshall), 2750.
Clanchy (M.T.), 33.
Clare (John), 5381.
Clark (Abraham), 6922.
Clark (Elizabeth A.), 2070.
Clark (Hugh R.), 7641.
Clark (J.C.D.), 3784.
Clark (J. Desmond), 732.
Clark (Larry V.), 7547.
Clark (Linda L.), 4801.
Clark (Manning), 3344.
Clark (Stephen), 6026.
Clarke (John), 5044.
Clarke (Prescott), 7631.

Clarke (Sir Richard), 5628.
Claudel (Paul), 7153.
Claudot (Hélène), 666.
Claus (Philippe), 4963.
Clausen (W.V.), 1892.
Clausewitz (Karl von), 3205.
Clauss (Sidonie), 4964.
Clauzel (Denis), 2457.
Clavel-Lévêque (M.), 1842.
Claverie (Elizabeth), 6204.
Clay (Henry), 3432.
Clemens III [Wibert v. Ravenna], Antipapa, 2938, 3063.
Clemens IV [Gui Foulques], Papa, 2932.
Clemens V [Bertrand de Got], Papa, 2930.
Clemens (Jacques), 4802.
Clemens (Petra), 4712.
Clemente (Guido), 1713.
Clements (Kendrick A.), 3463, 7467.
Clemoes (Peter), 2358.
Clendinnen (Inga), 4418, 6930.
Clère (Jean-Jacques), 5921.
Clero (Jean-Pierre), 5087.
Cleuziou (Serge), 1150.
Clinton (Catherine), 6205.
Clinton (Geoffrey de), 2400.
Clodius Pulcher (Publius), 1740.
Clogg (Richard), 3124.
Clough (Cecil H.), 2629.
Clouse (Robert G.), 538.
Clovis Ier, roi des Francs, 2363.
Clutton-Brock (Juliet), 1090.
Coates (Kenneth), 6096.
Cobb (James C.), 5727.
Cobbett (William), 3867.
Cocchi-Donati (Iacopo), 7.
Cocelija (M.V.), 106.
Cochran (Alexander S.) Jr., 7362.
Cochran (Thomas C.), 5728.
Cockburn (James Swanton), 6719.
Cockshaw (Pierre), 17.
Coclanis (Peter A.), 5922.
Codignola (Luca), 4526.
Coelho (Philip R.P.), 5923.
Cohen (Bernard), 755.
Cohen (David), 6206.
Cohen (Esther), 2630.
Cohen (Jeremy), 2520.
Cohen (Lloyd A.), 4140.
Cohen (Louis), 4803.
Cohen (Michael J.), 7468.
Cohen (Miriam), 4804.
Cohen (Morton M.), 5280.
Cohen (Patricia Cline), 5088.
Cohen (Seymour S.), 5089.
Cohen (Shaye J.D.), 1265.
Cohen (Stuart A.), 4678.
Cohn (Raymond L.), 5871.
Coindoz (Michel), 1549.
Coing (Helmut), 502, 878, 6638, 6641, 6642.
Colapietra (Raffaele), 5924.
Colas (Dominique), 4239.
Colbert (Jean-Baptiste), 3710.
Colburn (David R.), 6275.
Coldstream (Nicola), 2816.
Cole (Owen), 7575.
Coleman (Peter J.), 5598.
Coleman (William), 5090.

Colet (John), 4459.
Coletta, Sancta, 2310.
Coligny (Gaspard de), 4572.
Colin (Jean), 2751.
Colletta (Pietro), 7059.
Colley (Linda), 3785.
Collie (Michael), 5323.
Collier (George A.), 667.
Collier (John Payne), 5334.
Collier (Ruth Berins), 3125.
Collin (Bruno), 107.
Collin (Hubert), 2830.
Collins (Larry), 7576.
Collins (Philip), 5324.
Collins (Robert M.), 3464.
Collins (William Wilkie), 5355.
Collomb (Gérard), 5904.
Colnat (Jean), 76.
Colombo (Cristoforo), 4332.
Colombo (Giovanni), cardinale, 2011.
Columba, Abbas Hiensis, Sanctus, 164.
Columbus, v. Colombo (Cristoforo).
Combes-Monier (Janine) 6207.
Comeau (Paul-André), 3382.
Commynes (Philippe de), 2757.
Comparot (Andrée), 863.
Comşa (E.), 1151.
Comte (Auguste), 4937, 5000, 5036.
Condurachi (Emil), 410.
Confucius, 7691.
Congourdeau (M.-H.), 2144.
Conlon (Pierre M.), 4934.
Conniff (James), 4965.
Connolly (C.N.), 3341.
Connolly (S.J.), 4419.
Conrad (Klaus), 3076.
Conrads (Norbert), 4769.
Constable (Giles), 2129.
Constant (Benjamin), 5312.
Constant (Jean-Marie), 6208.
Constantin (Gh. I.), 2458.
Constantinescu (Fl.), 475.
Constantinescu (Radu), 5458.
Constantinidis (A.), 1790.
Constantinus I Magnus, Flavius Valerius, empereur romain, 1700.
Contamine (Philippe), 2399, 2459.
Contini (Gaetano), 3997.
Contreras (Jaime), 4420.
Contreras (Remedios), 6909.
Conze (Werner), 6173.
Cook (J. Frank), 259.
Cook (John Manuel), 1413.
Cook (Michael), 2539.
Cook (Noble David), 6103, 6104, 6931.
Cooke (Geraldine A.), 3379.
Cookson (J.E.), 3786.
Cooley (James C.), 7097.
Coolidge (Archibald Cary), 411.
Cooper (Richard), 3787.
Cooper (Samuel), 6913.
Coornaert (Emile), 412.
Coppejans-Desmedt (Hilda), 5729.
Coq (Dominique), 31.
Coquand (R.), 6683.
Corbin (Alain), 6105.
Corbu (Constantin), 4141.

INDEX DES NOMS D'AUTEURS ET DE PERSONNES

Cordell (Dennis D.), 6856.
Cordy (Ross H.), 7762.
Corfield (P.J.), 6209.
Corish (Patrick J.), 3970.
Cork (Richard Boyle, 1st earl of), 3969.
Corkery (Maire), 7098.
Corman (Louis), 4966.
Cornebise (Alfred E.), 7172, 7173.
Cornell (Lasse), 5730.
Cornell (Tim), 190.
Corni (Gustavo), 3214.
Coron (Antoine), 31.
Coronas González (Santos M.), 884.
Correia-Afonso (John), 6833.
Correnti (Santi), 820.
Corsetti (Pierre-Paul), I.
Cortado (James W.), 3417.
Cosimo I de' Medici, v. Medici (Cosimo I de').
Cosma-Muller (Pascale), 5091.
Costa (G.), 1608.
Costeloe (Michael P.), 6932.
Cottart (Nicole), 153.
Cotton (John), 4670.
Cottrol (Robert J.), 3465.
Coughlin (Charles E.), 3457.
Coulet (Noël), 2460.
Coulson (Andrew), 5629.
Courbin (Paul), 556.
Courcelles (Dominique de), 261
Courteault (Paul), 3619.
Courtenay (William J.), 2752.
Courtney (C.P.), 5240.
Courtney (Winifred F.), 5325.
Courtwright (David T.), 6210.
Cousin (Bernard), 4421.
Cousineau (Jacques), 4422.
Coutard (J.-P), 1124.
Coutrot (Aline), 3730.
Cowan (Ian B.), 4575.
Cowper (William), 5282.
Cox (Jeffrey), 4576.
Cox (Richard J.), 3427.
Cox (Thomas C.), 6211.
Coysh (A.W.), 5496.
Cozzi (Gaetano), 3999.
Cracco (G.), 2978.
Craddock (P.B.), 427.
Craft (Robert), 5513.
Crafts (N.F.R.), 5630.
Craig (Gordon A.), 3215, 7136.
Crampton (Richard J.), 3373.
Crane (Verner W.), 6933.
Crankshaw (Edward), 3216.
Cranz (Galen), 6106.
Craton (Michael), 6934.
Cravioto (Enrique Gozalbes), 2145.
Creaton (Heather J.), IX.
Cremascoli (Giuseppe), 2322.
Crémieux-Brilhac (Jean-L.), 5631, 7259.
Cremona (V.), 1895.
Crepin (André), 2796.
Cresciani (G.), 3342.
Crespi (Gabriele), 2540.
Cress (Lawrence Delbert), 3466.
Crété (Liliane), 6212.

Crèvecoeur (J. Hector St. John de), 6902.
Crispi (Francesco), 7095.
Cristea (Gheorghe), 5925.
Cristofani (M.), 150.
Croce (Benedetto), 413.
Croisille (Jean-Michel), 1742. 1951.
Croke (Brian), 1922.
Cromwell (Oliver), 3819.
Crone (Marie-Luise), 3006.
Cronin (James E.), 3788.
Crook (David), 2570.
Crosland (Susan), 3789.
Crosland (Tony), 3789.
Cross (John Arthur), 3790.
Crossland (John), 1465.
Crossley-Holland (Kevin), 2372.
Crouch (David), 2400.
Crouch (Dora P.), 6107.
Crouzel (Henri), 2060, 2071.
Crouzet (Denis), 2631.
Crouzet-Pavan (E.), 2461.
Crowl (James William), 4891.
Crubellier (Maurice), 790.
Crummy (P.), 1952.
Csáky (Moritz), 3146.
Csapodi (Csaba), 2199.
Csapodi-Gárdonyi (Klára), 2831.
Csatári (Dániel), 837.
Cseh (István), 668.
Csendes (László), 191.
Cserépfalvi (Imre), 3891.
Cserzy (Mihály), 810.
Csiffáry (Gergely), 5731.
Csilléry (Klára), 2632.
Csóka (Gáspár), 2200.
Csóka (J. Lajos), 2200.
Csongor (Győző), 810.
Csúcs (Sándor), 154.
Csüry (Bálint), 414.
Cubberly (Ray E.), 3700.
Cubells (Monique), 6213.
Cubitt (David J.), 6935.
Cubleşan (Constantin), 5326.
Cuénin (Micheline), 6214.
Cuénot (René), 781.
Cuisenier (Jean), 653.
Culică (Vasile), 1953.
Čulkov (M.D.), 5567.
Cullity (Maurice), 5926.
Culman (Leonhard), 5238.
Cumberland (Richard), 4980.
Cuming (Geoffrey), 4577.
Cunliffe (Barry C.), 1954.
Cunliffe (Barry W.), 1950.
Curlo (Giacomo), 2791.
Curticăpeanu (V.), 4770.
Curtis (William), 5416.
Curto Homedes (Albert), 3007.
Cushner (Nicholas P.), 4511.
Custance (Roger), 2753.
Custine (Adam Philippe, comte de), 3687.
Cutler (Anthony), 2130.
Cuttler (S.H.), 2571.
Cuvier (Georges, baron), 5103.
Cybul'skij (V.A.), 5872.
Cydones, v. Kydones.
Cynarski (Stanisław), 4755.
Cyprianus, Ep. Carthaginiensis, Sanctus, 2019, 2106.
Cyrus II, roi de Perse, 4479.
Cytowska (Ewa), 7260.
Cywiński (Henryk), 110.
Czapliński (Marek), 6808.
Czapliński (Władysław), 185, 3401.
Czarnetzki (Alfred), 1181.
Czartoryski, famille, 4125.
Czegle (Imre), 4578.
Czeglédy (Ilona), II.
Czesław (Łuczak), 6407.
Czeszejko-Sochacki (Zdzisław), 6743.
Czitrom (Daniel J.), 4716.
Czollek (R.), 6789.
Czubiński (Antoni), 4093, 6779.

D

Dąbrowski (Roman), 4094.
Dachs (Herbert), 4806.
Dadian (Cecelia), 3429.
Däumig (Ernst), 3272.
Dagobert I., König d. Franken, 2387.
Dagron (Gilbert), 2113.
Daguesseau, v. Aguesseau (Henri François d').
Dahan (Gilbert), 2225, 3008.
Dahlberg (Erik), 5447.
Dahlgren (Steffan), 5632.
Dahlmann (Friedrich Christoph), 758.
Dahlstrand (Frederick C.), 4807.
Daigle (Katherine H.), 5923.
Dainville-Barbiche (Ségolène de), 4375.
Dakhina (E.M.), 6479.
Dalberg (Karl Theodor) Kurfürst u. Erzbischof von Mainz, 3300.
Dales (Richard C.), 2904.
Dalin (V.M.), 328.
Dallas (Gregor), 5927.
Dallin (Alexander), 7261.
Dal Pane (Luigi), 503.
Daltrop (G.), 309.
Damiani Indelicato (Silvia), 1623.
Damon (P.E.), 1098.
Dan (Joseph), 1046.
Dán (Robert), 4579.
Danecki (Janusz), 2754.
Danek (Wincenty), 5288.
Dangel (Jacqueline), 1896.
D'Angelo (B.), 2755.
Daniels (Bruce C.), 6936.
Daniels (Jonathan), 3478.
Danilov (A.I.), 2351.
Dankert (Jochen), 7469.
Dannenfeldt (Karl H.), 5092, 5928.
Danton (Georges Jacques), 3675.
Dantyszek (Jan), 5235.
Danylow (Peter), 7470.
Darboy (Georges), 4450.
D'Arcy (Fergus A.), 3791.
Darius Ier, roi des Perses, 1471.
Daris (Sergio), 1306.
Darlan (François), amiral, 7389.
Darmon (Pierre), 5093.

Darnton (Robert), 34, 4967.
Darricau (Bernard), 4527.
Darricau (Raymond), 4423.
Darwin (Charles), 5114, 5172, 5198.
Darwin (John), 7174.
Das (Arvind N.), 7577.
Dascălu (Nicolae), 4717, 4892, 7175.
Daschoff, princesse, v. Daškova (Ekaterina Romanovna Voroncova, Knjaginja).
Daškova (Ekaterina Romanovna Voroncova, Knjaginja), 7044.
Dassmann (Ernst), 2109.
Dastugue (Jean), 1988.
Daubigny (Charles François), 5469.
Daumas (Maurice), 428.
D'Auria (Elio), 413, 4968.
David, roi hébreu, 1407.
David II, king of Scots, 2313.
David (Eduard), 5980.
Dávid (Ferenc), 4654.
Dávid (Géza), 3911.
David (J.), 1955.
Dávid (Katalin), 310.
David (Rosalie), 1309.
Davidovič (D.S.), 763.
Davids (Peter H.), 2020.
Davidson (Abraham), 5459.
Davies (Edward J.)II, 6215.
Davies (John), 5285.
Davies (Margery W.), 6216.
Davies (Nigel), 7744.
Davies (Norman), 831.
Davies (Peter J.), 111.
Davies (Wendy), 2329.
Daviet (Jean-Pierre), 5732.
Davis (Clarence B.), 6029.
Davis (Donald F.), 5733.
Davis (J.F.), 4580.
Davis (K. Rutherford), 2373.
Davis (Richard W.), 3792.
Davis (Ronald L.F.), 5929.
Davis (Susan G.), 6217.
Davison (Peter), 5528.
Davitt (Michael), 3832.
Davout (Louis Nicolas), duc d'Auerstedt, prince d'Eckmühl, 7074.
Davydov (Ju.S.), 5633.
Davydov (M.I.), 5930.
Dawson (Joseph G.) III 3467.
Day (Richard H.), 5634.
Deacon (Richard), 4050.
Dean (James), 2756.
Deas (Malcolm), 6030.
Debard (Jean-Marc), 3664.
De Beer (E.S.), 4941.
De Belder (J.), 6218.
DeBenedetti (Charles), 329.
De Bernardi (Alberto), 5107.
Debien (Gabriel), 6937.
Deblock (Geneviève), 44.
Debord (P.), 1923.
Debs (Eugene V.), 6593.
DeCanio (Stephen J.), 5986.
De Capitani (François), 2633.
Decavele (Johan), 4548.
Decius Barovius, v. Baranyai Decsi (János).
Decker (Rainer), 4424.
Decker-Hauff (Hansmartin), 504.
Decleva (Enrico), 3988.
Dedet (Bernard), 1185.
Dedeyan (G.), 735.
De Felice (Renzo), 5327, 7223.
Defrasne (Jean), 3651.
De Frede (Carlo), 330, 2462.
Degenne (Jean), 289.
De Grand (Alexander), 4001.
De Grandis (Lucia), 5529.
Degros (Maurice), 6688.
De Grummond (Nancy Thompson), 1656.
Dehergne (Joseph), 4528, 4534.
Deichmann (Friedrich Wilhelm), 1956.
Deighton (Hilary J.), 1367.
Deist (Wilhelm), 3217.
De Jonge (Alex), 4240.
De Kisch (Y.), 1677.
Delacampagne (Florence), 3077.
Delacroix (Eugène), 5446.
De Laet (Siegried J.), 1068, 1100.
Delanoe (Nelcya), 3468.
Delaunay (Jean-Marie), 4510.
Delavrancea (Barbu Ștefănescu), 5326.
Delay (Nelly), 6219.
Del Boca (Angelo), 6857.
Delbrück (Max), 415.
Delebecque (Edouard), 2010.
De Leonardis (Massimo), 3981, 4378.
Deler (Jean-Paul), 3130.
Delfino (Giovanni), Nuntius apostolicus, 4377.
Delgado Martin (Jaime), 6938.
Del Giudice (Carlo Alberto), 3078.
Delibrias (Georgette), 1152.
Deljusin (L.P.), 7678.
Delogu (Paolo), 2330.
Deloria (Vine) Jr., 3520.
Delort (Robert), 2634.
Del Sapio (Maria), 4893.
Del Treppo (Mario), 474.
Deluc (Jean-André), 5103.
De Luca (Attilio), 5635.
De Lucia (Mario), 5635.
Delumeau (Jean, 993, 4481.
De Luna (Giovanni), 4002.
Delureanu (Ștefan), 4003.
Delvendahl (Ilse), 6163.
De Maddalena (Aldo), 5636.
Demand (Nancy H.), 1466.
Demandt (A.), 1897.
Demandt (Karl E.), 2572.
Dēmaratos, king of Sparta, 1494.
Demars (P.Y.), 1120.
De Marzi (Giacomo), 466.
De Mattei (Rodolfo), 950, 4969.
Dembrowski (Harry E.), 4095.
Demetrios I Poliorketes, roi de Macédoine, 1462.
Demidov (Serghei S.), 5094.
Demidova (N.F.), 6689.
Demin (A.S.), 4924.
Demokritos, 1050.
Demonet (Michel), 6220.
De Morgan (Augustus), 5065.
Demos (John Putnam), 4718.
Demuth (Gilles), 3652.
Dénes (Iván Zoltán), 3912.
Denholm (A.F.), 3793.
Dennery (Annie), 2887.
Dennis (George T.), 2125.
Dennys (Rodney), 78.
Dentrecolles (François Xavier), 4534.
Dentzer (Jean-Marie), 1624.
De Paepe (Jean-Luc), 3739.
Depeyrot (Georges), 112.
Depont, famille de Rochelle, 5642.
Deppert (Kurt), 306.
Derndarsky (Michael), 7099.
De Rosa (Stefano), 951.
Derry (W.), 5278.
Deržavina (O.A.), 4924.
De Sanctis (Francesco), 4848.
Desanges (Jehan), 1420.
De Santis (Vincent P.), 3469.
Desbonnets (T.), 2978.
Descamps (Henri), 3653.
Descartes (René), 5008, 5019, 5032, 5050, 5125, 5196.
Descimon (Robert), 3654.
De Seta (Cesare), 819, 824.
Desgraves (Louis), 29.
Desideri (Paolo), 1843.
Desloges (Yvon), 6101, 6221.
Desmoulins (Camille), 3706.
Des Places (Edouard), 1448, 1605, 2023, 2073.
Desplat (Christian), 6222.
Desportes (Pierre), 2635.
Desprez (Dom Vincent), 2202.
Destrem (Maja), 7375.
Dethan (Georges) 557, 3618, 7008.
Dethloff (Henry C.), 5931.
Deubner (Ludwig), 1422.
Deubner (O.), 1422.
Deuffic (Jean-Luc), 2197.
Deutsch (Sarah), 5873.
De Valera (Eamon), 3967.
Devambez (Pierre), 307.
Devereux (William A.), 4808.
Devèze (Michel), 5932.
Devijver (Hubert), 1957.
Devillers (Christian), 5734.
Devonshire (William, 4th Duke of), 3766.
De Vos (Mariette), 1947.
Devos (Roger), 5904.
Devreker (J.), 1714.
Dew (Charles B.), 5735.
De Waelhens (Alphonse), 480.
Dewailly (Martine), 1958.
Dewèvre Wafelaer (C.), 991.
Dewey (Frank L.), 3470.
Dexheimer (Wolfgang), 4719.
Deyl (Zdeněk), 4192.
Deyts (Simone), 1988.
Dežnev (Semen Ivanov), 4327.
Dezon-Jones (Elyane), 5328.
Diamond (Sigmund), 5096.
Diaz (Furio), 4970.
Díaz (Gonzalo), 4425.
Díaz (Porfirio), 4070.
Díaz-Bautista (Antonio), 2146.
Díaz y Díaz (Manuel C.), 2021.
Dibbern (John), 5933.
Dibelius (Otto), 4608.
Di Bella (Saverio), 3979.

Dick (Ernst S.), 526.
Dick (Steven J.), 1050.
Dick (Trevor J.O.), 5736.
Dickens (Charles), 5324.
Dickerhof (Harald), 4771.
Dicks (Brian), 3860.
Didner, provicaire, 4457.
Di Donato (Riccardo), 426.
Dienes (Laszlo), 5270.
Dienst (Heide), 2401.
Diere (Horst), 4809.
Diestelkamp (Bernhard), 3069, 3070.
Di Fonzo (Lorenzo), 2978.
Digby (Anne), 6690.
Di Gennaro (F.), 1657.
Dignoire (Claude), 5361.
Di Lalla (Manlio), 4004.
Dillens (Anne-Marie), 1550.
Dilthey (Wilhelm), 416.
Dima (Alexandru), 5207.
Dimaio (Alfred J.), 5045.
Di Marino (Ugo), 1658.
Dimitrov (Georgi), 3194, 6493, 6499, 6592.
Dimnik (Martin), 2402.
Dimov (Violetta), 4759.
Dinguirard (Jean-Claude), 669.
Dinkin (Robert J.), 6939.
Dinnerstein (Leonard), 3471.
Dinwiddy (J.R.), 3794.
Dio Cassius Cocceianus, 1716.
Diocletianus (Gaius Aurelius Valerius), empereur romain, 1700, 1709, 1808, 1825.
Dion Syrakosios, 1481.
Dionisie din Pietrari, 5458.
Dionysius, Papa, Sanctus, 2961.
Dionysius Alexandrinus, Sanctus, 2061.
Dionysios Halikarnasseus, 1865.
Diószegi (Mária), 497.
Dipboye (Caroly Cook), 4426.
Dippie (Brian W.), 3472.
Dirichlet (Peter Gustav Lejeune), 5067.
Dirks (Nicholas B.), 7578.
Disraeli (Benjamin) v. Beaconsfield (Benjamin Disraeli, earl of).
Divjak (Johannes), 2013.
Divo (Jean-Paul), 113.
D'jakonov (I. M.), 1266, 1269.
D'jakov (V.A.), 6398.
Długosz (Jan), 2203.
Dobbek (Wilhelm), 4939.
Dobbs (B.J.T.), 5097.
Dobners (Gelasius), 417.
Dobossy (László), 558.
Dobrijanow (Todor), 6750.
Dobrinescu (Valeriu Florin), 7167.
Dobrosława, fille de Bolesław II de la Poméranie Occid., 67.
Dobrotich, despote), 2469.
Dodgshon (Robert A.), 802.
Dodwell (C.R.), 2815.
Doehler (Edgar), 3218.
Dömötör (Tekla), 670.
Doering (Bernard), 4971.
Dörrer (Fridolin), 3351.

Dogaru (Maria), 63.
Doherty (Charles), 2204.
Dohrn van Rossum(Gerhard), 6233.
Dojnov (S.), 7142.
Dóka (Klára), 5934.
Dolan (Michael B.), 7471.
Dolbeau (François), 2205.
Doldi (Sandra), 5098.
Dolet (Etienne), 5224.
Dollar (Jacques), 7376.
Dollfuß (Engelbert), 3349.
Dollinger (Philippe), 2636.
Dolmányos (István), 3374, 3913.
Domański (Juliusz), 2905.
Dombek (G.), 1095.
Domberg (John), 3219.
Domergue (Lucienne), 4972.
Domes (Jürgen), 7642.
Dominick (Raymond H.) III, 6481.
Domitianus (L. Domitius), empereur romain, 1731.
Dommasnes (L.H.), 1212.
Domokos (Sámuel), 30, 5329.
Donaldson (Frances), 5330.
Donati (Claudio), 4005.
Donati (G.), 2888.
Donatus, Ep. Carthaginiensis, schismaticus, 2019.
Donbaz (Veysel), 1285, 1346.
Dondin-Payre (Monique), 1791.
Donini (G.), 1441.
Donini (P.), 1551.
Donnellan (Brendan), 4973.
Donnet (Daniel), 147.
Donno (Antonio), 331.
Doolittle (I.G.), 3795.
Dor (Rémy), 671.
Doráti (Antal), 5530.
Doria (Andrea), 4034.
Doria (Giorgio), 5086.
Dorini (Umberto), 4006.
Dorries (Reinhard R.), 6108.
Dossat (Yves), 2923.
Dotan (Trude), 1384.
Dotson (John E.), 2637.
Dott (Arturo Colombo), 6615.
Dotzauer (Winfried), 6032.
Douglas(Lord Alfred Bruce), 5294.
Douglas (Roy), 7262, 7325.
Douglass (Frederick), 3433.
Doutreleau (Louis), 2014, 2027.
Dowling (Harry F.), 5099.
Dózsa (György), 3929.
Drabble (John E.), 4351.
Drabek (Anna Maria), 3365.
Drachman (Virginia G.), 5100.
Dracula, v. Vlad III Tepeş.
Drago (Edmund L.), 3473.
Dragoş (Ioan), 7127.
Drăguţ (Vasile), 476, 977.
Drake (Sir Francis), 4330.
Drake (Michael), 6090.
Dramani-Issifou (Zakari), 7722.
Draper (Peter), 2816.
Drecin (Mihai D.), 6033.
Dreisziger (N.F.), 3127.
Drescher (Hans), 1231.
Dreschner (Karlheinz), 4379.
Drexhage (Hans-Joachim), 1310, 1844.

Drexhage (R.), 1845.
Dreyer (Edward L.), 7643.
Dreyfus (Alfred), 3714, 3759.
Dreyfus (François-Georges), 3655.
Driessen (H.A.H.), 7763.
Driessen (Jan), 1625.
Drieu La Rochelle (Pierre), 870.
Drobisch (Klaus), 3220.
Droulers (Paul), 4427.
Droysen (Johann Gustav), 418.
Drüppel (Hubert), 2573.
Drummond (Gordon D.) 3221.
Drumont (Edouard), 3760.
Druskin (M.S.), 5531.
Družinin (N.M.), 913.
Dubois (Henri), 2638.
Dubois (Jacques) 1045, 2944.
Dubourg-Noves (Pierre) 2832.
Dubov (I.V.), 2331.
Dubuisson (Pierrette), 156.
Duby (Georges), 607, 791, 2332.
Duca-Tinculescu (Doina), 260.
Ducatenzeiler (Graciela), 3330.
Duchêne (Roger), 5246.
Duchhardt (Heinz), 517.
Duclos (Paul), 4394.
Ducos (Pierre), 1162.
Duda (Detlev), 6223.
Dudek (František), 5737, 5935.
Dudgeon (Ruth A.), 6224.
Dueck (Abe J.), 4581.
Dülffer (Jost), 3222, 7100.
Dülmen (Richard van), 3128, 3223, 4338.
Dümmerth (Dezső), 2463.
Düwell (Kurt), 4719, 7472.
Dufeil (Michel-Marie), 559.
Duffy (Dennis), 5208.
Duffy (John J.), 3474.
Dufour (Gérard), 4428.
Dufourcq (Charles-Emman.), 419, 2464.
Dufourcq (Norbert), 5532.
Dufournet (Jean), 2757.
Dufraisse (Roger), 7060.
Dufy (Raoul), 5466.
Dugas (G.), 5271.
Duggan (Charles), 2201, 2574.
Dugger (Ronnie), 3475.
Duignan (Peter), 6858.
Duke (Alastair), 4081.
Dukes (Paul), 4241.
Dull (Jonathan R.), 7040.
Dulles (John Foster), 3559.
Duma (Aurel), 7210.
Duma (György), 2713.
Dumarcay (Jacques), 7614.
Dumarché (Lionel), 312.
Dumas (Alexandre) [fils], 5306.
Dumas (Alexandre) [père], 5306.
Dumas (Françoise), 114.
Dumézil (Georges), 1609.
Dumitrescu (Vladimir), 470.
Dumitriu-Snagov (Ionel), 7101.
Dumont (Franz), 3224.
Dumont (Georges-Henri), 2465.

Dumont (Micheline), 6266.
Dumova (N.G.), 4242.
Dumville (David), 2362.
Dunaevskij (V.A.), 6482.
Dunand (Françoise), 902, 1311.
Dunayevskaya (Raya), 6483.
Dunbabin (Katherine M.D.), 1959.
Duncan-Jones(Richard) 1846.
Duncombe (Charles), 6363.
Dunlay (Thomas W.), 3476.
Dunlop (Ian), 2817.
Dunn (Mary Maples), 6907.
Dunn (Richard S.), 6907.
Dunn (S.P.), 4539.
Duns Scotus (John), 2908.
Dupâquier (Jacques), 3719.
Duparc (Pierre), 2466.
Dupré (N.), 1715.
Dupuy (Michel), 4429.
Duram (James C.), 3477.
Durand (Georges-Matthieu de), 2014.
Durand (Gilbert), 2998.
Durand (Jean-Marie), 1341, 1363.
Durante (M.), 150.
Duranty (Walter), 4891.
Durey (Michael), 6225.
Durham (John George Lambton, 1st earl of), 6817.
Durieux (Andrée), 2639.
Durif (Frans), 3612.
Durkheim (Emile), 864, 4977, 5116.
Durliat (Jean), 115.
Durliat (Marcel) 2818, 2833.
Duroselle (Jean-Baptiste), 7326.
Durrans (P.J.), 3796.
Dušan Stephan, empereur de Serbie, 2177.
Dušková (Sáša), 2193.
Dutailly (Henry), 3656.
Duţu (Alexandru), 5209.
Duval (André), O.P., 4341.
Duval (N.), 2098.
Duval (Paul-Marie), 1206.
Duval (Yvette), 214, 2104.
Duverger (Maurice), 236.
Duverlie (Dominique), 3657.
Duvoisin-Bammate (Marianne), I.
Dwjer (Eugene J.), 1960.
Dyer (James), 1082.
Dykmans (Marc), 4393.
Dymšic (A.L.), 5211.
Dyson (Lowell K.), 5936.
Dzierzbicka (Anna), XVI.

E

Eagles (Charles W.), 3478.
Earle (Carville), 6465.
Earle (Peter), 6940.
Eastwood (Bruce S.), 5101.
Ebel (Wilhelm), 505, 1252.
Eccles (Audrey), 5102.
Eck (Werner), 1792.
Eckhart, Meister E. von Hohenheim, 1017, 3025.
Eckhardt (Albrecht), 6643.
Economides (Stephen), 4896.
Edelstein (Michael), 6034.
Edelstein (Tilden G.), 5533.

Edgar, king of the English, 2413.
Edgington (David), 560.
Edroiu (Nicolae), 524.
Edward I, king of England, 3857.
Edward V, king of England, 2229.
Edward VI, king of England a. Ireland, 3776.
Edward VII, king of Great Britain a. Ireland, 3852.
Edward VIII king of Great Britain a. Northern Ireland, 6920.
Edwards (David W.), 4811.
Edwards (Jerome E.), 3479.
Edwards (John), 2467.
Edwards (Owen Dudley), 3129.
Efimov (G.V.), 7176.
Efrem, monaco bizantino,12.
Egalité (Philippe), v. Orléans (Louis Philippe Joseph, duc d').
Egan (Clifford L.), 529.
Egan (David R.), 4208.
Egan (Melinda A.), 4208.
Eger (Wolfgang), 767.
Egeria, 2021.
Egg (Erich), 5738.
Eggan (Fred), 3484.
Eggert (Willem), 2566.
Egidi (Claudio), 116.
Egido (Teófanes), 4430.
Eginhard, chroniqueur 2251.
Egli (Walter), 5937.
Egorov (A.I.), 4704.
Egorov (B.F.), 4722.
Ehlers (Joachim), 2319.
Ehlert (Hans Gotthard), 3225.
Ehrler (J.T.), 4130.
Eichengreen (Barry J.), 6035, 6036.
Eichholtz (Dietrich), 3316, 7264.
Eickham (Christopher), 2359.
Einaudi (Luigi), 3980, 4008, 5599.
Einstein (Albert), 5126, 5161.
Eisenhower (Dwight David), 3434, 3477, 3493, 3495, 7494.
Eisenstadt (Peter R.), 4347.
Eisner (Werner), 6226.
Ejdel'man (N. Ja.), 4243.
Ekdahl (Sven), 2206.
Eklund (Emmet E.), 4582.
Eklund (J.A.), 4652.
Ekman (Stig), 7327.
Ekstrand (Gudrun), 4166.
Elders (Leo J.), 2906.
Eleen (Luba), 2834.
Elekes (Lajos), 420.
Eleonore Magdalena Theresia von Pfalz-Neuburg, Gemahlin Kaiser Leopolds I., 3302.
Eleonore, Gräfin vonHessen-Darmstadt, 6178.
Eleonore von Schottland, Gemahlin Sigmunds von Tirol, 2450.
Elgard (Nikolaus), 4592.
Elgström (Ole), 7473.
Eliot (Thomas Stearns) 5059.

Elisa Bonaparte Baciocchi, principessa di Lucca e Piombino, 4044.
Elisabeth-Charlotte, duchesse d'Orléans, 3624.
Elisabetha, landgravia Thuringiae, Sancta, 2693.
Elizabeth I, queen of England a. Ireland, 3804, 4351, 4448, 6721, 7021.
Elkana (Yehuda), 5126.
Ellenberger (François), 5103.
Eller (Ronald D.), 5739.
Elliott (Emory), 5210.
Elliott (Marianne), 7061.
Elliott (Mark R.) 7377, 7474.
Ellis (John Tracy), 4367.
Ellis (William E.), 5938.
Ellsworth (Scott), 3480.
Ellul (Jacques), 5045.
Elman (Benjamin), 7644.
Elmroth (Ingvar), 6109.
Elpedin (M.K.), 6601.
Elsener (Ferdinand), 2473.
Elshtain (Jean Bethke), 6227.
Elste (R.), 1659.
Elton (G.R.), IX.
Eluard (Paul), 5462.
Eluère (Christian), 1186.
Elwitt (Sanford), 4812.
Emandi (Emil I.), 3091.
Emanuele Filiberto, duca di Savoia, 6674.
Ember (Győző), 263, 6037.
Embick (Stanley D.), 7308.
Emery (C.R.), 772.
Emiliani (Angelo), 7378.
Eminescu (Mihail), 5305, 5341, 5361.
Emmanuelli (François-Xavier), 3658.
Emmrich (Volker), 6484.
Empson (Sir Richard), 3816.
Emsbach (Karl), 5740.
Enayat (Hamid), 4679.
Enderle-Burcel (Gertrude), 3349.
Endesfelder (Erika), 1313.
Engel (Evamaria), 2209.
Engel (Frédéric-André), 7751.
Engel (Pál), 2468.
Engelbert von der Mark, Erzbischof v. Köln 2276a.
Engelhardt (Ulrich), 6173.
Engelmann (Gerhard), 192.
Engels (Friedrich), 624, 973, 6453, 6484, 6559.
Engels (Odilo), 1000.
Engelstein (Laura), 4244.
Engeman (Thomas S.), 4583, 4974.
Engerman (Stanley L.), 5639.
England (J. Merton), 5104.
Englisch (Norbert), 6485.
Engrand (Charles), 6228.
Engs (Robert F.), 4813.
Ennabli (Liliane), 2022.
Ennas (Barbara Fois), 2208.
Ennen (Edith), 3079.
Ennius (Quintus), 1900.
Entin Rokéah (Zefira), 2521.
Entrich (Manfred), 2900.
Enzensberger (Horst), 2321.
Eötvös (József), 6230.
Epikouros, 1538, 1604.
Epp (Frank H.), 4584.
Epp (René), 1022.
Epstein (A.L.), 673.

Epstein (James), 6486, 6487.
Erä-Esko (Aarni), 2560.
Erasmus Roterodamus (Desiderius), 2778, 4749, 5231.
Erb (T.), 1847.
Erbe (Michael), 457, 3659.
Erdélyi (István), 1232,2374, 2403.
Erdmann (James M.), 7475.
Erdmann (Karl-Dietrich), 3185, 3226.
Erdmann (Wolfgang), 2835.
Erdődy (Gábor), 3907.
Erényi (Tibor), 4897.
Erickson (Rica), 7002.
Ericsson (Tom), 5874.
Erikson (Erik), 5124.
Erikson (Gustaf), 5776.
Erikson (Knut Einar), 7476.
Eriksson (Gunnar), 5106.
Erim (Kenan T.), 1687.
Erispoé, roi de Bretagne, 2382.
Erkens (Franz-Reiner), 2404.
Erlande-Brandenburg(Alain), 2836.
Erler (Gernot), 4303.
Ermak Timofeevič, 206.
Ermengarda, femme de Świętopełk de Poméranie, 67.
Ermolaev (H.), 5332.
Ermolin (A.P.), 4245.
Ernst (Juliette), I.
Erofeev (N.A.), 3797.
Ertresvaag (Egil), 4077.
Eruchis (M.), 4246.
Erxleben (Günter), 3213.
Esche (Matthias), 3883.
Eschyle, v. Aischylos.
Escoube (Pierre), 6692.
Escrivá de Balaguer (José María), 4441.
Esdras, 2032.
Eskenazy (Victor), 2469.
Espagne (Michel), 5318.
Esper (Thomas), 5741.
Espinosa (Juan G.), 5742.
Espinoza Ruiz (Urbano), 1716.
Esquirol (Jean-Etienne-Dominique), 5143.
Essen (Andrzej), 7178.
Esser (Dietrich), 2908.
Essig (James D.), 4585.
Este, dinastia, 3998, 4037.
Este (Isabella d'), sposa del marchese Francesco II Gonzaga di Mantova, 4708.
Estèbe (Jean), 3660.
Estes (James Martin), 4586.
Estienne Maleu, 2240.
Estow (Clara), 2946.
Esze (Tamás), 3937.
Etaix (Raymond), 2209.
Etherington (Norman), 6809.
Ettmüller (Wolfgang), 3392.
Etzeoglou (R.), 193.
Eudes (Jean), v. Johannes Eudes, Sanctus.
Eudokia, femme de Theodosius II, empereur d'Orient.
Eugène, prince de Savoie, 4063.
Eugenio di Beauharnais, v. Beauharnais (Eugène).
Eukleides, 1591, 2910, 5113.

Eunomius, Ep. Cyzici, 2014.
Euripides, 1436.
Eusebius Caesariensis, 2023, 2058, 2072.
Eutychios (Said Ibn al-Batriq), Patriarcha Alexandrinus, 2150.
Euzennat (Maurice), 1677.
Evans (D. Wyn), 288.
Evans (G.R.), 3009.
Evans (Joan), 2819.
Evans (Richard), 6231.
Evans (Robin), 5418.
Evin (Jacques), 1152.
Eyck (Frank), 431.

F

Faak (Margot), 3109.
Faber (Fernand), 1084.
Faber (Karl-Georg), 421.
Fabini (Hermann), 2837.
Fabó (Kinga), 6232.
Fabre (G.), 1848.
Faci Lacasta (Javier), 1030.
Factor (Regis A.), 4975.
Fadeeva (I.L.), 7102.
Fadiman (Jeffrey A.), 7723.
Fält (Olavi K.), 4051.
Faensen (Hubert), 2838.
Faes (Urs), 4680.
Faes de Mottoni (Barbara), 2074.
Fagerlund (Rainer), 4814.
Fairbanks (Jonathan), 5497.
Falcke (Heino), 3025.
Falcoff (Mark), 3415.
Falk (Stanley L.), 332.
Fallières (Armand), 4802.
Fallot (Jean), 1552.
Falniowska-Gradowska (Alicja), 5940.
Faludy (Anikó), 2147.
Fanizza (Lucia), 1793.
Fansa (Mamoun), 1153.
Fant (Maureen B.), 1425.
Faraday (Michael), 5117.
Farandos (G.D.), 1553.
Farel (Guillaume), 4554.
Faribault-Beauregard (Marthe), 6941.
Farkas (József), 6489.
Farkas (Márton), 3227.
Farrar (L.L.) Jr., 7179.
Farrar (Marjorie M.), 3661.
Farrell (R.T.), 2557.
Faryś (Janusz), 7265.
Fatica (Michele), 4976.
Faucci (Riccardo), 4008, 4994, 5590.
Fauchère (P.-M.), 1742.
Fauchereau (Serge), 5460.
Faugeras (Marius), 4432.
Faulkner (William), 5328, 5337, 5370
Faure (Edgar), 3614.
Faure (P.), 1509.
Fauser (Winfried), 2210.
Fauvel-Rouif (Denise), 855.
Favarger (Dominique), 2295.
Favez (Jean-Claude), 842, 7154.
Favory (F.), 1842.
Favre (Pierre), 4977.
Favre (Robert), 6234.
Favreau (Robert), 2196.

Favrelle (Geneviève), 2023.
Fayer (C.), 1849.
Fazan (Mirosław), 4107.
Febvre (Lucien), 422.
Fecht (G.), 1320.
Fedalto (Giorgio), 1023.
Feden (Georg), 5554.
Fedorenko (N.T.), 7645.
Fedorov (V.A.), 7615.
Fedorowicz (J.K.) 834, 4096.
Fedosov (I.A.), 7142.
Fedotov (V.V.), 1794.
Feeny (David), 7616.
Fefè (Giulio), 5783.
Feigl (Helmuth) 5711, 5911.
Feiner (Susan), 6235.
Feingold (Henry L.), 4681.
Feinmann (Gary), 7740.
Fejér (Josephus), S.J.,4512.
Fejes (Judit), 7317.
Fekhner (M.V.), 2758.
Feldbaek (Ole), 7063.
Feldenkirchen (Wilfried), 5743.
Feldman (David L.), 3331.
Felipe II, rey de España, 4414.
Felix (David), 6490.
Feller (Laurent), 215.
Felten (F.), 1610.
Felten (Franz J.), 2947.
Feneşan (Costin), 4130.
Fenlon (Iain), 978, 5535.
Fenoaltea (Stefano), 5744.
Fenske (Hans), 3196.
Fentress (Elizabeth W.B.), 1717.
Erchiu (Naïdé), 1961.
Ferdinand I., röm.-deutsch. Kaiser, 3256, 3355.
Ferejohn (Michael T.),1554.
Ferenczi (Caspar), 4898.
Ferenczi (Imre), 676.
Ferincz (István), 2759.
Ferluga (Jadran), 2333, 2334.
Fernandez (James W.), 677.
Fernandez (Renate Le-Lep), 677.
Fernández-Armesto (Felipe), 3404, 5641.
Fernández Conde (Javier), 1030.
Fernández Fernández (Antonio), 1795.
Fernández Ochoa (Carmen), 1962.
Fernández Ubiña (J.), 2106.
Ferrara (Francesco), 5599.
Ferrara (Mario), 2987.
Ferrard (Stéphane), 3662.
Ferrari (Bernardino), 4815.
Ferrarotti (Franco), 933.
Ferré (Jean-François), 5745.
Ferrell (Robert H.), 3434.
Ferreolus, Ep. Ucetiensis, Sanctus, 2202.
Ferrer i Mallol (María Teresa), 2640.
Ferretti (Lucia), 6303.
Ferreyrolles (Gérard), 333.
Ferrier (R.W.), 5746.
Ferriol (Charles de), 7034.
Ferrone (Silvano), 275.
Festugière (Jean), 423.
Feuer (Lewis S.), 4816.
Feuer-Tóth (Rózsa), 2839.
Feugère (M.), 1936.

Fevrier (Paul-Albert), 1881, 2075, 3080.
Feyel (Gilles), 4899.
Feyl (Othmar), 4247.
Fichter (Michael), 6491.
Fichtner (Paula Sutter), 3355.
Field (John H.), 3798.
Field (Phyllis F.), 3481.
Fielde (Adele M.), 4601.
Fieldhouse (David K.), 4835, 6810.
Fields (Barbara J.), 3482.
Fiétier (Roland), 424, 506.
Fiette (Suzanne), 5941.
Figurovskaja (N.K.), 5633.
Filipowicz (Stanisław), 6492.
Filippov (R.V.), 4248.
Filisola (Vicente), 7085.
Filliozat (Jean), 7580.
Filoramo (Giovanni), 995.
Finardi (Sergio), 4165.
Fincher (John H.), 7646.
Fine (Lawrence), 4682.
Finegold (Kenneth), 3574.
Fingard (Judith), 6236.
Finkenzeller (Josef), 996.
Finlay (Robert), 4683.
Finley (Gerald), 5461.
Finley (Moses I.), 1510.
Finzi (Claudio), 1649.
Fiorani Piacentini (V.), 903.
Fiore (L.), 1850.
Firjubin (N.P.), 7444.
Firkins (Peter), 5875.
Firmicus Maternus (Julius), 2024.
Firnberg (Hertha), 521.
Firpo (Massimo), 4433.
Firsov (F.I.), 6493.
Fischer (B.), 97.
Fischer (Egbert), 3218.
Fischer (Heinz-Dietrich), 4894.
Fischer (Joseph A.), 2077.
Fischer (Louis), 4891, 7516.
Fischer (Wolfdietrich), 2336.
Fischer (Wolfram), 3310, 6237.
Fischer-Galati (Stephen), 510.
Fishbein (Leslie), 4900.
Fisher (Arthur L.), 2078.
Fisher (E.A.), 1555.
Fisher (Nigel), 3799.
Fisher (Raymond H.), 4327.
Fisher (Robin), 4331.
Fitch (William) v. Canfield (Benedict of).
Fitz (Jenő), 398, 1718.
Fitzgerald (Francis Scott), 5328.
Fitzgerald (R.), 7003.
Fitzpatrick (Sheila), 4249.
Fixot (A.-M.), 5747.
Flach (J.), 6112.
Flakierski (Grzegorz), 435.
Flammarion (Hubert), 2211.
Flandrin (Pierre), cardinal, 3012.
Flannery (Kent V.), 7750.
Flaubert (Gustave), 5347.
Fleckenstein (Josef), 3010.
Fleischhammer (Manfred), 2541.
Flemin (Michael), 5181.
Flentje (Bernd), 2212.

Fletcher (William Miles) III, 4052.
Fleury (Antoine), 7180.
Fleury (Michel), 1341.
Fliegelman (Jay), 6238.
Fligstein (Neil), 6111.
Flisowski (Zbigniew), 7379.
Flodoard, 2213.
Fløystad (Ingeborg), 5748.
Földes (László), 5942.
Floor (Willem), 182.
Flori (Jean), 3011.
Florian (Radu), 6494.
Florja (B.N.), 2345.
Flotow (Ludwig Freiherr von), 3348.
Flouret (Jean), 29.
Foäche (Stanislas), 6919.
Foard (James H.), 4684.
Fodor (István), 562, 1233.
Foerster (Roland G.), 3200.
Fogarassy (László), 7181.
Foggini (Giovanni Battista), 5484.
Fohlen (Claude), 334, 5672.
Fohlen (Jeannine), 294.
Fohrer (G.), 1371.
Fois (Mario), 3012.
Folta (Jaroslav), 5108.
Fomin (F.S.), 5536.
Fonda (Jean), 4434.
Fones-Wolf (Kenneth), 6495.
Font (Márta), 2406.
Font Rius (José María) 2641.
Fontaine (G.), 2025.
Fontenelle (Bernard Le Bovier de), 5248.
Fontvieille (Louis), 6693.
Forberger (Rudolf), 5749.
Forberger (Ursula), 5749.
Force (James E.), 4978.
Ford (Gerald), 3592.
Foreman-Peck (James), 5750.
Foreville (Raymonde), 2407.
Formozov (A.A.), 335.
Fornaciari Davoli (Maria Livia), 6460.
Fornos Peñalba (José Alfredo), 7103.
Forsey (Eugene A.), 6496.
Forster (Georg), 4701.
Forster (Leonard W.), 401, 1060.
Forster (Robert), 5642.
Forsyth (Murray), 4980.
Fortas (Abe), 3533.
Fortis (Umberto), 827.
Fortunato (Ernesto), 5920.
Fortunato (Giustino), 5920.
Fortunet (Françoise), 6708, 6724.
Foschepoth (Josef), 7328.
Fossard (Jacques), 5109.
Fossier (François), 290, 336.
Fossier (Marcel), 6708.
Fossier (Robert), 2220 2642, 2643.
Foster (Benjamin R.), 1347.
Foster (Elizabeth Read), 3800.
Foster (Gaines M.), 3483.
Foster (James C.), 6497.
Foucart (Jacques), 5419.
Foucauld (Charles de), 4525, 4533.
Foucault (Michel), 598, 5039.
Foucquet (Jean-François), 4535.

Fouilloux (Etienne), 4370.
Foult (Claude-Lise), I.
Fourcaut (Annie), 6239.
Fourier (Charles), 6505.
Fournier (Marcel), 4772.
Fourrey (René), 4435.
Foville (Alfred de), 6112.
Fowden (G.), 1851.
Fowler (Loretta), 3484.
Fowler (William), 6942.
Fox (Alistair), 3801.
Fox (Christopher), 4981.
Fox (John P.), 6760, 7266.
Fox-Genovese (Elizabeth), 5603.
Frachebout (André), 2948.
Frachon (Benoît), 6450.
Fradlin (B.M.), 954.
Fragnoli (Raymond R.), 3485.
Frain (Joseph, baron) préfet, 3652.
Frame (Robin), 2470.
Francesco II di Borbone, re di Napoli, 4013.
Franci (Raffaella), 953.
Franciscus Assisiensis, Sanctus, 2252, 2940, 2978.
Franciscus Salesius, Sanctus, 4476.
Franclieu (François de), 5413.
Franco y Bahamonde (Francisco), 3416, 4676.
François Ier, roi de France, 3693, 4328.
François (Etienne), 6240.
François (Michel), 425.
Françon (J.), 1299.
Frankel (Jeffrey A.), 7064.
Frankenstein (Robert) 3665.
Frankfurter (Felix), 3541, 6650.
Frankiewicz (Edward), 4513.
Franklin (Benjamin), 3435, 7040.
Franklin (John Hope), 3480, 3486.
Franz Joseph I., Kaiser v. Österreich, 3357.
Franz (Günther), 507, 5656.
Frapier-Mazure (Lucienne), 5308.
Fraser (David), 7380.
Fraser (Derek), 3802.
Fraser (Peter), 3803, 7182.
Fraser (W.H.), 5643.
Frazee (Charles A.), 2148.
Fredilo, moine de St. Germain d'Auxerre, peintre, 2377.
Freedman (Paul), 2949.
Freehling (Alison Goodyear), 3487.
Freeman (Michael D.), 7647.
Frege (Gottlob), 5012.
Freidenberg (Olga), 5291.
Freidin (N.), 1213.
Frejdenberg (M.M.), 2644.
Frémont (John Charles) 205.
Frenay (Etienne), 3666.
French (David), 5644.
Frend (W.H.C.), 2149.
Frere (Shepherd S.), 1964.
Freud (Sigmund), 538, 588, 5096, 5124, 5181.
Freundlich (Bracha), 3309.
Frey (Linda), 726.

Frey (Marsha), 726.
Freydank (Helmut), 1260, 1342.
Freymond (Jacques), 508, 7154.
Frézouls (Edmond), 1852.
Frick (Karl Richard Hermann), 1024.
Fricke (Dieter), 3228.
Fricke (Ernest B.), 5751.
Fried (Johannes), 2375.
Fried (Pankraz), 246.
Friedlaender (Saul), 508.
Friedman (Ina), 7271.
Friedman (Lawrence J.), 3488.
Friedman (Maurice), 4982.
Friedman (Reena Sigman), 6241.
Friedman (Robert Marc), 5110.
Friedrich I. Barbarossa, röm.-deutscher Kaiser, 2227, 2405, 2414.
Friedrich II., röm.-deutsch. Kaiser, 443, 2317, 2584.
Friedrich III., röm.-deutsch. Kaiser, 2277, 2478.
Friedrich II. der Große, König von Preußen, 3188, 3214, 3299.
Friedrich III. d. Weise, Kurfürst v. Sachsen 3313.
Friedrich II., Herzog von Schleswig-Holstein-Gottorp, 4847.
Friedrich von Saarwerden, Erzbischof v. Köln, 2276a.
Friedrich (Gustavus), 2193.
Friedrich-Freska (Martin), 5752.
Frier (B.), 1853.
Frigyesy (Gusztáv), 7123.
Frijhoff (Willem), 944.
Frisch (Michael H.), 3489.
Frison (Carluccio), 2408.
Fritz (Martin), 7329.
Fritz (Paul S.), 6242.
Fritze (Ronald M.), 3804.
Fritze (Wolfgang H.), 1234.
Froissart (Jean), chroniqueur, 2481.
Frolov (E.D.), 1511.
Fromm (Hermann), 7267.
Froning (H.), 1627.
Frostin (Charles), 4436.
Frucht (Richard C.), 7183.
Fruin (W. Mark), 5753.
Fry (Joseph A.), 3490.
Fryde (E.B.), 2471.
Fuchs (Konrad), 6498.
Fuchs (Marian), 4114.
Fück (Johann), 2541.
Fügedi (Erik), 2468, 2472.
Füglister (Hans), 6243.
Für (Lajos), 3914.
Füsti Molnár (Sándor), 5111.
Fuhrer (Hans Rudolf) 7268.
Fuks (Marian), 4901.
Fulbert de Chartres, 2563.
Fulford (M.G.), 1950.
Fuller (Robert C.), 5112.
Fuller (Wayne E.), 4817.
Fuller (William C.) Jr., 6725.
Fulradus, Abbas S. Dionysii, Sanctus, 2979.
Fumasoli (Georg), 6726.

Funderbury (David B.), 7104.
Fung (Edmund S. K.), 7648.
Funke (Hans-Günther), 5248.
Furet (François), 550, 564.
Furnas (J.C.), 5537.
Fussman (Gérard), 7581.
Fyvel (T.R.), 5333.

G

Gårestad (Peter), 5943.
Gabaccia (Donna R.), 6244.
Gaber (Stéphane), 4437.
Gabler (D.), 1214.
Gabrieli (Francesco), 733, 2540.
Gabrieli (Giuseppe), 4009.
Gácser (Imre), 2215.
Gaddis (John Lewis), 7477.
Gadol (Eugene T.), 5022.
Gadsen (Christopher), 6947.
Gadžiev (K.S.), 4983.
Gärtner (Helga), I.
Gaeta (Franco), 825, 3160.
Gätje (Helmut), 2760.
Gagarin (Michael), 1502.
Gaggero (Gianfranco), 1719.
Gagnon (Claude-Marie), 1008.
Gaillard (Claire), 1121.
Gaillard (François), 5308.
Gaillard (Yves), 7154.
Gaillemin (Janine), 855.
Gaismair (Michael), 3351.
Gaius, jurisconsultus, 1675.
Gajewski (Leszek), 2289.
Galandauer (Jan), 6761.
Galántai (József), 7184.
Galarneau (Claude), 6245.
Galasso (Giuseppe), 825, 4010.
Galba (Servius Sulpicius), empereur romain, 1767.
Galbraith (Vivian Hunter), 2360.
Gale (N.H.), 1530.
Galen (Hans), 3230.
Galenos, 1442.
Galenson (David W.), 5876, 6943.
Galkin (A.A.), 6583.
Gall (Lothar), 7105.
Gallagher (Eric), 4352.
Gallagher (John), 3805.
Gallagher (Michael), 3971.
Gallant (T.W.), 1512.
Gallay (A.), 7724.
Gallman (Robert E.), 6944.
Gallo (Filippo), 1796.
Galt, family, 5811.
Gálvez (José de), 297.
Galvin (John T.), 3491.
Gamber (K.), 2983.
Gambetta (Léon), 3641.
Gambi (Lucio), 819.
Gandhi (Indira), 7603.
Gandhi (Mohandas Karamchand), 6834, 6837, 6839, 6841.
Gandilhon (René), 73.
Ganelon, évêque de Laon, 3035.
Gann (Lewis H.), 6858.
Ganoczy (Alexander), 4587.
Ganz (P.), 565.
Ganzel (Dewey), 5334.

Garachon (Gilles), 7607.
Garavaglia (Juan Carlos), 5877.
Garbacik (Józef), 2203.
Garbagnati (Lucile), 7153.
Garbe (Bernd), 6499.
García-Garrido (Manuel Jesús), 1797.
García Villoslada (Ricardo), 1030.
García y García (Antonio), 1013.
Garcin (Jean-Claude), 985.
Gardelles (Jacques), 2327.
Gardies (Jean-Louis), 5113.
Gardin (Jean-Claude), 1410.
Gardiner (K.H.J.), 7661.
Gardiner (Margaret), 5249.
Gardner (J.), 1539.
Gardner von Teuffel (Christa), 2840.
Gardy (Philippe), 2761.
Garfagnini (Giancarlo), 2283.
Gargallo di Castel Lentini (Gioacchino), 337.
Garibaldi (Giuseppe), 3981, 4003, 4024, 4030, 4043, 7123, 7146.
Garin (Eugenio), 2283.
Garlan (Yvon), 1513.
Garmiza (V.V.), 4250.
Garnett (Edward), 5343.
Garnier (Bernard), 5944.
Garnier (Jean), 1162.
Garosci (Aldo), 4984.
Garrard (Timothy F.), 2645.
Garside (Patricia), 3879.
Gascou (Jacques), 1677.
Gąsiorowski (Antoni), 2236, 4784.
Gasnault (François), 6246.
Gasnault (Pierre), 2220.
Gáspár (Dorottya), 1924.
Gasratjan (S.M.), 7478.
Gassendi (Pierre), 5033, 5131.
Gastev (A.A.), 2841.
Gateau (J. Ch.), 5462.
Gatewood (Willard B.) Jr., 238.
Gatz (Erwin), 4818.
Gaucher (Gilles), 1187.
Gaudemar (Jean-Paul de), 5754.
Gaudemet (Jean), 3013.
Gaulle (Charles de), 3616, 3628, 3655, 6830, 7305, 7326, 7334, 7363, 7469.
Gauss (Julia), 7018.
Gauthey (Jacques), 1988.
Gauthier (Marie-Madeleine), 2842.
Gauthier (R.A.), 2909.
Gautier (Paul), 82, 2116, 2117.
Gautier-Dalché (Jean), 419, 2646, 2647.
Gavrilov (L.M.), 4221.
Gawęda (Stanisław), 2203.
Gaxotte (Pierre), 3668.
Gazdanov (Gaïto), 5270.
Gazsi (József), 7423.
Gečeva (Krăstina), 773.
Gecsényi (Lajos), 5114.
Géczy (Barnabás), 5114.
Geggus (David Patrick), 6945.
Geißler (Friedmar), 1260.

Gelasius I, Papa, Sanctus, 2059.
Gelis (Jacques), 5115.
Gellér (Katalin), 5463.
Gelly (Jean-François), 6501.
Génicot (Léopold), 2320.
Gening (V.F.), 338.
Genito (B.), 1086.
Genkina (E.B.), 4212.
Genovese (Eugène D.), 5603.
Genser (Kurt), 2983.
Genthner (Julie Anne), 4208.
Gentile (Emilio), 4011.
Gentile (Giovanni), 4848.
Genty (Christian), 5538.
George IV, king of Great Britain a. Ireland, 3825, 5461.
George (Stefan), 443.
George (Timothy), 4588.
Georgel (Jacques), 4127.
Georgescu (Valentin Al.), 409, 6644.
Geōrgibalōn (G.), 5889.
Geōrgibalōn (Th.), 5889.
Geraads (Denis), 1122.
Gerald of Wales, v. Giraldus Cambrensis.
Gerando (Auguste de), 3940.
Gérard de Brogne, 3037.
Gérard (Albert), 5269.
Gérard (Gilbert), 4985.
Géraud-Llorca (Edith) 6946.
Gerber (David A.), 4438, 5878.
Gerber (Larry G.), 7479.
Gerbert, v. Sylvester II, Papa.
Gerčuk (Ju. Ja.), 37.
Gerelyes (Ede), 6502.
Geremek (Bronisław), 2648.
Gergely (András), 3907, 5755.
Gergely (Jenő), 1025.
Gerhard (Dietrich), 3299.
Gerhardt (Claus W.), 38.
Gericke (Hans Otto), 566.
Gerics (József), 2217.
Gérin (P.), 567.
Gerlaud (Bernard), 1453.
Gerlo (Aloïs), 4082.
Gerloff (Sabine), 1183.
Germond (Philippe), 1314.
Gern (Philippe), 5879.
Gernet (Jacques), 7649.
Gernet (Louis), 426.
Gerő (András), 3915.
Gerő (Győző), 5421.
Gerone I, v. Hieron Ier, tyran de Syracuse.
Gervais (Gaétan), 3376.
Geschiere (Peter), 679.
Geuenich (Dieter), 3081.
Geuser (Louis de), 4394.
Geuser (Marie-Antoinette de), 4394.
Geuss (Herbert), 758.
Geva (Shulamit), 1188.
Gheorghiu (Mihnea), 7185.
Gherardi (Pietro E.), 463.
Ghergo (F.), 7378.
Ghermani (D.), 7480.
Ghidoni (Enzo), 2649.
Ghinatti (F.), 1514.
Giannetti (Renato), 4016.
Gianotti (G.), 1898.
Gibbon (Edward), 427.
Gibson (J. Douglas), 6071.

Gierowski (Józef Andrzej), 509, 734.
Giersch (Reinhard), 3231.
Gieryn (Thomas F.), 5116.
Gies (Horst), 3232.
Giese (Wolfgang), 3082.
Gieysztor (Aleksander),1235.
Gieysztorowa (Irena), 185.
Giffard (Henri), 5137.
Gifford (J.A.), 1643.
Gifford (Prosser), 6895.
Gil (Moshe), 2522.
Gilbert (Martin), 3767.
Gilbert (Victor Francis), 6164.
Gilissen (J.), 2218.
Gille (Bertrand), 428.
Gillen (Mollie), 7004.
Gillingham (John), 5756.
Gillispie (Richard), 3332.
Gilmour-Bryson (Anne), 2951.
Giménez-Candela (Teresa), 1798.
Gindin (Claude), 5945.
Gioffrè (Domenico), 2219.
Giolitti (Giovanni), 825, 3982.
Giono (Jean), 3619.
Giordano (Luca), 5490.
Giot (Pierre-Roland), 1738.
Giovagnoli (Agostino), 4012.
Giovanni da Pontremoli, 2219.
Giraldus Cambrensis, 2993.
Girard (Catherine), 1123.
Girard (Gabriel), 148.
Girard (Louis), 797.
Girard de Vienne, 2377.
Girardot (Alain), 794.
Girart de Vienne, 2377.
Giraud (Henri), 7305, 7389. *
Girault (Christian), 3130.
Girault (René), 6806, 7186, 7330.
Girault de Coursac (Paul), 3669.
Girault de Coursac (Pierrette), 3669.
Girs (G.F.), 7544.
Giry (Marcel), 5464.
Giscard d'Estaing (Valéry), 7469.
Gisemundus, auctor Artis Grammaticae, 2305.
Gisler (Jean-Robert), 222.
Gismann-Fiel (Hildegard), 4589.
Gissel (Svend), 901.
Gissing (George Robert), 5339.
Gittins (Diana), 6247.
Giunta (Francesco), 4332.
Giurescu (Constantin C.), 429, 510.
Giusti (Luigi), 7037.
Giza (Antoni), 7106.
Gjuzelev (V.), 7142.
Gladkova (Tatiana), 5272.
Gladstone (William Ewart), 3768, 3769, 3838, 3862, 4571.
Glatz (Ferenc), 812.
Glees (Anthony), 7331.
Glénisson (Jean), XI.
Glezer (L.), 5880.
Glinka (Mikhail Ivanovič), 5586.

Glinkin (A.N.), 3369, 6762, 6798.
Gloger (Zygmunt), 681.
Glover (Rhoda), 3343.
Glowczewski (Barbara), 682.
Glück (Eugen), 6448.
Glukhareva (O.N.), 7707.
Głuszek (Stanisław), XVI.
Gneo (Corrado), 1006.
Gnoli (G.), 1271.
Gob (André), 1068, 1129.
Gobel (Gundula), 4986.
Gobineau (Joseph Arthur, comte de), 4949, 5283.
Goble (Danney), 3569.
Godbold (E. Stanley) Jr., 6947.
Godden (Geoffrey A.), 5498.
Godelier (Maurice), 683.
Godin (André), 5231.
Godiner (E.S.), 7725.
Godlewski (Jerzy Romuald), 832, 4097.
Godolphin (Sidney Godolphin, earl of), 3856.
Goegebeur (Werner), 1660.
Gömbös (Gyula), 7226.
Gömöri (György), 5335.
Görisch (Reinhard), 3197.
Goethe (Johann Wolfgang von), 5241-5244, 5376.
Goetz (Hans-Werner), 2650.
Goetz (Helmut), 4377.
Goetze (Jochen), 2273.
Goffart (Walter), 2220, 2575.
Goga (Octavian), 5329.
Gogan (Brian), 4439.
Goguey (R.), 1955.
Gohau (Gabriel), 5103.
Goichot (Emile), 407.
Góis (Damião de), 5229.
Gokhale (B.K.), 3131.
Golb (Norman), 2233, 2523.
Gol'dberg (A.L.), 4251.
Goldberg (Jacob), 4098.
Goldberg (Marylin Y.),1628.
Goldberg (P.), 1136.
Golden (Richard M.), 3650, 4440.
Goldfarb (Stephen J.), 5757.
Goldfield (David R.), 6113.
Goldin (Claudia), 5758.
Goldinger (John), 4590.
Goldmann (Philippe), 6248.
Goldschmidt (Victor), 1556.
Goldstein (Jan), 3670.
Goldstein (Leslie F.), 6505.
Goldziher (Ignác), 430.
Golikova (N.B.), 4252.
Golinski (Jan V), 5085.
Gollwitzer (Heinz), 4723.
Golomb (Solomon W.), 415.
Gołosz (Kazimierz), 3671.
Golovanova (G.A.), 3555.
Gómez de Silva (Carla), 2167.
Gómez Pérez (Carmen), 6948.
Gomi (Tohru), 1348.
Gončarova (T.V.), 7481.
Gondrand (François), 4441.
Gonnet (G.), 4591.
Gonnet (Hatice), 1364.
Gonzaga, dinastia, 4027.
González (Julian), 1676.
González García (Teodoro), 1030.
González i Betlinski (Mar-

garida), 2952.
González Román (C.), 1720.
Gooch (G.P.), 431.
Good (Jane E.), 5336, 6506.
Goodheart (Lawrence B.), 4819.
Goodich (Michael), 2972.
Gooding (David), 5117.
Goodway (David), 6507.
Goodwin (John), 945, 4630.
Góralski (Wojciech), 4398.
Gordeev (D.I.), 957.
Gordienko (E.A.), 2875.
Gordon (Charles George), 6861.
Gordon (David M.), 3672, 5759.
Gordon (George), 3860.
Gorelov (A.A.), 5373.
Gori (Dionigi), 953.
Gorki (Maksim) [pseud. of Aleksej Maksimovič Peškov], 4291.
Gorlier (Claudio), 3114.
Gorman (Mel), 5760.
Gorodeckij (E.N.) 570, 4253.
Goroško (G.B.), 6763.
Gorovei (Ştefan S.), 2474.
Gorre (Renate), 3014.
Górski (Karol), 3015.
Górski (Konstanty), 4099.
Gossweiler (Kurt), 3233.
Gothóni ((René), 4685.
Gottfried (Robert S.), 2651.
Gottschalk (Joseph), 4342.
Goubert (Jean-Pierre), 5118.
Goubert (Pierre), 6249.
Goudriaan (Teun), 7582.
Goujard (Philippe), 4442.
Gould (Cecil), 5465.
Goulet (Richard), 1447.
Goulet-Cazé (Marie-Odile), 1447.
Gousset (Marie-Thérèse), 2843.
Gouvion-Saint-Cyr (Laurent), maréchal, 7074.
Goy (Joseph), 925, 6250.
Goyeneche, familia, 6964.
Gozalbes Cravioto (Carlos), 2524.
Gozzoli (Maria Cristina), 819.
Grabar (André), 216.
Graboïs (Arieh), 3016.
Grabska (Elżbieta), 43.
Grabski (Andrzej Feliks), 339, 4781.
Gracchus (Gaius), 1856.
Grada (Cormac O.), 6127.
Gradic (Stjepan), 4734.
Graefe (Erhart), 1315.
Graf (Friedrich Wilhelm), 486.
Graf-Junod (Isabelle), 7154.
Graham (Domenick), 7187.
Graham (Gordon), 571.
Graham (Ruth), 4443.
Graham (T.W.), 799.
Grajvoronskij (V.V.), 5946.
Gramsci (Antonio), 6494.
Gran Aymerich (Jean), 307.
Granasztói (György), 467, 607, 2652, 6220, 6251.
Granatstein (J.L.), 3384.
Grănčarov (Stojčo), 3375.
Gransden (Antonio), 2762.
Grant (Michael), 1467.

Grant (Ulysses Sympson), 3436, 4675.
Granville (Harriet, countess), 3773.
Gras (Christian), 6764.
Gras (Solange), 6764.
Graß (Nikolaus), 906.
Grassé (Pierre-Paul), 5190.
Grassi (Paride de), 4393, 4472.
Grassion (Jean), 3612.
Graßl (Herbert), 1515.
Graßl (Wolfgang), 4947.
Graßnik (Martin), 1262.
Grassotti (Hilda), 2576.
Gratianus (Flavius), empereur romain, 1697.
Grau (Conrad), 4774.
Graus (František), 511.
Graves (Robert) 5284, 5379.
Gray (Robert), 6252.
Greasley (David), 5761.
Greatrakes (Valentine), 5132, 5185.
Greaves (Richard L.), 3806.
Grebner (Christian), 4592.
Grecescu (Ion), 7188.
Greci (Roberto), 2653.
Grecu (Victor V.), 4142.
Green (D.H.), 1060.
Green (Edwin), 5762.
Green (Judith A.), 2221.
Green (Michael D.), 3492.
Greenberg (Dolores), 5763.
Greene (Mott T.), 5119.
Greenhough (Paul R.), 7583.
Greenstein (Fred I.), 3493.
Grégoire (Pierre), 4062.
Grégoire (Reginald), 2953.
Gregorius, Ep. Nyssenus, Sanctus, 2026.
Gregorius, Ep. Turoniensis, Sanctus, 3046.
Gregorius Nacianzenus Sanctus, 2025.
Gregorius VII [Hildebrand], Papa, Sanctus, 2441, 3063.
Gregorius XIII [Ugo Buoncompagni], Papa, 2982.
Gregorovičová (E.), 271.
Gregory (Isabella Augusta, Lady), 5512.
Gregory (J.S.), 7631.
Gregory (Joel W.), 6856.
Greil (Arthur L.), 4987.
Grekov (B.D.), 432, 913.
Grekov (Mitrofan Borisovič), 5471.
Grenville (George), 6923.
Greschat (Martin), 3293, 4361.
Gresset (Michel), 5337.
Gressley (Gene M.), 3494.
Grewolls (Grete), 757.
Grey-Turner (Elston), 5120.
Gribeauval (Jean-Baptiste Vaquette de), 3716.
Gridley (R.E.), 5338.
Grieder (Terence), 7745.
Grierson (Philip), 117.
Grierson (William), 5285.
Griffin (Audrey), 1557.
Griffith (Robert), 3495.
Griffith (Sidney H.), 2150.
Grignaschi (Mario), 2577.
Grigoraş (N.), 2475.
Grigor'ev (A.M.), 6508.
Grigor'jan (A.T.), 954.

Grigulevič (I. R.), 702, 4073.
Grill (Johnpeter Horst), 3234.
Grillon (Pierre), 3620, 7008.
Grimaud (Dominique), 1087.
Grimm (Paul Eugen), 2654.
Grimsted (Patricia Kennedy), 264, 265.
Gripstad (Birger), 4168.
Griswold (Robert L.), 6253.
Grodziska-Ożóg (Karolina), 2222.
Groehler (Olaf), 7381.
Groessens (E.), 3092.
Grözinger (Karl Erich), 1385.
Groh (John E.), 4593.
Gromyko (Anat. A.), 7526, 6765, 7086.
Gromyko (Andrej Andreevič), 6751.
Gronewold (Sue), 7650.
Gronke (Monika), 18.
Groote (Wolfgang v.), 2476.
Gropper (Kaspar), 4592.
Gros (P.), 1965.
Gross (Jean-Pierre), 6509.
Gross (Robert A.), 5947.
Grosse (Carl), 5351.
Grosseteste (Robert), 2914.
Grossmann (Dieter), 2844.
Groszyk (Henryk), 6687.
Grotefend (Hermann), 54.
Groten (Manfred), 2223.
Groza (Petru), 4156.
Grucha1a (Janusz), 6510, 7107.
Grübler (Michael), 3235.
Gründer (Horst), 6811.
Grünert (Heinz), 1085.
Grünewald (Eckart), 443.
Grünthal (Günther), 3236.
Grundmann (Günther), 2844.
Gruner (Erich), 7108.
Gruner (Wolf D.), 7109.
Grupp (Peter), 6664, 7150.
Grzybowski (Michał Marian), 7270.
Gualandi (M.L.), 1648.
Gualazzini (Ugo), 3083.
Guardì (T.), 1558.
Guarducci (Margherita), 2048.
Guarducci (Piero), 2655.
Guarneri (Carl J.), 6511.
Guédé (J. Lorougnon), 7729.
Guénon (René), 4356.
Günther (Rigobert), 1236.
Guerra (René), 5273.
Guerreau (Alain), 1026, 2656.
Guerreau-Jalabert (Anita), 2179.
Guerri (Giordano Bruno), 3978.
Guéry (R.), 134.
Guès (André), 6039.
Guest (Avery M.), 6114.
Gueudeville (Nicholas), 4642.
Guglielmo III, re di Sicilia, 2194.
Guhu (Ranajit), 7617.
Guibal (Jean), 653.
Guiberto di Ravenna, v. Clemens III, Antipapa.
Guice (C. Norman), 4088.
Guichonnet (Paul), 7110.
Guido, Erzbischof von Vienne, v. Calixtus II Papa.

Guigou (L.-L.), 5600.
Guillaume, archevêque de Tyre, 2195.
Guillaume d'Auvergne, 2996.
Guillaume d'Auxerre, 2224.
Guillaume Ier d'Orange, v. Willem I. van Oranje.
Guillaume de Bourges, 2225.
Guillaume de Gellone, v. Willelmus, monachus Gellonensis, Sanctus.
Guillaume de Machaut, 2889.
Guillaumin (J.-Y.), 2026.
Guillemain (Bernard), 2409.
Guilleminot (Geneviève), 44.
Guillen (Pierre), 3674.
Guillère (Christian), 2578.
Guillermand (Jean), 955.
Guillermin (René), 7111.
Guillet (Béatrix), 3673.
Guillon (Clément), 4444.
Guillon-Laffaile (Fanny), 5466.
Guillot (Olivier), 3017.
Guillotel (Hubert), 3018.
Guillou (André), 2112.
Guinot (Jean-Noël), 2038.
Guinsberg (Thomas N.), 3496.
Guiol-Benassaya (Elyette), 4901.
Guiral (Pierre), 6254.
Guiraud (H.), 1966.
Guiraud (Jean-François), 3084.
Guiraud (Pierre), 157.
Guise, famille, 4404.
Guisolan (Michel), 907.
Guitry (Sacha), 5544.
Guizot (François), 433.
Guljaev (V.I.), 1075.
Gullath (Brigitte), 1468.
Gundel (Georg), 4773.
Gunnes (Erik), 3019.
Gunst (Peter), 744, 905, 908, 919, 5948.
Gunter (Peter A.Y.), 4988.
Gupta (Sanjukta), 7582.
Gurevič (Aaron J.), 2657.
Gurevič (N.M.), 3175.
Gurvič (I.S.), 674.
Gurvič (S.M.), 6512.
Gustav II Adolf, roi de Suède, 4166.
Gut (François), 2658.
Guth (James L.), 5949.
Gutiérrez (Constancio), 4445.
Gutman (Yisrael), 7271.
Gutsell (Barbara J.), 181.
Guttshan (W.L.), 6513.
Gutzwiller (Hellmut), 4.
Guy, trésorier, 2226.
Guy (J.A.), 3807, 6727.
Guyon (Edouard-Félix),7112.
Guyotjeannin (Olivier),2226.
Guzmán (Alejandro), 6728.
Guzzo (Pier Giovanni), 1967.
Gvozdikova (I.M.), 6255.
Gyivicsán (Anna), 3916.
Gyivicsán (Maria), Sz., X.
Györffy (György), 2386.
Gyurkó (László), 3917.

H

Haas (Francis J.), 4408.
Haas (V.), 1368.
Haase (Wolfgang), 1698.
Habermann (Wolfgang), 1854.
Habert (Jacques), 4328.
Habib (Irfan), 194, 7574.
Habicht (C.), 1469.
Habsburg, Dynastie, 3256, 6761, 7023.
Hackl (Ursula), 1721.
Hadarits (Géza), 5814.
Hadrianus (Publius Aelius), empereur romain, 1682.
Haeckel (Ernst Heinrich), 5157.
Haehling (R. v.), 1925.
Häme (Mikko), 3976.
Härkönen (Mirja), 4821.
Häusler (Helga), 1476.
Hagemann (Hans Rudolf), 2579.
Hagen (Manfred), 4254.
Hagen (Waltraud), 5242.
Hagenow (G.), 1268.
Hahling (Albert), 897.
Hahn (Gerhard), 3180.
Hahn (Hans Henning), 6747.
Hahn (Hans-Werner), 3238.
Hahn (István), 1470.
Hahn (Karl-Heinz), 4939.
Hahn (N.L.), 118.
Hahn (Steven), 3497.
Hahn (Werner G.), 4255.
Hahner (Péter), 3675.
Haigh (Christopher), 4594.
Haikonen (Atte), 93.
Haim (Sylvia G.), 7553.
Haines (Michael R.), 5950.
Hainsworth (D.R.), 5881.
Haisig (Marian), 79.
Hajdu (Lajos), 3918.
Halbout du Tanney (Dominique), 217.
Halemann (H.), 1722.
Halén (Harry), 183.
Halicz (E.), 4100.
Hall (Daniel George E.), 7618.
Hall (J.C.S.), 7651.
Hall (Martin), 7726.
Hall (Peter Dobkin), 4724.
Hallam (Elizabeth M.) 2580.
Hallenbeck (Jan T.), 2376.
Haller (Albrecht von), 5135.
Halleux (Robert), 5121.
Halley (Edmond), 5069.
Halpenny (Francess G.), 3383.
Halperin (John), 5339.
Hamman (A.-G.), 2026.
Hamann (Günther), 195.
Hamann-Maclean (Richard), 2845.
Hambrick-Stowe (Charles E.), 4595.
Hamelin (Jean), 3383, 4887.
Hamelin (Louis-Edmond),684.
Hamer (Dorothea), 843.
Hamilton (David E.), 5951.
Hamilton (James E.), 4619.
Hamilton (Nora), 4065.
Hamilton (Richard F.), 3239.
Hamm (Berndt), 4446.
Hammacher(Abraham Marie), 5467.
Hammacher (Renilde), 5467.

Hammack (David C.), 3498.
Hammer (Peter), 119.
Hammond (Nicholas Geoffrey L.), 1264.
Hammond (Norman), 7734, 7746.
Hammond (P.W.), 2229.
Hammond (Thomas T.), 7482.
Hamnet (Brian R.), 6949.
Hamodraka (Dēm.), 5889.
Hampartumian (N.), 1984.
Hampel (Robert L.), 6256.
Han, Chinese dynasties, 7661, 7676, 7696.
Hanagan (Michael P.), 6115.
Hanan (Patrick), 7652.
Hanaway (William L.) Jr., 1414.
Hancock (W.K.), 572.
Handlin (Lilian), 6950.
Handlin (Oscar), 6950.
Hane (Mikiso), 4053.
Hankey (Vronwy), 1203.
Hankinson (Alan), 4902.
Hannig (Jürgen), 2581.
Hannon (Joan Underhill), 5764.
Hanotaux (Gabriel), 3618.
Hanotelle (M.), 5468.
Hansen (Eric C.), 4725.
Hansen (Mathias), 5509.
Hansen (Wilhelm), 6261.
Hanson (Carl A.), 5645.
Hanson (Joanna K. M.), 7425.
Hanson (Stan), 6120.
Hanson (W.S.), 1723.
Hansot (Elisabeth), 4876.
Hantsch (Hugo), 434.
Hao (Yen-p'ing), 7541.
Harden (Donald B.), 311.
Hardesty (Von), 7272.
Hardiman (David), 6831.
Harding (A.F.), 1081.
Hardy (Madeleine), 2377.
Hardy (Thomas), 5286, 5357.
Hareven (Tamara K.), 6257.
Hargreaves (John Desmond), 6859.
Harl (M.), 2079.
Harlan (Louis R.), 3499.
Harley (C. Knick), 5765, 5766.
Harlow (Neal), 7113.
Harman (Christopher), 3240.
Harmatta (János), 1471.
Harna (Josef), 4192.
Harnisch (Hartmut), 5952.
Harries (Jill), 1922.
Harris (B.F.), 1724.
Harris (Barbara J.), 6258.
Harris (Charles H.) III, 4066.
Harris (Howell John), 5767.
Harris (Kenneth), 3808.
Harris (Stephen), 3385.
Harris (William R.), 6259.
Harrison (James Pinkney), 7619.
Harsányi (Iván), 3416.
Hársfalvi (Péter), 3919.
Hart (John), 1559.
Hartmann von Aue, 2811.
Hartmann (F.), 1725.
Hartmann (Karl), 998.
Hartung (Wolfgang), 2763.
Harvey (Barbara F.), 2314.
Harvey (Charles E.), 4596.

Hasenfratz (Hans-Peter), 1027.
Hasler (August Bernhard), 4380.
Haslip (Joan), 3357.
Hass (Ludwik), 4989, 6514.
Hassel (F.J.), 1977.
Hassler (Warren W.) Jr., 3500.
Hast (Adele), 6951.
Hatch (Nathan O.), 4353.
Hatry (Gilbert), 5768.
Hattatt (Richard), 1968.
Hattaway (Herman), 3501.
Haubelt (Josef), 417.
Hauben (Hans), 1926.
Haubtmann (Pierre), 6515.
Hauck (Karl), 512, 1231, 2353.
Haug (C. James), 6116.
Haugwitz (Karl, Graf), 5858.
Haunfelder (Bernd), 3241.
Haupt (Heinz-Gerhard), 6260.
Haupt (Herbert), 2271.
Hauser (Oswald), 7273.
Havelock (Eric A.), 1560.
Haverals (J.), 991.
Haverkamp (Alfred), 2321.
Havlíček (Karel), 4195.
Hawkes (Jacquetta), 492.
Hawranek (Franciszek), 7177.
Hay (Doddy), 7382.
Hay (Margaret Jean), 6645.
Hayashima (Akira), 7189.
Haydn (Joseph), 5554, 5572.
Hayer (Gerold), 53.
Hayes (Rutherford B.), 3469.
Hayez (Anne-Marie), 2242.
Hayez (Michel), 2242.
Hayman (Robert W.), 4447.
Haynes (D.), 1629.
Hayoun (Maurice), 2525.
Házi (Jenő), 6262.
Heale (Michael J.), 3502.
Hearden (Patrick J.), 3503.
Heckenast (Gusztáv), 471.
Hecker (Hans), 4256.
Hecker (Howard M.), 1155.
Heckscher (Eli), 435.
Hector (L.C.), 2314.
Heerma van Voss (Mattieu Sybrand Huibert Gerard), 218.
Heffeter (Franz), 768.
Hegardt (Astrid), 6040.
Hegel (Georg Wilhelm Friedrich), 351, 4985, 4990, 4992, 4998, 5017.
Hegglin (Franz Joseph), 4177.
Heideking (Jürgen), 7424.
Heidner (Jan), 4160.
Heidrich (Charlotte), 3358.
Heilmann (Willibald), 1899.
Heimann (Heinz - Dieter), 2477.
Heimann (Peter), 219.
Heimmel (Jennifer P.), 3020.
Heimpel (Hermann)758, 2764.
Heine (Heinrich),5287, 5318, 5345, 5389.
Heine (Peter), 2542.
Heine (Ronald E.), 2035.
Heinekamp (Albert), 451.
Heinemeyer (Karl), 2410.
Heinig (Paul-Joachim), 2478.
Heininger (Janet E.), 4597.

Heinrich I., deutscher König, 2284.
Heinrich IV., röm.-deutsch. Kaiser, 2441, 3063.
Heinrich VI., röm.-deutsch. Kaiser, 2250.
Heinrich der Löwe, Herzog von Sachsen u. Bayern, 2410, 2414.
Heinrich III., Herzog von Schlesien, 19.
Heinrich (Ernst), 1349.
Heinrichs (Johannes), 1911.
Heintz (Jean-Georges), 1299.
Heinzer (Felix), 2981.
Heitzer (Horstwalter), 4488.
Heitzmann (William Ray), 3504.
Hejlskov Larsen (Tue), 2582.
Hejnic (Josef), 5219.
Helck (Wolfgang), 1316.
Heldman (Henri), 6516.
Heldmann (Konrad), 1423, 1561.
Helle (Knut), 3085.
Hellegouarc'h (Joseph), 1693, 1900.
Heller (Agnes), 573.
Heller (Klaus), 5882.
Hellie (Richard), 6263.
Hellinga (Lotte), 39.
Hellmann (Martin), 2333, 2334.
Helluin (M.), 1124.
Helmer (Daniel), 1162.
Helmont, v. Van Helmont.
Héloïse, 2747.
Heltai (János), 4726.
Helvétius (Claude-Adrien), 4938, 5040.
Hemmings (Frederick William J.), 5340.
Henderson (John S.), 7747.
Hendrickson (David C.), 6995.
Hendrickx (J.-R.), 994.
Hendrix (Scott H.), 4598.
Henggeler (Rudolf), 1028.
Henige (David P.), 574.
Henke (Josef), 266.
Henke (Klaus-Dietmar), 7483.
Henkel (Willi), 1007.
Hennesey (James), 4371.
Hennicke (Otto), 719.
Henning (Friedrich-Wilhelm), 5953.
Henning (Hans), 5241.
Henning (Hansjoachim), 6168.
Henning (Peter), 759.
Henrat (Philippe), 6123.
Henri II, roi de France, 7015.
Henri IV, roi de France, 3631, 3708.
Henrichvark (Frank), 2212.
Henriet (Jacques), 2846.
Henripin (Jacques), 6122.
Henry I, king of England, 2400.
Henry II, king of England, 2423.
Henry III, king of England, 2490.
Henry VI, king of England, 2490.
Henry VII king of England, 3816, 7029.
Henry VIII, king of England, 3807, 3859.
Henry (Donald O.), 1088.
Henryk IV Prawy [Probus], prince de Wrocław et de Cracovie, 2446.
Henrywood (R.K.), 5496.
Henson (Curtis T.) Jr., 7114.
Henwood (Philippe), 2847.
Heppe (Heinrich), 4671.
Hepworth (Barbara), 5249.
Herakleitos, 1553, 1566, 1578.
Herbert (Robert L.), 5469.
Herbst (Jurgen), 4822.
Herde (Peter), 2928, 7115.
Herder (Johann Gottfried), 4939.
Heredia Herrera (Antonio), 267.
Herényi (István), 2378.
Heres (Theodora Leonore), 1969.
Herity (M.), 1156.
Herkenrath (Rainer M.), 2227.
Herlan (Ronald W.), 6264.
Hermann (Joachim), 761.
Hermann (Werner), II.
Hermansen (Gustav), 1855.
Hermary (Antoine), 1617.
Hermon (E.), 1856.
Hernádi (László Mihály), 891.
Hernández Aparicio (Pilar), 6952.
Herndon (G. Melvin), 5954.
Herodotos, 389, 1456, 1559, 1564.
Heron, family, 5580.
Herring (George C.), 7484.
Herrmann (Joachim), 1089, 1238, 1279, 2560.
Herrmann (Ulrich), 4707.
Herschler (David H.), 268.
Hertel (Jacek), 64.
Hertz-Eichenrode (Dieter), 3242.
Hérubel (Michel), 2479.
Hervé (Roger), 179, 4334.
Herwig (Holger H.), 436, 7165.
Herzberg (Guntolf), 416.
Herzfeld (Michael), 3884.
Herzstein (Robert Edwin), 3243.
Hesbert (René-Jean), 2890, 5250.
Hesiodos, 1401, 1561,1575.
Hess (Jürgen C.), 3809.
Hesse (Hermann), 5353.
Hesse (Peter), 941.
Hester (James), 575.
Heston (Thomas J.), 7485.
Heubeck (A.), 1562.
Heumos (Peter), 6517.
Hewitt (George R.), 3810.
Heyck (Thomas William), 4727.
Heydeck (Klaus), 4823.
Heyen (Franz-Josef), 283.
Heydenreuter (Reinhard), 3244.
Heyl (John D.), 576.
Heyrman (Christine Leigh), 6265.
Hezel (Francis X.), 4529.
Hiernard (J.), 108, 120.

Hieron Ier, tyran de Syracuse, 1558.
Hieronymos ho Kardianos, 1472.
Hieronymus von Prag, v. Jeroným Pražský.
Hieronymus (Frank), 40.
Hiersemann (Michael), 2929.
Hietanen (Silvo), 3604.
Higgs (Robert), 5908.
Higman (Francis), 4554.
Hilaire (Yves-Marie), 3676.
Hildebrand (Klaus), 235.
Hill, family, 5580.
Hill (Leonidas E.), 3198.
Hill (Octavia), 3779.
Hillgruber (Andreas), 436, 7274, 7332.
Hilpert (Hans-Eberhard), 2411.
Hilton (Stanley E.), 3370.
Hilton (Sylvia-Lyn), 6953.
Hilts (Victor L.), 5122.
Himka (John-Paul), 4257.
Hinard (F.), 1743.
Hinchman (Lewis P.), 4992.
Hinckley (Ted C.), 3505.
Hinkel (Friedrich W.), 1317.
Hinton (James), 6518.
Hipler (Wendel), 3204.
Hippokrates, 1445, 1532, 1545.
Hippolytus, Sanctus, 2015.
Hirsch-Weber (Wolfgang), 3393.
Hirschfeld (Gerhard), 6402.
Hirst (David), 3405.
Hirsti (Reidar), 4078.
Hirth (Wolfgang), 2765.
Hiskija, Ezechias, König v. Juda, 1387.
Hiss (Alger), 3584.
Hitchins (Keith), 808.
Hitler (Adolf), 3219, 3239, 3287, 3289, 3323, 3326, 3360, 6563, 7377.
Hjärne (Erland), 2583.
Hobart (Michael E.), 4993.
Hobbes (Thomas), 5023.
Hobsbawm (Eric J.), 6519.
Hobson (Marian), 5400.
Hobson (Samuel) (Deborah W.), 1318.
Hoch (Steven L.), 6117, 6268.
Hockey (S.F.), 2228, 2361.
Hocquard (J.-V.), 1611.
Hodges (Richard), 583, 2660.
Hodne (Fritz), 5646.
Höckmann (Olaf), 1970.
Höckmann (Ursula), 1661.
Hödl (Günther), 111.
Hoeges (Dirk), 433.
Höhmann (Hans-Hermann), 5637.
Höllmann (Thomas O.), 685.
Hömig (Herbert), 5251.
Höpfl (Harro), 4599.
Höpner (Michael), 3391.
Hörling (Hans), 4903.
Hörmann-von Stepski (Stanislaus), 2124.
Hörster-Philipps (Ulrike), 3245.
Høyer (Svennik), 4904.
Hofer (Walther), 340.
Hoff (Pierre), 3677.
Hoffman (Louise E.), 5124.

Hoffmann (Fritz), 3025.
Hoffmann (Paul), 5125.
Hoffmann (Peter), 3246.
Hoffmann (Philippe), 42.
Hoffmann (Tamás), 905.
Hoffmannová (Eva), 4825.
Hofmann (Inge), 1296, 1319.
Hofrichter (Hartmut), 1262.
Hogan (Brian), 4339.
Hogan (Michael J.), 7486.
Hogenhuis-Seliverstoff (Anne), 7190.
Hogg (J.), 2190.
Hohenzollern, Dynastie,, 6782.
Hohenzollern-Sigmaringen, Dynastie, 7089.
Hohlfelder (Robert L.), 2126.
Hohlweg (A.), 2124.
Holbach (Rudolf), 3021.
Holbein (Hans), 4749.
Holcomb (Michael), 6766.
Holder (Paul A.), 1726.
Holl (Béla), 4728.
Holl (Imre), 2848.
Holland (R.F.), 3812.
Hollander (Russell), 6269.
Hollar (Wenceslaus), 5478.
Hollerbach (Maria), 4354.
Hollerich (Michael J.), 2080.
Holley (I.B.) Jr., 3506.
Hollné Gyürky (Katalin), 2954.
Hollós (Ervin), 7487.
Holmberg (Åke), 736.
Holmberg (Erik), 6659.
Holmberg (Håkan), 4167.
Holmes (Geoffrey), 3813.
Holmes (John W.), 7488.
Holmes (Larry E.), 341.
Holmes (M.), 3814.
Holmes (Peter), 4448.
Holmes (Stephen), 3678.
Holmgren (Jennifer), 7620.
Holmquist (Bengt M.), 4168.
Holt (J.C.), 2661.
Holt (Stephen), 3344.
Holt (Thomas C.), 6270.
Holtfrerich (Carl-Ludwig), 5647.
Holton (Gerald), 5126.
Holtzman (Ellen M.), 6271.
Holtzmann (Walther), 2201.
Holub (Ota), 4188, 7275.
Holzmann (Hermann), 906.
Homann (Hans-Dieter), 3230.
Homeros, 1561, 1562, 1576, 1595.
Homet (Jean-Marie), 5127.
Hone (J. Ann), 3815.
Honter (Johannes), 192.
Honvári (János), 6500.
Honzík (Miroslav), 6761.
Hood (John Bell), 3531.
Hood (Sinclair), 1090.
Hoogendijk (Francisca A.J.), 1563.
Hooglund (Eric J.), 3961.
Hooke (Janet), 197.
Hoover (Herbert), 5951.
Hoover (J. Edgar), 7369.
Hope (Valerie), 804.
Hopf (Maria), 1091.
Hopkins (J.F.P.), 7714.
Hopkins (James K.), 4600.
Hopper (R.J.), 1516.
Hopwood (Derek), 3406.
Horatius Flaccus (Quintus),

1895.
Horbacz (Tadeusz J.), 1092.
Hordes (Stanley M.), 4449.
Horedt (Kurt), 1727.
Horgosi (Odön), 5.
Horn (Norber), 6642.
Horna (Hernán), 5769.
Hornblower (Jane), 1472.
Hornblower (S.), 1291.
Hornung (Erik), 1320.
Hornus (Jean-Michel), 4341.
Horowitz (Irving Louis) 864.
Horowitz (Mark R.), 3816.
Horrox (Rosemary), 2229.
Horst (F.), 1189.
Horst (Ulrich), 4381.
Horste (Kathryn), 2849.
Horstkötter (Ludger), 2982.
Horthy de Nagybánya (Miklós), 3925, 3939, 7225.
Horvath (Emmerich Karl), 5539.
Horváth (Ferenc), 1157.
Horváth (Gyula), 4067.
Horváth (István), 1099.
Horváth (Jenő), 6520.
Horváth (Tamás), 5955.
Horváth (Vladimír), 6685.
Horvath-Peterson (Sandra), 4450.
Horwitch (Mel), 5648.
Hosák (Ladislav), 844.
Hossfeld (Frank-Lothar), 1386.
Hossfeld (Paul), 2910.
Hoste (Anselm), 439.
Houben (Hubert), 2662.
Houel (Annik), 6461.
Hounshell (David A.), 631.
Hourdin (Georges), 4451.
House (Edward M.), 7197.
Housley (Norman), 2930.
Hovannisian (Richard G.), 4258.
Hovi (Kalervo), 3132.
Howard (Perry W.), 3530.
Howell (M.), 3022.
Howey (Richard), 893.
Howgego (C.J.), 121.
Howland (William D.), 6125.
Howson (A.G.), 4826.
Hoyt (Edwin P.), 3507.
Hoyt (Frederick B.), 4601.
Hrabanus Maurus, Magnentius, 2766, 2790.
Hrdina (Karel), 5219.
Hříbek (Bruno), 4197.
Hříbek (Josef), 7489.
Hrochová (Mária), 5063.
Hrochová (Věra), 2412.
Hronský (Marián), 7191.
Hrubý (Karel Otto), 4195a.
Hu (Chi-hsi), 7695.
Hua (Chang-ming), 7653.
Huard (Raymond), 3679.
Hubatsch (Walter), 748.
Hubert (Marie-Clotilde) 452.
Hudson (James J.), 3508.
Hudson W.J.), 7192.
Hudson (William Henry), 5384.
Hübner (Wolfgang), 1443.
Huet (Bernard), 5734.
Hufbauer (Karl), 5770.
Hugedé (Norbert), 2109.
Hughes (Kathleen) 513, 2362.
Hughes (Sir Sam), 3385.
Hugo (Victor), 5313.

Hugueney (Jeanne), 6123.
Hull (Isabel V.), 3247.
Hulthén (Birgitta), 1215.
Hultkrantz (Åke), 4686.
Humbel (Werner), 4174.
Humbert (Jean-Marcel), 312.
Humbert (M.), 1777.
Humboldt (Alexander von), 3109, 5067.
Hume (D.), 36.
Hume (David), 437, 4959, 4979.
Hume (Ivor Noel), 6955.
Hume (Leslie Parker), 3817.
Humilière (Jean-Michel), 6521.
Humphreys (Robert Arthur), 7276.
Hundsbichler (Helmut), 241.
Hunt (Barry D.), 3818.
Hunt (David), 6832.
Hunt (Edward David), 2081.
Hunt (John Dixon), 5401.
Hunter (Helen Manning), 6041.
Hunter (John), 5135, 5167.
Hunter (Virginia), 1564.
Hurezeanu (Damian), 5341.
Hurst (Clive), 291.
Hus (Jan), 2999a.
Hus (Mikuláš), 2500.
Husener (Hermann), 438.
Huskinson (J.M.), 2082.
Husmann (Heinrich), 2151.
Hussain (Athar), 6522.
Hussein (Faleh), 2543.
Husserl (Edmund), 5017.
Hutcheson (Francis), 5044.
Hutchinson (Keith), 5128.
Hutchinson (Thomas), 6976.
Huter (Franz), 2450.
Hutter (Manfred), 1387.
Hutton (Anthony), 1216.
Hutton (Patrick H.), 3680.
Huxley (Aldous L.), 5059.
Huyghens (Christiaan), 5129.
Huyghebaert (Nicolas-N.), 439, 514, 2230.
Hyde (Mary), 5294.
Hyland (Richard P.), 5956.
Hyman (Anthony), 7490.
Hyman (Harold M.), 6665.
Hyman (Neil M.), 7165.
Hythloday (Raphael), v. Thomas Morus, Sanctus.

I

Iaccio (Marina), 4888.
Iavolenus Priscus (C. Octavianus Tidius Tossanius L.), 1809.
Ibn Khaldun ('Abd al-Raḥmān), 2553.
Ibn al-Māristanīyya, 2551.
Ibn Rushd (Abū al-Walīd Muḥammad ibn Aḥmad ibn Muḥammad), 2760, 2909.
Idema (Wilt), 7654.
Iftikhar-ul-Awwal (Azm), 7584.
Iggers (Georg G.), 342.
Iklódi (András), 1031.
Ikni (Guy), 5957.
Ikonnikov (A.A.), 5540.
Ikonnikov (A.V.), 5422.
Ikvai (Nándor), 809.

Ilčev (Ivan), 7193.
Il'ina (G.I.), 4729.
Il'inskaja (L.S.), 1415.
Iljukhina (R.M.), 7194.
Illés (Krisztina), 856.
Ilovaïsky (Olga), 3621.
Imbert (Jean), 909.
Immenkötter (Herbert), 4452.
Imreh (István), 6272.
Ince (M.), 3143.
Inglis (Fred), 865.
Ingram (Edward), 7065.
Ingrao (Charles), 3248.
Ingremeau (Christiane), 2030.
Ingstad (Anne Stine), 1217.
Inikori (J.E.), 5883.
Innitzer (Theodor), Kardinal, 3359.
Innocentius III [Giovanni Lotario, conte di Segni], Papa, 2250.
Inopin (E.V.), 5156.
Inozemcev (N.N.), 7507.
Invernizzi (Fausto), 5649.
Ionescu (Grigore), 979.
Ionescu (Ştefan), 4143.
Ionova (Ju. V.), 7708.
Iordan-Sima (Constantin), 7195.
Iorga (Nicolae), 368, 440.
Iosa (Mircea), 5958.
Iosipescu (Sergiu), 198, 2480.
Iplikcioğlu (Sitki Isa Bülent), 1799.
Irenaeus, Ep. Lugdunensis, Sanctus, 2027.
Irgang (Winfried), 19, 3086.
Irick (Robert L.), 7655.
Irmina von Oeren, 2732.
Irmscher (Johannes), 493, 1565.
Irmschler (Konrad), 585.
Irons (Peter H.), 6666.
Irsigler (Franz), 2636.
Isaac, patriarcha biblicus, 2873.
Isaac (Benjamin), 1971.
Isaac (Daniel), 1451.
Isaac (Rhys), 6273.
Isabella d'Este, v. Este (Isabella d').
Isachei (Elizabeth), 4074.
Isacson (Maths), 5788.
Isaias, propheta), 2038.
Isambour ou Ingeborg de Danemark, reine de France, 2433.
Isastia (Anna Maria), 3984.
Isauriens (les), dynastie byzantine, 2158, 2175.
Ischreyt (Heinz), 515, 4735.
Iscru (Gheorghe D.), 4144.
Iselin (Jakob Christoph), 362.
Ishida (Tomoo), 1407.
Isidorus Hispalensis, Sanctus, 2517.
Iskanius (Markku), 5650.
Ismael (Jacqueline S.) 7551.
Ismail-Zade (D.), 5959.
Isoart (Paul), 6824.
Ispir (Mihai), 980.
Israel (Jonathan I.), 7009.
Issawi (Charles), 912.
Isserman (Maurice), 6524.
Isticioaia-Budura (Tatiana),

XVII.
István [Etienne] Ier, roi de Hongrie, v. Stephanus I, rex Hungariae, Sanctus.
Iustin, patriarche de Roumanie, 1537.
Ivan IV Groznij [le Terrible], tsar de Russie, 2516, 4256, 4306.
Ivanov (A.E.), 4260.
Ivanov (M.S.), 3962.
Ivanov (V.V.), 587.
Ivanova (L.V.), 5385.
Iványosi-Szabó (Tibor), 3902.
Iverson (Peter), 3509.
Ivone (Diomede), 6526.
Ivonin (Ju. E.), 7019.
Izsák (Lajos), 3920.

J

Jachymek (Jan), 4101.
Jackel (Susan), 6110.
Jackman (Sydney Wayne), 495.
Jackson (D.E.P.), 2547.
Jackson (Marvin R.), 5651, 5658.
Jacob (James E.), 3681.
Jacobs (Ian), 4068.
Jacobs (Silvia M.), 4355.
Jacobs (W.A.), 7384.
Jacobsen (Peter Christian), 2253.
Jacobus Maior, Apostolus, Sanctus, 2020, 2107.
Jacobus von Lüttich, 2885.
Jacoby (David), 2152.
Jacoby (Yoram Konrad), 3309.
Jacoby (Zehava), 2850.
Jacoway (Elizabeth), 6275.
Jacquart (Danielle), 2767.
Jacquemin (Anne), 1630.
Jacques (François), 2106.
Jacques-Meunié (Denise), 7727.
Jaczewski (Bohdan), 4781.
Jadoux (Henri), 5544.
Jaeck (Hans-Peter), 4995.
Jaeger (Georg), 2481.
Jaeger (Pier Giusto), 4013.
Jähnig (Bernhart), 748.
Jaguttis-Emden (M.), 1095.
Jaher (Frederic Cople), 6276.
Jahn (Ilse), 959.
Jain (Ravindra K.), 7491.
Jairazbhoy (R.A.), 1096.
Jajlenko (V.P.), 1517.
Jakabffy (Imre), II.
Jakob (H.), 3087.
Jakob-Rost (Liane), 1350.
Jakobson (V.A.), 1266.
Jakovlev (A.I.), 7492.
Jakovlev (P.P.), 6762.
Jambou (Louis), 5545.
James I, king of Great Britain a. Ireland, 6719.
James III, king of Scots, 2493.
James (Edward), 2363.
James (John), 2851.
James (Marie-France), 4340, 4356.
James (Robert Rhodes), 3765.

James (T.G.H.), 243.
James (William), 5001.
Jamieson (Perry D.), 3532.
Jan, König von Böhmen, 2510.
Jan III Sobieski, roi de Pologne, 4730.
Janák (Jan), 6685.
Jančuk (I.I.), 7196.
Janeczek (Andrzej), 3088.
Janick (Herbert), 4453.
Janin (V.L.), 130, 852, 1104, 2663, 6143.
Janko (Jan), 5130.
Jankovics (József), 3895.
Jankowsky (Kurt R.), 526.
Jannot (Jean-René), 1662.
Janos (Andrew C.), 3921.
Janowska (Halina), 4124.
Jansen (Cornelius Otto), 4454.
Jansen (Jacob J.), 1296.
Jansen (Marc Carel), 4262.
Janssen (Wilhelm), 283, 2276a.
Jansson (Per), 5652.
Jansson (Torkel), 6277.
Janus Pannonius, 2199.
Janvier (Yves), 2083.
Jarausch (Konrad H.), 3249.
Jarck (Hans-Heinrich), 2307.
Jardin (André), 3623.
Jardin (Pierre), 6664.
Jaritz (Gerhard), 2955.
Jarman (H.N.), 1083.
Jarman (M.R.), 914, 1083.
Jarnut (Jörg), 2379.
Jarrick (Arne), 588.
Jarustovskij (B.M.), 5546.
Jarva (Eero), 1857.
Jasiński (Jakub), 4118.
Jasiński (Janusz), 4102.
Jaśkiewicz (Leszek), 7116.
Jasper (Gotthard), 3250.
Jászay (Magda), 6768.
Jászi (Oszkár), 866.
Jaurès (Jean), 3726, 6622a.
Jaworski (Rudolf), 7117.
Jay (John), 3540.
Jažborovskaja (I.S.), 6475.
Jean II le Bon, roi de France, 2455.
Jean de Montfort, duc de Bretagne, 2485.
Jean de Paris, 3044.
Jeanne d'Arc, 2453, 2459, 2466, 2482, 2503.
Jeanne de Penthièvre, duchesse de Bretagne 2485.
Jeanne la Flamme, v. Jeanne de Penthièvre.
Jeannin (Pierre), 3819.
Jefferson (George), 5343.
Jefferson (Thomas), 3470, 3560, 7071.
Jeffrey (Robin), 7539.
Jehl (Rainer), 1032, 3023.
Jelavich (Barbara), 7118.
Jeleček (Leoš), 5960.
Jemnitz (János), 6528.
Jemolo (Arturo Carlo), 441, 6646.
Jencks (Harlan W.), 7656.
Jenei (Ferenc), 3895.
Jenewein (Gunhild), 11.
Jenks (Stuart), 80, 2664.
Jenner (Edward), 5174.
Jenner (Harald), 6278.

Jensen (Billie Barnes), 7197.
Jensen (Frede P.), 7020.
Jensen (Richard A.), 5871.
Jenson (Carol E.), 6667.
Jequier (Marie-Claude), 7054.
Jeremias, propheta, 1265.
Jeroným Pražský, 2290.
Jerzy z Tyczyna [de Tyczyn], 7014.
Jesus Christus, 1698, 2067, 2088, 3002, 6590.
Jeszenszky (Géza), 445.
Jeudy (Colette), 294.
Jeunesse (C.), 1158.
Jeweit (Robert), 2109.
Jindra (Zdeněk), 589.
Joachimi (Herbert), 7510.
Joannes Saresberiensis, v. John of Salisbury.
Joannes (F.), 1285.
Jobert (Ambroise), 3634.
Jobst (W.), 1972.
Jochmann (Werner), 765, 3293.
Jönsson (Dan-Erik), 590.
Johann von Luxemburg, v. Jan, König von Böhmen.
Johann [Baptist Joseph Fabian Sebastian], Erzherzog von Österreich, 3354, 5780.
Johann VIII., Bischof von Meißen, 4456.
Johannes Baptista Maria Vianney, Sanctus, 4435.
Johannes Chrysostomus, Patriarcha Byzantinus, Sanctus, 2028.
Johannes Damascenus, Sanctus, 2118.
Johannes Eudes, Sanctus, 4444, 4478.
Johannes Evangelista, Sanctus, 2016, 2029, 2033.
Johannes Paulus II [Karol Wojtyła], Papa, 4382, 4384.
Johannes Nicolai Pauli, notaio, 2257.
Johannes Saresberiensis, v. John of Salisbury.
Johannesson (Gösta), 4834.
Johansen (Paul), 442.
Johansson (Ingemar), 6529.
John, king of England, 140, 2411.
John of Salisbury, 2742, 3011.
John (Michael), 6279.
Johnson (Barbara), 1321.
Johnson (Byron Bancroft), 6334.
Johnson (Chalmers), 4054.
Johnson (Dale A.), 4602.
Johnson (David A.), 3510.
Johnson (David R.), 6280.
Johnson (Donald L.), 5423.
Johnson (Douglas H.), 6860, 6861.
Johnson (Eric A.), 6206, 6281.
Johnson (James H.), 3868.
Johnson (Kaye Martin), 7493.
Johnson (L.P.), 1060.
Johnson (Lyndon Baines), 3455, 3461, 3475, 3533.
Johnson (Maxwell Orme),

7552.
Johnson (Richard), 344.
Johnson (Robert E.), 4263.
Johnson (Samuel), 4979.
Johnston (R.G.), 3388.
Johnstone (W. Ross), 3820.
Jolibert (Bernard), 6282.
Jolivet (Jean), 2911.
Jolivet (Vincent), 1663.
Jonas (Friedrich), 3682.
Jonas (Hans), 4603.
Jonas (Manfred), 3511.
Jones (Adrian), 6530.
Jones (Adrienne), 2413.
Jones (Archer), 3501.
Jones (Barry), 738.
Jones (C.), 3613.
Jones (Clyve), 3821.
Jones (David), 6283.
Jones (Dorothy V.), 6956.
Jones (Howard), 5131.
Jones (J.E.), 1518.
Jones (James Pickett), 3512.
Jones (Joseph), 5653.
Jones (Mark), 313.
Jones (Michael), 2483.
Jones (P.M.), 3683.
Jonge (Alex de), v. De Jonge (Alex).
Jonsson (Hannes), 6748.
Jordan (David W.), 6957.
Jordan (Hamilton), 3513.
Jordan (Karl), 2414.
Jordan (Mark D.), 2912.
Jordan (Philip D.), 4604.
Jordanes, 2261.
Jorio (Marco), 7066.
Joseph II., röm.-deutscher Kaiser, 3365, 3918, 4366, 4505, 5911, 5940.
Joseph (G.M.), 6769.
Joseph (Gilbert), 7279.
Josephus, Sanctus, 4403, 4478, 4483.
Josephus (Flavius), 1265, 1373.
Jouanna (Arlette), 345.
Joubain (André), 5446.
Joubeaux (Hervé), 1988.
Jouhaud (Christian), 3684.
Joukovsky (Françoise), 5232.
Jouvenel des Ursins (Henry de), 7229.
Joxe (Roger), 4605.
Józsa (Antal), 6531.
Judd (Denis), 6729, 6813.
Judet de la Combe (Pierre), 1437.
Judt (Tony), 6532.
Juergens (George), 4907.
Jürss (Fritz), 1267.
Juhász (Gyula), 7317.
Julia (Dominique), 4455, 4775.
Julian of Norwich, 3020.
Julianus (Flavius Claudius), empereur romain, 1709.
Julien (Michèle), 1125.
Julow (Viktor), 3922.
Jung (Carl Gustav), 4988, 5059.
Jung (Helmut), 1631.
Junke (Beat), 4174a.
Junod (Eric), 2029, 2060.
Jupp (James), 3822.
Jurgens (Madeleine), 269.
Justinianus I, empereur de

INDEX DES NOMS D'AUTEURS ET DE PERSONNES 349

Byzance, 746, 2146.
Juszczakowska (Halina), 5252.

K

Kabo (Vladimir R.), 1126.
Kabuzan (V.M.), 663, 6118.
Kaczmarczyk (Janusz), 7041.
Kaczmarek (Kazimierz), 7385.
Kaczyńska (Elżbieta), 6284.
Kádár (János), 3917.
Kadish (Alon), 5601.
Kadlec (J.), 3024.
Kaegi (Walter Emil) Jr., 2128.
Kaegi (Werner), 408.
Kaestle (Carl F.), 4827.
Kaestli (Jean-Daniel), 2029.
Kagan (Donald), 122.
Kaganoff (Nathan M.), 244.
Kahrl (William L.), 3514.
Kain (R.J.P.), 197.
Kaiser (Colin), 6695.
Kaiser (Jochen-Christoph), 6533.
Kaiser (Reinhold), 123.
Kaiser-Guyot (Marie-Thérèse), 123.
Kajanto (Iiro), 2931.
Kákosy (László), 1322.
Kakuk (Zsuzsa), 144.
Kalckhoff (Andreas), 2484.
Kalcyk (Hansjörg), 1519.
Kalicz (Nándor), 1159.
Kaliner (Walter), 4456.
Kalinowski (Marc), 7657.
Kaliszewski (S.), 4121.
Kallias, 1482.
Kalligas (M.), 5470.
Kallinikos, Sohn des Euxenos, 1496.
Kallio (Veikko), 972.
Kálmán (Béla), 469.
Kalmykov (N.P.), 3371.
Kambyses II, roi de Perse, 1319.
Kamenskij (A.V.), 6696.
Kamerkar (M.), 7587.
Kamieńska (Anna), 1037.
Kamil (Turhan), 1191.
Kaminski (Jacqueline), 5670.
Kammerer (Louis), 4457.
Kamody (Miklós), 5706.
Kamp (Norbert), 2353, 2415, 2584.
Kancewicz (Jan), 6534.
Kandel' (E.P.), 6535.
Kannengiesser (Charles), 2042.
Kant (Immanuel), 1050, 4961, 4991, 5018, 5035, 5049.
Kantor (Ryszard), 5499.
Kantorowicz (Ernst), 443.
Kantzenbach (Friedrich Wilhelm), 444, 5025.
Kapała (Zbigniew), 7426.
Kapeluś (Helena), 672.
Kapera (Z.J.), 1283.
Kepinski (Christine), 1292.
Kapiszewski (Andrzej), 6285.
Kaplan (Barbara), 5132.
Kaplan (Lawrence S.), 6770.
Kaplan (Steven L.), 3685, 4742, 5773.
Kaplan (Yosef), 4687.
Kappeler (Andreas), 4264.

Kappelhoff (Bernd), 3251.
Kapsner (O.L.), 1009.
Kapur (Harish), 508.
Karabélias (Evanghelos), 2133.
Karafiáth (Judit), 607.
Karagheorghis (Vassos), 1097, 1632.
Karamanlis (Konstantinos), 3887.
Karamzin (Nikolaj Mikhailovič), 4396.
Karavites (P.), 1473.
Karayannopulos (Johannes), 2119.
Karceva (Z.I.), 5372.
Kardelj (Edvard), 4320.
Kargon (Robert H.), 5133.
Karimi (A.), 656.
Karl I. d. Große, Charlemagne, röm. Kaiser, König d. Franken, 358, 3010, 3035.
Karl II. d. Kahle, röm. König, König v. Frankreich, 2230, 2377, 2382.
Karl IV, röm.-deutsch. Kaiser, 2339, 2487, 2600.
Karl V., röm.deutsch. Kaiser, 3256, 4365, 7027.
Karl XII, roi de Suède, 4172.
Karl, Prinz von Lothringen, v. Charles [Alexandre], prince de Lorraine.
Karl [Ludiwg Johann], Erzherzog von Österreich, 7075.
Karlin-Hayter (Patricia), 2153.
Karlinger (Felix), 705.
Kárný (Miroslav), 7280.
Karolinger, v. Carolingiens, dynastie.
Karyškovskij (P.O.), 1496.
Kaser (Karl), 3135.
Kaser (M.), 5638.
Kaser (Max), 1800.
Kassandros, roi de Macédoine, 1462.
Kasser (Rodolphe), 159.
Kaštanov (S.M.), 402.
Kastory (Andrzej), 7333.
Kašuba (M.S.), 662.
Katafiasz (Thomas), 5134.
Katardżiew (Iwan), 4103.
Katharina von Sachsen, Gemahlin Sigmunds von Tirol, 2450.
Katona (Imre), 687.
Katona (Tamás), 3897, 3900.
Katousian (Homa), 5602.
Katt (N.), 1033.
Katz (David S.), 4688.
Katz (Michael B.), 5654.
Katzenellenbogen (Simon E.), 5655.
Katzoff (Ranon), 1678.
Kauffman (Christopher J.), 4458.
Kaufhold (Karl Heinrich), 5656.
Kaufman (Allen), 5603.
Kaufman (Burton I.), 7494.
Kaufman (Peter Iver), 4459, 4606.
Kaufmann (B.), 1137.
Kaulisch (Baldur), 3252.

Kaunitz (Wenzel Anton, Reichsfürst von K.-Rietberg), 3352.
Kautsky (John H.), 739.
Kautsky (Karl), 4958.
Kayser (Robert), 7376.
Kazakevič (I.S.), 6584.
Kazar'janc (E.G.), 5483.
Kazhdan (Alexander), 2129, 2130, 2340.
Kazimierz III Wielki [le Grand], roi de Pologne, 2298, 2515.
Kazinczy (Ferenc), 5245, 5481.
Kea (Ray A.), 7728.
Keaveney (Arthur), 1728, 1729.
Kecskeméti (Károly), 3923.
Kedar (Benjamin Z.), 2416, 2425.
Kedourie (Elie), 7553.
Kedrov (B.M.), 5162.
Kedward (H.R.), 3686.
Keeble (N.H.), 5253.
Keel (Othmar), 199, 5135.
Keeler (Mary Frear), 4330.
Kehr (Helen), 3182.
Keiderling (Gerhard), 7495.
Keil (Gundolf), 2777.
Keith (W.J.), 5274.
Kelemen (Márta), H., 1099.
Kellenbenz (Hermann), 516, 939, 2665, 4336, 5703.
Keller (Elke), 6451.
Keller (Erwin), 4460.
Keller (Hagen), 2585, 2586.
Keller (Józef), 4538.
Kellogg (Frank Billings), 7201.
Kellogg (John), 6119.
Kelly (D.H.), 1474.
Kelly (George Armstrong), 3687.
Kelly (Klara B.), 7736.
Kelly (M.), 6536.
Kelly (Thomas), 1475.
Kemal Atatürk (Mustafa), 357, 1295, 7195.
Kemble (Fanny), 5537.
Kemény (Gábor G.), 445, 3136.
Kemmeter (Ernst), 6181.
Kempner (Robert M. W.), 3309.
Kendall (Alan), 5547.
Kende (János), 6468.
Kenec'hdu (Tanguy), 4461.
Kenez (Peter), 4828.
Kennedy (D.L.), 1973.
Kennedy (Dane), 6862.
Kennedy (John Fitzgerald), 3455, 3517.
Kennedy (Liam), 1161.
Kennedy (Michael L.), 3688.
Kennedy (P.), 3137.
Kenney (E.J.), 1892.
Kenny (Anthony), 2902.
Kent (D.V.), 2666.
Kent (F.W.), 2666.
Kent (Peter C.), 7198.
Képes (Géza), 1239.
Kepler (Johannes), 5101.
Keppie (L.), 1974.
Kerenski (Aleksandr Fedorovič), 4304.
Keresztury (Dezső), 292, 2262, 5501.

Kerff (Franz), 2232.
Kermina (Françoise), 3689.
Kern (B.-R.), 6647.
Kern (Udo), 3025.
Kernek (Sterlin J.), 7199.
Kerner (Max), 2337, 2380.
Kerouac (Jack), 5328.
Kerr (Don), 6120.
Kerr (James E.), 6668.
Kersaudy (François), 7334.
Kervran (Marcel), 2485.
Kesner (Richard M.), 6814.
Kessel (Eberhard), 517.
Kessel (Elizabeth A.), 4829.
Kessidi (F. Kh.), 1566.
Kessler (Dieter), 1323.
Kessler (Wolfgang), 4735.
Kessler-Harris (Alice) 6286.
Kester (Howard Anderson), 4623.
Kettering (Sharon), 3690.
Keul (Michael), XI.
Kewley (T.H.), 6287.
Keynes (Edward), 6669.
Khačaturov (K.A.), 3138.
Khalevinskij (I.V.), 2546.
Khalidov (A.B.), 26.
Khalipov (A.S.), 6537.
Khanh (Huynh Kim), 7622.
Khattab (Aleya), 2544.
Khazanov (A.M.), 1270.
Khejfec (A.N.), 4265.
Khenkin (S.M.), 6288.
Khentova (S.M.), 5548.
Khesin (S.S.), 4220.
Khizriev (Kh.A.), 2486.
Khmel'nickij (Bogdan), 4214, 7041.
Khoang Bit' Son, 7444.
Kholodov (E.G.), 5541.
Khoroškevič (A.L.), 2345, 2516.
Khruščev (Nikita S.), 4234, 4278.
Khuhro (Hamida), 7588.
Kianka (Frances), 2913.
Kibbey (Ann), 4607.
Kicza (John E.), 6289.
Kieffer (René), 2084.
Kienast (Dietmar), 1730.
Kieniewicz (Stefan), 5961.
Kiernan (B.), 3139.
Kiernan (Victor Gordon), 6815.
Kieswetter (James K.), 3691.
Kieżgajło, famille, 5987.
Kijasov (S.E.), 4996.
Killen (Linda), 5781.
Killian (Conrad), 5076.
Killingray (David), 6863.
Kim (Sung Bok), 6958.
Kim (Won-yong), 7709.
Kimba (Idrissa), 6864.
Kimerling (Elise), 4266.
Kind (Helmut), 45.
Kindermann (Gottfried-Karl), 7689.
Kindleberger (Charles P.), 6038.
King (Anthony), 1975.
King (J. Crawford) Jr., 5962.
King (James), 5282.
King (Lester S.), 5136.
King (Martin Luther), 3546.
King (Walter J.), 591.
King (William McGuire), 4608.

Kinner (Klaus), 346.
Kinstrand (J.F.), 1567.
Király (István), 5963, 6445.
Király (Péter), 3924.
Kirby (E. Stuart), 4055.
Kirchhoff (Karl-Heinz), 4609.
Kirchner (Klaus), 3181.
Kirchner (Walther), 5774.
Kiričenko (E.I.), 5424.
Kirilin (I.A.), 6752.
Kirisits (Thomas), 7067.
Kirkinen (Heikki), 2234.
Kirschner (Béla), 3925.
Kiss (Károly), 4766.
Kiss (László), 314, 5775.
Kissinger (Henry Alfred), 7442, 7520.
Kiszely (Gyula), 314, 5775.
Kitchens (James H.) III, 3692.
Kitromilides (Paschalis M.), 4204.
Kittelson (James M.), 4610.
Kiyaga-Mulindwa (D.), 6865.
Kizilov (Ju. A.), 2667.
Klagsbald (Victor), 315.
Klaniczay (Tibor), 2768.
Klapisch-Zuber (Christiane), 2648, 2668.
Klapp (Otto), 1056a.
Klatzmann (Joseph), 3977.
Klauser (Theodor), 2054.
Klein (Ernst), 6031.
Klein (Fritz), 7200.
Klein (Herbert Sanford), 3367, 6993.
Klein (J.), 1098.
Klein (Jürgen), 5425.
Klein (Wolfgang), 5290.
Kleisthenes, 1492.
Kleisthenes, tyrant of Sikyon, 1456.
Klemm (Heinz), 119.
Klemmer (Liselotte), 756.
Klengel (Horst), 1284, 1290, 1293.
Kleombrotos, prince lacédémonien, 1459.
Kleomenes I, king of Sparta, 1494.
Kleomenes III, king of Sparta, 1455.
Kleon, 1460.
Kleopatra VII, reine d'Egypte, 1467.
Klepp (Susan), 6121.
Kleppner (Paul), 3515.
Klevanskij (A.), 3143.
Klevanskij (A. Kh.), 7318.
Klibanov (A.I.), 4539.
Klimkeit (Hans Joachim), 220, 7589.
Klingenstein (Grete), 630.
Klinger (Friedrich Maximilian), 4823.
Klinkott (Manfred), 2852.
Klinksiek (Dorothee), 3253.
Kłoczowski (Jerzy), 991, 999, 3026.
Klöhn (Sabine), 6290.
Kloock (Ernst-Ulrich), 4752.
Klopfleisch (Reinhard), 4997.
Klotzbach (Kurt), 3254.
Klueting (Edeltraud), 2235.
Kluger (Helmuth), 1000.
Kluwe (Ernst), 1633.
Kmoníček (Josef), 4189.
Knecht (R.J.), 3693.

Kneeshaw (Stephen John), 7201.
Knight (Jonathan), 7496.
Knipping (Franz), 7335.
Knothe (Hans-Georg), 1801.
Knott (Alexander W.), 529.
Knowles (C.H.), 2417.
Knox (Macgregor), 7336.
Koberdowa (Irena), 6538.
Kobiščanov (Ju. M.), 688.
Kočakova (N.V.), 6866.
Koch (C.), 1507.
Koch (Guntram), 1976, 2001.
Koch (Hans-Albrecht), 1057.
Koch (Klaus), 1378.
Koch (Manfred), 3189.
Koch (Uta), 1057.
Kochanowicz (Jacek), 5964.
Kochański (Aleksander), 6455.
Koczorowski (Eugeniusz), 4104.
Kodaj (Milan), 4201.
Kodály (Zoltán), 5510, 5549.
Kodedová (Oldřiška), 6291.
Koebner (Thomas), 3324.
Köhegyi (M.), 1240.
Köhler (Henning), 3255.
Kölcsey (Ferenc), 3922.
Koenig (Gerd G.), 2769.
Koeniger (A. Cash), 3516.
Koenigsberger (Helmut G.), 3140.
Koenker (Diane), 6539.
Köpeczi (Béla), 607, 3926, 7042.
Körner (Martin), 6042.
Koessler (Reinhart), 6540.
Köster (Heinrich Maria), 996.
Kővágó (László), 3927.
Kövér (György), 5657.
Kövér (Lajos), 867.
Kofler (Margarete), 2450.
Kohl (James V.), 3368.
Kohler (Alfred), 3256.
Kohler (Peter A.), 6697.
Kohn (Roger), 2526.
Koivistoinen (Eino), 5776.
Kolb (Philip), 5292.
Kolbe (Maksymilian Maria), v. Maximilianus Maria Kolbe, Sanctus.
Kolčin (B.A.), 1194.
Kol'cov (A.V.), 4776.
Koledaro (Petăr S.), 2237.
Kolesnikov (A.I.), 2545.
Koliou (Bas.), 7068.
Kolker (B.M.), 7497.
Koller (Heinrich), 2277, 2956.
Koller-Neumann (I.), 3077.
Kollmann (Nancy Shields), 2364.
Kolmer (Lothar), 2932, 3028.
Kolodnikova (L.P.), 7498.
Kołodziej (Edward), 6292.
Kolosovskaja (Ju.K.), 1241.
Komasara (Irena), 4730.
Komaszyński (Michał), 7043.
Komenský (Jan Amos), 4845.
Komissarov (B.H.), 6771.
Komissarov (D.S.), 5344.
Komjáthy (Miklósné), 47.
Kondufor (Ju. Ju.), 851.
Kongsrud (Helge), 6670.
Konopczyński (Władysław), 7386.

Konopka (Stanisław), 5064.
Konovaljuk (O.I.), 4267.
Konstankiewics (Andrzej), 4105.
Konstantinos VII Porphyrogennetos, empereur de Byzance, 2114.
Kontzi (Reinhold), 174.
Koops (Tilman), 3185.
Kopácka (Ludvík), 5777.
Kopernik (Mikolaj), 5101.
Kopicki (Edmund), 124.
Kopiec (Jan), 1034.
Koppes (Clayton R.), 7337.
Korab-Żebryk (Roman), 7427.
Korabel'nikov (L.Z.), 5514.
Korablev (Ju. I.), 4317.
Kořalka (Jiři), 468.
Korczyk (Henryk), 7202.
Korek (József), 448.
Kormanowa (Żanna), 6610.
Kornilov (A.A.), 446.
Kornis (Pál), 7387.
Kornweibel (A.H.), 5550.
Korolenko (Vladimir Galaktionovič), 5336.
Koroleva (N.G.), 4268.
Koroljuk (V.D.), 2348.
Korom (Mihály), 3928.
Korshin (Paul J.), 4731.
Korsunskij (Aleksandr Rafailovič), 1236.
Korževa (K.P.), 2049.
Košak (Silvin), 1365.
Kosambi (D.D.), 125.
Kosáry (Domokos), 386, 689, 4732.
Koschaker (Paul), 447.
Koschmann (J. Victor), 4056.
Košelev (L.V.), 3390.
Koselleck (Reinhart), 563.
Kosim (Jan), 7084.
Kosiarz (Edmund), 7388.
Kosmodem'janskij (A. A.), 960.
Kossek (Wolfgang), 5345.
Kossmann (J.A.), 772.
Kossok (Manfred), 1085, 3109, 3162, 3418.
Kostet (Juhani), 5778.
Kostiainen (Auvo), 3141.
Kostjuško (I.), 3143.
Kostova (Emilia), V.
Kothen (Casimir von), 4821.
Kotkov (S.I.), 158.
Kottje (Raymund), 2766.
Kotula (Tadeusz), 347, 1858.
Kouri (E.I.), 2154, 7021.
Kousser (J. Morgan), 494, 537.
Kovács (Agnes), 5705.
Kovács (Sándor), 5551.
Koval'čenko (I.D.), 348, 968, 5965, 6557.
Kovalenko (I.I.), 828.
Kovalev (E.V.), 5966.
Kováts (Mihály), 3554.
Kovrig (Ilona), 448.
Kowalczyk (Maria), 203.
Kowalewicz (Henryk), 2236.
Kowalewski (Stephen A.), 7740.
Kowalik (Janina), 4611.
Kowalska (Aniela), 7119.
Kowalska-Glikman(Stefania), 6295.
Kowalska-Postén (Leokadia), 7120.
Kowalski (Marian), 7403.
Kozak (Stefan), 7062.
Kozakiewicz (Jerzy), 592.
Kožanovskij (A.N.), 690.
Kozeński (Jerzy), 349.
Kozlov (O.F.), 6698.
Kozlowski (József), 5552.
Kozlowski (Nathalie), 6708.
Koz'min (B.P.), 5212.
Kožokin (E.M.), 6541.
Kracht (Günter), 4998.
Kracik (Jan), 4462.
Kráčmarová (Hana), 4197.
Kraditor (Aileen S.), 3823.
Krämer (Gudrun), 3407.
Krafft-Ebing (Richard, Baron von), 5080.
Krag (Claus), 2669.
Kragelund (Patrick), 1901.
Krajewska-Tarłakowska(Barbara), 4782.
Krakovitch (Odile), 272.
Kralík (Stanislav), 4845.
Kramer (Hilton), 4733.
Kramm (Heinrich), 6296.
Kramnick (Isaac), 4999.
Kranakis (Eda Fowlks), 5137.
Krasic (Stjepan), 4734.
Krasnikov (I.P.), 4540.
Krasnov (Ju. A.), 916.
Krasnov (N.A.), 7069.
Krasuski (Jerzy), 7203.
Kraszewski (József Ignacy), 5288.
Kraszewski (Piotr), 7204.
Kraus (Fritz Rudolf), 518, 1362.
Kraus (Thomas R.), 2238, 2418, 2487.
Krause (Gerhard), 1001.
Krause (Günter), 1255.
Krautkrämer (Elmar), 7389.
Krawchenko (Bohdan), 6297.
Krawczuk (Aleksander),1927.
Krč (Rudolf), 4201.
Kreinecker (Günther), 6043.
Kreisky (Bruno), 3361.
Kreißig (Heinz), 1476.
Krekić (Bariša), 2488, 2670.
Kremer-Marietti (Angèle), 5000.
Krentz (Peter), 1477.
Kretzenbacher (Leopold), 2853.
Kretzmann (Norman), 1051, 2902.
Kreutzer (Winfried), 5346.
Krieger (Leonard), 4753.
Krinetzki (Günter), 1388.
Krischer (T.), 1568.
Krispijn (Th.J.H.), 1362.
Kristeller (Paul Oskar), 5233.
Kristó (Gyula), 2419.
Krivá (Anna), 6542.
Křivka (Josef), 5967.
Křivský (Petr), 3142.
Kröger (Jens), 1416.
Król (Marcin), 4091.
Król (Wacław), 7390.
Kromer (Marcin), 7014.
Kropilák (Miroslav), 845, 4190.
Krouse (Richard W.), 5001.
Krüger (Kersten), 6044.
Krüger (Peter), 7205.
Krupa (András), 3949.
Krupjanko (M.I.), 6772.
Krupp, Unternehmen, 5774.
Krus (Luís), 2687.
Krušanov (A.I.), 4216, 4269, 4313.
Kruta (Venceslas), 1206, 1650.
Krynen (Jacques), 868.
Kryvelev (I.A.), 1035.
Krzyżanowski (Julian), 672.
Kubiak (Hieronim), 4463.
Kubíček (Jaromír), 4908.
Kubik (Gerhard), 982.
Kubinyi (András), 3089.
Kubler (George), 5426.
Kučerenko (G.S.), 6482.
Kuchowicz (Zbigniew), 6298.
Kucobin (P.V.), 7586.
Kuczyński (Antoni), 4106.
Kuczynski (Jürgen), 6299.
Kuczyński (Stefan Krzysztof), 2720.
Kudrjavcev (A.A.), 55.
Küchler (Max), 199.
Kühebacher (Egon), 2856.
Kühlmann (Wilhelm), 5254.
Kuehn (Thomas), 2671.
Künzl (E.), 1902, 1977.
Künzl (S.), 1977.
Kuhn (T.S.), 576.
Kuksewicz (Zdzisław), 2905.
Kula (Marcin), 3108, 6959.
Kulagina (N.M.), 4219.
Kulak (Teresa), 4909.
Kulcsár (Péter), 3889.
Kulešov (S.V.), 4236.
Kulin (Ferenc), 3929.
Kulisiewicz (Witold), 4121.
Kulke (Hermann) 7562, 7601.
Kullanda (S.V.), 7623.
Kumar (Chandra), 6834.
Kun (Miklós), 3144, 6543.
Kunderowicz (Cezary), 1802.
Kunisch (Johannes), 6691.
Kunitzsch (Paul), 160, 2770.
Kuno von Falkenstein, Erzbischof von Köln, 2276a.
Kunoff (Hugo), 293.
Kunst (M.), 1095.
Kunstmann (Heinrich), 2381.
Kunz (Andreas), 6300.
Kunze (Erich), 5204.
Kunze-Götte (Erika), 306.
Kupper (Jean-Louis), 3029.
Kupper (Jean-Robert), 1359.
Kupperman (Karen Ordahl), 200.
Kurašova (N.A.), 6550.
Kurcz (Ágnes), 2231.
Kurgan van Hentenryk (Ginette), 5722, 6045.
Kurilov (A.S.), 5263.
Kurowski (Mikołaj), 7391.
Kurtz (Michael L.), 3517.
Kusiak (Franciszek), 5968.
Kuskov (Vladimir), 1062.
Kušnir (S.A.), 3975.
Kusternig (Andreas), 2239, 2271, 5711.
Kutler (Stanley R.), 3518.
Kutolowski (John F.), 3519.
Kutolowski (Kathleen Smith), 3519.
Kutová (J.), 271.
Kutscher (Gerdt), 7735.
Kuun (Géza), 2192.
Kuvšinov (V.A.), 4270.

Kuzin (A.T.), 4215.
Kuz'min (A.T.), 7421.
Kuznecov (A.I.), 695.
Kuznecov (B.G.), 5138.
Kuznecova (A.I.), 5427.
Kuźnicka (Barbara), 5139.
Kydones (Demetrios), 2120, 2913.
Kypselos, tyran de Corinthe, 1458.

L

Laak (Ursula van), 3105.
Laaksonen (Pekka), 5782.
Labails (M.-D.), 1127.
Labande (Edmond-René), 406, 2196.
Labande-Mailfert (Yvonne), 221.
Labarre (Albert), 29, 31.
Labatut (Jean-Pierre), 3694.
Labbé (Alain), 2377.
Labé (Guillaume), 4329.
Labourdette (Régis), 5446.
Labrousse (Elisabeth), 3695.
Labrousse (Ernest), 910.
Labuda (Gerard), 734.
Labussière (Jeannine), 3673.
Labutina (T.L.), 3824.
Lačaeva (M.Ju.), 5779.
Lacapra (Dominick), 4742, 5347.
Lacaze (Yvon), 2489.
Lacelle (Claudette), 6301.
Lachapelle (Réjean), 6122.
Lacina (Evelyn), 3257.
Lacina (Vlastislav), 4192.
Lackenbacher (S.), 1351.
Lackner (Bede Karl), 4753.
Lackner (Helmut), 5780.
Lackó (Miklós), 607, 4736.
Lacombe (Michèle), 5002.
Lacordaire (Henri), 4413.
Lacordaire (Jean-Baptiste Henri), O.P., 4341.
Lacoste (Auguste), 4612.
Lacroix (François-Joseph-Pamphile), général, 7055.
Lacroix (Pierre), 2854.
Lacroix-Riz (Annie), 6544.
Lactantius (Lucius Caecilius Firmianus), 863, 2030, 2074, 2078, 2089, 4555.
Laczko (B.), 4787.
Ładogórski (Tadeusz), 185.
Ładomirski (Andrzej), 347.
Laecanii, famille, 1877.
Lael (Richard L.), 5781.
Laet (S.J. de), v. De Laet Siegfried J.).
Laffargue (Jean-Pierre), 6038.
Laffitte (Marie-Pierre), 286.
La Flesche (Francis), 5146.
La Follette (Philip F.), 3536.
Lafrance (Marc), 6101.
Lagard (L.), 179.
Laget (Mireille), 5140.
Lagides, v. Ptolémées, dynastie.
Lagos Trindade (María José), 2672.
La Harpe (Frédéric-César de), 7054.
Lahnstein (Peter), 3258.
Laidlaw (J.C.), 2490.
Laine (Antti), 3605.
Laiou-Thomadakis (Angeliki E.), 2155.
Lajdinen (A.P.), 6302.
Lajtai (Vera), 7487.
Lake (Peter), 4613.
Lalarga (Francisco), 5255.
Lalinde Abadía (Jesús), 2587.
Laloy (Jean), 7338.
Lamaison (Pierre), 6204.
Lamarck (Jean-Baptiste de Monet, chevalier de), 5114, 5141, 5190.
Lamb (Charles), 5325.
Lambert (Nicole), 1154.
Lambl (Johann Baptist), 5604.
Lamboley (Jean-Luc), 1651.
Lamennais (Félicité Robert de), 4392, 4305, 4451, 4461.
Lamioni (Claudio), 257.
Lamonde (Yvan), 5553, 6303.
La Monneraye (Jean de), 449, 4399.
Lampe (John R.), 5651, 5658.
Lamprecht (Karl), 450.
Lancel (Serge), 1382, 1420.
Lanckorońska (Carolina), 830, 7012.
Landahl (Sten), 4161.
Landau (Jacob M.), 4205.
Landau (Zbigniew), 5659.
Landauer (Carl), 6304.
Landes (David S.), 4881.
Landier (Patrick), 6305.
Landsman (Ned), 4614.
Landwehr (Götz), 1252.
Lang (Beatrix), 2491.
Lang (Cecil Y.), 5295.
Lang (James), 4555.
Lang (Peter Thaddäus), 4640.
Langdon (John), 2673.
Lange (Helene), 4788.
Lange (Peter), 6545.
Lange (Victor), 5256.
Langer (Hermann), 3259.
Langewiesche (Dieter), 6546.
Langlois (Pierre), I.
Langmaid (Janet), 3182.
Langmore (D.), 4357.
Lanher (Jean), 161.
Lannes (Jean), duc de Montebello, 7074.
Lantieri (Alfredo), 894.
Lantz (Herman R.), 6306.
Lanzetti (Raúl), 4482.
Laperrière (Guy), 4514.
Laperrousaz (E.M.), 2050.
Lapierre (Dominique), 7576.
LaPrairie (Jean), 5717.
Lapšov (B.A.), 2546.
Łaptos (Józef), 7156, 7178.
Lapunova (N.F.), 5471.
Laqueur (Thomas W.), 3825.
Laqueur (Walter Z.), 3285, 7281.
Larcombe (F.A.), 6699.
Larderel-Viviani della Robbia, famiglia, 275.
Larkin (Jack), 6307.
Larkin (John A.), 6835.
Laroche (Didier), 1630.
Laroche (Emmanuel), 1363.
Larocque (Robert), 6960.
La Roncière (Charles M. de), 2674.
Larose (André), 6087.
Laroui (A.), 740.
Larranga (Federico), 4088.
Larsen (J.D.), 1978.
Larsen (Jens Peter), 5554.
Larsson (Lars-Olof), 2984, 4169.
Lartigaut (Jean), 6308.
Las Casas (Bartolomé de), 6962, 6983.
Laschitza (Annelies), 6451.
Łaski (Olbracht), 7030.
Lasseray (André), 6921.
Lassus (François), 424.
La Stella (Mario), 5783.
Łaszkiewicz (Stefan), 7392.
László (Gyula), 562.
Lateiner (D.), 1478.
Latham (James E.), 1036.
Latocha (Hartwig), 691.
Latvakangas (Arto), 2156.
Laub (Franz), 2051.
Laubscher (H.P.), 1634.
Lauel (Richard L.), 7282.
Laul (S.), 1218.
Launay (Marcel), 4464.
Launet (Charles de), 81.
Laurens (André), 3696.
Laurent (Emile), 3610.
Laurent (Jeanne), 5403.
Laurent (Louis Olivier Philippe, en religion le P. Vitalien), 82.
Laurent (Marcel), 4465.
Laurent (Pierre), 6648.
Laureyssens (Julienne M.), 5784.
Laurina (V.K.), 2875.
Lausberg (Marion), 1569.
Laval (Pierre), 7229.
Lavallé (Bernard), 3130.
Lavedan (Pierre), 6123.
La Véronne (Chantal de), 7713.
Laveryčev (V. Ja), 5660, 6582.
Laviana Cuetos (María Luisa), 6961.
Lavrov (L.I.), 692.
Lawrence (David Herbert), 5289, 5359, 5374.
Lawson (Michael L.), 3520.
Lăzărescu (Radu), 835.
Łazuga (Waldemar), 405.
Leach (James), 5555.
Lease (Benjamin), 5348.
Leavitt (Judith Walzer), 5142.
Lebedev (N.I.), 6773.
Lebedeva (L.F.), 6046.
LeBlanc (Daniel), 6303.
Le Bohec (Yann), 1679, 1979.
Le Bonniec (Henri), 2012.
Le Brun (Alain), 1162.
Lebrun (François), 956, 4515.
Lechowicz (Zbigniew), 1092.
Leclant (Jean), 1324.
Leclercq (Jean), 2957.
Leclercq (Yves), 6047.
Lecocq (Pierre), 6378.
LeConte (Joseph), 5186.
Le Corbusier (Edouard Jean-

neret–Gris, dit), 5413.
Lecouteux (Claude), 2771.
Ledbetter (Bill), 5003.
Ledermann (François), 5143.
Ledoyen (Henri), 1010.
Lee (Charles R.), 6309.
Lee (J. Bracken), 3525.
Lee (James), 7660.
Lee (Marshall M.), 3237.
Lee (Stephen J.), 3145.
Leesch (Wolfgang), 6048.
Le Fanu (William), 5174.
Lefebvre (Charles), 4369.
Lefebvre (François Joseph), duc de Dantzig, 7074.
Lefebvre (Georges), 3623.
Lefebvre (Jean-Pierre) 5318.
Lefebvre-Teillard (Anne), 2588.
Lefèvre (Eric), 7408.
Lefevre (Renato), 4018.
Lefèvre d'Etaples (Jacques), 4416.
Leff (N.H.), 5661.
Lefkowitz (Mary), 1425.
Lefort (Jacques), 201.
Lefranc (Georges), 6547.
Legány (Dezsö), 5510.
Le Gardeur (René) Jr., 6937.
Legare (Jacques), 6095.
Legendre (Léonard), 2855.
Le Goff (Jacques), 607, 2186.
Leguai (André), 2492.
Le Guillou (Louis), 4392, 4395.
Le Guillou (M.-J.), 4392.
Lehmann (Hartmut), 4615.
Lehmann (Rudolf), 609.
Lehmann (Walter), 7735.
Lehtonen (Maija), 5349.
Lehtosalo-Hilander (Pirkko-Liisa), 1219.
Leibniz (Gottfried Wilhelm), 451, 4940.
Leigh (Ralph A.), 4945, 5030.
Leighton (L.G.), 4271.
Leinieks (V.), 1570.
Leites (Edmund), 6310.
Lejeune (Dominique), 4777.
Lejeune (Michel), 1988.
Lelewel (Joachim), 363.
Le Lorrain (Robert), 5448.
LeMahieu (D.L.), 5556.
Lemaitre (Jean-Loup), 2240.
Lemarignier (Jean-François), 452.
Leménorel (Alain), 5785.
Lemerle (Paul), 2112, 2113.
Lemeunier (Guy), 6134.
Lemonnier (Pierre), 693.
Le Nail (Jean-François), 473.
Lencsés (Ferenc), 5969.
Lenglet-Dufresnoy (Nicolas), 453.
Lengyel (Dénes), 2241.
Lengyel (Zsuzsa), 5970.
Lenin (Vladimir Il'ič Ulja-nov, dit), 264, 393, 570, 587, 4208, 4212, 4225, 4239, 4262, 4275, 4741, 6454, 6479, 6537, 6550, 6608, 6620, 6624.
Lenman (Robin), 5472.
Lenneis (E.), 1163.
Lenner (Arne), 4159.
Lennox (James), 1571.

Lensen (George Alexander), 7121.
Leo VIII, Papa, 2281.
Leo XIII [Vincenzo Gioacchino Pecci], Papa, 4379, 4385.
Leon VI ho Sophos [le Sage], empereur de Byzance, 2142.
Leonardi (Claudio), 2322, 2772, 2977, 2978.
Leonardo da Vinci, 538, 2841, 5456.
Leonova (T.G.), 5350.
Leopold I., röm.-deutscher Kaiser, 3302, 5476.
Leopold II., röm.-deutscher Kaiser, 4021.
Leopold VI., Herzog von Österreich u. Steier 2401.
Leopoldo, granduca di Toscana, v. Leopold II., röm.-deutscher Kaiser.
Lepenies (Wolf), 5004.
Lepetit (Bernard), 5118.
Leplant (Bernadette), 2196.
Lepore (Ettore), 1652.
Leport (Jacques), 2157.
Lepper (G.), 1980.
Lerch (Dominique), 5500.
Lerecouvreux (Marcel), 7070.
Le Rest (Evelyne), 5087.
Lerman (J.C.), 1098.
Lerminier (Eugène), 3744.
Lerner (Gerda), 593.
Lerner (Warren), 6548.
Le Roux (Patrick), 1803.
Leroux (Pierre), 6622a.
Leroy (Béatrice), 2527.
Leroy (Géraldi), 869.
Leroy (Pierre), 4553.
Le Roy Ladurie (Emmanuel), 925.
Lescure (Michel), 6049.
Lesenne (M.), 1068.
Leskov (Alexander Mikhajlovič), 1190.
Leslie (D.D.), 7661.
Lespagnol (André), 5884.
Lessing (Joan C.), 3426.
Le Tellier (Charles-Maurice), 4455.
Le Tellier (Robert Ignatius), 5351.
Le Tensorer (J.-M.), 1128.
Letkemann (Peter), 748.
Letocha (Michael), 941.
Letourneau (Jeannette), 4831.
Leue (Horst-Joachim), 7562.
Leuschner (Brigitte), 4701.
Leuschner (Joachim), 2341.
Leuthner (Mechthild), 350.
Levandovskij (A.A.), 446.
Levárdy (Ferenc), 5404.
Leveau (Philippe), 1784, 1881.
Levenson (J.C.), 3430.
Lévêque (Pierre), 1520.
Levere (Trevor H.), 561.
Levick (Barbara), 1731.
Levin (C.), 1389.
Levkovič (Ja. L.), 5365.
Le Vot (Gérard), 2891.
Levy (Avigdor), 4206.
Levy (F.J.), 6311.
Levy (Janet E.), 1192.
Lewandowska (Stanisława), 4910.

Lewandowski (Stefan), 5786.
Lewański (Ryszard Kazimierz), 4755.
Lewin (Günter), 594, 7662.
Lewin (Isaac), 7283.
Lewin (Ronald), 7393.
Lewis (Bernard), 741.
Lewsen (Phyllis), 3177.
Ley (Hermann), 351, 5005.
Lézine (Alexandre), 985.
L'Hermine (J. de), 3617.
Lhote (Henri), 1101.
Li (Lillian M.), 5885.
Li Ogg, 7710.
Liakos (Antones), 3885.
Liauzu (Claude), 3697.
Libecap (Gary D.), 5971.
Liberius (Petrus Marcellinus Felix), 1745.
Librowski (Stanisław), 1012.
Libson (V. Ja.), 5427.
Licinius (Valerius Licinianus), empereur romain, 1708.
Lickteig (Franz-Bernard), 2958.
Lie (Haakon), 4079.
Liebel-Weckowitz (Helen), 487.
Lieberg (Godo), 1572, 1904.
Lieberman (Sima), 5662.
Liebhart (Wilhelm), 1038.
Liebknecht (Karl), 6451.
Liebknecht (Wilhelm), 6535, 6481.
Liebmann (Maximilian), 3359.
Liedgren (Jan), 83.
Lietz (Zygmunt), 7284.
Lietzmann (Hilda), 974.
Lieven (Dorothea [Darja Khristoforovna], princess), 4229.
Lievens (Robrecht), 2243.
Ligeti (Louis), 2192.
Liguori (Alfonso Maria de'), v. Alphonsus Maria de Ligorio, Sanctus.
Likhačev (D.S.), 2798.
Likholat (A.V.), 4272.
Lilla (Vincenzo), 6637.
Lilliu (Giovanni), 1193.
Limbaugh (Ronald H.) 3521.
Lincoln (Abraham), 3445, 3543, 3580, 3593.
Lincoln (W. Bruce), 4273, 4274.
Lindegger (Peter), 7554.
Linder (Robert D.), 4358.
Lindert (Peter), 6312.
Lindgren (Håkan), 6050.
Lindgren (Suzanne), VII.
Lindkvist (Thomas), 2675.
Lindley (Keith), 3826.
Lindroth (Jan), 252.
Lindqvist (Svante), 595.
Lindsay (Sir Ronald), 6784.
Linehan (P.A.), 352.
Linehan (Peter), 2342.
Linert (Andrzej), 4107.
Lingenberg (Heinz), 3090.
Link (Arthur S.) 3441, 3522.
Link (Werner), 4719.
Linke (Horst Günther), 7206.
Linnard (William), 5972.
Linné (Carl von), 5004.
Linteau (Paul-André) 3376a.
Lintott (Andrew), 1479.

Lipatov (A.V.), 4704.
Lipcsey (Ildikó), 7285.
Lipec (R.S.), 698.
Lipóczy (Piotr), 7443.
Lipow (Arthur), 6549.
Lippi (Filippo), 2840.
Lippman (Walter), 7536.
Lisovskij (V.G.), 5473.
Liss (Peggy K.), 5886.
Listova (N.A.), 5557.
Liszt (Franz), 5539.
Litaize (Alain), 161.
Little (J.I.), 4466.
Littler (Gérard), 782.
Litvakov (B.M.), 5965.
Litván (György), 866.
Litvinov (Maksim Maksimovič), 7338.
Litwin (Jakub), 615.
Liu (Ming-wood), 7663.
Livanova (T.N.), 5543.
Liver (Peter), 879.
Liversidge (Joan), 1981.
Livet (Georges), 792.
Livian (Marcel), 3698.
Livingstone (Elizabeth A.), 2037.
Ljubin (V.P.), 4014.
Ljubinskaja (A.D.), 278, 3699.
Llorente (Juan Antonio), 4428.
Lloyd (A.B.), 1325.
Lloyd (T.H.), 2676.
Lloyd George of Dwyfor (David Lloyd George, 1st earl), 4913.
Lloyd-Jones (Hughes), 353.
Lloyd's, 6085.
Lobo (Eulalia Maria Lahmeyer), 6313.
Lobo Cabrera (Manuel) 6314.
Locatelli (René), 3664.
Locher (Gottfried Wilhelm), 4616.
Locke (John), 4656, 4941, 4981, 5057.
Locke (Robert R.), 3700.
Lockot (Hans Wilhelm), 778.
Łodyńska-Kosińska (Maria), 2857.
Löffler (Arno), 5352.
Löffler (Erzsébet), 6700.
Löhken (Henrik), 1804.
Löhr (Wolfgang), 4488.
Lőkős (László), 919.
Löw (Raimund), 6631.
Löwe (Heinz), 2244, 2338.
Löwenthal (Richard), 7434.
Logan (John A.), 3512.
Logette (Aline), 6701.
Loginov (V.T.), 6550.
Lohmann (Hans), 1982.
Lohrmann (Dietrich), 2183.
Lo Jacono (Claudio), 733.
Łojek (Jerzy), 4911, 5257, 7122.
Lom (František), 5604.
Lomask (Milton), 3523.
Lombard (Pierre), 1150.
Lombardi (John V.), 4319a.
Lombardini (Sandro), 3260.
Lombardo (Antonio), 2245.
Lomič (Václav), 4832.
Long (Edward R.), 3524.
Long (Huey Pierce), 3457.
Long (John W.), 7207.
Longeon (Claude), 5224.

Longère (Jean), 3060.
Longford (Frank Pakenham, 7th earl of), 4384.
Longnon (Jean), 454.
Loock (Hans-Dietrich), 3153.
Loomes (Brian), 5144.
Loomie (Albert J.), 3827.
Loose (Hans-Dieter), 765.
Looz-Corswarem (Clemens von), 3230.
López de Ayala (Pedro), 2263.
López de Coca Castañer (José Enrique), 2677.
López de Osaba (Pablo), 1030.
López-Ocón Cabrera (Leoncio), 4912.
Lora (Erminio), 4376.
Lorcin (Marie-Thérèse), 2678, 3030.
Lord (Simeon), 5881.
Lorderau (Pascal), 7614.
Lordkipanidze (G.A.), 1426.
Lorenz (Herbert), 1201.
Lorenz (Sönke), 6730.
Lorenzo da Pavia, 4708.
Lorenzo Monaco, 2840.
Lorrain (Claude Gellée, dit Claude), 5479.
Łoś (Leon), 4782.
Losev (A.F.), 2774.
Łosiński (Władysław), 1242.
Losman (Beata), 6315.
Lossky (Véronique), 5272.
Łossowski (Piotr), 7286.
Lot (Heinz-Jürgen), 4689.
Loth (Heinrich), 6816.
Lothar III., röm.-deutsch. Kaiser, 3006.
Lotman (L.M.), 5542.
Lottini (Otello), 4714.
Lotz (Károly), 5492.
Loubet del Bayle (Jean-Louis), 870.
Lougée (Robert W.), 3261.
Lougges (T.K.), 2158.
Lough (John), 5006.
Louis Ier le Pieux, empereur d'Occident, roi des Francs, 2383.
Louis XIII, roi de France, 128, 3640, 3647.
Louis XIV, roi de France, 62, 113, 3694, 3708, 4760, 5441, 6720.
Louis XV, roi de France, 3640.
Louis XVI, roi de France, 128, 3669.
Louis XVIII, roi de France, 3691.
Louis-Napoléon, v. Napoléon III.
Louis (P.), 1438.
Louis (René), 455, 519.
Louis (Victor), 5587.
Louis (William Roger), 6895.
Louise-Marie de Gonzague, v. Marie Louise de Gonzague, reine de Pologne.
Loulis (John C.), 3886.
Loup de Servat, dit de Ferrières, 2377.
Loux (Françoise), 694.
Louys (Pierre), 5360.
Lovas (Gyula), 5814.
Love (Robert William) Jr.,
7365.
Lovejoy (Paul E.), 3133, 5887.
Lovelock (Andrea), 5663.
Lovett (Albert), 6051.
Lovett (Clara M.), 4017.
Lowe (N.), 596.
Loyer (Godefroy), 4527.
Lozano y Corbi (Enrique), 1805.
Lu Sin [pseud. of Shu-jen Chou], 7645.
Luard (Evan), 7500.
Lubieniecki (Stanisław), 4611.
Lubin (Georges), 5293.
Lubitz (Wolfgang), 4210.
Lubomirski (Stanisław Herakliusz), 5264.
Lubot (Eugene), 7664.
Luc (Jean-Noël), 4833.
Lucanus (Marcus Annaeus) 4587.
Lucas, Evangelista, Sanctus, 2088.
Lucas (Angela M.), 2679.
Lucena Salmoral (Manuel), 5973, 6316.
Lucey (Robert E.) archbishop, 4411.
Luciani (Evelyne), 2775.
Lucius III [Ubaldo Allucingoli], Papa, 2315.
Lucrezi (Francesco), 1806.
Łuczak (Aleksander), 4108.
Łuczak (Czesław), 520,6551, 7339.
Ludat (Herbert), 511, 2333, 2334.
Ludres (Marie-Elisabeth de), 3624.
Ludwig I. der Fromme, Kaiser, v. Louis Ier.
Ludwig II., Kg. v. Bayern, 3266.
Ludwig (Karl-Heinz), 2680.
Ludwikowski (Rett Ryszard), 4109.
Lü, 7657.
Lüther (Rolf), 959.
Lütt (Jürgen), 7562.
Luft (Sandra Rudnick), 5007.
Lugani (Valerio), 749.
Lugo (Dr.), Union spy, 3581.
Lui (Adam Yuen-chung), 7665.
Luig (Klaus), 6642.
Lukács (György), 5047.
Lukács (Lajos), 7123.
Lukas (Gerhard), 1859.
Lukas (Richard C.), 7501.
Łukaszewicz (Bohdan), 3262.
Lukiana (Mabondo), 6867.
Lumans (Valdis O.), 7287.
Lund (A.A.), 1680.
Lundbäck (Britt-Marie), 5787.
Lundh (Christer), 6552.
Lundin (A.G.), 6.
Lundmark (Lennart), 5664.
Lundquist (Lennart), 4275.
Lundquist (Tommie), 6317.
Lungu (Radu), 1164, 4146.
Lungu (V.N.), 7208.
Luntinen (Pertti), 7209.
Luppov (Sergej Pavlovič), 4778.

Luraschi (G.), 1778.
Lurker (Manfred), 210, 948.
Lusignan (Hugues de), cardinal, 3050.
Lusignan (Lancelot de), cardinal, 3050.
Lustig (R.Jeffrey), 5605.
Luther (Martin), 4550, 4552, 4563, 4564, 4590, 4598, 4606, 4622, 4634a, 4649, 4658, 4672.
Luttenberger (Albrecht Pius), 3263.
Luttrell (Anthony T.), 2420.
Lutz (Heinrich), 630, 3146, 3151, 3264, 7027.
Lutz (Wolfgang), 6124.
Lutze (Lothar), 7601.
Lutzker (Michael A.), 489.
Luxemburg (Rosa), 6452, 6483.
Luzzati (Michele), 3985.
Luzzatto (Aldo), 817.
Lynch (John Joseph), archbishop of Toronto, 4493.
Lynch (Katherin A.), 644.
Lynes (John W.), 5008.
Lynn (Martin), 6868.
Lyonnet (B.), 1165.
Lyons (F.S.L.), 4779.
Lyons (Malcolm Cameron), 2547.
Lyons (Paul), 6553.
Łysiak (Ludwik), 2298.
Lythgoe (Dennis L.), 3525.

M

Maas-Lindemann (G.), 1390.
Mabillon (Jean), 362.
Mabire (Jean), 7394.
Mably (Gabriel Bonnot de), 5028.
MacBain (B.), 1732.
McCall-Newman (Christina), 3386.
McCardell (John), 3526.
McCarran (Patrick A.), 3479.
Maccarrone (Michele), 2421.
MacCarthy (Joseph M.), 3562, 4935.
McCarthy (Kathleen D.), 6318.
McCawley (Peter), 5623.
MacCormack (Geoffrey), 1807.
MacCormack (Sabine G.), 2085.
McCormick (Richard P.), 3527.
McCreary, Tire a. Rubber Co., 5751.
Macdonald (Alexandre), duc de Tarente, 7074.
MacDonald (C.A.), 7340.
Macdonald (Donald F.M.), 2247.
MacDougall (Hugh A.), 3828.
MacDougall (Norman), 2493.
McDougall (Walter A.), 5145.
McDowell (John Patrick), 4617.
McDowell (R.B.), 4779.
McEnroe (John), 1434.
McEvoy (James), 2914.
McEwan (Gilbert J. P.), 1352.
McEwen (J.M.), 4913.

MacFarlane (Kenneth Bruce), 2494.
McFeely (William S.), 3528.
McGovern (James R.), 3529.
McGowan (Bruce), 5665.
McGrath (Alister E.), 3031.
McGregor (Alexander Campbell), 5974.
McGuinness (Brian), 5009.
McGuire (Brian Patrick), 2959.
McGuire (Patrick J.), 3491.
McGuire (Randall H.), 7748.
Mach (Ernst), 5042.
Machatková (Raisa), 4184a.
Machaut, v. Guillaume de Machaut.
Machefer (Philippe), 6554.
Machiavelli (Niccolò), 3299, 4029, 4955, 5010.
Machin (A.), 1573.
Macias (Anna), 4069.
Macina (Robert), 2086.
McIntosh (Christopher), 3266.
Maciołka (Michał), 4382.
Maciszewski (Jarema), 4536.
McKee (Denis), 4455.
McKendrick (Neil), 5666.
MacKensie (David), 4321.
MacKenzie (Jeanne), 3770.
MacKenzie (Norman), 3701, 3770.
Mackeprang (Mogens B.), 2825.
Mackerras (Colin P.), 7666.
McKitterick (Rosamond), 2362.
McKnight (Brian E.), 7667.
Mack Smith (Denis), 4019.
McLain (James L.), 7703.
MacLean (Michael J.), 418.
Maclear (Michael), 7502.
McLennan (Gregor), 597.
MacLeod (David I.), 6319.
MacLeod (Robert), 5173.
McLeod (Roy), 3837.
McLuhan (Herbert Marshall), 4716.
Maclulich (T.D.), 5215.
McLynn (F.J.), 3333.
Macmillan (Harold), 3799.
McMillen (Neil R.), 3530.
MacMullen (Ramsay), 1860, 1905.
McMullin (Thomas A.), 6125.
McMurry (Richard M.), 3531.
McNair (William), 4618.
McNally (Raymond), 2248.
McNeill (William H.), 742.
McPherson (James M.), 494, 537.
McQuillan (Kevin), 6091.
McWhiney (Grady), 3532.
McWhinney (Edward), 6671.
McWhirr (Alan D.), 2005.
Madajczyk (Czesław), 339, 7277, 7288.
Madarász (József), 3951.
Madarász (László), 3951.
Madden (A. Frederick), 4835, 7503.
Madden (Edward H.), 4619.
Madden (Paul), 3267.
Madden (Sarah Hanley), 6672.
Maddoli (G.), 150.
Madison (James), 3470, 3597,

7077.
Madsen (David B.), 7749.
Madsen (Mark Hunter), 7504.
Maecenas (Gaius), 1716.
Maga (Timothu P.), 3702.
Magdelaine (Michelle), 3617.
Magen (Ferdinand), 7022.
Mager (Wolfgang), 5667.
Maggi (R.), 1102.
Magioncalda (Andreina), 1808.
Magister (Karl-Heinz), 5223.
Magnou-Nortier (Elisabeth), 2681.
Magnus (Olaus), 743.
Magnuson (Torgil), 4737.
Magnusson (Lars), 5788.
Maguin (Martine), 2682.
Magyar (István Lénárd), 3922.
Mahajan (Sneh), 6836.
Mahan (Asa), 4619.
Mahjoubi (Ali), 6869.
Mahler (Gustav), 5577.
Mahn-Lot (Marianne), 6962.
Maiello (Carmine), 6052.
Maier (Johann), 1391.
Maier (Klaus A.), 3268.
Maierù (A.), 2907.
Maillard (Monique), 7630.
Mailloux (Luc), 7044.
Main (Gloria L.), 6963.
Mainuš (František), 6685.
Maiso González (Jesús) 6320.
Maissen (Felici), 4175.
Maitron (Jean), 6480.
Majakovskij (Vladimir Vladimirovič), 4291.
Majer (Hans Georg), 2548.
Majewski (Wiesław), 7124.
Major-Poetzl (Pamela), 598.
Makarios III, archevêque de Chypre, 3399.
Makarov (M.G.), 1052.
Makarova (T.I.), 3033.
Makdisi (Georges), 2593.
Makedonoi, Macédoniens, dynastie de Byzance, 2175.
Makhno (Nestor Ivanovič), 4276.
Makk (Ferenc), 2422.
Makkai (László), 917, 4738.
Makkay (János), 1166.
Makrembolites (Eustathios), 2115.
Malá (Irena), 270, 4184.
Malagodi (O.), 3982.
Malaise (Michel), 1326.
Malakhovskij (K.V.), 3115.
Malamud (Carlos D.), 6964.
Malamut (Elisabeth), 2159.
Malanima (P.), 4016, 5789.
Malatesta (Errico), 4942.
Malbran-Labat (Florence), 1353.
Malchow (Howard L.), 4620.
Malcówna (Anna), XVI.
Malczewski (Juliusz Jerzy), 7395.
Malebranche (Nicolas de), 4948, 4993.
Malec (Jerzy), 6673.
Małecka (Teresa), 6053.
Małecki (Jan Marian), 354.
Maleczek (Werner), 2250.
Malesherbes (Chrétien Guillaume de Lamoignon de), 3687.

Malet (Claude François de), 3637.
Malet (Michael), 4276.
Malettke (Klaus), 3746.
Malevič (Kazimir Severinovič), 5493.
Malitz (Jürgen), 1574.
Mal'kov (V.L.), 7341.
Mallarmé (Stéphane), 5310, 5394.
Mallmann (Klaus-Michael), 6555.
Mallon (Jean), 6a.
Maloney (Gilles), 1532.
Małowist (Marian), 4337.
Malraux (André), 870.
Maltezou (Chryssa), 2160.
Malthus (Thomas Robert), 5597.
Malti-Douglas (Fedwa), 153.
Maltomini (Franco), 2031.
Mályusz (Elemér), 20.
Mam-Lam-Fouck (Serge), 6965.
Mamelouks, dynastie, 985, 2730.
Mammach (Klaus), 3316.
Mamonē (Kyriakē), 4541.
Mana (Emma), 4020.
Manacorda (Daniele), 355, 1983.
Manaserjan (R.L.), 1294.
Manca (Ciro), 2683.
Mandach (André de), 2251.
Manderscheid (Hubertus),II.
Mandouze (André), 2052.
Manent (Pierre), 871.
Manetti (Daniela), 1445.
Manetti (Giulio M.), 4021.
Manfrass (Klaus), 235.
Mangin (M.), 1861.
Manichs (P.T.), 1480.
Mann (Miklós), 3930.
Mann (Ralph), 6321.
Mann (Thomas), 5391.
Manninen (Turo), 3606.
Manning (Patrick), 6870.
Manning (Roberta Thompson), 4277.
Manns (F.), 2087.
Manns (Peter), 4672.
Manoussakas (M.), 4542.
Manselli (Raoul) 2405, 3034.
Mansergh (Nicholas), 6817.
Manthe (Ulrich), 1809.
Mantran (Robert), 985, 2332.
Manucci (Aldo), 50.
Manuel (Frank Edward), 4690.
Manusevič (A. Ja.), 3170.
Manzenreiter (Johann), 6054.
Manzini della Motta (Giovanni), 5239.
Mao Zedong, 7632 - 7634, 7682, 7685, 7692.
Mara (Gerald M.), 5011.
Marasco (G.), 1481.
Maraval (Pierre), 2021.
Maravall (José Antonio), 3419, 4739.
Marcella, épouse de Porphyrios, 1448.
Marcellinus, comes Dalmatiae, 1719.
Marc'hadour (Germain) 2973.
Marchand (G.), 1664.
Marchand (Leslie A.), 5279.
Marchand (Marie - Louise), 2198.
Marchena Fernández (Juan), 6966.
Marcin Polak, v. Martinus Polonus.
Marconi (Mauro), 6055.
Marcus Aurelius Antoninus (Annius Verus), empereur romain, 1748.
Marczali (Henrik), 744.
Maréchal (Sylvain), 4996.
Marer (Doris), 6163.
Marès (Antoine), 7289.
Marès (Valéria), 5790.
Margadant (Ted W.), 3703.
Margairaz (Michel), 3704.
Margareta von Österreich, Statthalterin d. Niederlande, 7029.
Marggraf (Wolfgang), 5558.
Margolin (Jean-Claude) 915, 6359.
Marguerite d'Autriche, v. Margareta von Österreich.
Maria, Königin von Ungarn, Regentin d. Niederlande, 85, 4365.
Maria von Burgund, Gemahlin Maximilians I., 2465.
Maria Theresia, deutsche Kaiserin, Königin von Ungarn u. Böhmen, 3363, 3365, 4028, 5911, 6064.
Marichal (Robert), 2, 423.
Marie de Bourgogne, v. Maria von Burgund.
Marie Louise de Gonzague, reine de Pologne, 4759.
Mariën (M.-E.), 1238.
Marinescu (Beatrice), 440.
Marinescu (L.T.), v. Teposu-Marinescu (Lucia).
Marinescu - Bîlcu (Silvia), 1167.
Marini (Alfonso), 2252.
Marini (Stephen A.), 4621.
Marinoni (Augusto), 5456.
Marion (Jean), 1677.
Maritain (Jacques), 4971.
Marius (Gaius), 1755.
Marival (Jérôme), 3610.
Mark (Joan), 5146.
Markale (Jean), 1733.
Marklund (Staffan), 6702.
Markovits (Andrei S.), 4110.
Marks (S.), 6871.
Marling (Karal Ann), 5474.
Marmont (Auguste Viesse de), duc de Raguse, 7074.
Marnix van Sint Aldegonde (Philips van), 4082.
Maron (Gottfried), 4622.
Marongiu (Antonio), 2589.
Marosi (Ernő), 85.
Marot (Pierre), 425, 449.
Marquart (Patricia A.)1575.
Marques (A.H. de Oliveira), 2684.
Marrer-Tising (Carlee), 5353.
Marrou (Henri Irénée), 456.
Marrus (Michael R.), 7290.
Marschall (Hans Günther), 2858.
Marsengo (Giorgio), 4022.
Marsh (Margaret S.), 6556.
Marsh (Patrick), 5559.
Marshall (Dorothy), 5791.
Marshall (George Catlett), 7400, 7486.
Marshall (P.J.), 4740.
Marteilhe (Jean), 6720.
Martel (Marie-Thérèse de), 6322.
Martelli (F.), 1681.
Martensen (Katherine), 4467.
Marti (Donald B.), 5975.
Marti (Hanspeter), 4936.
Marti (Karin), 4936.
Martin v. Troppau, v. Martinus Polonus.
Martin (A. Lynn), 4516.
Martin (Alain), 1734.
Martin (Benjamin F.), 3705.
Martin (Brian W.), 4468.
Martin (Cheryl English), 6967.
Martin (David), 5976.
Martin (F.X.), 816.
Martín (Fernando), 1682.
Martin (Ged), 6968.
Martin (Henri-Jean), 41.
Martin (Hervé), 325.
Martin (Jean-Baptiste), 162.
Martin (Jean-Marie), 2859.
Martin (Jean-Pierre), 1810, 1928.
Martin (Lawrence), 6774.
Martin (Marie-Madeleine), 795.
Martin (Michel L.), 3147.
Martin (Paul M.), 1811, 1906.
Martin (Philip W.), 5354.
Martin (Raymond), 599.
Martin (Robert F.), 4623.
Martin (Roger), 6323.
Martin (Roland), 1635.
Martin (Xavier), 6731.
Martinage (Renée), 6378.
Martineau (Jane), 5490.
Martínek (Jan), 5219.
Martinet (Marie-Madeleine), 5560.
Martinet (Suzanne), 3035.
Martínez Díez (Gonzalo), 2018.
Martini (W.), 1665.
Martino (E.), 1735.
Martinotti Dorigo (Stefania), 3980.
Martinovics (Ignác), 3938.
Martins (José V. de Pina), 5229.
Martinus Polonus, 2222.
Marty (Martin E.), 4469, 4559.
Martynov (B.F.), 6762.
Marucchi (Adriana), 294.
Marwick (Arthur), 6324, 7291.
Marx (A.), 1299.
Marx (Karl), 351, 620, 4995, 4997, 5017, 5608, 6453, 6490, 6512, 6519, 6574, 6595, 6622a.
Mary I, queen of England, 4351.
Maser (Werner), 3269.
Maslennikov (A.A.), 1243.
Mason (Haydon T.), 5258.
Mason (Philip P.), 273.
Masopust Zdeněk, 872.
Massa (Paola), 5792.
Massaro (John), 3533.
Massei (L.), 1648.
Massei Soliveres (O.), 1162.

Massicotte (Guy), 422.
Masson (Emilia), 1369.
Masson (Jacques), 2088.
Masson (Jean-Louis), 885.
Masson (Olivier), 1513.
Masson (Philippe), 7396.
Massu (Claude), 5428.
Massu (Jacques), 7376.
Mastellone (Salvo), 4741.
Mata (Eugénia), 6056.
Matanić (A.G.), 3061.
Matanov (H.), 2495.
Mateescu (Corneliu N.),1168.
Matei Basarab, prince de Valachie, 4146, 4154, 7016.
Matei (Mircea D.), 3091.
Matějek (František), 5905.
Maternicki (Jerzy), 356.
Materski (Wojciech), 7342.
Materuanzio (Francesco), 42.
Máthé (Gábor), 3931.
Mather (Jean), 3829.
Mathes (W. Michael), 6905.
Mathews (Glenna), 6325.
Mathews (Thomas F.), 2161.
Mathieu (Janine), 2242.
Matichescu (Olimpia), 7211.
Matijašić (Robert), 1985.
Matolcsi (János),2685, 2954.
Mátrai (László), 961.
Matsch (Erwin), 3348.
Mattei (Giuseppe), 4383.
Matter (E.A.), 2032.
Mattesini (Francesco), 7397.
Matthew (H.C.G.), 3768.
Mattews (Mervyn), 4836.
Matthaei (Julie A.), 5793.
Matthaeus, Evangelista, Sanctus, 2088.
Matthews (John), 190.
Matthews (R.C.O.), 5668.
Matthias (Waldemar), 1160.
Mattoso (José), 2686, 2687.
Mattsson (Nils), 6057.
Mattusch (C.C.), 1636.
Matusak (Piotr), 7428.
Matwijowski (Krystyn), 509.
Mátyás Ier, roi de Hongrie, 2472.
Matz (Friedrich), 77.
Maubert (Claude Guy), 2688.
Maurer (Hans-Martin), 504.
Maurer (Helmut), 527.
Maurin (Jules), 6326.
Maurras (Charles), 3749.
Maury (Bernard), 985.
Maurya, dynasty, 7581.
Mausolus, satrap of Caria, 1291.
Mavrocordatos (Alexandros), 7039.
Maxim (Mihai), 357.
Maximilian I., röm.-deutscher Kaiser, 2783.
Maximilian I., Kurfürst v. Bayern, 3244, 7011.
Maximilian II. Emanuel, Kurfürst v. Bayern, 7043.
Maximilianus Maria Kolbe, Sanctus, 4494.
Maximinus Thrax (Gaius Julius Verus), empereur romain, 1754.
Maximus Confessor, Sanctus, 2981.
Maxwell (G.), 1723.
Maxwell (William), 5296.

May (Elaine Tyler), 5561.
May (Irvin M.) Jr., 5931.
May (Lary L.), 5561.
Maya (Carlos), 4517.
Mayer (Hans Eberhard), 2423, 2425.
Mayer (Marcel), 5794.
Mayer (Thomas Michael), 3197.
Mayerson (Philip), 2162.
Mayes (Stanley), 3399.
Mayeur (Françoise), 956.
Maycur (Jean-Marie), 4389.
Mayhew (Dean R.), 7071.
Maynes (Mary Jo), 344.
Mayo (Mary Ann), 5975.
Mazarin (Giulio Mazarini, dit), cardinal,3615, 7008.
Mazuzan (George T.), 5795.
Mba (Nina Emma), 6872.
M'bokolo (Elikia), 6873.
Mčedlov (M.P.), 6527.
Meaney (Audrey), 2776.
Meaney (Neville), 7125.
Meckier (Jerome), 5355.
Medici, famiglia,4006, 4029.
Medici (Cosimo I de') granduca di Toscana, 257.
Medici (Lorenzo I de'), il Magnifico, 2447.
Meding (Wichmann von), 4624.
Mednyánszky (Alajos), 3897.
Mednyánszky (László), 5482.
Medri (Maura), 1947.
Medvedev (Roy A.), 4278.
Medvedskaya (I.N.), 1220.
Meehan - Waters (Brenda), 4279.
Meekings (Cecil Anthony F.), 2590.
Meere (J.M.M. de), 5669.
Megerle (Klaus), 5796.
Mégevand (Beatrice), 6874.
Mehl (Roger), 4625.
Mehmed II, sultan ottoman, 2513, 2548.
Mehnke (Bernhard), 6327.
Mehra (Parshotam), 7542.
Mehta (Ved), 6837.
Meier (August), 3486, 6558.
Meier (Christian), 1736.
Meier (Kurt-Werner), 295.
Meijer (F.J.), 1737.
Meinberg (Wilhelm), 3232.
Meinecke (Friedrich), 457.
Meiners (Fredericka), 4837.
Meinert (Hermann), 3187.
Meinong (Alexius), 4962.
Meirion - Jones (Gwyn I.), 5429.
Meischner (J.), 1986.
Meister des Hohenfurther Zyklus, 2866.
Meister (Klaus), 1482.
Melanchthon (Philipp), 4570.
Melandri (Pierre), 7505.
Melania Junior, Sancta, 2070.
Mele (Mirella), 1940.
Meller (Stefan), 3706.
Mel'nikov (A.M.), 7590.
Meloni (Giuseppe), 2496.
Melville (Gert), 2933.
Melville (Ralph), 7090.
Mena García (María del Carmen), 6969.

Menage (V.L.), 2443.
Ménager (Daniel), 358.
Mende (Erling von), 7668.
Mendelsohn (Ezra), 4691.
Mendelsohn (Richard L.), 5012.
Mendelson (A.), 1392.
Menditte (Arnaud de), 277.
Meneghetti Cesarin (Francesca), 4023.
Ménétra (Jacques-Louis), 6167.
Menk (Gerhard), 3270, 4838.
Menotti (Ciro), 3989.
Mentzou-Meimarē (Konstāntina), 2163.
Menz-von der Muehl (Marguerite), 2860.
Merceron (P.), 86.
Merceron (R.), 86.
Mérey (Klára), T., 479.
Mérimée (Prosper), 5303.
Merkel (Renate), 6559.
Merkelbach (Reinhold),1929.
Merkert (Maria), 4513.
Merlat (Pierre), 1738.
Merlette (Bernard), 3035.
Merlin (Pierpaolo), 6674.
Mérovingiens, dynastie, 2184, 2220, 2575, 2769.
Merpert (N. Ja.),1169, 1354.
Merriman (John M.), 3667.
Merriman (John R.), 3707.
Merriman (John S.), 3177.
Merselius van Macharen, v. Van Macharen (Merselius).
Meskil (John), 7669.
Mesmer (Franz), 5112.
Messali Hadj (Ahmed) 6845, 6891.
Messer (Robert L.), 7506.
Messner (Dieter), 499.
Mészáros (István), 2778, 5549.
Mészáros (Károly), 7212.
Metcalf (Barbara Daly), 7591.
Metcalf (D.M.), 101, 126.
Metegue N'nah (Nicolas), 6875.
Metellus von Tegernsee, 2253.
Methodius, Apostolus Slavorum, Sanctus, 2244.
Metman (Josette),2198, 2591.
Mettam (Roger), 722.
Mette (Hans Joachim), 1436.
Metternich (Clemens Lothar Wenzel, Fürst von), 3901.
Mettra (Claude), 3708.
Metz (Rainer), 6181.
Metz (René), 4369.
Metzger (Mendel), 2528.
Metzger (Thérèse), 2528.
Metzler (Giuseppe), 1007.
Metzler (Jeannot), 3092.
Meunier (Constantin), 5468.
Meuthen (Erich), 48, 2934.
Meyendorff (John), 1039.
Meyer (Daniel), 3709.
Meyer (Elisabeth), 2592.
Meyer (Erich), 4176.
Meyer (Ferdinand), 7670.
Meyer (Hektor), 7629.
Meyer (Horst), 27.
Meyer (Jean), 3710, 5888.
Meyer (Jean-Claude), 4470.

Meyer - Thurow (George), 5797.
Meynier (Gilbert), 6876.
Mezei (Osttó), 5405.
Mezey (Barna), 3932.
Mhone (Guy C.Z.), 5798.
Miao (Ronald C.), 7671.
Michael (Robert), 3711.
Michael Syncellus, 147.
Michaēlarēs (Panagiōtēs), 5889.
Michalewska (Krzysztofa), 4839.
Michalka (Wolfgang), 3237, 7343.
Michalski (Jerzy), 3609.
Michalski (Stanisław), 4810, 6328.
Michaud (Claude), 4471.
Michaud (Jean), 2196.
Michel (A.), 1063.
Michel (Denise), 1124.
Michel (Henri), 7292, 7429.
Michel (Joël), 6560.
Michel (Marc), 4626, 7213.
Michel (Pierre), 5356.
Michelet (Jules), 458.
Michelot (Jean-Claude),6732.
Michelson (Paul E.), 429.
Mickiewicz (Adam), 5335, 5388.
Micu (Iolanda), 4146.
Middlekauff (Robert), 6970.
Middleton (Robin), 5430.
Mieck (Ilja), 3712, 6733.
Mielke (Friedrich), 3271.
Migliardi Zingale (Livia), 1683.
Miglio (Luisa), 7.
Migliorato (Giuseppe), 5013.
Miglus (P.A.), 1355.
Mignot (Liêu), 7607.
Mihǎescu (Haralambie), 835.
Mihai Viteazul, Michel le Brave, prince de Valachie, 4131, 4153.
Mihalčić (Rade), 2259.
Mikhajlov (M.I.), 6561.
Mikheev (Ju. Ju.), 7621.
Mikics (Lajos), 3933.
Mikulinskij (S.R.), 1244.
Milani (Mino), 4024.
Miles (David), 1862.
Milin (Miodrag), 6775.
Milis (Ludo), 87.
Militzer (Klaus), 748.
Mill (James), 4954.
Mill (John Stuart), 3846, 4741, 4943, 4951, 5001, 5976.
Millar (Fergus), 1703, 1739.
Millard (Alan R.), 1343.
Miller (Arthur Selwyn), 6675.
Miller (Char), 3534.
Miller (D.G.), 1576.
Miller (Darlis A.), 3535.
Miller (John), 3830.
Miller (John E.), 3536.
Miller (John William), 600.
Miller (Joseph C.), 5978.
Miller (Perry), 459.
Miller (Robert Ryal), 5148.
Miller (Rory), 5799.
Miller (Stuart Creighton), 6838.
Millerand (Alexandre), 3661.
Millet (Hélène), 3036.

Millgate (Michael), 5286, 5357.
Millikan (Robert Andrews), 5133.
Millman (James), 4643.
Millot (L.), 1299.
Mills (Anthony J.), 1327.
Mills (Eugene S.), 5149.
Millward (Robert), 2689.
Milner (A.C.), 7624.
Milner (Clyde A.) II, 4627.
Milton (David), 5800.
Milza (Pierre), 3149, 6877, 7126.
Minaeva (N.V.), 6703.
Minami (Ryōshin), 5801.
Minault (Gail), 7592.
Minc (I. I.), 913, 4211, 4231, 4280.
Miner (H. Craig), 6126.
Ming, Chinese dynasty, 7637, 7643, 7669, 7675.
Mínguez Fernández (José María), 2343.
Miniewicz (Janusz), 7398.
Minnich (Nelson H.), 4472.
Minnis (Alastair), 2779.
Minorsky (Vladimir), 7555.
Minot (Bernard), 3713.
Mintz (Jerome R.), 3420.
Mintz (M.), 4281.
Mioni (Elpidio), 2121.
Miozzi (U. Massimo), 359.
Miquel (Juan), 1812.
Mirabeau (Honoré Gabriel Riquet, comte de), 3645.
Miranda (Soledad), 5358.
Mirel (Jeffrey), 4840.
Mirončenkova (Z.S.), 6620.
Mironneau (Jacques), 780.
Miscamble (Wilson D.), 3537.
Mishkinsky (M.), 6562.
Miskawayh (Abu 'Ali), 2536.
Miśkiewicz (Benon), 520.
Miśkiewiczowa (Maria), 2690.
Miskolczy (Ambrus), 7127.
Mislin (Miron), 5431.
Misonne (Daniel), 3037.
Mitchell (Allan), 3714.
Mitchinson (Wendy), 5150.
Mithridates VI Eupator, roi du Pont, 1874.
Mitrakos (Alexander S.), 7214.
Mitre (Bartolomé), 460.
Mitre Fernández (Emilio), 2780.
Mitterauer (Michael), 582.
Mittmann (Siegfried), 1393.
Mirzoev (M.N.), 1356.
Mjaskovskij (N. Ja.), 5540.
Mkhitarjan (S.A.), 6584.
Mnichowski (Przemysław), 7293.
Mnukhin (Lev), 5272.
Močalov (I.I.), 5151.
Mochnacki (Maurycy), 5362.
Mock (Wolfgang) 6229, 6818.
Mocsáry (Lajos), 3953.
Modrzejewski (Joseph), 1257.
Möcker (Hermann), 769.
Möhring (Hannes), 2255.
Möller (Horst), 6704.
Möncke (Gisela), 2274.
Moerbeke, v. Van Moerbeke (Willem).
Mörkholm (O.), 127.
Möseneder (Karl), 5432.

Mötteli (Rodolphe Max), 3831.
Mogil'nickij (B.G.), 601.
Mohammed, le Prophète, 733, 746.
Mohammed-Ali (Abbas S.), 1170.
Mohr (Hubert), 962.
Moisan (André), 455, 2382.
Moïse de Narbonne, 2525.
Moiseeva (T.A.), 1483.
Moisuc (Viorica), 7215.
Mokyr (Joel), 6127.
Mola (Aldo A.), 4009.
Molager (Jean), 2019.
Moldavi (Moshe), 817.
Molik (Witold), 4841.
Mollat (E.), 3060.
Mollat du Jourdin (Michel), 2691, 2692, 4328, 4335.
Mollay (Károly), 2781.
Molnar (Amedeo), 3038.
Molnár (Antal), 5563.
Molnár (Ferenc), 2256.
Molnár (József), 3922.
Moltmann (Gerhard), 3176.
Momen (Moojan), 4692.
Momigliano (Arnaldo), 360, 438, 461, 1577.
Mommsen (Theodor), 366.
Mommsen (Wolfgang J.), 421, 6229, 6402.
Monash (John), 3346.
Monat (Pierre), 2089.
Mondolfo (Rodolfo), 1521.
Monet (Claude), 5469.
Monetti (F.), 2861.
Monkiewicz (Waldemar), 7294.
Monkkonen (Eric H.), 3538.
Monnet (Jean), 3704.
Monnier (André), 5260.
Monnier (Gérard), 5433.
Monnier (Jean - Laurent), 1130.
Monnier (Philippe), 4026.
Monsaingeon (Guillaume), 5014.
Montagnes (Bernard), 3039.
Montaigne (Michel Eyquem de), 5234, 5304.
Monteiro (Nuno), 2296.
Monteleone (Giulio), 7128.
Monteon (Michael), 3394.
Montequin (François-Auguste de), 5434.
Montesquieu (Charles Louis de Secondat, baron de), 860, 4944, 4957.
Montezuma (Carlos), 3509.
Montias (John Michael), 6329.
Monticone (Alberto), 7216.
Montluc (Blaise de), 3619.
Montpetit (Edouard), 4772.
Moody (Michael E.), 4628.
Moody (T.W.), 816, 3832.
Mooney (Peter J.), 4282.
Moore (Jamie W.), 3539.
Moore (R. Laurence), 602.
Moorey P.R.S.), 1103.
Mora (Carl J.), 5564.
Mora Mérida (José Luis), 6966.
Morabito (Marcel), 1813.
Moran (Gerald F.), 4629.
Morandi (Carlo), 462.
Morange (Jean), 5610.

INDEX DES NOMS D'AUTEURS ET DE PERSONNES 359

Moraru (Ion), 4128.
Moravcsik (Julius), 1541.
Moravetti (Alberto), 1193.
Moraw (Peter), 4765.
Morawska (Ewa), 6330.
More (Ellen), 4630.
More (Thomas), v. Thomas Morus, Sanctus.
Moreau (Brigitte), VIII.
Moreau (Philippe), 1740.
Moreau (Thérèse), 458.
Morekhina (G.G.), 6525.
Morel (Benedict-Augustin), 5143.
Morel (Jean-Paul), 1382.
Morelli (Mirella), 8.
Morelou (Jean-Pierre), 6663.
Moreno (Paolo), 1987.
Moreschini (Claudio), 2011.
Morgan (D.O.), 2782.
Morgan (David W.), 3272.
Morgan (Sir Henry), 6940.
Morgan (Margaret Ruth), 2195.
Morgan (Nigel J.), 2862.
Morgan (Philip D.), 6331.
Morgan (William Michael), 7129.
Morghen (Raffaello), 441.
Mori (Ōgai), 5176.
Morintz (Sebastian), 470.
Moritz, Kurfürst von Sachsen, 3193.
Morka (Mieczysław), 5476.
Morlet (Marie-Thérèse), 145.
Morley (I.W.), 5802.
Morlion (Carla), 3040.
Morn (Frank), 6332.
Morrah (Patrick), 3833.
Morrill (John S.), 3834.
Morris (Eric), 7399.
Morris (John), 1741.
Morris (Richard B.), 3540.
Morris-Jones (W.H.), 7503.
Morrison (Karl F.), 745.
Morrisson (C.), 134.
Morrisson (Cécile), 2164.
Morrow (John H.) Jr., 7217.
Morse (Samuel Finley Breese), 4716.
Morselli (Chiara), 1963.
Morton (Desmond), 7218.
Morton (James Douglas, 4th earl of), 3810.
Mosca (Gaetano), 858, 877.
Moscati (Laura), 403.
Moscati (Sabatino), 1394.
Moschonas (N.G.), 2165.
Mosconi (Enrique), 5836.
Moser (Harold D.), 3440.
Moses (Claire G.), 5015.
Moses (John A.), 6563.
Mosiici (Luciana), 22.
Moskalen (Walter), 1907.
Moskowitz (Belle Israels), 6577.
Mosley (Cynthia, Lady), 3835.
Mosley (Leonard), 7400.
Mosley (Nicholas), 3835.
Mosley (Sir Oswald Ernald, 6th baronet), 3835.
Moss (Michael S.), 5762.
Moss (William W.), 274.
Mossay (J.), 2025.
Mossé (Claude), 1484.
Mosse (George Lachmann), 7281.

Mosshammer (Alden A.), 1612.
Mossig (Christian), 6649.
Mossman (Elliott), 5291.
Mostafa (Maha M.F.), 1328.
Mostakhov (S.E.), 202.
Mosti (Renzo), 2257.
Motta (Rossella), 2863.
Motte (Olivier), 361.
Moulis (Miloslav), 4197.
Mountbatten of Burma (Louis Mountbatten, 1st earl), 6825, 7412, 7576.
Moure Romanillo (J. A.), 1131.
Moureau (François), 4895, 5304, 5565.
Mourelos (Giannēs G.), 7219.
Mousnier (Roland), 873.
Mouton (Marie-Renée), 3618.
Mozart (Wolfgang Amadeus), 5515, 5579.
Mozzarelli (Cesare), 4027, 4028.
Mrukówna (Julia), 2203.
Mubarrad (Abū l-'Abbās Muḥammad ibn Yazīd al-Thumālī al-Azdī, dit al-), 2754.
Muckelroy (K.), 1194.
Mucs (Sándor), 3934.
Mudar (Karen), 1357.
Mühlpfordt (Günter), 482.
Müller (Albert), 886.
Müller (Alfred), 203.
Müller (Eckhard), 5980.
Müller (Georg), 3273.
Müller (Gerhard), 1001.
Müller (Heribert), 362, 3041.
Müller (Irmgard), 2693.
Müller (Iso), 3042.
Müller (Jan-Dirk), 2783.
Müller (Klaus), 3183, 3274.
Müller (Klaus-Jürgen), 3275, 3276.
Müller (Manfred), 447.
Müller (Werner), 5566.
Müller (Wolfgang), 1329.
Müller-Eiselt (Klaus Peter), 1814.
Müller-Luckner (Elisabeth), 7027.
Müller-Wille (Michael), 2864.
Münzenberg (Willi), 4926.
Müteferrika (Ibrahim), 32.
Mugglin (Beat), 6333.
Mughal, dynasty, 194.
Muhlack (Ulrich), 5606.
Mukhačev (Ju. V.), 4283.
Mulak (Jan), 6564.
Mulholland (James A.), 5803.
Muller (H. Nicholas) III, 3474.
Muller (Richard A.), 4631.
Mulliez (Dominique), 1522.
Mulligan (Martin), 815.
Mulligan (Timothy P.), 7401.
Multedo (Roch), 696.
Mulvey (Patricia A.), 6971.
Munčaev (R.M.), 1169, 1354.
Munier (Charles), 1022.
Muñiz Coello (Joaqhín), 1815.
Munk Olsen (Birger), 2258.
Munkácsy (Mihály), 5475.
Munteanu (Romul), 4715.
Muntjan (M.A.), 7508.
Murat (Joachim), roi de

Naples, 7059, 7074.
Muratori (Lodovico Antonio), 463.
Murav'ev (V.A.), 6624.
Murdock (Eugene C.), 6334.
Murdy (Philippe), 1684.
Murilo de Carvalho (José), 3372.
Murphy (Bruce Allen), 3541.
Murphy (Detlef), 3972.
Murphy (Orville T.), 7045.
Murray (Stephen O.), 5152.
Mus (Michel), 4473.
Muşat (Mircea), 4131, 4147.
Musoke (Moses S.), 5981.
Mussato (Gianfrancesco), 5236.
Musset (Lucien), 1014, 2424.
Mussolini (Benito), 3997, 4019, 4040, 4042, 7198, 7229, 7336.
Muth (Heinrich), 3277.
Muthesius (Stefan), 5435.
Muthmann (Friedrich), 1272.
Myers (Henry A.), 2365.
Mylius (Klaus), 7593.
Myl'nikov (A.S.), 2784.
Myres (Sandra L.), 3542.
Myrsiades (Linda Duny), 6335.
Myška (Věroslav), XIX.
Myślinski (Jerzy), 4914.
Myß (Walter), 983.
Mysyrowicz (Ladislas), 7154.

N

Naastad (Nils E.), 5890.
Nadal-Farreras (Joaquín), 775.
Nadel (S.F.), 7730.
Nadelhaft (Jerome), 6336.
Nádor (Tamás), 5568.
Naess (Hans Eyvind), 6734.
Nagel (Wolfram), 1417.
Nagelkerke (Gerard A.), 6901.
Nagl-Docekal (Herta), 603.
Nagy (András), 3043.
Nagy (Anikó), S., 2694.
Nagy (Erzsébet), 604.
Nagy (László), 3935, 6878.
Nagy (Zoltán), 5804.
Nagy (Zsuzsa), L., 7295.
Nahler (Edith), 5242.
Nahmer (Dieter von der), 2975.
Najdus (Walentyna), 6565.
Najemy (John M.), 2366, 4029.
Najita (Tetsuo), 4056.
Nakai (Kazuo), 4284.
Nakam (Géralde), 5234.
Nakamura (Takafusa), 5670.
Nakow (Angeł), 6750.
Nałęcz (Tomasz), 6566.
Namlot, 1323.
Nanda (B.R.), 6839.
Napo (F.), 3715.
Napoléon Ier, empereur des Français, 867, 3609, 3637, 3691, 3701, 3753, 6245, 7057, 7070, 7072, 7075, 7079-7081.
Napoléon III, empereur des Français, 3724, 3758, 7130.

INDEX DES NOMS D'AUTEURS ET DE PERSONNES

Nardin (Pierre), 3716.
Nardinelli (Clark), 6337.
Naročnickij (A.L.), 4312, 7499.
Nascimento Raposo (José do), 4693.
Nash (Michael), 6567.
Nashef (Khaled), 1359.
Nasser (Gamal Abdel), 3402.
Nastovici (Ema), 7220.
Natalis (Gerhard), 5061.
Natoli (Claudio), 6568.
Naumov (E.P.), 432.
Navè Levinson (Pnina), 1395.
Naveh (Joseph), 9.
Nazarova (E.L.), 2695.
Neal (Claude), 3529.
Neck (Rudolf), 521, 3349.
Necker (Jacques), 6701.
Nečkina (M.V.), 343, 4285.
Neculce (Ion), 4133.
Nedorezov (A.I.), 7318.
Neely (Mark E.) Jr., 3543.
Neesse (G.), 1578.
Neferti, 1302.
Negre (Ernest), 167.
Nejedlý (Miloslav), 7296.
Nelson (Ben A.), 7736.
Nelson (Bonnie A.), 5569.
Nelson (Daniel), 5805, 6569.
Nelson (Sarah M.), 7711.
Nelson (William E.), 3544.
Nemes (Dezső), 3936, 6570.
Nemes (Károly), 5570.
Németh (József), 6338.
Németi (Ioan), 1221.
Nemirovskij (A. I.), 1579, 1666.
Nenci (G.), 1647.
Nenni (Pietro), 4030.
Nenola-Kallio (Aili), 697.
Nerazık (E.E.), 710.
Nero (Claudius Caesar) empereur romain, 1712,1742.
Neronova (V.D.), 1273.
Nerval (Gérard de), 5275.
Nesejt (František), 6571.
Nesvadbík (Lumír), XIX.
Netea (Vasile), 464.
Nettball (Kurt), 3213.
Neu (John), 946.
Neuendorff (Dagmar), 2785.
Neuhaus (Helmut), 6691, 6705.
Neumüller (Michael), 4191.
Neuser (Kora), 1274.
Neve (Felipe de), 6905.
Nevers, maison de, 2631.
Neveu (Franz Xaver von), Bischof von Basel, 7066.
Neville (G.H.), 5359.
Nevler (Vilin) (V.E.), 4031.
Newbury (Colin), 6879.
Newdegate (Charles), 4345.
Newitt (M.D.D.), 6880.
Newman (John Henry), cardinal, 4468, 4485.
Newson (Linda), 6972, 6973.
Newton (Sir Isaac), 5097, 5138.
Newton (Ronald C.), 3334.
Ney (Michel), duc d'Elchingen, prince de la Moskova, 7074.
Ngongo (Louis), 4359.
Ničev (A.), 1580.
Nichiţelea (Pamfil), 542.

Nicholls (Anthony), 3137.
Nichols (Irby C.) Jr., 4286.
Nicolaus Cusanus, v. Nikolaus von Kues.
Nicod (Françoise), 6339.
Nicolas (François), 5457.
Nicolas (Jean), 484.
Nicolau (Edmond), 971.
Nicolet (Claude), 1743.
Nicot (Jean), 277.
Niebuhr (Barthold Georg), 465.
Nieddu (Gianfranco), 1581.
Niederauer (David J.), 5360.
Niederhauser (Emil), 363, 445, 472, 3150, 5982.
Niederland (Daniel S.), 3426.
Niedhart (Gottfried), 7344.
Niehuss (Merith), 6340.
Nielsen (Karl Martin), 2254.
Niemann (Heinz), 6503.
Niemeier (Wolf-Dietrich), 77.
Niemeyer (H.G.), 1398.
Niesinger (Peter), 146.
Nietzsche (Friedrich), 4966, 4973, 4978, 5038, 5041.
Nieuwenhuis (Tom), 3964.
Nightingale (Florence),3779, 3846, 5182.
Nijenhuis (W.), 4632.
Nikolaj I Pavlovič, empereur de Russie, 4811.
Nikolaus von Kues, Kardinal, 2919, 2926, 3056, 3065.
Nilsson (Bertil), 2786.
Nilsson (Lennart), 4842.
Nilsson (Runo B.A.), 6341.
Nilsson (Sven A.), 6128.
Ninkovich (Frank), 6776.
Nippel (Wilfried), 1523.
Nischan (Bodo), 3278, 4360.
Nish (Ian H.), 6753.
Nishi (Toshio), 4057.
Nissen (Walter), 3279.
Nitti (Francesco Saverio), 5593.
Nitze (Paul H.), 7524.
Nixon (Richard), historian, 7509.
Nodier (Charles), 5321.
Noël (Jean C.), 3973.
Noël (Léon), 4193.
Nöthiger (Christine), 4633.
Nogossek (Hanna), 2844.
Noguères (Henri), 7430.
Nohlen (Klaus), 5436.
Nolde (Emil), 5164.
Noll (Mark A.), 4353.
Nolte (Detlef), 3395.
Nonclercq (Marie), 5153.
Nonn (Ulrich), 2344.
Nony (Daniel), 129.
Norbertus, Archiepiscopus Magdeburgensis, Sanctus, 2982.
Nordholdt (Jan Willem Schulte), 6974.
Norfolk (Thomas Howard, 3rd duke of), 6258.
Norn (Otto), 2865.
Norrby (Jonas), 4171.
Norrie (K.H.), 3388.
Norris (Darrell A.), 5437.
North (Douglass C.), 522, 5640.
North (Michael), 748.

Nortier (Michel), 21.
Norton (Mary Beth), 3545.
Norwich (John Julius), 823.
Nosov (N.E.), 854.
Notkowski (Andrzej), 4915.
Nouaillhat (Yves-Henri), 5672.
Nouhaud (Michel), 1582.
Novara (A.), 1908.
Nove (Alec), 5637.
Novikov (Nikolaj), 5260.
Novosel'cev (A.P.), 7557.
Nový (Luboš), 963.
Nowak (Tadeusz Marian), 5154.
Nowak (Zbigniew), 5235.
Nowak-Kiełbikowa (Maria), 4124.
Nowakowski (Jerzy), 7403.
Noyé (Ghislaine), 2859.
Numayri (Ibrahim Ibn al-Hadjad an-), 2269.
Numbers (Janet S.), 5155.
Numbers (Ronald L.), 5155.
Nuorteva (Santeri), 3141.
Nurek (Mieczysław), 7511.
Nussbaum (Martha), 1587.
Nwabueze (B.O.), 6676.
Nybakken (Elizabeth L.), 4634.
Nyberg (Ulla), 2931.
Nybom (Thorsten), 605, 606.
Nygaardsvold (Johan), 4078.
Nyman (Magnus), 4743.
Nyström (Maurits), 5806.
Nyulásziné Straub (Éva), 84.

O

Oakes (James), 6342.
Oakley (Francis), 3044.
Oates (Stephen B.), 3546.
O'Bannon (Patrick W.), 5807.
Obenaus (Herbert), 6706.
Ober (J.), 1744.
Oberlé (Raymond), 788.
Obermann (Heiko A.), 4634a.
Oberschelp (Reinhard), 3280.
Obichere (Boniface I.),6892.
Običkina (E.O.), 3717.
Obrecht (Hermann), 7322.
O'Brien (Albert C.), 4032.
O'Brien (Denis), 1447.
O'Brien (Joseph V.), 6343.
O'Brien (Patricia), 6735.
O'Brien (Patrick K.), 5673.
O'Brien (Thomas F.), 3396.
Obrist (Barbara), 2787.
Ocaña Jiménez (M.), 56.
Ockham (William), 2752, 2917.
Ocko (Jonathan K.), 7673.
O'Connell (James F.), 7749, 7766.
O'Connell (William Henry), cardinal, 3588.
O'Connor (Feargus), 6486.
O'Day (Rosemary), 4844.
O'Dea (Shane), 5438.
Odelberg (Wilhelm), 4780.
Odén (Birgitta), 580.
Odon de Soissons, abbé d'Ourcamp, 3009.
O'Donnell (J.J.), 1745, 2261.

O'Donoghue (Frances), 4474.
Odyniec (Wacław), 832.
Oeser (Adam Friedrich), 5481.
Österberg (Eva), 901, 5983.
Östergren (Majvor), 131.
Östör (Ákos), 7765.
Oexle (Otto Gerhard), 2697.
Özdoğan (M.), 1172.
O'Farrell (Patrick), 3974.
Offermann (Toni), 6572.
Offwood (Stephen), 4628.
O'Gareff (Val), 4287.
O'Gorman (Frank), 3836.
Ogot (Bethwell A.), 6881.
O'Higgins (James), 4635.
Oikonomidès (Nicolas), 82, 2166.
Oizeman (Theodor), 1053.
Ojtozi (Eszter), 276.
Okey (Robin), 3152.
Okhlopkov (V.E.), 6573.
Okladnikov (A.P.), 1106, 5216.
Okladnikova (E.A.), 1106.
Okolicz (Łucja), 2289.
Olajos (Teréz), 1226.
Olbrich (Josef), 6459.
Oldenstein (Jürgen), 1989.
Ol'derogge (D.A.), 649, 712.
Olejnik (N.I.), 4209.
Oleson (John Peter), 1667.
Olien (Diana Davids), 6344.
Olien (Roger M.), 3547, 6344.
Olier (Jean-Jacques), 4429.
Oliva (P.), 1485, 1524.
Oliveri (Leonello), 7072.
Olivier (Paul), 4390.
Ol'khovskij (V.S.), 1245.
Olmstead (Alan L.), 5981.
Olsen (Glenn W.), 3045.
Olson (Alison G.), 6975.
Olson (Richard), 965.
Olsson (Karl O.), 4636.
Olszewski (Daniel), 999.
Olszewski (Henryk), 608, 3315.
Omodeo (Adolfo), 466.
Onasch (Konrad), 984.
O'Neill (Patrick), 966.
O'Neill (William L.), 4744.
Ongaro (Giuseppe), 5066.
Onuki (T.), 2033.
Oppenheimer (Jane M.), 5157.
Oppenheimer (Robert), 5808.
Oprea (Ion M.), 7221.
O'Prey (Paul), 5284.
Orbán (Balázs), 837.
Orchard (Jocelyn), 1275.
Orcibla (Jean), 4391.
Ord-Hume (Arthur W.J.G.), 5572.
Ordioni (Pierre), 798.
Orduna (Germán), 2263.
O'Reilly (Kenneth), 3548.
Oresme (Nicole d'), 2795.
Orford (Robert Walpole, 1st earl of), 3795.
Origenes, Adamantius, 2034-2036, 2060, 5231.
Orion latis pedibus sive Cappadocus, 2065.
Orkney (Robert Steward, earl of), 3772.
Orlandi (Giovanni), 2322.
Orlandis (José), 2090, 2091.

Orléans (Elisabeth-Charlotte, duchesse d'), 3624.
Orléans (Louis Philippe Joseph, duc d'O., dit Philippe Egalité), 3633, 3687.
Orléans (Philippe,duc d'O., dit le Régent), 3708.
Orlova (A.S.), 4324.
Ormos (Mária), 4148.
Ornato (Ezio), 551.
Orosius (Paulus), 2083.
Orosz (István), 5984.
Orr (William J.) Jr., 7130.
Orrieux (Claude), 1330.
Ors (Alvaro d'), 1816.
Ortega (Luis), 5809.
Ortiz de la Tabla Ducasse (Javier), 6129.
Orton (James), 5148.
Orwell (George) [pseud. of Eric Arthur Blair], 5333.
Orżekhovskij (I.V.), 4288.
Osborne (M.J.), 1503.
Osica (Janusz), 4111.
Osiecki (Czesław), 4530.
Osterberg (Ilse), 1181.
Ostoja-Zagórski (Janusz), 1222.
Ostrowska (Teresa), 5158.
Osuchowski (Janusz), 4112.
Osuchowski (W.), 1817.
Otaiba (Mana Saaed), 5810.
Otero (M.), 1442.
Otokar II Přemysl, roi de Bohême, 2390.
Otruba (Gustav), 5858.
Ott (Hugo), 4385.
Ottanelli (Valeria), 2655.
Ottaviani (G. Nico), 2297.
Otter (A.A. den), 5811.
Ottmar (Johann), 3281.
Otto I. der Große, röm.-deutscher Kaiser, 2442.
Otto IV., röm.-deutscher Kaiser, 2411.
Otto (Ulrich), 3282.
Ottonen (die), röm.-deutsche Kaiser, 2388, 2428, 2586, 2924.
Oudama, 2142.
Ourliac (Paul), 2594.
Outhwaite (R.B.), 5674.
Ovadiah (Asher), 2167.
Over (Ray), 5159.
Overbeck (B.), 132.
Overesch (Manfred), 3283.
Overton (Richard C.), 5812.
Overy (Richard), 3284.
Ovidius Naso (Publius), 1891, 1894, 1909, 1913.
Oviedo Cavada (C.), 4475.
Ovsjannikov (M.F.), 5407.
Owen (David), 3837.
Owen (Roger), 7558.
Owen (Stephen), 7674.
Owram (Douglas), 3387.
Oxenstierna (Axel), 7026.
Oxford (Robert Harley, 1st earl of), 3821.
Ozanam (Didier), 7046.
Ozimek (Stanisław), 7404.
Ozment (Steven), 4551.
Ozouf (J.-C.), 1124.

P

Paasivirta (Juhoni), 7131.
Paccard (Maurice), 1132.
Pacciarelli (M.), 1195.
Pach (Chester J.) Jr., 7512.
Pach (Szigmond Pál), 467, 5891, 5892.
Pachter (Henry), 3285.
Pack (Edgar), 1000.
Packer ("Alfred" E.), 3494.
Pacon (Henri), 5433.
Pacovský (Jaroslav), 5813.
Paderewski (Ignacy Jan), 5575, 5591.
Padfield (Peter), 6778.
Pälsi (Sakari), 183.
Pätzold (Kurt), 3286.
Paganini (Niccolò), 5547.
Pagano (Mario), 1990.
Pagano (Sergio M.), 5573.
Pagden (Anthony), 4745.
Page (Christopher), 2893.
Page (Stanley W.), 6575.
Pagel (Walter), 5160.
Pagès (Alain), 5298.
Pailler (Jean-Marie), 1991.
Pais (Abraham), 5161.
Păiuşan (Radu), 4149.
Pajewski (Janusz), 4720.
Pakhomov (I.M.), 7513.
Palacký (František), 363, 468.
Paladilhe (Dominique), 2426.
Palaiologoi, dynastie byzantine, 2127, 2155, 2166.
Palladius (Rutilius Taurus Aemilianus), 1852.
Palma (Marco), 8.
Pálmai (Magda), 4928.
Palmer (Howard), 6130.
Palmer (John M.), 3506.
Palmer (Robert), 576.
Palmer (Robert C.), 2595.
Palmerio di Corbizo, notaio, 22.
Palmerston (Henry John Temple, 3rd viscount), 3778.
Pálóczi Horváth (András), 2698.
Palonen (Kari), 3287.
Palotás (Emil), 472, 7132.
Paltiel (Eliezer), 1746.
Paltz (Johannes von), 4446.
Pandolfini Angeletti (Maristella), 1655.
Pandula (Attila), 857.
Panejakh (V.M.), 6345.
Pánek (Jaroslav), 4194, 7023.
Paniev (Ju. N.), 7514.
Pankratova (N.P.), 158.
Panoff (Michel), 7005.
Pansini (Giuseppe), 257.
Pantelidis (Veronica S.), 4785.
Paolucci (Vittorio), 4916.
Papachryssanthou (Denise), 2112, 2168.
Papacostea (Şerban), 2497.
Papagno (Giuseppe), 3998.
Papanikolas (Zeese), 4846.
Papasogli (Giorgio), 4476.
Papazoglou (Fanoula), 1747.
Pápay (József), 469.
Papen (Franz von), 3245.
Papenfuse (Edward C.), 5642.

Papenfuss (D.), 1276.
Papp (Klára), 5985.
Papp (Sándor), 5570.
Paprocki (Bartosz), 88.
Papu (Edgar), 5361.
Paquet (Gilles), 5675.
Paquet (Jacques), 2788.
Paradisi (Bruno), 883.
Parain (Charles), 1748.
Parant (Robert), 1331.
Parčevič (Petăr), 7052.
Parent (Jean-François), 6131.
Parent (Michel), 3718.
Parent (Thomas), 3288.
Parent-Lardeur (Françoise), 4746, 6346.
Parente (Luigi), 6058.
Parias (Louis-Henri), 956.
Paricio (Javier), 1818.
Parisse (Michel), 2699.
Parker (Geoffrey), 1040.
Parker (William N.), 5986.
Parks (Lillian Rogers), 3549.
Parlato (Giuseppe), 4022.
Parmenides, 1450, 1553.
Parnell (Charles Stewart), 3975.
Pârnuță (Gheorghe), 4792.
Parr (Joy), 6203.
Parrish (Michael E.), 6650.
Parry (J.P.), 3838.
Parsadanova (V.S.), 7345.
Partner (Peter), 2960.
Pârvan (Vasile), 470.
Parsons (Peter John), 534.
Pascal (Blaise), 4405, 4487, 4497, 5113.
Paschasius Radbertus, Abbas Corbeiensis, Sanctus, 2975.
Pask (Edward H.), 5574.
Paskov (S.S.), 7133.
Pasquato (O.), 456.
Pasquier (Alain), 316.
Passerin (René), 4721.
Passoni dell'Aqua (Anna), 1396.
Pasternak (Boris), 5291.
Pastore (Alessandro), 6736.
Pastoureau (Michel), 73, 89.
Pašuto (V.T.), 432, 913, 2345.
Pataki (János), 3898.
Pataky (Lajosné), 262.
Patlagean (E.), 461.
Patricius, Apostolus Hibernorum, Sanctus, 2288.
Patrinēles (H.G.), 6132.
Patze (Hans), 527, 609, 764, 2427, 2498.
Patzer (H.), 1525.
Paukkala (Juha), 6677.
Paul Ier, empereur de Russie, v. Pavel I Pětrovič.
Paul (Alexandr), 2874.
Paul (André), 1372.
Paul (Eberhard), 1637.
Paul (Rodman W.), 6133.
Pauler (Roland), 2428.
Pauley (Bruce F.), 3360.
Paulhart (Herbert), III.
Pauli (Lesław), 6737.
Paulinus (Meropius Pontius), Ep. Nolani, Sanctus, 2108.
Paulinyi (Oszkár), 471.

Paulsen (Henning), 2092.
Paulus, Apostolus, Sanctus, 2017, 2028, 2095, 2109, 2834.
Pausanias, 1454, 1459, 1486.
Pautal (René), 784.
Pavel I Pětrovič, empereur de Russie, 7063.
Pavel (Teodor), 7134.
Pavis d'Escurac (Henriette), 1863.
Pavlovich (S.), 1220.
Pavlowitch (K. St.), 7346.
Pavoncello (Nello), 4033.
Pawlak (Jerzy), 7405.
Paxton (Robert O.), 7290.
Payne (D.F.), 1397.
Paz (D.G.), 3839.
Peacock (D.P.S.), 1992.
Péano (Pierre), 2961.
Pearce (B.), 4217, 4278, 4294.
Pearce (R.D.), 6882.
Pearce (Susan M.), 2093.
Peardon (Barbara), 3840.
Pearson (M.N.), 2550.
Pease (Neal), 7222.
Pecher (Klaus), 4786.
Pécsi (Anna), 6576.
Pedanius Secundus (Lucius), 1701.
Pediò (Tommaso), 7073.
Pedro IV el Ceremonioso, rey de Aragón, 2496.
Péguy (Charles), 869.
Peligry (Christian), 289.
Pélissier (René), 6844.
Pellegrin (Elisabeth), 294.
Pellegrino (M.), 2977.
Pellerin (J.), 1124.
Pelletier (André), 1373, 1749, 1993.
Pellew (Jill), 3841.
Pelliciari (Luisa), 1819.
Pellingra (Giuseppe), 922.
Pelliot (Paul), 7630.
Pelon (Olivier), 1638.
Peltenburg (E.J.), 1105.
Peltonen (Arvo), 3607.
Pelus (Marie-Louise), 5893.
Pencak (William), 6976.
Penn (William), 6907.
Penna (R.), 2095.
Pennacini (A.), 1898.
Pennetier (Claude), 6480.
Pennington (Richard), 5478.
Pensom (R.), 2789.
Pépin le Bref, roi des Francs, 2379.
Perceval-Maxwell (Michael), 610.
Percy (M.B.), 3388.
Perdue (Peter C.), 7675.
Perelli (Luciano), 1750.
Perényi (József), 472.
Perez (Eugene), 4531.
Pérez (Joseph), 3130, 3421.
Pérez (Louis A.) Jr., 6781.
Pérez-Embid Wamba (J.), 923.
Pérez-Mallaína Buena (Pablo Emilio), 6347, 7047.
Pérez Picaso (María), 6134.
Pérez - Ramos (Barbara), 3422.
Peri (Vittorio), 2096.
Périllon (Marie-Christine), 6348.

Perkins (Charles E.), 5812.
Pernal (A.B.), 4214.
Peroff (Nicholas C.), 3550.
Perón (Eva María Duarte de), 3335.
Perón (Juan Domingo), 3332, 3335, 3337.
Pérotin-Dumont (Anne), 6977.
Pérouse de Montclos (Jean-Marie), 5440.
Perreard (Michel), 653.
Perria (Antonio), 4034.
Perrier (Jean - François), 3155.
Perrin (Yves), 1994.
Perrot (Claude - Hélène), 7729.
Perry (Elizabeth Israels), 6577.
Pertek (Jerzy), 7406.
Pertici (Roberto), 413.
Pertusi (Agostino), 523, 2139.
Perzanowska (Irena), XVI.
Peša (Václav), 7422.
Pešek (Jiři), 6349.
Pešina (Jaroslav), 2866.
Pessen (Edward), 6350.
Pestalozza (Uberto), 226.
Peter, king of Yugoslavia, 7346.
Péter (Katalin), 812.
Peters (B.G.), 1277.
Petersen (E. Ladewig), 7024.
Petersen (Frederic F.), 1196.
Petersen (Jens), 4035.
Peterson (Larry), 6578.
Peterson (Merrill D.), 3551.
Petit (Paul), 1751.
Petit (Roger), 1070.
Petit-Jean (Michel), 2198.
Petitfils (Jean-Christian), 6351.
Petitfrère (Claude), 3721.
Petljakov (P.A.), 4477.
Petolescu (Constantin C.), 1752.
Pětr I Velikij [le Grand], empereur de Russie 6024.
Petracchi (Giorgio), 7223.
Petralia (Giuseppe), 2700.
Petrarca (Francesco), 366, 2264, 2775.
Petric (Gabriel), 7224.
Petrin (Silvia), 2499.
Petrocchi (Massimo), 2790.
Petrosjan (Ju.A.), 7543.
Petrov (M.T.), 2701.
Petrov (O.A.), 4747.
Petrovskaja (M.M.), 3552.
Petrowicz (Lech), 4114.
Petrus Venerabilis, 3000.
Petti - Balbi (Giovanna), 2265, 2791.
Petzet (Michael), 5441.
Petzl (Georg), 1444.
Petzold (Joachim), 3289.
Petzold (Klaus), 2962.
Peveri (Patrice), 6352.
Peyer (Hans Conrad), 2702.
Peyronnard (Lucien), 5815.
Peyronnet (Georges), 2266.
Pezzella (Salvatore), 2792.
Pfabigan (Alfred), 6579.
Pfaehler (Dietrich), 5251.
Pfeiffer (R.), 366.

Pfister (Christian), 5676.
Pflanze (Otto), 3290.
Pfrommer (M.), 1639.
Pflug (Julius), 4396.
Philip (Peter), 6883.
Philippart, entreprises, 6045.
Philipp Ludwig I., Graf v. Hanau-Münzenberg, 3270.
Philippe II Auguste, roi de France, 11, 21, 74, 114, 237, 319, 336, 2389, 2393, 2395, 2397-2399, 2407, 2409, 2421, 2424, 2432, 2433, 2444, 2564, 2567, 2568, 2591, 2594, 2638, 2642, 2692, 2745, 2820, 2836, 2842, 2901, 3003, 3034.
Philippe Egalité, v. Orléans (Louis Philippe Joseph, duc d').
Philippe III le Bon, duc de Bourgogne, 2489.
Philippe d'Alsace, comte de Flandre, 87.
Philippe (Robert), 2793.
Philippos II, roi de Macédoine, 1463.
Phillips (Carla Rain), 5894.
Phillips (John A.), 3842.
Phillips (Patricia), 1173.
Phillips (William H.), 5817.
Philon Alexandrinos, 1392.
Philonenko (Alexis), 5018.
Phoeun (Mak), 7609.
Photios, Patriarcha byzantinus, 2066.
Pianu (Giampiero), 1668.
Piast, dynastie, 2603.
Piazza (M.P.), 1778.
Piber (Andrzej), 5575.
Picard (Gilbert Charles), 1753.
Picard (J.M.), 164.
Piccinini, famiglia di liutisti e musicisti, 5529.
Piccolomini (Enea Silvio), v. Pius II, Papa.
Pichl (Alois), 5443.
Pichon (Joëlle), 1133.
Pick (Louis Andrew), 3520.
Pickl (Othmar), 3354.
Piéchon-Palloc (H.), 2445.
Piedagnel (Auguste), 2028.
Piel (Jean), 4090.
Piemontese (A.M.), 814.
Pieradzka (Krystyna), 2203.
Pierard (Richard V.), 4637.
Piérart (Marcel), 1486.
Pierenkemper (Toni), 6267, 6353.
Pieróg (Stanisław), 5362.
Pierotti (Piero), 612.
Pierrard (Pierre), 412.
Pierre le Vénérable, v. Petrus Venerabilis.
Pierre (Michel), 6738.
Pietilä-Castrén (L.), 1864.
Pietkiewicz (Krzysztof), 5987.
Pietri (Luce), 3046.
Pietri (Nicole), 5677.
Pietro Leopoldo, granduca di Toscana, v. Leopold II., röm.-deutscher Kaiser.
Pigeot (Jacqueline), 7704.

Piggott (Stuart), 1107.
Pije, 1323.
Pike (David), 4748.
Pike (Frederic B.), 3415.
Pikkuvirta (V.G.), 4219.
Pikwer (Birgitte), 318.
Pilbeam (Pamela), 3722.
Pilichowski (Czesław), 7263.
Pillorget (René), 613.
Pilz (Anders), 2794.
Pinel (Philippe), 5143.
Pinaev (L.P.), 4058.
Pinborg (Jan), 2902.
Pini (Antonio Ivan), 2703.
Pini (Ingo), 77.
Pinkerton, detective agency, 6332.
Pinoteau (Hervé), 60, 65.
Pinto (Giuliano), 2704.
Pinzone (A.), 1685.
Piotrovskij (B.B.), 913.
Piotrowska (Bogna), 4114.
Pippidi (D.M.), 470.
Pippin, v. Pépin le Bref, roi des Francs.
Pipunyrov (V.N.), 967.
Pirazzoli-t'Serstevens (Michèle), 7676.
Pirinen (Kauko), 4638.
Pirovano (Carlo), 4015.
Pisani (Donald J.), 3553.
Piso (Ioan), 1754.
Pistarino (Geo), 2705.
Pitt (Barrie), 7407.
Pitt (Ingrid), 3335.
Pitt (William), 3787, 7078.
Pitz (Ernst), 2346.
Pius II [Enea Silvio Piccolomini], Papa, 48, 2926.
Pius IX [Giovanni Maria, conte di Mastai-Ferretti], Papa, 4380.
Pius XI [Ambrogio Damiani Achille Ratti], Papa, 4379.
Pivoluska (J.), 7318.
Placanica (Augusto), 6059.
Plambeck (Petra), 4290.
Plan (général E.), 7408.
Plana (Manuel), 5988.
Planche (Alice), 2460.
Planson (Ernest), 1988.
Plantagenet, dynasty, 2395.
Planty-Bonjour (Guy), 4990, 5017.
Plaschkau (Richard Georg), 3365.
Plat (Wolfgang), 6354.
Platelle (H.), 793, 789, 2706, 2963.
Platon, 1450, 1544, 1593, 1602, 5056.
Platt (Colin), 2867.
Platt (D.C.), 6060.
Plautus (Titus Maccius), 1686, 1919.
Plessis (Alain), 3724, 6061.
Pletneva (S.A.), 2347.
Pleven (René), 3200.
Plinius Minor (Gaius P. Caecilius Secundus, 1824.
Plötz (R.), 2107.
Plomet (Charles), C.J.M., 4478.
Plongeron (Bernard), 4479, 4532.
Plotinos, 1447, 1548, 1551, 5232.

Pluchon (Pierre), 6954.
Plum (Günter), 3186.
Plume (Christian), 7074.
Plumpe (Gottfried), 5818.
Plutarchos, 1533, 1604.
Pociña (A.), 1669.
Pocock (J.G.A.), 3843, 5607.
Podhorodecki (Leszek), 853, 4113.
Podolák (Ján), 5989.
Podro (Michael), 367.
Podskalsky (Gerhard) 3047.
Podstatzky (Aloisius, Graf), 5858.
Podzimek (Jaroslav), 6135.
Pöckl (Wolfgang), 499.
Poeschl (Viktor), I.
Poggendorff (Johann Christian), 5163.
Pohl (Manfred), 6031.
Poidevin (Raymond), 5678, 6756.
Poincaré (Raymond), 7241.
Pois (Robert), 5164.
Poisson (Jean-Paul), 6355.
Poitou (Christian), 3719.
Poitrineau (Abel), 6428.
Pók (Attila), 584.
Póka-Pivny (Aladár), 3554.
Pokorny (Rudolf), 2267.
Pokrovskij (N.N.), 35.
Polak (Bogusław), 7366.
Polding (John Bede), 4474.
Polgár (László), 4506.
Polge (Henri), 473.
Poliakoff (M.), 165.
Polišenský (Josef), 805.
Politi (Giorgio), 4016.
Polívka (Miloslav), 2500.
Pollack (Juliusz), 7297.
Pollet (J.V.), 4396.
Polley (Rainer), 4847.
Pollins (Harold), 5679.
Polockij (Simeon), 4924.
Polonio (V.), 2977.
Położyński (Antoni), 7403.
Poly (Jean-Pierre), 2568.
Polybios, 1265.
Polycarpus, Martyr, Sanctus, 2110.
Poma (Gabriella), 1755, 1865.
Pomeau (René), 4944.
Pomme (Pierre), 5143.
Pomogáts (Béla), 4917.
Pomogyi (László), 856.
Pompadour (Antoinette Poisson, marquise de), 3635.
Pompeius Magnus (Gnaeus), triumvir, 1730, 1769.
Pompidou (Georges), 3730.
Pon (Georges), 406.
Ponce (Nicolas), 1994.
Ponet (John), 3840.
Poniatkowski (Michel), 3723.
Ponomarev (Boris N.), 6751.
Pons (G.), 2275.
Pontani (Filippo Maria), 5236.
Pontieri (Ernesto), 474.
Ponzo (Giovanni), 6707.
Pooley (Colin G.), 3868.
Pop-Bratu (Anca), 986.
Pope (Daniel), 5819.
Pope (Robert Dean), 3557.
Popescu (A.N.), 1675.
Popescu (Eugenia), 1223.
Popowska-Taborska (Hanna),

7062.
Poptămaş (Dumitru), 464.
Porada (Edith), 1640.
Porcell (Claude), 5318.
Porębski (Andrzej), 699.
Porphyrios, 1446-1448.
Porras Muñoz (Guillermo), 6978.
Porter (Jonathan), 7677.
Porter (Roy), 952, 5165, 6356.
Porzio Gernia (M.L.), 150.
Posadas (Barbara M.), 6357.
Posch (Fritz), 434.
Poseidonios Rhodios, 1449.
Posern-Zieliński (Aleksander), 6358.
Poskonina (L.S.), 5680.
Posner (Anna), 2648.
Pospielowsky (D.), 4543.
Pospíšilová (Milena), 6685.
Posta (Iloná), 7225.
Postel-Lecocq (Sylvie), VIII.
Postumus (Marcus Cassianus Latinius), usurpateur romain, 137.
Potapova (N.F.), 6752.
Potapova (Z.M.), 5363.
Potra (George), 4134, 4150.
Potrandolfo Greco (Angela), 1652.
Potter (David), 7025.
Pottle (Frederick A.), 5261.
Poulain (Thérèse), 1988.
Poulat (Emile), 4431.
Poulle (Emmanuel), 11, 2268.
Poulter (A.G.), 1072.
Poupet (Pierre), 1162.
Poutier (J.-C.), 2501.
Powell (Lawrence N.), 3558.
Pozdeeva (L.V.), 7298.
Poznanski (Renée), 4291.
Pozza (Marco), 66.
Pozzi (Regina), 477.
Pozzo di Borgo (Cécile), 261.
Prandi (Luisa), 1504.
Prasolov (S.I.), 7347.
Pratesi (A.), 2977.
Prato (Giancarlo), 12.
Prawer (Joshua), 2425.
Preda (Constantin), 470.
Preisler (Holger), 737.
Prekerowa (Teresa), 7299.
Prémare (Alfred-Louis de), 2269.
Přemysl, dynastie, 2735.
Přemysl Otokar II, v. Otokar II Přemysl.
Press (Gerald A.), 1278.
Press (Volker), 3291, 4765.
Preussen (Ronald W.), 3559.
Prevelakēs (Eleuthērios), 614.
Prevenier (W.), 2707.
Prezzolini (Giuseppe), 5327.
Price (Roger), 3725.
Prickett (Nigel), 7764.
Priebe (Paul M.), 296.
Prim y Prats (Juan), 7089.
Primakov (E.M.), 3157.
Primmer (A.), 1909.
Pringle (James K.), 6136.
Priocco (S.), 2977.
Prior (Andrew), 3178.
Prioul (Christian), 6884.
Priscianus Caesariensis, 2182.

Pritsak (Omeljan), 2233, 2523.
Pritz (Pál), 7226.
Prochaska (Alice), 6580.
Proclus, 1450, 1451, 1548, 1594.
Proculus, jurisconsultus, 1807.
Prodan (David), 475, 524.
Prodi (Paolo), 4386.
Prokop'ev (V.P.), 766.
Prokopp (Ludwig Ferdinand), 5858.
Proks (Oldřich), 7489.
Propertius (Sextus), 1885.
Prosdocimi (Luigi), 4135.
Prost (Antoine), 956.
Proudhon (Pierre Joseph), 6515, 6622a.
Proulx (Jean-René), 706.
Proust (Marcel), 5292, 5328.
Proway (Nicholas), 5576.
Průcha (Václav), 5671.
Pruckov (N.I.), 5342.
Prudentius (Aurelius P. Clemens), 2976.
Prüssing (Peter), 1197.
Pryor (John H.), 2430.
Przybylska (Elżbieta), 5054.
Przybylski (Ryszard), 5364.
Psellos (Michael Konstantinos), 2116.
Ptolémées, dynastie, 1311, 1325.
Pucci (Marina), 1399.
Puchner (W.), 2169.
Püspöki Nagy (Péter) 2868.
Pufendorf (Samuel), 6648.
Pugačenkova (G.A.), 987.
Pugačev (Emil'jan Ivanovič), 4290.
Pugach (Noel H.), 6062.
Pugh (Evelyn L.), 3846.
Pugh (Martin), 3847.
Pugliese (Guido), 463.
Puia (I.), 5681.
Puig i Cadafalch (José), 476.
Puiseux (Louis), 5820.
Puleston (Dennis E.), 7750.
Pumain (Denise), 5821.
Pumprla (Václav), 299.
Puncuh (Dino), 2189, 2977.
Punter (David), 6651.
Puppi (Lionello), 819.
Purdy (Richard Little), 5286.
Puri (Mohinder), 6834.
Purš (Jaroslav), 525, 616, 845, 6063, 7515.
Puškarev (L.N.), 5020.
Puškareva (I.M.), 4292.
Puskás (Julianna), 6137.
Puškin (Aleksandr S.), 5365.
Puth (Robert), 5682.
Putnam (Michael C. I.), 1910.
Puttkamer (Robert Viktor von), 3199.
Pylkkänen (Riita), 6360.
Pynchon (Thomas), 5835.
Pyne (Stephen J.), 5991.
Pyrvev (Georgi), 7137.
Pythagoras, 1448.

Q

Qaisar (Ahsan Jan), 7594.
Qajar, dynasty, 7549.
Qi Baishi, 7698.
Qing, Ch'ing, Chinese dynasty, 394, 7655, 7675, 7681, 7697.
Quadagno (Jill S.), 6361.
Quartararo (Rosaria), 3988.
Quarthal (Franz), 504.
Quass (Friedemann), 1487.
Quéniart (Jean), 956.
Quet (M.-H.), 1583.
Quilliet (Bernard), 926.
Quinby (Lee), 3560.
Quinlan (Paul D.), 7348.
Quinlivan (Patrick), 3848.
Quinn (David B.), 6979.
Quinn (Kevin F.), 5166.
Quinn (T.J.), 1488.
Quisard (Joseph-François), 5904.
Quist (G.), 5167.
Quondam (Amedeo), 3998.
Quoy - Bodin (Jean - Luc), 5021.

R

Raasted (Jørgen), 2127.
Raban (Sandra), 2596.
Rabanus Maurus, v. Hrabanus Maurus.
Rabaut (Jean), 3726.
Rabbath (Edmond), 7227.
Rabe (Stephen G.), 6783.
Rabinowitz (Howard N.), 3561.
Racappé (Henri-François de R., marquis de Magnanne), 4402.
Rachet (Marguerite), 133.
Racine (Nicole), 6585.
Rácz (István), 811.
Rácz (Lajos), 2502, 5992, 6709.
Raczky (Pál), 1159, 1198.
Ráday (Pál), 3937.
Radbertus Corbeiensis, v. Paschasius Radbertus, Abbas Corbeiensis, Sanctus.
Radbodus, Ep. Trajectensis, Sanctus, 2871.
Radford (C. A. Ralegh), 2093.
Radke (Gerhard), 166.
Radl (W.), 2097.
Rádóczy (Gyula), 6064.
Radogna (Lamberto), 5822.
Radošević (Ninoslava), 2170.
Radtke (Wolfgang), 5895.
Rădulescu-Zoner (Şerban), 7138.
Rădutiu (Aurel), 524.
Radzik (Ryszard), 7139.
Raeff (Marc), 4293.
Raepsaet (G.), 1866.
Raepsaet-Charlier (Marie-Thérèse), 1867.
Rafaj (Pavel), 5068.
Raffin (Elisabeth), 146.
Ragache (Claude-Catherine), 700.
Ragache (Gilles), 700.
Rageth (Sigis), 6652.

INDEX DES NOMS D'AUTEURS ET DE PERSONNES 365

Raggio (Oswaldo), 5993.
Raicich (Marino), 4848.
Rainero (Romain H.), 6767.
Rais (Gilles de), 2452, 2479.
Raitenau (Wolf Dietrich), v. Wolf Dietrich von Raitenau, Erzbischof von Salzburg.
Raittila (Pekka), 4639.
Rajces (V.I.), 2503.
Rajtoral (Fr.), 271.
Rakhšmir (P. Ju.), 3161.
Rakitov (A.I.), 617.
Rákóczi (Ferenc II), prince de Transylvanie, 3926, 3932, 5705, 5706, 7042.
Rákosi (Sándor), 3893.
Ralph (E.K.), 1098.
Ramdin (Ron), 6586.
Ramírez Trajo (A.), 1442.
Ramos Fernández (R.), 1108.
Ramos - Lisson (Domingo), 2091.
Ramsay (G.D.), 3849.
Ramsey (Matthew), 5168.
Rana (Mohinder S.), 7563.
Rancy (Catherine), 3850.
Ránki (György), 811, 5715, 5823, 6065.
Rankin (Mary Backus) 7679.
Rankine (William John Mac Quorn), 5083.
Ransel (David L.), 6138.
Ransom (Roger L.), 5640.
Rao (Aparna), 701.
Raoul de Sully, moine de Cluny, 3000.
Râpeanu (Valeriu), 368.
Raphael (Freddy), 369.
Raphael (Frederic), 5366.
Rapin (Nicolas), 5225.
Rapone (Leonard), 3988.
Rapp (Dean), 3851.
Rapp (Francis), 792, 1022.
Rapp (Friedrich), 618.
Rapp (G.) Jr., 1643.
Rappaport (Herman), 6362.
Rappard (William), 7324.
Raschle (Christian), 4177.
Rashid (Salim), 6980.
Rasi (Gaetano), 5616.
Raskolnikoff (Mouza), 874.
Raskolnikov (F.F.), 4294.
Rasmussen (William M.S.), 5442.
Rasputin (Grigorij Efimovič), 4240.
Rastawiecki (Edward), 204.
Rathbone (R.), 6871.
Rathramnus von Corbie, 2285.
Ráttky (György), 3761.
Ratyńska (Barbara), 7349.
Rau (Wilhelm), 490.
Raucher (Alan), 7516.
Ravell (J.J.), 679.
Ravier (André), 4394.
Ravier (Xavier), 167.
Ray (Roger), 2976.
Raybout (Paul), 653.
Raychaudhuri (Tapan), 7574.
Raymond (J.S.), 7752.
Raymond (R.J.A.), 5683.
Razin (Stepan T.), 6401.
Rea (J.R.), 534.
Read (Colin Frederick), 6363.

Read (Donald), 3852.
Reading (Rufus Daniel Isaacs, 1st marquess of), 6729.
Reagan (Ronald), 3438.
Reale (Ugo), 2504.
Réamonn (Seán), 6710.
Rech (M.), 1868.
Reda (Maria), 7730.
Reddé (Michel), 1990.
Rederowa (Danuta), 4781.
Redfield (J.), 1526.
Redl (Károly), 2795, 5608.
Redlich (Andreas), 1174.
Rée (Paul), 4973.
Reece (R.H.W.), 7625.
Rees (D. Ben), 4849.
Reeves (Thomas C.), 3562.
Régent (le), v. Orléans (Philippe duc d'O., dit le Régent).
Regino, Abt von Prüm, 2871.
Régnier (Marcel), 4991.
Regourd (Florence), 6587.
Reguer (Sara), 3853.
Reher (David-Sven), 619.
Rehm (Gerhard), 2279.
Reichard (Gary W.), 3456.
Reichardt (Rolf), 5024.
Reid (Eileen), 6463.
Reid (Margaret), 6066.
Reif (Heinz), 6139, 6233, 6364.
Reilly (Bernard F.), 2431.
Reilly (Edward R.), 5577.
Reinalter (Helmut), 3113.
Reinau (Hansjörg), 1505.
Reineke (Walter F.), 1332.
Reiner (Brica), 1358.
Reinfeld (Barbara K.), 4195.
Reinhard (Wolfgang), 4480.
Reinhardt (Hans), 4749.
Reinhardt (Rudolf), 2964.
Reinhardt (Steven G.) 3727.
Reinharez (Claudine), 694.
Reinharz (Jehuda), 496.
Reitala (Aimo), 972.
Reitsma (Richard), 4083.
Réju (Daniel), 90.
Rembaum (Joel E.), 2529.
Remesal Rodríguez (J.), 1869.
Rémi d'Auxerre, 2377.
Rémond (René), 3728-3730, 4431.
Rempel' (L.I.), 987.
Renan (Ernest), 477, 5038.
Renault (François), 5896.
Renault (Louis), 5768.
René Ier, duc d'Anjou, de Bar et de Lorraine, roi de Naples, 2460.
Renfrew (Colin), 1109.
Renier de Saint-Laurent, 3057.
Renouard (Philippe), 44.
Resnick (Stephen), 620.
Ressa (F.), 2861.
Reszler (André), 508.
Reter (Ronald F.), 3563.
Rethy (László), 109.
Retz (Jean François Paul de Gondi, cardinal de), 3613.
Reulecke (Jürgen), 6588.
Reuter (Timothy), 2924.
Revault (Jacques), 985.
Revel (Jacques), 607.

Reverdin (Olivier), 1428.
Revunenkov (V.G.), 3732.
Rey - Mermet (Théodule), 4481.
Reyerson (Kathryn L.), 2708.
Reynolds (James A.), 5217.
Reynolds (Joyce M.), 1687.
Rezeau (Pierre), 2974.
Rezum (Miron), 7350.
Rezun (D. Ja.), 6140.
Rhodes (Benjamin D.), 6784.
Rhodes (Cecil John), 6879.
Rhodes (Dennis E.), 49.
Rian (Øystein), 4080.
Ribaillier (Jean), 2224.
Ribaldone (Thierry), 2327.
Riberette (Pierre), 5281.
Ricardo (David), 5597.
Ricci (Andreina), 1947.
Richard (Jean), 161, 454, 2280, 2432.
Richard (Michel), 4641.
Richard (Stephen), 3762.
Richardi (Hans - Günter), 3294.
Richardson (R. Dan), 3423.
Richarz (Monika), 6166.
Richelieu (Armand Jean du Plessis, cardinal de), 3620, 3626, 3699, 7013.
Richet (Denis), 3731.
Richet (Diana), 855.
Richmond (Sir Herbert), 3818.
Richter (G.), 2118.
Richter (Miroslav), 3096.
Richter-Bernburg (Lutz), 2551.
Richterová (Julie), 2869.
Ricklefs (M.C.), 7626.
Ride (Edwin), 7409.
Ridderikhoff (Cornelia M.), 6653.
Ridings (Eugene W.), 5684.
Ridley (Jasper), 3854.
Rieber (Alfred J.), 5685.
Riedel (Matthias), 1870.
Riedenauer (Erwin), 756.
Riedl (Miroslav), 4850.
Riedmann (Josef), 2405.
Rieger (Hans Christoph), 7601.
Riel (Louis), 3387.
Riemenschneider (Rainer), 3733.
Rienzo (Cola di), 2504, 2509.
Rietzler (Rudolf), 3295.
Rieu (Alain-Marc), 5479.
Rigaudière (Albert), 2597.
Riggs (Thomas Lawrason), 4453.
Righter (Robert W.), 3564.
Riis (Thomas), 2433.
Rikkinen (Hannele), 4851.
Rinaudo (Yves), 5994.
Rinck von Baldenstein, (Joseph Wilhelm), Bischof von Basel, 7035.
Ring (Eva), 3938.
Rings (Werner), 7301.
Riobé (Guy-Marie), 4490.
Riou (Yves-François), 294.
Ripon (George Frederick Samuel Robinson, 1st marquess of), 3793.
Risaliti (Renato), 7140.
Rissell (William Howard), 4902.

Rist (J.M.), 1584.
Rister (Herbert), 829.
Ritchie (Graham), 1107.
Rittaud-Hutinet (Ch.), 704.
Ritter (Gerhard), 478, 3855.
Ritter-Kaplan (Haya), 1199.
Riu (Manuel), 2709.
Rivera Dorado (Miguel), 7753.
Rivera Garretas (Milagros), 2598.
Rivers (Isabel), 5367.
Riverso (Emanuele), 875.
Rivet (André), 4553.
Rivière (Daniel), 4750.
Rivierre (Jean-Claude), 659.
Rizvi (S.N.A.), 5027.
Rizzo (Maria Marcella), 5609.
Rjurik Rostislavič, 2402.
Robbe (Martin), 737, 6785.
Robbe-Grillet (Ingrid), I.
Robbins (William G.), 5897.
Robert I the Bruce, king of Scots, 2437.
Robert (Jean-Claude), 370, 6141.
Robert (Jeanne), 1258.
Robert (Louis), 1258.
Robert (Raymonde), 5262.
Robert d'Arbrissel, 2943.
Roberto d'Angiò, re di Napoli, 2744.
Roberts (Brian R.), 6028.
Roberts (Clayton), 3856.
Roberts (David D.), 413.
Roberts (Michael), 4172, 6365, 7026.
Roberts (William J.), 1995.
Robertson (Anne S.), 135.
Robertson (N.), 1489.
Robertson (Priscilla), 6366.
Robespierre(Maximilien de), 3675.
Robin (Christian), 2064.
Robin (Françoise), 2460.
Robine (Gérard), 1382.
Robinson (A.N.), 4924.
Robinson (David), 3565.
Robinson (F.J.G.), 36.
Robinson (J.N.), 36
Robinson (Jan Stuart), 2281.
Robinson (John), 4588.
Robinson (John L.), 460.
Robinson (R.A.H.), 3163.
Robinson (Ronald E.), 6885.
Robrieux (Philippe), 3734.
Robson (John M.), 4943.
Robson (L.L.), 3345.
Roccati (Alessandro), 1333.
Roch (Gérard), 6367.
Roche (Daniel), 6167, 6368.
Roché (Déodat), 3048.
Roche (Elizabeth), 2894.
Roche (Jerome), 2894.
Rochebrune (Renaud de), 6845.
Rockefeller (John Davison) Jr., 4596.
Rockefeller(Nelson Aldrich), 3592.
Roddaz (Jean-Michel), 1848, 1990.
Rodes (Robert E.)Jr., 3857.
Rodgers (Daniel T.), 371.
Rodin (Auguste), 5468.
Rodionov V.M.), 5169.
Rodney (Walter), 6369.

Rodolphe (René), 7410.
Rodríguez (Enrique), 6067.
Rodríguez (Felix), 2018.
Rodriguez (Mario), 3424.
Rodríguez (Pedro), 4482.
Rödel (Walter G.), 3290.
Röllig (Wolfgang), 1359.
Roemer (Hans Robert), 168.
Roesch (Gerhard), 5898.
Roesch (Paul), 1490.
Roesdahl (Else), 2558.
Rösener (Werner), 2965.
Roessingh (Marius P. H.), 280.
Roethlin (Niklaus), 408.
Rogers (Earl M.), 5903.
Rogers (Katherine M.), 6370.
Rogers (Susan H.), 5903.
Roggenbach (Joseph Sigismund von), Bischof von Basel, 7066.
Rogozinski (Jan), 2710.
Rohe (Karl), 6799.
Rohl (John C.G.), 3297.
Roider (Karl A.) Jr., 7048.
Rojas Mix (Miguel), 5406.
Rokeah (David), 1041.
Rokosz (Mieczysław), 50.
Roland, chevalier légendaire, 2251, 2789, 2870.
Roland (Charles P.), 3566.
Rolbiecki (Waldemar), 4781.
Rolfes (Helmuth), 6590.
Roll (Eugen), 3049.
Roll (Israel), 1971.
Rolle (Andrew), 205.
Rollet (Catherine), 6371.
Romains (Jules), 870.
Romani (Mario), 5687.
Romano (David), 2530.
Romano (Ruggiero), 372, 824, 5688.
Romano (Sergio), 621, 4036.
Romanov, dynasty), 4274.
Rombaldi (Odoardo), 4037.
Rome (Adam Ward), 5995.
Romer (F.L.), 1585.
Rommerskirchen (Giovanni), 1007.
Romodanovsckaja (E. K.), 35.
Romon (Christian), 6372.
Romsics (Ignác), 3939.
Róna-Tas (András), 1246.
Rooke (Patricia T.), 6373.
Rooney (David), 6886.
Rooney (John), 4372.
Roosevelt, family, 3549.
Roosevelt (Franklin Delano), 3443, 3516, 3548, 3573, 6796, 7506.
Roosevelt (Theodore), 3563, 4907.
Root (Hilton L.), 3735.
Rordorf (W.), 2073.
Rosalia (A. de), 1903.
Rosario Prieto (Mª), 3425.
Rose (Paul), 3848.
Rose (Susan), 2293.
Rose (Willie Lee), 5369.
Roselli (Amneris), 1445.
Rosen (Klaus), 1911.
Rosen (Ruth), 6374.
Rosen (Stanley), 7680.
Rosenbaum (Heidi), 6375.
Rosenberg (Aubrey), 4642.
Rosenberg (Emily S.), 6786.
Rosenberg (Rosalind), 6376.

Rosenberg (William G.), 3164.
Rosenfeldt (Niels Erik), 4295.
Rosenstiel (Leonie), 5578.
Rosenthal (Anne - Marie), 4296.
Rosenthal (Joel T.), 2282.
Rosenwein (Barbara H.), 2925.
Rosicka (Janina), 5028.
Roskell (John Smith), 2505.
Rosner (David), 5170.
Ross (Dorothy), 622.
Ross (George), 6545.
Ross (Robert), 6819.
Rossbach (Jeffrey), 3567.
Rosset (Philippe), 3666, 3736.
Rossi (John), 7141.
Rossi (Marguerite), 2797.
Rossi (Pietro), 2653.
Rossiter (Margaret W.), 4852, 5171.
Rosso (Corrado), 5218.
Rostow (W.W.), 576, 7517.
Rostworowski (Emanuel), 833, 7386.
Rostworowski de Diez Canseco (María), 5689.
Roşu (Arion), 7595.
Rosumek (Peter), 1280.
Roszkowska (Wanda), 5264.
Roszkowski (Wojciech) 5690.
Rot (Sándor), 169.
Roth (Randolph A.), 4643.
Rothenberg (Gunther E.), 7075.
Rother (Wolfgang), 5029.
Rothermund (Dietmar), 7562.
Rothman (Ellen K.), 6377.
Rothschild (Mary Aickin), 3568, 4853.
Rothwell (Victor), 7302.
Rottler (Ferenc), 420.
Rouberol (Jean), 5370.
Rouche (Michel), 789, 956.
Roulet (Louis - Edouard), 6756.
Rouquié (Alain), 3165.
Rousse (Jean), curé, 4440.
Rousseau (Adelin), 2027.
Rousseau(George Sebastien), 5371.
Rousseau (Henri, dit le Douanier), 5486.
Rousseau (Jean - Jacques), 861, 4934, 4945, 4986, 4997, 5030, 5054, 5252.
Rousseau (Pierre), 2870.
Rout (Leslie B.) Jr., 7369.
Rovito (Pier Luigi), 6654.
Rowen (Herbert H.), 6974.
Rowley (A.), 5691.
Royer (Jean-Pierre), 6378.
Royer de Cardinal(Susana), 2711.
Royle (Edward), 3858.
Roz (Alexandru), 6448.
Rozanova (N.N.), 5480.
Roždestvenskij (K.I.), 5503.
Rozental' (I.S.), 6379.
Rozman (Gilbert), 7681.
Rózsa (Gyula), 5481.
Rozsnyói (Ágnes), X.
Rubanowice (Robert J.), 5031.
Rubellius Blandus, 1876.

Rubens (Walter), 7585.
Rubin (Péter), 3940.
Rubinsohn (Zeev Wolfgang), 1756.
Rubinstein (Alvin Z.), 7518.
Rubinštejn (Nikolaj Grigor'evič), 5516.
Rubió i Rodon (Anna) 2952.
Rublack (Hans-Christoph), 4644.
Ruddies (Hartmut), 486.
Rude (Fernand), 6591.
Rudelle (Odile), 3737.
Rudenskij (N.E.), 6142.
Rudhardt (Jean), 1428.
Rudin (Ronald), 373.
Rudlin (Tony), 3335.
Rudolph (Enno), 569.
Rudt de Collenberg (Wipertus H.), 3050.
Rudwick (Elliott), 6558.
Rudwick (Martin J.S.),5172.
Rückerl (Adalbert), 3309.
Ruello (Francis), 2899.
Ruffieux (Roland), 841.
Ruggiero (Guido), 6380.
Ruhl (Klaus - Jörg), 3192, 3410.
Ruiz-Domenec (J.E.), 623.
Rule (Margaret), 3859.
Ruml (Vladimír), 624.
Rumley (Hilary), 4618.
Rumpler (Helmut), 3151.
Ruotger von Trier, 2267.
Rupert von Deutz, 2989, 3057.
Rupierer (Hermann - Josef), 5824.
Ruprecht, deutscher König, 2238.
Ruprechtsberger (Erwin Maria), 1997.
Ruscoe (J.), 4038.
Rusconi (R.), 2978.
Rusi (Alpo), 4918.
Ruskin (John), 5401.
Russell (Enid), 6655.
Russell (John Russell, 1st earl of), 3839.
Russell-Wood (A.J.R.), 6981.
Russo (Giuseppe), 6460.
Russocki (Stanisław), 6656.
Russu (I.I.), 838.
Rusu (Dorina N.), 724.
Rusu (Mircea), 2434.
Ruta (Maria Caterina),4714.
Rutenburg (V.I.), 278.
Rutherford (Paul), 4919.
Rutkowska-Plachcińska (Anna), 2712.
Rutkowski (Jan), 927.
Ruzicskay (György), 813.
Rúzsás (Lajos), 479.
Ryan (Mary P.), 6381.
Rybačenok (I.S.), 5899.
Rybakov (B.A.), 847, 913, 1974, 2506.
Ryder (Michael), 6068.
Rymar (Edward), 67.
Ryn (Claes), 625.
Ryskamp (Charles), 5282.
Rystad (Göran), 375.
Rzadkowska (Ewa), 5054.

S

Saba (Steven J.), 6136.
Sabari (Simha), 2552.
Sabbah (G.), 1427.
Sabbioneta Almansi (Carla), 918.
Sabloff (Jeremy A.), 7737.
Sabot (A.), 1913.
Sacco (Nicola), 3588.
Sacconi (G.), 1820.
Sachelarie (Ovid), 6644.
Šacillo (K.F.), 4298.
Sackett (Robert Eben), 3298.
Sadat (Anwar al-), 3404, 3405, 3408.
Saddington (D.B.), 1757.
Saddlemeyer (Ann), 5512.
Sade (Donatien Alphonse François, comte, dit marquis de), 5257.
Sadie (Stanely), 5579.
Sadler (Louis R.), 4066.
Sadoun (Marc), 3738.
Sadova (Elena), 6592.
Safavids, dynasty, 2852, 3959.
Saffirio (Luigi), 1134.
Sagar (Keith), 5374.
Sagave (Pierre-Paul), 7136.
Saignes (Thierry), 6982.
Saint-Aulaire (Louis de), 7112.
Saint-Just (Louis Antoine Léon), 3689, 3755.
Saint-Lu (André), 6983.
Saint-Pierre (Jocelyn), 4887.
Saint-Rémy (Henry de), 449.
Saint-Simon (Claude Henri de Rouvroy, comte de), 4997, 5015, 6505.
Saint-Simon (Louis de Rouvroy, duc de), 480.
Ste. Croix (G. E. M. de), 1527.
Saintyves (P.), 1446.
Sait Pacha, 32.
Saitta (Armando), 746.
Sajti (Enikő), A., 3941, 7431.
Sakellariadis (Spyros),5032.
Sakellariou (M.B.), 1491.
Sakharov (A.N.), 2435.
Šakhnazarova (N.G.), 5567.
Salachas (D.), 2099.
Salāh al-Dīn, dit Saladin, sultan d'Egypte et de Syrie, 2547.
Salamon (Agnes), 2713.
Salazar (António de Oliveira), 4127.
Salée (Daniel), 5865.
Salier, Dynastie, 2586,2924.
Salimova (K.I.), 4843.
Salisbury (Neal), 6984.
Salisbury (Robert Arthur Talbot Gascogne-Cecil, 3rd marquess of), 3875.
Salisbury (Thomas de Montagu, 4th earl of), 2490.
Sal'ko (N.B.), 2883.
Sallaberger (Johann), 4484.
Saller (Richard P.), 1510, 1872.
Salles (Jean-François),1150.
Salles (Catherine), 1429.
Salmen (Walter), 982.
Salmon (Edward Togo), 1758.

Salo (Unto), 3608.
Salokangas (Raimo), 4920.
Salomon, roi des Hébreux, 1407.
Salomon (Richard), 57.
Salsbury (Stephan), 5825.
Salvadorini (Vittorio), 5900.
Salvan (Albert), 5298.
Salvatore (Nick), 6593.
Salvemini (Biagio), 4039.
Salvemini (Gaetano), 481.
Salvesen (Helge), 928.
Salvianus Massilitanus, 3045.
Samaran (Charles), 3622.
Sambucus (Johannes), 3110.
Samek (Bohumil), 4195a.
Samhaber (Ernst), 3166.
Samsares (D.), 1688.
Šamsutdinov (A.M.), 4203.
Samuel (Geoffrey), 7545.
Sánchez Martínez (Manuel), 2531.
Sand (Aurore Dupin, baronne Dudevant, dite George), 5293, 5313, 6180.
Sandberg (Robert), 6144.
Sandblad (Henrik), 4700.
Sandell (Liza), 4854.
Sanderson (Warren), 2871.
Sandgruber (Roman), 6382.
Sandino (Augusto César), 4073.
Sandlund Gäfvert (Elisabeth), 4921.
Sandnes (Iørn), 901.
Sandoz (Ellis), 488.
Sandrin (Jean), 6383.
Şandru (Vasile), 7210.
Sanford (Henry S.), 3490.
Sanquer (René), 1738.
Santa Anna (Antonio López de), 7085.
Santamaría Arández (Álvaro), 2714.
Santarelli (Enzo), 4888, 6384.
Santoni (Alberto), 7411.
Santonja Gómez (M.), 1135.
Santoro (Lucio), 3097.
Santos (Richard G.), 7085.
Santos Yanguas (Narciso), 1759, 2055.
Sanz Blanco (Carlos), 619.
Saporetti (C.), 1284.
Sarasohn (L.T.), 5033.
Sargent (M.), 2190.
Sargenti (M.), 1778.
Sargonides, dynastie, 1347, 1353, 1404.
Sarkantyú (Mihály), 5482.
Sarli (Pasquale), 7055.
Sarpellon (Giovanni), 924.
Šaronov (M.S.), 6594.
Sarraut (Claude), 4553.
Sartori (Marco), 376, 427.
Sartori (Rosalinde), 4922.
Sartorius (Francis), 3739.
Sartre (M.), 1760.
Sáry (István), 5996.
Sass (Steven A.), 4855.
Sassanides, dynastie, 1416.
Šastitko (P.M.), 4265.
Satris (Stephen A.), 5034.
Sauer (Siegfried), 941.
Sauer (Werner), 5035.
Saugnieux (Joël), 969.
Saul (Klaus), 6174.

Saunders (A. D. de C. M.), 929.
Saunders (George), 4217.
Saunders (Kay), 6385.
Saunders (Paul), 5174.
Sauzet (Robert), 6359.
Sava (Gabriella), 6637.
Savard (Rémi), 706.
Savart (Claude), 377.
Savignano (Armando), 4485.
Savina (N.V.), 6069.
Savitt (Todd L.), 5175.
Savoie (Raymond), 1532.
Savonarola (Girolamo), 2283, 2509, 2987, 3043, 4433.
Savvidēs (Alexēs G. K.), 2171.
Sawyer (P.H.), 2559.
Saxer (Victor), 2110, 2980.
Sayce (Oliver), 2799.
Sbacchi (Alberto), 3988.
Sbrega (John J.), 7412.
Scafeş (Cornel), 4151.
Scalapino (Robert A.), 7682.
Scales (James R.), 3569.
Scalfati (Silio P.P.), 2966.
Scalia (G.), 2322.
Ščapov (Ja. N.), 3051.
Scaraffia (Lucetta), 6386.
Scarcia Piacentini (Paola), 294.
Scarr (Deryck), 7006.
Ščerbakov (J.N.), 7318.
Ščerbina (V.R.), 5214.
Schachermeyr (Fritz), 1435.
Schadt (Hermann), 2872.
Schäfer (Hermann), 6145.
Schärf (Adolf), 3361.
Schaerf (Carlo), 7466.
Schaffer (Daniel), 6146.
Schaffner (Martin), 4178.
Schalk (Ellery), 930.
Schallenberger (Horst),5026.
Schaller (Michael), 7519.
Schapiro (Morton Owen), 5997.
Schaps (David), 1528.
Scharer (Anton), 23.
Schauwecker (Detlef), 5176.
Schedvin (C.B.), 5692.
Scheele (Martin), 5061.
Scheers (S.), 136.
Scheffczyk (Leo), 996.
Scheffel (Joseph Viktor v.), 5377.
Scheffer (Carl Fredrik), 4160.
Scheiber (Alexander), 1400.
Scheiper (R.), 1761.
Scheld (S.), 4587.
Schele (Linda), 7754.
Schelling (Friedrich Wilhelm Joseph v.), 5037.
Schenk (Johannes), 4786.
Schenkl (Carolus), 2011.
Scherner (Karl Otto), 6744.
Scheuer (Jacques), 7596.
Schia (Erik), 5420.
Schiappacasse (Patrizia), 7049.
Schieder (Theodor), 3299.
Schieffer (Rudolf), 1011, 2383.
Schiesl (Michael J.), 6147.
Schiffer (Michael B.), 7748.
Schiffers (Reinhard), 3189.
Schiller (David Th.), 7559.
Schilling (Heinz), 4084.

Schillinger (Erika), 2715.
Schimkoreit (Renate), 3959.
Schimmel (Annemarie), 223.
Schimmelpfennig (Bernhard), 3052.
Schissler (Hanna), 6070.
Schiwy (Günther), 4486.
Schlechte (Horst), 6595.
Schleich (T.), 2056.
Schleier (Hans), 450, 483.
Schleiermacher (Friedrich Daniel Ernst), 4626.
Schlenke (Manfred), 517, 7136.
Schlesinger (Walter), 764.
Schlett (István), 3942.
Schlicht (Alfred), 4362.
Schlichtmann (Hansgeorg), 180.
Schlick (Moritz), 5022.
Schlissel (Lillian), 3570.
Schlögl (H.), 1320.
Schlözer (August Ludwig v.), 482.
Schmaus (Michael), 996.
Schmaus (Warren), 5036.
Schmid (Georg), 1370.
Schmid (Hermann), 3300.
Schmid (Karin), 4196.
Schmid (Karl), 2284.
Schmid (Peter), 2436.
Schmidt (Berthold), 1238.
Schmidt (Ernst A.), 1914.
Schmidt (Ernst - Heinrich), 3301.
Schmidt (F.), 1401.
Schmidt (Hans), 3302.
Schmidt (Matthias), 3303.
Schmidt (Michael), 1378.
Schmidt (Paul Gerhard), 2270.
Schmidt (Roderich), 3095.
Schmidt (Tilmann), 3053.
Schmidt-Glintzer (Helwig), 7683.
Schmidt - Wiegand (Ruth), 2716.
Schmitt (Clément), 2978.
Schmitt (Götz), 1402, 1762.
Schmitt (Jean-Claude), 707, 2186.
Schmitt - Pantel (Pauline), 1529.
Schmitthenner (Walter),1431.
Schmitz (Gerhard), 2285.
Schmitz du Moulin (Henri), 4487.
Schmoeckel (Reinhard), 1247.
Schmückle (Karl), 483.
Schmugge (Ludwig), 2367.
Schnabel (Thomas), 3265.
Schnabl (Gerline), 5375.
Schnakenbourg (Christian), 5826.
Schnapp (Alain), 378.
Schnapper (Bernard), 6739.
Schneer (Jonathan), 3788, 6596.
Schneemelcher (Wilhelm), 2041.
Schneider (A.), 2073.
Schneider (H.C.), 1873.
Schneider (Helmut), 210.
Schneider (Jean), 412, 2246.
Schneider (Joanne), 726.
Schneider (Jürgen), 232, 939, 2336.
Schneider (Karl), 526.

Schneider (Linda), 6597.
Schneider (Michael), 6598.
Schneider (Reinhard), 2384.
Schneider (William), 5177.
Schneider (William Howard), 6887.
Schneidmüller (Bernd),2507.
Schnell (R.L.), 6373.
Schnerb - Lièvre (Marion), 2292.
Schnur (Roman), 3740.
Schnurbein (S. von), 1763.
Schnytzer (Adi), 3170.
Schoelen (Georg), 4488.
Schöllgen (Georg), 2100.
Schön (Lennart), 5827.
Schoenbaum (David), 3304.
Schönborn (Christoph), 2981.
Schoeninger (M.J.), 1175.
Schoenl (William J.), 4489.
Schönstädt (Hans-Jürgen), 4645.
Schoeps (Julius H.), 5025.
Schofield (Malcolm), 1587.
Schofield (R.S.), 6161.
Schofield (Sevill), 5829.
Scholder (Klaus), 3191.
Schopenhauer (Arthur),5037.
Schopmeyer (Heinrich), 2599.
Schor (Ralph), 3741.
Schorta (Andrea), 879.
Schottroff (Willy), 1764.
Schrama (M.), 4454.
Schramm (Gottfried), 91.
Schratt (Katharina), 3357.
Schreckenberg (Heinz), 1042.
Schreiber (Gerhard), 3305.
Schrenk (Gilbert), 68.
Schröder (Hans-Christoph), 6985.
Schröder (Hans - Henning), 4299.
Schröder (Hans - Jürgen), 5693, 7090, 7351.
Schroeder (Horst-Diether), 2299.
Schubart (H.), 1390.
Schuldenrein (J.), 1136.
Schule (Wolfgang), 2111.
Schuler (Peter-Johannes), 2286.
Schull (Joseph), 6071.
Schuller (Wolfgang), 1424.
Schulte (B.), 137.
Schultz (Patrick), 6711.
Schultze (Quentin J.), 4856.
Schulz (Gerhard), 6787, 7269, 7424.
Schulz (Hermann), 6712.
Schulz (Jindřich), 196.
Schulze (Hagen), 3153, 3195, 3306.
Schulze (Hans K.), 3098.
Schulze (Reiner), 6657.
Schulze (Winfried), 5939.
Schumacher (Leonhard), 1821.
Schuman (Maurice), 397.
Schumann (Peter), 478.
Schumann (Robert), 5583.
Schumann (Wolfgang), 7381.
Schurz (Carl), 3591.
Schwab (Hanni), 841.
Schwab (Ute), 2873.
Schwager (Alois), 4518.
Schwarte (Karl-Heinz), 1911.
Schwartz (Eduard), 1011.
Schwartz (Stuart B.), 4519,

6986.
Schwarz (Daniel R.), 3426.
Schwarz (Jutta), 5694.
Schwarz (Philip J.), 6387.
Schweigler (Gebhard), 7520.
Schweikle (G.), 2800.
Schweitzer-Van de Casteele (Sylvie), 5828.
Schweizer (Karl W.), 3766.
Schwengler (Walter), 6749.
Schwineköper (Berent), 527, 3054.
Schwinges (Rainer Christoph), 511.
Schwöbel (Heide), 2385.
Scipio Africanus (Publius Cornelius), 1980.
Sciumè (Alberto), 6740.
Sclafer (Jacqueline), 286.
Scoppola (Pietro), 4012.
Scorza (Carlo), 4040.
Scotoni (Lando), 4041.
Scott (Joan W.), 3742.
Scott (Ronald McNair), 2437.
Scranton (Philip), 5829.
Scrope (Richard), archbishop of York, 2301.
Seager (Robert) II, 3432.
Sealander (Judith), 3571.
Sealey (R.), 1506.
Sear (David R.), 138.
Seaton (Albert), 3307.
Seavoy (Ronald E.), 5830.
Sebag (Paul), 7050.
Šebalin (V. Ja.), 5557.
Šebánek (Jindřich), 2193.
Šedivec (Vlastimil), 5831.
Sedlar (Jean W.), 5037.
Sedlmeier (Jürg), 1137.
Sedov (V.V.), 2349.
Seed (Patricia), 6388.
Seefried (Monique), 1281.
Seeliger (Hans Reinhard), 627.
Seemuller (Michèle), 7154.
Seftiuc (Ilie), 6599.
Segal Chiat (Marylin Joyce), 1403.
Segonds (A.-Ph.), 1448.
Segura Graino (Segura), 2287.
Sehi (Meinrad), 2967.
Seibt (W.), 82, 1689.
Seidel (Jutta), 6600.
Seidenstecher (Gertraud), 5637.
Seidensticker (B.), 1588.
Seidl (Ursula), 1349.
Seidler (Herbert), 5376.
Selbmann (Rolf), 5377.
Selbourne (David), 7597.
Seldon (Antony), 3861.
Seleckij (B.P.), 1874.
Šelestov (D.K.), 6148.
Seldjoukides, dynastie 2171.
Selleck (R.J.W.), 4858.
Sellnow (Irmgard), 1279.
Selunskaja (N.B.), 5965.
Selunskaja (V.M.), 6274.
Semanov (S.N.), 5378.
Semenova (L.N.), 708.
Sémentery (Michel), 69.
Šemkov (Georgi), 3055.
Semkowicz-Zarembina (Wanda), 2203.
Sénac de Meilhan (Gabriel), 6692.
Sendall (Bernard), 5832.

Seneca (Lucius Annaeus), 4587.
Senelier (Jean), 5275.
Senger (Matthias Wilhelm), 5238.
Senglaub (Konrad), 959.
Senkowska-Gluck (Monika), 3609.
Senn (Alfred Erich), 6601.
Septimius Severus (Lucius), empereur romain, 1808.
Septimus (Bernard), 2532.
Şerban (Constantin), 2438.
Serbat (Jacques), 784.
Serczyk (Jerzy), 379.
Serczyk (Władysław Andrzej), 7051.
Serdjuk (E.A.), 4705.
Serge (Luciano), 5695.
Sergeev (F.M.), 7521.
Sergin (V. Ja.), 1138.
Serjeant (R.B.), 7560.
Serle (A.G.), 3346.
Serman (William), 6389.
Šerstobitov (V.P.), 4259.
Servos (John), 5178.
Serwański (Maciej), 4720.
Sesboüen (Bernard), 2014.
Settis (S.), 1648.
Seunig (Georg W.), 6149.
Ševčenko (Ihor), 13, 2172.
Severii, dynastie, 1716, 1722, 2055.
Severinus, Noricorum Apostolus, Sanctus, 2983.
Sévigné (Marie de Rabutin-Chantal, marquise de), 5246.
Sevillano Colom (Francisco), 2717.
Ševjakov (A.A.), 7228.
Sevjan (D.A.), 6602.
Sevost'janov (G.N.), 3444.
Sevost'janov (I.), 7522.
Sevost'janov (P.P.), 7353.
Seyer (Heinz), 1248.
Seymour (Susan), 7354.
Seymour - Smith (Martin), 5379.
Shachtman (Tom), 7303.
Shaffer (John W.), 5998.
Shaffer (Lynda), 7685.
Shagari (Shehu), 4075.
Shahar (S.), 2968.
Shakespeare (William), 5223, 5517, 5519, 5533.
Shalhope (Robert E.), 380, 6678.
Shammas (Carole), 5999.
Shankman (Arnold), 6390.
Shankara, Indian philosopher, 1017.
Shanley (Mary Lyndon), 6741.
Shannon (Edgar F.), 5295.
Shannon (Michael Owen), 3965.
Shannon (Richard), 3862.
Shannon (Samuel H.), 4859.
Shao Yung, 7647.
Shapiro (Ann-Louise), 6391.
Shapiro (Gary), 5038.
Shapiro (Samuel), 3572.
Sharma (L.P.), 7598.
Sharma (M.H.R.), 7599.
Sharp (James J.), 3863.
Sharpe (Kevin), 4860.
Sharpe (Richard), 2288.

Sharrer (G. Terry), 5833.
Shatzmiller (Maya), 2553.
Shaw (George Bernard), 5294.
Shaw (Brent D.),1510, 1875.
Sheane (Michael Steven), 2368.
Shehaby (Nabil), 2554.
Sheller (Tina H.), 4861.
Shelley (Louise), 6392.
Shenk (Wilbert R.), 4647.
Shennan (Stephen), 1109.
Shepard (E. Lee), 6742.
Shergold (Peter R.), 6393.
Sherington (Geoffrey E.), 4862.
Sherlock (Kevin), 7608.
Shiflett (Crandall A.),6000.
Shils (Edward), 4863.
Shimoni (Emanual), 4676.
Shiner (Larry), 5039.
Shipp (G.P.), 170.
Shirer (William L.), 6841.
Sholokov, v. Šolokov.
Shorrock (William I.), 7143, 7229.
Shortt (Mary), 5580.
Shortt (S.E.D.), 5179.
Shoukri (Ghali), 3408.
Showalter (Dennis E.), 3184, 4923.
Shulim (Joseph I.), 3743.
Shulman (Frank Joseph), 7538.
Shunnar-Misera (Adelheid), 1287.
Siborne (H.T.), 7076.
Sichtermann (Hellmut), 1976.
Sicken (Bernhard), 3308.
Sidney (Algernon), 4965.
Sieben (Hermann Josef), 3056.
Siedentopf (Heinrich B.), 306.
Siedentopf (Monika), 7413.
Sieder (Reinhard), 582.
Siegfried von Westerburg, Erzbischof von Köln,2404.
Siemann (Wolfram), 3183.
Sierpowski (Stanisław),7230.
Sievers (Susanne), 1200.
Siewert (Peter), 1492.
Sigfridus, Ep. Vexione in Suecia, Sanctus, 2984.
Sigmund, röm.-deutsch. Kaiser, 20, 2238.
Sigmund, Erzherzog von Österreich, Graf von Tirol, 2450.
Sigurdsson (Haraldur),1998.
Siikala (Anna-Leena), 709.
Siikala (Jukka), 4364.
Sijpesteijn (P.J.), 171.
Šiklo (A.E.), 348.
Sikorskij (N.N.), 46.
Sikorski (Władysław), 4121.
Sikota (Győző), 5501.
Silagi (Gabriel), 10.
Silard (Andrei), 628.
Silber (Gordon R.), 5040.
Silbermann (Gottfried),5566.
Sillén (Katarina af), 4166.
Silva Seitenfus (Ricardo A.), 7304.
Silva (Fernando Vieira da), 2296.
Silver (A.I.), 887.
Silverman (Dan P.), 5696.

Silverman (Eliane Leslau), 6394.
Silvestre (Hubert), 3057.
Šiman (Jiří), 4197.
Şimanschi (Leon), 2508.
Simmons (Adele Smith), 6888.
Simmons (R.C.), 6908.
Simms (James Y.) Jr., 6001.
Simon (Christian), 4179.
Simon (Dieter), 6641.
Simon (Francine), 2509.
Simon (Gérard), 5180.
Simon (Gerhard), 4300.
Simon (Helene), 6290.
Simon (John Allsebrook Simon, 1st viscount), 6766.
Simon (John Y.), 3436.
Simon (K.), 3099.
Simon (Róbert), 430.
Simoncelli (Paolo), 4433.
Simondon (M.), 1589.
Simonenko (R.G.), 7231.
Simonescu (Dan), 51.
Simonetti (M.), 2101.
Simonsohn (S.), 822.
Šimovček (Ján), 7432.
Simper (Robert), 3864.
Sinan Pascha, Großvezir, 4207.
Sinclair (Andrew), 7144.
Sinclair (Keith), 3764.
Sindico (Domenico), 6395.
Singal (Daniel Joseph), 4751.
Singer (J. David), 6788.
Singh (Irina G.), 3379.
Singh (Sarva Daman), 7600.
Singh (Sukhwant), 7523.
Šinkarev (V.N.), 710.
Sinkovics (Istán), 528.
Sinn-Henninger (Friedrich), 1976.
Sinouhé, 1331.
Sipols (V.), 6789.
Sirach, ben Sira, 1400.
Siracusa (Joseph M.), 7524.
Siraisi (Nancy G.), 2801.
Sirat (Colette), 14.
Širina (D.A.), 2718.
Sirkin (Mark), 5181.
Sirois (Antoine), 5221.
Širokov (G.K.), 6584.
Sisa (József), 5443.
Sise (Charles F.), 5841.
Sismondi (Léonard Simonde de), 3695.
Sittig (Wolfgang), 770.
Sittler (Lucien), 788.
Siuts (Hinrich), 6002.
Sivačev (N.V.), 3573.
Six (Jean-François), 4490, 4533.
Sixtus V [Felice Peretti], Papa, 4737.
Sizonenko (A.I.), 6798.
Sjöberg (Gunnar), 5834.
Sjödel (Ulf), 381.
Sjøvold (Thorleif), 1094.
Skalweit (Stephan), 3167.
Škarenkov (L.K.), 4301.
Skelton (Geoffrey), 5581.
Skelton (Samuel), 4670.
Skibiński (Franciszek), 7403, 7414.
Skinner (A.S.), 5596.
Skocpol (Theda), 3574.
Skopp (Douglas), 4864.
Škorupová (Anna), XIX.

Skowron (Jan), 7433.
Skowronek (Stephen), 3575.
Skripilev (E.A.), 6713.
Skripkin (A.S.), 1249.
Skrirsky (D.), 6751.
Skrjabin (Aleksandr Nikolaevič), 5520.
Skrynnikov (R.G.), 206.
Skržinskaja (M.V.), 1250.
Škunaev (S.V.), 1251.
Skýbová (Anna), 2874.
Skytte (Lars), 4743.
Slabeev (I.S.), 851.
Słabek (Henryk), 6396.
Slade (Joseph W.), 5835.
Sládek (Oldřich), 5068.
Sladkovskij (M.I.), 7659.
Slany (William Z.), 268.
Slatta (Richard W.), 3336.
Slavník, Familie, 2440.
Slim (H.), 134.
Slinn (Peter), 6813.
Śliwa (Michał), 6604.
Słowacki (Juliusz), 5364.
Šlygina (N.V.), 678.
Šmahel (František), 2290, 2877, 3100.
Smail (R.C.), 2425.
Small (Melvin), 6788.
Smalley (Beryl), 2915.
Smârcea (Doina), 4152.
Šmarov (V.A.), 7525.
Smend (Rudolf), 491.
Šmidt (S.O.), 848.
Šmilauerová (Eva), 6715.
Smiraglia (P.), 2978.
Smirnov (V.P.), 7305.
Smirnova (É.S.), 2875.
Smirnova (Valentina), 6605.
Smith (Adam), 5596.
Smith (Annette M.), 3865.
Smith (Bonnie G.), 3744.
Smith (Bradley F.), 7252.
Smith (Brian H.), 4491.
Smith (Daniel M.), 529.
Smith (Daniel Blake), 629.
Smith (David), 4938.
Smith (David C.), 5901.
Smith (David R.), 279.
Smith (Dennis), 6397.
Smith (Dennis Mack), 4042.
Smith (F.B.), 5182.
Smith (G.C.), 5065.
Smith (Mary Elizabeth), 5582.
Smith (Paul H.), 6903.
Smith (Robert J.), 4865.
Smith (Ronald A.), 3576.
Smith (Tony), 6820.
Smithies (John), 4618.
Smollett (Tobias George), 5371.
Snydacker (Daniel), 6150.
Soames (Mary), 3866.
Soanen (Jean), 4465.
Soares (Mario), 4127.
Sobczak (Jacek), 6716.
Soboleva (N.A.), 92.
Soboul (Albert), 484, 3745.
Soeharto, 5623.
Söllner (Alfred), 6642.
Sőtér (István), 1065.
Soffer (Reba N.), 4866.
Sofronova (L.A.), 4704.
Sogrin (V.V.), 3577, 6401.
Sojka (Tadeusz), 7306.
Sokoloff (Kenneth), 5758.
Sokrates, 1554, 1565.

Sola (Giorgio), 858.
Solana Sáinz (José María), 1765.
Solano y Pérez Lila (Francisco), 297.
Solberg (Carl E.), 5836, 6003.
Šolokov (Mikhail Aleksandrovič), 5332, 5378.
Sołoma (Antoni), 4925.
Solomon (Robert), 6072.
Solon, 1512.
Solov'ev (Sergej Mikhailovič), 4306.
Solov'ev (V.M.), 6401.
Soloway (Richard Allen), 6151.
Soltész (Gáspár), 3897.
Sombart (Nicolaus), 3297.
Sombart (Werner), 369.
Somerville (Robert), 2291.
Sommer-Ramer (Cécile), 1028.
Sommerfeld (W.), 1360.
Somogyi (Éva), 812.
Somogy (Péter), 2719.
Sonnemann (Rolf), 941.
Sonnet (Martine), 944.
Sonnichsen (C.L.), 3578.
Soper (William), 2293.
Sophokles, 1570, 1573.
Sopko (Július), 2300.
Soproni (Olivér), 5502.
Soraci (R.), 1822.
Sordi (Marta), 1493.
Sorel (Georges), 4987.
Sorgeloos (Claude), 298.
Sori (Ercole), 3995.
Sosin (J.M.), 6987.
Sosson (J.-P.), 994.
Šostakovič (Dmitrij Dmitrievič), 5548.
Sot (Michel), 2294.
Sotnikova (M.P.), 139.
Sotomayor y Muro (Manuel), 1030.
Soufflot (Germain), 5439.
Soulet (Jean-François) 3123.
Sourdel (Dominique), 2593.
Sourdel - Thomine (Janine), 2593.
Souris (G.A.), 1823.
Sousa (Bernardo de Vasconcelos e), 2296.
Southcott (Joanna), 4600.
Soutou (Georges - Henri), 3618, 7232.
Soveja (Maria), 260.
Sovronos (Nicolas), 2112.
Sowerwine (Charles), 6606.
Sowerwine-Mareschal (Marie-André), 855.
Sowiński (Albert), 988.
Sowiński (Janusz), 5504.
Spáčil (Vladimír), 2260.
Spada (Fabrizio), nuntius apostolicus, 4375.
Spadaro (Maria Dora), 2121a.
Spadolini (Giovanni), 4024, 4043.
Spagnoli (Paul G.), 400.
Spahr (Gebhard), 931.
Spalinger (Anthony), 1334.
Spallanzani (Lazzaro), 5066.
Spang (Paul), 7307.
Spanger (Hans - Joachim), 3311.
Sparkes (Stephen R. J.), 1998.

Spasski (I.G.), 139.
Spatafora (Filippo), 3984.
Spater (George), 3867.
Spaull (Andrew D.), 4867.
Spear (David S.), 2439.
Spear (Donald P.), 6004.
Spector (Ronald), 7355.
Speer (Albert), 3303.
Spence (Jonathan D.), 7686.
Spencer (A.J.), 1335.
Spencer (C.S.), 7755.
Sperber (Helmut), 6005.
Spěváček (Jiří), 2510, 2600.
Speyer (W.), 52.
Spieckermann (Hermann), 1404.
Spielmann (Alex), 4180.
Spier (Fernand), 1129.
Spies (Hans-Bernd), 7028.
Spinei (Victor), 2350.
Spinoza (Baruch), 5011.
Spira (György), 6607.
Spirin (L.M.), 4218.
Spittler (Gerd), 6889.
Špors (Józef), 3101.
Špotov (B.M.), 3579.
Sprandel (Rolf), 2273, 2802.
Sproll (Heinz), 453.
Sprunck (Alphonse), 4063.
Sprunger (Keith L.), 4648.
Sribnai (Jean-Pierre), 7607.
Średniawa (Bronisław), 5183.
Staal (Hans Jakob vom), 4176.
Staccioli (Romolo Augusto), 1670, 1999.
Stachura (Peter D.), 3312.
Stack (George J.), 5041.
Stadin (Kekke), 6073.
Stadler (Friedrich), 5042.
Stadler (Karl R.), 3361.
Staehelin (Elisabeth), 1320.
Staël (Germaine Necker, baronne de Staël-Holstein, dite Mme de), 5312.
Staes (Jacques), 7056.
Staf (Nils), 4158.
Stafford (Elizabeth, duchess of Norfolk), 6258.
Stager (Lawrence E.), 1405.
Stagnitta (A.), 2916.
Stahl (Georg Ernst), 5125.
Stalin (Iosif Vissarionovič Džugašvili, dit), 4232, 4237, 4295, 4303, 4310, 7534.
Stambolov (Stefan), 3373.
Stamp (Robert M.), 4868.
Stampfuss (Rudolf), 530, 1255.
Stanelle (Udo), 4492.
Stănescu (Eugen), 4153.
Stang (Gudmund), 5697.
Stanimirov (Svilen), 7052.
Stanley (John), 4116.
Stanley (Venetia), 3763.
Stannage (C.T.), 3347.
Stapleton (Darwin H.), 631.
Starcev (V.I.), 4304.
Stark (Gary D.), 4753.
Starn (Randolph), 876.
Starr (Chester G.), 1766.
Starr (Paul), 5184.
Stary (Peter F.), 1224.
Statham (Pamela), 7002.
Stattler (Ewa), 2289.
Staudinger (Hans), 3195.

Staudinger (Hugo), 5026.
Staufer, Dynastie, 2317, 2415.
Staupitz (Johann v.), 4484.
Stawecki (Piotr), 4117.
Steel (Carlos), 1450, 1451.
Steen (Immanuel), 590.
Ştefan cel Mare [le Grand], prince de Moldavie, 980, 2185, 2475, 2480, 2497, 2508.
Ştefan (Alexandru), 470.
Stefan (Charles G.), 7528.
Ştefan (I.M.), 971.
Ştefănescu (Ştefan), 249.
Steffen (Walter), 2803.
Stefka (István), 3943.
Stegner (Wallace), 4846.
Steible (Horst), 1361.
Steiger (Thomas), 6006.
Stein (Heinrich Friedrich Karl, Freiherr vom und zum), 3292.
Stein (Meir), 5409.
Steinbach (Peter), 3158.
Steinberg (Michael), 5043.
Steinitz (Mark S.), 7529.
Steinkeller (Piotr), 1418.
Steinmetz (P.), 1915.
Stembridge (Stanley R.), 6821.
Stemplowski (Ryszard), 6152.
Steneck (Nicholas), 5185.
Stenger (W. Jackson) Jr., 6988.
Stepanov (V.N.), 6608.
Stephan (Bend), 3313.
Stephan (John J.), 7121.
Stephanus, Protomartyr, Sanctus, 2070.
Stephanus I, rex Hungariae, Sanctus, 2231.
Stephens (Lester D.), 5186.
Stephenson (Jill), 3314.
Stępniak (Władysław), 7530.
Stern (Ephraim), 1406.
Stern (Steve J.), 6989.
Sternin (G. Ju.), 4761.
Sterns (Indrikis), 3058.
Steuer (Heiko), 2721.
Steurs (Willy), 3102.
Stevens (Donald Fithian), 4070.
Stevens (Jennie A.), 6403.
Stevenson (D.), 7233.
Stevenson (Warren), 5380.
Stewart (Gordon T.), 6790.
Stewart (Ian), 140.
Steward (Robert), v. Orkney (Robert Stewart, earl of).
Stewart (Robert M.), 5044.
Stichel (Rudolf H.W.), 2000.
Stichter (S.), 6890.
Stier (Miklós), 3944, 6404.
Stiffoni (Giovanni), 7053.
Stilgoe (John R.), 5444.
Stilicho (Flavius), général romain, 1689.
Stillinger (Jack), 4943.
Stimson (Henry Lewis), 6766.
Ştirbei (Barbu), prince de Valachie, 4151.
Stirnemann (Patricia Danz), 2820.
Stivers (William), 7234.
Stjernqvist (Nils), 6659.
Stloukal (Milan), 1110.

Stock (Simon), 4526.
Stock (Ursula), 4649.
Stocking (George W.) Jr., 4783.
Stoclet (Alain J.), 2979.
Stöckelle (Angela), 3362.
Stöcker (Adolf), 3293.
Stöve (Eckehart), 569.
Stoever (H.D.), 2057.
Stoicescu (Nicolae), 475, 4154.
Stol (M.), 1362.
Stoler (Mark A.), 7308.
Stolfi (Russel H.S.), 7415.
Stolper (Matthew W.), 1419.
Stone (Albert Edward), 6902.
Stoneman (Colin), 4325.
Stopp (Klaus), 5698.
Stora (Benjamin), 6891.
Storch (Robert D.), 6405.
Storey (Edward), 5381.
Storez (Isabelle), 3747.
Stortz (Gerald J.), 4493.
Story (Elliott L.), 5954.
Stos-Gale (Z.A.), 1530.
Šťovíček (Ivan), 7318.
Stow (Kenneth R.), 4387.
Straka (Jaroslav), 4197.
Strange (Joseph L.), 7416.
Stranges (Anthony N.), 5187.
Strasburger (Hermann) 1431.
Strathern (Gloria M.), 3378.
Straub (Johannes), 531, 1011, 1911.
Straughair (Anna), 7687.
Strauss (André), 6074.
Strauss (Herbert A.), 3426.
Strauss (Sylvia), 6406.
Stravinskij (Igor' Fedorovič), 5513, 5546.
Strayer (Joseph R.), 2710.
Strazzullo (Franco), 3983.
Štrbáňová (Soňa), 5188.
Streich (Gerhard), 2498.
Ştrempel (Gabriel), 4133.
Stresemann (Gustav), 3237.
Strickmann (M.), 7688.
Strocka (V.M.), 1276.
Strömberg Krantz (E.), 173.
Strogeckij (V.M.), 1494.
Stromberg (Roland N.), 4754.
Strozier (Charles B.), 3580.
Strzelecka (Kinga), 4494.
Strzelecki (Andrzej), 7309.
Stuart, dynasty, 880, 3824, 5674.
Stuart (Denis), 3869.
Stuart (Meriwether), 3581.
Stuart (Reginald C.), 3582, 7077.
Studdert-Kennedy (Gerald), 4650.
Studeneckij (S.A.), 958.
Stürmer (Michael), 5505.
Stüssi (Jürg), 4181.
Stump (Eleonore), 2902.
Stumpf (Reinhard), 6408.
Stutz (Jakob), 6474.
Stutzinger (Dagmar), 2102.
Stwosz (Wit), 2857.
Subbotin (V.A.), 4324.
Sublet (Jacqueline), 153.
Suceveanu (Alexandru), 410, 2002.
Suchodolski (Stanisław), 2289, 2722.
Suder (Wiesław), 347.
Sünskes (Julia), 1310.

Süß (Walter), 4303.
Süßenbach (U.), 2003.
Suetonius Tranquillus (Gaius), 1916.
Sueur (Philippe), 6717.
Sugár (István), 3945.
Suger, abbé de Saint-Denis, 2309.
Šukhardin (S.V.), 5193.
Sułek (Zdzisław), 4118.
Šul'govskij (A.F.), 3156.
Sulla (Lucius Cornelius), 1721, 1729, 1755, 1874.
Sullivan (Robert E.), 4651.
Sullivan (Robert R.), 5045.
Sully (Melanie A.), 3364.
Šumejko (N.V.), 4219.
Sumers (Robert Samuel), 6658.
Sumner (Charles), 5003.
Sun (Yat-sen), 7689.
Sundberg (Karl Josef), 4652.
Sundermann (Werner), 175.
Sundhaussen (Holm), 4322.
Sundhaussen (Ulf), 7627.
Sung, Chinese dynasty, 7639, 7641, 7662, 7667, 7683.
Suni (L.V.), 7145.
Sunila (A.A.), 6611.
Suny (Ronald Grigor), 6612.
Surányi (Béla), 6007.
Surchat (Pierre Louis), XVIII.
Surmann (Rolf), 4926.
Surville (Jean-François-Marie de), 4329.
Susiluoto (Ilmari), 5046.
Susini (G.), 1690.
Sussman (George D.), 6409.
Sutch (Richard), 5640.
Suter (Elisabeth), 934.
Sutherland (Donald), 3748.
Sutherland (F.), 5120.
Sutherland (Graham Vivian), 5450.
Sutherland (Millicent, duchess of), 3869.
Suttner (Ernst Christoph), 4544.
Sutton (J.E.G.), 1112.
Sutton (Michael), 3749.
Sutton (Paul K.), 6791.
Svanidze (I.A.), 6894.
Švecova (S.I.), 6410.
Svensson (Thommy), 634.
Sverdlov (M.B.), 2723.
Sverker (Sörlin), 4757.
Svjatoslav, grand prince of Kiev, 2435.
Svobodová (Dana), 6075.
Svolopoulos (C.), 7352.
Swanick (Eric L.), 3377.
Swann (Michael M.), 6990.
Swanson (Carl E.), 6991.
Swanson (R.N.), 2301.
Swat (Tadeusz), 5382.
Sweeney (James R.), 3583.
Sweet (William Warren), 4559.
Swetschinski (Daniel), 496, 6992.
Swianiewicz (Stanislaw), 4870.
Świechowski (Zygmunt), 2821.
Swierenga (Robert P.), 635.
Świętopełk, prince de Po-

méranie, 67.
Swift (Jonathan), 5352.
Swiggers (Pierre), 148.
Swinton (Sir Ernest Dunlop), 3790.
Sylla, v. Sulla (Lucius Cornelius).
Sylvester II [Gerbert], Papa, 2935.
Syme (Ronald), 1767, 1876, 1916.
Symmachus (Quintus Aurelius), 1691.
Synge (John Millington), 5512.
Synnott (Marcia G.), 4871.
Syrenius Cyrenensis, 2069.
Syrett (David), 383.
Sysyn (Frank E.), 4110, 4305.
Szabad (György), 3907, 3946.
Szabadi (Judith), 5410.
Szabó (Árpád), 1590.
Szabó (Attila), T., 176.
Szabó (Bálint), 3947, 3950.
Szabo (Franz A.J.), 3363.
Szabó (László), 3168, 7235.
Szabó (Miklós), 7357.
Szabóné Nagy (Teréz), 5189.
Szádeczky-Kardoss (Samu), 1226.
Szajn (Izrael), 4927.
Szalai (Pál), 384.
Szalij (Jacek), 1037.
Szántó (Imre), 3948.
Szarka (László), 3169.
Szasz (Ferenc Morton), 4653.
Szász (János), 4654.
Szczepańczyk (Czesław), 7356.
Szczerbiński (Marek), 4119.
Széchenyi (István), 3901.
Szefer (Andrzej), 7236.
Székely (András), 5475.
Székely (György), 2352.
Szelestei N. László), 385.
Szeliga (Jan), 207.
Szemző (Béla), 6008.
Szendrei (Janka), 2895.
Szendrey (István), 3892.
Szépe (György), 964.
Szigethy (Gábor), 2231, 6230.
Sziklai (László), 5047.
Sziklay (László) 4872, 5265, 6411.
Szilágyi (János György), 1003, 1432.
Szilágyi (Miklós), 3337.
Szinnyei (József), 1066.
Szinyei Merse (Pál), 5477.
Szklenar (Hans), 2805.
Szlechter (Emile), 1340.
Szmodis-Eszláry (Éva), 5484.
Sznura (Franek), 22.
Szőllősy (András), 5549.
Szőnyi (György Endre), 4758.
Szőts (Rudolf), 3902.
Szpak (Jan), 5699.
Szubański (Rajmund), 7417.
Szücs (Ernő), 5838.
Szuhay (Péter), 6009.
Szulc (Witold), 520.
Szvák (Gyula), 4306.
Szyfman (Léon), 5190.
Szymanowski (Karol), 5511.
Szymański (Józef), 4388.

T

Taavitsainen (J.-P.), 2724.
Tachau (Katherine H.), 2752, 2917.
Tachikawa (Musachi), 7602.
Tacitus (Publius Cornelius), 1680, 1914.
Tackett (Timothy), 3750.
Taffin (Jean), 4659.
Taft (William Howard), 3446.
Taftă (Lucia), XVII.
Tagliacozzo (Enzo), 481.
Tagliaferri (G.), 2792.
Taillemite (Etienne), 4335.
Taisback (C.N.), 1591.
Takács (Ferenc), 3951.
Takaki (Ronald), 6010.
Talbot (I.A.), 6842.
Talleyrand-Périgord (Charles Maurice de), 3723.
Talmage (Frank), 1046.
Talmud (É.D.), 5048.
Tanaşoca (Nicolae Şerban), 835.
Tandredi, re di Sicilia, 2194.
Tandeter (Enrique), 5839.
Taneev (Sergej Ivanov), 5514.
T'ang, Chinese dynasty, 7641, 7674, 7690.
Tangl (Harald), 5191.
Tannen (Michael B.), 6412.
Tanner (Albert), 5840.
Tanty (Mieczysław), 6791.
Tarasoff (Koozma J.), 4694.
Tarbush (Mohammad A.), 3963.
Tardits (Claude), 7721.
Targosz (Karolina), 4759.
Tarle (F.V.), 485.
Tarōnitē-Theotokē, maison de commerce, 5889.
Tartakowsky (Danielle), 6613.
Tassaux (Francis), 1877.
Tassé (Gilles), 1113.
Tate (Frank), 4858.
Taton (René), 5129.
Tátrai (Zsuzsanna), 647.
Tatton - Brown (Veronica), 1617.
Tavares (María José Pimenta Ferro), 2533.
Tavera (Nedo), 4044.
Taylor (A.J.P.), 340.
Taylor (A.M.), 4326.
Taylor (Alan R.), 7531.
Taylor (Charles), 3389.
Taylor (Graham D.), 5841.
Taylor (Robert M.) Jr., 70.
Taylor (Ronald L.), 5583.
Tażbierski (Zdzisław) 7078.
Tazbir (Janusz), 4495.
Tchaïkovsky, v. Čaikovskij (Pëtr Il'ič).
Tchang (Laurent), 7607.
Tchelebi (Yirmisekiz Mehmet), 32.
Tefnachte, Herrscher von Sais, 1323.
Tegborg (Lennart), 4655.
Teglatphalasar III, roi d'Assyrie, 1351.
Teilhard de Chardin (Pierre), 4486, 4935.
Teitler (G.), 4085.

Teijchman (Miroslav), 7310.
Tejral (Jaroslav), 1253.
Telegdi (Zsigmond), 964.
Tellegen (Jan Willem), 1824.
Tellegen - Couperus (Olga Eveline), 1825.
Tellier (Sylvie), 5222.
Temesváry (Ferenc), 317.
Temkin (Ja. G.), 6574.
Temporini (Hildegard), 1698.
Tenenti (Alberto), 2369.
Tenfelde (Klaus) 225, 3317.
Tennat (R.C.), 4656.
Tennyson (Alfred Tennyson, 1st baron), 5295.
Tennyson (Brian Douglas), 6792.
Tenorio (Pedro), arzobispo de Toledo, 3012.
Tent (James F.), 4873, 7532.
Teodor (Pompiliu), 524.
Teodorsson (Sv.-T.), 1592.
Teoteoi (Tudor), 835.
Te Paske (John J.), 6993.
Teplinskij (L.B.), 6793.
Ţeposu-Marinescu (Lucia), 1984.
Teresa Kunegunda Sobieska, Gemahlin d. Kurfürsten Maximian II. Emanuel v. Bayern, 7043.
Terestyéni (Ferenc), 2302.
Ternes (Charles - Marie), 1084.
Terraine (John), 7237.
Terrell (Jennifer), 725.
Terrisse (Arnaud), 5194.
Tertullianus (Quintus Septimius Florens) 200, 5250.
Tervooren (Klaus), 3318.
Tessadri (Elena S.), 4045.
Tessin (Carl Gustaf), 4160.
Tessitore (Fulvio), 636.
Tetricus (Gaius Pius Esuvius), usurpateur romain, 137.
Tew (Brian), 6076.
Teysseire (Daniel), 5192.
Thaer (Albrecht), 5604.
Thalmann (Rita), 3751.
Tharoor (Shashi), 7603.
Theiler (W.), 1449.
Theis (Robert), 2918, 5049.
Thelander (Dorothy R.), 4760.
Thelander (Jan), 637.
Thémines (Guillaume de), 6308.
Themistokles, 1457, 1489.
Theodoretus, Ep. Cyrensis, 2038.
Theodosius II, empereur romain d'Orient, 1707, 1788.
Theoharis (Athan G.), 3584.
Theophanes Confessor, 2306.
Theophilos, empereur de Byzance, 2150.
Theophylaktos, archevêque d'Ohrid, 2121a.
Theresa de Jesu [Teresa Sánchez de Cepeda y Ahumada], Sancta, 4401, 4425, 4430.
Thériault (Serge A.), 4496.
Thesleff (H.), 1593.
Thibaut (Jacqueline), 6413.
Thiebaud (Jean-Marie), 94.

Thien (Ly-hoang), 300.
Thierry d'Alsace, comte de Flandre, 87.
Thierry (André), 5276.
Thierry (Nicole), 2173.
Thilo (Thomas), 7690.
Thimon (Gösta), 4874.
Thirouin (Jean), 4497.
Thirring (Lajos), 6153.
Thobie (Jacques), 6077, 6806, 7238.
Thoma (Clemens), 1002.
Thomas Aquinas, Sanctus, 2906, 2913, 2918.
Thomas de Cantilupe, Ep. Herefordiensis, Sanctus, 2985.
Thomas Morus, Sanctus, 2973, 3801, 3849, 3854, 4439, 4974, 5056.
Thomas (Brinley), 6011.
Thomas (Carol G.), 1282.
Thomas (David), 806.
Thomas (Donald), 5383.
Thomas (Ludmila), 4307.
Thomas (P.D.G.), 6908.
Thomas (R.F.), 1917.
Thomas (Y.), 1826.
Thomasset (C.), 2806.
Thomaz de Boissière (Isabelle), 4534.
Thommeret (Yolande), 1152.
Thompson (Dorothy), 6487.
Thompson (E.A.), 1768.
Thompson (F.H.), 2876.
Thompson (F.M.L.), 6154.
Thompson (Homer A.), 532, 1641.
Thompson (James J.) Jr., 4657.
Thompson (L.A.), 1878.
Thompson (Leonard), 3178.
Thompson (Margaret S.), 3585.
Thomsen (Niels), 4929.
Thomson (Ashley), 3376.
Thomson (J.K.J.), 5842.
Thomson (Rodney M.), 2303.
Thoreau (Henry David), 5316, 5947.
Thorne (Christopher), 6843, 7418.
Thornton (J. Mills) III, 3586.
Thouvenot (Marc), 7756.
Thrower (Norman J. W.), 5069.
Thuen (Harald), 5195.
Thünen (Johann Heinrich v.), 5604.
Thuer (G.), 1507.
Thuillier (Guy), 6254.
Thuillier (Jean-Paul), 1382, 1879.
Thukidides, 1441, 1475, 1564, 1574.
Thurston (Sir John Bates), 7006.
Tiberius (Julius Caesar Augustus), empereur romain, 1744.
Tibesar (Antonine S.), 4520.
Ticknor (George), 4984.
Tierney (Brian), 888.
Tiffin (Susan), 3587.
Tigranes II, king of Armenia, 1294.
Tikas (Louis), 4846.

Tikhvinskij (S.L.), 6759, 7527, 7658.
Tilghman (Tench), 6988.
Tilkovszky (Loránt), 3952.
Tillett (Benjamin), 6596.
Tillich (Paul), 4626.
Tilliette (Jean-Yves), 2807.
Tillman (Hoyt Cleveland), 7691.
Tilly (Charles), 6414.
Tilly (Louise A.), 6415.
Tilly (Richard), 6078, 6267.
Tilton (Elizabeth, Mrs. Theodore), 6432.
Timofeev (P.T.), 6416.
Timofeev (T.T.), 4308.
Timur, empereur mongol, 2486.
Ting (Jih-ch'ang), 7673.
Tinnefeld (Franz), 2120.
Tirpitz (Alfred v.), 3252.
Tiškov (V.A.), 3390.
Tisza (István), 7184.
Titchener (Edward Bradford), 5173.
Titelmans (Pieter), 4499.
Tito (Josip Broz, dit) 7534.
Titulescu (Nicolae), 7166, 7167, 7175, 7185, 7188, 7210, 7211, 7221, 7224, 7228.
Titus (Flavius Vespasianus), empereur romain, 1822.
Tjäder (Jan-Olof), 1, 15, 2304.
Tjurin (V.A.), 7628.
Tjurina (A.P.), 6012.
Tobriner (Stephen), 6155.
Tocco (Carlo Ier), comte de Céphalonie, 2165.
Toch (Michael), 2534, 2725.
Tocqueville (Charles Alexis Henri Clerel, baron de), 871, 3623.
Todd (Christopher), 5255.
Todd (John M.), 4658.
Tököly (Imre), prince de Transylvanie, 7038.
Toellner (R.), 5095.
Török (László), 1336.
Török (Sándor), 2386.
Toffin (Gérard), 686.
Tokarczyk (Lorraine), 2138.
Tokody (Gyula), 7239.
Toland (John), 4651.
Toll (William), 5819, 6417.
Tollet (Daniel), 301.
Tolnay (Stewart), 6114.
Tomalin (Ruth), 5384.
Tomaszewski (Jerzy), 5659.
Tomescu (Vasile), 5584.
Tomicki (Jan), 4115, 6614.
Tomlin (Brian W.), 7471.
Tommila (Päiviö), 972, 4920.
Tomsky (Jan), 1139.
Toneatto (Lucio), 2305.
Tongiorgi (Ezio), 3985.
Toniolo (Giuseppe), 6460.
Topolski (Jerzy), 520, 639, 927.
Torbacke (Jarl), 4921, 5700.
Torelli (Marina R.), 1769.
Torke (W.), 1137.
Torma (István), 1099, 2726.
Torrell (Jean-Pierre), 3000.
Torres Rodríguez (C.), 1770.
Torrey (G. E.), 7149, 7240.
Torstendahl (Rolf), 387.

Tortorici (Edoardo), 1963.
Toscani (Xenio), 4498.
Toscano (Mario), 4046.
Tosiello (Rosario Joseph), 3588.
Tóth (Ede), 3953.
Tóth (Gábor), 3954.
Tóth (Imre), H., 3059.
Tóth (Sándor László), 4207.
Tóth (Tibor), 6013.
Toti Rigatelli (Laura), 953.
Totman (Conrad), 7705.
Totu (Maria), 4155.
Touchais (Gilles), 1642.
Tournadre (Géraud), 5050, 5196.
Tourtier - Bonazzi (Chantal de), 281.
Toussaint (I.), 71.
Toussaint Louverture, 6928.
Townshend (Charles), 6679.
Toyotomi (Hideyoshi), 7702.
Trabucco (Joseph), 1446.
Trachtenberg (Alan), 3589.
Trachtenberg (Marc), 7241, 7242.
Tracy (James D.), 4365.
Tracy (Stephen T.), 1452.
Trafzer (Clifford E.), 3590.
Traherne (Thomas), 5268.
Trajanus (Marcus Ulpius), empereur romain, 1714, 1724, 1761.
Tranié (Jean), 7079, 7080.
Traniello (Francesco), 4368.
Trapl (Miloš), 196.
Travaglini (A.), 142.
Travers (Timothy), 3148.
Treadgold (Warren T.), 2174.
Trebilcock (C.), 5843.
Trefort (Ágoston), 3930.
Trefousse (Hans L.), 3591.
Treichler (Johann Jakob), 6629.
Treitler (Leo), 2896.
Trempé (Rolande), 5701.
Trénard (Louis), 789, 4875.
Trenchs Odena (José), 2727.
Trencsényi-Waldapfel (Imre), 1003.
Trendall (Arthur Dale), 2004.
Trescott (Paul B.), 6079.
Trevijano Etcheverría (R.), 2043.
Tret'jakov (V. P.), 1114, 1177.
Treue (Wilhelm), 7136.
Tribe (Keith), 6522.
Tribolet (Maurice de), 2295.
Tribout de Morembert (Henri), 786.
Tribut (Micheline), 6418.
Trigger (Bruce), 713.
Trisco (Robert), 4367.
Trithemius (Johannes), 3001, 5228.
Trocka (Halina), 7356.
Trockij (Lev Davidovič Bronštejn, dit)4210, 4217.
Troeltsch (Ernst), 486, 5031.
Trofimenkoff (Susan Mann), 6419.
Troianos (Sp.), 2175.
Troickij (S.M.), 4309.
Tron'ko (P.T.), 850.
Trotsky (Leon), v. Trockij.

Trouillard (Jean), 1594.
Trouillot (Michel - Rolph), 6994.
Trützschler von Falkenstein (Eugenie), 4198.
Truhlář (Antonín), 5219.
Trukhnov (G.M.), 7243.
Truman (Harry S.), 7506.
Tryphiodoros, 1453.
Trystram (Florence), 2935.
Trzeciakowska (Maria), 6420.
Trzeciakowski (Lech), 6420.
Tsagarakis (Odysseus), 1595.
Ts'ao (Yung-ho), 935.
Tschiedel (H.J.), 1692.
Tsvetaeva (Marina), 5272.
Tuaillon (Gaston), 162.
Tucci Ruffini (Vittoria), 4047.
Tuck (Jim), 4071.
Tucker (Josiah), 6980.
Tucker (Robert W.), 6995.
Tudesq (André-Jean), 3752.
Tudor, dynasty, 3806, 5674, 6023.
Tudor (Ersilia), 1202.
Tümmler (Hans), 533, 5251.
Tugwell (Rexford G.), 3439.
Tuilier (André), 2808.
Tulard (Jean), 3753, 5585.
Tumanovič (N.N.), 6794.
Tumminelli (Roberto), 6615.
Tumock (David), 208.
Tuneld (John), 388.
Tuohy (Thomas J.), 2601.
Tuomi-Nikula (Outi), 6421.
Tupolev (B.M.), 6822.
Turcan (Robert), 2024.
Turcu (Constantin I.), 7210.
Turczynski (Emanuel), 705.
Turdeanu (Emile), 1047, 1408.
Turek (Rudolf), 2354, 2440.
Turgot (Anne Robert Jacques), 5610.
Turk (Eleanor L.), 5844.
Turkowska (Danuta), 2203.
Turner (Eric Gardner), 534.
Turner (Joseph Mallord William), 5461.
Turner (Mary), 6422.
Turner (Michael), 3592.
Turner (Stephen P.), 4975.
Turner (Thomas Reed), 3593.
Turowski (Kazimierz Józef), 88.
Turpin, archevêque de Reims, 2312.
Turpin (William), 1827.
Turrell (Rob), 6896.
Turtledove (Harry), 2306.
Tusar (Vlastimir) 270, 4184.
Tweedsmuir (John Buchan, 1st baron), 5317.
Twomey (Vincent), 2058.
Tyack (David), 4876.
Tych (Feliks), 6616, 6617.
Tymieniecka (Aleksandra), 6618.
Tyrrell (Ian R.), 6423.
Tyszkowski (Kazimierz), 58.
Tzachas, Çaka, émir de Smyrne, 2171.

U

Udal'cova (M.I.), 4885.
Udal'cova (Z. V.), 2131, 2132.
Udalrich, Linzgaugraf, 2650.
Udayana, 7602.
Udelson (Joseph H.), 5845.
Udrea (Traian), 4156.
Ugonius (Matthias), 3044.
Ujfalussy (József), 5526.
Ulbrich (Claudia), 6014.
Ulen (Thomas S.), 6015.
Ulf (Christian), 1931.
Ul'janovskij (R.A.), 6589.
Ullmann (Ernst), 5402.
Ullmann (Walter) 2059, 2936.
Ulpianus (Domitius), 1807, 1853.
Ulrich (Laurel Thatcher), 6424.
Ulvioni (P.), 5197.
Unc (Gheorghe), 6448.
Unger (Jonathan), 7692.
Unger - Sternberg (Jürgen von), 1771.
Universo (Mario), 819.
Unschuld (Paul U.), 7693.
Upham (Steadman), 3594.
Urbán (Aladár), 3899, 3907, 3955.
Urban (George R.), 4310.
Urban (Otto), 6425.
Urban (Wincenty), 4513.
Urbańczyk (Tadeusz), 3754.
Urbanek (Adam), 5198.
Urbanus II [Odon de Lagerie], Papa, 2183.
Urbanus V [Guillaume de Grimoard], Papa, 2242.
Urbanus VIII [Maffeo Barberini], Papa, 4737, 5573.
Uriahu, propheta biblicus, 1393.
Urnov (A. Ju.), 6795.
Urofsky (Melvin I.), 4695.
Uroš, tsar of Serbia, 2511.
Urquiza (Justo José de), 3333.
Urraca, reina de León y Castilla, 2431.
Ursu (D.P.), 6823.
Ursul (George R.), 4545.
Ustinov (D.F.), 7278.
Uthemann (Karl - Heinz), 2122.

V

Vacková (Jarmila), 2877.
Vacuro (V.E.), 5016.
Vadász (Sándor), 6621, 7244.
Vaglienti (Piero), 3985.
Vajda (Pál), 5775.
Vălčev (Veselin), 773.
Valdeón Baruque (Julio), 2647.
Valens (Flavius), empereur romain, 1697.
Valenti (Calogero), 6426.
Valentin (Hugo), 435.
Valentinianus I, empereur romain, 1697, 2000.
Valentinitsch (Helfried), 5846, 6427.
Valentino (Cecilia), 4884.
Valério (Nuno), 6056.

Valerius du Bierzo, abbé de Complutum, 2021.
Valéry (Paul), 5310.
Valiani (Leo), 3996.
Válka (Josef), 5702.
Vallet (G.), 1647.
Vallier (Dora), 5485, 5486.
Vallone (Yves de), 4635.
Valois, dynastie, 17, 882.
Valpergue (Théaude Valperga, dit), 2453.
Valter (Ilona), 2969.
Valvekens (Jean-Baptiste), 4508.
Van Amersfoort (Hans) 4086.
Van Bavel (J.), 4454.
Van Berchem (Denis), 1773.
Van Cauwenberghe (E.), 936.
Van Corstanje (Charles), 2310.
Van Creveld (Martin), 7419.
Vandalkovskaja (M. G.), 6622.
Van Delft (Louis), 5266.
Van den Brink (Edwin C. M.), 1409.
Vandenbussche (R.), 789.
Van den Heuvel (Gerd), 6428.
Vandenven (G.), 3092.
Van der Cruysse (Dirk) 480.
Van der Linde (S.), 4659.
Van der Vat (Dan), 7245.
Van der Veer (J.A.G.), 1495.
Van der Velden (G. M.), 2308.
Van der Wee (H.), 936.
Van der Zee (Henry A.), 7358.
Van de Wiele (Johan), 4499.
Van de Wetering (Maxine), 4660.
Vandier - Nicolas (Nicole), 7630.
Van Doorninck (Frederick H.) Jr., 2137.
Van Driel (G.), 1362.
Van Dülmen, v. Dülmen (Richard van).
Van Eenoo (R.), IV.
Van Everen (Brooks), 6796.
Van Gogh (Vincent), 5467.
Van Helmont (Jan Baptiste), 5160.
Van-Helten (Jean-Jacques), 6080.
Van Hooff (A.J.L.), 1880.
Vanin (A.), 6797.
Van Kalveen (C.A.), 4661.
Van Lieburg (M.J.), 5095.
Van Macharen (Merselius), 2308.
Van Moerbeke (Willem), 2750.
Van Moolen Broek (J.J.), 2986.
Vannicelli (Maurizio), 6545.
Van Noten (Francis), 7731.
Vannucchi Forzieri (Olga), 1828.
Vanonselen (Charles), 6897.
Van Thiel (H.), 1596.
Van Wonterghem (Frank), 1957.
Vanyó (Tihamér), 4521.
Van Zeist (Wilhelm), 1162.
Vanzetti (Bartolomeo), 3588.
Váradi - Sternberg (János),

751.
Varenne (Jean), 7604.
Varga (Imre), 5230.
Varga (János), 866, 3907, 3956.
Varga (Marianna), 714.
Vargas (Getulio Dornellas), 7304.
Varjas (Béla), 2809, 3110.
Varlet (Dominique - Marie), 4496.
Varnier (Giovanni Battista), 4000.
Varsányi (Péter István), 3957.
Varsori (Antonio), 7533.
Vasile Lupu, prince de Moldavie, 7016.
Vasilescu (Veronica), 16.
Vasil'ev (A.M.), 7561.
Vasil'ev (V.K.), 5483.
Vasiliu (Anca), 5487.
Vasina-Grossman (V. A.), 5586.
Vasjukov (V.S.), 7246.
Vasoli (Cesare), 5239.
Vass (Előd), 3958.
Vass (Henrik), 638, 5577.
Vasvári (Pál), 3955.
Vătafu-Găitan (Silvia), 260.
Vatinel (Denis), 4641.
Vatsal (Tulsi), 7605.
Vauban (Sébastien Le Prestre de), maréchal, 3718.
Vaughan (Alden T.), 6429.
Vaughan (Richard), 2355.
Vaugiraud (Jean-Claude de), 72.
Vayer (Lajos), 2822.
Vecchio (Giorgio), 4048.
Vedovato (Giuseppe), 7359.
Veenhof (K.R.), 1362.
Veenker (Wolfgang), 442.
Végh (János), 5488.
Végh (József), 414.
Vehe - Glirius (Matthias), 4579.
Vehus (Hieronymus), 4452.
Veillerot (Jean-Michel), 2855.
Vejmarn (B.V.), 981.
Vekerdi (József), 715.
Velasco (Luis de), 6904, 6910.
Velikov (Stefan), 7247.
Velissaropoulos (J.), 1500.
Velleius Paterculus (Gaius), 1693.
Venard (Marc), 956, 4500.
Vendrovskaja (R.B.), 4877.
Vener, Familie, 2764.
Veneruso (Danilo), 7146.
Venn (Henry), 4647.
Ventura (Alberto), 733, 889.
Venturi (Franco), 4182.
Venturi Ferrioli (Massimo), 1521.
Venturini (Fernando), 4049.
Veny Melliá (C.), 1254.
Verbruggen (H.), 1613.
Vercingétorix, chef gaulois, 1733.
Verdi (Giuseppe), 5558.
Verdier (Philippe), 224, 2309.
Vere Allen (Jim de), 982.
Veress (Endre), 30.
Vergennes (Charles Gravier, comte de), 7075.

Verger (Jacques), 2728, 2810.
Vergilius Maro (Publius), 1889, 1893, 1904, 1907, 1909.
Verhaeghe (F.), 1068.
Verlet (Pierre), 5506.
Verlhac (Jean), 6131.
Verlinden (Charles), 2729, 2730.
Vermaseren (M.J.), 1673, 1932.
Vernadskij (Vladimir Ivanovič), 5151.
Vernant (Jean-Pierre), 1271, 1428.
Vernet (Robert), 2731.
Vernon (Betty), 3870.
Verrazano (Giovanni), 4328.
Verrazano (Girolamo), 4328.
Vértes (Róbert), 3950.
Vespasianus (Titus Flavius), empereur romain, 1757, 1806.
Vester (Michael), 6226.
Veuve (Serge), 1597.
Veyrassat (Béatrice), 5847.
Vezin (Jean), 2.
Vianney (Jean Baptiste Marie), Saint, v. Johannes Baptista Maria Vianney, Sanctus.
Viard (Pierre), 6622a.
Viaux (Dominique), 4663.
Vico (Giambattista), 487, 5007, 5014.
Victoria, deutsche Kaiserin, 7144.
Vida (István), 5992, 6017.
Vidal (Daniel), 4664.
Vidal-Naquet (Pierre), 389.
Vidaurreta (Alicia), 6157.
Vié (Michel), 4059.
Vieillard - Baron (Jean - Louis), 4501.
Vieillard-Troïekouroff (May), 2878.
Vienne (Suzanne), 6708.
Vierhaus (Rudolf), 535, 3279.
Viertel (Wolfgang), 1598.
Vigier (Philippe), 5722, 6430.
Vigna (Achille), 7378.
Vikør (Knut S.), 7732.
Vila (André), 1337.
Vilar (Pierre), 640.
Vilhena Vialou (A.), 7757.
Vilkov (O.N.), 5848.
Villanueva Lázaro (J.M.), 776.
Villard (François), 307.
Villares (Ramon), 6016.
Vincent (Joan), 6898.
Vincentius de Paul, Sanctus, 4423.
Vine (Philip M.), 1115.
Vineis (E.), 150.
Viniczai (István), X.
Vinogradov (Ju. G.), 1496.
Vinogradov (K.B.), 3975.
Vinogradov (V.N.), 7248.
Vinokurov (Ju. N.), 4324.
Vinot (Bernard), 3755.
Vinovskis (Maris A.), 4629.
Violante (Cinzio), 633, 641.
Viollet-le-Duc (Eugène Emmanuel), 5419.

Vipond (Mary), 5199.
Virágh (Ferenc), 6623.
Viriathus, chef des Lusitains, 1756.
Visser (M.), 1614.
Vissière (Isabelle), 5859.
Vissière (Jean-Louis), 5859.
Vital (David), 4696.
Vital (Hayyim), 4682.
Vitale (Marina), 4893.
Vitalis, Abbas Saviniacensis, Sanctus, 2986.
Vitelli (Girolamo), 226.
Vitolo (Giovanni), 3062.
Vittinghoff (Friedrich), 747.
Vivanti (Corrado), 824.
Vivens (Jenni Rosa Adrienne Conquère-Montbrison, Mme de), 4341.
Vives (Juan Luis), 4976.
Vivet (Jean-Pierre), 41.
Vivian (James F.), 4502.
Vivien, comte de Tours, 2382.
Vlad III Ţepes [l'Empaleur], prince de Valachie, 2248.
Vlad (Radu-Dan), 4157.
Vladimirescu (Tudor), 4144.
Vladimirov (V.V.), 3409.
Vlagojević (Miloš), 2511.
Vlasiu (Ioana), 5489.
Vlasov (Andrej A.), 7377.
Voci (Pasquale), 1829.
Voegelin (Eric), 488.
Völker (W.), 4546.
Vörös (Vince), 6017.
Vogel (C.), 2094.
Vogel (Hans Ulrich), 7694.
Vogel (Jörgen), 2441, 3063.
Vogel-Weidemann (Ursula), 1774.
Vogeleisen (Gérard), 4400.
Vogelsang (Thilo), 3105.
Vogler (Günter), 3319.
Vogt (W. Paul), 5053.
Vogue (Adalbert de), 2040.
Voigt (Gertraud), 146.
Voigt (Vilmos), 250, 716.
Voinescu (Ioan), 1168.
Vojatzi (M.), 1644.
Vojtěch (Tomáš), 390, 4199.
Volin (M.S.), 6454.
Voll (John Obert), 4697.
Volle (Michel), 5849.
Vollmer (Günter), 7735.
Vollrath (Hanna), 2602.
Volney (Constantin François de Chasseboeuf, comte de), 874.
Volobuev (O.V.), 6624.
Volpi (Giuseppe), 4036.
Volstead (Andrew Joseph), 5949.
Voltaire (François Marie Arouet, dit), 5054, 5255.
Vondrášek (Václav), 4200.
Von Riekhoff (Harold), 7471.
Vonwiller (Ferrante Rittatore), 536, 1111.
Von zur Mühlen (Patrick), 7434.
Vorob'eva (Ju. S.), 4878.
Voronov (M.V.), 5483.
Voss (Ingrid), 4930.
Voss (J.A.), 1178.
Voss (Jürgen), 3624, 4930, 4946.

Voss (R.), 2811.
Voss (Stuart F.), 4072.
Voss (Wulf Eckart), 1830.
Vosskamp (Wilhelm), 5052.
Votipka (Charles J.), 7240.
Vovelle (Michel), 937, 3756.
Vroon (R.), 1062.
Vucinich (Alexander), 391.
Vucinich (Wayne S.), 4323, 7534.
Vuillemin - Diem (Gudrun), 2804.
Vukovics (Sebő), 3900.
Vulpe (Alexandru), 1223.
Vulpe (Radu), 470.
Vulso (Gnaeus Manlius), 1776.

W

Wacher (John S.), 2005.
Wacht (Manfred), 2105.
Wade (T.F.), 7097.
Wadham (C.), 36.
Wagar (W. Warren), 4363, 5055.
Wagenknecht (Edward), 3595.
Wagner (Cosima), 5581.
Wagner (Hans-Peter), 4665.
Wagner (Richard), 5394, 5518, 5581.
Wagner (Wolfgang), 5518.
Waismann (Friedrich), 4947.
Waitz (Georg), 758.
Waldenberg (Marek), 6625.
Walder (Ernst), 2512.
Waldersee (James), 4373.
Walendy (Udo), 7311.
Walichnowski (Tadeusz), 7443.
Walicki (A.), 4120.
Waline (Marcel), 6663.
Walk (Joseph), 3309.
Walker (Alexander), 4331.
Walker (Arthur D.), 5386.
Walker (Clarence E.), 4666.
Walker (R.B.), 4931.
Walker (Stephen G.), 7535.
Walker (T.), 2897.
Wallace (Dewey D.) Jr., 4667.
Wallace (Martin), 3871.
Wallace - Hadrill (D. S.), 2103.
Wallach (Marianne), 2311.
Wallenberg (Raoul), 7279.
Waller (Altina L.), 6432.
Walløe (Lars), 938.
Wallot (Jean-Pierre), 5675.
Walpole (Robert), v. Orford (Robert Walpole, 1st earl of).
Walpole (Ronald N.), 2312.
Walsh (Jeffrey), 5387.
Walsh (Margaret), 5850.
Walter (Christopher), 2176.
Walter (François), 6081.
Walter (Georges), 7695.
Walther (Hans), 2270.
Walton (Gary M.), 5640.
Walvin (James), 3858, 6433.
Wanatowics (Maria), 6159.
Wandruszka (Adam), 3349, 3365.
Wang (Chi), 7249.
Wang Ts'an, 7671.

Wang (Zhongshu), 7696.
Ward (Benedicta), 3064.
Warde (Alan), 3872.
Wardman (Alan), 1933.
Ware (Nathaniel), 6923.
Warhurst (Margaret), 141.
Warner (Sylvia Townsend), 5296.
Warren (Earl), 3524, 3599.
Warren (Peter), 1203.
Wartburg (Marie-Louise v.), 4879.
Wartelle (André), 1599.
Wartke (Ralf-B.), 1350.
Warwick (Roger, earl of), 2400.
Waryński (Ludwik), 6475.
Washington (Booker T.), 3499.
Washington (George), 3577, 6988.
Wąsicki (Jan), 3322.
Wasilewski (Tadeusz), 2603.
Watkinson (Barbara), 2879.
Watrous (L. Vance), 1645.
Watson (John Broadus), 5079.
Watson (Robert I.), 5149.
Watts (Pauline Moffitt), 2919, 3065.
Watzka (Jozef), 6685.
Waurick (Götz), 2006.
Wayekiye, altägypt. Beamter, 1305.
Weaver (Frederick Stirton), 5851.
Webb (Beatrice), 3770.
Webb (D.A.), 4779.
Webb (Steven B.), 6018.
Wéber (Antal), 5267.
Weber (David J.), 3596.
Weber (Edith), 5588.
Weber (Ernst), 4522.
Weber (Eugen), 404, 3757.
Weber (Max), 369, 489, 4975.
Weber (Paul J.), 3597.
Weber (Thomas), 1646.
Webster (Bruce), 2313.
Webster (Daniel), 3440.
Webster (Graham), 1938.
Wecker (Regina), 3873.
Weczerka (Hugo), 442.
Wedberg (Anders), 1054.
Wedgwood (Josiah), 5495.
Wedlake (W.J.), 2007.
Weeber (Karl-Wilhelm), 1671.
Wegner (Bernd), 3323.
Wegs (J. Robert), 6434.
Wehler (Hans-Ulrich), 396.
Wehli (Tünde), 2880.
Wehrli (Christoph), 2387.
Weichsel (Lebrecht), 5163.
Weidemann (V.), 1831.
Weidlé (Wladimir), 5273.
Weien (Manfred), 6626.
Weigel (J.-Y.), 717.
Weijenborg (Reinhold), 4555.
Weil (Raymond), 1600.
Weiller (R.), 3092.
Weinberger (Stephen), 2604.
Weinfurter (Stefan), 1000.
Weingarten (Ralph), 7312.
Weinhold (Rudolf), 6431.
Weinrich (Peter), 6446.
Weinstein (Donald), 1004.
Weintraub (Wiktor), 5288.
Weippert (Helga), 1374.
Weippert (Manfred), 1374.

Weis (Eberhard), 642.
Weisberg (Gabriel P.), 5412.
Weisert (Hermann), 2442.
Weisgerber (G.), 1338.
Weiss (Bernard J.), 4880.
Weiss (Günther), 2119.
Weiss (Hans Isaak), 3309.
Weiss (John Hubbel), 4881.
Weiss (John J.), 5852.
Weiss (Leonard), 5507.
Weissbach (Lee Shai), 5508.
Weissman (Ronald F. E.), 6435.
Weitzmann (Kurt), 2823.
Weizsäcker (Ernst v.), 3198.
Weizsäcker (Richard v.), 7136.
Welch (Richard E.) Jr., 7536.
Welinder (Stig), 1215.
Wellenreuther (Hermann), 3874.
Wellens (Robert), 7029.
Weller (Friedrich), 490.
Wellhausen (Julius), 491.
Wells (Allen), 6436.
Wells (H.B.), 139.
Wells (Robert V.), 3511, 6160.
Welsby (Derek A.), 1775.
Welskopf (Elisabeth Charlotte), 172.
Wendehorst (Alfred), 232.
Wendel (Günter), 5203.
Weniger (Gerd - Christian), 1140.
Wenin (Christian), 2920.
Wente (Edward F.), 1339.
Wentzel, imagerie, 5500.
Wenzel, deutscher König, 2238.
Werblowsky (R. J. Zwi), 4698.
Werckmeister (Otto Karl), 2881.
Werler (Manfred), 4786.
Werner (Ernst), 2513, 2812.
Werner (Karl Ferdinand), 235, 425, 452.
Werner (Matthias), 2732.
Werner (Michaël), 5318, 5389.
Werner (Robert), 465.
Wernicke (Horst), 2514.
Wesarg (Barthel), 1350.
Wesley (John), 4556.
West (Martin Litchfield), 1601.
West (Stephen H.), 7654.
West (William C.), 1.
Westcott (N.J.), 6899.
Westerlund (David), 4183.
Westney (Lizette Islyn), 5226.
Weston (Corinne C.), 3875.
Westwood (Howard C.), 3598.
Westwood (John N.), 4314.
Wettern (Desmond), 3876.
Wettlin (M.), 5291.
Weygandt (Friedrich), 3204.
Weymar (Ernst), 643.
Weyrauch (Erdmann), 6181.
Wheatley (Paul), 7606.
Wheeler (Mortimer), 492.
Whelan (Heide W.), 4315.
Whitbread (Samuel), 3851.
White (D.A.), 1204.

White (Eugene Nelson), 5611, 6082.
White (G. Edward), 3599.
White (Gerald T.), 3600.
White (Peter J.), 7766.
White (Thomas I.), 5056.
Whitelock (Dorothy), 2362.
Whitfield (Clovis), 5490.
Whitfield (Stephen J.), 4932.
Whitrow (Magda), 946.
Whittle (A.W.R.), 3073.
Whitwell (John Benjamin), 1256.
Whorton (James C.), 5200.
Wibert von Ravenna, v. Clemens III, Antipapa.
Wic (Władysław), 6627.
Wicker (Elmus), 6083.
Wickham (Chris), 2733.
Widenor (William C.), 7360.
Wider (Werner), 5589.
Wiecek (William M.), 6665.
Wieczorek (Mieczysław), 7435.
Wiedner (Hartmut), 3325.
Wieland (Gernot R.), 2187.
Wieland (Günther), 3326.
Wieland (Wolfgang), 1602.
Wierzbowski (Teodor), 58.
Wiessner (Gernot), 989.
Wigham (Eric), 6628.
Wild (Adolf), 7013.
Wilhelm I. von Oranien, v. Willem van Oranje-Nassau
Wilhelm II., deutscher Kaiser, 3196, 3247, 3261, 3297, 3325.
Wilhelm IV., Landgraf von Hessen-Kassel, 4847.
Wilkins (John), 4964.
Wilkins (Mira), 6084.
Wilkinson (Ellen), 3870.
Willax (Franz), 3327.
Willcox (William B.), 3435.
Willelmus, monachus Gellonensis, Sanctus, 2980.
Willem I. van Oranje-Nassau, stathouder des Provinces-Unies, 4659.
Willem van Moerbeke, v. Van Moerbeke (Willem).
Willette (Luc), 3758.
Williams (David), 4075, 5390.
Williams (David H.), 95.
Williams (Eric Eustace), 6911.
Williams (Frederick), 1454.
Williams (G.M.E.), 1498.
Williams (Glyndwyr), 4740.
Williams (Gwyn Alfred), 807.
Williams (Justin) Sr., 4060.
Williams (Robert C.), 4762.
Williams (Sam), 5735.
Williams (Trevor I.), 5201.
Williamson (Jeffrey G.), 5853, 6312.
Williamson (Philip), 3877.
Willigan (J. Dennis), 644.
Williman (Daniel), 2613.
Willoweit (Dietmar), 6744.
Wilson (D.J.), 7758.
Wilson (Dick), 7313.
Wilson (E.J.A.), 2008.
Wilson (Granville), 5445.
Wilson (Stephen), 3759.
Wilson (Woodrow), 622, 3441, 3522, 5781, 7199.

Wind (Peter), 53.
Windisch (Aladárné), X.
Windsor (Wallis Warfield, duchess of), 3777.
Windstrup (George), 5057.
Winkel (Harald), 507.
Winkle (Kenneth J.), 3601.
Winling (Raymond), 1022.
Winock (Michel), 3760.
Winsberg (Morton D.), 6019.
Winston (Richard), 5391.
Winter (Eduard), 4956.
Winton (J.R.), 6085.
Wipszycka (Ewa), 1433.
Wirén (Karl-Hugo), 4933.
Wirth (Franz), 6629.
Wirth (Gerhard), 1911.
Wirtz (Albert), 5704.
Wise (Stephen S.), 4695.
Wiseman (Herbert Victor), 4326.
Wisner (Henryk), 4668.
Wisotzky (Klaus), 5854.
Wisplinghoff (Erich), 2315, 2970.
Wissermann (M.), 1918.
Wistrich (Robert S.), 3328.
Witschi (Peter), 6020.
Witt (Peter-Christian), 6086.
Wittek (Paul), 2443.
Wittelsbacher (die), Dynastie, 246.
Wittgenstein (Ludwig Josef Johann), 4950, 5009.
Witthöft (Harald), 98, 143.
Wittig (Peter), 6630.
Wittlich (Petr), 5491.
Wittmann (Erich), 6631.
Wittmann (Reinhard), 5392.
Wittner (Lawrence S.), 6800.
Włodarski (Bronisław), 58.
Wodehouse (Pelham Grenville), 5330.
Wöhrer (Franz Karl), 5268.
Wohlauf (Gabriele), 5855.
Wojciechowska (Małgorzata), 1832.
Wojciechowski (Marian), 7314.
Wójcik (Zbigniew), 734, 7010.
Wolf (Eric R.), 753.
Wolf Dietrich von Raitenau, Erzbischof von Salzburg, 6149.
Wolf (Friedrich August), 493.
Wolf (John B.), 7733.
Wolf (Manfred), 2272.
Wolfe (Robert J.), 5202.
Wolfe (Thomas Clayton), 5328.
Wolff (Lawrence), 3366.
Wolff (Philippe), 177, 775, 2444, 2734.
Wolff (Richard), 620.
Wolfram (Herwig), 2271, 2365.
Wolgast (Eike), 4503.
Woll (Allen), 3397.
Wollasch (Joachim), 2353.
Wollgast (Siegfried), 5058.
Woloch (Isser), 3171.
Wolpert (Stanley), 7537.
Wolsey (Thomas), cardinal, 3854.
Wolska (Wanda), 2009.
Wolski (J.), 1499.

Wolter (Hans), 4669.
Wong (R. Bin), 7697.
Wood (Douglas Kellogg), 5059.
Woodall (Jean), 4122.
Woodcock (Andrew), 1141.
Woodhouse (C.M.), 3887.
Woodman (Francis), 2882.
Woodman (Harold D.), 6021.
Woodruff (William), 6801.
Woodward (C. Vann), 494, 537.
Woody (Robert H.), 6947.
Woolf (Virginia), 5297.
Woolfson (Charles), 973.
Woolrych (Austin), 3878.
Worrall (Stanley), 4352.
Worster (Donald), 6022.
Wortman (Miles L.), 3172.
Wosh (Peter J.), 4882.
Woytek (Erich), 1686, 1919.
Wrede (Henning), 1934.
Wright (A.D.), 4374.
Wright (John), 4061.
Wright (Marcia), 6645.
Wright (Roger), 178.
Wright (Thomas C.), 3398.
Wrightson (Keith), 6437.
Wrigley (Christopher J.), 5856.
Wrigley (E.A.), 6161.
Wrigley (John E.), 2937.
Wróbel-Lipowa (Krystyna), 282.
Wrzesiński (Wojciech), 3262, 4123.
Wüst (Wolfgang), 6632.
Wütherich (M.), 1137.
Wulz (Wolfgang), 2813.
Wuttke (Dieter), 1060.
Wyatt - Brown (Bertram), 3602.
Wycliffe (John), 2915.
Wyczawski (Hieronim Eugeniusz), 1044.
Wymer (John J.), 1142.
Wyrozumski (Jerzy), 2515.
Wysocki (Wiesław Jan),7315.

X

Xanthakis-Khramanos (Georgia), 1603.
Xenophon, 1461.

Y

Yacou (Alain), 6996.
Yamada Keiji, 7693.
Yamashita (Tomoyuki), 7282.
Yaney (George), 4316.
Yaranga (Z.), 727.
Yarbrough (Slayden), 4670.
Yardeni (Myriam), 392.
Ybl (Ervin), 5492.
Yeats (William Butler), 5512.
Yenal (E.), 2740.
Yener (K. Aslıhan), 1179.
Yerushalmi (Yosef Hayim), 1055, 4699.
Yitzhak (Arad), 7253.
Yli-Jokipii (Pentti), 209.
Yonekawa (Shin'ichi), 5613.
Young (B.A.), 5590.
Young (Brigham), 4797.
Young (Crawford), 3173.
Young (John), 7767.
Young (Kenneth), 3879.
Young (Marilyn B.), 3164.
Young (Otis E.) Jr., 5857.
Young-Bruehl (Elisabeth), 5060.
Younger (John G.), 96.
Yü (Wen-tang), 7147.
Yulaev (Salavat), 6255.
Yvan (Marie-France), 2242.

Z

Żaba (Kazimierz Maciej), 4504.
Zabłocka (Julia), 754.
Zaborov (M.A.), 6399, 6581.
Zaborovskij (Ja.Ju.), 1833.
Zachar (József), 3554, 3761.
Zachara (Maria), 4763.
Zacharias (Michał Jerzy), 7250.
Zacher (Hans F.), 6697.
Zacher (K.-D.), 1604.
Zádor (Anna), 5492.
Zaghi (Carlo), 7059.
Zagladin (V.V.), 787.
Zagorin (Perez), 3174.
Zaharia (Gheorghe), 6802.
Zahariade (M.), 1834.
Zahorski (Andrzej), 7081.
Zaisberger (Friedrike), 768.
Zaĭtsev (Boris), 5273.
Zajončkovskij (P.A.), 4213.
Zakariya (Mona), 985.
Zakrzewska-Dubasowa (Mirosława), 6438.
Żaliński (Henryk), 7148.
Zambelli (Paola), 2921.
Zamfirescu (Dan), 440.
Zamora (Elías), 7759.
Zamoyski (Adam), 5591.
Zanato (Tiziano), 382.
Zaninelli (Sergio), 5687, 6603.
Zapantis (Andrew L.), 6803.
Zaporožskaja (V.D.), 1106.
Zapponi (Nicolò), 3988.
Zarka (Christian), 653.
Zaslow (Morris), 5082.
Zasurskij (Ja. N.), 5368.
Zaugg (Rolf), 6804.
Zavadskaja (E.V.), 7698.
Zavala (Silvio), 6904, 6910.
Ždanov (Andrej), 4255.
Zduń (Genowefa), 7699.
Żebelev (S.A.), 1531.
Zecchini (Giuseppe), 1776.
Zeeden (Ernst Walter) 4640, 7082.
Zeghidour (Slimane), 5393.
Zeitlin (F.I.), 1615.
Zeldin (Theodore), 646.
Zelenin (I.E.), 4318.
Żelewski (Roman), 7030.
Zelzer (Klaus), 1694.
Zemek (Metoděj), 844.
Žemlička (Josef), 2735.
Zemskov (I.N.), 7361, 7445.
Zenon, fonctionnaire de l'Egypte anc., 1330.
Zenon Eleates, 1440.
Zerbe (Richard O.) Jr., 5902.
Zerker (Sally F.), 6633.
Zernack (Klaus), 4224, 6782, 7136.
Zerner-Chardavoine (Monique), 2445.
Zevelev (A.I.), 393.
Zhadova (Larissa A.), 5493.
Zhang (Zhi-lian), 394.
Ziakas (G.), 1048.
Ziegengeist (Gerhard), 4752.
Zieger (Robert H.), 6634.
Ziegler (Hans-Ulrich), 24.
Zielińska (Zofia), 4125.
Zielinski (Herbert), 2194.
Zieliński (Ryszard), 7030.
Zieliński (Władysław), 6635.
Zielonka (Zbigniew), 2446.
Zientara (Benedykt), 2736.
Ziese (Jürgen), 2938.
Žigalov (I.I.), 3845.
Žilin (P.A.), 4297.
Žilina (A.N.), 718.
Zimányi (Vera), 940.
Zimbalist (Andrew), 5742.
Zimin (A.A.), 2516, 2737.
Zimmer (Johny), 3092.
Zimmerli (Alice), 6439.
Zimmermann (Albert), 2804.
Zimmermann (Gunter), 3329.
Zimmermann (Harald), 2276, 2766.
Zimmermann (Lajos), 109.
Zimmermann (Marie), 4389.
Zimmermann (Michel), 2316, 5394.
Zinčenko (Ju. I.), 7420.
Zingerman (B.I.), 5408.
Zinguer (Ilana), 6440.
Zinnhobler (Rudolf), 4505.
Zinsmaier (Paul), 2317.
Zipperstein (Steve J.), 4764.
Zirra (V.), 1225.
Živojinović (Mirjana) 2177.
Zobel (Hans-Jürgen), 251.
Zodian (Vladimir), 4151.
Zöllner (Erich), 769.
Zöllner (Walter), 2939.
Zoepfel (Renate), 1431.
Zoffmann (Zsuzsanna), K., 7031.
Zola (Emile), 5298.
Zollitsch (Wolfgang), 6636.
Zolnay (László), 3103.
Zolotnickij (D.), 5592.
Zolotuhin (M. Ju.), 7083.
Zonhoven (L.M.J.), 1296.
Zonik (Zygmunt), 7316.
Zopfi (Fritz), 3104.
Zorn (Wolfgang), 6441.
Zotov (M.A.), 6454.
Zsigmond, roi de Hongrie, v. Sigismund, röm.-deutscher Kaiser.
Zsigmond (László), 7317.
Zub (Alexandru), 395, 440, 470.
Zubkov (A. Ju.), 6997.
Zubov (A.A.), 678.
Zubrickij (Ju. A.), 4089.
Zuckerman (Charles), 2318.
Zuckerman (Michael W.), 6442.
Zürcher (E.), 7700.
Zufferey (F.), 2741.
Žukov (E.M.), 7300.
Zunz (Olivier), 6443.
Zurfluh (Anselm), 6162.
Zurlauben, Familie, 295.
Zvara (Juraj), 4202.

Zwahr (Hartmut), 6293.
Zweig (Stefan), 5315.
Zwingli (Huldrych), 4616.
Zwink (Eberhard), 2950.

Żyduch (Immakulata), 4523.
Żygulski (Zdzisław), 4126.
Zylbergeld (Léon), 2738.

Zyrjanov (P.N.), 6718.
Zysberg (André), 6720.
Zytaruk (George J.), 5289.

INDEX GEOGRAPHIQUE

A

Aachen (Nordrhein-Westf., BRD), 3274, 4344. - Marienstift, 3010.
Aarau (Aargau, Schweiz), Kantonsbibliothek, 295.
Aberystwyth (Wales), 104.
Abington (Berks., England), 3073.
Abruzzi (reg. stor., Italia), 1851, 2951.
Abu Dhabi (sheikdom, Arabia), 5810.
Adriatique (mer), 1650.
Ägäis, Aegean Sea, v. Egée (mer).
Äthiopien, v. Ethiopie.
Afghanistan, 671, 701, 1165, 1410, 2852, 3175, 3176, 6793, 7490, 7518, 7537.
Afrique, 649, 677, 688, 711, 732, 750, 2104, 3125, 3133, 3173, 4355, 4666, 4680, 5269, 5704, 5883, 5990, 6645, 6795, 6811, 7213, 7404, 7497. - A. antique, 1420, 1863, 2018. - A. centrale, 7717, 7731. - A. centro-orientale, 749. - A. chrétienne, 2052. - A. coloniale, 6844-6899. - A. de l'Est, 750, 982, 6849, 6857, 6899. - A. de l'Ouest, 1112, 4527, 5978, 6850, 6863, 6889. - A. du Nord, 711, 1699, 1791, 1863, 1875, 7389. - A. du Sud, 750. - A. équatoriale, 6873. - A. franç., 6850, 6889.- A.luso-nispanophone, 6844. - A. Noire, 3106, 3147, 3155, 6851, 7722. - A. précoloniale, 7713-7733. - A. romaine, 1679, 1755, 1774, 1791, 1831, 1858, 1875. - A. subsaharienne 727, 7718. - A. tropicale, 6410.
Afro-Americans, v. Noirs d'Amérique, s.v. Noirs.
Agathyrsi (peuple de l'Antiquité), 1241.
Agde (Hérault, France), Imprimerie, 29.
Agen (Lot-et-Garonne, France), Episcopat, 4434. - Imprimerie, 29.
Agenais (rég., France), 1128.
Aguiar de Sousa (Portugal), 2687.
Ahaggar (massif, Algérie), 666.
Aï Khanoum (Afghanistan), 1597.
Aigues-Mortes (Gard, France), 2624.
Aix-en-Provence (Bouches-du-Rhône, France), 937.
Akkad (Mésopotamie), 1263, 1344.
Alamein, v. El Alamein.
Alaska (state, U.S.A.), 650, 3505, 5202.
Alba Fucens (Italia ant.), 1946.
Albania, Albanie, v. Shqipria.
Alberta (prov., Canada), 3378.
Albi (Tarn, France), Croisade, 2445. - Imprimerie, 29. - Trésor monétaire, 102.
Alemannen (german. Volk), 3081, 3104.
Alésia (place forte, Gaule), 1861.
Alexandria (auj. Iskanderija, Egypte), 1311, 2080, 2727.
Algérie, 188, 755, 5900, 6767, 6855, 6876, 6878, 7733.
Allemagne de l'Ouest, v. BRD.
Almeida (São Paulo, Brésil), 7757.
Almería (Andalucía, España), 2287.
Alpes, 7408. - A. du Nord, 162. - A. orient., 1936.
Alsace (rég., France), 87, 782, 796, 2605, 3617, 3632, 5436. - Haute-A., 233, 783.
Altleiningen (Rheinl.-Pfalz, BRD), Grafen v. Leiningen, 71.
Amarna, v. El Amarna.
Amathonte (Chypre), 1617.
Amazonie péruvienne, 651.
American Indians, v. Indiens d'Amérique.
Amérique, 3415, 4331, 4347, 4502, 4526, 5803, 5990, 5991. - A. centrale, 3172, 7465, 7740. - A. coloniale, 6900-6997. - A. du Nord, 4639, 5736, 5869, 6107, 6908, 7221. - A. du Sud, 3168, 5148, 5851, 6914, 7221. - A. espagnole, 3424. - A. franç., 3376. - A. latine, 3105-3174 pass., 4426, 4912, 5406, 5680, 5697, 5816, 5966, 6457, 6488, 6599, 6762, 6798, 6932, 6986, 7196, 7276, 7459, 7512-7514. - A. précolombienne, 7734-7759. - A. russe, 184.
Amersfoort (Utrecht, Pays-Bas), 4661.
Amiens (Somme, France), 2635, 3657, 5893, 6228. - Cathédrale, 5419.
Amsterdam (Pays-Bas), Colloque franco-néerlandais [1980], 578. - Jews, 4687, 4699.
Anasazi (Palaeoindians, U.S.A.), 7736.
Anatolie (rég., Turquie), 186, 302, 1192, 1199, 1286, 1295, 1367. - A. gréco-romaine, 1923.
Andalucía (reg., España), 2269, 2323, 2647, 2659.
Andes (Cordillera de los A., América del Sur), 3112, 5909, 7751, 7752.
Andreas-Kastros (cap, Chypre), 1162.
Anga (peuple de la Nouv.-Guinée), 693.
Angeln (Landschaft, Schleswig-Holstein, BRD), 2865.
Angers (Maine-et-Loire, France), Formulae Andecavenses, 2184.
Anglo-Normans, 2429.
Anglo-Saxons, 23, 141, 2358, 2372, 2776, 2815, 3067.
Angoulême (Charente, France), Imprimerie, 29.
Anhalt (Landschaft, BRD), 6296.
Anjou (rég., France), 3721.
Annapolis (Md., U.S.A.), 5642.
Ansbach (Bayern, BRD), Fürstentum, 3308.
Anticosti (île, Canada), 684.
Antilles (archipel et mer), Caribbean, 4699, 6925, 6946, 6954, 6977, 6992. - A. franç., 3653. - A. néerlandaises, 6901.- Cf. Carib Indians.
Antiochia (auj. Antakya, Turquie), 2084, 2103.

INDEX GEOGRAPHIQUE 381

Anyi-Ndenye (peuple et région, Côte d'Ivoire), 7729.
Aphrodisias (mod. Geyre, Turkey), 1687.
Apias (Égypte anc.), 1318.
Appalachian Mountains (N. America), 5739.
Appenini (monti, Italia), 2733.
Appenzell-Außerrhoden (Halbkanton, Schweiz), 5840.
Apulia, v. Puglia.
Aqaba (Jordan), 7552.
Aquileia (Friuli - Venezia Giulia, Italia), 231.
Arabie, Arabes, 26, 153, 160, 721, 733, 1760 2064, 2134, 2536, 2537, 2540-2542, 2545, 2549, 2770, 3402, 4705, 4785, 5206, 5393, 7531, 7552, 7560. - Cf. Saudi Arabia.
Arad (Roumanie), 6448.
Aragón (reg., España), 2496, 2530, 2531, 2587, 2609, 6320.
Aramaei (peuple de l'Antiquité), 1343.
Aramon (Gard, France), Imprimerie, 29.
Arapahoe Indians (N. America), 3484.
Arcadia, v. Arkadia.
Arctic, Arctique (continent), 2355, 7406.
Arcy-sur-Cure (Yonne, France), 1123.
Ardabīl (Iran), 18.
Ardea (Lazio, Italia), 1963.
Ardennes (massif montagneux), 1129, 3652.
Arequipa (Perú), 6964.
Argentina, 3330-3337, 5836, 6003, 6157, 7103, 7457.
Argolis, Argolide (rég., Grèce), A. byzant., 2165.
Argos (Grèce anc.), 1486, 1491.
Ariège (dépt., France), 2196, 3696.
Arinna (Empire hittite), 1364.
Arizona (state, U. S. A.), 5725, 7748.
Arkadia (rég., Grèce), 1486.
Arkhangel'sk (Russie), 7176.
Arlesheim (Basel-Land, Schweiz), Hollenberg-Höhle, 1137.
Armagh (N. Ireland), Book of A., 2288.
Armenia, Arménie (rég., Asie occid.), 735, 2162, 2798, 4258, 6438.
Armorique (rég., France), 1738. - Cf. Bretagne.
Arras (Pas-de-Calais, France), Incunables, 289.
Arsinoites Nomos (Égypte anc.), 1318.
Artois (rég., France), 6717.
Asie, 280, 711, 4601, 5888, 5990, 7539, 7538-7712. - A. centrale, 711, 718, 987, 1174, 7540, 7556. - A. coloniale, 6824-6843.-
A. de l'Est, 711, 935, 6780, 7540, 7541, 7668. - A. de l'Ouest, 1292, 1640, 7661. - A. du Sud, 7458, 7537, 7562-7606, 7617. - A. du Sud-Est, 7412, 7519, 7606, 7611, 7618, 7628. - A. du Sud-Ouest, 1069, 1179. - A. Mineure anc., 1283-1295, 1316, 1462. - A. Mineure byzantine, 2171. - A. romaine, 1774, 1799, 1831.
Assisi (Umbria, Italia), Convegno [1980], 900.
Assur (Mésopotamie), 1355, 1404.
Assyria, Assyrie, 518, 1179, 1342, 1343, 1353, 1359, 1362, 1387.
Astures (peuples de l'Antiquité), 1735.
Asturias (reg., España), 1962.
Athenai, Athènes, 532, 1464, 1469, 1477, 1488, 1498, 1503, 1504, 1506, 1641. - Agora, 1636. - Akropolis, 1635.
Athos (Mont, Grèce), 2177, 2495.
Atlantique (Océan), 7047, 7367. - Iles, 7413.- Mur, 7398. - Slave trade 5876, 5887.
Attike, Attique (rég., Grèce), 1492, 1519, 1582.
Auburn (N.Y., U. S. A.), 6495.
Auch (Gers, France), Imprimerie, 29.
Augsburg (Bayern, BRD), 6340, 6632. - Konfession, 4570. - Maschinenfabrik, 5824. - St. Ulrich u. Afra, 1038.
Aurillac (Cantal, France), Imprimerie, 29.
Aschwitz, v. Oświęcim.
Australia, 682, 3114, 3115, 3338-3347, 4474, 4531, 4867, 5423, 5574, 5692, 5802, 5880, 6287, 7192, 7503, 7766.
Austria, Autriche, v. Österreich.
Autun (Saône-et-Loire, France), Cathédrale, 2881.
Auvergne (rég., France), 2597.
Avars (peuple anc.), 1226, 2374.
Aventicum (auj. Avenches, Vaud, Suisse), 1944.
Averno, Lago (Campania, Italia), 1990.
Avignon (Vaucluse, France), 86, 4473. - Papauté, 2727.
Azarbâyjân oriental (prov., Iran), 656.
Aztec Indians, Aztèques, 667, 7735, 7739, 7756.

B

Babylon, Babylonia, 1346, 1356, 1358, 1359.
Bács-Kiskun (comitat, Hongrie), 3902.
Bactria (pays, Asie anc.), 1499, 1597.
Bad Homburg (Hessen, BRD), Colloquium [1979], 6038.
Bad Wilsnack (Schwerin, DDR), Wilsnacker Blut, 2999.
Baden (Landschaft, BRD), 3258, 3265. - Kur-B., 3300.
Baden-Württemberg (Land, BRD), 1019, 3321.
Baetica (prov. romana, España), 1869.
Bagdad, Baghdad (Iraq), 2551, 2552. - Bagdad-B., 6054.
Balaguer (Cataluña, España), 2641.
Bâle (Suisse), v. Basel.
Bahrain (state), 1150.
Bǎlgarija, Bulgarie, V, 773, 1072, 2237, 2357, 2381, 3032, 3373-3375,. 4546, 5372, 6750, 7083, 7137, 7142, 7193, 7247, 7527.
Balkans, Balkaniques (pays, peuples, etc.), 729, 1764, 2488, 2495, 3124, 5617, 5658, 6779, 7106, 7132, 7143, 7310.
Baltimore (Md., U.S.A.), 3427, 4861, 5883, 6175.
Baltique (mer, pays, peuples, etc.), 2560, 2835.
Bamberg (Bayern, BRD), Bischöfe, 24. - Bistum, 3027.
Bamboula (hill at Larnaka, Cyprus), 1622.
Banat (rég., Roumanie), 4130, 4149.
Bangladesh, 7458.
Barbados (isl. a. state, West Indies), 5876.
Barbarie, Barbary (rég., Afrique du N.), 7714, 7733.
Barcelona (España), 2624, 6932. - Puerto, 2688.
Bari (Puglia, Italia), Terra di B., 4039.
Baroda (Gujarat, India), 7587.
Baronnies (vallée des Hautes-Pyrénées, France), 6179.
Baruya (peuple de la Nouvelle-Guinée), 683.
Basel (Stadt u. Kanton, Schweiz), 2579, 4179, 6243, 7018, 7035. - Buchdruck, 40. - Fürstbistum, 7066. - Konzil, 362, 2764, 3041. - Univ., 2311, 5029.
Basilicanova (presso diParma, Emilia-Romagna, Italia), 2653.
Basilicata (reg., Italia), 7073.
Basques (peuple, Espagne et France), 699, 3681.
Basutoland, v. Lesotho.
Bath (Som., England), 1950.

INDEX GEOGRAPHIQUE

Bautzen (Dresden, DDR), 299, 7385.
Bayern (Land, BRD), 246, 326, 468, 2381, 2636, 3208, 3209, 3244, 3266, 4771, 6005, 6441, 7011, 7115. - Nieder-B., 2725.
Bayonne (Pyrénées-Atlant., (France), Imprimerie, 29.
Bazas (Gironde, France), Imprimerie, 29.
Béarn (rég., France), 6250, 7056.
Beauce (rég., France), 6208.
Beauvais (Oise, France), 6249.
Bègles (Gironde, France), Imprimerie, 29.
Békés (comitat, Hongrie), 6623.
Békéscsaba (Hongrie), 3949.
Bélapátfalva (Heves, Hongrie), 2969.
Belgique, IV, 771, 772, 1100, 1158, 2963, 3739, 4547, 4548, 5468, 5729, 6218.
Belgrade, v. Beograd.
Belorussija, Russie Blanche (rép., URSS), 7421.
Belz (Ukraine, URSS), Voïvodie, 3088.
Benelux, v. Belgique, Nederland, Luxembourg.
Bengal (reg., India a. Bangladesh), 4673, 6829, 7583, 7584.
Bénin, Dahomey, 6870.
Beograd, Belgrade, 7528.
Berburger Wald (Luxemburg), Grabhügel, 1208.
Berdoues (Gers, France), Cisterciens, 2942.
Bergen (Norvège), 4077.
Bergerac (Dordogne, France), Imprimerie, 29.
Bergues (Nord, France) Incunables, 289.
Berlin, 4247, 5844, 7070, 7232. - Kongreß [1878], 7090, 7132.- Krise [1948], 7495, 7535. - B.-Nikolassee, Dt.-poln. Historikertreffen [1979], 6782.
Bern (Schweiz), Kanton, 4174a. - Stadt, 2633.
Berner Jura (Schweiz), 4174.
Berry (rég., France), 653, 6180.
Besançon (Doubs, France), 4409.
Bessan (Hérault, France), La Monédière, 1664.
Bessarabie (rég., URSS), 7208.
Bétharram (Pyrénées-Atlantiques, France), Imprimerie, 29.
Béziers (Hérault, France), Imprimerie, 29.
Bigorre (rég., France), 6250.
Bihar (state, India), 7577.
Bihor, Bihar (massif montagneux, Roumanie), Comitat, 5985.
Birim Valley (Ghana), 6865.

Birmanie, v. Burma.
Birmingham (Warwick, England), 6397.
Bismarck Archipelago (Papua-New Guinea), 7379.
Black Hills (mountains, S. Dak., U.S.A.), 5760.
Black Sea, v. Noire (mer).
Blacks (the), v. Noirs.
Blanzy (Saône-et-Loire, France), 5815.
Boa Vista (île, Cap Vert), 5870.
Bodensee, Lac de Constance, 899. - B.-Raum, 931.
Bodh-Gaya, v. Buddh-Gaya.
Bodrogkeresztur (Borsod-Abaúj-Miskolc, Hungary), Prehist. Culture, 1198.
Boiotia (rég., Grèce), 1468, 1490, 1640.
Bolards, v. Nuits-Saint-Georges.
Boldogfa, Poszony-B., v. Matka Božia.
Bolivia, 3112, 3367, 3368, 6993.
Bologna (Emilia-Romagna, Italia), 2565, 2703, 6736. - Provincia, 3993.- Univ. 2803.
Bonn (Nordrh.-Westf., BRD), Dt.-franz. Historikerkolloquium [1979], 236.
Bordeaux (Gironde, France), 3684, 5866.- Grand Théâtre, 5587.
Borsod (anc. comitat, Hongrie), 6009.
Bosphore, Bosporus (détroit, Istanbul), 6791. - European B., 1243.
Boston (Mass., U. S. A.), 3491, 5901, 6276, 6913, 6923, 6942.
Botany Bay (N.S.W., Australia), 4474, 7004.
Botswana, 6854.
Boulogne-sur-Mer (Pas-de-Calais, France), Traité [1550], 7025.
Bourbonnais (rég., France), 653.
Bourg-en-Bresse (Ain, France), Imprimerie, 29.
Bourgogne (rég., France), 17, 779, 2198, 2246, 2458, 2477, 2610, 3735.
Brabant Septentrional, v. Noordbrabant.
Brandenburg (ehem. Territorium, DDR), 3278. - Kur-B., 3263. - B.-Preußen, 4360.
Brasil, 3369-3372, 4412, 4412, 4519, 5661, 5680, 5684, 6771, 6959, 6971, 6981, 6986, 7094, 7103, 7304.
Braunschweig (Stadt u. ehem. Territorium, BRD), 2212, 2707.
Brazzaville (Rép. Pop. du Congo), Conférence[1944], 6850.
BRD (Bundesrepublik Deutschland), 349, 365, 585, 605, 3180, 3186,

3192, 3200, 3206, 3273, 4794, 5698, 7203, 7450, 7472.
Bréhat (île, Côtes-du-Nord, France), 1130.
Bremen (Freie Hansestadt, BRD), 6260.
Bretagne (rég., France), 2197, 2266, 2382, 2483, 2485, 3018, 3629, 3630, 5429. - Haute-B., 3748, 4515. - Cf. Armorique.
Bretton Woods (N.H., U.S. A.), Conference [1944], 7342.
Brighton (Mass., U.S.A.), 5901.
Bristol (Glos., England), 6264.
Britain, v. Great Britain.
British Commonwealth, 3812, 3876, 6813, 6817.
British Empire, 3798, 3805, 3820, 6679, 6995.
British Isles, 141, 2862, 2890.
British North America, 6099, 6373, 6987.
Britons (people), 2373.
Brive-la-Gaillarde (Dordogne, France), 1120.- Imprimerie, 29.
Brno, Brünn (Moravie, Tchécoslovaquie), 4195a.- Kreis, 5905.
Brooklyn (borough, N.Y.C., U.S.A.), 5170.
Brünn, v. Brno.
Brunei (sultanate), 4372.
București, Bucarest, 260, 4134, 4150.
Buda, v. Budapest.
Budapest, 3089, 3103, 3910, 6411, 6502, 6607. - Biblioth. nat., 5, 285. - Burg, 5421. - Dominikanerkloster, 2954. - Nationalmuseum, 317. - Universität, 30.- Univ.-Drukkerei, 3924.
Buddh-Gaya (Bihar, India), 7570.
Buenos Aires (prov., Argentina), 3336.
Buffalo (N.Y., U. S. A.), 4438.
Buganda (prov., Uganda), 7725.
Bulgarie, v. Bǎlgarija.
Burgenland (Land, Österreich), 3358.
Burma, Birmanie, 7607.
Bury St. Edmunds (Suff., England), 2651.
Buxheim (Bayern, BRD), Kartause, 2190.
Bwamu (rég., Haute-Volta), 658.
Byrsa (anc. citadelle de Carthage), 1382.
Byzantion, 82, 115, 117, 134, 242, 523, 746, 835, 1226, 1760, 1888, 1956, 2002, 2085, 2111-2177, 2422, 2438, 2593. - 2e Concile de Constantinople [381], 2096.

C

Cabanelle (site préhist. à Castelnau-Valence, Gard, France), 1185.
Cabo Verde (Ilhas de), 5870.
Cadillac (Gironde, France), Imprimerie, 29.
Cádiz (España), 1949. - Prov., 1676.
Caen (Calvados, France), Colloque [1979], 1014. - Table ronde [1981], 99.
Cahors (Lot, France), Imprimerie, 29.
Caire (Le), Cairo (Egypte), 985. - Geniza documents, 2522.
Călăraşi (Roumanie), Dépt., 1164.
Calatrava (España), Orden, 2946.
Cales Coves (Menorca, España), 1254.
California (state, U.S.A.), 3508, 3535, 5981, 6004, 6022, 6212, 6253, 6321, 6952, 7113.
Camarón (México), Batalla [1863], 7093.
Cambodge, 7609, 7621.
Cambrai (Nord, France), 789, 7392.- Ligue [1508], 4683.
Cambridge (England), Univ., 4860, 5165.
Cambridge (Mass., U.S.A.), Harvard Univ., 4871.
Camerone, v. Camarón.
Cameroun, 679, 4359, 7721.
Campania (reg., Italia), 5822.
Canada: Bibl. hist. gén., VI. - Sci. auxil., 180. - Ouvrages gén., 370, 650, 706, 887. - Hist. polit. mod., 3127, 3376-3390, 4339. - Hist. relig. mod., 4422, 4436, 4466, 4493, 4584. - Hist. Cult. intellect. mod., 4889, 4919, 5002, 5082, 5199, 5208, 5215, 5274, 555, 5580. - Hist. écon. soc. mod., 5595, 5615, 5717, 5736, 5811, 5841, 5865, 6003, 6087, 6091, 6094, 6095, 6110, 6122, 6130, 6203, 6236, 6301, 6363, 6394, 6446, 6496. - Hist. Droit mod., 6671. - Hist. Relat. internat. mod., 6790, 6792, 6968, 7218, 7298, 7436, 7471, 7488. - Bas-C., 5865. - C. de l'Est, 6236. - C. de l'Ouest, 5580, 5811, 6094, 6110. C. du Nord, 650, 5615. - C. franç., 887, 3380, 4436. - Atlantic region, 3377. - Iles arctiques, 5082. - Upper C., 5208, 6363.
Canarias (islas), 5641.
Cantabria, Cantabri (España ant.), 1131, 1735, 1765.
Canterbury (Kent, England), 1964, 2816. - Cathedral, 2882. - Hymnal, 2187.
Canton (Chine), v. Guangzhou.
Capcir (rég., Pyrénées-Orient., France), 654.
Cape of Good Hope (S. Africa), 6852, 6883, 6893.
Cappadocia (Asie Mineure anc.), 1285.
Caracas, 5973. - Prov., 6316.
Caraïbes (peuple), v. Carib Indians.
Carcassone (Aude, France), Imprimerie, 29.
Cardiganshire (co., Wales), 104.
Carélie, v. Karelija.
Carib Indians, 6781, 6917, 6925.
Caribbean, v. Antilles.
Carinthia, Carinthie, v. Kärnten.
Carisbrooke (Isle of Wight, England), 2228.
Carpates (montagnes), Bassin, 1471, 2719. - Rég. carpato-danubienne, 1229.
Carrara (Toscana, Italia), Territorio, 3078.
Cartagena (Colombia), 6948, 6966.
Carthago, Carthage, 1379, 1382, 1649, 1699, 1715, 1961, 1965, 2100. - Basilique de Mcidfa, 2022. - Concile [254/5], 2077.
Casas Viejas (Cádiz, España), Anarquistas, 3420.
Castel San Mariano (presso di Perugia, Umbria, Italia), 1661.
Castelnau-Valence (Gard, France), Cabanelle, 1185.
Castelnaudary (Aude, France), Imprimerie, 29.
Castilla (reg., España), 2214, 2576, 2622, 2646, 2647, 2711, 3421, 4414.
Castres (Tarn, France), Imprimerie, 29.
Cataluña (reg., España), 775, 1171, 2153, 2209, 2316, 2531, 2640, 2994, 3007.
Caucase, Caucasus, v. Kavkaz.
Çayönü (Turkey), Prehist. site, 1148.
Čechy, Bohême: Ouvrages gén., 390, 558, 843, 844. - Moyen Age, 2193, 2354, 2390, 2477, 2500, 2784, 2874, 2877. - Hist. polit. mod., 4189, 4194, 4198, 4199. - Hist. relig. mod., 4570, 4578. - Hist. Culture intellect. mod., 4832, 4908, 5108, 5130, 5219, 5399, 5491. - Hist. écon. soc. mod., 5604, 5702, 5935, 5960, 6075, 6291, 6425, 6485, 6510, 6517, 6571. - Hist. Relat. internat. mod., 7023, 7107.
Cegléd (Pest, Hongrie), 809.
Celtes (les), Kelten (die), 97, 169, 1206, 1251.
Československo, Tchécoslovaquie: Bibl. hist. gén., XIX. - Ouvrages gén., 270, 271, 843-845, 963. - Moyen Age, 3068.- Histoire polit. mod., 4184-4202. - Hist. Culture intellect. mod., 4768, 5063. - Hist. écon. soc. mod., 5737, 5777, 6063, 6135, 6542. - Hist. Droit mod., 6685, 6715. - Hist. Relat. internat. mod., 7236, 7275, 7318, 7347, 7422, 7455, 7498, 7529.
Ceuta (v. espagnole, Afrique du N.), Judíos, 2524. - C. bizantina, 2145.
Ceylon, v. Sri Lanka.
Chad, v. Tchad.
Chalcedon, Chalkedon (auj. Kadiköy, Turquie), Concile [451], 2149.
Chaldaioi (peuple, Asie Mineure anc.), 2141.
Chalkidike, Chalcidique péninsule, Grèce), 201, 2153.
Chalkis (ehem. Königreich, Libanon), 1762.
Chalybes (peuple, Asie Mineure anc.), 2141.
Champagne (rég., France), 790, 2397, 4805.
Chancay (Perú), Valle 5907.
Chari (fleuve, Afrique), 6884.
Charleston (S.C., U.S.A.), 6276.
Chartres (Eure-et-Loir, France), 2851.
Châtellerault (Vienne, France), Imprimerie, 29.
Cher (dépt., France), 6248.
Cheriana (Byzant. Empire), Mummy, 2141.
Chiapas (estado, México), 7738.
Chicago (Ill., U. S. A.), 5428, 6015, 6098, 6276, 6318.
Chile, 3391-3398, 4475, 4491, 5742, 5808, 5809, 6728, 6993.
Chilly (Somme, France), Fanum, 136.
Chiltern Hills (England), 2373.
China, Chine: Ouvrages gén., 274, 350, 394, 652. - Hist. polit. mod., 3164, 4228. - Hist. relig. mod., 4528, 4534, 4535, 4597. - Relat. internat. mod., 7133, 7147, 7169, 7249, 7313, 7456, 7491, 7504. - Hist. Asie, 7542, 7620, 7629-7700.
Chioggia (Veneto, Italia), Podestaria, 818.
Chios (île, Grèce), 1090, 1488.
Chosen, v. Korea.
Chur (Graubünden Schweiz), Bistum, 3042. - Welschdörfli, Haus d. Mercurius, 132.

Chypre, v. Kypros.
Cirencester (Gloucestershire, England), 2005.
Cîteaux (Côte-d'Or, France), Ordre, 2942, 2945, 2948, 2956, 2959, 2965, 2969.
Ciudad Real (España), 1949.
Cividale (Friuli-Venezia Giulia, Italia), 6193.
Clermont de Lodève, v. Clermont-l'Hérault.
Clermont-Ferrand (Puy-de-Dôme, France), Imprimerie, 29.
Clermont-l'Hérault (Hérault, France), 5842.
Cliza (Bolivia), 3368.
Cluny (Saône-et-Loire, France), 2925.
Coimbra (Portugal), Inquisition, 4693.
Colca, Valle (Perú), 6103.
Colchide, Colchis, v. Kolchis.
Colombia, 5769, 6030, 6929.
Columbia Plateau (U.S.A.), 5974.
Columbus (Ohio, U.S.A.), 5716.
Compiègne (Oise, France), 2639, 2658. - Colloque Jeanne d'Arc [1980], 230. - Siège [1430], 2453.
Condon (Gers, France), Imprimerie, 29.
Confédération helvétique, v. Schweiz.
Congo (Rép. Démocrat.), v. Zaïre.
Constantinople, v. Byzantion, Istanbul.
Coppet (Vaud, Suisse), Groupe de C., 5312.
Córdoba (España), 2467. - Reino, 2535.
Corée, v. Korea.
Coritani (peuple de l'Antiquité), 1256.
Cornell University, v. s.v. Ithaca (N.Y., U.S.A.).
Corregidor (island, Philippines), 7399.
Corse (île, France), 696, 2966.
Cosaques, Cossacks, v. Kazači.
Cosseria (Liguria, Italia), Battaglia [1796], 7072.
Côte-d'Or (dépt., France), 6708.
Cotentin (presqu'île, France), 2621, 3077.
Coupe-Gorge (grotte à Montmaurin, Haute-Garonne, France), 1121.
Coventry (Warwick, England), 7392.
Covington (Va., U.S.A.), 6634.
Croix-Rousse (quartier de Lyon, France), 704.
Creek Indians (U.S.A.), 3492.
Cremona (Lombardia, Italia), 918, 3083.
Crète, v. Krete.
Crimea, Crimée, v. Krym.
Creusot (Le, Seine-et-Loire, France), 5734.
Crna Gora, Monténégro (rép., Yougoslavie), 2154.
Croatie, v. Hrvatska.
Crosby (Lancs., England), Merchant Taylors'Schools, 4790.
Cuba, 6996, 7485, 7536.
Cuenca (España), 1949.
Cuicatlán (Oaxaca, México), Canada, 7755.
Cumans (les), Kumanen (die), 2698.
Curaçao (île, Antilles néerland.), 4687, 4699.
Curia romana, v. Vaticano (Città del).
Cyprus, v. Kypros.

D

Dąbrowa Górnicza (Pologne), 4107.
Dachau (Bayern, BRD), KZ, 3294.
Dacia, Daci, 105, 1702, 1754, 2009. - D. superior, 1984.
Dahomey, v. Bénin.
Dalarna, Dalecarnia (reg., Sweden), 5788.
Dalmacija, Dalmatie (rég., Yougoslavie), 1719, 1936, 2644.
Danmark, 1192, 2254, 2328, 2433, 2558, 2959, 3400, 3401, 4080, 4574, 4929, 5013, 7020, 7120, 7354, 7473.
Danube, v. Donau.
Dardanelles (détroit, Turquie), 6791.
Dax (Landes, France), Imprimerie, 29.
DDR (Deutsche Demokratische Republik), 365, 737, 904, 1238, 3229, 3311, 5211, 6504, 6572, 7037, 7439, 7447.
Debrecen (Hongrie), 811, 3892. - Univ., 4872.
Delft (Pays-Bas), 6329.
Delos (île, Grèce), 75. - "Israélites", 1381.
Delphoi, Delphes (Grèce anc.), 1610, 1630, 1645.
Deoband (Uttar Pradesh, India), 7591.
Derbent (Daghestan, U.R.S.S.), 55.
Deruta (Umbria, Italia), Statuto [1465], 2292.
De Smet (S. Dak., U.S.A.), 5760.
Detroit (Mich., U.S.A.), 3485, 5733, 6443.
Deutschland: Hilfswiss., 38, 54, 146, 180. - Allg. Werke, 235, 251, 266, 293, 306, 339, 340, 346, 396, 478, 483, 504, 507, 555, 568, 608, 756-767, 778, 898, 966, 1000, 1056, 1057. - Vorgesch., 1091, 1140, 1160, 1197, 1234, 1248. - Altertum, 1439, 1989. - Mittelalter, 2274, 2324, 2344, 2404, 2405, 2477, 2498, 2534, 2544, 2562, 2573, 2611, 2665, 2752, 2765, 2771, 2781, 2785, 2799, 2800, 2826, 2958, 2962, 2982, 2999, 3054, 3098. - Allg. Gesch. d. Neuzeit, 3105, 3137, 3151, 3181-3329, 3334, 3392, 3711, 3729, 3751, 4035, 4094, 4247. - Religionsgesch. d. Neuzeit, 4354, 4358, 4377, 4488, 4512, 4547-4672 pass., 4677, 4680. - Bildungsgesch. d. Neuzeit, 4707, 4719, 4748, 4753, 4786, 4788, 4789, 4796, 4809, 4838, 4864, 4873, 4894, 4903, 4909, 4925, 4926, 4936, 5037, 5058, 5061, 5070, 5072, 5095, 5176, 5204, 5254, 5256, 5351, 5488, 5567. - Wi.- u. Sozialgesch. d. Neuzeit, 5606, 5619, 5656, 5677, 5678, 5693, 5721, 5743, 5752, 5770, 5796, 5797, 5818, 5888, 5898, 5912, 6018, 6031, 6069, 6078, 6086, 6108, 6145, 6163, 6166, 6168, 6173, 6174, 6191, 6226, 6229, 6231, 6240, 6281, 6290, 6293, 6299, 6353, 6375, 6408, 6444-6636 pass. - Rechtsgesch. d. Neuzeit, 6697, 6705, 6714. - Internat. Beziehungen d. Neuzeit, 6760, 6779, 6787, 6796, 6799, 6804, 6808, 6811, 6812, 6822, 7007-7537 passim. - Cf. BRD, DDR, Weimarer Republik, s.v. Weimar.
Devon (co., England), Libraries, 288.
Die (Drôme, France), Imprimerie, 29.
Dijon (Côte-d'Or, France), 2656, 4663. - Colloque [1981], 163.
Dinka (people, Africa), 6860.
Diosgyőr (Borsod-Abaúj-Zemplén, Hongrie), 5790.
Dolní Beřkovice (Bohême, Tchécoslovaquie), 5967.
Dominicana (República), 6919, 6937, 6945, 6994, 6996, 7521.
Don (fleuve, U.R.S.S.), Bassin, 1177.
Donau, Danube (fleuve), 1168, 7138, 7183. - Bas-D., 1168, 1237, 2135, 2454, 6758. - Bouche sud, 198.
Drahanská vrchovina (rég., Moravie, Tchécosl.), 3074.
Dresden (DDR), 299.
Dreuil-lès-Amiens (Somme, France), 1187.
Drôme (dépt., France) 6367.
Dublin (Ireland), 6343. - Abbey Theatre, 5512. - Trinity College, 4779.
Dubrovnik, Raguse (Yougo-

slavie), 2670, 4734.
Dürnkrut (N.-Ö. Österreich), Schlacht [1278], 2239.
Düsseldorf (Nordrh.- Westf., BRD), Hetjens-Museum, 306. - Staatl. Archiv, 283.
Dunhuang (Gansu, Chine), Grottes, 7630.
Durango (México), 6990.
Durostorum (auj. Silistra, Bulgarie), 1953.

E

Ebro (río, España), Valle, 1715.
Echternach (Luxembourg), 3092.
Ecosse, v. Scotland.
Ecuador, 3112, 6129, 6929, 6935.
Eden-Roc (abri à Vaison-la-Romaine, Vaucluse, France), 1132.
Edinburgh (Scotland), Libraries, 5062.
Egée (mer), 1203, 1264, 1316, 1435, 1462, 2159, 2171. - Age du bronze, 96.
Eger (Heves, Hongrie), 3945, 5731, 6700. - Colloque [1982], 638.
Egypte, 3402-3409, 7174.
Egypte anc., 218, 226, 243, 304, 1261, 1263, 1296-1339, 1399, 2046. - E. préhist., 1134. - E. gréco-romaine, 1257, 1306. - E. romaine, 1734, 1844, 2080. - E. byzant., 2149. - E. médiév., 2543, 2544.
Eidgenossencahft, v. Schweiz.
Eifel (Hochland, Rheinland-Pfalz, BRD), 203, 1129.
Einsiedeln (Schweiz), Kloster, 4522.
El Alamein (Egypte), 7407.
Elam (Proche-Orient anc.), 1415.
El Amarna (Egypte), 1299.
Elangaš (riv., Sibérie, U.R.S.S.), 1106.
Elba (isola, Italia), 3701.
Elbe (Fluß), v. Labe.
Elbing, v. Elbląg.
Elbląg, Elbing, (Gdańsk, Pologne), 748. - Elbinger Jahrbuch, 354.
Elephantine (mod. Jazirat Aswan, Egypt), 1329.
Engelberg (Obwalden, Schweiz), Kloster, 4522.
England: Auxil. Sci., 39, 140, 169, 189. - General Works, 440, 800, 801, 803, 865, 878, 880, 1043. - Prehist., 1082. - Middle Ages, 2207, 2266, 2306, 2325, 2358, 2360, 2417, 2423, 2470, 2472, 2494, 2505, 2574, 2580, 2595, 2596, 2606, 2616, 2627, 2629, 2661, 2673, 2676, 2749, 2752, 2755, 2756, 2762, 2819, 2834,
2867, 2907, 2927, 2941, 2957, 3004, 3022. - Mod. polit. Hist., 3762-3879 pass. - Mod. relig. Hist., 4345, 4489, 4547-4672 passim, 4678, 4688. - Hist. mod. Culture, 4727, 4731, 4790, 4795, 4826, 4862, 4893, 4974, 4981, 5102, 5214, 5217, 5226, 5305, 5309, 5348, 5351, 5367, 5380, 5418, 5435, 5507, 5517, 5528, 5560. - Mod. econ. a. soc. Hist., 5628, 5630, 5666, 5674, 5679, 5707, 5763, 5779, 5791, 5823, 5860, 6011, 6151, 6161, 6171, 6182, 6190, 6209, 6242, 6312, 6336, 6356, 6361, 6370, 6397, 6405, 6437, 6473, 6630. - Mod. legal Hist., 6690, 6748. - Mod. internat. Relat., 6753, 6757, 6766, 6893, 6906, 6914, 7029, 7102, 7104, 7119, 7136, 7195, 7234, 7273, 7352, 7354, 7365, 7397, 7412, 7457.
Ephesos (Asie Mineure ancienne), 1799.
Ephyra (Epire, Grèce ancienne), 1618.
Epirus (rég., péninsule balkanique), 1618.
Erfurt (DDR), Bezirk, 760.
Escorial (España), 4425, 5426.
Eskilstuna (Suède), 5788.
España: Ciencias auxil., 178. - Obras gen., 690, 774-776, 881, 884, 969, 1030, 1040. - Prehist., 1117, 1118, 1135. - Hist. de Roma, 1715, 1815, 1949. - Hist. ant. Iglesia, 2107. - Edad media, 2342, 2431, 2517, 2532, 2665, 2709, 2826, 2870, 2880. - Hist. polít. mod., 3410-3425, 3987, 4015, 4334, 4336. - Hist. relig. mod., 4428, 4510, 4512, 4529, 4676. - Hist. Cult. mod., 4714, 4739, 4889, 4912, 4971, 4972, 5255, 5346, 5358. - Hist. econ. y soc. mod., 5620, 5662, 5894, 6051, 6069, 6107, 6157. - Hist. Derecho mod., 6681. - Relac. internac. mod., 6916, 6930, 6940, 6953, 6969, 6989, 6993, 7009, 7017, 7046, 7047, 7089, 7255, 7257, 7359, 7413, 7513.
Essex (co., England), 6719.
Este (Veneto, Italia), 2601, 2649.
Estonija, Eesti (rép., U.R.S.S.), 5912, 6611.
Esztergom (Komarom, Hongrie), 1099, 2200.
Ethiopie, 664, 777, 778, 5906, 6853, 7526, 7720.
Etruria, Etrusci, 150, 307, 1195, 1646, 1653-1671, 1939.

Eurasie, 2332.
Europe: Sci. auxil., 101, 160, 177. - Ouvrages gén., 278, 378, 502, 509, 515, 607, 726, 729, 731, 733, 741, 753, 873, 878, 883, 905, 914, 917, 920, 932, 983, 992. - Préhist., 1083, 1094, 1109, 1176, 1194. - Moyen Age, 2322, 2338, 2341, 2346, 2352, 2362, 2427, 2540, 2559, 2608, 2643, 2734, 2780, 2795, 2799, 2812, 2831, 2877. - Hist. polit. mod., 3105-3174 pass., 3243, 3454, 3674, 4126, 4131, 4338. - Hist. relig. mod., 4362, 4363, 4370, 4374, 4438, 4534, 4535, 4551. - Hist. Culture intellect. mod., 4738, 4741, 4742, 4752, 5121, 5218, 5398, 5412, 5505, 5593. - Hist. écon. soc. mod., 5673, 5696, 5715, 5750, 5858, 5917, 5939, 6028, 6054, 6069, 6144, 6237, 6366, 6560. - Hist. Droit mod., 6638, 6642, 6737. - Hist. Relat. internat. mod., 6789, 6794, 6802, 6815, 6960, 6998, 7025, 7078, 7082, 7105, 7111, 7131, 7135, 7136, 7144, 7146, 7163, 7168, 7250, 7258, 7283, 7288, 7301, 7319, 7361, 7422, 7469, 7486, 7517. Hist. Asie, 7594. - Hist. Océanie, 7765. - E. Centrale, 515, 908, 1200, 2127, 2352, 2721, 2769, 3105-3174 pass., 4720, 4735, 5213, 5265, 5621, 6398, 6477, 7289. - E. centrale-orientale, 940, 4989, 5891, 7117. - E. de l'Est, 515, 908, 916, 1047, 2333, 2334, 2352, 2502, 2689, 2758, 3116, 3136, 3150, 3152, 3374, 4735, 5265, 5621, 5637, 5638, 5982, 6330, 7289, - E. de l'Ouest, 177, 278, 726, 911, 1047, 2127, 2340, 2722, 2801, 5263, 5674, 5752, 6482, 6764, 6770, 7019, 7290, 7497. - E. du Nord, 101, 743, 1094, 1231, 2156, 2864, 7510. - E. du Nord-Ouest, 3066. - E. du Sud-Est, 1159, 1241, 3135, 3143, 3170, 5213, 5651, 6170, 6398, 7090, 7096.
Evian-les-Bains (Haute-Savoie, France), Imprimerie, 29.
Evora (Alentejo, Portugal), 2296.
Exeter (Dev., England), Libraries, 288.

F

Faiyum (prov., Egypte), 1310, 1844.

Falkland Islands, 7457. - Campaign [1982], 7441.
Far East v. Extrême-Orient, s.v. Orient.
Farfa (borgata di Fara Sabina, Lazio, Italia), Abbazia, 2947.
Favrat (Haute-Savoie, France), Imprimerie, 29.
Fenicia, v. Phoenicia.
Fenland (distr., England), 3826.
Fergana (rég., U.R.S.S.), 1411.
Fermanville (Manche, France), Port Pignot, 1124.
Ferrara (Emilia-Romagna, Italia), F. estense, 3998.
Filipinas, Philippines, 695, 6357, 6835, 6838, 6840. - Audiencia, 267.
Finno-Ugrians (peoples), 154, 678.
Firenze, Florence (Toscana, Italia), 2366, 2618, 2628, 2666, 2671, 2674, 4029, 6097, 6435. - Archivio, 257. - Congresso stor., [1980], 970.
Fiume, v. Rijeka.
Flandre (rég., Europe occid.), 17, 87, 2829, 4499. - See-Flandern, 2476. - Legendarium flandrense, 2205.
Flaran (abbaye, Gers,France), Journées internat. d'Hist. [1980], 911.
Flores (île, Indonésie), 4530.
Florida (state), U.S.A.), 6953.
Fogo (île, Cap Vert), 5870.
Fontaine-le-Comte (Vienne, France), Abbaye, 2275.
Fontenay-le-Comte (Vendée, France), Imprimerie, 29.
Fontefraud (Maine-et-Loire, France), 2943. - Nef, 2832. - Rencontre [1981], 240, 1029.
Forêt (La, Creuse, France), Imprimerie, 29.
Formosa, v. Taiwan.
France: Bibl. hist. gén., VIII. - Sci. auxil., 1-178 pass., 188, 212. - Ouvrages gén., 226-484 pass., 604, 613, 653, 665, 700, 727, 779-798, 868, 892, 909, 910, 930, 944, 956, 1045, 1056. - Préhist., 1152, 1173. - Moyen Age, 2188, 2196, 2319, 2327, 2356-2534 pass., 2561-2692 pass., 2745, 2767, 2810, 2814-3065 pass., 3075, 3080. - Hist. polit. mod., 3212, 3255, 3276, 3291, 3305, 3320, 3609-3761, 3940, 3973. - Hist. relig. mod., 4339-4546 pass., 4566, 4625. - Hist. Culture intellect. mod. 4700-4812 pass., 4881, 4883, 4905, 4906, 4930, 4955, 4970, 5006, 5015, 5024, 5053, 5054, 5061-5565 pas-

sim. - Hist. écon. soc. mod., 5606, 5607, 5631, 5653, 5678, 5693, 5726, 5785, 5820, 5821, 5852, 5858-5902 pass. 6036-6086 pass., 6112, 6115, 6206, 6239, 6249, 6305, 6323, 6371, 6378, 6389, 6409, 6414, 6415, 6428, 6430, 6444-6639 pass. - Hist. Droit mod., 6637-6749 pass. - Hist. Relat. internat. mod., 6756, 6805, 6806, 6823, 6856, 6873, 6887, 6921, 6928, 6941, 6946, 6996, 7005, 7007-7250 pass., 7259, 7289, 7314-7396 pass., 7430, 7469, 7483. - Hist. Afrique, 7713.
Franche-Comté (rég., France), 780, 3664.
Franken, Francs (german. Stamm), 2125, 2384, 2581.
Franken (Landschaft, BRD), 4592.
Frankfurt am Main (Hessen, BRD), 2507, 3187, 4669. - Friede [1871], 7087. - Museen, 306. - Paulskirche, 3258. - Wirtschaftsrat [1947-49], 3273.
Frankfurt a. d. Oder(DDR), Univ., 4841.
Freiburg (Schweiz), v. Fribourg.
Friesland, v. Ostfriesland.
Fribourg, Freiburg (canton, Suisse), 841, 2512, 4173.
Fujian (prov., China), 7641.

G

Gabon, 6875.
Gaeta (Lazio, Italia), 3084.
Gaetuli (peuple de l'Antiquité), 1717.
Gävle (Suède), 4159.
Galicia (reg., España), 1013, 1508, 1770, 2625, 4420, 6016.
Galicja, Galicija (rég., Pologne et Ukraine), 4110, 6565, 7139.
Gallia, Gaule, 137, 1653, 1861, 1866, 1955. - G. Narbonensis, 1948.
Gamo (peuple d'Ethiopie), 664.
Gand (Belgique), v. Gent.
Ganges (fleuve), 7606.
Garamantes (peuple de l'Antiquité), 1101.
Gascogne (rég., France), 669, 6222.
Gaule, v. Gallia.
Gdańsk (Pologne) 748, 3090, 3101, 5627, 7078, 7258. - Côte, 207. - Z. f. Westpreuß. Gesch., 379.
Genève (Suisse), 839, 4180, 5792, 6219, 6605, 7180. - Révolution [1782], 4182.
Genova (Liguria, Italia), 2219, 2265, 2449, 2469, 2496, 2677, 2705, 4034,

5086, 7049.
Gent, Gand (Belgique) 2707, 3037. - Couvent de St. Agnès, 3040. - Monastère de St. Pierre, 2230.
Georgia (state, U.S.A.), 3473.
Georgia, Géorgie (rép., U. R.S.S.), v. Gruzija.
Gera (Bezirk, DDR), 760.
Germanen (die), 505, 1236, 1248, 1252, 2826.
Germania Inferior (röm. Provinz), 1943.
Géto-Daces (peuples), 470, 1227. - Cf. Dacia.
Gévaudan (rég., France), 6204.
Gex (Ain, France), Imprimerie, 29.
Ghana, 6863, 7728.
Gianicolo (colle di Roma), Sanctuario siriaco, 1940.
Gießen (Hessen, BRD), 4773. - Univ., 4765.
Gilân (prov., Iran), 656.
Giordania, v. Jordan.
Gironde (fleuve, France), 120.
Giulia (reg. stor., Italia), 5713.
Gitans (peuple), 715.
Glarus (Stadt u. Kanton, Schweiz), 886, 3104.
Glasgow (Scotland), Hunter Coin Cabinet, 135.
Gniezno (Poznań, Pologne), Archidiocèse, 1012.
Gnowangerup (shire, W. W. Australia, 3340.
Gödölö (Pest, Hongrie), 5463.
Görlitz (Dresden, DDR), Drucke, 299.
Göteborg (Suède), 6315.
Göttingen (Niedersachsen, BRD), Historiker, 242. - Staats- u. Univ.-Bibl., 45. - Univ., 3279.
Gold Coast, v. Ghana.
Golub-Dobrzyn (Bydgoszcz, Pologne), Colloque [1980], 64.
Gorbat (peuple, Afghanistan), 701.
Górny Śląsk, Haute Silésie, v. s.v. Śląsk.
Gortyn (anc. city, Crete, Greece), Law, 1502.
Gorzsa (tell, Hungary), 1157.
Goten (german. Volk), 2371.
Gotland (île, Suède), 131, 1210.
Granada (España), 1949.
Grand Teton National Park (Wyo., U.S.A.), 3564.
Grass Valley (Calif., U.S. A.), 6321.
Graubünden, Grigioni (Kanton, Schweiz), 2620, 2654, 4175.
's-Gravenhage, La Haye (Pays-Bas), 4632.
Great Basin (distr., U.S. A.), 7749.
Great Britain: Gen. hist. Bibliogr., IX. - Auxil.

INDEX GEOGRAPHIQUE

Sci., 36, 111. - Gen. Works, 364, 383, 799-807, 976. - Prehist., 1182, 1183, 1194.- Roman Hist., 1726, 1775, 1862, 1938, 1950, 1952, 1954, 1968. - Hist. early Church, 2093. -Middle Ages, 2748. - Mod. polit. Hist., 3127, 3136, 3137, 3411, 3762-3879. - Mod. relig. Hist., 4347, 4583, 4678. - Hist. mod. Culture, 4702, 4803, 4844, 4849, 4866, 5120, 5123, 5144, 5375, 5556. - Mod. econ. a. soc. Hist., 5644, 5668, 5697, 5727, 5746, 5761, 5765, 5817, 5832, 5853, 5856, 5863, 6023-6086 pass., 6090, 6099, 6110, 6164, 6189, 6225, 6229, 6247, 6252, 6271, 6283, 6290, 6324, 6337, 6433, 6463, 6471, 6479, 6498, 6518, 6580, 6581. - Mod. legal Hist., 6679, 6694, 6697, 6727, 6741. - Hist. mod. intern. Relat., 6755, 6784, 6805-7006 pass., 7064, 7065, 7100, 7109, 7155-7435 pass., 7451, 7464, 7476, 7503, 7519, 7533. - Hist. Asia, 7587. - Cf. England.
Grèce anc., I, 127, 138, 150, 165, 170-172, 226, 247, 311, 289, 534, 1048, 1257, 1258, 1264, 1282, 1297, 1401, 1412, 1425, 1426, 1433, 1437-1646, 1647, 1666, 1672, 1673, 1682, 1780, 1860, 1864, 1888, 1953, 2109, 7554, 7580. - Cf. Magna Graecia.
Grèce byzant., 2143, 2155, 2420. - G. mod. et contemp., 170, 247, 2127, 3124, 3880-3887, 6132, 6335, 6800, 6803, 7033, 7068, 7160, 7214, 7352, 7451.
Greifswald (Rostock, DDR), 4700. - Juristenfakultät, 6730.
Grenoble (Isère, France), 6131.
Grigioni, v. Graubünden.
Grochów (auj. partie de Varsovie, Pologne), Bataille [1831], 7124.
Grønland (île), 6677.
Groenlo (Gelderland, Niederlande), 2279.
Grünenplan (Niedersachsen, BRD), Spiegelglasmanufaktur, 5855.
Gruyère (Fribourg, Suisse), 4173.
Gruzija, Géorgie (rép., U. R.S.S.), 106, 4703.
Guanajuato (México), 6949.
Guangshou, Canton (China), 7176, 7680. - Schools, 7692.
Guatemala, 7759.
Guayaquil (Ecuador), 6935, 6961.

Guéret (Creuse, France), Imprimerie, 29.
Guadalajara (prov., Nueva Castilla, España), 1835.
Guerrero (estado, México), 4068.
Gujarat (state, Rep. of India), 6831.
Guyana, 6369.
Guyane Française, 6954, 6965. - Bagnes, 6732, 6738.
Győr (G.-Sopron, Hongrie), 6500. - County, 5996.
Gyula (Békés, Hongrie), Forteresse, 813.

H

Haag, v. 's-Gravenhage.
Habsburgermonarchie, v. Österreich-Ungarn.
Haïdra (Tunisie), 2098.
Haiti, 3888.
Hajnówka (Białystok, Pologne), 7294.
Halberstadt (Magdeburg, DDR), 2284, 2939.
Halle (DDR), Bezirk, 759.
Hallstatt (O.-Ö., Österr.), Kultur, 1213, 1221, 1222.
Hamangia (Roumanie), Civilisation préhist., 1164.
Hambacher Forst (Nordrh.-Westf., BRD), Röm. Glashütte, 1868.
Hamburg (Freie u. Hansestadt, BRD), 765, 1197, 3211, 6200, 6223, 6327.
Hampshire (co., England), 3804.
Hampton (Va., U.S.A.), H. Institute, 4813.
Hanlin (China), Academy, 7665.
Hannover (ehem. Territorium, BRD), 3280.
Hanse (die), 2273, 2599, 2664, 2716, 3230, 7028. - H.-Raum, 2514.
Haparanda (Norrbotten, Suède), 5778.
Harrison (co., Texas, U. S. A.), 6198.
Harrow (borough, London), School, 4790.
Harvard University (Cambridge, Mass., U.S.A.), 4871.
Hatti (Asie Mineure anc.), 1334.
Haut-Rhin (dépt., France), 788, 4457.
Haute-Bretagne, v. s. v. Bretagne.
Haute-Garonne (dépt., France), 2196, 4470.
Haute-Normandie, v. s.v. Normandie.
Haute-Volta (Rép.), 658, 6856.
Hautes-Pyrénées (dépt., France), 2196, 6418.
Havel (Fluß, DDR) H.-Spree-Gebiet, 1248.
Havre (Le, Seine-Maritime, France), 4641, 6919.

Hawaii (islands, Pacific), 6010, 7129, 7762.
Haye (La), v. 's-Gravenhage.
Heidelberg (Bad. - Württ., BRD), Univ., 4841.
Heiliger Stuhl, v. Vaticano.
Heiliges Land, v. Palestine.
Helveti (peuple de l'Antiquité), 1773.
Heptanēsos, Iles Ioniennes (Grèce), 5470, 7033.
Herborn (Hessen, BRD), Hohe Schule, 4838.
Herend (Székesfehérvár, Ungarn), Porzellanmanufaktur, 5501.
Herzebrock (Nordrh.-Westf., BRD), Kloster, 2235.
Hessen (Land, BRD), 2478, 3197, 3238, 3248, 4640, 6044. - Grafschaft, 6178. - Landgrafschaft, 2572. - Rhein-H., 3224.
Heves (comitat, Hongrie), 5955.
Hierissos (Chalcidique, Grèce), Evêché, 2168.
Hildesheim (Niedersachsen, BRD), Stiftsfehde, 4492.
Himalaya (montagnes), 686.
Hispania (anc. péninsule ibérique), 1228, 1696. - H. romana, 1883. - H. ulterior, 1720. - Cf. España.
Histria (anc. ville, Roumanie), 2002.
Hittites, 1334, 1363-1370.
Hodonín (Moravie, Tchécoslovaquie), 196.
Hohenfurth, v. Vyšší Brod.
Hohenheim (Stadtteil von Stuttgart, Bad.-Württ., BRD), 507.
Hollenberg-Höhle (bei Arlesheim, Basel-Ld, Schweiz), 1137.
Holland (prov., Pays-Bas), 4365.
Holy Land, v. Palestine.
Homburg (Hessen, BRD), v. Bad Homburg.
Honduras, 6973.
Hongrie, v. Magyarország.
Hong Kong, 7409.
Hormuz (Iran), 903. - Détroit, 7065.
Houston (Texas, U.S.A.), Rice Univ., 4837.
Hradištko u Darle (Bohême Centrale, Techécoslovaquie), 3096.
Hrvatska, Croatie (rép., Yougoslavie), 3946.
Huamanga (Perú), 6989.
Hudiksvall (Gävleborg, Suède), 5787.
Hunan (prov., Chine), 7685.
Huns, Hunnen (peuple), 1230.

I

Iatrus (heute Krivina, Bulgarien), 1237.
Iberia, Ibérica (penínsu-

La, 229, 752, 1108, 1205, 1759, 1803, 2091, 2683, 2731, 7159. Cf. Hispania.
Idaho (state, U.S.A.), 3521.
Idrija, Idria (Jugoslawien), Quecksilberbergwerk, 5846.
Ighiu (Kreis Alba, Rumänien), 2009.
Ile-de-France (rég., France), 926, 2335.
Illinois (state, U.S.A.), 3512.
Incas (Indios), 667.
India, 125, 175, 194, 223, 5037, 5863, 5884, 6754, 6755, 6763, 6825-6843 passim, 7523, 7537, 7542, 7554, 7562-7606 pass., 7610.
Indian Territory (U.S.A.), 6325.
Indiens d'Amérique, American Indians, 691, 713, 3460, 3468, 3472, 3476, 3492, 3509, 3520, 4087, 4475, 4627, 4745, 5146, 6104, 6429, 6927, 6931, 6960, 6962, 6983, 8984, 6989, 7737.
Indochine, 6830, 7355, 7440.
I. française, 6824.
Indo-Européens, 470, 1247.
Indonesia, 634, 695, 4530, 5623, 7612, 7626, 7627.
Indre-et-Loire (dépt., France), 3673.
Indus (river), Basin, 1165.
- I. civilization, 7566.
Ingria (rég., U.R.S.S.), 697.
Ionia (Asie Mineure anc.), 1478, 1576.
Ioniennes (îles), v. Heptanesos.
Iran, 814, 903, 1086, 1103, 1175, 1220, 1410-1419, 2545, 3853, 3959-3962, 4692, 5344, 5453, 5602, 7350, 7543, 7546, 7549, 7555.
Iraq, 3963, 3964, 5452, 7234.
Ireland: Gen. hist. Bibl., IX. - Auxil. Sci., 164. - Gen. Works, 513, 815, 816, 966. - Prehist., 1156, 1183, 1216, 1251. - Hist. early Church, 2093. - Middle Ages, 2204, 2338, 2362, 2470, 2627. - Mod. polit. Hist., 3832, 3848, 3965-3975. - Mod. relig. Hist., 4419, 4493, 4634. - Mod. econ. a. soc. Hist., 5683, 6068, 6108, 6127, 6164, 6225. - Mod. legal Hist., 6710. - Hist. mod. intern. Relat., 6817, 7061, 7098.
Iroquois Indians (N. America), 7743.
Isère (dépt., France), 3643.
Islam (pays, peuples, etc.), 56, 168, 223, 721, 737, 741, 1048, 2142, 2464, 2535-2554, 2593, 2705, 2770, 2782, 2852, 4673, 4679, 4697, 5393, 6829,
6843, 6855, 7545, 7591.
Island (île et rép.), 3976, 6748.
Israel, 749, 1175, 1375, 3977, 7459, 7478, 7553.
Issinie (anc. royaume, Afrique occid.,), 4527.
Istra, Istria (péninsule, Yougoslavie), 1877.
Italia: Bibl. stor. gen., XII. - Sci. ausil., 150, 187. - Opere gen., 226, 234, 288, 355, 413, 523, 814, 817-827, 876, 900, 924, 1040. - Preist., 1224. - Antichità, 1637, 1758, 1794, 1838, 1840, 1927. - Stor. bizant., 2139, 2143. - Medioevo, 2304, 2321, 2330, 2359, 2369, 2405, 2428, 2453, 2462, 2509, 2585, 2615, 2637, 2640, 2647, 2683, 2701, 2744, 2814, 2822, 2886, 2907, 2930. - Stor. polit. mod., 3114, 3342, 3978-4049, 4010. - Stor. relig. mod., 4368, 4512, 4591. - Stor. Movim. intell. mod., 4755, 4848, 4857, 4869, 4888, 4916, 4969, 4994, 5107, 5233, 5237, 5363. - Stor. econ. e soc. mod., 5599, 5616, 5622, 5687, 5744, 5924, 6065, 6102, 6145, 6185, 6520, 6545, 6568, 6594, 6609, 6625. - Stor. Diritto mod., 6707, 6740. - Stor. Relaz. internaz. mod., 6767, 6768, 6797, 6853, 6857, 6877, 7015, 7037, 7059, 7126, 7159, 7199, 7216, 7223, 7320, 7336, 7378, 7383, 7388, 7533.
Ithaca (N.Y., U.S.A.), Cornell Univ., 5173.
Ituraei (peuple de l'Antiquité), 1764.
Iuliobriga (España ant.), 1765.
Izmir, Smyrna (Turquie), 1444, 4204.

J

Jabłonna (Warszawa, Pologne), Colloque [1980], 7062.
Jämtland-Härjedalen (prov., Suède), 6341.
Jakutija, Yakutia (rep., U.S.S.R.), 202, 6573.
Jalta, Yalta (Ukraine, U.R.S.S.), Conference [1945], 7238, 7474.
Jamaica, 6422.
Jameston (Va., U. S. A.), 6955.
Japan, Japon: Ouvrages gén., 652, 828. - Hist. polit. mod., 4050-4060. - Hist. relig. mod., 4684. - Hist. Culture intellect. mod., 5176. - Hist. écon. soc. mod., 5613, 5670, 5753, 5801, 5885, 6084. -
Hist. Relat. internat. mod., 6753, 6772, 7129, 7133, 7189, 7201, 7313, 7364, 7393, 7464, 7491, 7519. Hist. Asie, 7538. - Hist. (avant 1868), 7701-7705.
Jarim-Tepe (prehist. site, Iraq), 1169.
Java (île, Indonésie), 7614, 7623.
Jedenspeigen (N.-Ö., Österreich), Schlacht [1278], 2239.
Jérusalem, 1397, 1402, 1405, 2253, 2416, 2522, 2842, 2843, 2850. - Royaume, 2425, 2968.
Jews, Juifs.
Johnstown (Pa., U.S.A.), 6330.
Jonzac (Charente-Maritime, France), Imprimerie, 29.
Jordan, Jordanie (royaume), 749, 1088, 1973.
Jordan River, Jourdain, 1136.
Judaea, Judée (rég., Palestine anc.), 1387, 1389, 1404, 1971.
Juden, Judíos, v. Juifs.
Jülich (Nordrh.-Westf., BRD), Herzogtum, 3263.
Jütland, Jylland.
Jugoslavija, Yougoslavie, 662, 676, 1674, 2259, 4320-4323, 6602, 7032, 7151, 7184, 7431, 7460, 7470, 7528, 7530.
Juifs, Jews: Sci. auxil., 173. - Ouvrages gén., 244, 315, 369, 389, 435, 491, 496, 755, 816, 822, 827, 1002, 1041, 1042, 1046, 1055. - Antiquité, 1371-1409 pass., 1679. - Hist. anc. Eglise, 2095. - Moyen Age, 2214, 2233, 2517-2534, 2725, 2730. - Hist. polit. mod., 3230, 3286, 3309, 3407, 3426, 3499, 3663, 3759, 3760, 3923, 4032, 4046, 4092, 4098, 4114, 4116, 4140, 4296. - Hist. relig. mod., 4387, 4449, 4552, 4566, 4673-4699 pass. - Hist. Culture intellect. mod., 4764, 4811, 4816, 4901, 5315, 5561. - Hist. écon. soc. mod., 5679, 5819, 6166, 6192, 6230, 6241, 6417, 6562. - Hist. Relat. internat. mod., 6992, 7253, 7271, 7280, 7283, 7290, 7299, 7312. - Cf. Sephardim.
Jura (monts, France et Suisse), 162.
Jura (dépt., France), 2854.
Jylland, Jütland (rég., Danemark), 2865.

K

Kabars (peuple du Moyen Age), 2386.

Kärnten, Carinthie (Land, Österreich), 3027.
Kaliningrad (U.R.S.S.), 748. Archives, 7012.
Kalocsa (Bács-Kiskun, Hongrie), 3958.
Kalmar (Suède), 5652.
Kalumburu (mission, W.Australia, 4531.
Kanazawa (Japon), 7703.
Karanis (Egypte anc.) 1321.
Karanning (shire, W. Australia), 3340.
Karelija, Carélie (rép., U. R.S.S.), 3605.
Karpaten, v. Carpates.
Karyoupolis (ville byzant. disparue, Laconie, Grèce), 193.
Kassites (people, Mesopotamia), 1346, 1356.
Katyn' (Russie), 7266.
Kavkaz, Caucase (montagnes, U.R.S.S.), 692, 1230, 2486, 4312.
Kazači, Cosaques (populations, U.R.S.S.), 4245. - C. de Zaporož'e, 4206.
Kazakhstan (rép., U.R.S.S.), 718.
Kentucky (state, U.S.A.), 6119.
Kenya (mount), 7223.
Kenya (Republic), 6862, 6881, 6890.
Kerč' (Ukraine, U.R.S.S.), 3033.
Khazar (anc. people a. empire, U.S.S.R.), 1246. - Hebrew documents, 2233, 2523.
Kheda (Gujarat, India), District, 6831.
Kiangsu (prov., Chine), 7673.
Kidron (riv., Palestine), Terraces, 1405.
Kiev (Ukraine, U.R.S.S.), 2406, 2506, 2759, 2838, 3047.
Kikinda (Vojvodina, Yougoslavie), 3957.
Killyrioi (peuple de l'Antiquité), 1511.
Kirgizija, Kirgizy (rép. et peuple, U.R.S.S.), 671.
Kition (Chypre anc.), 1622.
Kitsos (Attique, Grèce), Grotte, 1154.
Kitzingen (Bayern, BRD), 6181.
Kjakhta (Rép. auton. des Bouriates, U.R.S.S.) 5882.
Klagenfurth (Kärnten, Österreich), 1071.
Kleonai (Grèce anc.), 1486.
Kleve (Nordrh.-Westf., BRD), Grafschaft, 2418.
Klotzgau (Bayern, BRD), 3087.
Knighton Heath (Dorset, England), 1196.
Koblenz (Rheinland-Pfalz, BRD), 6240. - Staatl. Archiv, 283.
København (Danemark) Congrès intern. hist. [1980], 239. - Roy. Library, 2829.

Köln (Nordrh.-Westf., BRD), 748, 1870, 2003, 2223, 2404, 2707, 2988, 3274, 3288. - Erzbischöfe,2276a, 3079. - Erzbistum, 1000. - St. Pantaleon, 2970.
Königsberg (Ostpreußen), v. Kaliningrad (U.R.S.S.).
Környe (Komárom, Ungarn), 2713.
Kőszeg (Vas, Hongrie),Siège [1532], 3894.
Kolchis, Colchide (rég., Asie Mineure anc.), 1426.
Kołobrzeg (Koszalin, Pologne), 7395.
Koloneia (Empire byzantin), 2141.
Komárom (Hongrie), Comitat, 1099.
Konstanz (Baden-Württemb., BRD), Bistum, 3300, 4460. - Diözese, 2964. - Konzil, 2764.
Korea, Corée, 7121, 7463, 7538, 7706-7712.
Kosovo-Metohija (rég., Serbie, Yougoslavie), 2154, 7460.
Koudougou (Haute-Volta), 6856.
Kragujevac (Serbie, Yougoslavie), 7191.
Kraków, Cracovie (Pologne), 2446, 4091, 5940, 7386. - Archidiaconat, 4462. - Cathédrale, 2857.- Univ., 4839, 5183.
Krefeld (Nordrhein-Westf., BRD), Kaiser-Wilhelm-Museum, 306.
Krems an der Donau (N.-Ö., Österreich), Hist. Kongreß [1980], 2743.
Krete, Crète (île, Grèce), 42, 983, 1434, 1613, 1619, 1623, 1625.
Krivina (Bulgarien), v. Iatrus.
Kronštadt (Russie), 4294.
Krym, Crimée (péninsule, U.R.S.S.), 1245. - Guerre, 7111.
Kulmbach (Bayern, BRD), Fürstentum, 3308.
Kuril'skie Ostrova, Iles Kouriles (U.R.S.S.), 4215.
Kuwait (Etat), 7551.
Kumanen, Kumans, v. Cumans.
Kyjow (Moravie, Tchécoslovaquie), 196.
Kypros, Chypre, Cyprus, 305, 1097, 1105, 1283, 1632, 2280, 3050, 3399, 7352, 7525.

L

Labe, Elbe (Fluß), Mittelelbe-Saale-Gebiet, 1238.
Laconia, v. Lakonia.
Lagash (Mesopotamia), 1357, 1361.
Lagos (Nigeria), 6868.
Lakewood (Calif., U.S.A.),

6147.
Lakonia (rég., Grèce), 316.
Lambeth (borough, London), Conferences, 4576.
Langano (lac, Ethiopie), 1119.
Langobarden, Longobardi (german. Volk), 2442.
Langres (Haute-Marne, France), Cathédrale,2211.
Languedoc (rég., France), 1147, 2681, 3039, 4664, 5842, 6326. - Bas-L., 3679. - L. occid., 167. - L. oriental, 152.
Laon (Aisne, France), Cathédrale, 3036.
La Plata, v. Plata (Río de la).
Lapons, Lapps, v. Saami.
La Tène (Suisse), Civilisation préhist., 1225.
Laterano, Latran (palazzo, Roma), Concilio III[1179], 3060. - Concilio V [1512-1517], 4393, 4472. - Trattato [1929], 7198.
Latin America, v. Amérique latine, s.v. Amérique.
Latina (lingua), I, 1, 2, 149, 150, 164, 166, 171, 178, 286, 294, 1555, 1847, 1884, 2258, 2270, 2304, 2333, 2748, 5219.
Latran, v. Laterano.
Latium, v. Lazio.
Latvija, Lettonie (rép., U. R.S.S.), 4226.
Lau Islands (Pacific), 7767.
Lauragais (rég., France), 5941.
Laurion (Attike, Greece), Silver mines, 1518.
Lausanne (Vaud, Suisse), 840.
Lavaur (Tarn, France), Imprimerie, 29.
Lavra (monstère, Mont Athos, Grèce), 2112, 2177.
Lazio (reg., Italia), 2824, 4018.
Lebanon, v. Liban.
Lebrija (Andalucía, España), Iglesia, 923.
Lectoure (Gers, France), Imprimerie, 29.
Leiden, Leyde (Pays-Bas), 4700.
Leiningen, v. Altleiningen.
Leitha (Fluß, Österreich u. Ungarn), 3955.
Léman (lac, France et Suisse), Pays du L., 5904.
Leningrad (Russie), 4211, 4218, 4294, 4729, 4778, 6620, 7209. - Acad.,4774. - 2nd State Duma [1907], 4225.
León (España), Ciudad, 776. - Reino, 2431, 2576.
Lérins (îles, Alpes-Marit., France), 2040.
Lescar (Pyrénées-Atlant., France), Imprimerie, 29.
Lesbos (île, Grèce), 1488.
Lesotho, Basutoland, 6852.
Lettonie, v. Latvija.

Levant (région), 1088, 1102, 1211, 1435.
Lexington (Ky., U.S.A.), 6119.
Liban, Lebanon, 749.
Libya, Libye, 4061, 5896.
Liège (Belgique), 3029.
Liguria (reg., Italia),1672, 5993.
Lille (Nord, France), 2457.
- Colloque [1981], 7135.
- Incunables, 289.
Lima (Perú), 6347.
Limoges (Haute-Vienne, France), 3707. - Diocèse, 2990. - Imprimerie, 29.
- Sémin. "Turgot" [1981], 5610.
Limousin (rég., France), 86, 108.
Lincoln (England), Wren Library, 291.
Linköping (Ostergötland, Suède), 4170.
Linz (O.-Ö., Osterreich), 1977, 6340. - Bistum, 4505.
Lippe (ehem. Territorium, Nordrhein-Westf., BRD), 6261.
Lippe (Fluß, Nordrh.-Westfalen, BRD), Röm. Militärlager, 1763.
Litva, Lituanie (rép., U.R. S.S.), 3015, 4095, 6467, 6673, 7286. - Grand-Duché, 256, 5987.
Livonija, Livland (rég., U. R.S.S.), 2695, 3015.
Livorno (Toscana, Italia), 5900.
Locarno (Tessin, Schweiz), Konferenz [1925], 7156, 7232.
Lodève (Hérault, France), Imprimerie, 29.
Łódź (Pologne), 6564.
Loir-et-Cher (dépt., France), 3673.
Loire (fleuve, France), 120.
- Pays de L., 4410, 5927.
- Val de L., 2879, 5998.
Loire-Inférieure (dépt., France), 3673.
Loiret (dépt., France), 3719.
Lombardia (reg., Italia), 2376, 2442, 4005, 4015, 4028. - L. spagnuola, 4016, 5636.
London (England), 804, 1741, 3815, 3837, 3879, 4700, 4808, 5172, 6507, 6975, 7030. - British Museum, 311, 313. - Daily Chronicle, 4913. - Mercers' Hall, 3849. Schriftstellerkonferenz [1936], 5290. - Theatre, 5569.
London (Ontario, Canada), 5150.
Lorraine, Lothringen (rég., France), 161, 781, 885, 1129, 2246, 2682, 2698, 2830, 2858, 3005, 5436, 6156. - Croix de L., 90.
Los Angeles (Calif., U.S. A.), 3514, 6276, 6905,

7161.
Los Angeles (co., Calif., U.S.A.), 6147.
Lothringen, v. Lorraine.
Loudon (Vienne, France), Imprimerie, 29.
Louisa (co., Va., U.S.A.), 6000.
Louisiana (state, U.S.A.), 3467, 6937, 7741.
Lowicz (Łódź, Pologne), 1012.
Loyang (Honan, Chine), 7699.
Lozère (dépt., France), 3719.
Lublin (Pologne), Tribunal de la Couronne, 6687. - Union [1569], 4095.
Lucani (peuple de l'Antiquité), 1652.
Lübeck (Schleswig-Holstein, BRD), 2707, 2738, 2835, 7028.
Luçon (Vendée, France), Imprimerie, 29.
Luistari (Finlande), 1219.
Luna (contado, León, Espana), 2448.
Lund (Malmöhus, Suède), Univ., 4834.
Luxembourg, XIII, 1070, 1129, 4062, 4063, 4547, 6682, 7307, 7376.
Luzern (Stadt u. Kanton, Schweiz), 6042, 6195.
Lyon (Rhône, France), 5077, 5439, 6591. - Archidiocèse, 3030. - Colloque "Eglise et chrétiens..." [1978], 4343. - Croix-Rousse, 704. - Monnayage, 100. - Peinture, 5451.
Lyonnais (rég., France), 2678.

M

Maas, v. Meuse (fleuve).
Macedonia, Macédoine (rég., Balkans),201, 1462, 1465, 1688, 2154, 4103.
Macerata (città, Italia), Convegno stor. [1979], 374.
McKinley mine (near Gallup, N.M., U.S.A.), 7736.
Mâcon (Saône-et-Loire, France), 1026. - Imprimerie, 29.
Madagascar, 4524.
Madrid, 774, 1949, 4890, 7053. - Real Acad. de la Historia, 1949.
Mähren, v. Morava.
Mälaren (lac, Suède), District, 6040.
Magdeburg (DDR), Bezirk, 759. - Staatsarchiv, 2939.
Maghreb (rég., Afrique du N.), 740, 2269, 2731, 7715.
Magna Graecia, 498, 1514, 1639, 1648, 1967.
Magne (Le), v. Mani.
Magyarország, Hongrie: Bibliogr. hist. gén., II,

II. - Sci. auxil., 47, 84, 109, 144, 151, 154, 176, 191. - Ouvrages gén., 250, 262, 292, 310, 314, 384, 385, 558, 647, 657, 668, 670, 687, 714-716, 744, 751, 808-813, 857, 891, 1031, 1066. - Préhist., 1166, 1214, 1232, 1233, 1239. - Moyen Age, 2217, 2256, 2262, 2302, 2378, 2401, 2403, 2408, 2422, 2472, 2502, 2632, 2652, 2694, 2713, 2726, 2781, 2809, 2839, 2895.
- Hist. polit. mod., 3168, 3169, 3365, 3889-3958. - Hist. relig. mod., 4348, 4578. - Hist. Culture intellect. mod., 4732, 4736, 4766, 4897, 5245, 5329, 5335, 5404, 5410, 5443, 5501, 5502, 5570. - Hist. écon. soc. mod., 5657, 5775, 5804, 5838, 5892, 5903-6022 pass., 6037, 6064, 6065, 6095, 6137, 6142, 6153, 6220, 6338, 6404, 6445, 6462, 6468, 6489, 6531, 6570, 6576. - Relat. internat. mod., 6768, 7127, 7151, 7157, 7181, 7212, 7225, 7239, 7244, 7285, 7295, 7317, 7333, 7357, 7388, 7431, 7455, 7487.
Maillé (Vendée, France), Imprimerie, 29.
Maillezais (Vendée, France), Imprimerie, 29.
Mainz (Rheinl.-Pfalz, BRD), 1945, 1970, 2707, 3290. - Republik [1792-93], 3224, 3318.
Maio (île, Cap-Vert), 5870.
Majdanek (faubourg de Lublin, Pologne, Camp de concentration, 7315.
Maka (African people), 679.
Málaga (España), 2677.
Malaya, 7610, 7624.
Malaysia, 695, 4373, 7613.
Mali, 7724.
Mallia (Crète anc.), Palais, 1638.
Malouines (îles), v. Falkland Islands.
Malvinas (islas), v. Falkland Islands.
Mamiano (presso di Parma, Italia), 2653.
Manchester (Lincs., England), John Rylands library, 1348
Manchuria (reg., China), 7121.
Mani (rég., Péloponnèse, Grèce), 193.
Mantova (Lombardia, Italia), 4708, 5535.
Manyika (African people), 7716.
Mao Chan (Chine), 7688.
Maramureş (rég., Roumanie), 986, 4132.
Marathon (Greece), Battle [490 B.C.], 1495.
Maratha (people, India),

7605.
Maravi (people, Africa), 6880.
Marburg (Hessen, BRD), Siegel-Symposium [1978], 77
Marethasse (anc. seigneurie, Chypre), 2280.
Marḥaši (reg., anc. Iran), 1418.
Mariana Islands (Pacific), 4529.
Máriapócs (Hongrie), Bibliothèque, 276.
Marie-Galante (île, Antilles franç.), 5826.
Marino (Lazio, Italia), Mithraeum, 1932.
Marmande (Lot-et-Garonne, France), Imprimerie, 29.
Maroc, 277, 1677, 2269, 7713, 7722. - M. saharien, 7727.
Marseille (Bouches-du-Rhône, France), 1654, 2624, 5864, 6136, 7049.
Martinique (île, Antilles franç.), 5745.
Martin's Hundred (land grant, Va., U.S.A.), 6955.
Maryland (state, U.S.A.), 3427, 4829, 6957, 6963, 6979.
Massachusetts (state, U.S.A.), 3585, 4882, 6100, 6256, 6309.
Massif Central (France), 3683.
Matka Božia, Boldogfa (Slovaquie, Tchécoslovaquie), 2868.
Maures (peuple), 2533.
Mauretania Caesariensis (prov. romaine), 1784.
Mauritius (island, Indian Ocean), 6888.
Maya (Indios), 6930, 7734-7759 pass.
Mazowsze (rég., Pologne), 2690.
Mazury (rég., Pologne), 4123.
Mecklenburg (Landschaft, DDR), 757, 3095.
Méditerranée (mer), 229, 1281, 1398, 1421, 2155, 2330, 2672, 2714, 2717, 2729, 7525. - M. occid., 2624, 2705. - Iles, 1149.
Melbourne (Victoria, Australia), 5445.
Melfi (Basilicata, Italia), Collegio, 5920.
Melka-Kunturé (Ethiopie), Site paléolith., 1122, 1133.
Mende (Lozère, France), Imprimerie, 29.
Menominee Indians (U.S.A.), 3550.
Menorca (isla, Baleares, España), 1254.
Meroe (Rep. of the Sudan), 1305, 1317, 1336.
Merseyside (distr., Lancs., England), 141.
Meru (people, Africa), 7723.
Meschede (Nordrh.-Westf.,

BRD), 2272.
Mesoamerica, v. Amérique centrale, s.v. Amérique.
Mesopotamia, 1144, 1340-1362, 1808.
Meuse, Maas (fleuve), Maas-Mosel-Gebiet, 2732.
México (ciudad), 6289, 6388, 6978. - Colegio de S. Juan, 4799.
México (Estados Unidos de), 188, 3596, 4064-4072, 4449, 5564, 5988, 6060, 6395, 6769, 6967, 7161, 7337, 7445, 7738, 7739, 7744.
Mexico (Gulf of), 6977.
Michigan (state, U.S.A.), 4840, 5764, 5975.
Michoacán (estado, México), 6949.
Middle East, v. Moyen-Orient, s.v. Orient.
Midi-Pyrénées (rég. admin., France), Bibliothèques, 289.
Milano (Lombardia, Italia), 819, 4048, 5861, 7017. - Ducato, 822.
Milwaukee (Wis., U.S.A.), 5142.
Misiones (prov., Argentina), 6152.
Missiminia (Nubie anc.), Nécropole, 1337.
Mississippi (state, U.S.A.), 3530, 3572, 4853.
Mitylene (Lesbos, Grèce), 103.
Moçambique, Mozambique, 5655.
Modena (Emilia-Romagna, Italia), Ducato, 4037. -
Modenese, 2408.
Moesia Inferior (prov. romaine), 2138.
Mohács (Baranya, Hongrie), Bataille [1926], 7031.
Moldavija, Moldavie (rép., U.R.S.S.), 4246.
Moldova, Moldavie (rég., Roumanie), 980, 2185, 2350, 2449, 2451, 2474, 2475, 2497, 4133, 4140, 6644, 7041.
Moldova (riv., Roumanie), Vallée, 3091.
Mongolia, Mongols, 183, 676, 5946, 7461, 7556.
Montafon (Tal, Vorarlberg, Österreich), 7067.
Montauban (Tarn-et-Garonne, France), Imprimerie, 29.
Montbrison (Loire, France), Imprimerie, 29.
Montceau-les-Mines (Saône-et-Loire, France), 5815.
Monte Albán (Oaxaca, México), 7755.
Montecorvino (città sparsa, Foggia, Italia), 2859.
Montefusco (Campania, Italia), Confraternità di S. Maria, 3062.
Monténégro, v. Crna Gora.
Montmaurin (Haute-Garonne, France), Grotte de Coupe-Gorge, 1121.
Montpellier (Hérault, France), 2708, 2710, 4664. - Imprimerie, 29.
Montréal (Québec, Canada), 5915, 6141, 6303.
Mopsuestia (auj. Misis, Turquie), Bataille [c. 965], 2134.
Morava, Mähren (rég., Tchécoslovaquie), 196, 844, 1253, 3068, 3074, 4850, 4908, 5219, 5702, 7023.
Morea, Morée, v. Peloponnesos.
Morocco, v. Maroc.
Moselle (dépt., France), 76.
Moselle (riv., Europe occidentale), Bataille [1944], 7371.
Moskva, Moscou, 2364, 4244, 4256, 4778, 5480. - Bolshoi Theatre, 5427. - Pravda, 4922.
Mossi (peuple, Afr.), 658.
Mosul (Iraq), 7195.
Moulins (Allier, France), Imprimerie, 29.
Moundang (peuple, Afr.), 648.
Mozambique, v. Moçambique.
München (Bayern, BRD), 3298. - Antikensammlung, 306. - Hauptstaatsarchiv, 2277. - Kolloquium [1981], 10. - Konferenz [1938], 7343. - Maler, 5472. - Putsch [1923], 3219.
Münster (Nordrhein-Westf., BRD), 2279, 3230, 3241. - Täufer, 4609.
Muntenia (rég., Roumanie), 1752.
Murano (Venezia, Italia), 2461.
Murcia (España) 1949, 6134. - Reino, 6201.
Muslims, Musulmans, v. Islam.
Mykenai, Mycène (Grèce), 77, 983, 1530.
Mytilène, v. Mitylene.

N

Naga (people, India a. Burma), 710.
Nagykikinda, v. Kikinda.
Nagykőrös (Pest, Hongrie), 258.
Nagyszombat, v. Trnava (Tchécoslovaquie).
Namibia, 6848, 6874.
Nanking (Kiang-sou, Chine), 7678.
Nantes (Loire-Atlant., France), Colloque "Abélard" [1979], 227. - Comté, 4605. - Diocèse, 4432, 4464.
Nantucket (Mass., U.S.A.), 6100.
Napoli (Campania, Italia), 2462, 3983, 5490, 6052, 6654, 7055. - Bibl. Farnesina, 290. - Regno,

3097, 4009, 4013, 4507.
Narbonne (Aude, France), Imprimerie, 29.
Natchez (Miss., U.S.A.), District, 5929.
Navajo Indians (U.S.A.), 3590, 7736.
Navarra, Navarre (rég., France et Espagne), 2527, 2561.
Nederland, Pays-Bas, XV, 182, 280, 772, 936, 1439, 2707, 3187, 4081-4086, 4454, 4547, 4632, 4648, 5095, 5669, 5719, 6745, 6974, 7009, 7029, 7358. - P.-B. autrichiens, 4063.
Negroes, v. Noirs.
Nepal, 686, 7569.
Nérac (Lot-et-Garonne, France), Imprimerie, 29.
Nettleton (Wilts., England), 2007.
Neubrandenburg (DDR), Bezirk, 757.
Neuchâtel, Neuenburg (canton, Suisse), 2295. - Konflikt [1856-57], 7088.
Neuß (Nordrh.-Westf., BRD), Clemens-Sels-Museum, 306.
Nevada (state, U.S.A.), 3479, 3510.
Nevada City (Calif., U.S. A.), 6321.
New Amsterdam (Guyana), 4699.
New England, 4562, 4595, 4621, 4665, 4718, 5003, 5708, 6100, 6257, 6265, 6307, 6424, 6984.
Newfoundland (island, Canada), 4526, 5438, 5868, 6906.
New Guinea (island), 683, 693, 7379, 7766.
New Haven (Conn., U.S.A.), Yale Univ., 4871.
New Jersey (state, U.S.A.), 4614.
New Mexico (state, U.S.A.), 3535, 7736.
Newport (R. I., U.S.A.), 5873.
New South Wales (state,Australia), 3341, 4373, 4931, 6699.
New York (state, U.S.A.), 3511, 3519, 3540, 5073, 6723.
New York (N.Y., U.S.A.), 3481, 3498, 4896, 5170, 6191, 6241, 6276, 6577, 6958. - Italians, 4804. - Jews, 4677. - "The Masses", 4900.
New Zealand (islands, Pacific), 4334, 5598, 6999, 7764.
Nicaragua, 4073, 6972.
Nice (Alpes-Marit., France), 6116. - Comté, 653.
Niederösterreich (Land, Österreich), 5711, 5911.
Niedersachsen (Land, BRD), 1197, 3280, 4492.
Niederzier (Nordrh.- Westf., BRD), Röm. Glashütte, 1868.

Niger (république), 6864.
Nigeria, 4074, 4075, 6676, 6866, 6872, 6892, 7730.
Nikopol (Pleven, Bulgarie), Bataille [1396], 2501.
Nîmes (Gard, France), Imprimerie, 29.
Ninive (Mésopotamie), 1353.
Niort (Deux-Sèvres, France), Imprimerie, 29.
Nisibis (auj. Nusaybin, Turquie), 2086.
Nivernais (rég., France), 653.
Nördlingen, Bayern, BRD), Reformation, 4644.
Noire (mer), Black Sea,198, 7138. - B.S. area, 130. - Littoral ouest, 2469. - Northern B.S. area, 1190, 1277, 1531.
Noirs, Negroes, 4680, 5859, 5896. - N. d'Afrique, 6851, 6873. - N. d'Amérique, 3449, 3452, 3465, 3473, 3481, 3486, 3561, 3568, 4355, 4813, 4859, 5175, 5710, 6111, 6185, 6211, 6259, 6331, 6390, 6558. - N. du Brésil, 6981. - N. du Portugal, 929.
Nord (dépt., France), 6711, 7433.
Nordhausen (Erfurt, DDR), Propstei, 3053.
Nord-Pas-de-Calais (rég. admin., France), 3676. - Bibliothèques, 289.
Nordrhein-Westfalen (Land, BRD), 306.
Norfolk (Va., U.S.A.), 6951.
Nonantola (Emilia- Romagna, Italia), 8.
Noordbrabant, Brabant Septentrional (prov., Pays-Bas), 3102.
Norge (Norvège), XIV, 660, 928, 1212, 2555, 3019, 4076-4080, 4171, 4904, 5195, 5644, 5748, 5890, 7388.
Normandie (rég., France), 1014, 2391, 2424, 2429, 5247, 5747, 6176. - Basse-N., 5944. - Haute-N., 4410.
Normans, Normannen, 141, 2194, 2439, 3017.
Norrköping (Östergötland, Suède), 6529.
Norrland (distr., Sweden), 5806.
North Carolina (state, U. S. A.), 6944.
North Dakota (state, U.S. A.), 5933.
Northern Ireland, 3871.
Norvège, Norway, Norwegen, v. Norge.
Norwich (Norfolk, England), 2521.
Noto (Sicilia, Italia), 6155.
Nouvelle-Calédonie, 659.
Nouvelle-Guinée, v. New Guinea.
Nouvelle-Zélande, v. New Zealand.

Nova Scotia (prov., Canada), 3381, 6071.
Novgorod (Russie), 852, 1104, 2663, 2875.
Novi Velia (Campania, Italia), 3986.
Noyon (Oise, France), Cathédrale, 2226.
Nubia (reg., Africa), 1134, 1297, 1336, 1337.
Nuer (people, Africa), 6860.
Nürnberg (Bayern, BRD), 2534, 3319, 3327, 4581, 6197. - Maschinenfabrik, 5824. - Prozeß, 7252.
Nürtingen (Baden-Württemberg, BRD), 6187.
Nueva España, 6904.
Nuits-Saint-Georges (Côte-d'Or, France), Nécropole des Bolards, 1988.
Nyíregyháza (Szabolcs-Szatmár, Hongrie), 3919.
Nyírség (rég., Hongrie), 5705.

O

Oaxaca (estado, México), 4415, 5937, 6927.
Oberhausen (Nordrh.-Westf., BRD), 6139.
Oberösterreich (Land, Österreich), 6043.
Occident, 733, 745, 875, 965, 1000, 1063, 1064, 2438, 2593, 2612, 2823, 2896, 3008, 5393, 6778, 7492, 7530, 7541.
Occitanie (rég. linguist., France), 784, 2761.
Océanie, 280, 3115. - O. coloniale, 6998-7006. - O. précoloniale, 7760-7767.
Odessa (Ukraine, U.R.S.S.), 4764.
Österreich: Allg. hist. Bibliogr., III.- Allg. Werke,241, 521, 768-770, 783. - Vorgesch., 1163. - Mittelalter, 2401, 2499, 2956. - Polit. Gesch. d. Neuzeit, 3151, 3291, 3348-3366, 3987, 4005, 4110. - Bildungsgesch. d. Neuzeit, 4806, 5035, 5042, 5299, 5376, 5432. - Wi.- u. Sozialgesch. d. Neuzeit, 6382, 6510.- Rechtsgesch. d. Neuzeit, 6662, 6697, 6714. - Polit. Gesch. d. Neuzeit, 6804, 7029, 7048, 7075, 7099, 7107, 7136, 7253, 7256, 7343.
Österreich-Ungarn, 3348, 3365, 3366, 4149, 4770, 5914, 6761, 7132, 7164.
Ohio (state, U.S.A.), 3601, 5716.
Oklahoma (state, U.S.A.), 3569.
Olbia (anc. colonie grecque, Ukraine), 1250, 1496.
Oldenburg (Niedersachsen, BRD), 1153.

Oliwa, Oliva (heute Stadtteil von Danzig, Polen), Kloster, 3090.
Olomouc (Moravie, Tchécoslovaquie), 2260. - Staatl. Bibliothek, 299.
Olten (Solothurn, Schweiz), 6333.
Oltenia (rég., Roumanie), 4792, 6449.
Olympia (Grèce anc.), 1610.
Omaha Indians, 4627.
Oman (sultanate), 182, 7449.
Ontario (prov., Canada), 713, 3376, 4767, 4868, 5208, 5437.
Ontario (lake, N. America), 5071.
Orient, 1023, 1930, 2001, 2079, 2086, 2374, 3157, 4265, 4362, 5206, 5243, 7543, 7544. - O. antique, 1257-1419. - Extrême-O., 184, 712, 6760, 7418. - Moyen-O., 912, 1264, 1288, 1289, 7174, 7368, 7462. - Proche-O., 754, 1076, 1139, 1282, 1624, 1956, 4126, 6785, 7368.
Orkon (riv., Mongolie), Inscriptions, 1239.
Orléans (Loiret, France), Colloque Jeanne d'Arc [1979], 2482. - Univ., 6653.
Orontes (auj. al-'Āsī, fleuve, Proche-Orient), 1293.
Orthez (Pyrénées-Atlant., France), Imprimerie, 29.
Oseberg (Norvège), 1217.
Oslo, 5420.
Osmanisches Reich, v. Türkiye.
Osona (Cataluña, España), Ordenes militares, 2949.
Ostbottnien, v. Pohjanmaa.
Osterhoz (Niedersachsen, BRD), Kloster, 2307.
Ostfriesland (Landschaft, Ndsachs., BRD), 3251, 6649.
Ostia Antica (Lazio, Italia), 1854, 1855, 1857, 1969.
Ostpreußen, v. s.v. Preußen.
Ostrogožsk (Russie), 7387.
Ostrov (Böhmen, Tschechoslowakei), Kloster, 3096.
Ostsee, v. Baltique.
Oświęcim, Auschwitz (Pologne), Camp de concentration, 7309, 7315.
Oto Indians, 4627.
Otranto (Puglia, Italia), Terra d'O., 211.
Ottawa (Ont., Canada), 3384, 6774.
Ottoman (Empire), v. Türkiye.
Oubangui (riv., Afrique), 6884.
Oural, v. Ural.
Overijssel (prov., Pays-Bas), 4083.
Owens Valley (Calif., U.S. A.), 3514.

Oxford (England), 4835. - Ashmolean Museum, 1352. - Economists, 5601. - Region, 3073. - Univ., 49, 2917, 4860.

P

Pacifique (Océan), 652, 712, 723, 725, 3507, 4329, 5807, 7125, 7365, 7765.
Padova (Veneto, Italia), 819.
Pakistan, 223, 5709, 7537, 7565.
Palermo (Sicilia, Italia), Convegno stor. [1979], 4714.
Palestine (région, Proche-Orient), 199, 251, 1199, 1376, 1409, 2050, 2081, 2087, 2167, 2336, 2370, 2423, 4349, 4705, 7091, 7238, 7468, 7553, 7558, 7559.
Palma de Mallorca (Baleares, España), Congreso hist. [1973], 229.
Palmyra (auj. Tadmor, Syrie), 1845.
Pamiers (Ariège, France), Imprimerie, 29.
Pamir (massif, Asie centrale), 671.
Panamá (ciudad), 6940.
Panamá (canal), 4088.
Pannonia (prov. romaine), 1233, 1240, 1718, 1942.
Papua (New Guinea), 4357.
Paraguay, 7103.
Paris, 797, 926, 2392, 2395, 2607, 2630, 2648, 2752, 2878, 3634, 3654, 3668, 5508, 5515, 6626, 5720, 5773, 6105, 6346, 6352, 6355, 6372, 6391, 6430, 7232, 7292, 7429. - Archevêché, 4399. - Archives nat., 254-256, 269, 272, 281. - Bassin, 1113, 1158, 1213. - Biblioth. nat., 31, 32, 284, 286, 296, 300, 301. - Cabinets de lecture, 4746. - Colloque Philippe Auguste [1980], 237. - Commune [1871], 3739. - Diocèse, 4450. - Hôpitaux, 5109. - Imprimeurs-libraires, 44. - Louvre, 302, 303, 307, 316, 1363, 1663. - Musée de Cluny, 315. - Musée Guimet, 7630. - Notaires, 269. - Orfèvres, 2842, 2847. - Panthéon, 3639. - Parlement, 2207, 2526, 3692. - Place du Trône, 5441. - Pont Notre-Dame, 5431. - Presse, 4903. - Région, 4410. - Russian high school of soc. sci., 4878. - Schriftstellerkongreß [1935], 5290. - Soc. de Géogr., 4777. - Sorbonne, 2808. - Station scientif. polonaise, 4781. - Théâtre, 5559. - Théâ-

tre de l'Odéon, 5538. - Tour de Nesle, 6246.
Parthia (rég., Iran anc.), 175, 1728, 1918.
Pas-de-Calais (dépt., France), 3676, 7433.
Pau (Pyrénées-Atlantiques, France), Imprimerie, 29.
Pavia (Lombardia, Italia), 2376.
Pawnee Indians, 4627.
Pays-Bas, v. Nederland.
Pearl Harbor (Oahu, Hawaii), 7369.
Peloponnesos (péninsule, Grèce), 188.
Pennsylvania (state, U.S. A.), 6121, 6150.
Périgord (rég., France), 1184.
Périgueux (Dordogne, France), Imprimerie, 29.
Perpignan (Pyrénées-Orient. France), Congrès des Soc. savantes [1981], 949. - Diocèse, 3736. Imprimerie, 29.
Perse, Persia, v. Iran.
Persique (Golfe), 6794.
Perú, 651, 3112, 4087-4090, 4520, 5688, 5689, 5799, 5860, 6104, 6466, 6909, 6915, 6931, 6989, 6993, 7758.
Perugia (Umbria, Italia), Biblioteca Augusta, 42.
Pescia (Toscana, Italia), 2618.
Pest (ville), v. Budapest.
Pest (comitat, Hongrie), Archives, 258.
Petersburg, v. Leningrad.
Petőháza (Hongrie), Sucrerie, 5814.
Petrograd, v. Leningrad.
Peuls (peuple, Afrique), 658.
Pfalz (Landschaft, BRD), 3224. - Kur-Pf., 3263, 3291.
Philadelphia (Faiyum, Egypte anc.), 1330.
Philadelphia (Pa., U.S.A.), 5728, 5829, 6217, 6552. - Eastern State Penitentiary, 6413. - Warthon School, 4855.
Philippoi (Macédoine anc.), 1747.
Philippines, v. Filipinas.
Philistines (peuple), 1384.
Philopator (Egypte anc.), 1301.
Phoenicia, Phoenices (rég. et peuple, Proche-Orient anc.), 1390, 1394, 1398.
Phokaia (auj. Foças, Turquie), 103.
Phrygia (rég., Asie Mineure anc.), 1483.
Piazza Armerina (Sicilia, Italia, Filosofiana, 1947.
Picardie (rég., France), 1145.
Pictones (peuple de l'Antiquité), 1753.
Piemonte (reg., Italia), 4022, 6386, 6674.

Pilsen, v. Plzen.
Pisa (Toscana, Italia), Colloquio stor. [1980], 150. - Concilio [1409], 2764. - Congresso stor. [1980], 633. - Univ., 951.
Pittsburgh (Pa., U.S.A.), 6185.
Plantagenet (shire, W. Australia), 3343.
Plasenn-al-Lomm (île de Bréhat, Côtes-du-Nord, France), Site paléolith., 1130.
Plata (Río de la, América del Sur), 6993.
Plataia (Boiotia, Griechenland), Schlacht [479 v. Chr.], 1459.
Płock (Warszawa, Pologne), 2690, 4398. - Diocèse, 7270.
Plymouth (Mass., U.S.A.), 4670.
Plzen (Bohême, Tchécoslovaquie), 5831.
Pohjanmaa (rég., Finlande), 6421.
Poitiers (Vienne, France), Imprimerie, 29. - Eglise St.-Hilaire, 2828.
Poitou-Charentes (rég. admin., France), 108.
Pola, Colonia Iulia P.(auj. Pula, Croatie, Yougoslavie), 1985.
Polska, Pologne: Bibl. hist. gén., XVI. - Sci. auxil., 43, 50, 64, 88, 110, 124, 185, 204. - Ouvrages gén., 282, 301, 339, 347, 349, 356, 509, 672, 681, 734, 762, 829-834, 988, 1944, 1059. - Moyen Age, 2185, 2203, 2289, 2515, 2603, 2619, 2720, 2821, 2905, 3026. - Hist. polit. mod., 3108, 3262, 3366, 3609, 3634, 4091-4126. - Hist. relig. mod., 4388, 4691. - Hist. Culture intellect. mod., 4703, 4717, 4755, 4763, 4781, 4782, 4810, 4841, 4901, 4909-4911, 4914, 4915, 4927, 5054, 5964, 5134, 5139, 5154, 5252, 5382, 5499, 5504, 5552. - Hist. écon. soc. mod., 5659, 5690, 5961, 5964, 6053, 6152, 6185, 6284, 6292, 6298, 6358, 6362, 6396, 6407, 6438, 6444-6636 pass. - Hist. Droit mod., 6660, 6673, 6716, 6743, 6747. - Relat. internat. polit. mod., 6750, 6782, 6787, 7007-7435 pass., 7443, 7501. - Małopolska, Petite P., 3086. - Wielkopolska, Grande P., 2236, 2298.
Połtawa (Ukraine), Bataille [1709], 7051.
Polynésie (îles, Pacifique), 4364, 7760.
Pomorze, Pommern (rég.,

Pologne), 1222, 1242, 3076, 3095, 7374. - P. Gdańskie, 832.
Pompeii (Italia ant.), 1960, 1978, 1999.
Pondoland, v. Transkei.
Pons (Charente-Maritime, France), Imprimerie, 29.
Pontus (royaume, Asie Mineure anc.), 2141.
Portland (Oreg., U.S.A.), 6133, 6417.
Porto Badisco (Liguria, Italia), 1117.
Port Pignot (site préhist., Manche, France), 1124.
Port-Royal (anc. abbaye, Yvelines, France), 4405.
Portugal, 929, 1013, 2533, 2672, 2684, 2686, 2687, 4127, 4334, 4337, 4512, 5645, 6056, 6619, 6816, 6833, 7413, 7716.
Potosí (Bolivia), 5839.
Potsdam (DDR), Abkommen [1945], 7328.
Poznań (Pologne), 6420, 7366. - Colloque [1980], 6779. - Colloque francopolonais [1981], 4720. - Soc. des Amis des Sci., 4784.
Pozo Moro (España), 1205.
Praeneste (Italia ant.), 1921.
Praha, Prague, 6349. - Musée, 2869.- Spring [1968], 4185. - Technical Univ., 4832.
Prémontré (Aisne, France), Ordre, 4508.
Preußen, Prusse, 143, 365, 392, 748, 762, 3015, 3181-3329 pass., 5074, 5699, 5752, 5895, 5914, 6070, 6635, 6649, 6704, 6782, 7088, 7098, 7105, 7136. - Ost-P., 4117, 4925, 7284.
Princeton (N.J., U.S.A.), Univ., 4871.
Principautés Danubiennes, P. Roumaines, 6746.- Cf. Moldova, Țara Românească
Provence (rég., France), 2604, 2741, 2744, 2961, 3658, 3756, 4421, 5127, 6213.
Providence (R.I., U.S.A.), 3465. - Diocese, 4447.
Prüm (Rheinl.-Pfalz, BRD), Prümer Land, 203.
Prusse, Prussia, v. Preußen.
Przemyśl (Rzeszow, Pologne), 4536.- Sièges [1914-1915], 7235.
Pueblo Indians, 3594.
Puglia, Apulia (reg., Italia), 1651, 1982, 2004.
Punici, v. Carthago.
Punjab (state, India), 6842, 7571.
Puy (Le, Haute-Loire, France), Imprimerie, 29.
Puylaurens (Tarn, France), Imprimerie, 29.
Pyrénées-Orientales (dépt., France), 3666.

Q

Qaryat al-Fau (site, Saudi Arabia), 7548.
Qasr Ibrim (Egypte), 1327.
Quanzhou (Fujian, Chine), 7641.
Québec (ville et prov., Canada, 373, 1008, 4514, 4831, 4887, 5221, 5222, 5553, 5675, 6095, 6101, 6221, 6245, 6266, 6419.
Quedlinburg (Halle, DDR), 2939.
Queensland (state, Australia), 6385, 7003.
Quito (Ecuador), 4511.

R

Radburn (N.J., U.S.A.), 6146.
Raetia (prov. romaine), 1989. - R. Prima, 132.
Rapallo (Liguria, Italia), 1672. - Vertrag [1926], 7243.
Ratnagiri (Maharashtra, India), 7570.
Ravenna (Emilia-Romagna, Italia), 1956.
Ravensburg (Baden-Württ., BRD), 5667.
Regensburg (Bayern, BRD), 2436.
Regiomontum, v. Kaliningrad (Russie).
Reichenau (Insel, Baden-Württ., BRD), Kloster, 2244.
Reims (Marne, France), 2213, 3672. - Cathédrale, 2845, 2855. - Diocèse, 4455.
Reisenburg (Bayern, BRD), Tagung [1980], 246.
Réole (La, Gironde, France), Imprimerie, 29.
Rhaetia, v. Raetia.
Rhäzüns (ehem. Herrschaft, Graubünden, Schweiz), 6652.
Rhein, Rhin (Fluß), 283, 1084, 3320, 4873, 4930, 5740, 7172. - Oberrheingebiet, 2715, 6014. - Niederrhein, 530, 1255.
Rheinland, Rhénanie (Landschaft, BRD), 3274, 4592, 6032, 7241.
Rheinland-Westfalen Land, BRD), 1146, 6578.
Rhénanie, v. Rheinland.
Rhin (fleuve), v. Rhein.
Rhode Island (state, U.S. A.), 4447, 6936.
Rhodesia, v. Zimbabwe.
Rhodos (île, Grèce), Chevaliers, 2501.
Rhône-Alpes (rég. admin., France), Imprimerie, 29.
Rif (massif, Maroc), 6846.
Rijeka, Fiume (Croatie, Yougoslavie), 5755.
Rio de Janeiro, 6313.
Riom (Puy-de-Dôme, France), 4465. - Imprimerie, 29.

Rochefort-sur-Mer (Charente-Marit., France), Imprimerie, 29. - Intendance, 6322.
Rochelle (La, Charente-Marit., France), 5642. - Imprimerie, 29.
Rocky Mountains (N. America), 3521.
Rodenegg (Tirol, Österreich) Iwein-Fresken, 2856.
Rodez (Aveyron, France), Imprimerie, 29.
Roma, 2044, 2058, 2102, 2376, 2931, 3984, 4018, 4737, 5397, 5663, 7042. - Ara Coeli, 224. - Biblioteca naz., 2863. - Crypta Balbi, 1983. - Domus aurea, 1994. - Ecole franç., 361. - Juifs, 2095. -Mestieri, 5783. - Storici, 359. - Imperium romanum, I, 119-121, 129, 132, 135, 137, 138, 190, 214, 221, 311, 376, 531, 534, 555, 746, 747, 1425, 1427, 1433, 1647-2009, 2051, 2081, 2138, 2148, 2305, 7554, 7580. - Gianicolo.
Romagna (reg. stor., Italia), 3994.
Romania, Romanie (rég., Empire byzant.), 2152.
România, Roumanie: Bibl. hist. gén., XVII. - Sci. auxil., 16, 30, 51, 63, 151, 155, 176. - Ouvrages gén., 249, 324, 409, 429, 458, 470, 475, 476, 510, 705, 835-838, 971, 977, 979. - Préhist., 1151, 1167, 1202, 1225. - Moyen Age, 2434, 2438. - Hist. polit. mod., 4003, 4128-4157. - Hist. relig. mod., 4544, 4545. - Hist. Culture intellect. mod., 4715, 4717, 4770, 4886, 5207, 5319, 5489, 5527, 5584. - Hist. écon. soc. mod., 5681, 5724, 5918, 5925, 5958, 6033, 6449. - Relat. internat. mod., 6775, 6902, 6853, 7038, 7101-7250 pass., 7285, 7452, 7480, 7504, 7508.
Romans-sur-Isère (Drôme, France), Imprimerie, 29.
Rossija, Russie: Sci.auxil., 35, 37, 91, 92, 139, 158, 184, 202. - Ouvrages gén., 335, 348, 446, 655, 663, 698, 708, 751, 849, 878, 968, 1062. - Moyen Age, 2234, 2332, 2345, 2356, 2406, 2506, 2516, 2667, 2718, 2723, 2737, 2759, 2798, 2838, 2883, 3051, 3071, 3088. - Hist. polit. mod., 3164, 3797, 4055, 4106, 4203, 4208-4318 pass. - Hist. relig. mod., 4537-4540, 4543. - Hist. Culture intellect. mod., 4722, 4747, 4761, 4823, 4828, 4878, 4885, 4898, 5020, 5169, 5214, 5216, 5220, 5263, 5301, 5331, 5342, 5350, 5372, 5373, 5407, 5424, 5493, 5536, 5541, 5542, 5592. - Hist. écon. soc. mod., 5660, 5685, 5691, 5741, 5774, 5866, 5867, 5882, 5899, 5959, 5965, 6001, 6024, 6117, 6118, 6138, 6143, 6224, 6263, 6268, 6379, 6403, 6444-6636 pass. - Hist. Droit mod., 6680-6718 pass., 6725. - Relat. internat. mod., 6759, 6771, 6999, 7010, 7032, 7036, 7057-7250 pass., 7261, 7383, 7415.
Rossoš' (Russie), 7387.
Rostock (DDR), Bezirk, 757. - Univ., 6730.
Rouen (Seine-Marit., France), 6202.
Rouffignac (grotte, Dordogne, France), 1116.
Rougga (Tunisie), 134.
Ruhrgebiet (Nordrh.-Westf., BRD), 5743, 5756, 5854, 6139, 6364, 6498, 7172.
Rumilly (Haute-Savoie,France), Imprimerie, 29.
Ruthènes (peuple), 3925, 7139.

S

Saale (Fluß, BRD u. DDR), Mittleres S.-Gebiet, 1160.
Saami, Lapps (people), 5664.
Saar (Fluß), v. Sarre.
Sachsen (german. Volk), 1995, 2373, 2388. - Cf. Anglo-Saxons.
Sachsen (Landschaft, DDR), 468, 4569, 5749, 6296. - S.-Anhalt, 759. - Kur-S., 4503.
Sahara (désert, Afrique), 1101, 2645, 7732.
Sahul (reg., Indonesia), 7766.
Saint Albans (Herts., England), 2303.
Saint Augustine (Fla., U.S. A.), 5434.
Saint-Blaise (site, Bouches-du-Rhône, France), 1654.
Saint-Chamond (Loire, France), 6169.
Saint-Cloud (Hauts-de-Seine, France), Ecole normale sup., 4833, 4865.
Saint-Denis (Seine-Saint-Denis, France), 2309.
Saint-Domingue, v. Dominicana (República).
Saint-Etienne (Loire, France), 3672.
Saint-Flour (Cantal, France), 2597. - Imprimerie, 29.
Saint-Gaudens (Haute-Garonne, France), Eglise, 2833.
Saint-Gobain (Aisne, France), 5732.
Saint-Jean-d'Angély (Charente-Marit., France), Imprimerie, 29.
Saint John (N.B., Canada), Theatre, 5582.
Saint John River (N. B., Canada), 5071.
Saint-Maixent (Gironde, France), Imprimerie, 29.
Saint-Malo (Ille-et-Vilaine, France), 5884.
Saint Pantéléimon (monastère, Mont Athos, Grèce), 2113.
Saint-Siège, v. Vaticano.
Saint-Vougay (Finistère, France), Missel, 2197.
Sainte-Foy-la-Grande (Gironde, France), Imprimerie, 29.
Saintes (Charente-Marit., France), Imprimerie, 29.
Sakhalin (île, U.R.S.S.), 4215.
Salamanca (España), Prov., 2214.
Salem (Mass., U. S. A.), 4670.
Salento (reg. stor., Puglia, Italia), 142.
Salisbury (Wilts., England), 3011.
Salon-de-Provence (Bouches-du-Rhône, France), 2712.
Salzburg (Stadt u. Land, Österreich), 768, 2950, 4484, 6149. - Röm. Mosaiken, 1972. - St. Peter, 53, 2955.
Samos (île, Grèce), 1488, 1507.
San Clemente a Casauria (monastero presso di Torre de' Passeri, Abruzzi, Italia), 215.
San Francisco (Calif., U. S.A.), 5760, 6102, 6133. - General strike [1934], 3508.
San José Acolman (hacienda jesuita, México), 4517.
San Pedro Amuzgos (Oaxaca, México), 5937.
San Vincenzo al Volturo (Molise, Italia), Abbazia, 2947.
Sanaa (Rép. du Yémen), 7550.
Sanislău (bei Carei, Rumänien), Gräberfeld, 1221.
Sankt Gallen (Schweiz), 5794. - Elfenbeine, 2860.
Santa Fe (N. Mex.,U.S.A.), 4783.
Santa Marta (Colombia), 6969.
Santa Sede, v. Vaticano.
São Paulo (Etat, Brésil), 7757.
Saône (riv., France), Vallée, 1955.
Sarawak (state, Malaysia), 7625.
Sardegna (isola, Italia), 1143, 1193, 1649, 3991.
Sarnyere Dogon (rég., Mali), 7224.
Sarlat-la-Canéda (Dordogne, France), Imprimerie, 29.

Sarmatae, Sarmates (peuple de l'Antiquité), 1240, 1249.
Sarre, Saar (riv., France et R.F.A.), 6555. - Département, 6032.
Sary-Satak (Sibérie, U.R.S.S.), Pétroglyphes, 1106.
Saskatoon (Sask., Canada), 6120.
Saudi Arabia, Arabie Saoudite, 7492, 7548, 7561.
Saumur (Maine-et-Loire, France), Imprimerie, 29.
Saverne (Bas-Rhin, France), Incident [1913], 3304.
Savigliano (Piemonte, Italia), 4020.
Savoie (rég. et dépt., France), 2617, 7092, 7110. - Sénat, 6661.
Scandinavia, 901, 2559, 2825, 3018, 7021, 7522.
Scapa Flow (channel, Orkney Is., Scotland), 7245.
Schirmenitz (Kr. Oschatz, DDR), 3099.
Schlesien, v. Śląsk.
Schleswig-Holstein (Land, BRD), 1197, 3295, 6278.
Schwaben (Landschaft, BRD), 246.
Schwarzes Meer, v. Noire (mer),
Schweiz, Suisse: Allg. hist. Bibl., XVIII. - Allg. Werke, 839-842, 1028. - Polit. Gesch. d. Neuzeit, 3881, 4173-4182. - Religionsgesch. d. Neuzeit, 4522, 4616, 4633. - Bildungsgesch. d. Neuzeit, 5589. - Wi.- u. Sozialgesch. d. Neuzeit, 5635, 5676, 5694, 5847, 5862, 5870, 6006, 6081, 6196. - Rechtsgesch. d. Neuzeit, 6697, 6714. - Internat. Beziehungen d. Neuzeit, 6756, 6804, 7017, 7054, 7088, 7108, 7154, 7171, 7224, 7268, 7323, 7324.
Schwerin (DDR), Bezirk, 757.
Scotland, Ecosse, 208, 799, 802, 1107, 1207, 2247, 2291, 2313, 2325, 2437, 2484, 3810, 3860, 3863, 4573, 4575, 4582, 6859.
Scythae, Scythia, 1245, 1250, 1270, 1471.
Seine (anc. dépt., France), 6371.
Sémites (peuples), 9, 1371-1409. - Cf. Juifs.
Sénégal (Rép.), 717, 6855.
Senones, Sénons (peuple de l'Antiquité), 1650.
Sens (Yonne, France), Cathédrale, 2846.
Sephardim, Juifs S., 4674, 4698. - Cf. Juifs.
Serbie, v. Srbija.
Sevilla (España), 1949.
Sèvres (Hauts-de-Seine, France), Musée de céramique, 304.
Sewu (temple, Java), 7614.

Sheepeater Indians (Wyo., U.S.A.), 4686.
Sheffield (Yorks., England), 6397.
Shona (people, Africa), 7716.
Shqipria, Albanie, 3179, 7460, 7470.
Sibir', Sibérie (rég., U.R.S.S.), 35, 206, 4106, 4307, 5216, 5772, 5779, 5848, 6140.
Sibiu (Roumanie), 2837. - Banque "Albina", 6033.
Sicilia (isola, Italia), 498, 820, 1481, 1648, 1713, 1756, 2008, 2194, 2415, 2584, 2700, 5822, 6155, 6244, 6426.
Siebenbürger, v. Transilvania.
Sikhs (people, India), 7571, 7575.
Sikyon (Péloponnèse, Grèce), 1557.
Silésie, v. Śląsk (Pologne), Slezsko (Tchécoslovaquie)
Šimaški (anc. kingdom, Iran), 1419.
Simon's ground (Dorset, England), Cemeteries, 1204.
Simontornya (Tolna, Hongrie), Sandjak, 3911.
Simplon Paß (Schweiz), Tunnel, 5714.
Sinaï (péninsule et mont, Egypte), 13, 2162.
Sinaloa (estado, México), 4072.
Sind (region, Pakistan), 7588.
Singapore, 7372, 7613.
Sioux Indians (U.S.A.), 3520.
Siracusa, Syracuse (Sicilia, Italia), 1511, 1558.
Sistan (rég., Afghanistan et Iran), 2853.
Skåne (prov., Suède), 388.
Śląsk, Schlesien, Silésie (rég., Pologne), 19, 124, 829, 2446, 2626, 2736, 2844, 3086, 4342, 4830, 6565, 6808, 7107, 7177, 7426. - Dolny Ś., Basse-S., 5968. - Górny Ś., Haute-S., 4107, 5950, 6159.
Slaves (peuples), 155, 1234, 1235, 1408, 2248, 2348, 2560, 3051, 3087, 3089, 3099, 3144, 3159, 4704, 4752, 7062. - S. de l'Est, 1074, 2345, 2349.
Slavonija, Slavonie (rég., Yougoslavie), 668.
Slemmedal (Norway), Hoard, 1209.
Slezsko, Silésie (rég., Tchécoslovaquie), 196, 844, 4908.
Slovensko, Slovaquie (rég., Tchécoslovaquie), 245, 558, 2300, 3169, 3916, 3949, 4190, 4196, 4000, 4201, 4872, 5989, 6623, 7191, 7287, 7432.

Småland (rég., Suède),4169.
Smyrna, v. Izmir.
Sobat (riv., Africa), Valley, 6860.
Société (Îles de la, Polynésie franç.), 7763.
Soleto (Puglia, Italia), S. Stefano, 211.
Solothurn, Soleure (ville et canton, Suisse), 4, 2512, 4176.
Somalia, 7719.
Someşul Mare, Grand Someş (riv., Roumanie), 3091.
Soninké (peuple, Afrique), 717.
Sonnenburg (Frankfurt a. d. Oder, DDR), KZ, 7293.
Sonora (estado, México), 4072.
Sonrhaï (peuple, Mali), 7722.
Sopron (Györ-Sopron, Hongrie), 6262.
Sorèze (Tarn, France), 4341.
South Africa (Rep.), 3121, 3177, 3178, 5655, 6080, 6792, 6871, 6894, 7478.
South Carolina (state, U.S.A.), 3450, 4567, 5922.
South Dakota (state, U.S.A.), 5933.
Spalato, v. Split.
Sparta (Grèce), 1455, 1474, 1475, 1491, 1494.
Speyer (Rheinland-Pfalz, BRD), 767. - Hochstift, 2180.
Split, Spalato (Croatie,Yougoslavie), 3061.
Spree (Fluß), S.-Havel-Gebiet, 1189.
Srbija, Serbie (rép., Yougoslavie), 2112, 2136, 2154, 2511, 4321, 4323, 6775.
Sri Lanka, Ceylon, 4685, 5048, 6365.
S.S.S.R. (Sojuz Sovetskikh Socialističeskikh Respublik) : Ouvrages gén., 264, 282, 320, 338, 341, 391, 402, 432, 539, 545, 847-854, 981. - Préhist., 1074, 1232. - Antiquité, 1273. - Hist. Eglise anc., 2049. - Hist. byzantine, 2131. - Moyen Age, 2340. - Hist. polit. mod., 3123, 3913, 4208-4318. - Hist. relig. mod., 4477.- Hist. Culture intellect. mod., 4748, 4762, 4776, 4836, 4877, 4891, 4922, 5046, 5156, 5216, 5427, 5473, 5483, 5503, 5543. - Hist. écon. soc. mod., 5633, 5771, 5872, 6012, 6274, 6392, 6416, 6482, 6540, 6557, 6624. - Relat. internat. mod., 6750-6804 pass., 7149-7537 pass. - Hist. Asie, 7557.
Stans (Nidwalden, Schweiz), Verkommnis [1481], 2473, 2512.
Stato ecclesiastico, 4041.
Steiermark (Land, (Österr.), 770, 2853, 6427.

Stockholm, 4874, 6458.
Stralsund (DDR), Liber memorialis, 2299.
Strasbourg (Bas-Rhin, France), 792, 2286, 4711, 5436. - Diocèse, 1022, 4417. - Fac. de Théol. cath., 4818. - Imprimerie, 28.-Librairie acad., 4963. - Réforme, 4610. - Soc. des Philanthropes, 4946.
Stutthof (auj. Sztutowa, Pologne), Camp de concentration, 7315.
Styria, Styrie,v.Steiermark.
Sudan (Rep. of the), 1170, 1324, 1337, 4854, 5916.
Sudetendeutsche, 7236.
Suède, v. Sverige.
Suhl (DDR), Bezirk, 760.
Suisse, v. Schweiz.
Sulmona (Abruzzi, Italia), 2733.
Sumer (Mésopotamie), 1361.
Sundsvall (Västernorrland, Suède), District, 5730.
Suomi, Finlande: Bibl. hist. gén., VII. - Sci. auxil., 93, 209. - Ouvrages gén., 709, 972. - Préhist., 1218. - Moyen Age, 2234, 2724. - Hist. polit. mod., 3141, 3603-3608, 4051. - Hist. relig. mod., 4638.- Hist. Culture intellect. mod., 4821, 4851, 4918, 4920, 5204. - Hist. écon. soc. mod., 5650, 6124, 6302, 6360, 6421. - Relat. internat. mod., 7131, 7145, 7209.
Surrey (co., England),6719.
Sussex (co., England),1141.
Sutri (Lazio, Italia), Synode [1046], 2181.
Sverige, Suède: Ouvrages gén., 252, 381, 387. - Moyen Age, 2786. - Hist. polit. mod., 4158-4172. - Hist. relig. mod., 4582, 4611, 4637. - Hist. Culture intellect. mod.,4700, 4757, 4842, 4921, 4933, 5306, 5447. - Hist. écon. soc. mod., 5707, 5718, 5788, 5827, 5834, 5874, 6050, 6109, 6128, 6183, 6317, 6552. - Hist. Droit mod., 6659. - Relat. internat. mod., 7020, 7327, 7438, 7473.
Swan River (W. Australia), 6998. - Colony, 4618.
Sydney (N.S.W., Australia), 5881.
Syracuse (N.Y., U.S.A.), 6495.
Syracuse (Sicilia), v. Siracusa.
Syria, Syrie, 749, 1293, 1409, 1722, 1940, 2140, 4362, 7227.
Syrtes (golfes, Afrique du Nord), 7411.
Szalafő (Vas, Hongrie), 5494.
Szeged (Hongrie), 810, 3948.
Szeklers (peuple,Roumanie), 838, 3955, 6272.
Szendrő (Borsod-Abaúj-Zemplén, Hongrie), 6009.
Szigetvár (Baranya, Hongrie), 3898.
Szőreg (Csongrad, Ungarn), Schlacht von Újszeged-Sz. [1849], 3948.

T

Tábor (Bohême, Tchécoslovaquie), 3100.
Tahiti (île, Polynésie française), 7005.
Taiwan, Formose (île, Chine), 685.
Talence (Gironde, France), Colloque [1980], 752.
Tamási (Tolna, Hongrie), 2726.
Tamilnadu (state, India), 7568.
Tannenberg (heute Stębark, Polen), Schlacht [1410], 2206.
Tanzania, 4183, 5629.
Ţara Românească, Valachie (rég., Roumanie), 260, 2458, 4140, 4151, 4154, 5487, 5942, 6644.
Taranto (Puglia, Italia), 1935.
Tarn-et-Garonne (dépt., France), 2196, 4883.
Tarquinia (Lazio, Italia), 1655, 1662.
Tarsus (Turquie), Bataille [965], 2134.
Tartu (Estonie, U.R.S.S.), Univ., 4814.
Tautavel (Pyrénées-Orient., France), Homme fossil, 1087.
Tchad (Rép.), 648, 6847.
Telde (España), 6314.
Teleorman (dépt., Roumanie), 4128.
Tell Al-Hiba (Iraq), 1357.
Tell Dēr 'Allā (Jordanie), 1374.
Tell el-Dab'a (Palestine), 1409.
Tell Fekherye (Mésopotamie), 1343.
Tell Jerishe (Israel), 1188.
Tell Oweissat (Mesopotamia) 1350.
Tennessee (state, U.S.A.), 3451, 3462, 4859.
Terek (fleuve, U.R.S.S.), 2486.
Terracina (Lazio, Italia),3.
Terre-Neuve, v. Newfoundland.
Teso (people, Africa), 6898.
Tessin v. Ticino.
Texas (state, U.S.A.), 3547, 6198, 6344, 7085.
Thailand, 7615, 7516.
Thasos (île, Grèce), 1513.
Thebai, Thèbes (Egypte anc.), 159.
Thebai, Thèbes (Grèce) 1461, 1466, 1640.
Theotokos Evergetis (anc.
monastère près d'Istanbul), 2117.
Thessaloniki (Grèce), 7219.
Thoissey (Ain, France), Imprimerie, 29.
Thonon-les-Bains (Haute-Savoie, France), Imprimerie, 29.
Thorn, v. Toruń (Pologne).
Thouars (Deux-Sèvres, France), Imprimerie, 29.
Thrake, Thrakes, Thracia, Thraces (pays, peuple), 1674, 2138.
Thüringen (Landschaft, DDR) 760, 764, 6296.
Thurgau (Kanton, Schweiz), 4518.
Tibet (rég. auton., Chine), 7542, 7545, 7554, 7670.
Ticino (cantone, Svizzera), 5649.
Tihany (Veszprém, Hongrie), Abbaye, 2995. - Colloque franco-hongrois [1977], 607. - Recensement [1211], 2215, 2302.
Tilkiburnu (prehist. site, Turkey), 1172.
Timor (île, Indonésie),7608.
Tîrgovişte (Roumanie), 4157.
Tirol (Land, Österreich), 906, 2450, 2856, 2926, 5738.
Tirreno (mare, Mediterraneo), Isole, 1647.
Tisa, Tisza (riv., Europe centrale), 5934.
Tivoli (Lazio, Italia), 2623.
Tlaxcala (estado, México), 5612.
Tobago, v. Trinidad and Tobago.
Tobruk (Libya), 7404.
Toggenburg (Tal, St. Gallen, Schweiz), 2592.
Tola (riv., Mongolie), Inscriptions, 1239.
Toledo (España), 1949.
Tonga (archip., Pacific), 7761.
Tongking (rég., Vietnam), Delta, 7620.
Toniná (Chiapas, México), 7738.
Topeka (Kansas, U.S.A.), 6211.
Torino (Piemonte, Italia), 6674. - Castello, 2861. - Sudario, 2991.
Tornio (Lappi, Finland), 5778.
Toronto (Ont., Canada), 6633. - Royal Ontario Museum, 1352.
Toruń, Thorn (Pologne), 748, 7078.
Toscana (reg., Italia), 275, 2370, 2655, 2696, 2704, 4021, 7140.
Toscanos (phöniz. Kolonie, Spanien), 1390.
Touaregs (peuple, Afrique), 666.
Touen-Houang, v. Dunhuang.
Touho (Nouvelle-Calédonie), 659.
Toulouse (Haute-Garonne,

France), 2196, 6199. - Daurade, 2849. - Fac. des Lettres, 4798. - Région, 5701. - Trésor monétaire, 112.
Tournon (Ardèche, France), Imprimerie, 29.
Tours (Indre-et-Loire, France) Colloque [1979] 6359. - Colloque [1980], 915. - Evêques, 3046.
Transilvania, Siebenbürgen (rég., Roumanie), 1727, 3915, 3935, 4129, 4917, 5942, 6033, 6709, 7016, 7127, 7348.
Transkei, Pondoland, 5594.
Travčice (Bohême, Tchécoslovaquie), 6075.
Trent (riv., England), Basin, 1115.
Trento (Trentino-Alto-Adige, Italia), Colloquio [1980], 2405. - Concilio, 4445, 4482, 5588.
Trévoux (Ain, France), Imprimerie, 29.
Trier (Rheinl.-Pfalz, BRD), 1084, 2871, 3021, 7058. - Synode [927], 2267.
Trieste (Friuli-Venezia Giulia, Italia), 2249, 5713.
Trinidad and Tobago (Rep., Caribbean), 6586.
Tripolitania (rég., Libye), 7095.
Trnava (Slovaquie, Tchécoslovaquie), 4726.
Troia (Asie Mineure anc.), 1536, 1549, 1643.
Troms (co., Norway), 660.
Troyes (Aube, France), Imprimerie, 29.
Tsou (Volk, Taiwan), 685.
Tucson (Ariz., U.S.A.), 3578.
Türkiye, Turquie: Sci. aux. 32, 144, 217. - Ouvrages gén., 357, 676, 733, 846. - Préhist., 1148. - Moyen Age, 2443, 2451, 2454, 2474, 2548. - Hist. polit. mod., 3898, 3958, 4203-4207. - Hist. Culture intellect. mod., 5421.-Hist. écon. soc. mod., 5665, 6170. - Hist. Droit mod., 6746. — Relat. internat. mod., 7016, 7019, 7034, 7068, 7102, 7137, 7149-7250 pass., 7323. - Hist. Asie, 7547. - Hist. Afrique, 7733.
Tulle (Corrèze, France), Imprimerie, 29.
Tulsa (Okla., U.S.A.), Race riot [1921], 3480.
Tunis, Grande Mosquée, 1961.
Tunisie, 134, 5271, 6869, 7050.
Ṭūr ʿAbdīn (Turquie), 989.
Turin, v. Torino.
Tuscia, v. Etruria.
Tuvalu Islands (Pacific), 7760.
Tyrsanoi, Tyrsener (Volk d. Antike, Ägäis), 1659.

U

Uclés (España), 2598.
Ucureña (Bolivia), 3368.
Uherské Hradiště (Moravie, Tchécoslovaquie), 196.
Uherský Brod (Moravie, Tchécoslovaquie), 196.
Újszeged (Ungarn), Schlacht von Ú.-Sőreg[1849], 3948.
Ukraine (rép., U.R.S.S.), 751, 850, 851, 1180, 4257, 4281, 4284, 4305, 4311, 6152, 6297, 7041, 7420.
Ulster (region, Ireland), 2368, 3967, 4352.
Umm Jidr (Bahrein), 1150.
United Arab Emirates, 5810.
United Kingdom, v. Great Britain.
Unterengadin (Landschaft, Graubünden, Schwweiz), 879.
Uppsala (Suède), 4874.
Ur (Mésopotamie) 1345, 1348.
Ural (monts, U.R.S.S.), 1233, 5779.
Urartu (ancient kingdom, Asia), 302.
Urbino (Marche, Italia), Congresso stor. [1979], 3995.
Urseren (Tal, Uri, Schweiz), 6162.
Uruguay, 7103.
U.S.A. (United States of America): Auxil. Sci., 70, 141, 200. Gen. Works, 244, 248, 253, 259, 273, 329, 334, 375, 380, 383, 411, 495, 529, 547, 595, 602, 629, 631, 872.- Mod. polit. Hist., 3121, 3127, 3248, 3426.-3602, 3611. - Mod. relig. Hist., 4339-4366 pass., 4367, 4371, 4453, 4463, 4467, 4547-4681 pass. - Hist. mod. Culture, 4700-4882 pass., 4983, 5061-5203 pass., 5299-5592 pass. - Mod. econ. a. soc. Hist., 5593-6443 pass., 6465, 6491, 6497, 6506, 6511, 6524, 6549, 6596. - Mod. legal Hist., 6637-6679 pass. - Mod. internat. Relations, 6750-6804 passim, 6820, 6838, 7069, 7100, 7114, 7136, 7149-7537 pass.
Uster (Zürich, Schweiz), 6474.
Ustjužna (Russie), 847.
Utah (state, U.S.A), 4797.
Utique (Tunisie), 1755.
Utsch (Tal, Steiermark, Österreich), Kreuzigungsfresko, 2853.

V

Vadstena (Östergötland, Schweden), Kloster, 83.
Växjö (Kronoberg, Sweden), Diocese, 2984.
Váh, Waag (Fluß, Tschechoslowakei), 3897.

Vaison-la-Romaine (Vaucluse, France), Abri Eden-Roc, 1132.
Valachie, v. Ṭara Românească.
Valence (Drôme, France), Imprimerie, 29.
Valenciennes(Nord, France), 793. - Incunables, 289.
Valle del Cauca (dept., Colombia), 5956.
Valva (Campania, Italia), 2733.
Vancouver (B.C., Canada), 6096.
Var (dépt., France), 5994.
Varangians (anc. people), 2356.
Varsovie, v. Warszawa.
Vaticano (Città del), 309, 1020, 4375-4388, 4489, 7101, 7115. - Archivio, 2278. - Biblioteca, 294. - Concilio I, 4381.
Vaud (canton, Suisse),6093, 6339.
Veléz (Río, España), 1390.
Vendée (rég., France), 3648, 3721, 6587.
Venès (Tarn, France), Imprimerie, 29.
Veneti, Vénètes (peuple de la Gaule), 1738, 1954.
Venezia (Italia), 42, 50, 66, 823, 827, 2152, 2160, 2245, 2280, 2488, 2730, 4026, 4542, 5889, 5898, 6380, 7033, 7053, 7128. - Dogado, 818. - Ghetto, 4683. - Mudae, 2670. - Murano, 2461. - Republica, 889, 3999, 4023, 5197.
Venezuela, 4319, 4319a, 6783.
Verdun (Meuse, France), 794. - Cathédrale, 2858.
Vermont (state, U.S.A.), 3474, 4643.
Versailles (Yvelines, France), 3709, 6207. - Paix [1919], 6749, 7242.
Vesuvio (vulcano, Sicilia, Italia), 1998.
Vichy (Allier, France),Gouvernement, 3686.
Vienne (Isère, France), 1749. - Imprimerie, 29.
Vietnam, 6584, 6832, 7444, 7484, 7619, 7620, 7622. - Guerre, 5311, 5387, 7502.
Vijayanagar (anc. empire, India), 7599.
Vikings, 101, 2555 - 2560, 2669.
Villefranche-de-Rouergue (Aveyron, France), Imprimerie, 29.
Villefranche-sur-Saône (Rhône, France), Imprimerie, 29.
Vil'nius, Wilno (Lituanie, U.R.S.S.), 4111. - Univ., 4870.
Virginia (state, U.S.A.), 3458, 3487, 3516, 3583, 5442, 5954, 6000, 6273, 6387, 6634, 6742, 6951,

6955.
Visigothi, Westgoten (german. Volk), 1819, 2090, 2385.
Vladivostok (Primorskij Kraj, U.R.S.S.), 7176.
Vlaanderen, v. Flandre.
Volga (fleuve, U.R.S.S.), 4264.
Volkhov (riv., U.R.S.S.), Front, 7402.
Vollmarshausen (Kr. Kassel, Hessen, BRD), Gräberfeld, 1181.
Vologda (Russie), 847.
Vorarlberg (Land, Österr.), 4589.
Vorderösterreich (ehem. Territ.), 783.
Voronež (Russie), Front [1943], 7387.
Vyšší Brod, Hohenfurth (Böhmen, Tschechoslowakei), 2866.

W

Waag (Fluß), v. Váh.
Wadi el-Sheikh (Egypte), 1338.
Wales (principality, Great Britain), 95, 807, 2329, 2867, 5972, 6690.
Wallonie, Wallons (Belgique), 2736.
Walpiri (peuple, Australie), 682.
Warmia (région, Pologne), 4102, 4123, 5382.
Warszawa, Varsovie, 5786, 6618, 7299, 7349. - Colloque [1975], 43. - Colloque [1977], 7277. - Duché, 4116. - Juifs, 7271. - Pacte, 7452. - Soc. des Amis des Sci., 5158. - Uprising [1944], 7425.
Washington (D.C., U.S.A.), 6269, 6774, 6784, 7346.
Waterloo (Brabant, Belgique), Bataille [1815], 7076.
Weiler-la-Tour (Luxemburg), 2006.
Weimar (DDR), 533, 3285. - Klassisches W., 5251. - Republik, 3185, 3195, 3203, 3245, 3250, 3265, 3283, 3306, 3324, 4637, 4923, 4975, 6290, 6513, 6578, 6636, 6664, 6704.
West Germany, v. BRD.
Westgoten, v. Visigothi.
West India, 4330.

Wessex (anc. kingdom, England), 1950.
Western Australia (state, Australia), 3338-3347 passim, 5550, 5875, 5926, 6165, 6655, 7000-7002.
Westfalen (Landschaft, BRD), 2599, 3232, 6002, 6027, 6048. - Frieden [1648], 7028. - Herzogtum, 4424. - Königreich, 6706.
Westminster (borough, London), Chronicle, 2314.
Wichita (Kans., U.S.A.), 6126.
Wien, 3291, 6089, 6279, 6434, 7007, 7037, 7112. - Architektur, 5443. - Byzantinist. Kongreß [1981], 242, 2127.
Wiener Neustadt (N.-Ö., Österreich), 48.
Wight (isle, Hants., England), 2361, 3067.
Wilno, v. Vil'nius.
Wilsnack, v. Bad Wilsnack.
Winchester (Southampton, England), College, 2753.
Wisconsin (state, U.S.A.), 3536.
Wissembourg (Bas-Rhin, France), 5500.
Wittenberg, Lutherstadt W., (Halle, DDR), 4700.
Witwatersrand (mounts, S. Africa), 6897.
Wolga, v. Volga.
Worcester (England), Porcelain, 5498.
Wrocław, Breslau (Pologne), 79, 2446. - Diocèse, 1034. - Drucke, 299. - Ossolineum, 4397.
Württemberg (Landschaft, BRD), 3258, 3265, 4624, 5796, 5818, 6187.
Würzburg (Bayern, BRD), 80. - Bistum, 2967.
Wyoming (state, U.S.A.), 4686.

X

Xanthos (auj. Kinik, Turquie), 1626.

Y

Yakutia, v. Jakutija.
Yale University (New Haven, Conn., U.S.A.), 4871.
Yalta, v. Jalta.

Yan'an (Shaanxi, Chine), 7653.
Yanbu al Bahr (Saudi Arabia), 7552.
Yatenga (rég., Haute-Volta), 658.
Yazilikaya (Turquie), Panthéon hittite, 1369.
Yémen (rég., Arabie), 1275.
Yorktown (Va., U.S.A.), Battle [1781], 6912, 6926.
Yortan Tepe (Turkey), Bronze Age cemetery, 1191
Yucatán (península y estado, México), 4418, 6436, 6769, 6930.
Yukon River (N. America), 3379.
Yunnan (prov., Chine), 7651.

Z

Zabern, v. Saverne.
Żagań (Pologne), 7306.
Zaïre (Rép.), 4324, 6867, 7717.
Zakarpatsaja oblast', Transcarpathian oblast (Ukraine, U.S.S.R.), 850.
Zakavkaz'e, Transcaucasie (rég., U.R.S.S.), 5959, 7557.
Zakros (Crète, Grèce), Palais minoen, 1621.
Zalalövő (Zala, Hongrie), 1996.
Zambia, 343, 5798, 7717.
Zaraf Valley (Rep. of the Sudan), 6860.
Zaragoza (España), 1016.
Zhejiang (prov., Chine), 7684.
Zimbabwe (Rep.), 4325, 4326, 6862.
Zittau (DDR), Drucke, 299.
Zürich (Stadt, Schweiz), 934. - Congrès de la 2e Internationale [1893], 6484.
Zürich (Kanton, Schweiz), 4178, 4560, 5622, 6020, 6464, 6629, 6684.
Zug (Kanton, Schweiz), 4177, 5622.
Zululand (South Africa), 7726.
Zwickau (Karl-Marx-Stadt, DDR), Drucke, 299.

British Biographical Archive

A one-alphabet cumulation of 324 of the most important English-language biographical reference works originally published between 1601 and 1929.

1984–87. Ca. 1320 fiches in 12 instalments. Factor 24X. Pre-payment prices (requiring payment on receipt of first instalment):
Silver edition: DM 19,800
Diazo edition: DM 18,000
Instalment prices: (requiring payment on receipt of each instalment):
Silver edition: DM 2,000
Diazo edition: DM 1,800
ISBN 3-598-30466-8 (silver)
      3-598-30465-X (diazo)

British Biographical Index

An Index to the British Biographical Archive

1988. 4 volumes, ca. 1,600 pages. Bound.
Free for purchasers of the micro edition,
Ca. DM 960.00. ISBN 3-598-30493-5

"The British Biographical Archive has a fair claim to being the most important work of biographical reference to appear since the first publication of the DBN in 1885." — A. L. Rowse

"... a new and valuable instrument of twentieth century scholarschip." — Michael Holroyd

K·G·Saur München·London·New York·Oxford·Paris

K·G·Saur Verlag KG · Postfach 71 10 09 · 8000 München 71 · Tel. (0 89) 7 91 04-0
K·G·Saur Ltd. · Shropshire House · 2-10 Capper Street · London WC 1E 6JA · Tel. 01-637-1571
K·G·Saur Inc. · 175 Fifth Avenue · New York, N.Y.10010 · Tel. (212) 982-1302
Hans Zell Publ. · An imprint of K·G·Saur Ltd. · P.O.B. 56 · Oxford OX1 3EL
K·G·Saur, Editeur SARL. · 6, rue de la Sorbonne · 75005 Paris · Téléphone 354 47 57

American Biographical Archive

A single-alphabet cumulation of nearly 400 original biographical reference works in approximately 600 volumes covering 250,000 individuals from the earliest period of American history through to the early twentieth century.

1986–88. Ca. 1,500 fiches in 12 instalments. Factor 24X. Pre-payment prices (requiring payment on receipt of first instalment) valid until 30.9.1986:
Silver edition: DM 18,000
Diazo edition: DM 15,600
Instalment prices (requiring payment on receipt of each instalment):
Silver edition: DM 1,800
Diazo edition: DM 1,560
ISBN 3-598-30951-1 (silver)
      3-598-30950-3 (diazo)

American Biographical Index

An index to the American Biographical Archive

1989. 4 volumes, ca. 600 pages each. Bound.
Free for purchasers of the micro edition,
Ca. DM 960.00
ISBN 3-598-30945-7

K·G·Saur München·London·New York·Oxford·Paris

K·G·Saur Verlag KG · Postfach 71 10 09 · 8000 München 71 · Tel. (0 89) 7 91 04-0
K·G·Saur Ltd. · Shropshire House · 2-10 Capper Street · London WC 1E 6JA · Tel. 01-637-1571
K·G·Saur Inc. · 175 Fifth Avenue · New York, N.Y. 10010 · Tel. (212) 982-1302
Hans Zell Publ. · An imprint of K·G·Saur Ltd. · P.O.B. 56 · Oxford OX1 3EL
K·G·Saur, Editeur SARL. · 6, rue de la Sorbonne · 75005 Paris · Téléphone 354 47 57

German Biographical Archive

Deutsches Biographisches Archiv
A one-alphabet cumulation of 263 of the most important German language biographical reference works published through the end of the 19th century.

Edited by Bernhard Fabian
Compiled under the direction of Willi Gorzny
1982–85. 1,450 fiches in 10 instalments.
Factor 24 X
Silver edition: DM 22,000
Diazo edition: DM 19,800
ISBN 3-598-30421-8 (silver)
   3-598-30410-2 (diazo)

German Biographical Index

Deutscher Biographischer Index

Edited by Willi Gorzny
Compiled by Uta Koch and Hans Albrecht Koch
1986. 4 volumes, ca. 2,300 pages. Bound.
Free for purchasers of the micro edition,
DM 960.00 ISBN 3-598-30432-3

K·G·Saur München·London·New York·Oxford·Paris

K·G·Saur Verlag KG · Postfach 71 10 09 · 8000 München 71 · Tel. (0 89) 7 91 04-0
K·G·Saur Ltd. · Shropshire House · 2-10 Capper Street · London WC 1E 6JA · Tel. 01-637-1571
K·G·Saur Inc. · 175 Fifth Avenue · New York, N.Y.10010 · Tel (212) 982-1302
Hans Zell Publ. · An imprint of K·G·Saur Ltd. · P.O.B. 56 · Oxford OX1 3EL
K·G·Saur, Editeur SARL. · 6, rue de la Sorbonne · 75005 Paris · Téléphone 354 47 57

Ref Z 6205 I 61 v.51 1982